D1249382

**Assistants**
Jacqui Bailey

Jennifer Justice
Yvonne Messenger

Angela Wilkinson
Isabelle Paton

**Ont également participé à cet ouvrage :**

David Lambert
David Heidenstam
Catherine Dell
Markie Robson-Scott
Christopher Maynard

Keith Lye
Keith Wicks
Andrew Kershaw
Stefanie Harwood
Christine King


Édition du Club France Loisirs, Paris,
avec l'autorisation des Éditions G.P.
ISBN 2-7242-2063-3
Éditeur nº 9292

Imprimé au Portugal par Printer Portuguesa, Indústria Gráfica, Lda.

# LA NOUVELLE ENCYCLOPÉDIE DES JEUNES

**Conception**
John Paton

**Traduction**
Odile Ricklin

FRANCE LOISIRS
123, boulevard de Grenelle, Paris

# PRÉFACE

L'ÉQUIPE qui a réalisé cette encyclopédie s'est donné comme but primordial de produire un ouvrage accessible à TOUS et ne comportant ni rubriques ni développements trop techniques, souvent obscurs pour le profane.

L'accessibilité des rubriques constituait un autre souci des rédacteurs, de sorte que la présentation alphabétique s'imposait. Toujours dans un souci de clarté, il fut décidé de diviser certaines rubriques en deux. C'est pourquoi le lecteur découvrira à la fin de certains articles de définition un triangle évidé ▷ le renvoyant à une rubrique annexe, figurant en marge, où il pourra prendre connaissance d'informations complémentaires ou de détails curieux concernant le sujet traité.

# LA NOUVELLE ENCYCLOPÉDIE DES JEUNES

Une place importante a été accordée dans la Nouvelle Encyclopédie aux illustrations. Photographies, schémas et cartes ont été choisis pour ajouter la dimension visuelle à l'information.

Le lecteur notera également les renvois figurant en PETITES CAPITALES à l'intérieur ou à la fin des rubriques — renvois qui lui permettront de préciser et d'élargir sa connaissance dans un domaine donné. Enfin cet ouvrage a été doté d'un appendice dans lequel le lecteur pourra prendre connaissance d'un certain nombre d'informations complémentaires.

Nous espérons avoir atteint notre but, et que cette Encyclopédie sera, pour tous les lecteurs, une source d'enrichissement et de plaisir.

L'Éditeur

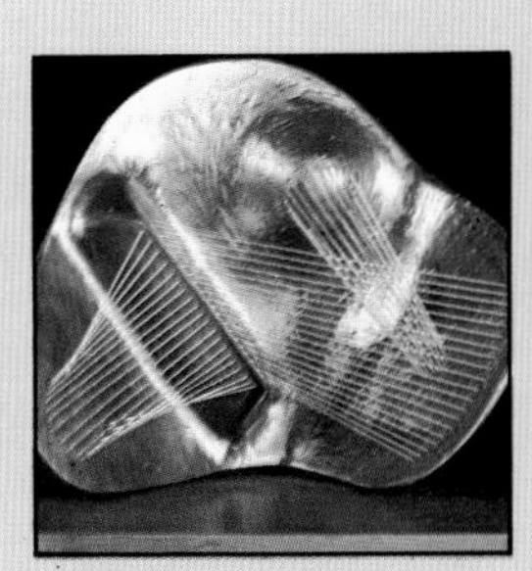

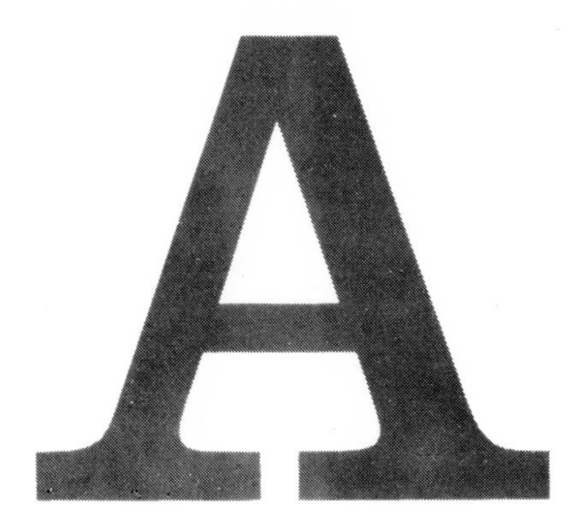


◄ *Aborigènes de Nouvelle-Guinée. Les lointains ancêtres de ce peuple furent les premiers occupants de l'île de Nouvelle-Guinée qui, il y a huit mille ans encore, était rattachée à l'Australie. Les indigènes de Nouvelle-Guinée et d'Australie présentent des caractéristiques physiques communes : ils appartiennent à l'ensemble australo-mélanésoïque, rameau océanien des races noires.*
*En Nouvelle-Calédonie, on appelle les aborigènes des Canaques.*

**ABEILLE** Insecte ailé appartenant au même groupe que les fourmis et les guêpes. Les abeilles se nourrissent de POLLEN et de nectar qu'elles recueillent sur les fleurs ; en transportant le pollen d'une fleur à l'autre, elles participent à la reproduction des végétaux (pollinisation). A partir du nectar, elles fabriquent du MIEL.

La plupart des abeilles sont solitaires, mais certaines espèces sont sociales ; elles vivent en colonies dans lesquelles elles remplissent des fonctions bien déterminées. La reine se contente de pondre. Les autres — jusqu'à 60 000 — sont pour la plupart des femelles stériles, ou « ouvrières », dont le rôle est de construire et d'entretenir le nid, de fabriquer le miel et d'élever les jeunes. La colonie compte aussi quelques mâles — les faux bourdons — dont l'unique tâche consiste à s'accoupler avec la reine. Parmi les abeilles sociales, on compte l'abeille domestique que l'on élève dans les ruches et plusieurs espèces de bourdons.

**LES ABEILLES**

Quand elles ont repéré une source de nectar, les ouvrières annoncent la nouvelle à leurs congénères par l'intermédiaire d'une « danse » qu'elles exécutent devant les rayons de miel. Plus la source est éloignée, plus la danse est rapide. L'orientation de la boucle décrite indique la direction de la source par rapport au soleil (verticale, par exemple, si la source se trouve dans la direction du soleil).

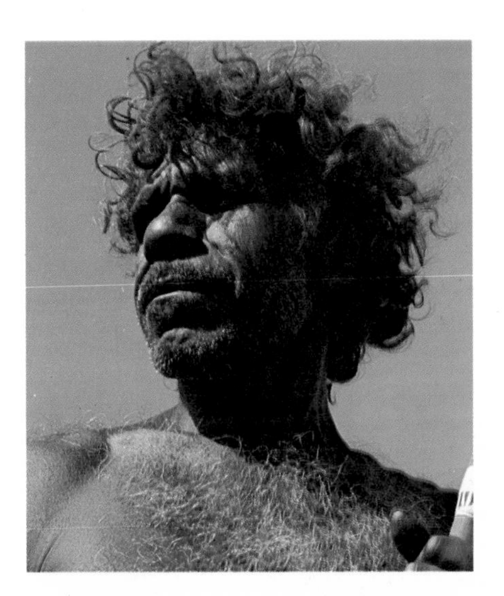

▲ *Les aborigènes d'Australie étaient des nomades. Aujourd'hui, ils possèdent, dans certaines régions, le contrôle de leur territoire.*

**ABORIGÈNE** Nom donné aux premiers habitants connus d'un pays. De nos jours, surtout employé pour désigner les indigènes d'AUSTRALIE et des régions du Pacifique-Sud. ◁

**ABRAHAM** Ancêtre du peuple juif selon la tradition biblique (v. 1850 av. J.-C.). L'histoire d'Abraham est amplement racontée dans le livre de la Genèse (Bible).

**ABRASIF** Toute matière utilisée pour user, lisser et polir une autre matière. Pour la fabrication des meules, par exemple, on utilise un abrasif artificiel très dur, le carborundum (carbure de silicium). Pour le polissage des métaux précieux, les bijoutiers emploient des abrasifs plus tendres, comme l'oxyde ferrique.

**ABYSSE** Grande profondeur de l'océan (au-dessous de 2 000 m). A cette profondeur, la lumière ne pénètre pas et la pression est très importante. Les poissons abyssaux sont particuliers. Certains ont d'énormes yeux, d'autres en sont dépourvus, d'autres encore sont équipés d'organes lumineux. Chez la plupart de ces poissons, mâchoires et dents sont très développés ; certains, comme la baudroie abyssale, possèdent sur la tête une « canne à pêche » avec laquelle ils appâtent leur proie. ▷

**ACACIA** Genre de plante légumineuse des régions subtropicales et tempérées chaudes. Sur 600 espèces, l'Australie en compte 300. Dans ce dernier pays, les branches d'acacia servent à recouvrir les toits et à fabriquer les haies, ce qui explique que les fleurs jaune doré de cet arbre figurent sur les armoiries de l'Australie. Dans le midi de la France, les rameaux fleuris de quelques espèces sont commercialisés sous le nom de mimosa.

**ACADÉMIE FRANÇAISE** La plus ancienne des sociétés littéraires et savantes, fondée par le cardinal de Richelieu, ministre de Louis XIII, en 1634. Elle forme, avec les académies des Inscriptions et Belles-Lettres, des Sciences, des Beaux-Arts, des Sciences morales et politiques, l'Institut de France.

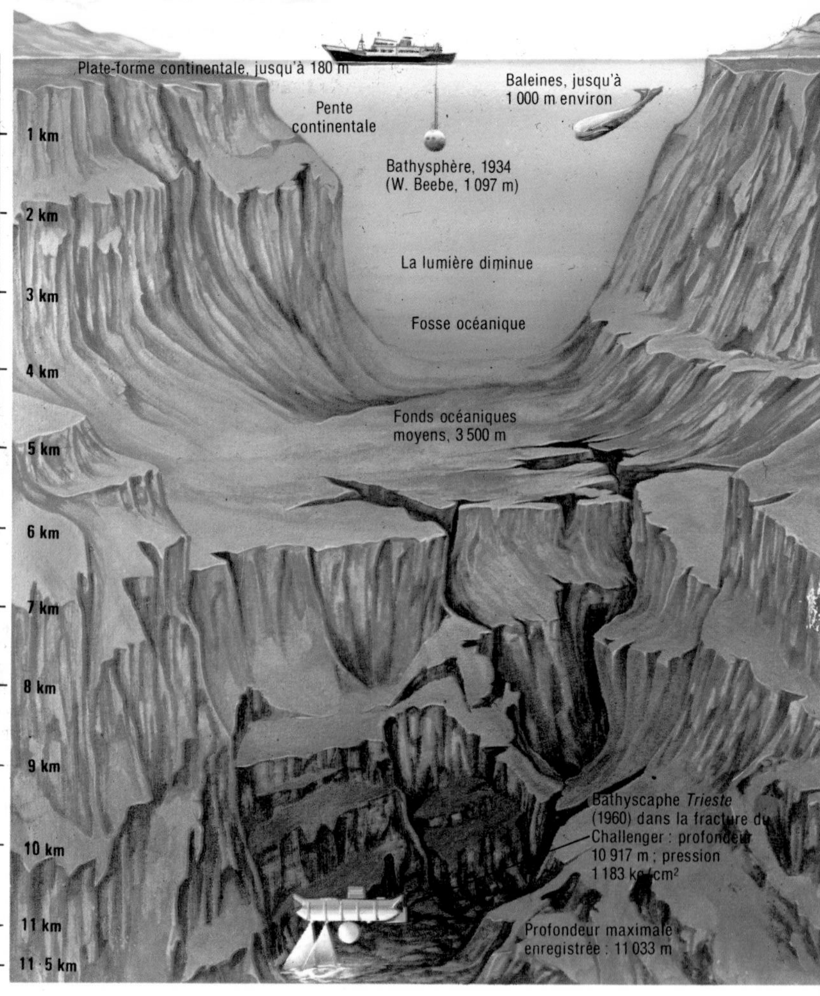


▲ *Certaines fractures ouvertes dans le fond des océans peuvent atteindre jusqu'à 11 km de profondeur.*

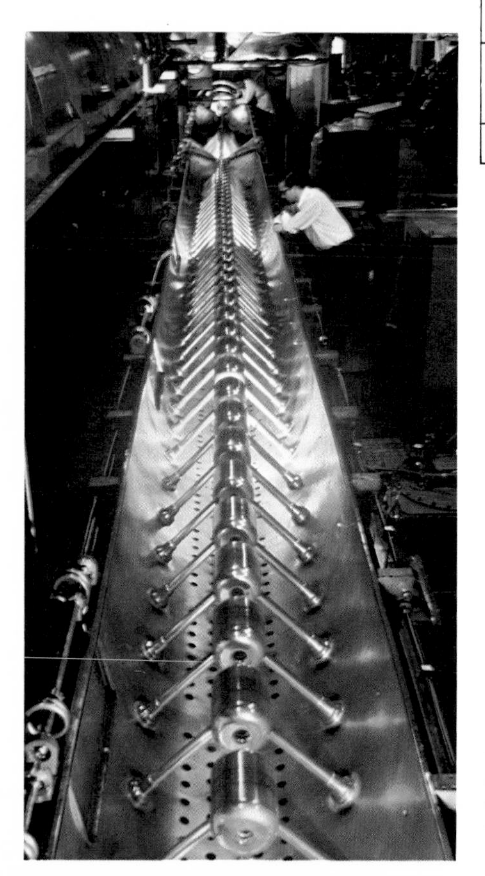

◂ *Dans un accélérateur linéaire, les faisceaux de particules passent par des trous au centre de tubes. Les particules sont accélérées par de puissants champs électriques, jusqu'à ce qu'elles frappent les atomes de la cible et les brisent.*

**ACAJOU** Petit arbre des régions tropicales d'Afrique et d'Amérique. Son beau bois dur et rougeâtre, facile à polir, est très prisé en ébénisterie.

**ACARIEN** Arachnide microscopique. Nombre d'acariens (gale, aoûtat, tique) vivent en PARASITES sur plantes ou animaux, disséminant les maladies et endommageant les cultures.

**ACCÉLÉRATEUR (DE PARTICULES)** Pour étudier la structure des ATOMES, les chercheurs en physique nucléaire utilisent des machines appelées accélérateurs de particules. Dans ces machines, les minuscules particules constituant les atomes sont accélérées puis déviées vers une cible. Elles peuvent rom-

ABYSSE La plus grande profondeur répertoriée à ce jour est située dans la partie occidentale du Pacifique ; c'est la fracture du Challenger (11 033 m), qui s'ouvre dans la fosse des Mariannes. En 1960, dans cette zone, le bathyscaphe américain *Trieste* descendit jusqu'à 10 912 m de profondeur; il lui fallut cinq heures pour atteindre le fond.

Un poids important lâché de la surface au-dessus de la fracture du Challenger mettrait une heure pour atteindre le fond.

De vastes zones du fond océanique — soit 130 millions de km² — sont recouvertes par ce qu'on appelle de l'argile rouge. Cette argile se dépose très lentement, au point que certaines dents de requin trouvées à sa surface ont été identifiées comme appartenant à des espèces disparues depuis des milliers d'années.

ACIDE Certains animaux et végétaux utilisent des acides comme moyen de défense. Quand elle pique, l'abeille ou la fourmi injecte un acide sous la peau. Les feuilles d'ortie sont couvertes de poils fins qui, eux aussi, pénètrent dans la peau et y injectent un acide. Les feuilles de rhubarbe contiennent un acide toxique : l'acide oxalique.

L'acide chlorhydrique contenu dans l'estomac humain est suffisamment puissant pour ronger le fer. S'il n'attaque pas la paroi, c'est que l'estomac est tapissé d'une pellicule de mucus protecteur. Dans le cas où l'acide parvient à atteindre la paroi stomacale, il provoque un ulcère.

L'acide sulfurique est un produit chimique de première importance. On l'utilise principalement dans la fabrication des engrais et dans l'industrie sidérurgique. Les batteries de voiture contiennent de l'acide sulfurique dilué.

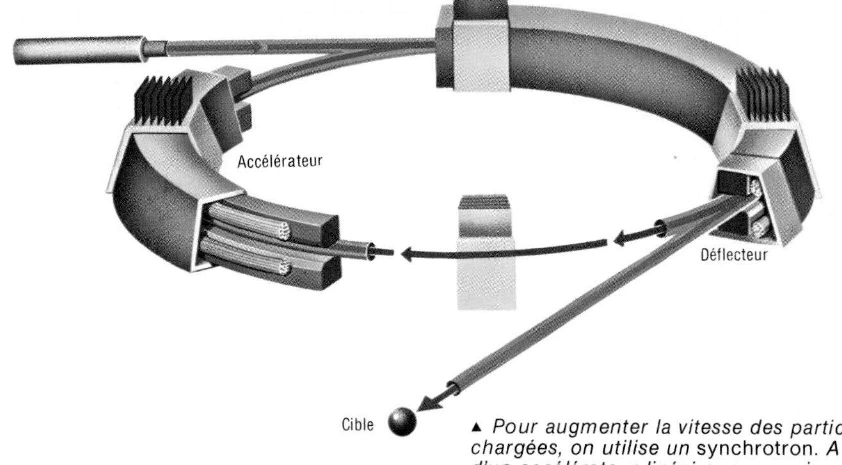


▲ *Pour augmenter la vitesse des particules chargées, on utilise un* synchrotron. *A partir d'un accélérateur linéaire, on envoie un faisceau de particules dans le synchrotron, constitué d'un tube circulaire entouré de puissants aimants. Les particules tournent en rond dans le tube et y sont progressivement accélérées. Les aimants maintiennent le faisceau dans le tube puis, au moment voulu, les dévient vers la cible.*

pre le noyau des atomes de la cible (fission atomique) ou se joindre à ces atomes pour former des atomes plus gros (fusion atomique). Au cours de l'accélération, les particules circulent dans un tube rectiligne ou spiral qui peut atteindre 3 km de long. (Voir ÉNERGIE NUCLÉAIRE)

**ACCÉLÉRATION** Dans la vie quotidienne, on emploie le terme accélération pour décrire l'augmentation de vitesse d'un corps en mouvement. Scientifiquement, l'accélération se définit comme une variation de la VITESSE par unité de temps, cette notion tenant compte de la *direction* du déplacement. En conséquence, si un corps se déplaçant dans une certaine direction à une vitesse constante change de direction, on dira qu'il a accéléré dans la nouvelle direction. Par exemple, quelqu'un qui marcherait vers le nord et tournerait à gauche à un moment donné serait décrit comme ayant accéléré dans la direction ouest et ayant perdu de l'accélération dans la direction nord.

**ACHILLE** Héros légendaire de la guerre de Troie dans l'*Iliade*, le poème épique grec attribué à HOMÈRE. Selon la légende, Achille périt d'une blessure au talon, son unique point vulnérable. (Voir TROIE)

**ACIDE** Le goût piquant caractéristique du vinaigre et du jus de citron est dû à la présence dans ces produits de substances chimiques appelées acides. Dans le cas du vinaigre et du citron, les acides faibles et dilués qu'ils contiennent ne sont pas nocifs pour l'homme. Certains acides, comme le suc digestif contenu dans l'estomac, sont mêmes indispensables pour que l'organisme puisse assimiler les protéines contenues dans la nourriture. Ces protéines sont transformées en divers *acides aminés* sans lesquels nous ne pourrions pas vivre. Une protéine peut contenir jusqu'à 21 acides aminés différents. L'organisme humain ne peut produire tous les acides aminés qui lui sont nécessaires. Huit d'entre eux doivent lui être apportés par les aliments qui sont décomposés au cours de la DIGESTION. Ils se regroupent alors pour former de nouvelles protéines.

Certains acides — CHLORHYDRIQUE, NITRIQUE ou SULFURIQUE — concentrés sont des liquides corrosifs dangereux qui brûlent la peau ou les vêtements. Les acides rougissent le papier de tournesol. ◁

**ACIER** FER contenant jusqu'à 1,5 % de carbone, sous forme de carbure de fer ou *cémentite.* Ajouter du carbone au fer augmente la résistance et la dureté du métal ; ces qualités sont obtenues grâce à un procédé calorifique : l'aciérage. Pour obtenir de l'acier, on commence par éliminer du fer en fusion (fonte) le carbone et les impuretés, après quoi on ajoute une proportion déterminée de carbone. L'acier inoxydable et autres ALLIAGES d'acier s'obtiennent en ajoutant d'autres métaux comme le CHROME, le MANGANÈSE ou le TUNGSTÈNE.

◂ *Pièce d'acier émergeant du four à recuire. Le recuit est une forme de traitement calorifique destinée à rendre l'acier plus malléable et moins cassant.*

▲ *Laminoir automatique permettant d'obtenir des plaques d'acier. Un bloc d'acier chauffé au rouge se présente à l'une des extrémités du laminoir ; il est progressivement aminci par une série de rouleaux.*

**ACNÉ** Affection causée par l'inflammation des follicules pileux et des glandes sébacées, et qui se traduit sur le visage par des éruptions cutanées. Très courante au cours de l'adolescence — entre 14 et 20 ans, période pendant laquelle l'organisme subit de profonds bouleversements glandulaires —, cette affection est alors appelée *acné juvénile ;* de fréquents nettoyages de la peau peuvent diminuer ses manifestations.

**AÇORES (LES)** Ensemble de neuf îles portugaises situées dans l'Atlantique, à 1 200 km à l'ouest du Portugal. Les Açores ont acquis, en 1980, une autonomie partielle. Population : 258 000 hab. Capitale : Ponta Delgada. ▷

**ACOUSTIQUE** C'est l'étude du SON. On dit qu'une salle de classe a une mauvaise acoustique si la voix du professeur résonne au point d'en être inaudible. Les acousticiens (spécialistes de l'acoustique) s'intéressent aux problèmes d'*isolation* sonore et de *propagation* du son. L'isolation est destinée à éviter que le son ne s'échappe d'une pièce ou n'y rentre. Dans un studio d'enregistrement, par exemple, les bruits de l'extérieur pourraient gâcher la prise de son et, à l'inverse, la musique d'un groupe pop en train d'enregistrer pourrait gêner le voisinage. Pour améliorer l'isolation sonore, on utilise des doubles parois, des plafonds suspendus ou des planchers montés sur des matériaux élastiques : on élimine ainsi les séparations rigides entre le studio et l'extérieur, de sorte que le son se transmet beaucoup plus difficilement. On parvient à donner à une pièce l'acoustique voulue grâce à des matériaux et des dispositifs choisis selon leur pouvoir d'absorption ou de répercussion du son.

**ACUPUNCTURE ou ACUPONCTURE** Développée par les Chinois il y a cinq mille ans environ, cette méthode de traitement médical consiste à introduire de fines aiguilles dans des points précis du corps. Aujourd'hui, elle est assez couramment employée pour le traitement de maux tels que migraines, asthme et arthrite.

**ADAPTATION** Processus par lequel les animaux et les plantes s'ajustent à leur environnement. L'adaptation s'opère sur une longue période — évaluable en milliers d'années — et participe à l'ÉVOLUTION d'une espèce donnée : par exemple, les poissons ont développé des branchies pour respirer sous l'eau, les hiboux de gros yeux ronds pour y voir la nuit. Le climat et la nourriture sont les principaux facteurs d'adaptation. Ainsi les cactus survivent-ils dans les déserts brûlants grâce à leur tige transformée en réservoir d'eau ; les girafes, elles, ont développé un long cou afin d'atteindre les feuilles des branches hautes pour les manger. L'adaptation est un processus continu : de nombreux insectes, par exemple, ont acquis une grande résistance aux pesticides et sont immunisés contre les produits chimiques. ▷

▸ *Ce cierge géant* (Carnegiea gigantea) *pousse dans les déserts américains. Il s'est adapté à la sécheresse et à la chaleur du milieu en emmagasinant l'eau qui lui est nécessaire dans ses tiges épaisses.*

▾ *Les ruines du théâtre de Delphes, construit au IVe siècle av. J.-C. Les théâtres antiques comme celui-ci avaient une excellente acoustique. Le public était assis sur les gradins de pierre disposés en arc de cercle autour de la scène. Les voix des acteurs portaient bien, même jusqu'aux derniers gradins.*

LES AÇORES : DONNÉES
Superficie : 2 390 m².
Point culminant : mt Pico (2 320 m), situé sur l'île de Pico. Les Açores s'étendent sur 640 km de long environ et ne se trouvent qu'à quelque 2 092 km du cap Grace (Terre-Neuve).

ADAPTATION Certaines plantes désertiques se sont adaptées à la sécheresse prolongée en émettant de longues racines qui leur permettent d'atteindre l'eau profondément enfouie dans le sol ; les racines des *prosopis*, par exemple, peuvent dépasser 30 m.

Depuis plus de cent cinquante millions d'années, les fleurs et les insectes se sont adaptés côte à côte, au point que la pollinisation de certaines espèces de fleurs ne peut être réalisée que par un type précis d'insecte. Certaines orchidées, par exemple, ont des fleurs qui ressemblent étonnamment à des insectes : le mâle de l'espèce d'insecte correspondante essaie de s'accoupler avec la fleur et, ce faisant, récolte le pollen qui est ainsi transporté sur la fleur suivante.

**ADHÉSIF** Les colles, les gommes, les ciments et autres substances servant à assembler deux surfaces font partie des adhésifs. Pendant des siècles, l'homme a utilisé des adhésifs d'origine animale ou végétale. La colle de poisson, par exemple, est obtenue à partir de têtes et d'arêtes de poissons que l'on a fait bouillir. La gomme arabique, elle, est produite à partir de certains types d'acacia : les gommiers. La gomme s'écoule naturellement de l'écorce, mais, pour obtenir un meilleur rendement, on pratique des incisions dans celle-ci. De grands progrès ont été réalisés récemment dans la mise au point d'adhésifs synthétiques. Les adhésifs époxy, par exemple, sont aujourd'hui utilisés en aéronautique à la place de rivets. ▷

**ADJECTIF** En grammaire, mot que l'on adjoint à un nom pour en préciser ou en modifier le sens ; il peut être placé immédiatement avant ou après le nom (l'eau *froide,* un *chaud* soleil), ou en être séparé par les verbes être, sembler, paraître, devenir (l'eau est *froide*) ; les adjectifs peuvent être employés au comparatif (plus *froid,* moins *froid,* aussi *froid*) ou au superlatif (très *froid,* le plus *froid*).

**A.D.N.** Abréviation d'acide désoxyribonucléique. C'est le constituant principal des CHROMOSOMES que l'on trouve dans le noyau de toute CELLULE vivante. Les molécules d'A.D.N. sont disposées en spirale sur deux bandes. Ces bandes d'A.D.N. régissent l'HÉRÉDITÉ des animaux et des végétaux : lors des divisions cellulaires, elles assurent la transmission correcte de l'information héréditaire aux nouvelles cellules. ▷

**ADOLESCENCE** Période au cours de laquelle un être humain passe de l'enfance à l'âge adulte. Le début de l'adolescence se situe généralement vers 12 ou 13 ans, âge auquel les organes reproducteurs commencent à être aptes à fonctionner. C'est l'époque où la voix des garçons mue, où la poitrine des filles se gonfle et où les poils pubiens poussent chez les deux sexes. Pour beaucoup de jeunes gens, l'adolescence est souvent une période de profonds bouleversements physiologiques et affectifs, car il n'est pas toujours aisé de passer d'un état de totale dépendance vis-à-vis de ses parents à l'indépendance de l'âge adulte. C'est aussi l'époque où la soif d'expériences comme celles de l'alcool, des relations sexuelles ou de la drogue peut conduire à des conflits entre l'adolescent et la société, représentée, par exemple, par les parents ou l'école.

**ADONIS** Dans la mythologie grecque, jeune homme célèbre pour sa beauté et aimé de la déesse Aphrodite (VÉNUS). ▷

▲ *Le pouvoir adhésif de la résine époxy est presque légendaire. Sur la photo ci-dessus, ce sont les deux pièces métalliques encadrées d'un trait qui soutiennent le camion de dix tonnes ; ces deux pièces ont été collées.*

**ADRIATIQUE (MER)** Bras de la MÉDITERRANÉE compris entre l'Italie, la Yougoslavie et l'Albanie et couvrant une superficie de 155 400 km². Les côtes de l'Adriatique sont une importante région touristique.

**ADVERBE** En grammaire, mot que l'on adjoint au verbe pour en préciser ou en modifier le sens (il parle *peu*). Il peut aussi modifier un adjectif ou un autre adverbe. Certains adjectifs peuvent être employés comme adverbes (il parle *fort*), et certains adverbes sont formés à partir de l'adjectif correspondant auquel on ajoute *ement* : fort, *fortement.* C'est le cas le plus fréquent. Lorsqu'il y a doublement du *m* précédé de la lettre *a* ou *e,* on tiendra compte de l'adjectif d'où il est tiré : éloquent, *éloquemment,* puissant, *puissamment.*

**AÉRODYNAMIQUE** Étude des mouvements de l'air par rapport à un objet solide. Dans certains cas, l'air passe sur une structure fixe, comme un pont ou un immeuble. Dans d'autres cas, il s'agit d'un objet en déplacement comme une voiture ou un avion. Un objet a une forme aérodynamique lorsque l'air glisse sur lui en créant un minimum de turbulences. L'aérodynamisme des formes est très important pour les véhicules rapides qui doivent offrir le moins de résistance possible à l'air. Par exemple, c'est le profil aérodynamique des ailes d'un AVION qui lui permet de voler. ▷

ADHÉSIF Le monde de demain pourra peut-être se passer totalement de vis et de clous. Quelques gouttes d'un adhésif plastique suffiront à coller, et pour longtemps, n'importe quelle surface, et on peut imaginer des maisons ou des voitures entièrement assemblées à l'aide de colles synthétiques.

Pour qu'un adhésif remplisse parfaitement son rôle, la surface sur laquelle on l'applique doit être propre, dépourvue d'humidité et de graisse : une simple empreinte de doigt nuirait à une bonne adhérence.

A.D.N. On a estimé que, mis bout à bout, l'A.D.N. d'une seule cellule humaine formerait une chaîne de près d'un mètre de long et recèlerait environ six millions d'unités d'information.

ADONIS Selon la légende grecque, Adonis était aimé à la fois par Aphrodite et par Perséphone. Perséphone s'empara de lui et refusa de le relâcher. Aphrodite fit alors appel au jugement de Zeus, le dieu suprême, qui décréta qu'Adonis passerait désormais la moitié de l'année avec Aphrodite et l'autre moitié avec Perséphone. L'histoire raconte qu'Adonis ayant été tué à la chasse par un sanglier, Aphrodite s'agenouilla près de son corps et que, là où tombèrent ses larmes, des anémones surgirent du sol.

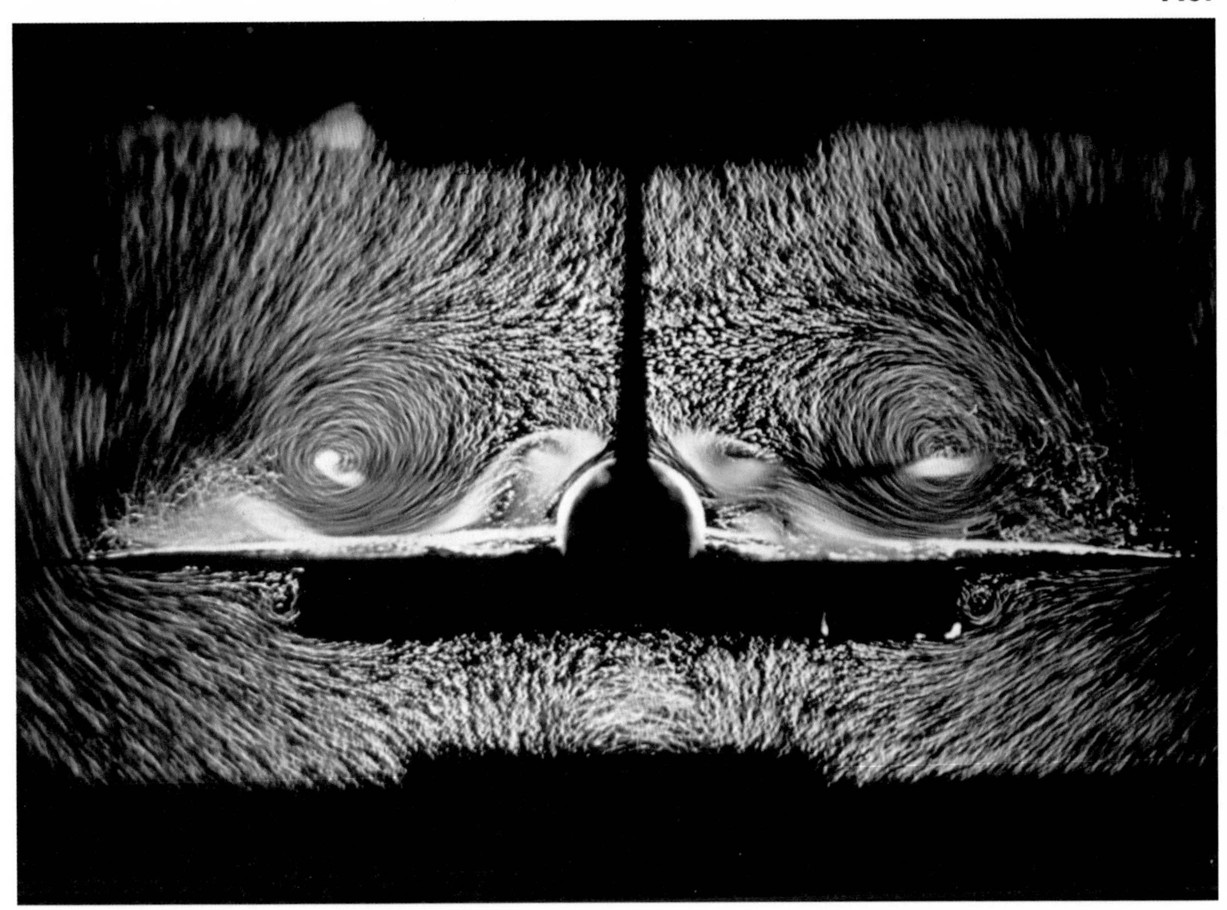

AÉRODYNAMIQUE Une bonne part de la recherche en aérodynamique s'effectue en soufflerie. Les souffleries ont existé avant les avions. En 1871, J. Browning et F. Wenham avaient mis au point un dispositif dans lequel un ventilateur actionné par la vapeur soufflait de l'air à l'intérieur d'un tunnel où était fixée la maquette à tester. Aujourd'hui, le principe reste le même mais les souffleries sont plus complexes. Elles peuvent produire de l'air soufflant à 30 000 km/h et simuler différents types de conditions atmosphériques.

AÉROGLISSEUR Mis au point simultanément en France et en Grande-Bretagne, grâce aux travaux de Jean Bertin et de Christopher Cockerell, l'aéroglisseur entre en service en 1962. L'adaptation du principe du coussin d'air au train, longtemps à l'étude, n'a pas encore abouti.

▲ *Une maquette d'avion a été installée dans une soufflerie pour tester l'aérodynamisme de ses ailes. La soufflerie permet de connaître les mouvements de l'air sur l'avion lorsque celui-ci se déplace à diverses vitesses. Les ailes de l'appareil ont été dessinées de façon à pénétrer dans l'air le plus facilement possible. En soumettant l'avion à ces tests, les ingénieurs peuvent évaluer la résistance à l'air que créeront les ailes.*

**AÉROGLISSEUR** Véhicule qui glisse à la surface de l'eau ou du sol sur un coussin d'air sous pression et qui supporte le poids du véhicule. L'air s'échappe en permanence et doit donc être continuellement remplacé. Les aéroglisseurs sont généralement équipés de jupes souples qui maintiennent en place le coussin d'air. ◁

**AÉRONAUTIQUE** C'est la force portante, ou *portance,* engendrée par le mouvement des ailes dans l'air qui permet à un avion de voler. On donne aux ailes d'avion une forme particulière — le *profil de voilure* (voir p. 14 dessin en haut à gauche) —, plane dessous et courbe dessus. La couche d'air passant sur la surface supérieure de l'aile parcourt une plus grande distance que celle qui passe sous l'aile. L'air est ainsi accéléré, ce qui crée une zone de basse pression qui « aspire » l'aile vers le haut. La portance augmente avec la vitesse de l'avion ; elle s'accroît également lorsqu'on incline légèrement les ailes vers le haut.

Un avion en vol est soumis à quatre forces. La première est la portance ; or, pour engendrer de la portance, les ailes doivent se déplacer dans l'air à une vitesse suffisamment

▼ *Dans l'industrie automobile, les ingénieurs testent l'aérodynamisme d'une nouvelle voiture en en plaçant une maquette en soufflerie. En étudiant de quelle manière l'air s'écoule autour de la voiture, on peut la profiler de façon à améliorer ses performances à grande vitesse.*

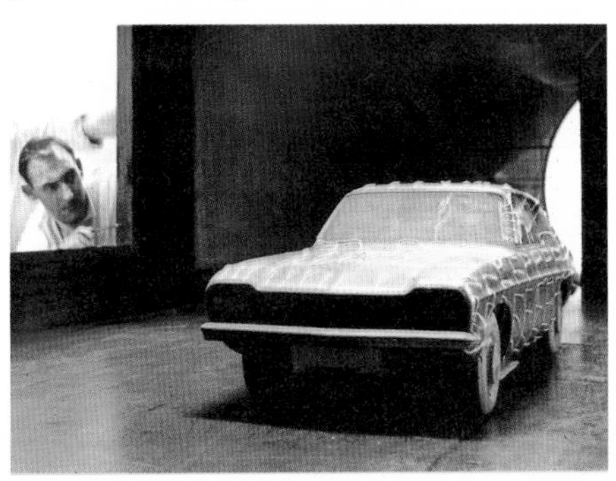

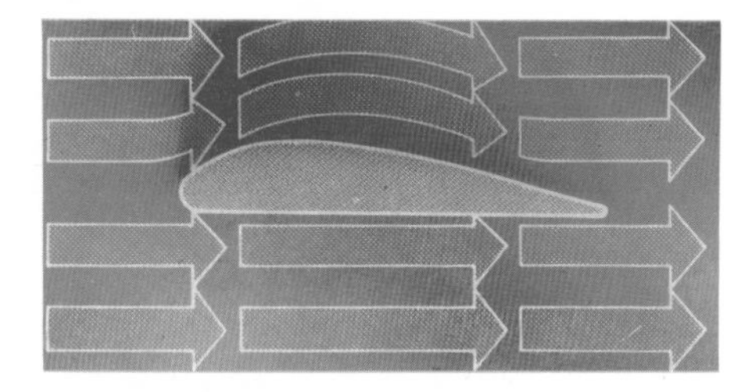

▸ *Pour diriger l'avion, le pilote dispose de deux commandes principales. Deux pédales sont reliées au palonnier qui actionne latéralement le gouvernail de direction et permet de faire tourner l'avion. Le manche à balai commande les gouvernails de profondeur et les ailerons. Le pilote utilise les gouvernails de profondeur pour contrôler l'altitude de l'appareil et les ailerons pour incliner l'avion à gauche ou à droite (pour tourner).*

élevée. L'avion doit donc être propulsé en avant par une force, la *poussée,* qui lui est fournie par un moteur à hélice ou à réaction.

A la poussée qui propulse l'avion vers l'avant s'oppose une autre force, la *traînée,* due à la résistance de l'air, qui tend à tirer l'avion vers l'arrière. La quatrième force entrant en action lorsqu'un avion vole est son propre poids. Privé de la portance produite par les ailes, l'avion s'écraserait au sol.

En l'air, le pilote doit pouvoir contrôler les mouvements de l'avion pour le faire grimper, tourner ou descendre. Il lui faut pouvoir corriger le tangage (mouvement vertical de la queue et du nez), le roulis (oscillation des ailes d'un côté sur l'autre) et l'embardée qui tend à faire tourner l'avion d'un côté ou de l'autre.

La queue d'un avion joue le même rôle que l'empennage d'une flèche : les surfaces verticales servent à réduire les oscillations verticales et la dérive empêche l'avion de se balancer de gauche à droite. L'inclinaison des ailes vers le haut et l'extérieur contrecarre le roulis. C'est ce qu'on appelle l'*angle dièdre.*

Pour situer son appareil dans l'espace, le pilote dispose de plusieurs instruments. Le plus important est l'altimètre qui indique l'altitude de l'avion ; l'anémomètre mesure la vitesse de l'appareil, le variomètre la vitesse ascensionnelle ; l'horizon artificiel permet de savoir si l'appareil est stable et horizontal. (Voir AÉRODYNAMIQUE ; AVION) ▷

**AÉROPORT** Un aéroport moderne est en quelque sorte une ville en réduction. Il comporte des installations destinées aux passagers, à l'immigration, aux douanes et aux services sanitaires, des restaurants, des bars, des boutiques, des banques, des bureaux de poste, les bureaux du trafic passagers et fret, ainsi que d'autres services indispensables au bon fonctionnement du trafic aérien.

Dans un aéroport, ce sont les pistes qui occupent la superficie la plus importante. Elles sont construites en béton pour résister

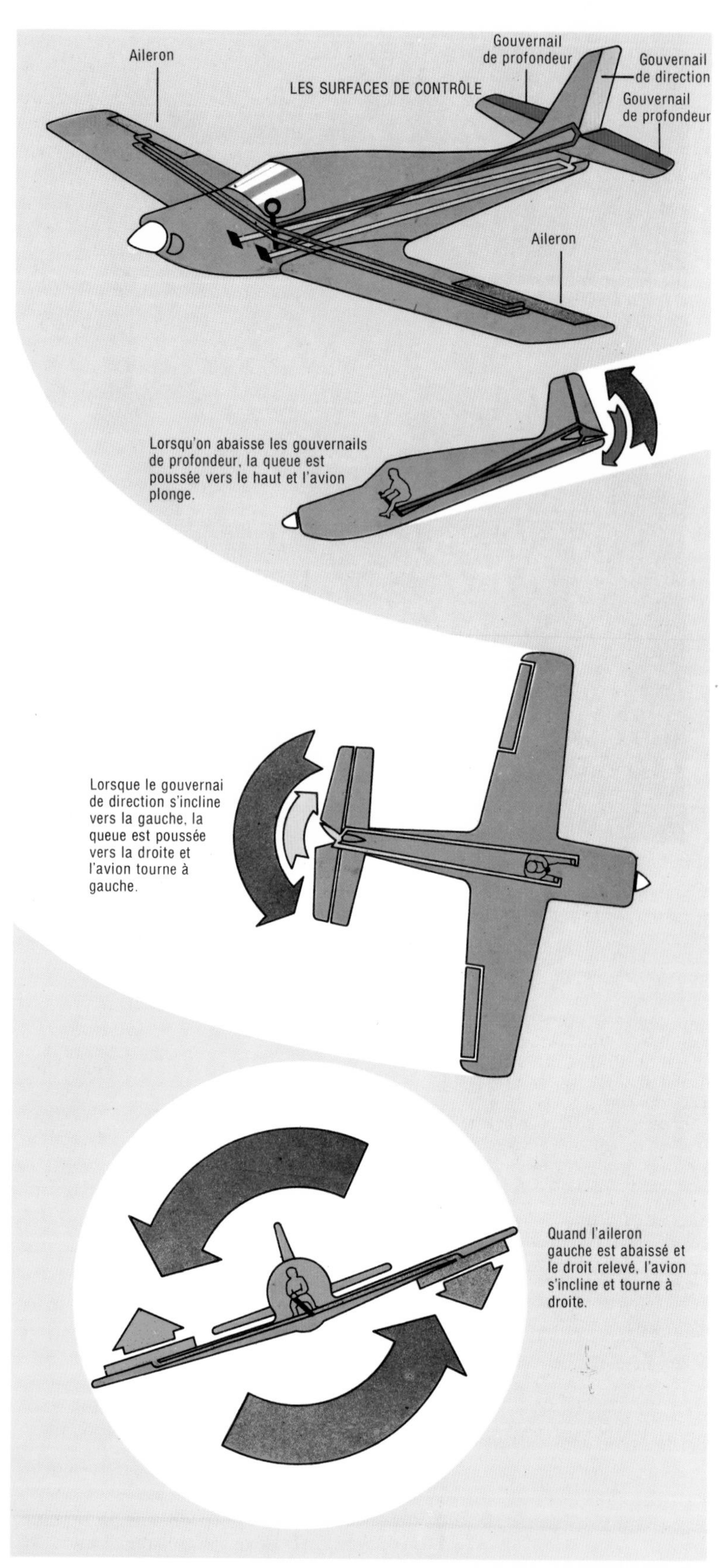

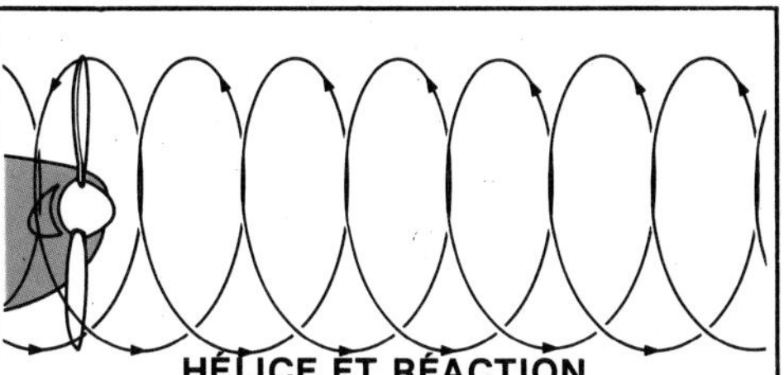

### HÉLICE ET RÉACTION

Ci-dessus, la trajectoire hélicoïdale décrite par les extrémités de l'hélice d'un moteur lorsqu'un avion est en vol. Plus l'hélice tourne vite, plus la poussée est importante.

Le moteur à réaction (ci-dessous) aspire l'air, le comprime et l'injecte dans la chambre de combustion où il brûle le carburant. Les gaz d'échappement sont puissamment expulsés par la tuyère et l'avion est poussé vers l'avant.

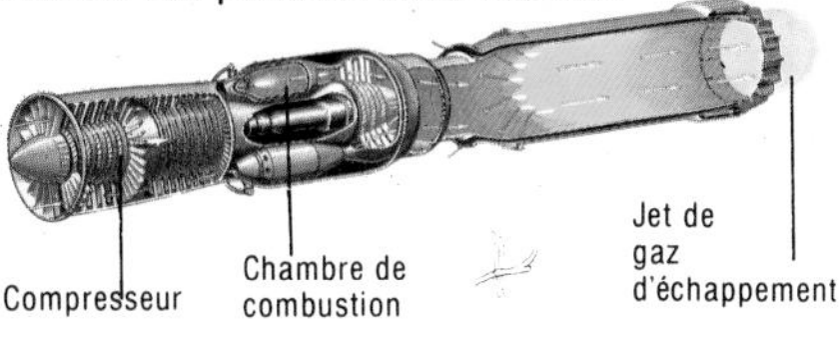

▸ *Le bord arrière (bord de fuite) de l'aile d'un avion de ligne à l'atterrissage. Les volets sont sortis et inclinés vers le bas pour augmenter la portance (par augmentation de la surface et de la courbure de l'aile) et la traînée. Cette portance supplémentaire est indispensable au maintien de l'avion en l'air à basse vitesse et l'augmentation de la traînée ralentit l'appareil. Au décollage, les volets sont partiellement sortis mais non abaissés. Les gros appareils possèdent également des volets à l'avant (bords d'attaque) des ailes. Les aérofreins sont relevés au dernier moment pour annuler la portance et augmenter encore la traînée.*

AÉRONAUTIQUE On s'imagine généralement que les oiseaux s'élèvent par leurs propres moyens et se contentent d'agiter leurs ailes pour se maintenir en l'air. En réalité, les ailes de l'oiseau jouent deux rôles distincts. Elles poussent l'oiseau en avant par une sorte de mouvement natatoire de leurs extrémités et c'est leur forme qui assure la portance.

AÉROPORT L'aéroport Charles-de-Gaulle à Roissy accueille régulièrement les appareils de plus de 70 compagnies aériennes ; du point de vue du trafic fret, il est le premier en Europe. Sa plus longue piste mesure 3,6 km et peut être portée à 4 km.

Pour le trafic global, c'est l'aéroport O'Hare de Chicago (E.-U.) qui détient le record mondial, avec quelque 38 millions de passagers par an et plus de 596 000 mouvements d'avions — soit un décollage ou un atterrissage toutes les 53 secondes.

au poids d'avions de 350 tonnes atterrissant à quelque 300 km/h. Depuis la mise en service des gros avions à réaction, la longueur des pistes a dû être considérablement augmentée — jusqu'à atteindre 3 km au moins pour la piste principale des aéroports internationaux.

La tour de contrôle constitue le centre nerveux d'un aéroport. On y trouve un équipement électronique complexe grâce auquel les techniciens spécialisés contrôlent un trafic quotidien qui se compte par centaines d'appareils. Des systèmes d'atterrissage automatique permettent de guider les avions même par très mauvais temps. ◁

▸ *Un Airbus au décollage. L'avion doit accélérer très rapidement sur la piste pour décoller sur la plus faible distance possible.*

**AÉROSOL** Un aérosol est un gaz qui contient des particules solides ou liquides. Parmi les aérosols naturels, on compte les NUAGES, la fumée et le BROUILLARD. Peintures, encaustiques, insecticides et autres sont aujourd'hui commercialisés en « bombes aérosol » dont il suffit de presser l'embout pour libérer le produit sous forme d'un fin nuage.

**AFFICHE** Feuille portant un court message écrit ou imprimé, et appliquée sur un mur pour apporter une information au public. En Grèce et à Rome, il s'agissait de courtes notes peintes directement sur les murs. En 1761, le roi Louis XV ordonna que les affiches soient fixées aux murs. Dans les années 60, les affiches décoratives furent reconnues comme une forme d'expression artistique, et aujourd'hui nombreux sont ceux qui les encadrent et en décorent appartements ou bureaux.

**AFGHANISTAN** République de l'ASIE du Sud-Ouest, l'Afghanistan comptait, en 1981, 16 363 000 habitants, pour une superficie de 647 497 km². Kaboul en est la capitale. C'est un pays largement montagneux et dont la population, principalement musulmane, est surtout composée d'agriculteurs et d'éleveurs nomades.

**AFRIKAANS** L'une des deux langues officielles (avec l'anglais) de la république d'AFRIQUE DU SUD. L'afrikaans vient du hollandais — la langue des premiers colons — et est parlé par 60 % de la population blanche.

**AFRIQUE** Continent qui se classe au second rang pour la superficie, derrière l'ASIE. Les deux tiers du continent sont situés dans les zones tropicales, d'où un climat majoritairement très chaud. Les régions peu élevées cernant l'équateur sont couvertes d'une forêt dense et humide, mais les hauts plateaux intérieurs sont relativement plus frais, et la forêt équatoriale y laisse la place à des étendues herbeuses, dominées par des pics enneigés. Plus loin de l'équateur, la densité des pluies diminue : c'est la région de la savane (étendue d'herbe parsemée d'arbres). En s'éloignant encore, la savane se rabougrit pour laisser place à la steppe (étendue d'herbe rare), puis finalement aux déserts — le SAHARA au nord, le Kalahari et le Namib au sud. En Afrique du Nord et dans l'extrême sud-ouest de l'Afrique du Sud, les étés sont chauds et secs, les hivers doux et humides. La faune sauvage est très importante.

L'Afrique du Nord est peuplée en majorité d'ARABES et de BERBÈRES, de religion musulmane pour la plupart. Dans le centre et le sud de l'Afrique, la population est majoritairement noire, de religion chrétienne ou musulmane, bien qu'une partie de la population ait conservé ses croyances traditionnelles. ▷

▲ *L'Afrique change de visage. Ces étudiants de l'université d'Ibadan (Nigeria) sont représentatifs de la tendance croissante de la nouvelle génération à délaisser la vie rurale pour la société industrialisée.*

AFRIQUE : DONNÉES
Superficie : 30 319 000 km².
Population : 484 000 000 d'habitants.
Plus long fleuve : le Nil (6 670 km).
Plus grandes chutes : les chutes Victoria, sur le Zambèze (102 m de dénivellation et plus de 1 600 m de large).
Plus grand lac : Victoria, le second réservoir d'eau douce du monde par sa superficie (69 452 km²).
Densité de population : 16 habitants au km². L'Afrique noire est surtout rurale, l'Afrique du Nord beaucoup plus urbanisée. Le Nigeria est le plus peuplé des États africains (79 680 000 habitants).
Plus haute montagne : Kilimandjaro (5 895 m), dans le nord de la Tanzanie. Quoique situé quasiment sur l'équateur, le Kilimandjaro a son sommet enneigé toute l'année.
L'Afrique compte encore entre 100 000 et 200 000 Pygmées. Ils peuplent les forêts tropicales du bassin du Zaïre. La taille d'un Pygmée adulte ne dépasse pas 1,50 m.
Le grand désert saharien du nord de l'Afrique couvre 8 400 000 km². Ce désert était autrefois une prairie riche. Les peintures préhistoriques découvertes sur les parois rocheuses du Tassili (sud de l'Algérie) montrent en effet des chasses au lion, à l'éléphant et à l'antilope.
Les gens sont souvent surpris d'apprendre que l'Afrique est presque aussi large que longue. Elle mesure, en effet, 7 080 km du nord au sud et 6 035 km d'est en ouest.
Le point le moins élevé d'Afrique est la dépression du Qattara en Égypte, qui se trouve à 132 m au-dessous du niveau de la mer.

◂ *L'Afrique d'aujourd'hui est encore largement agricole et nombreux sont ceux qui continuent à mener le même genre de vie qu'il y a des centaines d'années. Sur ce marché africain, par exemple, on vend toujours le grain selon la manière traditionnelle.*

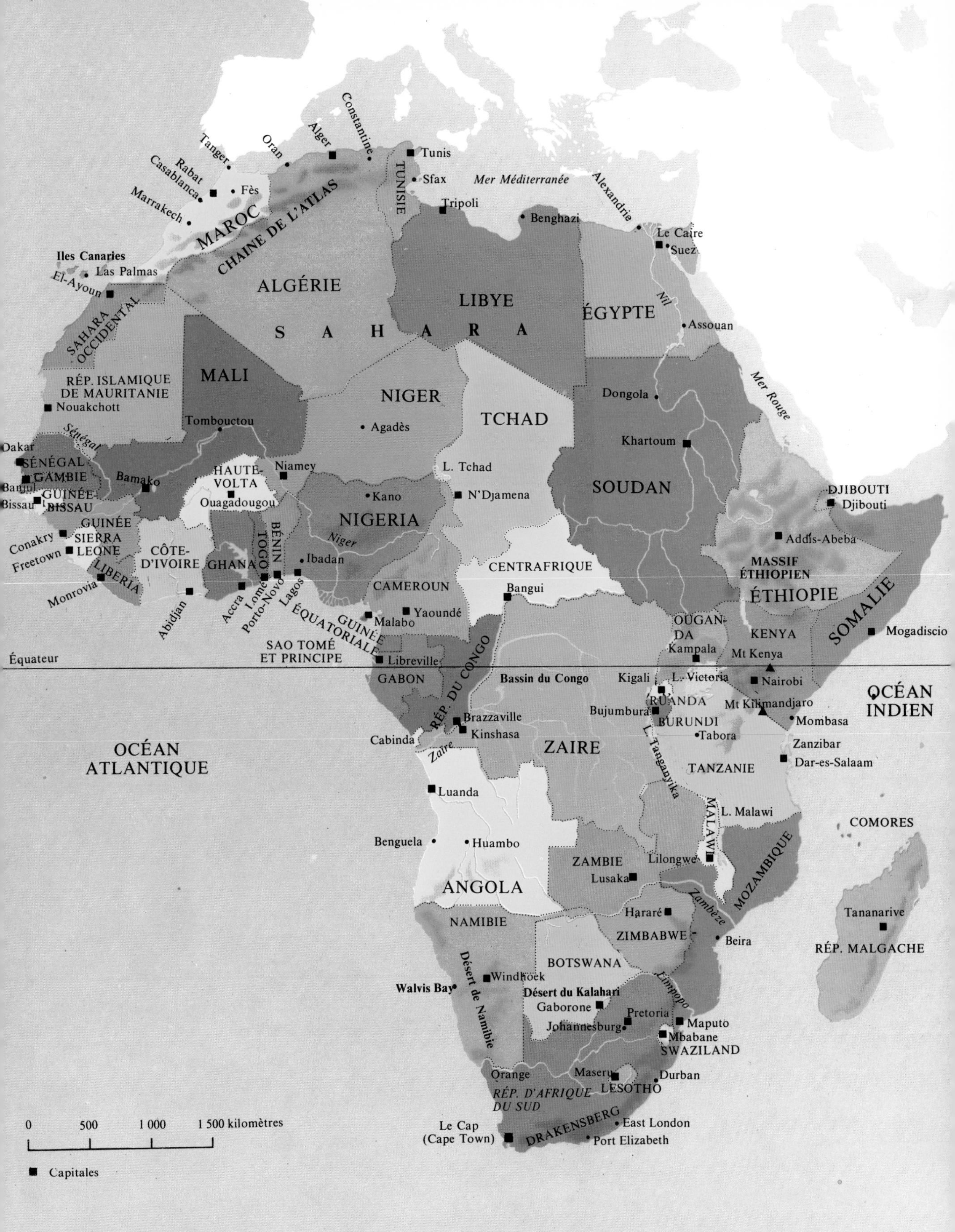
Mer Méditerranée
Tanger
Rabat
Casablanca
Fès
Marrakech
Oran
Alger
Constantine
Tunis
Sfax
Tripoli
Benghazi
Alexandrie
Le Caire
Suez
MAROC
CHAINE DE L'ATLAS
TUNISIE
Iles Canaries
Las Palmas
El-Ayoun
ALGÉRIE
LIBYE
ÉGYPTE
Nil
Assouan
SAHARA OCCIDENTAL
S A H A R A
MALI
RÉP. ISLAMIQUE DE MAURITANIE
Nouakchott
NIGER
TCHAD
Mer Rouge
Dongola
Agadès
Tombouctou
Sénégal
Khartoum
Dakar
SÉNÉGAL
GAMBIE
Banjul
GUINÉE-BISSAU
Bissau
Bamako
HAUTE-VOLTA
Ouagadougou
Niamey
L. Tchad
N'Djamena
SOUDAN
DJIBOUTI
Djibouti
Kano
NIGERIA
Niger
GUINÉE
Conakry
SIERRA LEONE
Freetown
CÔTE-D'IVOIRE
GHANA
TOGO
BÉNIN
Ibadan
Addis-Abeba
LIBERIA
Monrovia
CENTRAFRIQUE
MASSIF ÉTHIOPIEN
CAMEROUN
Bangui
ÉTHIOPIE
Abidjan
Accra
Lomé
Porto-Novo
Lagos
Yaoundé
Malabo
GUINÉE ÉQUATORIALE
SOMALIE
OUGANDA
KENYA
Mogadiscio
SAO TOMÉ ET PRINCIPE
Libreville
Kampala
Mt Kenya
Équateur
GABON
RÉP. DU CONGO
Bassin du Congo
Kigali
L. Victoria
Nairobi
OCÉAN INDIEN
RUANDA
Mt Kilimandjaro
Bujumbura
BURUNDI
Brazzaville
Kinshasa
Mombasa
Cabinda
Tabora
OCÉAN ATLANTIQUE
Zaïre
ZAIRE
L. Tanganyika
Zanzibar
Dar-es-Salaam
TANZANIE
Luanda
MALAWI
L. Malawi
COMORES
Benguela
Huambo
ZAMBIE
Lilongwe
MOZAMBIQUE
Lusaka
ANGOLA
Zambèze
Hararé
Tananarive
NAMIBIE
ZIMBABWE
Beira
RÉP. MALGACHE
BOTSWANA
Désert de Namibie
Windhoek
Limpopo
Walvis Bay
Désert du Kalahari
Gaborone
Pretoria
Johannesburg
Maputo
Mbabane
SWAZILAND
Orange
Maseru
Durban
LESOTHO
RÉP. D'AFRIQUE DU SUD
DRAKENSBERG
East London
Le Cap (Cape Town)
Port Elizabeth
0
500
1 000
1 500 kilomètres
Capitales

L'Afrique noire compte quelque 1 000 groupes ethniques ou linguistiques, aussi divers que les Pygmées, de très petite taille, et les Dinkas, qui peuvent atteindre 2,10 m. L'Afrique du Sud (Afrique du Sud et Zimbabwe) compte d'importantes minorités d'Européens, tandis que les Asiatiques habitent certaines parties du centre et du sud. L'Afrique a une population clairsemée mais sa densité augmente au taux de 2,9 % par an.

La population africaine est composée aux trois quarts d'agriculteurs, plus que n'importe quel continent. Les techniques d'agriculture sont souvent primitives et les longues périodes de sécheresse provoquent des famines. Le sous-sol recèle d'importants minéraux dont l'or (Afrique du Sud), les diamants (Afrique du Sud, Zaïre), le cuivre (Zaïre, Zambie) et le minerai de fer (Afrique de l'Ouest). L'Afrique possède peu de charbon, mais le Nigeria, la Libye et l'Algérie sont des producteurs de pétrole. L'Afrique est le moins industrialisé des continents et sa population est pauvre. Seule la République d'Afrique du Sud possède une industrie développée.

L'Afrique a abrité l'une des plus grandes civilisations de l'Antiquité, celle de l'ÉGYPTE, mais on connaît peu de chose de l'histoire ancienne de l'Afrique noire. En 1497, un Portugais, VASCO DE GAMA (1469-1524), fut le premier Européen à contourner l'Afrique en direction de l'Inde. Durant les trois siècles qui suivirent, l'Afrique devint un réservoir d'esclaves que l'on déporta par millions vers les Amériques. Au XIXe siècle, les explorateurs européens parvinrent à pénétrer à l'intérieur de l'Afrique et ouvrirent la voie à la colonisation qui ne commença à être remise en question que dans les années 1950. Entre les années 50 et 80, la quasi-totalité des 57 nations africaines (y compris les îles) a acquis son indépendance politique.

▾ *Une tribu de l'Age de Pierre dans la toundra glacée de l'Europe orientale. Ces chasseurs se nourrissaient de mammouths et de chevaux sauvages et il a été prouvé qu'ils utilisaient le charbon comme combustible.*

**AFRIQUE DU SUD** (République d') État couvrant la pointe sud de l'AFRIQUE et peuplé de 67,7 % de Noirs africains, 18,3 % d'Euro-

AFRIQUE DU SUD : DONNÉES
Langues officielles : afrikaans et anglais.
Monnaie : rand.
Religion : protestantisme (principalement).
Cours d'eau principaux : Orange et Limpopo.
Grandes villes : Johannesburg (1 536 000 hab.), Le Cap (1 500 000 hab.), Durban (960 000 hab.).
Population : 25 500 000 (en 1983).
Capitales : Le Cap (législative), Pretoria (administrative), Bloemfontein (juridique).
L'Afrique du Sud s'est instituée en république depuis sa sortie du Commonwealth britannique en 1961.

AGRICULTURE La mécanisation a totalement transformé le travail de la terre. Avant 1830, il fallait quarante heures pour faucher une acre (environ 5 200 m²). Avec une moissonneuse moderne, il ne faut que sept minutes.

La population mondiale s'accroît actuellement au rythme de 1,7 % par an environ, ce qui implique qu'elle doublerait en l'espace de 50 ans. Aujourd'hui, la production de nourriture augmente à peu près dans la même proportion, mais l'accroissement est plus rapide dans les pays développés. En Afrique et dans le Sud-Est asiatique, de gros efforts doivent être fournis si l'on ne veut pas voir la population mourir de faim.

Depuis des milliers d'années, l'homme élève ovins, bovins, porcs et volaille. Aujourd'hui, une poule d'élevage pond quelque 250 œufs par an, soit quinze fois plus qu'une poule sauvage. Une vache fournit plus de 4 500 litres de lait par an, soit vingt fois la production d'une vache sauvage.

péens, 10,6 % de métis et 3,4 % d'Asiatiques. Ce sont les Européens qui contrôlent la vie politique et économique du pays, et le gouvernement pratique une politique de discrimination raciale appelée *apartheid.* Du fait de cette politique, 13 % seulement des terres sont allouées aux Noirs d'Afrique alors que les Européens se sont attribué le reste.

L'Afrique du Sud a une agriculture importante (maïs, canne à sucre, élevage) et possède de vastes gisements minéraux (or, diamants, uranium, charbon). Si c'est dès 1652 que s'installèrent les premiers Européens, l'État tel qu'il est aujourd'hui a vu le jour en 1910, avec la fédération de quatre provinces : la province du Cap, le Natal, l'État libre d'Orange et le Transvaal. ◁

**AGAMEMNON** Selon la légende grecque, roi de Mycènes qui prit la tête de l'expédition contre Troie. L'histoire d'Agamemnon figure dans l'*Iliade* d'HOMÈRE et dans *l'Orestie* d'ESCHYLE.

**AGATE** Pierre semi-précieuse, divisée en bandes concentriques de diverses couleurs et qui peut prendre un beau poli. Cette variété de quartz calcédoine peut être aussi mousseuse, arborisée, œillée ou ponctuée.

**AGE DU BRONZE** Nom donné à une période préhistorique au cours de laquelle outils, armes et ornements étaient en majorité fabriqués en bronze, un alliage de cuivre et d'étain. Les dates de l'Age du Bronze varient énormément d'une partie du monde à l'autre, mais c'est en MÉSOPOTAMIE qu'il apparut en premier (3 000 av. J.-C.). La culture de l'Age du Bronze est généralement associée aux premières véritables civilisations et au développement des villes.

**AGE DE PIERRE** Période préhistorique au cours de laquelle armes et outils étaient fabriqués en pierre. Ces haches, ces couteaux, ces pointes de lance rudimentaires étaient obtenus en taillant la pierre par éclats. On a trouvé des outils de ce type datant de plus de deux millions d'années. Dans certaines parties isolées du monde, on utilise encore des outils en pierre. L'Age de Pierre fut suivi de périodes pendant lesquelles on utilisa des métaux : la première de ces périodes est l'AGE DU BRONZE.

**AGRICULTURE** Culture du sol pratiquée en vue de produire des aliments et des matériaux utiles comme le coton, le caoutchouc, le bois, les médicaments et les teintures. Dans l'agriculture s'intègre aussi l'élevage d'animaux pour la nourriture qu'ils fournissent à l'homme (viande, lait, œufs, beurre) ou pour les matériaux (laine, peaux, fourrures).

Les premiers hommes vivaient de chasse et de cueillette. Ce n'est qu'au cours de la période néolithique (9 000-7 000 av. J.-C.) qu'ils se transformèrent en fermiers. Le plus ancien centre agricole fut la MÉSOPOTAMIE, terre fertile située entre le Tigre et l'Euphrate. De là, l'agriculture se répandit en Égypte, et plus tard en Europe. C'est aujourd'hui la première activité économique au monde.

Pour nourrir une population mondiale en constante augmentation, l'agriculture a été forcée d'améliorer son rendement et les progrès de la science et de la technologie ont contribué à cette modernisation. Les chercheurs ont, par exemple, mis au point des semences plus robustes et à meilleur rendement, amélioré les races d'animaux de façon à ce qu'ils donnent plus de viande. Le cheval et la charrue ont été remplacés par le tracteur et autres machines qui ensemencent le sol, le traitent et font la récolte plus vite et plus efficacement qu'auparavant. ◁

**AIGLE** Oiseau de proie que l'on trouve partout dans le monde. Il en existe des espèces très grandes comme le pygargue de Steller, de Sibérie, et la harpie d'Amérique du Sud ; ces oiseaux, dont l'envergure atteint 2,50 m, peuvent peser jusqu'à 6,5 kg. Les aigles se nourrissent de petits animaux — poissons, oiseaux ou lapins — et certains arrivent même à tuer phoques, cerfs et loups. Ils construisent généralement leur nid, ou *aire,* au sommet des arbres ou des falaises escarpées. Chaque année, ils retournent vers la même aire.

**AIGUILLE** Petit instrument métallique, long et pointu, généralement utilisé en couture. Il existe également des aiguilles à tricoter et des aiguilles de cadran.

◂ *L'agriculture moderne est largement dépendante des machines. Cette machine à récolter les pommes de terre, par exemple, peut exploiter 7 hectares par jour.*

**AIL** Plante cultivée pour son bulbe aromatique utilisé en cuisine, surtout dans les pays méditerranéens.

**AIR** Mélange incolore de gaz qui compose l'ATMOSPHÈRE entourant la Terre. La gravité attire l'air vers la Terre et l'empêche de s'échapper dans l'espace. Si l'on excepte la vapeur d'eau et les particules solides de toutes sortes qui s'y trouvent en suspension, l'air se compose principalement d'azote (78 %) et d'oxygène (21 %). Le 1 % restant est composé d'argon ainsi que d'autres gaz en très petites quantités comme l'anhydride carbonique, le néon, l'hélium, le méthane, le krypton, le protoxyde d'azote, l'HYDROGÈNE, l'ozone et le xénon. L'OXYGÈNE est indispensable à notre vie. Il est fabriqué par les plantes vertes qui consomment de l'anhydride carbonique selon un processus appelé PHOTOSYNTHÈSE. Parmi les particules solides contenues dans l'air figurent de la poussière, des cristaux de sel et de glace, du pollen, des microbes et des débris provenant des météoroïdes et de satellites qui se sont consumés lors de leur entrée dans l'atmosphère. La proportion de vapeur d'eau contenue dans l'air varie d'un endroit à l'autre, l'air chaud en retenant plus que l'air froid. (Voir HUMIDITÉ) Les BAROMÈTRES servent à mesurer la pression de l'air, et donc à prévoir les changements de temps. ▷

**ALBANIE** Petite démocratie populaire au relief montagneux et située dans le sud-est de l'EUROPE. L'Albanie compte une population de 2 795 000 habitants (1981) pour une superficie de 28 748 km². Tirana en est la capitale. Ce pays essentiellement agricole produit des céréales, du raisin, de la betterave sucrière et des olives. ▷

**ALBATROS** Grand oiseau de mer aux longues ailes, surtout présent dans l'hémisphère Sud. Les albatros ne rejoignent guère le sol qu'à la période des amours ; ils se regroupent alors en colonies sur les îles isolées du Pacifique. ▷

**ALBINOS** Désigne une personne ou un animal dont la peau, les cheveux et les yeux sont dépourvus de PIGMENT (coloration). Chez les humains, les albinos ont la peau laiteuse, les cheveux blancs et les yeux roses du fait que le sang transparaît à travers l'IRIS. Parmi les animaux albinos, on compte la souris et le lapin blancs.

▼ *Nombre de chimistes des XVIIe et XVIIIe siècles se passionnèrent pour l'étude des propriétés de l'air. En 1774, un chimiste anglais, Joseph Priestley, isola un gaz qui alimentait beaucoup mieux la combustion que ne le faisait l'air ordinaire. Priestley venait de découvrir l'oxygène.*

AIR Lorsque l'air est comprimé et amené à la température de — 200 °C environ, il se transforme en un liquide incolore. En élevant lentement la température de l'air liquide, il est possible d'obtenir à l'état pur chacun des gaz présents dans l'air.

ALBANIE : DONNÉES
Point culminant : mt Korab (2 750 m).
Plus longs cours d'eau : Drin (280 km), Seman (253 km).
Monnaie : lek.

ALBATROS C'est de tous les oiseaux celui qui a les plus longues ailes, et des envergures de 3,50 m ont été enregistrées. Autrefois, il arrivait que les marins abattent des albatros qu'ils avaient appâtés à l'aide de viande de porc salée, puis le bruit se répandit que tuer un albatros portait malheur. C'est de cette superstition que traite Samuel Taylor Coleridge dans son chef-d'œuvre : *la Complainte du vieux marin.*

▲ *L'alchimie mêlait étrangement la science et la magie. Les alchimistes travaillaient dans le secret, usant de signes cabalistiques pour préserver leurs découvertes. Cette peinture montre l'alchimiste allemand Hennig Brand dans son laboratoire. Brand découvrit le phosphore en 1669.*

**ALCALI** Groupe de composés chimiques dans lequel on range, entre autres, la soude caustique (hydroxyde de sodium) à usage domestique. Tout hydroxyde de métal soluble dans l'eau est un alcali. La solution formée fait virer au bleu le papier de tournesol. Les solutions concentrées d'alcalis peuvent ronger la peau.

**ALCHIMIE** Ancêtre de la CHIMIE dont la pratique consistait à chercher la transformation des métaux en or à l'aide de la « pierre philosophale ». A Alexandrie, en Égypte, on pratiquait déjà l'alchimie dans les années 100 av. J.-C. En Europe, c'est le Moyen Age qui vit le développement de l'alchimie, conjointement à celui de l' ASTROLOGIE.

**ALCOOL** Groupe de composés chimiques comportant tous dans leur formule le radical hydroxyle (OH). Les boissons alcoolisées contiennent de l'alcool éthylique ou éthanol ($C_2H_5OH$). L'alcool méthylique ou méthanol ($CH_3OH$) est aussi appelé alcool de bois. C'est le poison présent dans l'alcool à brûler ou dénaturé.

**ALÉSIA** Place forte tenue par les Gaulois sous le commandement de Vercingétorix, qui fut conquise par Jules César et les troupes romaines en 52 av. J.-C.

**ALEXANDRE LE GRAND** Dans la GRÈCE antique, roi de Macédoine et l'un des plus grands stratèges de tous les temps (356-323 av. J.-C.). Par une longue suite de conquêtes, il créa un empire qui s'étendait de la Grèce à l'Inde. Il mourut à Babylone, à l'âge de 33 ans, et fut enterré dans la ville qui portait son nom : Alexandrie. ◁

ALEXANDRE LE GRAND Alexandre fut un enfant solide et intrépide. L'histoire raconte que, dans son jeune âge, il dompta Bucéphale, un cheval sauvage que nul n'osait monter. Il en fit sa monture lors des campagnes qui le conduisirent jusqu'en Inde, où l'animal mourut. En souvenir de lui, Alexandre fit bâtir sur la rivière Hydaspe une ville qu'il baptisa Bucéphalie.

▲ *Tête d'Alexandre le Grand, brillant stratège qui, à l'âge de 22 ans seulement, assurait déjà le commandement de toutes les armées grecques.*

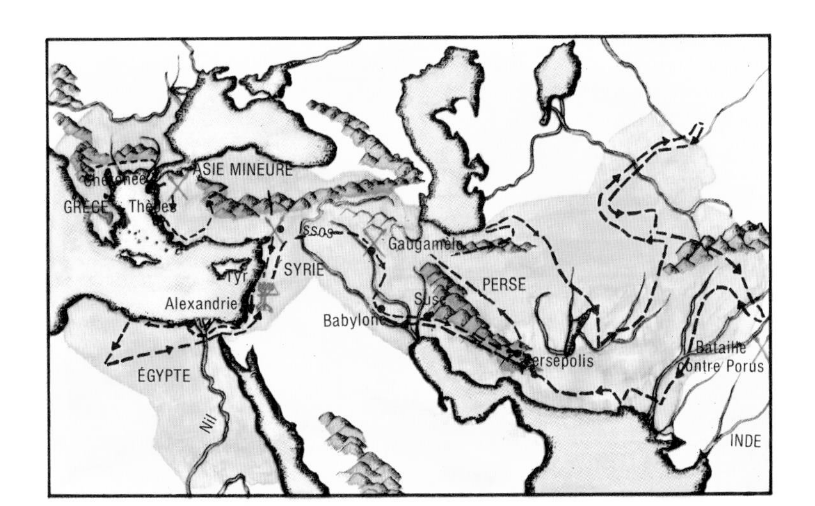


◄ *L'itinéraire qui amena Alexandre jusqu'en Asie. En l'espace de dix ans, Alexandre avait conquis le plus vaste empire qui ait jamais existé.*

**ALGÈBRE** Branche des mathématiques dans laquelle on utilise des symboles généraux pour représenter des quantités variables. Par exemple, la formule algébrique de la surface du cercle se note : $s = \pi r2$, formule dans laquelle $s$ représente la surface du cercle et $r$ son rayon ; $\pi$ (la lettre grecque *pi*) est une constante dont la valeur est approximativement égale à 3,1416.

**ALGÉRIE** République d'Afrique du Nord, indépendante depuis 1962. L'Algérie compte 19 590 000 habitants (1981) pour une superficie de 2 381 741 km². Alger en est la capitale. Sa population, composée principalement d'ARABES et de BERBÈRES, est en majorité musulmane. C'est un pays largement agricole mais qui exploite aujourd'hui ses gisements de pétrole et de gaz naturel. ▷

**ALGÉRIE, GUERRE D'** (1954-1962) Guerre menée par les Algériens contre la France pour obtenir leur indépendance. Ce conflit divisa l'opinion en France, provoqua la chute de la IVe République et la naissance de la Ve.

**ALGUE** Plante presque toujours aquatique et constituant l'essentiel de la flore marine : elle abonde sur les fonds de moins de 100 mètres. Les algues sont généralement vertes, rouges ou brunes. Il en existe des comestibles et on en utilise certaines espèces dans la fabrication des engrais. D'autres espèces entrent dans la composition de produits comme la teinture d'iode, les crèmes glacées, le savon et le verre. ▷

**ALIMENT** Toute substance dont se nourrissent les êtres vivants. Les aliments sont de plusieurs types. Les HYDRATES DE CARBONE et les GRAISSES fournissent de l'énergie, les PROTÉINES assurent la croissance et le renouvellement des tissus, les SELS MINÉRAUX et les VITAMINES sont indispensables au bon fonctionnement des divers organes. Si, par PHOTOSYNTHÈSE, les plantes fabriquent leur propre nourriture, les animaux, eux, ne peuvent assimiler que des aliments déjà prêts : plantes ou animaux mangeurs de plantes. Nombre d'animaux sont exclusivement herbivores (ils ne se nourrissent que de plantes) ou CARNIVORES (ils ne mangent que des animaux) ; l'homme est omnivore, c'est-à-dire qu'il consomme des végétaux — CÉRÉALES, légumes et fruits — et des produits d'origine animale tels que viande, œufs, lait, beurre ou fromage.

**ALIMENTATION EN EAU** La consommation quotidienne en eau d'une ville est très importante. Cette eau provient de cours d'eau, de réservoirs et de lacs. Pour la débarrasser des impuretés et des bactéries dangereuses qu'elle contient, on la soumet à un traitement spécial avant de la distribuer. Grâce à des produits chimiques, on élimine les solides en suspension ; les bactéries sont éliminées par filtrage ou tuées par addition de CHLORE.

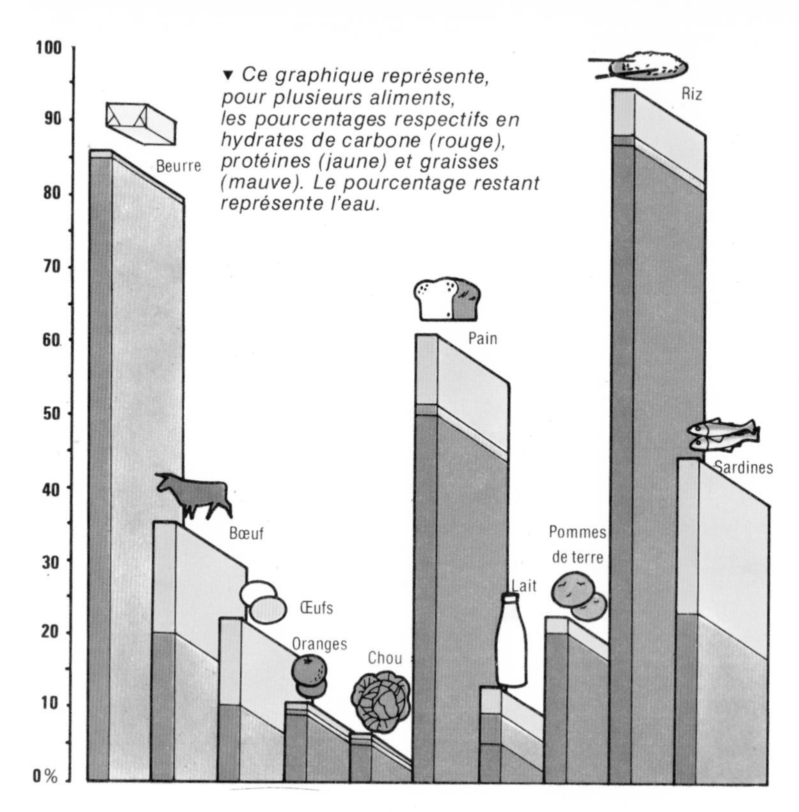


▼ *Ce graphique représente, pour plusieurs aliments, les pourcentages respectifs en hydrates de carbone (rouge), protéines (jaune) et graisses (mauve). Le pourcentage restant représente l'eau.*

**ALLAH** Mot arabe signifiant « Dieu ». Selon la religion musulmane, Allah est le seul vrai Dieu, MAHOMET, le fondateur de l'ISLAM, étant son prophète.

**ALLEMAGNE** En 1945, l'Allemagne fut divisée en quatre zones placées sous le contrôle respectif des Américains, des Britanniques, des Français et des Soviétiques. BERLIN, la capitale, fut, elle aussi, divisée en quatre secteurs. Vers 1948, les secteurs américain, britannique et français s'étaient fédérés pour former l'Allemagne de l'Ouest ou République fédérale allemande (R.F.A.). La zone soviétique, elle, était constituée en démocratie populaire sous le nom d'Allemagne de l'Est ou République démocratique allemande (R.D.A.). Enclavé dans l'Allemagne de l'Est, Berlin restait scindé en deux secteurs, le secteur Est devenant la capitale de la R.D.A., le secteur Ouest restant à la R.F.A. (capitale : Bonn).

La partie septentrionale de l'Allemagne est une région de plaines, au sol assez pauvre (pommes de terre et seigle). Le sol s'élève en direction du sud, avec des reliefs plus importants en Allemagne fédérale (dont une partie des ALPES dans l'extrême sud du pays). Ce sont des régions plus chaudes, aux cultures diversifiées. ▷

ALGÉRIE : DONNÉES
Point culminant : mt Tahat (2 918 m).
Plus long cours d'eau : Chéliff (692 km).
Langue officielle : arabe (mais le français est couramment parlé).
Monnaie : dinar.
Religion : islam.

ALGUE Les longs rubans du varech géant du Pacifique peuvent atteindre 60 m et plus. Ces algues poussent à la vitesse de plus de 40 cm par jour. Les algues sont généralement fixées sur les rochers du fond, mais certaines espèces flottent librement. L'énorme masse d'algues de la mer des Sargasses a été rassemblée par les courants et le vent.

RÉPUBLIQUE DÉMOCRATIQUE ALLEMANDE : DONNÉES
Superficie : 108 178 km².
Population : 16 736 000 habitants (en 1981).
Parmi les nations entièrement européennes, la République démocratique allemande se place au neuvième rang pour la population et au quinzième pour la superficie.
Langue : allemand.
Religion : christianisme.
Monnaie : mark DDR.
Capitale : Berlin-Est.

▲ *La vallée de la Moselle (Allemagne occidentale) est bordée de coteaux. C'est une région fameuse pour ses vins.*

RÉPUBLIQUE FÉDÉRALE ALLEMANDE : DONNÉES
Superficie : 248 577 km².
Population : 61 666 000 habitants. Parmi les nations entièrement européennes, l'Allemagne fédérale se place au premier rang pour la population et au neuvième pour la superficie.
Langue : allemand.
Religion : christianisme.
Monnaie : mark allemand.
Capitale : Bonn.
Point culminant : Zugspitze (2 963 m).
L'Allemagne fédérale est membre de la C.E.E. (Communauté économique européenne).

ALLIAGE Les alliages ont parfois des propriétés différentes de celles des métaux qui les composent ; c'est ce qui fait leur utilité. L'étain et le cuivre, par exemple, sont des métaux mous. Ensemble ils forment le bronze, un alliage extrêmement dur que l'on utilise dans la fabrication des machines-outils. Le bronze est probablement le premier alliage découvert par l'homme qui, déjà dans la préhistoire, en faisait des pointes de lance et des épées.

ALLUMETTE L'un des ancêtres de nos allumettes modernes était la chandelle au phosphore, inventée en France en 1780. Elle consistait en une bande de papier trempée dans le phosphore et enfermée dans un tube de verre hermétiquement clos. Lorsqu'on brisait le tube, le papier s'enflammait. Les allumettes telles que nous les connaissons aujourd'hui datent de 1827.

L'Allemagne de l'Ouest est, néanmoins, une nation avant tout industrielle — la première d'Europe occidentale —, avec pour centre industriel principal le bassin de la Ruhr (un affluent du RHIN). Avant 1945, l'Allemagne de l'Est était une région principalement agricole, mais où étaient implantées des industries actives (optique, mécanique de précision). Sous l'impulsion de l'Union soviétique, elle a créé et développé une industrie lourde (sidérurgie) mais, depuis quelque temps, elle s'oriente vers les techniques de pointe (robotique, etc.).

**ALLERGIE** État causé par la sensibilité du corps à certaines substances comme les bactéries, le pollen, la poussière, la terre, les aliments ou les médicaments. La réaction prend souvent la forme de rhume des foins, d'asthme, d'éruptions cutanées ou de troubles intestinaux ; elle peut être plus ou moins violente, voire, dans des cas rares, fatale.

**ALLIAGE** Mélange ou combinaison de deux ou plusieurs métaux. Les alliages ont les propriétés des métaux, mais ils conduisent moins bien la chaleur et l'électricité que les métaux purs. Réaliser l'alliage de deux métaux conduit souvent à améliorer les propriétés des divers composants : le laiton, par exemple, un alliage de cuivre et de zinc, est plus dur et plus résistant que chacun de ces métaux isolément. ◁

▸ *L'alligator d'Amérique a été chassé jusqu'à sa quasi-extinction, du fait que sa peau était recherchée pour la confection de sacs, chaussures, etc.*

**ALLIGATOR** Type de crocodile que l'on ne trouve que dans deux parties du monde : en Chine, dans la vallée du Yang Tsé Kiang, et dans le sud-est des États-Unis. Ce sont les dents qui permettent d'identifier l'alligator : gueule fermée, le crocodile exhibe deux rangées de dents alors que chez l'alligator seule la rangée supérieure est visible.

**ALLUMETTE** Tige de bois ou de carton enduite à une extrémité d'une substance contenant du sulfure de phosphore, et qui prend feu par FRICTION lorsqu'on la frotte contre n'importe quelle surface rugueuse. Dans les allumettes dites « de sûreté », une partie du matériau inflammable est sur l'allumette, l'autre sur le frottoir fixé à la boîte. ◁

**ALOUETTE** Petit oiseau brun célèbre pour son chant mélodieux. Les alouettes vivent en terrain découvert et nichent sur le sol. Il en existe de nombreuses espèces appartenant pour la plupart aux plaines et aux déserts africains.

**ALPES** Principale chaîne de montagnes d'EUROPE, partagée entre la France, la Suisse, l'Allemagne, l'Italie, l'Autriche et la Yougoslavie. Le point culminant des Alpes est le mont Blanc (4 807 m). La chaîne montagneuse, qui compte de nombreux cols, est traversée de routes et de tunnels routiers et ferroviaires.

**ALPHABET** Système de signes graphiques ou de symboles appelés « lettres » et qui permettent de transcrire une langue. Le mot « alphabet » est composé à partir des deux premières lettres de l'alphabet grec : *alpha* et *bêta*.

Parmi les premières formes d'ÉCRITURE, on compte les caractères cunéiformes de MÉSOPOTAMIE et les HIÉROGLYPHES de l'Égypte ancienne, et on suppose aujourd'hui que les alphabets ultérieurs — y compris les alphabets PHÉNICIEN, grec et latin — sont issus de ces deux systèmes de notation. Notre alphabet actuel est très proche de l'alphabet latin. Parmi les autres alphabets modernes, citons les alphabets cyrillique (langue russe, par exemple), grec et hébreu.

**ALPINISME** Sport de l'ascension des montagnes, dont la pratique nécessite un entraînement et un équipement particuliers. L'alpinisme s'est popularisé en Europe dans les années 1850 et 1860, époque à laquelle furent gravis tous les sommets des Alpes. Le début de notre siècle vit les alpinistes s'attaquer aux géants de l'Himalaya.

**ALUMINIUM** C'est le plus courant des métaux présents dans l'écorce terrestre. On l'y trouve principalement sous forme d'un minerai : la bauxite. L'aluminium est un bon conducteur de la chaleur et du courant électrique. C'est un métal de couleur blanche, environ trois fois plus léger que le fer. ▷

**AMANDIER** Arbre cultivé dans les régions méridionales pour ses fruits, les amandes ; plus au nord, c'est un arbre d'ornement. Les fleurs, d'un rose délicat, qui apparaissent avant les feuilles, annoncent l'arrivée du printemps. ▷

**AMAZONE** Premier fleuve au monde par son débit, l'Amazone s'étend sur 6 437 km, du Pérou à l'Atlantique en passant par le Brésil. En 1540, un explorateur aperçut sur la rive du fleuve une guerrière indienne et baptisa le cours d'eau « Amazone », du nom des célèbres guerrières des légendes grecques. ▷

**AMBRE** Nom donné à deux substances différentes : l'*ambre jaune* et l'*ambre gris*. L'ambre jaune est une résine fossile d'arbres préhistoriques qui, taillée et polie, est utilisée en joaillerie. Certains morceaux contiennent parfois des insectes emprisonnés il y a des millions d'années. L'ambre gris est une substance de consistance graisseuse que l'on trouve dans l'intestin du cachalot et utilisée depuis l'Antiquité en parfumerie. ▷

▲ *Morceau d'ambre jaune poli et contenant le corps presque intact d'un insecte fossile.*

**AMÉRIQUE** C'est le plus long des continents. Il s'étend du nord au sud sur 15 300 km environ. Il se subdivise en AMÉRIQUE DU NORD, AMÉRIQUE CENTRALE et AMÉRIQUE DU SUD.

Christophe COLOMB (1451-1506) fut le premier Européen à atteindre l'Amérique ; en 1492, il toucha terre à San Salvador, aux BAHAMAS. Lors de sa troisième expédition (1498-1500), il atteignit l'Amérique du Sud. En 1497, un Italien, Jean Cabot (1450-1498), voguant pour le compte de l'Angleterre, aperçut Terre-Neuve et découvrit le Groenland, le Labrador et la Nouvelle-Angleterre (Amérique du Nord). A l'époque, les explorateurs croyaient avoir atteint l'Asie, d'où le nom d'Indiens donné aux indigènes d'Amérique. Dans le courant du XVIe siècle, les Européens réalisèrent pourtant qu'un nouveau continent venait d'être découvert. On le nomma Amérique, du prénom d'un marchand italien, Amerigo Vespucci (1451-1512), qui, de 1497 à 1503, avait exploré l'Amérique du Sud et les Antilles.

Le point culminant de l'Amérique est le mont Aconcagua (6 960 m), dans la chaîne des ANDES, en Argentine (Amérique du Sud). C'est également en Amérique du Sud que coule le fleuve le plus long d'Amérique : l'Amazone.

**AMÉRIQUE CENTRALE** Cette bande de terre relativement étroite relie l'Amérique du Nord à l'Amérique du Sud. Elle est composée des républiques indépendantes du COSTA RICA, du SALVADOR, du GUATEMALA, du HONDURAS, du NICARAGUA et du PANAMA, aux-

◄ *Une station de sports d'hiver des Alpes suisses. L'arc des Alpes s'étend sur quelque 1 000 km de long à travers l'Europe méridionale, de la France à la Yougoslavie.*

ALUMINIUM Du fait qu'il était très difficile à extraire de son minerai, l'aluminium est resté longtemps un métal précieux. Napoléon III, par exemple, possédait des couverts et un hochet pour son fils en aluminium.

AMANDIER Les amandiers à fleurs blanches produisent des amandes amères, les amandiers à fleurs roses des amandes douces. Les amandes amères sont utilisées pour aromatiser la pâtisserie ; on en extrait également de l'acide prussique — un poison mortel également présent dans les fleurs.

AMAZONE Le gommier, qui produit le caoutchouc, est originaire du bassin de l'Amazone. Les Indiens de cette région avaient coutume de plonger leurs pieds dans le latex liquide qui, une fois sec, protégeait leurs pieds et leurs chevilles.

AMBRE Du nom grec de l'ambre jaune — *élektron* — sont venus les termes « électron » et « électricité », parce que, frotté avec un morceau de tissu sec, l'ambre jaune attire certains corps légers comme des bouts de papier : il se charge d'électricité statique.

Rejeté parmi les excréments du cachalot, l'ambre gris est souvent trouvé en train de flotter sur la mer, généralement en morceaux de quelques grammes. En 1912, pourtant, on a découvert un bloc de 450 kg d'ambre gris dans l'intestin d'une baleine.

▲ *Dans les années 500 à 1000 de notre ère, l'Amérique centrale a vu fleurir la civilisation maya. Ci-dessus, le site archéologique de Tikal, au Guatemala.*

quelles s'ajoutent Belize (État membre du Commonwealth britannique) et la zone du canal de Panama, administrée par les E.-U. L'Amérique centrale a une population de 23 400 000 habitants (en 1981), pour une superficie de 521 415 km². Dans cette région tropicale, la population est constituée principalement de paysans pauvres : Espagnols, Indiens ou métis, avec une faible proportion de Noirs. Les pays d'Amérique centrale exportent des bananes, du café, du coton et du sucre.

**AMÉRIQUE DU NORD** Continent qui recouvre le CANADA, le GROENLAND, le MEXIQUE, les ÉTATS-UNIS, ainsi que les pays d'AMÉRIQUE CENTRALE et les ANTILLES. Avec ses 24 257 000 km², l'Amérique du Nord se classe au troisième rang par la superficie. Sa population s'élève à 379 millions d'habitants. Son point culminant est le mont McKinley (6 194 m) en Alaska, son fleuve le plus long : le MISSOURI. ◁

AMÉRIQUE DU NORD Le point le plus bas d'Amérique du Nord est la vallée de la Mort, en Californie, qui s'enfonce à 86 m au-dessous du niveau de la mer. C'est aussi un des endroits les plus chauds du continent : le 10 juillet 1913, on y a enregistré la température de 56 °C.

1492
Jean Cabot
Jean et Sébastien Cabot
Sébastien Cabot
Christophe Colomb

▲ *Les itinéraires suivis par Christophe Colomb et Jean Cabot. Jean Cabot était accompagné par son fils, Sébastien, qui, plus tard, dirigea une expédition vers l'Amérique du Sud.*

**AMÉRIQUE DU SUD** Au quatrième rang par sa superficie, l'Amérique du Sud rassemble treize nations. Pour neuf d'entre elles, l'espagnol est la langue officielle mais la plus vaste, le BRÉSIL, a le portugais pour langue officielle ; on parle hollandais au Surinam, anglais au Guyana et français en Guyane française. La diversité des langues reflète l'histoire coloniale de ce continent autrefois peuplé d'Indiens et qui a vu fleurir la civilisation INCA. Aujourd'hui, aux Indiens se sont ajoutés les descendants des colons européens et des esclaves africains, nombreux étant les habitants d'origine mixte.

Le continent compte des régions tropicales dans le nord et des zones de climat tempéré dans le sud. Parmi les grands traits géographiques, citons : la plus vaste forêt vierge qui couvre le bassin de l'AMAZONE, la cordillère des ANDES qui longe par l'ouest tout le continent et l'Atacama, le désert le plus aride de la Terre. L'Amérique du Sud compte également de vastes prairies qui sont des régions d'élevage. La population est largement composée de paysans pauvres, mais le continent a d'importants gisements de matières premières comme l'étain en BOLIVIE, le cuivre au CHILI et le pétrole au VENEZUELA. Aujourd'hui, l'industrie tend à se développer, surtout en ARGENTINE et au BRÉSIL.

(Voir cartes P. 26 et 27.)

◂ *Un marché à La Paz, en Bolivie. La Paz est le siège du gouvernement bolivien, mais c'est la ville de Sucre qui est la capitale officielle du pays.*

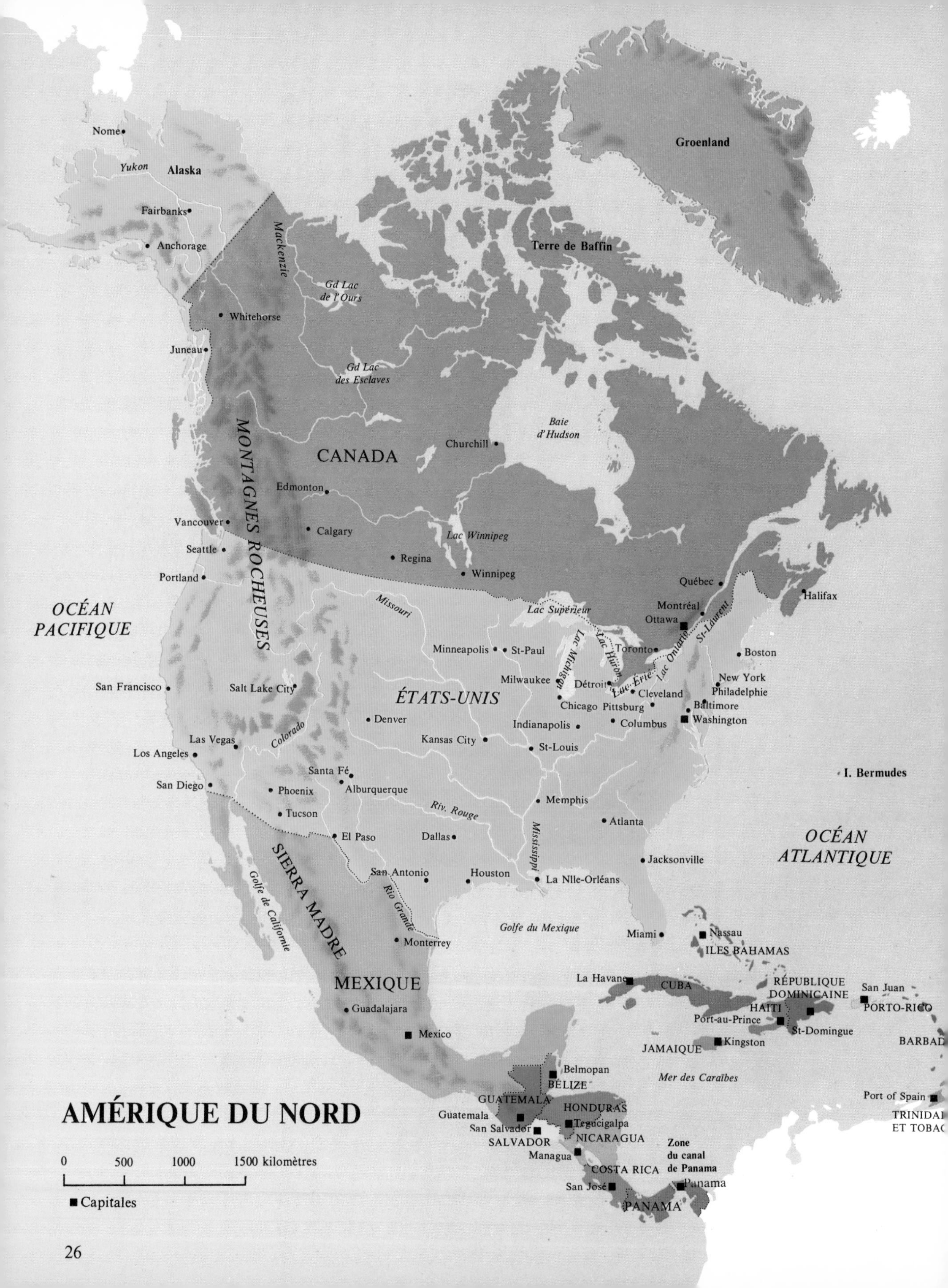
AMÉRIQUE DU NORD
0 500 1000 1500 kilomètres
■ Capitales
Nome
Yukon
Alaska
Fairbanks
Anchorage
Mackenzie
Gd Lac de l'Ours
Whitehorse
Juneau
Gd Lac des Esclaves
Groenland
Terre de Baffin
Baie d'Hudson
Churchill
CANADA
MONTAGNES ROCHEUSES
Edmonton
Vancouver
Calgary
Lac Winnipeg
Seattle
Regina
Winnipeg
Portland
Québec
Halifax
OCÉAN PACIFIQUE
Missouri
Lac Supérieur
Montréal
Ottawa
St-Laurent
Lac Michigan
Lac Huron
Lac Ontario
Lac Érié
Minneapolis
St-Paul
Toronto
Boston
Milwaukee
Détroit
New York
Philadelphie
Cleveland
Baltimore
Washington
San Francisco
Salt Lake City
ÉTATS-UNIS
Chicago
Pittsburg
Denver
Indianapolis
Columbus
Las Vegas
Colorado
Kansas City
St-Louis
Los Angeles
Santa Fé
I. Bermudes
San Diego
Phoenix
Alburquerque
Memphis
Tucson
Riv. Rouge
Mississippi
Atlanta
El Paso
Dallas
OCÉAN ATLANTIQUE
SIERRA MADRE
Golfe de Californie
San Antonio
Houston
La Nlle-Orléans
Jacksonville
Rio Grande
Golfe du Mexique
Miami
Nassau
Monterrey
ILES BAHAMAS
MEXIQUE
La Havane
CUBA
RÉPUBLIQUE DOMINICAINE
San Juan
HAITI
PORTO-RICO
Guadalajara
Port-au-Prince
St-Domingue
Mexico
Kingston
JAMAIQUE
Belmopan
BÉLIZE
Mer des Caraïbes
GUATEMALA
HONDURAS
Guatemala
Tegucigalpa
San Salvador
SALVADOR
NICARAGUA
Managua
Zone du canal de Panama
COSTA RICA
San José
Panama
PANAMA
Port of Spain

AMÉRIQUE DU SUD
Barranquilla
Maracaïbo
Caracas
Orénoque
VENEZUELA
Georgetown
Paramaribo
Cayenne
Medellin
Llanos
Bogota
Cali
COLOMBIE
GUYANA
SURINAM
GUYANE FRANÇAISE
Équateur
Quito
Iles Galapagos
ÉQUATEUR
Guayaquil
Amazone
Manaos
Belém
Fortaleza
Selvas
PÉROU
BRÉSIL
Chiclayo
Trujillo
Recife
Sao Francisco
CORDILLÈRE DES ANDES
Callâo
Lima
Cuzco
Salvador (Bahia)
BOLIVIE
Brasilia
La Paz
Cochabamba
Oruro
Sucre
Plateau Brésilien
OCÉAN PACIFIQUE
Paraná
PARAGUAY
Rio de Janeiro
Désert d'Atacama
Sao Paulo
Asunción
Gran Chaco
CHILI
Pôrto Alegre
Córdoba
Aconcagua
Rosario
URUGUAY
Valparaiso
Santiago
Buenos Aires
Montevideo
ARGENTINE
La Plata
Pampas
Bahia Blanca
Colorado
OCÉAN ATLANTIQUE
Chubut
Patagonie
Iles Falkland
0
500
1000
1 500 kilomètres
Capitales
Terre de Feu
Cap Horn

**AMÉTHYSTE** Variété violette de QUARTZ, classée parmi les pierres semi-précieuses et utilisée depuis longtemps en bijouterie. Ses cristaux tapissent souvent les cavités rocheuses.

**AMIANTE** Nom désignant plusieurs *silicates naturels de calcium et de magnésium,* de texture fibreuse, utilisés pour leurs propriétés de résistance au feu et d'isolation calorifique.

**AMIBE** Animal unicellulaire qui se déplace en modifiant la forme de son corps et « mange » en s'enroulant autour des particules nutritives. Pour se reproduire, les amibes se séparent en deux. (Voir CELLULE.)

**AMIDON** Important matériau de réserve des plantes vertes. L'amidon abonde dans les CÉRÉALES et dans certains tubercules comme la pomme de terre. Le corps humain décompose l'amidon — un HYDRATE DE CARBONE — en divers sucres qui lui fournissent l'énergie indispensable à sa vie. Dans l'usage courant, l'amidon sert à empeser les tissus.

**AMMONITE** Mollusque fossile à coquille spirale. Les ammonites abondaient à l'ère secondaire, soit 225 à 65 millions d'années avant notre ère.

**AMPÈRE** UNITÉ S.I. de mesure de l'intensité du courant électrique (symbole : A). L'ampère est défini comme l'intensité d'un courant qui, maintenu dans deux conducteurs rectilignes, de section négligeable et de longueur infinie, produit entre ces deux conducteurs une force égale à $2 \times 10^{-7}$ newtons par mètre de longueur. (Voir ÉLECTRICITÉ et MAGNÉTISME.)

C'est le mathématicien et physicien français André AMPÈRE (1775-1836) qui a donné son nom à cette unité de mesure.

▼ *Si, par bien des aspects, les laboratoires modernes rappellent ceux de nos ancêtres, ils sont aujourd'hui équipés d'un appareillage extrêmement sophistiqué.*

AMPHIBIEN La classe des amphibiens compte quelque 3 000 espèces réparties en trois ordres : *Anoures* (grenouilles et crapauds), *Urodèles* (tritons et salamandres), *Apodes* ou *Gymnophiones* (petites créatures en forme de ver et dépourvues de membres).

Les amphibiens peuvent respirer par la peau, à condition que celle-ci reste humide en permanence. Quant aux grenouilles et aux crapauds qui vivent dans les déserts, ils parviennent à survivre en s'enfouissant dans le sol durant les heures chaudes du jour.

ANACONDA L'anaconda est le serpent le plus gros, mais pas le plus long ; il est surclassé en ce domaine par le python, plus mince et plus léger que lui. Les anacondas peuvent avaler des proies énormes : on a trouvé, dans un spécimen de 8 m de long, un caïman (alligator) mesurant près de 2 m. En revanche, après un repas plantureux, l'anaconda peut se passer de manger pendant un an.

ANE Le croisement de l'âne et de la jument donne le mulet, le croisement de l'ânesse et du cheval produit le bardot. Mulet et bardot sont stériles.

ANÉMONE DE MER Les anémones de mer font partie de l'embranchement des *Cnidaires*, qui compte aussi des animaux comme les hydres et les méduses. Elles appartiennent à la classe des *Anthozoaires* qui regroupe un millier d'espèces, les plus colorées peuplant les eaux tropicales. Lorsqu'un petit poisson touche l'un des tentacules de l'anémone de mer, il est paralysé ; il est alors attiré vers la bouche de l'anémone et digéré.

**AMPHIBIEN** Animal vivant à la fois sur terre et dans l'eau. Les amphibiens ont généralement une peau nue et humide ; ils passent leur vie adulte sur terre, mais rejoignent l'eau pour se reproduire. Les jeunes, appelés têtards, ressemblent à des poissons et respirent par des branchies ; ils subissent ensuite une métamorphose qui les rend capables de respirer directement l'air. On distingue aujourd'hui deux grands groupes d'amphibiens : d'une part ceux qui sont dépourvus de queue comme les GRENOUILLES et les crapauds, d'autre part ceux qui possèdent une queue comme les SALAMANDRES et les TRITONS. ◁

**AMSTERDAM** Capitale des PAYS-BAS, Amsterdam a une population de 945 000 habitants. Cette ville agréable est parcourue de canaux bordés d'arbres. C'est un port et un centre industriel.

**AMYGDALES** Paire de GLANDES située au fond de la bouche. On pense que les amygdales jouent un rôle dans la prévention des infections. Il arrive pourtant qu'elles-mêmes s'infectent. Dans ce cas, on procède à leur ablation ; l'opération est relativement bénigne.

**ANACONDA** Le plus gros des serpents. Brun grisâtre, taché de noir, l'anaconda peut atteindre 11 m de long ; il vit dans les marais et les cours d'eau des forêts septentrionales d'Amérique du Sud et se nourrit d'oiseaux, de mammifères et de poissons. ◁

**ANALPHABÉTISME** Dans les pays développés, rares sont ceux qui ne savent pas lire, ni écrire, mais l'analphabétisme constitue encore un problème majeur dans certains pays en voie de développement. Par exemple, 80 % environ des Africains de plus de 15 ans sont analphabètes.

**ANALYSE CHIMIQUE** Décomposition d'une substance donnée en ses divers éléments chimiques. Ainsi, par exemple, on peut analyser le sang ou l'urine d'un automobiliste pour déterminer quelle quantité d'alcool ils contiennent. L'analyse est dite *qualitative* lorsqu'il s'agit d'identifier les substances contenues dans l'échantillon, *quantitative* quand elle établit les proportions de ces substances dans l'échantillon.

**ANANAS** Gros fruit tropical à l'épaisse peau jaune rougeâtre, à la chair juteuse, d'un jaune pâle, et couronné d'une touffe de feuilles pointues. L'ananas se consomme frais ou en conserve.

**ANDERSEN, HANS CHRISTIAN** Écrivain danois (1805-1875), auteur de contes célèbres dont *le Vilain Petit Canard, la Petite Sirène* ou *la Petite Marchande d'allumettes.*

**ANDES (CORDILLÈRE DES)** Cette haute chaîne de montagnes borde sur 7 500 km de long la côte occidentale de l'AMÉRIQUE DU SUD. Son point culminant, l'Aconcagua (6 960 m), est situé en Argentine, près de la frontière chilienne. Les Andes possèdent des volcans actifs, et les tremblements de terre y sont fréquents.

**ANE** Natifs des régions subdésertiques d'Afrique et d'Asie, les ânes sont des animaux qui ressemblent à de petits chevaux (1,20 m). On connaît deux espèces d'ânes sauvages : l'âne sauvage de Nubie *(Asinus africanus)*, qui est gris, et l'âne sauvage du nord-ouest de l'Inde *(Hemionus onager)*, plus roux ; ces deux espèces tendent d'ailleurs à disparaître.

Justement réputés pour leur frugalité et leur endurance, les ânes domestiques étaient autrefois largement utilisés comme animaux de bât et de trait ; aujourd'hui encore, ils sont précieux dans les régions pauvres. ◁

**ANÉMONE** Fleur printanière aux couleurs pastel qui pousse à l'état sauvage en lisière des bois d'Europe et d'Asie. Les variétés cultivées, aux couleurs plus diversifiées et plus vives, font de belles fleurs de jardin et de décoration.

**ANÉMONE DE MER** Nom vulgaire de l'actinie, petite créature marine qui vit en eaux peu profondes, fixée aux rochers ou à demi enfouie dans le fond. Le corps est court, tubulaire, la bouche entourée d'une couronne de tentacules grâce auxquels l'actinie pique sa proie (crevettes, petits poissons, etc.). ◁

◂ *Cette anémone de mer aux allures de fleur est, en fait, un animal à corps mou. Elle comporte, au centre, une bouche, entourée de tentacules venimeux avec lesquels elle paralyse les petits animaux marins qu'elle attire ensuite vers sa bouche.*

**ANESTHÉSIE** Mot signifiant absence de sensation ou de douleur. L'anesthésie est utilisée en médecine pour supprimer la douleur durant une opération chirurgicale par exemple. L'anesthésie peut être obtenue par inhalation d'un gaz, injection intraveineuse ou péridurale (dans la moelle épinière).

**ANGLAIS** Après le chinois, c'est la langue la plus parlée à travers le monde. L'anglais est largement employé dans les films, à la radio, à la télévision et dans les journaux ; il est également répandu comme langue commerciale.

L'anglais moderne a ses racines dans le français des Normands (les VIKINGS), qui firent la conquête de l'Angleterre au Xe siècle, ainsi que dans l'ancien anglais des Anglo-Saxons.

**ANGLE** Quand deux lignes ou deux plans se coupent, l'espace qu'ils délimitent est appelé *angle.* Mesurer un angle revient à évaluer de combien il faut pivoter pour amener l'une des lignes ou l'un des plans en contact avec l'autre. Les angles sont généralement mesurés en degrés (°). Un angle plein (tour complet) mesure 360°. Les angles inférieurs à 90° sont dits *aigus ;* un angle de 90° est un angle *droit ;* les angles obtus sont ceux qui mesurent entre 90° et 180° ; un angle de 180° est un angle *plat ;* les angles compris entre 180° et 360° sont dits angles *rentrants.*

**ANGLETERRE** Partie méridionale et centrale de la Grande-Bretagne, limitée au nord par l'Écosse et à l'ouest par le pays de Galles. C'est la plus grande et la plus peuplée des régions de GRANDE-BRETAGNE. ▷

**ANGOLA** Cette république située dans la partie ouest de l'AFRIQUE centrale a acquis son indépendance en 1975. Elle compte 7 262 000 habitants pour une superficie de 1 246 000 km². Luanda en est la capitale. ▷

**ANGUILLE** Poisson comestible ressemblant à un serpent. Les anguilles vivent généralement dans la mer, mais il en existe quelques espèces qui peuplent les rivières, les lacs et les étangs. Une fois dans leur vie, les anguilles d'eau douce descendent vers la mer pour s'y reproduire ; elles sont capables, à partir d'un étang, de parcourir une certaine distance sur la terre ferme pour trouver un cours d'eau. Une fois à la côte, elles parcourent quelque 6 000 km pour atteindre l'océan Atlantique où elles pondent leurs œufs avant de mourir. Il faut ensuite trois ans environ aux jeunes anguilles pour rejoindre la rivière ou l'étang où avaient vécu leurs parents. ▷

**ANIMAL** Tout ce qui vit peut être classé dans l'un ou l'autre de ces deux groupes : les animaux et les végétaux (plantes). Si, sous un microscope, animaux et plantes révèlent une structure similaire — ils sont tous composés de CELLULES —, certaines caractéristiques fondamentales les distinguent : par exemple, leur manière de se nourrir. Les plantes — à condition d'être vertes — fabriquent leur nourriture par un processus appelé PHOTOSYNTHÈSE. Les animaux, eux, sont incapables de créer leur nourriture ; ils doivent se nourrir d'aliments déjà existants — plantes ou animaux consommateurs de plantes. La croissance est un autre des facteurs qui différencient les animaux des végétaux. Généralement, les animaux cessent de croître lorsqu'ils ont atteint une taille donnée ; les plantes, elles, continuent en permanence à se développer. On peut relever d'autres différences qui sont valables pour la majorité des espèces animales ou végétales. Ainsi les animaux ont-ils généralement la capacité de se déplacer alors que les plantes sont fixées à leur support. Au contraire des végétaux, les animaux disposent de la vue, de l'ouïe, de l'odorat, du goût et du toucher ; à l'exception des plus simples d'entre eux, ils ont un squelette, des muscles, un système sanguin et des organes spécialisés qui leur servent à respirer, à digérer, à rejeter les déchets ou à se reproduire. On a dénombré à ce jour quelque 1 300 000 espèces d'animaux — de la minuscule goutte de gelée constituée d'une seule cellule : l'AMIBE, au plus développé de tous les MAMMIFÈRES : l'homme. On distingue trois grands groupes d'animaux : les PROTOZOAIRES ou animaux unicellulaires, les INVERTÉBRÉS ou animaux dépourvus de colonne vertébrale et les VERTÉBRÉS ou animaux pourvus de colonne vertébrale. ▷

**ANTARCTIQUE** Continent glacé entourant le pôle Sud, l'Antarctique a une superficie de 13 209 000 km². Aucune population n'y réside en permanence mais, par intermittence, le continent reçoit la visite de scientifiques ou de chasseurs de baleine. C'est en 1831 que la première expédition mit le pied sur l'Antarctique, mais il fallut attendre le 14 décembre 1911 pour que le Norvégien Roald Amundsen (1872-1928) atteigne le pôle Sud. L'Antarctique est presque entièrement recouvert d'une couche de glace atteignant par endroits 4 270 m d'épaisseur ; seuls quelques pics élevés et quelques bandes de terres côtières en sont dépourvus.

**ANTHROPOLOGIE** Le mot signifie : étude scientifique de l'homme. L'anthropologie physique étudie les origines et l'ÉVOLUTION de l'homme ; l'anthropologie culturelle étudie les activités humaines, par exemple les divers types d'organisation sociale et le développement des civilisations.

Charles DARWIN fut le premier à émettre l'idée que l'homme avait pour ancêtre une sorte de singe. Les scientifiques se mirent alors à la recherche de ce « chaînon manquant » dans l'histoire de l'homme. Grâce à un certain nombre de découvertes importantes, on connaît aujourd'hui le proche

ANGLETERRE : DONNÉES
Superficie : 130 357 km².
Population : 49 011 000 habitants (en 1983).
Capitale : Londres.
Point culminant : Scafell Pike (978 m).

ANGLETERRE : LES SOUVERAINS

Saxons (827-1016)
Domination danoise (1016-1042)
Dynastie anglo-saxonne (1042-1066)
Dynastie anglo-normande (1066-1154)
Dynastie des Plantagenêts (1154-1399)
Dynastie des Lancastres (1399-1461)
Dynastie des Yorks (1461-1485)
Dynastie des Tudors (1485-1603)

ANGOLA : DONNÉES.
Point culminant : Serra Moco (2 610 m).
Climat : tropical, avec de faibles variations de température.
Monnaie : kwanza.
Langue officielle : portugais.

ANGUILLE L'anguille électrique est peut-être la plus curieuse de toutes. Cet animal, qui peut atteindre 2,75 m de long, possède de chaque côté du corps des organes électriques capables d'émettre une onde paralysante de 200-300 volts.

ANIMAL La plus grosse créature vivante est la baleine bleue ; on a vu des spécimens de ce mammifère mesurer 34 m et peser quelque 150 tonnes. La baleine bleue consomme environ 4 tonnes de nourriture par jour.

L'animal le plus rapide sur de courtes distances est le guépard : il est capable de pousser des pointes à 110 km/h. Sur de plus longues distances, il est supplanté par l'antilope à cornes fourchues (pronghorn ; ouest des E.-U.) : sur une distance de 1,5 km, celle-ci battrait le guépard.

Le plus gros des invertébrés est le calmar géant qui peut atteindre 15 m de long et peser plus de 2 tonnes.

◂ *Les anguilles fraient dans la mer des Sargasses (Atlantique Ouest). Les jeunes n'ont pas encore atteint leur maturité quand elles émigrent vers l'Amérique du Nord ou l'Europe septentrionale, où elles passeront leur vie adulte. Elles retournent ensuite vers la mer des Sargasses pour y frayer et y mourir à leur tour.*

parent des premiers « hommes »: c'était l'australopithèque, une créature simiesque aux dents remarquablement humaines et qui se déplaçait debout sur ses membres postérieurs. Entre cette créature qui vivait il y a de 5 à 2 millions d'années et l'homme moderne s'intercalent l'homme de Java (500 000 ans), le pithécanthrope (360 000 ans), l'HOMME DE NÉANDERTHAL (100 000 ans) et l'HOMME DE CRO-MAGNON (20 000 ans).

**ANTIBIOTIQUE** Toute substance chimique utilisée pour détruire les micro-organismes, ou germes, qui provoquent les maladies. Le premier et le plus connu des antibiotiques fut la PÉNICILLINE, découverte par Alexander FLEMING en 1928.

**ANTICORPS** Substance sécrétée par le corps pour lutter contre les VIRUS. La vaccination utilise cette réaction pour créer une immunité à la maladie. Les anticorps peuvent aussi causer des réactions allergiques. (Voir ALLERGIE ; VACCIN )

**ANTICYCLONE** Masse d'air stable sous haute pression d'où naissent des vents et qui fait généralement régner un temps clair et serein.

**ANTIGEL** Substance utilisée pour abaisser le point de CONGÉLATION d'un liquide. En hiver, on ajoute de l'antigel à l'eau du radiateur des voitures pour que celle-ci demeure liquide en dessous de 0 °C.

▸ *L'antilope à cornes fourchues (pronghorn) constitue à elle seule une famille. Les cornes, creuses, sont présentes chez le mâle et la femelle. Elles tombent à l'automne après la saison des amours, et repoussent au printemps suivant.*

**ANTILLES** Chapelet d'îles séparant l'océan Atlantique de la mer des Antilles. Les plus grandes de ces îles sont CUBA, Haïti (répartie entre deux nations : Haïti et la république Dominicaine), la Jamaïque et Porto Rico (État libre associé aux E.-U.). Les îles tropicales des Antilles sont essentiellement agricoles, avec pour principales cultures la canne à sucre, les fruits et le tabac, mais le tourisme est en train de se développer dans ces régions, surtout pendant les mois chauds de l'hiver. La plupart de ces îles sont volcaniques.

En 1492, Christophe COLOMB crut, en mettant le pied aux Antilles, avoir atteint l'Asie ; d'où le nom d'Indes qu'ont porté un temps ces îles. Ce fut d'abord l'Espagne qui prit le contrôle de cette zone ; plus tard, la France, les Pays-Bas et la Grande-Bretagne y établirent des colonies et introduisirent des esclaves africains pour travailler dans les plantations. Les habitants actuels des Antilles sont les descendants de ces diverses communautés ; ils parlent espagnol, français ou anglais.

**ANTILOPE** Animal rapide et gracieux que l'on trouve principalement en Afrique et qui se nourrit de feuilles et d'herbe. La taille peut varier de 30 cm pour le céphalophe bleu à 2 m pour l'éland de Derby. GAZELLE et GNOU sont deux types bien connus d'antilopes. L'*antilope à cornes fourchues,* en dépit de son nom, n'est pas véritablement une antilope, dans la mesure où ses bois tombent une fois par an (ceux des antilopes sont définitifs). C'est un timide animal nord-américain de 90 cm de haut environ, aux cornes fourchues et au pelage brun taché de blanc.

**ANTIQUITÉS** Objets de toutes sortes — meubles par exemple — hérités des temps anciens et pour lesquels il existe un marché ; les antiquités de grand prix sont recherchées par les collectionneurs pour leur rareté ou pour des raisons de mode, mais il est assez facile de se procurer des articles plus courants et plus ordinaires dans les magasins spécialisés (antiquaires ou brocanteurs).

**ANTISEPTIQUE** Substance qui arrête le développement de micro-organismes tels que CHAMPIGNONS et BACTÉRIES qui provoquent des maladies. C'est un chirurgien britannique, Joseph Lister, qui, vers 1860, introduisit les antiseptiques en chirurgie en appliquant sur la jambe blessée d'un patient un linge imbibé d'acide phénique. L'acide évita l'infection et la blessure guérit rapidement. Aujourd'hui, la chirurgie utilise de nombreux antiseptiques.

En France, c'est Lucas Championnière qui introduisit cette méthode.

**APHIDIEN** Nom scientifique des pucerons, minuscules insectes à corps mou qui se reproduisent très rapidement et constituent un véritable fléau pour nombre d'espèces végétales : ils se nourrissent en aspirant la sève des plantes et transmettent les VIRUS d'un spécimen à l'autre. ▷

**APOLLON** Dieu de la mythologie grecque, le plus important après ZEUS. Jeune et beau, il symbolisait pour les Grecs l'image idéale de la jeunesse.

▲ *Les anthropologues étudient la culture et le mode de vie actuels de peuples primitifs - par exemple ceux de ces Indiens d'Amérique du Sud photographiés lors d'une partie de chasse. La manière de vivre de ces Indiens s'est peu modifiée au fil des siècles ; à travers eux, les scientifiques peuvent se faire une idée du mode de vie des premières races humaines. (Voir p. 30.)*

**APOTRE** Chacun des douze disciples de Jésus-Christ ; celui-ci leur confia la tâche de prêcher et de répandre la foi chrétienne. (Voir BIBLE ; JÉSUS-CHRIST)

**APPAREIL AUDITIF** Appareil destiné à améliorer l'audition des personnes atteintes de surdité. Comme un combiné téléphonique, il comporte un microphone, un amplificateur et un récepteur (installé dans ou derrière l'oreille).

**APPENDICE** Petit organe étroit terminant le gros INTESTIN et fermé à l'extrémité. En cas d'inflammation de cet organe, ou appendicite, celui-ci doit souvent être enlevé.

◂ *Tête en bronze d'Apollon, dieu du Jour et du Soleil aux attributions multiples, à la fois musicien, poète, devin et guérisseur.*

APHIDIEN On connaît 8 000 espèces environ d'Aphidiens. Sur les quelques 160 virus connus pour s'attaquer aux végétaux, les deux tiers sont transportés par ces insectes.

AQUEDUC On construisait déjà des aqueducs avant l'époque romaine. Ainsi, vers 530 av. J.-C., l'ingénieur grec Eupalinos fit creuser un tunnel de quelque 800 m de long pour alimenter en eau la ville de Samos. Il fit faire le creusement à partir des deux extrémités à la fois, l'erreur au point de liaison se révélant d'un mètre seulement.

Entre les années 312 av. J.-C. et 226 ap. J.-C., les Romains construisirent 11 aqueducs pour alimenter leurs villes en eau, dont le plus célèbre, le Marcia, terminé en 140 av. J.-C., et qui mesurait 92 km de long. Deux étages lui furent rajoutés par la suite. L'aqueduc Marcia était entièrement constitué de blocs de pierre.

ARABIE SAOUDITE : DONNÉES
Langue officielle : arabe.
Monnaie : riyal.
Villes importantes : Riyad (950 000 hab.), Djedda (750 000 hab.), La Mecque (500 000 hab.).
Religion : la population est dans une vaste proportion composée de musulmans sunnites.
Pas de cours d'eau permanents.
L'Arabie Saoudite était, en 1982, le troisième producteur et le premier exportateur de pétrole. La production de pétrole brut était, pour cette année, de 322 millions de tonnes, les réserves contenues dans le sous-sol étant estimées à 22 600 millions de tonnes, soit le quart des réserves mondiales.

**AQUARELLE** Forme d'ART dans laquelle le peintre utilise des couleurs délavées dans l'eau (et non des couleurs à l'huile comme c'est généralement le cas). Déjà utilisée au Moyen Age pour réaliser les MANUSCRITS ENLUMINÉS, l'aquarelle dut attendre le XVIIIe siècle pour connaître son heure de gloire. Parmi les aquarellistes célèbres, on compte TURNER, Constable et CÉZANNE.

**AQUARIUM** Réservoir de verre dans lequel on installe des plantes et des animaux aquatiques pour procéder à des recherches ou dans un but purement décoratif. Il existe aujourd'hui des aquariums publics contenant des animaux aussi grands que des dauphins et des baleines.

**AQUEDUC** Canal, tunnel, ou plus souvent pont, construit pour conduire l'eau d'un endroit à un autre. Ce sont les Romains qui ont construit les aqueducs les plus célèbres. ◁

**ARA** Gros PERROQUET brillamment coloré des forêts tropicales d'Amérique centrale et du Sud et pouvant mesurer jusqu'à 90 cm de long pour le plus grand d'entre eux. Le plumage est généralement fastueux, dans des tons verts, bleus, rouges et jaunes.

**ARABES** Désigne les peuples de langue arabe et qui ont en commun un certain type de culture et de traditions. Généralement de religion musulmane, les Arabes peuplent une large bande de terre qui s'étend de l'Afrique du Nord jusqu'en Asie du Sud-Ouest.

L'arabe est une langue sémitique qui puise ses origines en Arabie. Au VIIe siècle après J.-C., les armées arabes, s'inspirant des enseignements du prophète MAHOMET, se répandirent vers le nord, l'est et l'ouest, convertissant les populations à l'ISLAM et construisant un vaste empire. (Voir CROISADE.) A partir du XIIIe siècle, cette hégémonie fut largement supplantée par celle des Turcs. Au cours des deux derniers siècles, les Arabes ont cherché à se libérer de toute hégémonie étrangère et, en conquérant leur indépendance, à réaliser l'unité entre les divers peuples arabes. Ils se sont opposés à la création de l'État d'ISRAEL et à plusieurs reprises, en 1948, 1956, 1967 et 1973, plusieurs nations arabes se sont alliées contre cette nouvelle nation.

Le monde arabe, en majeure partie désertique, était autrefois extrêmement pauvre. Aujourd'hui, des nations comme l'ALGÉRIE, BAHREÏN, l'IRAK, la LIBYE, l'ARABIE SAOUDITE et les ÉMIRATS sont devenues d'importants producteurs de pétrole. Les revenus que retirent ces pays de l'exportation de cette matière première leur servent à se développer et à venir en aide aux nations amies.

**ARABIE SAOUDITE** Royaume qui s'étend sur 2 149 690 km², dans la région désertique du Sud-Est asiatique. L'Arabie Saoudite compte 10 400 000 habitants (1981) ; c'est une nation riche en pétrole. Capitale : Riyad. ◁

▼ *Jusqu'à la découverte du pétrole, la plupart des habitants du Moyen-Orient étaient de pauvres bergers. L'Arabie Saoudite est devenue le troisième producteur mondial de pétrole.*

**ARAIGNÉE** Nom commun à quelque 30 000 espèces d'animaux appartenant à la classe des *Arachnides.* Les araignées ont huit pattes ; leur corps est divisé en deux segments principaux. Toutes disposent de glandes à VENIN mais quelques-unes seulement sont dangereuses pour l'homme. Le fil que tissent les araignées est fabriqué dans les filières situées sous leur abdomen ; avec ce fil, elles tissent des toiles et des pièges pour y prendre leur proie. La plus grosse araignée, la mygale aviculaire d'Amérique du Sud, a une envergure de 25 cm. (Voir TARENTULE) ▷

**ARBRE** Un arbre est une plante, quoique beaucoup plus haute que les autres ; c'est pourquoi il possède une tige épaisse et solide : le tronc. On distingue deux parties dans un arbre : une partie aérienne (au-dessus du sol) — la couronne —, composée du tronc, des branches et des feuilles, la partie située dans le sol étant constituée par les racines. On peut classer les arbres selon deux types principaux : les CONIFÈRES et les arbres à feuilles larges. Les conifères ont des feuilles en forme d'aiguille et produisent leurs graines dans des cônes (ils n'ont pas de fleurs) ; ce sont généralement des arbres à feuilles persistantes (qui ne tombent pas à l'automne). Les arbres à feuilles larges ont des fleurs, parfois minuscules, et leurs graines sont contenues dans des coques, des baies ou des fruits ; certains perdent leurs feuilles à l'automne (arbres à feuilles caduques), les ÉRABLES et les PEUPLIERS par exemple ; d'autres, comme le HOUX et le LIERRE ont des feuilles persistantes. ▷

**ARC** Arme de jet servant à lancer des flèches. C'est l'une des premières armes que l'homme ait inventées ; l'arc était déjà connu en Égypte il y a 4 000 ans. Au Moyen Age, deux types d'arc étaient utilisés : l'arbalète et l'arc d'homme d'arme. (Voir TIR A L'ARC)

En architecture, un arc est une structure courbe, capable de supporter une charge et utilisée pour couronner une ouverture ou soutenir le plafond d'une église par exemple. L'arc *en plein cintre* (en arc de cercle) est caractéristique de l'architecture romane, l'arc gothique est pointu (arc brisé). (Voir ARCHITECTURE ; ART ET ARCHITECTURE GOTHIQUES : ART ROMAN)

**ARC-EN-CIEL** Arc de cercle lumineux, multicolore, résultant du jeu de la lumière solaire sur les minuscules gouttes de pluie qui jouent le rôle de PRISMES et décomposent les rayons lumineux en différentes couleurs. La légende populaire veut qu'on trouve de l'or au pied des arcs-en-ciel. ▷

**ARCHÉOLOGIE** Étude de l'histoire de l'homme à partir des monuments et des objets qui subsistent des civilisations anciennes, qu'il s'agisse d'objets artisanaux, de maisons, de temples, de tombes ou de fortifications. Du plus impressionnant monument à la plus modeste épingle, tout ce qui est découvert est étudié par les archéologues, qui en tirent des conclusions sur la manière de vivre des habitants du lieu à l'époque donnée.

L'archéologie moderne a pris naissance à la RENAISSANCE, alors que circulait un courant d'intérêt pour la culture de la GRÈCE et de la ROME antiques. On se mit à collectionner les ouvrages d'art anciens, et cela aboutit souvent à un véritable pillage et à la destruction de sites entiers. Il fallut attendre le XIX^e^ siècle pour voir naître un type d'exploration plus méthodique : chaque objet était répertorié, ainsi que la place où il avait été trouvé. Parmi les importantes découvertes archéologiques faites à partir de cette époque, on compte des restes : de la TROIE antique (1871), de la première civilisation grecque à Mycènes (1876), de la civilisation MINOENNE à Cnossos, en Crète (1899), de la ville sumérienne d'Ur, en

▲ *Une araignée-loup près de son antre. Ces araignées du désert utilisent leur rapidité et leur force pour attraper et tuer leurs victimes.*

▲ *Quand elle a été trouvée, cette coupe était rongée au point qu'il était impossible de déterminer de quoi il s'agissait. La coupe fut envoyée au British Museum et photographiée aux rayons X qui révélèrent, sous la poussière et la rouille, la présence d'un superbe motif gravé. C'est cette Coupe aux taureaux de Chypre, datant de 3 500 ans, que l'on voit ci-dessus, photographiée après sa restauration.*

ARAIGNÉE De très petite taille, l'araignée rouge a la réputation de porter chance à quiconque la découvrira accrochée à ses vêtements.

ARBRE Le plus gros arbre au monde est le *Général-Sherman*, un séquoia géant de Californie (E.-U.). Il mesure 83 m de haut et 11 m de diamètre à la base. C'est aussi l'un des plus vieux végétaux vivants ; son âge, établi à partir de ses cercles annuels, a été évalué à 3 500-4 000 ans. Les arbres les plus hauts sont les séquoias toujours verts de Californie qui peuvent atteindre 111 m de haut. L'arbre au tronc le plus épais se trouve au Mexique ; c'est un cyprès de Montezuma d'un diamètre de 12 m. De nos jours, on produit surtout du bois tendre (du bois de conifères). Il faut de 50 à 60 ans à un arbre pour atteindre la taille qui permettra de l'abattre pour son bois.

ARCHÉOLOGIE Au XIX^e^ siècle et au début du XX^e^, la recherche des ancêtres de l'homme était à l'ordre du jour et bien des archéologues se sont laissé abuser par des faux.

Les chercheurs actuels, aidés par une approche et des méthodes scientifiques, sont plus sûrement à l'abri de telles mésaventures. En France, les sites de fouilles et de recherches sont nombreux et dispersés dans l'Hexagone : en Dordogne, bien sûr, avec les sites de Lascaux, le Moustier, La Madeleine, Cro-Magnon, près des Pyrénées, à Aurignac, Le Mas d'Azil, sur la Côte d'Azur, à Roquebrune, en Bourgogne, dans la vallée de la Somme.

En 1803, le comte d'Elgin acheta pour le compte de l'Angleterre une bonne partie de la grande frise du Parthénon (Acropole d'Athènes), déjà endommagée par l'explosion, en 1687, du dépôt de poudre installé dans le monument. La frise est aujourd'hui au *British Museum* de Londres ; elle est revendiquée par la Grèce.

Pourquoi une coque creuse de bateau flotte-t-elle dans l'eau ? Et pourquoi, alors que le bois flotte, le plomb coule-t-il ? C'est dans la densité des objets par rapport à celle de l'eau qu'il faut chercher la réponse à ces questions. Le *principe d'Archimède* établit que tout corps plongé dans un liquide reçoit de la part de ce liquide une poussée verticale, de bas en haut, égale au poids du volume de liquide déplacé. En s'enfonçant dans un liquide, un objet déplace de plus en plus de liquide. Si, à un point donné, la poussée exercée égale le poids de l'objet, celui-ci flotte. C'est le cas pour le bois, qui est moins dense que l'eau.

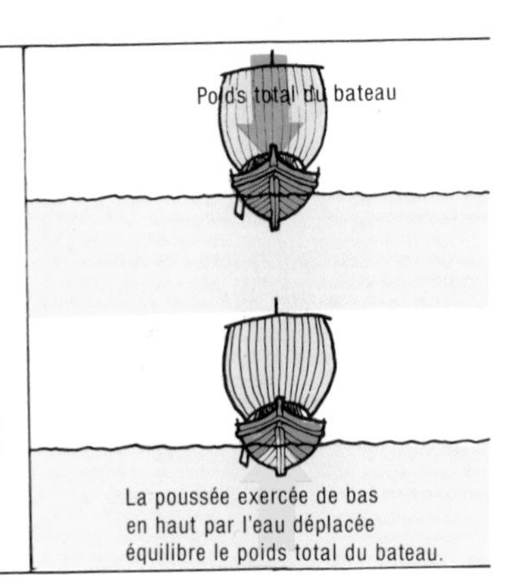


La poussée exercée de bas en haut par l'eau déplacée équilibre le poids total du bateau.

MÉSOPOTAMIE (1922), enfin la tombe du pharaon Toutankhamon en Égypte (1922).

Aujourd'hui l'archéologie utilise un certain nombre de méthodes scientifiques. La DATATION AU CARBONE 14 et la *dendrologie* (datation à partir des cercles annuels des arbres) permettent de déterminer l'époque à laquelle ont été fabriqués les objets découverts. La photographie aérienne, elle, sert à localiser des sites invisibles au niveau du sol, les clichés pouvant faire apparaître des configurations d'ombres ou des différences dans la végétation, là où existaient des fossés ou des bâtiments. La photographie aux rayons X ou aux infrarouges permet, par exemple, d'apercevoir ce qui se trouve sous la couche superficielle en putréfaction d'une coupe de bronze. L'archéologie s'est même aventurée sous la mer avec les équipements modernes de plongée. ◁

ARC-EN-CIEL Selon la croyance populaire, à l'endroit précis où un arc-en-ciel touche le sol on peut trouver une jarre emplie d'or. Mais il convient d'être preste à la déterrer car, à l'instant même où disparaît l'arc-en-ciel, l'or s'évanouit également.

**ARCHÉOPTÉRIX** Oiseau préhistorique de la période jurassique (— 150 à — 110 millions d'années). De la taille d'un gros corbeau, il avait, comme un lézard, des mâchoires garnies de dents, et des plumes sur les ailes et le dos.

**ARCHIMÈDE** Mathématicien grec (287-212 av. J.-C.), auteur du fameux principe qui porte son nom, et inventeur, entre autres, de la vis sans fin. ◁

ARCHIMÈDE L'histoire raconte qu'Archimède aurait détruit à lui seul la flotte romaine qui attaquait Syracuse en faisant installer une batterie de miroirs qui, en concentrant sur les voiles ennemies les rayons solaires, y aurait mis le feu. De même, il aurait tenu à distance les forces romaines pendant plusieurs années grâce à des machines de guerre qui projetaient sur les vaisseaux d'énormes quartiers de roc.

Archimède trouva la mort lors de la prise de Syracuse, en 212 av. J.-C. On raconte qu'il fut poignardé par un soldat romain qu'il réprimandait vertement pour l'avoir dérangé alors qu'il réfléchissait à quelque problème mathématique.

**ARCHITECTURE** C'est l'art et la science de construire des édifices. Le terme vient de deux mots grecs qui signifient « constructeur en chef ». C'est l'architecte romain Vitruve qui, il y a deux mille ans, écrivait que l'architecte devait allier dans son œuvre l'utilité, la force et la beauté. Cette définition des fins de l'architecture est toujours valable aujourd'hui.

Les Égyptiens dessinèrent et érigèrent des temples et des PYRAMIDES de pierre. Les ouvertures en étaient renforcées par d'énormes traverses de bois horizontales destinées à supporter le poids des pierres. Assyriens et Babyloniens utilisaient la brique pour leurs édifices, le bois et la pierre étant rares. Ne pouvant faire des traverses de brique, ils créèrent l'ARC.

Dans les années 600 av. J.-C., les Grecs réalisèrent quelques-unes des plus belles créations architecturales. Leurs temples et leurs édifices publics étaient soutenus par d'élégantes COLONNES et décorés de superbes sculptures. Les Romains copièrent et développèrent l'architecture grecque. Ils utilisèrent largement la structure voûtée et équipèrent leurs maisons de bains et de systèmes de chauffage central.

Après la chute de l'Empire romain, au Ve siècle, ce fut dans l'EMPIRE BYZANTIN que se développa l'architecture. Les premières églises chrétiennes utilisaient l'arc et le dôme ; on trouve également le dôme dans l'architecture musulmane du VIe siècle, associé à de larges arcs pointus et à de hautes tours appelées minarets.

En Europe occidentale le style ROMAN, assez massif, devait vers le XIIIe siècle céder la place au style gothique, plus aérien, caractérisé en architecture religieuse par les hauts piliers élancés, les croisées d'ogives et les vitraux. Les architectes italiens de la RENAISSANCE firent de larges emprunts à la GRÈCE et à la ROME antiques. Au XVIIe siècle, le style Renaissance cède la place à un style plus libre et plus orné : le BAROQUE. (Voir ART)

En Grande-Bretagne et en Amérique du Nord, l'architecture ne devait jamais atteindre le degré d'élaboration qu'elle avait sur le Continent : le XVIIIe siècle y vit fleurir un style dit « georgien », du nom des rois anglais de l'époque. Le XIXe siècle fut l'époque de la remise à l'honneur de styles antérieurs, souvent mêlés avec plus ou moins de bonheur. Par la suite, la mise en œuvre de nouveaux matériaux de construction comme le fer et l'acier allait permettre des réalisations audacieuses comme les gratte-ciel qui permettaient d'utiliser au mieux la place devenue rare dans les villes. (Voir ART GOTHIQUE ; ART ROMAN ; ASSYRIE ; BABYLONE)

◂ *C'est vers 2950 av. J.-C. que les architectes égyptiens dessinèrent les plans de cette pyramide.*

**ARCTIQUE** Région très froide entourant le pôle Nord, qui inclut l'océan Arctique, de nombreuses îles, ainsi que les parties septentrionales de l'EUROPE, de l'ASIE et de l'AMÉRIQUE DU NORD.

L'Arctique est parfois défini comme la région située au nord du cercle arctique (66° 30' de latitude N), parfois comme la région située au nord de la limite au-delà de laquelle ne poussent plus d'arbres (TOUNDRA). Dans la zone arctique, les températures hivernales avoisinent — 34 °C, avec un océan entièrement pris par les glaces et des terres couvertes de neige. Au printemps, la température s'élève, faisant fondre neige et glace. La température estivale est de 7 °C environ, ce qui permet la croissance d'herbes, de mousses et de petits buissons. Ces plantes attirent les animaux migrateurs comme le caribou et le renne. Le plus vaste groupe humain peuplant les régions arctiques est celui des ESQUIMAUX du Nord canadien et du GROENLAND.

L'océan Arctique couvre environ 14 090 000 km$^2$. Les premiers explorateurs durent faire face à de terribles difficultés pour le traverser, leurs bateaux se retrouvant souvent pris dans les glaces, voire détruits. Ce n'est qu'en 1909 que l'Américain Robert E. Peary (1856-1920) parvint enfin jusqu'au pôle Nord. ▷

▾ *Le roi égyptien Psousennès, de la XXI$^e$ dynastie (environ 1000 av. J.-C.), fut enterré dans un cercueil d'argent fabriqué à son image. Le sarcophage est en argent massif, à l'exception du cobra ceignant le front du roi, qui est en or.*

▸ *Dans les armées modernes, les soldats, comme ces hommes de troupe américains au Viêt-nam, sont équipés pour combattre dans n'importe quelle partie du monde.*

**ARGENT** Métal précieux utilisé en bijouterie ; dans le passé, on en faisait des PIÈCES DE MONNAIE. On le trouve rarement à l'état pur, mais plus souvent sous forme de composés. En photographie, on utilise des composés d'argent sensibles à la lumière (photosensibles). Le nitrate d'argent sert à réaliser des placages et à argenter les glaces.

**ARGENTINE** République d'AMÉRIQUE DU SUD comptant 26 735 000 habitants (1979) pour une superficie de 2 776 889 km$^2$. Sa capitale est Buenos Aires. L'Argentine tire sa richesse de ses pampas (plaines) particulièrement propices à l'élevage et à la culture. C'est une nation productrice de viande de bœuf, de mouton, de blé, de soja, de sorgho et de laine. ▷

**ARISTOTE** Philosophe grec (384-322 av. J.-C.), disciple de PLATON et inventeur de la logique. Ses écrits touchent à de nombreux domaines dont la nature, la politique et la métaphysique. (Voir BOTANIQUE)

**ARITHMÉTIQUE** Branche des mathématiques dans laquelle on utilise des nombres entiers pour compter ou calculer et qui étudie les propriétés de ces nombres. Les quatre opérations arithmétiques de base sont l'addition, la soustraction, la multiplication et la division.

**ARMADA** Mot espagnol signifiant « force armée ». L'*Invincible Armada* était le nom donné à la flotte espagnole qui tenta d'envahir l'Angleterre en 1588. Plus lourds et plus lents que les vaisseaux anglais, les galions espagnols furent détruits en grande partie, et ce qui restait de la flotte dut reprendre le chemin de l'Espagne. (Voir ELISABETH I$^{re}$) ▷

**ARMÉE** Les premières armées firent leur apparition dès 2500 av. J.-C., avec la constitution par les Égyptiens de milices destinées à

ARGENTINE : DONNÉES
Point culminant : Aconcagua (6 960 m).
Langue officielle : espagnol.
Religion : catholicisme.
Monnaie : peso.

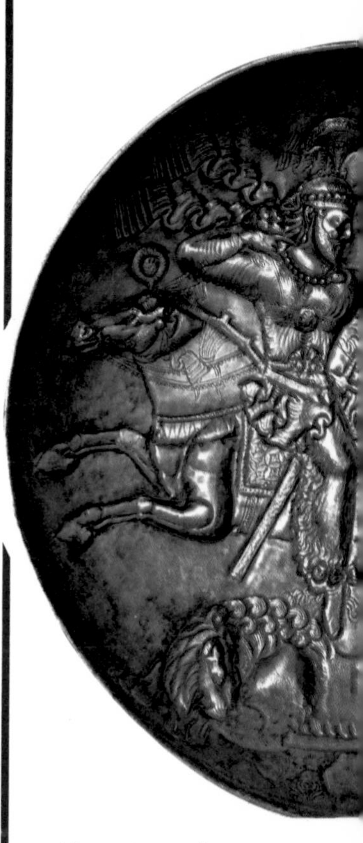

▴ *L'argent constitue depuis longtemps l'un des métaux préférés de l'homme pour la décoration. Cette assiette perse, en argent, remonte aux alentours des années 200 ap. J.-C. L'argent est un métal mou, facile à travailler, ce qui a permis de restituer dans ses moindres détails la silhouette de cet archer à cheval.*

ARMADA L'Armada espagnole totalisait 130 vaisseaux dont 20 galions, 4 galéasses, quelque 40 navires marchands armés et des vaisseaux d'approvisionnement. Dirigée par 7 000 hommes d'équipage, la flotte transportait 19 000 soldats, 2 000 canons et de la nourriture pour six mois au moins.

ARMURE Les armures étaient parfois excessivement lourdes. Celle du roi d'Espagne Charles Quint pesait, avec celle de son cheval, quelque 100 kg. Elle est conservée à l'Académie royale de Madrid.

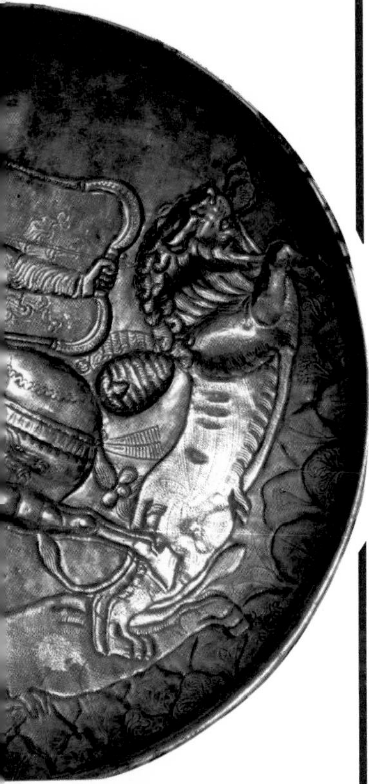

▼ *Le Repas, de Paul Gauguin, peintre français du XIXe siècle. Gauguin appartenait à l'école postimpressionniste.*

repousser les barbares. Les Grecs sont à l'origine de l'INFANTERIE, armée de soldats à pied organisée en *phalanges* constituées de rangs serrés d'hommes armés de lances. Les armées romaines s'inspirèrent du modèle grec, en l'améliorant pour en faire cette force efficace qui conquit et maintint un vaste empire. Chaque *légion* romaine se composait d'une unité de CAVALERIE, très mobile, soutenue par de l'infanterie lourde et de l'infanterie légère. Le XVIIe siècle vit naître les armées modernes avec leurs regroupements tactiques.

**ARMÉNIE** Dans la région située entre la mer Noire et la mer Caspienne vivent des populations parlant toutes arménien, mais, politiquement, cette région est divisée entre l'IRAN, la TURQUIE et l'Union soviétique (République socialiste fédérative soviétique d'Arménie). L'Arménie fut réunie en une république indépendante entre 1918 et 1920.

**ARME A FEU** Toutes les armes utilisant un EXPLOSIF comme la POUDRE (à canon) pour lancer un projectile à partir d'un tube cylindrique sont des armes à feu, mais le terme est généralement réservé aux armes portatives telles que revolvers, pistolets, fusils, mitraillettes, etc., dont les munitions ne dépassent pas le calibre de 20 mm.

**ARMSTRONG, NEIL** (né en 1930) Astronaute américain, le premier homme qui ait posé le pied sur la Lune, en 1969.

**ARMURE** Dès l'AGE DU BRONZE (2500 av. J.-C.), les combattants portaient des revêtements protecteurs pour éviter les blessures, mais c'est au MOYEN AGE que l'armure proprement dite connut son plein développement. Portée sur une cotte de mailles, elle était constituée de pièces métalliques recouvrant entièrement cavalier et cheval. Conçue pour le combat singulier, elle disparut progressivement avec l'invention de la poudre à canon et l'évolution des tactiques de guerre. ◁

**A.R.N.** Forme abrégée pour *acide ribonucléique,* substance organique complexe présente dans de nombreux types de VIRUS. L'A.R.N. est une forme d'acide ribonucléique, l'autre étant l'A.D.N.

▼ *L'histoire de l'art a quasiment l'âge de l'histoire de l'homme. Cette peinture rupestre trouvée dans une grotte d'Afrique date de la fin de l'Age de Pierre.*

**ART** Depuis les temps les plus reculés, les hommes ont créé des images visuelles. Ainsi, par exemple, les civilisations antiques de l'ÉGYPTE, de la GRÈCE et de ROME nous ont-elles laissé des fresques et des sculptures magnifiques. Après la chute de Rome, la chrétienté influença fortement le développement de l'art en Occident ; le MOYEN AGE fut l'époque des peintures de scènes religieuses, souvent dans un style rigide et non réaliste. La RENAISSANCE représenta pour l'art une sorte de libération, avec des peintres comme LÉONARD DE VINCI et MICHEL-ANGE qui élaborèrent un style beaucoup plus vivant et, en Europe du Nord, avec des artistes hollandais comme REMBRANDT qui peignaient des scènes de la vie quotidienne.

Aux XVIIe et XVIIIe siècles, de nombreux artistes remirent à l'honneur les styles grec et romain. Par la suite, la peinture se fit plus réaliste et plus naturelle, jusqu'à l'apparition, vers 1870, de l'IMPRESSIONNISME. Les impressionnistes, tels que MONET et RENOIR, peignaient par petites touches de couleurs, d'où des lignes plus souples, presque comme vues à travers un écran de brume.

Le XXᵉ siècle se libéra encore et vit fleurir, entre autres, l'ART ABSTRAIT et son dérivé, le CUBISME. (Voir AQUARELLE ; ART BAROQUE ; ART BYZANTIN ; ART MUSULMAN ; ART ROMAN ; BEAUX-ARTS ; FRESQUE ; MINIATURE ; MOSAIQUE ; POP ART ; SCULPTURE ; SURRÉALISME) ▷

**ART ABSTRAIT** Style de peinture et de sculpture du XXᵉ siècle. Les œuvres abstraites ne sont pas réalistes comme l'est une photographie, mais constituées de formes et de couleurs que l'artiste choisit et compose d'une certaine manière. Parmi les représentants de l'art abstrait, on compte Pablo PICASSO (pour certaines de ses œuvres), Henry MOORE, Paul Klee, Alexander Calder.

**ART BAROQUE** Le terme fait référence au style grandiose et richement orné qui prévalait en Europe au XVIIᵉ et au début du XVIIIᵉ siècle. Des peintres comme le Caravage en Italie, RUBENS à Anvers et VELASQUEZ en Espagne utilisaient le contraste de l'ombre et de la lumière, un choix de couleurs riches et un style naturaliste pour créer des œuvres saisissantes, empreintes de mouvement et d'émotion. Les œuvres baroques religieuses exaltaient le mysticisme des saints et les souffrances des martyrs. L'art baroque était intimement lié à la riche ARCHITECTURE de la période.

**ART BYZANTIN** Style artistique et décoratif qui fleurit à l'époque de l'Empire byzantin ou Empire romain d'Orient, des années 330 à 1500 environ. Quoique influencé par les formes grecques, romaines et orientales, l'art byzantin développa ses propres caractéristiques. De grandioses MOSAIQUES richement colorées ornaient les églises byzantines ; celles de l'église San Vitale à Ravenne (Italie), par exemple, sont célèbres. Les personnages figurant sur ces mosaïques étaient généralement stylisés — c'est-à-dire représentés à plat, sans perspective, dans des postures non réalistes. Dans le domaine des arts décoratifs, on doit aux artistes byzantins des ÉMAUX richement décorés, des textiles ou encore des soieries. (Voir COSTUME)

L'architecture byzantine est, comme sa contemporaine européenne, issue de l'architecture romaine, mais à la ligne droite elle a substitué les courbes des églises circulaires ornées de coupoles, dont la plus célèbre est l'église Sainte-Sophie (532-537) à Istanbul (autrefois Byzance et capitale de l'Empire byzantin), aujourd'hui transformée en mosquée. Aussi de style byzantin la basilique Saint-Marc, à Venise, reconstruite au XIᵉ siècle. (Voir EMPIRE BYZANTIN)

**ART DRAMATIQUE** Forme d'art qui utilise la langue et le jeu d'acteur pour raconter une histoire ou exprimer une idée.

Les représentations dramatiques étaient déjà populaires dans la Grèce antique, vers 400 av. J.-C. A Athènes, dans le théâtre en plein air de Dionysos qui pouvait accueillir 14 000 spectateurs étaient données des représentations de tragédies — pièces solennelles, poétiques et philosophiques se terminant généralement par la mort du héros — et des drames satiriques — comédies qui critiquaient ou tournaient en ridicule certains aspects de la vie contemporaine.

De nos jours, l'art dramatique est pratiqué par des enfants et par des adultes, de manière professionnelle (scène, télévision ou radio) ou par des amateurs. (Voir JEU d'acteur)

**ART GOTHIQUE** Le gothique a trouvé son plein épanouissement dans l'ARCHITECTURE religieuse de la fin du Moyen Age. On considère généralement l'Ile-de-France comme le berceau de l'architecture gothique qui se caractérise par l'emploi de l'arc brisé, les piliers en faisceaux, les contreforts et arcs-boutants. Parmi les églises représentatives du style, citons Notre-Dame de Paris, les cathédrales de Chartres, Reims, Rouen, etc. Le début du XIXᵉ siècle remit à l'honneur le gothi-

ART La toile la plus connue au monde est probablement *la Joconde*, de Léonard de Vinci, qui est exposée au musée du Louvre, à Paris. Elle mesure 77 cm x 53 cm ; on raconte que le roi François Iᵉʳ l'avait suspendue dans sa salle de bains.

▸ *Un exemple de réalisation architecturale de style normand : l'ambulatoire de la cathédrale de Peterborough (XIIᵉ siècle).*

▸ *L'art byzantin est célèbre pour ses mosaïques richement colorées, faites de verre et de marbre. Ci-contre, une mosaïque de l'église* Sant'Apollinare Nuovo *à Ravenne (Italie) montrant les Rois Mages apportant leurs présents à l'enfant Jésus.*

▲ *En 1818, l'explorateur britannique John Ross recercha le passage du nord-ouest. Il fut le premier à rencontrer des Esquimaux. (Voir ARCTIQUE p. 36)*

ARCTIQUE (Voir p. 36). L'épaisseur de la glace au pôle Nord n'est que de 5 m.

La plus grande ville de l'Arctique est Mourmansk, en U.R.S.S., (394 000 habitants). Son port fut utilisé par les Russes pendant la Seconde Guerre mondiale pour recevoir le matériel et le ravitaillement fournis par les Alliés.

La profondeur moyenne de l'océan Arctique est de 1 280 m, sa profondeur maximale de 5 333 m.

Le climat de l'Arctique est beaucoup plus doux que celui de l'Antarctique. Alors que le pôle Sud est désolé et glacé d'un bout de l'année à l'autre, les températures du pôle Nord sont modérées par la proximité de la mer. Le point le plus froid de l'Arctique n'est pas situé au pôle Nord mais à des centaines de kilomètres plus au sud, en Sibérie.

que, créant un style « néo-gothique » dans lequel furent construites par exemple Sainte-Clotilde à Paris ou la Chambre des communes à Londres. L'art gothique s'exprima surtout dans la décoration des églises (vitraux, tableaux, pièces d'orfèvrerie, sculptures et tapisseries).

**ART MUSULMAN** A partir de 633 ap. J.-C., les ARABES se lancèrent à la conquête d'un vaste empire, et l'art typiquement musulman subit successivement diverses influences qui le firent évoluer. La forme artistique la plus représentative de l'ISLAM est son ARCHITECTURE, mais les artistes s'illustrèrent également dans les enluminures de manuscrits, la CALLIGRAPHIE, le travail du verre ou des métaux, la céramique et la fabrication des tapis. Les représentations réalistes étant bannies par la religion islamique, la décoration prit exclusivement des formes stylisées ou abstraites.

▼ *L'intérieur de la Sainte-Chapelle (Paris), cathédrale gothique construite sous le règne de Saint Louis pour abriter les reliques rapportées de Terre sainte.*

**ART ROMAN** Vaste mouvement artistique qui fleurit en Europe occidentale aux XI^e^ et XII^e^ siècles. Romantique et spirituel dans son contenu, l'art de cette époque s'exerçait principalement sur des sujets religieux. En ARCHITECTURE, le style roman s'inspirait largement de la tradition romaine, notamment dans l'utilisation de l'arc en plein cintre (abbaye de Cluny, cathédrale de Poitiers en France ; église Saint-Ambroise de Milan, en Italie). Avec la conquête de l'Angleterre par les Normands, l'architecture romane essaima dans ce pays. A cette branche de l'architecture romane dite *normande,* on doit, entre autres, l'église abbatiale de Westminster.

**ARTÈRE** Vaisseau qui transporte le SANG du cœur vers les divers organes et tissus du corps humain. La plus importante des artères est l'*aorte,* qui prend naissance à la base du ventricule gauche du cœur et suit la colonne vertébrale. Plusieurs ramifications de cette artère alimentent en sang rouge les différentes parties du corps : la *carotide* pour la tête et le cou, l'artère *cœliaque* pour l'estomac et le foie, l'artère *rénale* pour les reins et l'artère *pulmonaire* pour les poumons.

**ARTHRITE** Ensemble d'affections chroniques et aiguës qui provoquent inflammation et raideur des articulations. La plus commune est l'ostéo-arthrite ou rhumatisme articulaire.

OCÉAN ARCTIQUE
U.R.S.S.
Ienisseï
Lena
Ob
MONTS OURAL
Omsk
Novosibirsk
Amour
L. Baïkal
Irkoutsk
Mer Noire
Izmir
Ankara
TURQUIE
CHYPRE
Nicosie
Alep
LIBAN
Beyrouth
SYRIE
Damas
Jérusalem
ISRAEL
Ammân
JORDANIE
IRAK
Bagdad
Euphrate
Tigre
CAUCASE
Mer Caspienne
Mer d'Aral
Syr-Daria
Amou-Daria
L. Balkhash
Oulan-Bator
MONGOLIE
Mts TIEN-CHAN
Houang Ho
Pékin
Désert de Gobi
Taiyuan
Téhéran
Ispahan
Bassora
Abadan
Koweït
KOWEIT
IRAN
AFGHANISTAN
Kaboul
Islamabad
Lahore
Cachemire
Tibet
Lanzhou
Sian
CHINE
Médine
Riyad
BAHREIN
QATAR
Doha
Djedda
La Mecque
Désert d'Arabie
E.A.U.
Mer Rouge
ARABIE SAOUDITE
OMAN
Mascate
PAKISTAN
Indus
Karachi
Hyderabad
Delhi
New Delhi
HIMALAYA
Lhassa
Mt EVEREST
NÉPAL
Katmandou
Thimbu
BHOUTAN
Chengdu
Yang Tsé Kiang
Chongqing
Kunming
Si Kiang
Kanpur
Lucknow
Bénarès
Brahmapoutre
Gange
Dacca
BIRMANIE
Sanaa
République arabe du Yémen
République démocratique et populaire du Yémen
Aden
Ahmadabad
INDE
Calcutta
Mandalay
Hanoi
LAOS
Vientiane
VIET-NAM
Mekong
Nagpur
Bombay
Godavari
Hyderabad
BANGLADESH
Irraouaddi
Salouen
Rangoon
THAILANDE
Bangkok
KAMPUCHÉA
Phnom Penh
Ho Chi Minh Ville (Saigon)
Bangalore
Madras
SRI LANKA
Colombo
(Ceylan)
Équateur
MALDIVES
Malé
Penang
MALAISIE
Kuala Lumpur
SINGAPOUR
ASIE
OCÉAN INDIEN
0
400
800
1 200
1 600 kilomètres
Capitales
Sumatra
Djakarta
Java

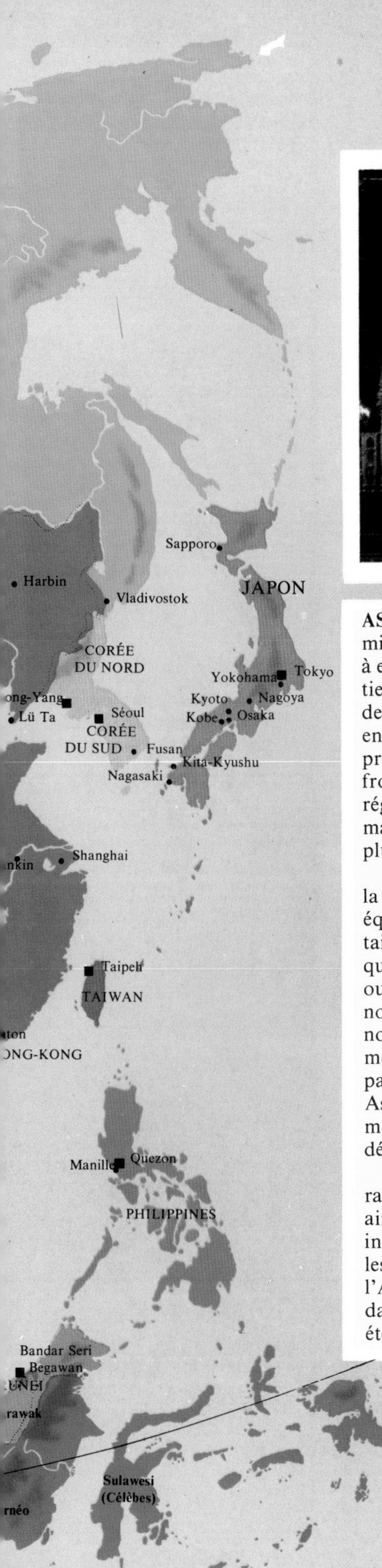

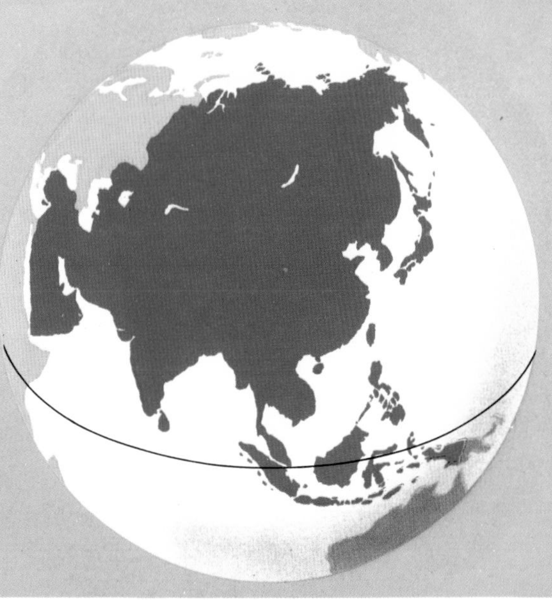

**ASIE** Le plus vaste des continents et le premier également pour le nombre d'habitants : à elles seules, la CHINE et l'INDE regroupent un tiers de la population mondiale. Par contre, la densité moyenne des habitants est inférieure en Asie à ce qu'elle est en Europe du fait de la présence de vastes zones extrêmement froides, sèches ou montagneuses, mais des régions comme le delta du GANGE et du Brahmapoutre, ou l'île de JAVA comptent parmi les plus peuplées au monde.

Continent de contrastes, l'Asie s'étend de la toundra ARCTIQUE au nord jusqu'aux terres équatoriales d'INDONÉSIE. Elle compte certaines des régions les plus arides du monde, qu'il s'agisse des déserts brûlants du sud-ouest ou des zones désertiques glacées du nord-est ; à côté de quoi Cherrapunji, dans le nord-ouest de l'Indonésie, détient le record mondial des chutes de pluie, soit 2 646 cm, par exemple, en 1860-61. C'est également en Asie que l'on trouve la plus haute chaîne de montagnes, l'HIMALAYA et la plus profonde dépression, le littoral de la MER MORTE.

L'Asie abrite trois grandes familles raciales : les caucasiens dans le sud-ouest ainsi que dans le nord du sous-continent indien, les mongoloïdes, dont les Chinois et les Japonais, dans la plus grande part de l'Asie orientale, enfin quelques négroïdes dans le sud-est et aux PHILIPPINES. L'Asie a été le berceau de toutes les grandes religions ; c'est sur ce continent que sont nés le BOUDDHISME, le CHRISTIANISME, l'HINDOUISME, l'ISLAM, le JUDAISME et le shintoïsme.

La population asiatique est aux deux tiers paysanne, souvent très pauvre, la sécheresse et les inondations provoquant de fréquentes famines. Riz et blé constituent les principales ressources alimentaires. Les cultures d'agrumes, de coton, de jute, de caoutchouc, d'épices, de thé et de tabac sont surtout réservées à l'exportation. La seule nation réellement industrialisée du continent est le JAPON ; néanmoins, certains pays comme la Chine sont en voie d'industrialisation.

L'Asie a vu naître et mourir d'importantes civilisations antiques ; ainsi celles de MÉSOPOTAMIE, de BABYLONE, d'ASSYRIE, de Chine et de la vallée de l'Indus. L'influence européenne s'est manifestée en Asie à partir du XVIe siècle, et, à la fin du XIXe, le Sud et le Sud-Est asiatiques étaient devenus des colonies européennes. Pourtant, après la Seconde Guerre mondiale et l'occupation par le Japon de nombreuses parties du continent, la plupart des colonies accédèrent à l'indépendance. Un autre événement politique important fit, en 1949, l'instauration en Chine continentale d'un régime communiste (Chine populaire). En 1975, des régimes communistes prenaient aussi le pouvoir au VIETNAM, au LAOS et au CAMBODGE (aujourd'hui Kampuchéa).

**ASPHALTE** Mélange noir et visqueux de minéraux imprégnés de bitume. On peut extraire l'asphalte de gisements naturels ou l'obtenir par distillation du pétrole brut. On l'utilise principalement pour revêtir des chaussées ou comme imperméabilisant. ▷

**ASSEMBLÉE NATIONALE** Ensemble des députés français élus au suffrage universel pour cinq ans. L'Assemblée nationale siège dans un bâtiment nommé le palais Bourbon.

**ASSOLEMENT** Système agricole consistant à faire succéder diverses cultures sur une même parcelle de terrain de façon à ne pas épuiser le sol : par exemple une légumineuse, qui enrichit la terre en azote, à une céréale, exigeante en azote ; une rotation bien connue est l'assolement blé-betterave.

**ASSURANCE** Manière de se préserver contre les pertes financières résultant d'un incendie, d'un vol, d'un accident, d'une maladie, etc. Qui veut s'assurer passe un contrat avec une compagnie d'assurances et, moyennant le paiement annuel d'une certaine somme (la prime), il est indemnisé en cas de sinistre. Les primes sont calculées en fonction des risques et des indemnisations versées, déduction faite des frais de gestion de la compagnie.

▸ *Ce bas-relief montre un groupe de soldats assyriens assiégeant une ville. Au centre, on aperçoit un bélier. Les Assyriens étaient passés maîtres dans l'art de la guerre : ils introduisirent l'usage de l'armure et furent les premiers à constituer une cavalerie.*

**ASSYRIE** Empire de l'Orient ancien qui fleurit en Mésopotamie de 1300 av. J.-C. à 612 av. J.-C. environ. A son faîte, l'Empire assyrien couvrait un vaste territoire allant de la Perse, à l'est, à l'Égypte, à l'ouest. Les Assyriens, dont la culture était issue de celle de Babylone, bâtirent leur empire grâce à leur armée — l'une des plus efficaces et des plus féroces du monde antique. Elle se composait, outre l'infanterie (légère et lourde), d'une cavalerie montée sur des chars. Armés d'arcs et d'armes de jet, les Assyriens étaient également les maîtres de la guerre de siège. C'étaient aussi des excellents administrateurs qui dirigeaient les provinces les plus reculées par l'intermédiaire d'un système hiérarchisé de délégués placés sous les ordres du roi. La domination assyrienne prit fin en 612 av. J.-C., avec la prise de Ninive, la capitale, par les forces conjointes des Mèdes, des Babyloniens et des Scythes. (Voir BABYLONE, MÉSOPOTAMIE)

**ASTÉROIDE** PLANÈTE mineure, circulant généralement entre les orbites de Mars et de Jupiter. Plus de 2 000 astéroïdes ont été répertoriés à ce jour. Pour la majorité d'entre eux, le diamètre est inférieur à 160 km. ▷

**ASTHME** Affection qui provoque des difficultés respiratoires, des spasmes des bronches et des accès de toux. Dans la plupart des cas, l'asthme est le résultat d'une ALLERGIE à la poussière, au pollen ou à certains aliments.

**ASTIGMATISME** Défaut de courbure du globe oculaire, très courant chez l'homme, avec pour conséquence une vision brouillée. (Voir CORNÉE)

**ASTROLOGIE** Art de prédire l'avenir à partir de la disposition des corps célestes. L'astrologie faisait partie des religions primitives ; elle est née de la croyance que les mouvements du Soleil, de la Lune et des PLANÈTES avaient une influence sur le cours des événements terrestres. (Voir ASTRONOMIE)

**ASTRONAUTIQUE** Science qui s'attache à tout ce qui concerne les voyages dans l'espace : conception et construction de vaisseaux spatiaux, lancement de FUSÉES, sélection et formation du personnel, contrôle des vaisseaux, télécommunications.

Les hommes de l'espace ont été baptisés *astronautes* aux États-Unis et *cosmonautes* en Union soviétique. Les précurseurs des astronautes étaient des pilotes d'avion aux commandes d'appareils propulsés par des fusées. Dans la mesure où ils n'avaient pas paru souffrir de leur court séjour dans l'espace, l'expérience pouvait être poursuivie, mais il fallut d'abord répondre expérimentalement à un certain nombre de questions : comment le corps humain supporterait-il l'accélération écrasante d'un lancement? Comment réagirait-il à un séjour prolongé en apesanteur? Comment manger et boire dans un environnement où il n'y a ni « haut » ni « bas »?

Au début des années 60, Russes et Américains avaient accompli des progrès considérables dans le domaine de la technologie spatiale. Ils étaient capables de placer en orbite autour de la Terre des SATELLITES

ASPHALTE Dans certaines parties du monde, l'asphalte existe à l'état naturel dans des gisements à ciel ouvert appelés lacs d'asphalte. Au Venezuela, par exemple, l'un de ces gisements couvre une superficie de 400 ha, sur une profondeur d'un mètre environ.

Un peu partout dans le monde, les routes sont généralement « asphaltées » : mélangé à du sable et du calcaire en poudre, l'asphalte est chauffé, répandu sur la chaussée en béton, puis aplani et tassé.

ASTEROIDE Le plus gros astéroïde connu est Cérès ; c'est également le premier à avoir été découvert (1801). D'un diamètre de 1 003 km, il est distant du Soleil de 414 millions de kilomètres et son année est 4,6 fois plus longue que celle de la Terre.

Parmi les autres gros astéroïdes, on peut citer Pallas (608 km de diamètre), Vesta (538 km), Hygeia (450 km) et Euphrosyne (370 km).

ASTRONAUTIQUE Lancé le 4 octobre 1957, le satellite soviétique *Spoutnik I* fut le premier objet artificiel à s'élancer dans l'espace. Le premier homme de l'espace fut le Soviétique Youri Gagarine (12 avril 1961), la première femme, Valentina Terechkova, une Soviétique également (1963). Le premier atterrissage sur la Lune fut réussi par le satellite soviétique télécommandé *Luna 2* (14 septembre 1959). Ce fut l'Américain Neil Armstrong qui, le 20 juillet 1969, mit le premier le pied sur la Lune, au sortir du module lunaire d'*Apollo XI*.

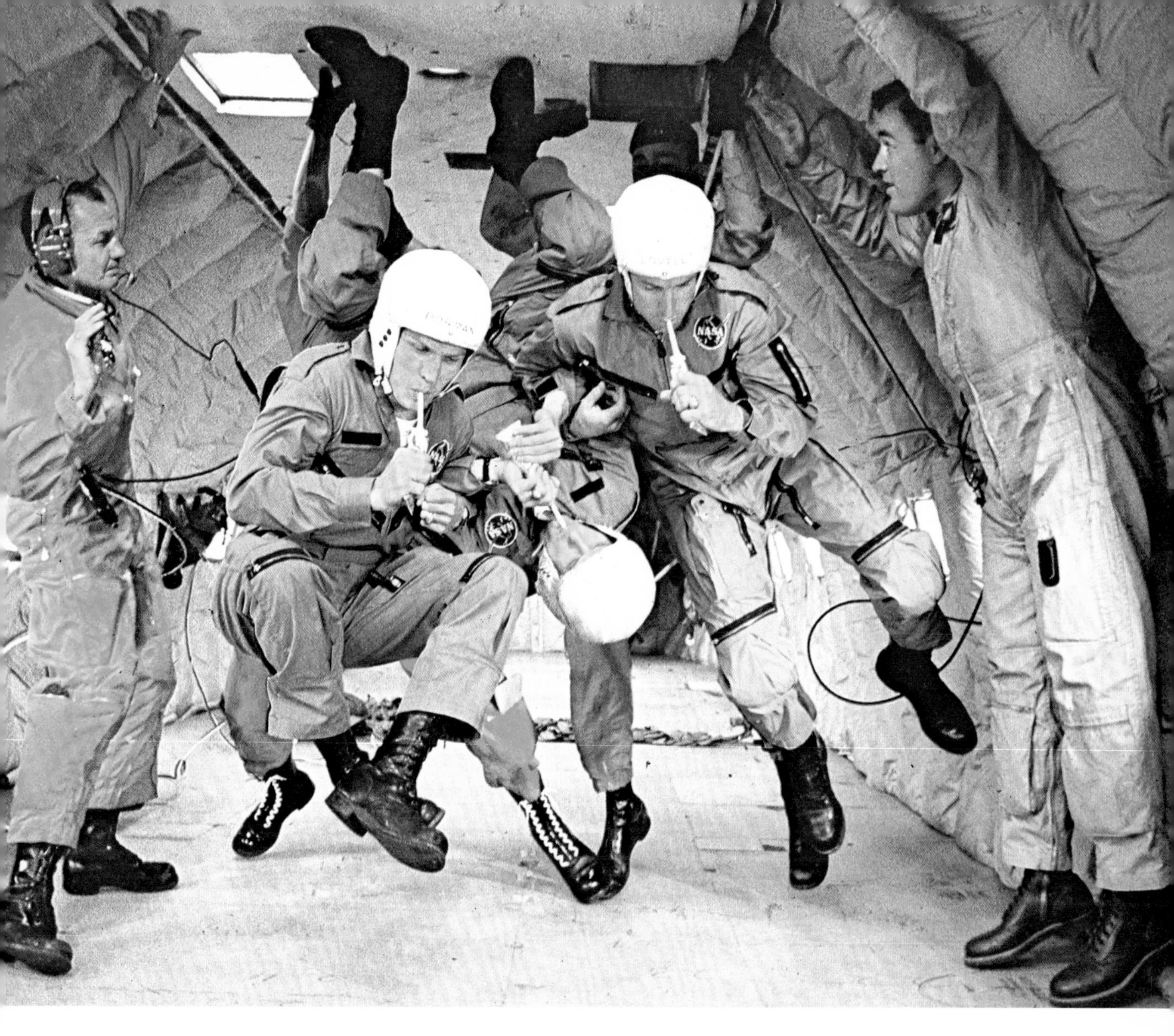

A ce jour, c'est l'Américain Donald Slayton qui détient le titre de doyen des astronautes : il avait 51 ans lorsqu'il participa à la mission Apollo-Soyouz, en 1975.

Un lanceur *Saturn V* compte 11 moteurs-fusées principaux, dont 5 pour le premier étage, consommant chacun 3 tonnes de carburant à la seconde. Avec le chargement de carburant, l'ensemble pèse 3 000 tonnes environ au moment du lancement. *Saturn V* est composé de quelque 2 millions d'éléments.

habités, et ce pour des durées de plus en plus longues. Vers la fin de la décennie, les Américains faisaient atterrir des hommes sur la Lune. (Voir EXPLORATION DE L'ESPACE)

La sélection des astronautes est un travail de longue haleine. Aux États-Unis, le personnel de *pilotage* est recruté parmi les pilotes possédant au moins un diplôme scientifique d'enseignement supérieur. Quant aux membres du personnel *scientifique*, ils doivent posséder impérativement un doctorat en ingénierie, science ou médecine, ou une expérience équivalente. Tout candidat subit d'innombrables tests médicaux visant à vérifier l'excellence de son équilibre mental et de sa condition physique. Après les entretiens poussés qui suivent ces tests, un petit nombre seulement de candidats est retenu pour l'entraînement proprement dit.

Les élèves astronautes assistent à des conférences et à des expériences couvrant un grand nombre de sujets, de façon que, une fois dans l'espace, ils soient capables de résoudre n'importe quel problème qui se poserait à eux. Ils doivent également avoir de bonnes notions de météorologie, d'astronomie, de navigation et de vol spatiaux, de géologie, d'informatique ou de technologie des télécommunications.

*▲ Ces astronautes s'entraînent à opérer en apesanteur, dans un avion qui plonge à partir d'une altitude élevée, à la vitesse qu'atteindrait quelqu'un sautant sans parachute. Durant ce piqué, la gravité est nulle dans l'appareil, d'où un état d'apesanteur. Ici, les astronautes s'exercent à boire.*

Outre cette formation théorique, les astronautes reçoivent un entraînement physique très poussé, entre autres dans des simulateurs qui reproduisent les conditions du voyage dans l'espace. L'expérience de l'apesanteur, elle, est reconstituée dans des avions qui descendent en piqué. Enfin, pour le cas où un vaisseau atterrirait loin de sa cible, on apprend également aux astronautes à survivre jusqu'à l'arrivée des secours. ◁

**ASTRONOMIE** Les premières observations scientifiques de l'homme eurent trait à l'astronomie : l'étude du SOLEIL, de la LUNE, des ÉTOILES, des PLANÈTES et autres corps célestes. Cet intérêt de l'homme pour le ciel s'explique aisément, dans la mesure où le lever et le coucher du Soleil déterminaient la durée de la journée de travail. Ainsi l'homme nota-t-il qu'en été la durée du jour était plus longue qu'en hiver et que le Soleil s'élevait plus haut dans le ciel. La nuit, l'homme pouvait noter d'autres changements : la position des étoiles variait régulièrement et la Lune passait par une série de changements de forme selon un cycle de vingt-neuf jours et demi. Aujourd'hui, nous donnons le nom de *phases* à ces changements d'apparence périodiques de la Lune qui étaient pour les premiers hommes un moyen commode de repérer le passage du temps. Ainsi les calendriers babyloniens, s'appuyant sur les phases de la Lune, alternaient-ils les mois de vingt-neuf jours et ceux de trente jours.

Les premiers CALENDRIERS se révélèrent inexacts. Les étoiles n'apparaissaient pas au moment prévu et les mois se décalaient par rapport aux saisons. Régulièrement, il fallait donc rectifier ces calendriers afin qu'ils correspondent aux observations astronomiques. Nous-mêmes corrigeons notre calendrier moderne en ajoutant un jour à l'année toutes les années bissextiles.

Le développement du calendrier permit aux premiers astronomes de prévoir l'apparition des COMÈTES et la date des ÉCLIPSES. Il leur suffisait de consulter les dates successives auxquelles ces phénomènes s'étaient produits pour en déduire leur périodicité. Cependant, cette capacité des astronomes à prédire des événements futurs était souvent considérée comme magique et quiconque voulait connaître son avenir était enclin à se tourner vers les astronomes. C'est ainsi que naquit l'ASTROLOGIE, supposée mettre en évidence l'influence des corps célestes sur la personnalité de chacun. De plus, là où l'homme ne trouvait aucune explication scientifique aux phénomènes qu'il observait, il remplaçait celle-ci par des mythes et des légendes. En conséquence, l'astronomie est longtemps demeurée un mélange de faits et de fiction.

Vers 600 av. J.-C., les Grecs commencèrent à adopter une méthode d'approche plus scientifique. Ainsi, vers 300 av. J.-C., ARISTOTE déduisit-il logiquement de ses observations que la Terre était courbe. Un siècle plus tard, c'était Aristarque de Samos qui, par raisonnement, parvenait à la conclusion que la Terre tournait autour du Soleil. Mais l'idée d'un UNIVERS ayant la Terre pour centre était probablement plus satisfaisante pour l'homme, et cette théorie resta en vigueur pendant de nombreux siècles encore.

Vers 1540, un Polonais nommé Nicolas COPERNIC remit à l'honneur l'idée que le Soleil se trouvait au centre de notre système planétaire et, cette fois, l'idée fit son chemin. En 1608, l'invention du TÉLESCOPE, par Hans Lippershey, faisait faire un grand bond en avant à l'astronomie ; elle permit, entre autres, la découverte de nouvelles planètes de notre SYSTÈME SOLAIRE, mais ce n'est qu'en 1930 que fut découverte la neuvième, Pluton. L'année suivante, Karl Jansky, en captant des ondes radio venues de l'espace, ouvrait un nouveau chapitre de l'histoire de l'astronomie : celui de la RADIOASTRONOMIE. Parmi les découvertes à porter au crédit de l'invention du radiotélescope figurent celles de corps étranges comme les QUASARS et les PULSARS. (Voir PLANÉTARIUM) ▷

▲ *Une des premières cartes astronomiques montrant la Terre tournant autour du Soleil. Pendant des siècles, les hommes ont considéré la Terre comme le centre de l'univers.*

ASTRONOMIE L'une des questions qui restent posées aux astronomes est de savoir si la vie existe ailleurs que sur la Terre. Que l'on n'ait pas encore apporté de réponse à cette question n'a rien d'étonnant lorsqu'on considère les distances qui nous séparent des autres mondes. En imaginant, par exemple, un Soleil de la taille d'un ballon de football, Alpha du Centaure s'en trouverait éloignée de 13 000 km. Cela montre à quel point nous sommes isolés dans l'espace. Il semble pourtant quasiment certain aujourd'hui qu'une vie intelligente existe quelque part dans l'Univers. Notre seule galaxie — la Voie lactée — compte peut-être un milliard de planètes capables d'abriter des êtres semblables à nous et il existe des millions d'autres galaxies, ce qui laisse penser aux scientifiques que quelque part, parmi ces planètes innombrables, doivent exister des êtres proches de nous. Par contre, entrer en contact avec ces êtres risque de ne pas être facile.

**ATHÈNES** Capitale de la GRÈCE, Athènes a exercé un très grand rayonnement dans les années 400 av. J.-C., alors qu'elle était à la fois la capitale et le centre culturel de l'Attique. La ville antique était bâtie autour de la colline de l'Acropole, citadelle transformée en centre religieux. Dominant la ville de 60 m, l'Acropole porte les ruines de temples magnifiques, dont le plus connu est le PARTHÉNON (construit entre 447 et 438 av. J.-C.). Avec le Musée archéologique national, le Parthénon attire toujours énormément de touristes. Athènes est aujourd'hui une cité active de 890 000 habitants visitée chaque année par quelque trois millions de touristes.

**ATHLÉTISME** Ensemble de sports individuels comprenant un certain nombre de compétitions : des courses (sur courtes distances, de demi-fond, de fond, de relais, d'obstacles), des concours de saut (en longueur, en hauteur, à la perche), des lancers (du disque, du marteau, du javelot, du poids), certaines

◂ *La couche supérieure de l'atmosphère est* l'exosphère, *qui se dissout graduellement dans l'espace. Elle se situe à 1 000 km environ au-dessus de la Terre.*

◂ L'ionosphère *est située entre 80 km et 500 km au-dessus de la Terre. Elle est très pauvre en oxygène. Dans l'ionosphère, des perturbations causées par les courants de particules en provenance du Soleil provoquent des phénomènes lumineux appelés* aurores polaires. *La température y croît avec l'altitude : de -80 °C à 80 km à 1 200 °C à 500 km. C'est dans l'ionosphère que circulent les satellites artificiels.*

◂ *De la tropopause à 80 km d'altitude, se situe la* stratosphère. *La température y est constante (-55 °C) dans les niveaux inférieurs, mais s'élève jusqu'à 10 °C environ à l'altitude de 50 km. Elle retombe jusqu'à quelque -80 °C à 80 km. L'élévation de température est probablement due à la présence d'une couche d'ozone qui filtre en partie les radiations ultra-violettes, radiations qui, si elles atteignaient la surface, rendraient impossible toute vie sur la Terre. Les* nuages à luminescence nocturne *de la stratosphère sont probablement constitués de poussière de météorites.*

◂ *La couche inférieure de l'atmosphère, ou* troposphère, *s'étend jusqu'à 18 km environ au-dessus de l'équateur, jusqu'à 10-11 km aux latitudes moyennes et jusqu'à 8 km au-dessus des pôles. C'est dans la troposphère qu'est concentrée la plus grande part de la masse atmosphérique. Cette couche est séparée de la stratosphère par la* tropopause, *dans laquelle la température se stabilise à -55 °C environ.*

épreuves comme le décathlon couvrant plusieurs disciplines.

Dans la Grèce antique, les épreuves d'athlétisme figuraient aux JEUX OLYMPIQUES, fondés en 776 av. J.-C. Certaines épreuves survécurent au Moyen Age, mais il fallut attendre le XIX$^e$ siècle pour voir l'athlétisme remis à l'honneur. Avec le développement du sport dans les écoles et les universités, l'athlétisme devint populaire et, en 1896, les jeux Olympiques eux-mêmes renaissaient de leurs cendres. C'est en 1912 que fut créée la Fédération internationale d'athlétisme amateur, à laquelle sont affiliés presque tous les pays où se pratique l'athlétisme.

**ATLANTIQUE (OCÉAN)** Deuxième du monde par sa superficie (81 662 000 km$^2$), l'Atlantique abrite une énorme chaîne de montagnes sous-marines, la *dorsale médio-atlantique.* Du fait de la formation continuelle de nouvelles roches le long de cette dorsale, l'Atlantique s'élargit chaque année d'un centimètre environ.

**ATMOSPHÈRE** On distingue quatre couches dans l'atmosphère qui entoure la Terre. La plus grande partie de l'AIR est concentrée dans une couche relativement mince, la *troposphère,* qui s'étend du niveau de la mer jusqu'à 8 km d'altitude environ dans les régions polaires et jusqu'à quelque 18 km au-dessus de l'équateur. Au-dessus de la troposphère se trouve la *stratosphère,* la jonction entre ces deux couches portant le nom de *tropopause.* Les avions à réaction volent souvent dans la partie inférieure de la stratosphère pour éviter les perturbations atmosphériques des basses altitudes. De 80 km (limite supérieure de la stratosphère) à 500 km, c'est l'*ionosphère,* riche en particules chargées résultant de l'ionisation. A partir de 1 000 km commence l'*exosphère,* frange de l'atmosphère qui débouche sur l'espace interplanétaire. ◁

**ATOLL** Récif circulaire, constitué de CORAIL et entourant une étendue d'eau ou lagon. Les atolls sont typiques des mers tropicales (Pacifique, océan Indien). On pense qu'ils résultent de la formation de corail autour de volcans submergés par la suite.

**ATOME** Toute substance est constituée par des particules appelées atomes, si petites que, mises bout à bout, il en faudrait cinquante millions pour faire un centimètre. Les atomes sont constitués par des particules plus petites encore : les *électrons,* les *protons* et les *neutrons.* Protons et neutrons constituent le *noyau* central de l'atome. Les électrons tournent autour du noyau, un peu comme les planètes autour du Soleil. Les protons sont chargés positivement d'électricité, les électrons chargés négativement ; les neutrons sont des particules sans charge. Normalement, un atome possède un nombre égal de protons et d'électrons dont les charges opposées s'annulent, de sorte que l'atome est neutre.

L'atome le plus simple est celui de l'HYDROGÈNE, dans lequel un seul électron tourne autour d'un noyau composé d'un seul proton. Les particules d'autres ÉLÉMENTS chimiques comptent un nombre supérieur d'électrons et de protons, et des neutrons dans leur noyau.

Le *numéro atomique* d'un élément désigne le nombre de protons qui composent chacun de ses atomes. Chaque élément a son propre numéro atomique qui varie de 1 (hydrogène) à 105 (hahnium). Faire varier le nombre de protons d'un atome équivaut à changer son identité — c'est-à-dire à le transformer en atome d'un autre élément. Des transformations de ce type s'opèrent dans des machines appelées ACCÉLÉRATEURS de particules.

Faire varier le nombre de neutrons d'un atome ne change pas son identité. C'est toujours un atome du même élément, ayant les mêmes propriétés chimiques. Les atomes d'un même élément comportant des nombres différents de neutrons sont appelés ISOTOPES.

Ce sont principalement les protons et les neutrons qui fournissent la masse d'un atome, dans des proportions à peu près égales. La masse d'un électron, par contre, n'est que de 1/1 836 fois celle d'un proton. Le nombre total de neutrons et de protons d'un atome est appelé *nombre de masse*. Il sert principalement à distinguer les divers isotopes d'un même élément. L'un des isotopes du chlore, par exemple, compte dans son noyau 18 neutrons et 17 protons, un autre a 20 neutrons et 17 protons. En cas de besoin, on peut les distinguer en adjoignant au symbole chimique de l'élément ses nombres de masse respectifs, soit : Cl 35 et Cl 37. (Voir BOMBE ATOMIQUE, ÉNERGIE ATOMIQUE, ÉNERGIE NUCLÉAIRE) ▷

▲ *Le noyau d'un atome est composé de particules plus petites encore appelées protons et neutrons. L'atome de carbone a six électrons qui tournent autour d'un noyau de six protons et six neutrons.*

ATOME L'atome doit son nom au philosophe grec Démocrite (en grec, *atomos* signifie « que l'on ne peut couper »). Démocrite croyait qu'en coupant quoi que ce soit en deux, puis à nouveau en deux et ainsi de suite, on finissait forcément par obtenir à un moment donné des particules que l'on ne pouvait diviser en particules plus petites. Ce sont ces particules qu'il baptisa atomes. Pourtant, on découvrit les électrons (vers 1890) et par la suite, les scientifiques durent se rendre à l'évidence : les atomes n'avaient rien de petits grains solides mais étaient, au contraire, constitués essentiellement de vide.

A supposer un morceau d'uranium de 25 mm de diamètre gonflé aux dimensions de la Terre, chacun de ses atomes mesurerait 25 mm de diamètre seulement et son noyau serait si petit qu'il faudrait, pour le voir, utiliser un puissant microscope.

L'univers est composé à 90 % d'atomes d'hydrogène et à 9 % d'atomes d'hélium. Tous les autres éléments réunis ne représentent que 1 % de la totalité des atomes.

► *L'*Ayers Rock *se dresse, solitaire, au milieu des plaines centrales d'Australie.*

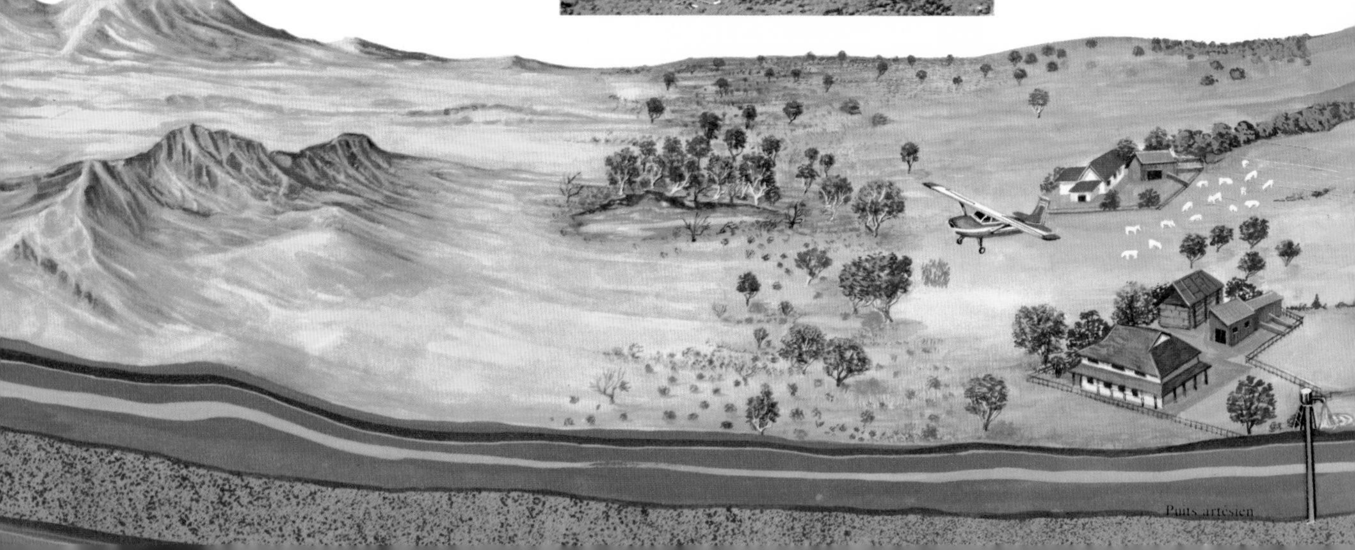

◀ *Autour de nous, tout est constitué par de minuscules atomes, si petits que nous ne pouvons les voir. Un atome se compose d'un noyau central, entouré par des électrons. A supposer un noyau de la taille d'un bouton d'ascenseur, l'atome complet aurait, lui, les dimensions d'un gratte-ciel.*

AUSTRALIE : DONNÉES
Superficie : 7 686 849 km².
Population : 14 856 000 habitants.
Capitale : Canberra.
Langue : anglais
Religion : christianisme.
Monnaie : dollar australien.
Point culminant : mt Kosciusko (2 230 m), dans les Alpes australiennes (Nlles-Galles du Sud).
Plus long cours d'eau : Darling (2 739 km).

**AURORE POLAIRE** Phénomène lumineux qui se produit parfois la nuit dans les régions polaires. Une aurore se produit lorsque des particules chargées en provenance du Soleil pénètrent dans l'ATMOSPHÈRE et entrent en collision avec les molécules de gaz de l'IONOSPHÈRE.

**AUSTRALASIE** Ensemble géographique composé de l'AUSTRALIE, la NOUVELLE-ZÉLANDE, la Papouasie-NOUVELLE-GUINÉE et diverses îles du PACIFIQUE. L'Australasie (ou Océanie) compte 23 050 000 habitants (en 1981) pour une superficie de 8 510 000 km². A l'origine, la population était composée d'ABORIGÈNES d'Australie, de Mélanésiens tels ceux de Papouasie-Nouvelle-Guinée, de Micronésiens et de Polynésiens comme les MAORIS. Aujourd'hui, Australiens et Néo-Zélandais sont en grande majorité des descendants des colons européens.

**AUSTRALIE** C'est la plus vaste contrée d'Océanie, ce qui la fait parfois considérer comme un continent à elle seule. En raison de sa latitude, l'Australie est aux deux tiers aride. C'est également un pays à population faible, urbaine à 90 % — les quatre villes importantes de SYDNEY, MELBOURNE, BRISBANE et ADÉLAIDE concentrant à elles seules plus de la moitié de la population. Autrefois investie par les condamnés puis par les colons britanniques, l'Australie accueille depuis 1945 des immigrants venus d'autres pays d'Europe. A l'origine, la population indigène était probablement composée d'aborigènes de Tasmanie qui disparurent à la fin du siècle dernier. Aujourd'hui, les aborigènes d'Australie sont au nombre de 100 000 environ.

L'Australie a d'abord été un pays exclusivement agricole, et l'agriculture (laine, bœuf, produits laitiers) reste l'un des secteurs essentiels de son économie. 6 % seulement des terres sont cultivées, les rendements sont peu élevés mais le pays exporte néanmoins des céréales. Industrie minière et industries de transformation dominent aujourd'hui l'économie du pays. L'Australie est l'un des premiers producteurs mondiaux de minerais. Elle exporte principalement de la bauxite, du minerai de fer et de plomb.

En 1901, avec la proclamation du *Commonwealth of Australia,* l'Australie a acquis son indépendance. Les liens qui l'unissent à la Grande-Bretagne demeurent puissants, mais, récemment, l'Australie a diversifié son commerce et établi d'importants rapports avec les États-Unis et certaines nations asiatiques. ◁

**AUTOMATISATION** A l'origine, utilisation de machines fonctionnant sans intervention humaine afin de remplacer le personnel. Aujourd'hui, l'automatisation (on dit aussi *automation*) s'est étendue à de nombreux domaines comme le pilotage des avions, le contrôle de la circulation, voire la comptabilité.

▼ *De droite à gauche : passé l'étroite plaine côtière qui longe, à l'est, la côte du Pacifique, le relief de l'Australie s'élève pour former la Cordillère australienne. La pluie qui irrigue les plateaux s'amasse dans les couches inférieures des plaines centrales, sèches. L'ouest du pays est désertique.*

▲ *La Rolls Royce* Corniche. *Dans le monde automobile, Rolls Royce est synonyme de perfection technique.*

**AUTOMOBILE** En 1885, deux ingénieurs allemands, Carl BENZ et Gottlieb Daimler, mettaient au point chacun de leur côté des véhicules que l'on peut considérer comme les ancêtres de nos automobiles modernes. Ces voitures étaient équipées d'un MOTEUR A COMBUSTION INTERNE fonctionnant au gaz de pétrole. En 1913, aux États-Unis, Henry FORD inaugurait avec succès une méthode permettant de produire rapidement des automobiles relativement peu coûteuses. Les voitures étaient acheminées le long d'une rangée d'ouvriers qui assemblaient chacun une certaine partie du véhicule. De nos jours, les voitures sont toujours produites de cette manière (production à la chaîne). Les automobiles sont équipées d'un moteur à combustion interne, dit « moteur à explosion » dans les cylindres duquel (quatre ou six généralement) brûle un mélange d'essence et d'air. Dans chaque cylindre est inséré un piston actionné par la pression des gaz brûlés et qui, par l'intermédiaire d'une bielle, fait tourner un vilebrequin. Fixé à l'une des extrémités du vilebrequin, un volant d'inertie régularise le mouvement du moteur. La rotation du vilebrequin entraîne celle de l'arbre de transmission, et de là celle des roues (avant ou arrière), par l'intermédiaire d'un embrayage — dispositif permettant de désolidariser le moteur de l'arbre. Grâce à un système de sélection d'ENGRENAGES (boîte de vitesses), la voiture peut adopter des allures différentes pour une même vitesse de rotation de son moteur.

Certaines automobiles sont équipées de boîte de vitesses automatique. Dans une voiture, la BATTERIE, qui est rechargée en permanence par le moteur, fournit l'énergie nécessaire au démarrage du moteur, au dispositif d'éclairage, à l'avertisseur sonore et aux essuie-glaces. Certains véhicules de tourisme et la plupart des véhicules utilitaires sont équipés de MOTEURS DIESEL fonctionnant au gazole. ▷

**AUTRICHE** République fédérative d'EUROPE centrale, l'Autriche compte 7 556 000 habitants (en 1981) pour une superficie de 83 849 km². VIENNE, la capitale, est un important centre industriel autant qu'une cité historique. Enserrée dans les terres, l'Autriche est un pays montagneux, les Alpes occupant à elles seules les trois quarts de la superficie. Le Nord est une région de collines, traversée par le DANUBE, ce qui en fait une importante zone agricole. L'Autriche occupe une position politique délicate, entre l'Europe de l'Est et celle de l'Ouest, mais elle a su préserver sa neutralité et ne fait partie d'aucun pacte d'alliance militaire. ▷

**AUTRUCHE** Le plus gros des oiseaux vivant de nos jours. L'autruche a de longues pattes, un cou allongé et peut atteindre 2,60 m de haut; incapable de voler, elle est très rapide à la course. Les autruches vivent en bandes dans les steppes et les déserts d'Afrique orientale. Dans certaines parties du monde, on les élève pour leurs plumes et leur peau. ▷

AUTOMOBILE En 1982, les chiffres représentant la production de véhicules de tourisme se répartissaient comme suit : Japon, 6 886 866 ; États-Unis, 5 073 358 ; Allemagne fédérale, 3 761 436 ; France, 2 777 125 ; U.R.S.S. et pays de l'Est, 2 200 000 ; Italie, 1 297 351 ; Belgique, 950 410 ; Espagne, 927 500 ; Grande-Bretagne, 887 670 ; Canada, 786 893. Pour cette même année, la production en voitures de tourisme de la firme américaine *General Motors* s'élevait à 3 173 144 véhicules. L'Europe de l'Ouest produit à elle seule plus du tiers des voitures de tourisme (10 986 908 pour une production mondiale de 27 639 839). La voiture la plus vendue en France est la Renault 5.

AUTRICHE : DONNÉES

Point culminant : Grossglockner (3 798 m).

Principaux cours d'eau : Danube et Inn.

Langue : allemand.

Religion : catholicisme.

Monnaie : schilling.

AUTRUCHE L'autruche est le seul oiseau à n'avoir que deux doigts à chaque pied. La femelle pond jusqu'à dix gros œufs blancs qu'elle dépose dans un trou peu profond creusé dans le sable. L'autruche peut vivre jusqu'à 70 ans.

▼ *A gauche : La carrosserie de cette Fiat de 1909 ressemble encore à celle d'une voiture hippomobile. Au centre : La Sedan «Fordor» de 1923, l'une des voitures les plus populaires de la firme Ford. A droite : La « Chitty-chitty-bang-bang » du comte Louis Zborowski (1921) équipée pour la course d'un aéromoteur.*

## SCHÉMA D'UN MOTEUR D'AUTOMOBILE

Un moteur d'automobile est composé de milliers de pièces et de quelque 150 parties mobiles. On peut voir ci-dessous certaines parties importantes du moteur, vues de l'extérieur. A gauche figure le « cœur » du moteur, les pistons, qui se déplacent verticalement dans les cylindres, actionnés par la mise à feu du mélange d'essence et d'air. Le mouvement linéaire des pistons est converti en mouvement rotatif par le vilebrequin qui, lui-même, transmet le mouvement aux roues par l'intermédiaire d'arbres et d'engrenages.

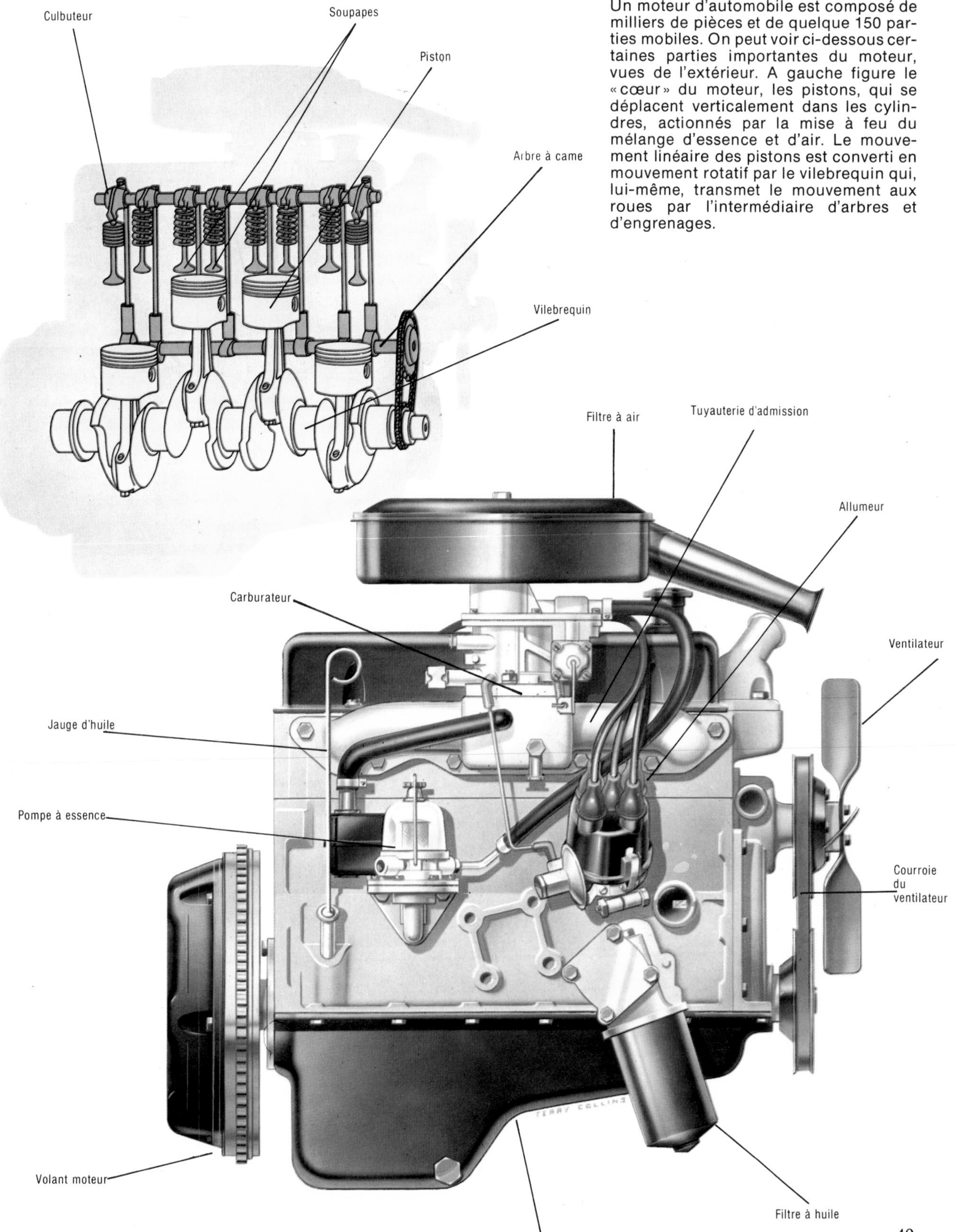

**AVION** Voler a toujours été l'un des grands rêves de l'homme. Mais, si le Moyen Age attribuait ce don aux sorcières, le premier homme à avoir envisagé le problème sur le plan technique fut LÉONARD DE VINCI, dont les carnets regorgent de croquis de machines volantes.

L'un des tout premiers pionniers de l'étude des « plus lourds que l'air » fut Sir George Cayley. Il mit en évidence les conditions essentielles de stabilité d'un avion et, en 1853, construisit le premier planeur.

En 1891, l'Allemand Otto Lilienthal construisit un certain nombre de planeurs auxquels il fit effectuer plus de deux mille vols avant de s'écraser et de se tuer, en 1896.

En Amérique, les frères WRIGHT, Orville et Wilbur, de Dayton (Ohio), pilotèrent eux aussi des planeurs. En 1903, à Kitty Hawk, en Caroline du Nord, ils équipèrent un biplan d'un moteur à quatre cylindres de leur conception. A bord de cet appareil, le *Flyer,* Orville exécuta le premier vol motorisé et contrôlé du monde : l'avion vola pendant 12 secondes et parcourut en l'air 37 mètres.

En 1906, le Brésilien Alberto Santos-Dumont effectua le premier vol motorisé en Europe sur le *14-bis,* un biplan qui volait queue en avant.

Trois ans plus tard, en 1909, Louis BLÉRIOT traversait la Manche sur un monoplan type *XI :* un vol de trente-six minutes trente secondes.

Vers 1912, les nations européennes commencèrent à s'intéresser aux applications militaires de l'aviation. Au début de la Première Guerre mondiale, des avions furent utilisés pour des missions de reconnaissance et de photographie, mais très vite vint l'heure des « chasseurs » et des « bombardiers » ; d'où un développement rapide de l'industrie aéronautique en Europe et en Amérique.

Après la guerre, en 1919, l'Atlantique fut traversé sans escale pour la première fois, de Terre-Neuve à l'Irlande, par les aviateurs John William Alcock et Arthur Whitten Brown, sur un biplan bimoteur Vickers *Vimy.* A l'époque, l'aviation civile commençait à mettre en service des hydravions, car ceux-ci paraissaient offrir une plus grande sécurité pour les survols de l'océan. Les Anglais s'illustrèrent dans ce domaine, notamment avec l'hydravion à coque Short *Calcutta.* La compagnie allemande Dornier produisit plusieurs hydravions à coque ; suivirent des monoplans tel le quadrimoteur long-courrier Boeing 314 *Clipper* américain.

L'entre-deux-guerres allait voir réaliser de nombreux exploits, dont le plus célèbre par Charles LINDBERGH aux commandes de son monoplan le *Spirit of St Louis* : la travesée de l'Atlantique Nord sans escale, de New York à Paris, en 1927.

La Seconde Guerre mondiale allait faire effectuer un nouveau bond à l'industrie aéronautique, avec notamment la mise en service des *Spitfire* et des *Hurricane* britanniques qui affrontèrent les Messerschmitt Me 109 allemands. En 1943, les Américains produisirent un bombardier lourd, le Boeing *Superfortress B-29,* capable de transporter 9 000 kg de bombes. En 1944, le chasseur à réaction Messerschmitt Me 262, dont la vitesse était de l'ordre de 800 km/h, ouvrait la voie à une nouvelle génération de chasseurs.

Après la guerre, l'industrie aéronautique américaine se tailla une place de choix sur le marché mondial dans le domaine des avions de ligne, avec, notamment, les *DC-6, Constellation* et *Stratocruiser.* En 1949, le De Havilland *Comet* britannique, premier avion de transport à réaction, effectuait son premier vol. 1956 fut, pour la France, l'année de la mise en service de la *Caravelle* qui introduisait la formule des réacteurs à l'arrière du fuselage. 1958 vit apparaître les quadrimoteurs américains Douglas *DC-8* et *Boeing 707.*

Depuis le début des années 70, deux tendances se sont dégagées dans l'industrie aéronautique : d'une part vers la production d'avions très rapides comme le *Concorde* franco-britannique, d'autre part vers la mise en service d'appareils à grande capacité, tel le jumbo jet Boeing 747, capable de transporter 400 passagers à la vitesse de 1 000 km/h. (Voir AÉRODYNAMIQUE ; AÉRONAUTIQUE) ▷

▲ *Louis Blériot décollant près de Calais pour sa traversée de la Manche.*

**AVOINE** CÉRÉALE des climats froids, servant surtout à l'alimentation des chevaux. Les humains consomment parfois de l'avoine sous forme de flocons cuits en bouillie ou de préparations industrielles pour petits déjeuners.

**AZINCOURT (BATAILLE D')** L'une des plus célèbres batailles de la GUERRE DE CENT ANS. A Azincourt (Pas-de-Calais), le 25 octobre 1415, les chevaliers français de Charles VI furent écrasés par les archers anglais d'HENRI V.

**AZOTE** Gaz incolore, inodore et sans saveur, représenté par le symbole chimique N. L'ATMOSPHÈRE terrestre est constituée pour près de quatre cinquièmes d'azote, indispensable à la vie des plantes et des ani-

AVION A Kitty Hawk, ce fameux 17 décembre 1903, les frères Wright effectuèrent quatre vols. Si le premier, et le plus célèbre, ne dura que douze secondes, le quatrième, lui, dura cinquante-neuf secondes pour une distance parcourue en l'air de 260 m.

Le premier vol d'un avion à moteur en France fut réalisé par Clément Ader. Il fit un bond de 50 m.

Le premier appareil à avoir volé à une vitesse supersonique en trajectoire horizontale fut le Bell X-1 américain. Le 14 octobre 1947, il atteignit la vitesse de 1 078 km/h.

Le record mondial de vol en altitude (37 650 m) fut officiellement établi le 31 août 1977 par le Soviétique Alexandre Fedotov, aux commandes d'un Mig-25.

L'avion le plus lourd jamais construit fut le Boeing E.4 A, une version cargo du 747 qui pesait 386 tonnes. Il avait coûté 117 millions de dollars.

La première victime d'un accident d'avion fut le Lt. T.E. Selfridge de l'armée américaine. En 1908, il était le passager d'Orville Wright lors d'une démonstration de vol à Fort Myer en Virginie. L'appareil s'écrasa, causant la mort de Selfridge.

L'avion le plus rapide à ce jour est l'*Orbiter* de la Navette spatiale américaine. En 1977, il fit ses premiers essais arrimé sous le ventre d'un Boeing 747. Il fut lancé en 1981 pour son premier vol opérationnel. Dans l'espace, sa vitesse est de 28 000 km/h environ. Il atterrit à quelque 360 km/h.

Le tout premier chasseur à réaction, le Me-16 *Komet* allemand, effectua son premier vol réussi en 1944. Il était capable d'atteindre la vitesse de 800 km/h et s'élevait très rapidement, mais son carburant était épuisé au bout de dix minutes.

En 1919, l'ingénieur italien Gianni Caproni construisit son Trans Aero. Cet énorme hydravion avait neuf ailes et huit moteurs de 400 chevaux destinés à soulever les 14 tonnes de l'avion ainsi que 100 passagers. Après deux vols d'essai sur le lac Majeur, l'hydravion se brisa et le modèle ne fut jamais reconstruit.

▲ *Le jumbo jet Boeing 747 constitue probablement la plus grande réussite technique en matière de long-courriers.*

◄ *Dans la cabine de pilotage du* Concorde. *Le navigateur surveille attentivement ses instruments.*

maux. Les plantes absorbent l'azote présent dans le sol sous forme de composés. Le sol reconstitue son taux d'azote à partir de l'air, des engrais ou de la décomposition des végétaux. Les animaux obtiennent de l'azote en mangeant des plantes ou d'autres animaux. Ainsi l'azote passe-t-il du sol aux plantes et aux animaux puis retourne-t-il à la terre. C'est ce qu'on appelle le *cycle de l'azote,* un élément important de l'équilibre de la nature. L'azote entre dans la fabrication de l'ammoniaque, des engrais, des explosifs et des matières plastiques.

**AZTÈQUES** Peuple d'Amérique centrale qui, en 1325, fonda Tenochtitlan (aujourd'hui Mexico). Les Aztèques constituèrent dans le sud du MEXIQUE un véritable empire, mais qui ne survécut pas à l'arrivée, en 1520, des conquérants espagnols. (Voir CORTÉS ; CONQUISTADOR.) S'ils ne connaissaient ni la roue ni les animaux de bât, les Aztèques possédaient une civilisation bien développée. Ils avaient établi un calendrier solaire dans lequel l'année, de 365 jours, était répartie en 18 mois de 20 jours, plus 5 « jours vides ». La vie aztèque était centrée sur la religion. Les Aztèques révéraient de nombreux dieux, croyaient en l'existence de 13 cieux et 9 enfers. Des sculptures représentant le dieu Quetzalcóatl, le serpent à plumes, ornaient murs et temples. La tunique de cérémonie aztèque était richement ornée d'or, d'argent et de plumes d'oiseaux exotiques. Les Aztèques construisirent de grandes pyramides dont les hauts degrés conduisaient au sanctuaire où étaient pratiqués des rites religieux comportant des sacrifices humains, généralement par extraction du cœur.

# B

**BABOUIN** Gros singe catarhinien d'Afrique et de la péninsule arabique dont le museau allongé rappelle celui d'un chien. Les babouins vivent en troupe de dix à plus de cent individus. Ils courent vite sur leurs quatre pattes, de longueur presque égale à l'avant et à l'arrière. Ils se nourrissent principalement de fruits, d'insectes et de racines, mais en troupes ils peuvent se montrer féroces — les mâles surtout. On a vu des troupes de babouins s'attaquer à un lion. Dans l'ancienne Égypte, le babouin était un animal sacré.

**BABYLONE ET BABYLONIE** Dans l'Antiquité, Babylone était la capitale de la Babylonie, une région fertile située entre le Tigre et l'Euphrate (l'IRAK d'aujourd'hui). Le plus fameux souverain de Babylone fut Hammourabi (1711-1669 av. J.-C.) Il élabora un code législatif couvrant un très grand nombre de sujets, dont les droits des femmes et des enfants. Érudit et poète, Hammourabi fit bâtir une énorme bibliothèque.

Les textes babyloniens étaient gravés en écriture cunéiforme dans des tablettes d'argile molle. Cette écriture est dite cunéiforme à cause des formes triangulaires en coins, qu'imprimaient dans l'argile les stylets de roseau.

A la mort d'Hammourabi, Babylone fut prise et pillée par plusieurs tribus et, en 626 av. J.-C., un nouvel empire vit le jour en Babylonie. Cet Empire chaldéen connut sa période de gloire avec Nabuchodonosor II (606-562 av. J.-C.) qui fit construire, outre des temples et des palais magnifiques, les fameux *jardins suspendus de Sémiramis,* l'une des Sept Merveilles du monde antique. Après sa mort, son empire se désagrégea, et en 539 av. J.-C. Cyrus II, roi des Perses, se rendit maître de Babylone. (Voir ARCHITECTURE ; ASTRONOMIE)

**BACH, JEAN-SÉBASTIEN** (1685-1750) L'un des plus grands compositeurs de tous les temps il naquit à Eisenach, en Allemagne, d'une famille de musiciens. On distingue généralement trois périodes dans son œuvre : la première à partir de 1708, alors qu'organiste à la cour de Weimar il compose la plus grande part de son œuvre d'orgue. Dans la seconde période, qu'il passe à la cour de Cöthen (1717-1723), il compose les principales de ses pièces pour orchestre, dont les *Concertos brandebourgeois.* Au cours de la troisième période, soit à partir de 1723, il écrit ses plus grands chefs-d'œuvre chorals, dont quatre *Passions* et la *Messe en* si *mineur.*

**BACTÉRIE** Minuscule organisme unicellulaire appartenant à la division la moins différenciée du règne végétal. Les bactéries ne sont visibles qu'à travers un puissant microscope ; elles se multiplient par division de leur unique cellule en deux parties identiques. Certaines bactéries provoquent des maladies, mais la plupart sont utiles à l'homme. On les rencon-

▸ *Membre de la famille des babouins, le mandrill arbore sur la face et l'arrière-train des couleurs vives destinées à dissuader un éventuel assaillant.*

BADEN-POWELL Durant la guerre des Boers, Baden-Powell défendit pendant 217 jours la ville de Mafeking assiégée par les Boers. La délivrance de la ville, en mai 1900, fit de « B.-P. » un héros national en Angleterre. En 1908, lorsqu'il forma son mouvement de jeunesse, le *scoutisme,* Baden-Powell lui donna comme devise celle de la milice sud-africaine : « toujours prêt ».

BAHAMAS En 1492, Christophe Colomb mettait le pied sur l'île de San Salvador, aux Bahamas. Les Espagnols explorèrent l'archipel mais ne s'y installèrent pas et ce furent les Britanniques qui, au XVII<sup>e</sup> siècle, investirent les lieux. Les Bahamas sont demeurées colonie britannique jusqu'en 1973 ; elles sont maintenant constituées en État membre du Commonwealth.

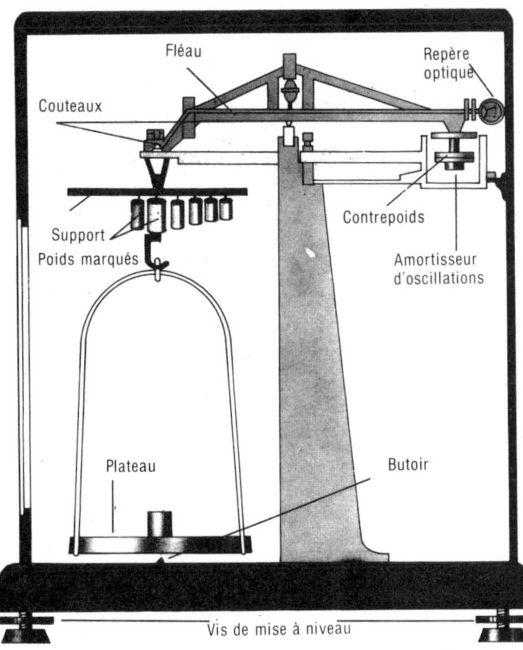


*◂ Balance de précision moderne, à un seul plateau. Lorsque le plateau est vide, la masse des poids suspendus équilibre exactement celle du contrepoids. L'échantillon à peser est déposé sur le plateau et les poids sont retirés un à un, mécaniquement, jusqu'à ce que l'équilibre soit rétabli. Pour obtenir la mesure de la masse de l'échantillon, il suffit alors d'additionner celles des poids marqués que l'on a retirés.*

BAHREIN : DONNÉES
Capitale : Manama.
Langue : arabe.
Gouvernement : monarchie.
Monnaie : dinar.
A Muharraq, important aéroport international.

Connu pour ses gisements de pétrole, cet archipel l'est aussi pour ses dattes, ses pêcheries de perles, sa race d'ânes blancs et ses étranges tombes coniques.

tre quasiment partout — dans l'air, le sol ou les profondeurs de l'océan.

Lorsqu'un animal ou une plante meurt, les bactéries décomposent la matière morte qu'elles rendent à la terre. Ce sont des bactéries qui « nettoient » les eaux usées dans les stations d'épuration, qui transforment le lait en fromage ou en yaourt ; mais ce sont aussi des bactéries qui font pourrir la viande, tourner le lait et rancir le beurre.

Les bactéries parasites sont responsables de nombreuses maladies comme la tuberculose, la diphtérie, la pneumonie, la typhoïde, ainsi que de nombreux empoisonnements du SANG ; on leur donne le nom de germes pathogènes. Leur développement peut être endigué par des antibiotiques comme la PÉNICILLINE et par des VACCINS. (Voir ANTISEPTIQUE ; BOTANIQUE)

**BADEN-POWELL, ROBERT** Fondateur, en 1908 du scoutisme pour les garçons, Baden-Powell (1857-1941) créa également (1910) l'équivalent féminin de ce mouvement — les guides —, avec l'aide de sa sœur Agnès. ◁

**BADMINTON** Jeu apparenté au tennis qui se pratique à l'aide de raquettes de petite taille et d'un volant, sur un terrain rectangulaire divisé en deux par un filet. Le jeu doit son nom à celui de la ville de Badminton, dans le Gloucestershire (Angleterre), lieu de résidence du duc de Beaufort qui en établit les règles en 1877.

**BAGDAD** Capitale de l'IRAK, Bagdad compte 3 200 000 habitants. Cette ville musulmane était, dans l'Antiquité, un important carrefour routier. La ville moderne fut fondée en 762 apr. J.-C.

**BAHAMAS** Archipel de l'ATLANTIQUE situé au S.-E. de la côte de la Floride. Indépendantes depuis 1973, les Bahamas jouissent d'hivers chauds et de superbes plages qui attirent nombre de touristes. Elles comptent 260 000 habitants pour une superficie de 14 000 km². Capitale : Nassau. ◁

**BAHREIN OU BAHRAYN (ILES)** État insulaire indépendant du golfe Persique qui doit sa richesse au pétrole découvert dans le sous-sol de son désert en 1932. D'une superficie de 660 km², l'île compte 322 000 habitants. ◁

**BAIKAL (LAC)** Le plus profond réservoir naturel d'eau douce du monde. Situé au centre de la SIBÉRIE (U.R.S.S.), le lac Baïkal est alimenté par 300 cours d'eau. D'une profondeur maximale de 1 741 m, il mesure 627 km.

**BALANCE** Instrument servant à peser. Les laboratoires utilisent des balances de précision à un ou deux plateaux. Dans les balances à deux plateaux, chaque plateau est suspendu à l'une des extrémités du fléau. Lorsque le fléau oscille d'un côté ou de l'autre, il entraîne le mouvement d'une aiguille fixée en son centre et dont l'extrémité se déplace le long d'un cadran gradué. La substance à peser est placée dans l'un des plateaux ; on pose alors successivement des poids dans l'autre plateau jusqu'à ce que l'aiguille s'immobilise sur la graduation « zéro ». Pour les protéger de la sécheresse et de l'humidité, on enferme certaines balances de précision dans des coffres de verre.

**BALANE** Petit CRUSTACÉ appartenant à la sous-classe des cirripèdes et qui pullule le long des côtes. Fixées par la tête aux rochers ou aux coques de bateaux, les balanes sont entourées de plaques calcaires formant une coquille conique. Pour se nourrir, elles étendent leurs « pattes » plumeuses — les cirres — qui fonctionnent comme des peignes.

*◂ On a dénombré un millier d'espèces de cirripèdes (balanes, anatifes, sacculines...). Les jeunes nagent librement mais les adultes se fixent sur une surface immergée : poisson, baleine, rocher ou coque de bateau.*

**BALBOA, VASCO NUNEZ DE** Explorateur et CONQUISTADOR espagnol (1475-1517). Il fut le premier Européen à contempler l'océan Pacifique.

**BALBUZARD** Gros oiseau de proie piscivore que l'on rencontre dans diverses parties du monde. Bruns, à tête et ventre blancs, les balbuzards pêchent en eau douce comme en eau salée.

**BALÉARES (ILES)** Archipel de la MÉDITERRANÉE occidentale constituant une province espagnole. Quatre îles principales composent l'archipel : Majorque, Minorque, Ibiza et Formentera. Ce sont des stations touristiques très fréquentées. Capitale : Palma de Majorque ; superficie : 5 014 km$^2$ ; population : 656 000 habitants. ▷

**BALEINE** MAMMIFÈRE marin de l'ordre des cétacés. Malgré son allure de poisson et ses deux nageoires, la baleine possède un squelette très différent de celui d'un poisson et respire par des poumons et non des branchies. Elle doit donc venir régulièrement à la surface pour renouveler son air. Les baleines, dont la nourriture est exclusivement animale, se déplacent souvent en troupes ou bancs.

On distingue deux groupes de cétacés : les baleines à dents et les baleines à fanons. Les premières, pourvues de dents, se nourrissent de poissons et autres créatures marines. Les baleines à fanons se nourrissent exclusivement de PLANCTON qu'elles capturent grâce aux 600 lamelles cornées — les fanons — qui garnissent leur mâchoire inférieure. Le plus gros de tous les animaux est la baleine bleue, une baleine à fanons dont on a vu des spécimens atteindre 34 m de long. ▷

**BALISTIQUE** Science qui étudie la propulsion et la trajectoire des projectiles tels que fusées, balles et obus. La balistique *intérieure* a trait aux techniques de propulsion, la balistique *extérieure* s'occupe des trajectoires de vol dites trajectoires balistiques. La trajectoire balistique d'une balle de fusil ressemble à une PARABOLE.

**BALKANS (PÉNINSULE DES)** Péninsule en majorité montagneuse composée de l'ALBANIE, de la BULGARIE, de la GRÈCE, de la partie européenne de la TURQUIE et de la majeure partie de la YOUGOSLAVIE. De par la diversité de peuples, de langues et de religions, c'est une région qui, à la fin du XIX$^e$ siècle et au début du XX$^e$, a connu une grande instabilité politique.

**BALLE** En matière d'ARMES A FEU, petite masse de plomb ronde ou conique qui sert de projectile à des armes portatives telles que fusil, pistolet, revolver ou mitraillette.

**BALLET** Le ballet est aujourd'hui la forme la plus importante de représentation théâtrale dansée. Compris au XVI$^e$ siècle, en France et en Italie, comme un divertissement de cour, le ballet connaît en France un développement rapide, sous l'impulsion de Louis XIV qui fonde même à Paris une école de danse. Mais, si les dames de la cour osent danser lors des représentations privées, ce n'est qu'en 1681 que les danseuses professionnelles obtiennent le droit de se produire en public. Le ballet de cour disparu, le théâtre lyrique connaît une profonde mutation avec le maître de ballet français Jean-Georges Noverre qui crée le ballet d'action en cinq actes. Suit la période du ballet romantique (1830-1870) qui voit des créations célèbres comme *les Sylphides, Giselle et Coppélia.*

A la fin du XIX$^e$ siècle, la France perd son hégémonie en matière de ballet au profit de la Russie où Diaghilev et ses Ballets russes

BALÉARES Le nom de ce groupe d'îles est issu de l'équivalent espagnol du mot « frondeur ». En effet, dans l'Antiquité, les habitants de ces îles étaient renommés pour leur habileté à la fronde ; ils fournirent des régiments aux armées romaines et carthaginoises.

BALEINE Le poids d'une grande baleine bleue dépasse celui de trente éléphants. Sa langue seule pèse autant que dix hommes, et un enfant pourrait nager à l'intérieur de ses plus grosses artères.

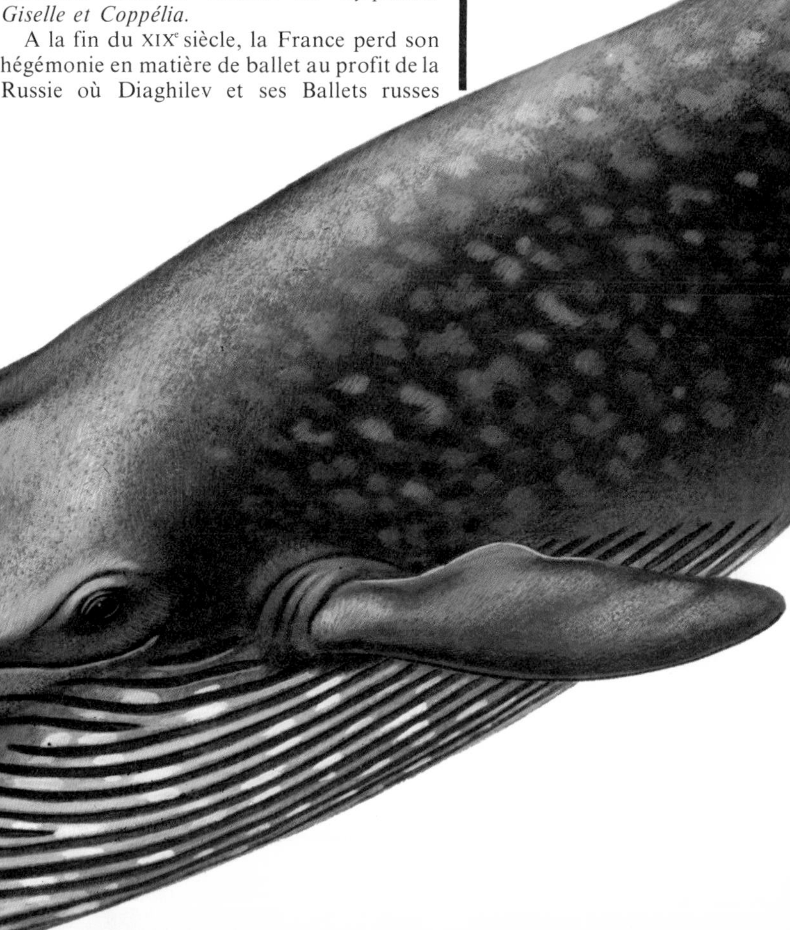

▸ *La baleine bleue, avec plus de 30 m de long, est probablement le plus gros animal qui ait jamais existé. Elle peut peser jusqu'à 150 tonnes.*

Le BALLET FRANÇAIS. L'Académie royale de danse fut fondée en 1661 et l'École de Danse de l'Opéra en 1713. Avec Serge de Diaghilev commence l'ère du ballet moderne, auquel collaborent Cocteau, Picasso, Matisse, Ravel, Stravinski, etc. On fait appel à Balanchine, Lifar, et de grands artistes se révèlent : Nijinski, Pavlova. Après la Seconde Guerre mondiale de nombreuses troupes se créent : Ballets des Champs-Élysées, Ballets de Paris (Roland Petit), Ballet du XXe siècle de Maurice Béjart.

▸ *A droite : un ballon à air chaud moderne. Ces ballons transportent des bouteilles de propane pour chauffer l'air au cours de l'ascension.*

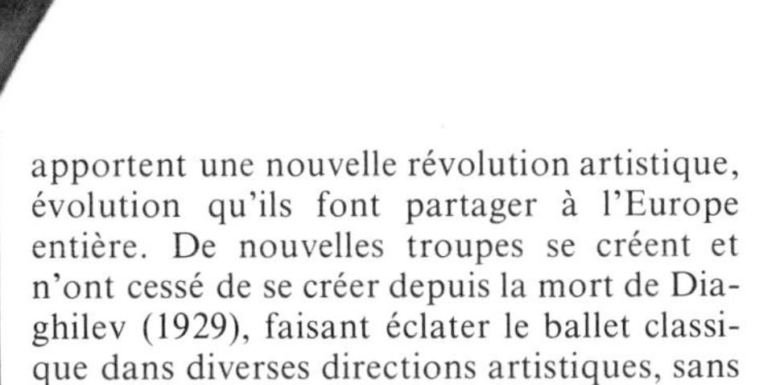

apportent une nouvelle révolution artistique, évolution qu'ils font partager à l'Europe entière. De nouvelles troupes se créent et n'ont cessé de se créer depuis la mort de Diaghilev (1929), faisant éclater le ballet classique dans diverses directions artistiques, sans toutefois le supplanter.

La formation d'un danseur débute vers l'âge de dix ans. Elle représente une somme de travail énorme que le danseur devra soutenir tout au long de sa carrière. Celle-ci terminée, les danseurs deviennent souvent professeurs ou chorégraphes (compositeurs de ballets). ◁

**BALLON** Le 15 octobre 1783, l'aérostat gonflé à l'air chaud des frères Montgolfier (d'où son nom de montgolfière), piloté par Pilâtre de Rozier, s'élevait jusqu'à 25 m d'altitude et tenait l'air pendant quatre minutes. En décembre de la même année, le premier ballon à hydrogène, construit par le Français J.A.C. Charles, effectuait un parcours aérien de 43 km. En 1785, l'Américain Jeffries et le Français Jean-Pierre Blanchard réussissaient la traversée de la Manche en ballon.

Au XIXe siècle, les ballons intéressèrent non seulement les organisateurs de spectacles mais également les scientifiques, pour leurs recherches sur l'atmosphère, et les militaires pour lesquels ils constituaient d'excellents postes d'observation. Aujourd'hui, l'aérostation est devenue un sport relativement populaire et les scientifiques continuent d'envoyer dans les couches supérieures de l'atmosphère des ballons équipés d'instruments sophistiqués (les *radiosondes*) qui transmettent à la Terre un certain nombre de renseignements. ◁

BALLON Si le premier vol habité d'un ballon a eu lieu en octobre 1783, les frères Montgolfier avaient déjà lancé quelques mois auparavant un ballon d'essai, dans lequel ils avaient placé un canard, un mouton et une poule. Après un vol réussi, le ballon se reposa doucement à terre et on vit sortir de la nacelle les trois animaux, indemnes.

Du 12 au 17 août 1978 fut réalisée la première traversée de l'Atlantique par les Américains B. Abruzzo, M. Anderson et L. Neuman sur le ballon *Double Eagle II*.

**LE BALLET**

**arabesque** Position dans laquelle le danseur se tient debout sur une seule jambe, l'autre étant étendue en arrière et les bras tendus vers l'avant.

**barre** A hauteur de hanche, cette barre sert de support lors des exercices.

**battement** Passage d'une jambe d'une position à une autre, le corps restant immobile. Il existe plusieurs sortes de battements.

**corps de ballet** Groupe de danseurs, par opposition aux solistes.

**entrechat** Saut vertical au cours duquel le danseur fait passer rapidement ses pieds l'un devant l'autre avant de retomber.

**fouetté** Tour à terre, l'élan étant donné par les mouvements des bras et de la jambe libre.

**glissade** Pas glissé servant d'enchaînement.

**jeté** Saut d'une jambe sur l'autre.

**pas** Mouvement que le danseur exécute avec ses pieds ; fragment de ballet exécuté par un ou plusieurs danseurs (pas de deux, pas de quatre).

**pirouette** Tour entier que le danseur exécute sur un pied.

**positions** Cinq positions des pieds et des bras (voir illustration).

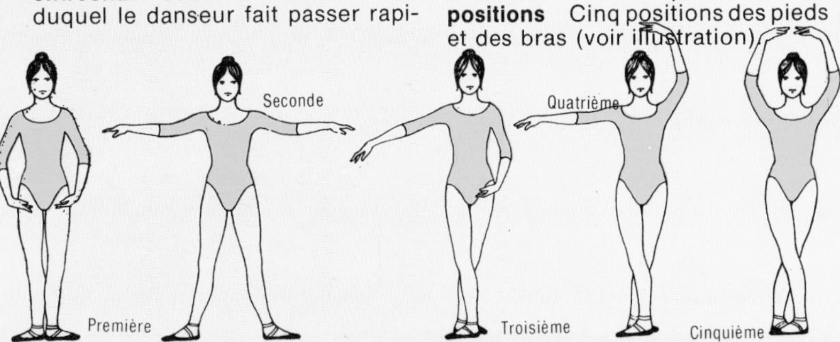

**BALZAC, HONORÉ DE** Un des plus grands écrivains du XIXe siècle (1799-1850). Son œuvre principale, *la Comédie humaine,* est une fresque de la société française de son époque.

**BAMBOU** GRAMINACÉE des pays chauds. Dans les régions tropicales du Sud-Est asiatique, les bambous peuvent atteindre 30 m. On consomme leurs pousses comme légumes, leurs tiges creuses et ligneuses étant utilisées comme matériau de construction ; on en fait également des meubles et du papier. ▷

**BANANE** Fruit tendre et pulpeux dont la peau épaisse jaunit à maturité. Les bananes poussent en grappes ou *régimes,* sur des plantes élevées (bananiers). Cultivée principalement dans les pays tropicaux, la banane est riche en HYDRATES DE CARBONE.

**BANDE DE GAZA** Bande de terre longeant la côte méditerranéenne dans le sud-ouest de la PALESTINE. Annexée par l'ÉGYPTE lors de la première guerre israélo-arabe (1948-1949), elle fut reprise par ISRAEL au cours de la troisième guerre, en 1967.

**BANDE DESSINÉE** Histoire racontée en une suite d'images qui comportent des espaces blancs — les « bulles » — dans lesquels figurent les répliques ou les pensées des héros. Conçue à l'origine comme un divertissement pour enfants — d'abord aux États-Unis avec *Tarzan, Mickey Mouse, Popeye* — puis en Europe avec *Tintin* (Hergé) ou *Spirou* (Rob Vel puis Franquin), la bande dessinée s'adresse aujourd'hui largement à un public adulte.

**BANG** Bruit violent que l'on perçoit au sol lorsqu'un avion franchit la vitesse sonique. Le « bang » est provoqué par les ondes de choc que crée l'avion. Ces ondes sont parfois suffisamment puissantes pour briser les vitres des immeubles.

**BANGLADESH** État d'Asie correspondant à l'ancien PAKISTAN oriental, le Bangladesh est, depuis 1971, une république indépendante qui compte 89,7 millions d'habitants pour une superficie de 144 000 km². La capitale de ce pays plat et humide est Dacca. La population, en grande majorité paysanne, a un niveau de vie très bas. ▷

**BANJO** Instrument à cordes voisin de la guitare. Introduit en Amérique par les esclaves d'Afrique occidentale, le banjo est associé à la musique noire américaine.

**BANQUE** Secteur d'activité économique spécialisé dans la circulation de l'argent et entreprise faisant partie de ce secteur. Il existe plusieurs types de banques : banques de dépôts, banques d'affaires, banques centrales (telle la Banque de France)... Les banques de dépôts — les plus courantes — sont habilitées à recevoir des dépôts et à prêter de l'argent à des individus ou à des entreprises. ▷

**BANTOUS** Ensemble de populations du centre et du sud de l'AFRIQUE qui parlent des langues bantoues. Il y a environ 70 millions de Bantous répartis en de nombreuses tribus, les langues bantoues se comptant par centaines, dont le swahili et le ZOULOU.

**BARBADE (LA)** Ile des ANTILLES. Membre du Commonwealth britannique, la Barbade est indépendante depuis 1966. Population : 266 000 habitants ; capitale : Bridgetown. ▷

**BARBITURIQUE** Composé chimique organique constitué de sels d'acide barbiturique. Les barbituriques sont utilisés en médecine pour leurs propriétés hypnotiques, sédatives ou anesthésiques. Selon le type de barbiturique, l'effet peut se prolonger de trois à vingt-quatre heures.

**BARNARD, CHRISTIAN** Chirurgien sud-africain né en 1922 qui réalisa, en 1967, la première transplantation cardiaque.

**BAROMÈTRE** Instrument servant à mesurer la pression atmosphérique et généralement utilisé en matière de PRÉVISION MÉTÉOROLOGIQUE. Le baromètre *anéroïde* se compose essentiellement d'une capsule métallique cylindrique vide d'air, dont la paroi flexible se déforme au moindre changement de pression. Cette déformation, amplifiée mécaniquement, est transmise à une aiguille mobile qui se déplace devant un cadran. Dans le baromètre à mercure, c'est la hauteur d'une colonne de mercure qui varie avec la pression atmosphérique.

◂ *Anéroïde*

BAMBOU Certaines espèces de bambous poussent au rythme de 90 cm par jour. L'une de ces espèces peut atteindre 36 m, avec une tige de près d'un mètre de circonférence.

BANGLADESH : DONNÉES
Principaux cours d'eau : Gange, Brahmapoutre, Meghna.
Point culminant : les collines de Chittagong atteignant 1 230 m d'altitude.
Monnaie : taka.
Langue officielle : bengali.
Religion : islam et minorités bouddhistes, hindouistes et chrétiennes.
Climat : tropical ; chutes de pluie importantes de juin à septembre.

BANQUE C'est en Chine, en 1170, que fut émis le premier billet de banque. Le cuivre étant rare à l'époque, la Chine était dans l'incapacité de frapper suffisamment de PIÈCES DE MONNAIE. En Europe, ce fut la Suède qui, en 1661, émit pour la première fois du papier-monnaie.

La plus grande salle des coffres existant au monde est celle de la Chase Manhattan Bank de New York. Elle pèse 1 000 t. Ses portes, bien que pesant quelque 45 t, peuvent se manipuler d'un seul doigt.

BARBADE Les Portugais baptisèrent cette île *Los Barbados* — « les barbus » — à cause des nombreux paquets de végétation qui pendaient des branches de ficus. De nos jours, avec 625 hab. au km², la Barbade a la plus forte densité de population des Antilles. Ses habitants sont en majorité des descendants des esclaves africains introduits pour travailler aux plantations de canne à sucre. Aujourd'hui encore, la canne à sucre et ses dérivés restent les principaux produits d'exportation de la Barbade.

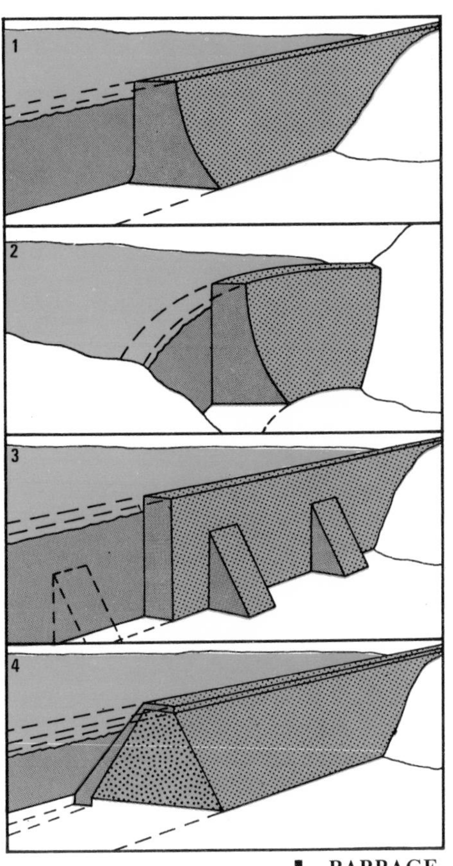


*1. Un barrage-poids est une structure de béton suffisamment massive pour résister à la poussée des eaux qu'elle retient. En France, Génissiat, sur le Rhône, est un barrage-poids. Aux États-Unis, le* Grand Coulee, *sur le fleuve* Columbia, *est un barrage-poids de 170 m de haut et 430 m de long.*

*2. Dans les barrages-voûtes, exclusivement réservés aux vallées encaissées, la plus grande partie de la poussée de l'eau est reportée sur les rives par des effets d'arc. Ce sont les plus hauts du monde (305 m de haut pour le barrage-voûte de Nurek, en U.R.S.S.).*

*3. Les barrages à contreforts sont constitués d'un mur relativement mince soutenu par des contreforts (barrage de la Girotte, dans les Alpes).*

*4. De section grossièrement triangulaire, les barrages en terre sont construits par accumulation de terre et de matériaux rocheux. Ils comportent souvent une partie centrale argileuse et un revêtement étanche en béton.*

**BARRAGE** Mur de rochers, de terre ou de béton destiné à couper un cours d'eau. L'eau peut être canalisée dans des conduites en vue d'alimenter des centrales hydroélectriques. L'eau retenue dans le réservoir peut aussi servir à l'IRRIGATION ou à la consommation courante.

**BART, JEAN** Marin français (1650-1702), corsaire au service du roi LOUIS XIV, il remporta de nombreux succès sur les Hollandais et les Anglais.

**BARYUM** Réactif puissant, le baryum est un métal blanc d'argent présent dans de nombreux ALLIAGES. Le sulfate de baryum arrête les RAYONS X ; on l'administre au patient avant un examen radiologique du système digestif.

**BASE-BALL** Sport d'équipe dérivé du cricket et très répandu aux États-Unis. Les parties se disputent entre deux équipes de neuf joueurs, à l'aide d'une balle et d'une batte, à partir d'un tracé en carré, de 27,40 m de côté : le diamant.◁

**BASKET-BALL OU BASKET** Sport dans lequel deux équipes de cinq joueurs doivent marquer des points en faisant passer un ballon dans un panier suspendu. Le terrain rectangulaire mesure 26 m x 14 m. Les paniers, de 45,7 cm de diamètre, sont suspendus respectivement à chacune des extrémités du terrain, à 3,05 m de haut.

**BASQUES** Peuple géographiquement réparti entre le Pays basque français, situé dans les Pyrénées-Atlantiques et les provinces basques espagnoles de Biscaye, Guipuzcoa et Alava. Les Basques sont les plus purs descendants des populations préhistoriques d'Europe ; ils possèdent leur langue propre et sont nombreux à réclamer un regroupement territorial.

**BASSET ALLEMAND OU DACHSHUND** Petit chien aux grandes oreilles tombantes, aux courtes pattes torses et au très long corps. Il doit son nom allemand de Dachshund ou « chien à blaireau » à ce qu'on l'utilisait autrefois en Europe centrale pour chasser le blaireau.

**BASSON** Instrument de musique à vent, à anche double, formant dans l'orchestre la basse de la série des hautbois. Né à la Renaissance, le basson offre une grande souplesse de technique.

**BATHYSCAPHE** Appareil autonome de plongée, inventé par le physicien suisse Auguste Piccard, et qui permet d'explorer le fond des océans. Le bathyscaphe fonctionne comme un ballon libre : son enveloppe contient un liquide plus léger que l'eau et qui joue le même rôle que le gaz d'un ballon.◁

BASE-BALL Si le base-ball est considéré comme le sport national américain, il a également ses adeptes dans plusieurs pays d'Europe et en Australie. Au Japon et en Amérique latine, il constitue un spectacle très prisé.

C'est Alexander J. Cartright qui, en 1845, établit les principales règles du base-ball. L'année suivante, son équipe (les New York Knickerbockers) gagnait par 23 points à 1 contre le New York Baseball Club.

BATHYSCAPHE *Trieste*, un bathyscaphe de la marine de guerre américaine, est descendu en 1960 à une profondeur record de 10 912 m. En s'enfonçant encore, il aurait risqué d'être écrasé par la pression (plus d'une tonne au centimètre carré). On met au point actuellement des bathyscaphes entièrement en verre et qui pourront résister à de plus fortes pressions.

▾ Trieste, *le bathyscaphe de l'*U.S. Navy. *En* 196[illegible] Trieste *est descendu jusqu'à 10 912 m de profondeur, dans la partie la plus profonde des océans. La descente a duré 4 h 45 mn.*

**BATTERIE** En électricité, groupement de plusieurs piles ou accumulateurs. Les *piles électriques* sont des appareils non rechargeables, qui transforment de manière irréversible de l'énergie chimique en énergie électrique. Dans les *accumulateurs électriques,* cette transformation est réversible, ce qui permet de recharger un accumulateur en y faisant passer un courant provenant d'une source extérieure ; une partie de l'énergie emmagasinée sous forme chimique peut être restituée au moment voulu.

Dans sa forme la plus simple, une pile se compose de deux CONDUCTEURS électriques différents qui plongent dans une solution chimique appelée électrolyte. Les molécules de l'électrolyte sont alors dissociées en particules chargées — les IONS. Les ions négatifs ont un excès d'électrons (charge négative), les ions positifs manquent d'électrons. Dans la pile, les ions négatifs se fixent sur l'une des électrodes, les ions positifs sur l'autre. L'une des électrodes se charge donc négativement, l'autre positivement. Lorsqu'on relie les deux électrodes par un conducteur électrique, un courant d'électrons passe de l'électrode négative à l'électrode positive. (Voir ÉLECTRICITÉ ET MAGNÉTISME ; ÉLECTROLYSE)

**BAUDELAIRE, CHARLES** Poète français (1821-1867), auteur des *Fleurs du mal* (qui lui valurent des ennuis avec la justice pour « outrage à la morale et aux bonnes mœurs »), et du *Spleen de Paris.*

**BAUXITE** Roche de couleur rougeâtre, qui est le minerai dont on extrait l'aluminium.

**BAYARD, PIERRE DU TERRAIL, SEIGNEUR DE** Homme de guerre français (1476-1524). Se couvrit de gloire pendant les guerres de Charles VIII, Louis XII et François Ier. Sa bravoure lui valut le surnom de « Chevalier sans peur et sans reproche ».

**BEATLES (THE)** Groupe vocal et instrumental britannique, composé de John Lennon, Paul McCartney, George Harrison et Ringo Starr (Richard Starkey). Il influença considérablement la pop music des années 60.

**BEAUX-ARTS** Ensemble de disciplines artistiques dont les réalisations sont jugées selon des critères d'esthétique plutôt que sur l'utilisation pratique qui pourrait en être faite. En tant que tel, le terme s'applique à tout ce qui a trait à la décoration, mais il est généralement réservé à l'ARCHITECTURE et aux arts plastiques et graphiques : SCULPTURE, PEINTURE, gravure et dessin.

**BÉBÉ** Comparé au jeune d'autres animaux, le nouveau-né humain est extrêmement démuni ; nourriture, chaleur, protection, tout doit lui être apporté par des adultes. A la naissance, un bébé mesure en moyenne 51 cm et pèse entre 2,5 kg et 3,5 kg. Vers l'âge d'un an, un petit enfant en bonne santé a triplé son poids de naissance.

Les médecins s'accordent à penser que l'allaitement maternel représente l'idéal pour un bébé ; en général, on commence à alimenter les nouveau-nés de 12 à 24 heures après leur naissance.

Pendant les toutes premières semaines de sa vie, le bébé réagit aux sons et à la lumière mais est incapable d'identifier les voix. Il ne reconnaît les visages qu'après 4 mois. Vers 6-7 mois, il est capable de s'asseoir ; vers 10 mois de ramper et, vers un an, il commence à marcher et à prononcer quelques mots.

Au début du siècle, un quart environ des bébés nés en Europe occidentale mouraient avant l'âge d'un an. Aujourd'hui, c'est 3 % seulement de la population infantile qui meurt au cours de la première année. (Voir REPRODUCTION)

**BÉCASSEAU** Échassier que l'on trouve dans le monde entier. En Europe, la bécassine ou la bécasse vivent à l'intérieur des terres, souvent dans les marais : d'autres bécasseaux préfèrent le littoral, du moins en hiver. D'autres, enfin, comme le bécasseau maubèche, rejoignent les côtes européennes en hiver après avoir passé l'été dans le Grand Nord.

**BÉDOUIN** ARABE nomade des déserts d'Irak, de Jordanie, d'Arabie Saoudite et d'Afrique du Nord. Les Bédouins sont organisés en tribus ayant chacune à leur tête un chef appelé *cheikh.*

**BEETHOVEN, LUDWIG VAN** Compositeur allemand (1770-1827) à qui l'on doit quelques-unes des plus grandes œuvres mondiales, en particulier pour orchestre symphonique. Il écrivit neuf symphonies, six concertos, de la musique de chambre dont quatorze quatuors ainsi que des œuvres pour piano. ▷

BEETHOVEN Issu d'une lignée de musiciens (son père et son grand-père), le jeune Ludwig s'intéresse très tôt à la musique. A huit ans, il donne son premier concert ; à douze, il voit publier sa première pièce pour piano. En 1792, il est à Vienne où il étudie sous la direction de Haydn. Malheureusement, en 1801, il ressent les premiers troubles de l'ouïe, et en 1820 il est totalement sourd, ce qui ne l'empêche pas d'achever sa neuvième (et dernière) symphonie. Malgré sa surdité, il composera encore cinq quatuors au cours des dernières années de sa vie.

BELETTE Certains zoologistes distinguent comme espèce une belette du Grand Nord ne mesurant que 15,80 cm du museau à l'extrémité de la queue, ce qui en ferait le carnivore le plus petit ; mais pour d'autres il ne s'agit que de la femelle de la belette commune.

▼ *La belette n'hésite pas à s'attaquer à des proies d'une taille supérieure à la sienne, qu'elle tue en les saisissant à la nuque.*

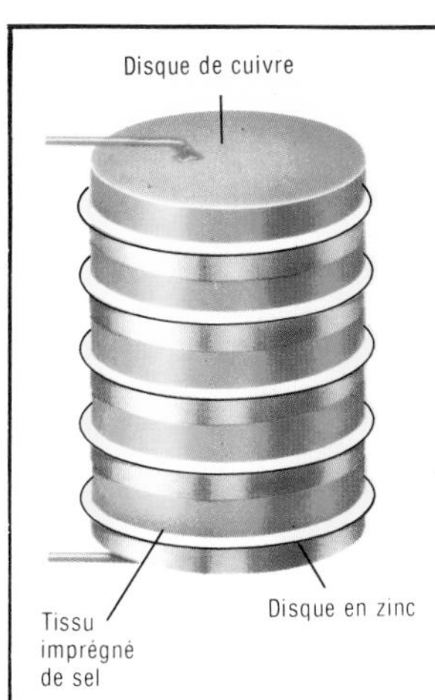


▲ *La première pile, inventée par Alessandro Volta, d'où son nom de pile voltaïque. Volta avait découvert qu'en insérant entre deux plaques métalliques – l'une de zinc, l'autre de cuivre – un morceau de tissu imprégné de sel, on produisait un courant électrique.*

▼ *Les batteries de voiture sont généralement constituées de six accumulateurs au plomb disposés en série. La force électromotrice de chaque accumulateur est de 2 volts, soit 12 volts pour la batterie. Pour recharger la batterie, on y fait passer un courant continu, de sens inverse de celui qu'elle fournira.*

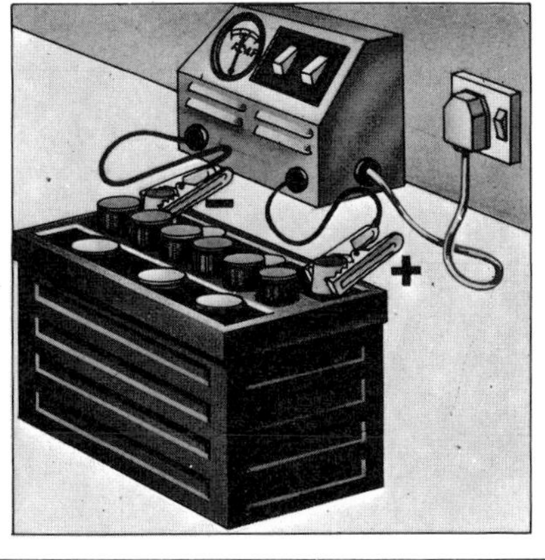

**BELETTE** Le plus petit des carnivores (17 cm environ). La belette a un pelage fauve dessus, blanc dessous. C'est un chasseur redoutable qui se nourrit surtout de campagnols et de mulots. Il est répandu dans tout l'hémisphère Nord. ◁

**BELGIQUE** Monarchie européenne, la Belgique compte près de 10 millions d'habitants pour une superficie de 30 500 km². La Belgique est une nation industrielle riche ; on y parle flamand dans le nord, français dans le sud et allemand dans le sud-est. Capitale : Bruxelles. ◁

**BELL, ALEXANDER GRAHAM** Physicien américain, d'origine écossaise, qui inventa et perfectionna le TÉLÉPHONE (1847-1922). Son invention fut essayée publiquement en 1876. En 1878, Graham Bell fonda la Compagnie américaine de téléphone qui porte son nom.

**BELLINI, GIOVANNI** En peinture, l'un des chefs de file de la RENAISSANCE italienne (v. 1430-1516). Issu d'une famille d'artistes célèbres, Bellini excella dans les œuvres d'inspiration religieuse. TITIEN fut l'un de ses élèves.

BELGIQUE : DONNÉES
Point culminant : signal de Botrange (694 m).
Plus long cours d'eau : Meuse (950 km).
Langues officielles : flamand, français, allemand.
Monnaie : franc belge.
Religion : catholicisme.

Flux d'électrons
Tige de cuivre
Tige de zinc
$H^+$
$SO_4^{--}$
$H^+$
Acide sulfurique dilué

▶ *Une pile simple. Deux électrodes – ici une tige de cuivre et une autre de zinc – sont immergées dans l'électrolyte (solution faible d'acide sulfurique). Les composants chimiques de l'acide sont séparés en particules chargées – les ions hydrogène (H) qui sont positifs et les ions sulfate ($SO_4$) qui sont négatifs. Les ions zinc positifs de l'électrode passent dans l'électrolyte, d'où un excès d'électrons dans l'électrode en zinc qui se charge négativement. Les électrons en excès rejoignent, par l'intermédiaire du conducteur, la tige de cuivre qui devient à son tour négative et attire les ions d'hydrogène positifs. Il se forme alors des bulles d'hydrogène gazeux sur l'électrode de cuivre.*

▼ *Anvers, principal port maritime de Belgique, est réputée pour l'architecture de ses maisons. Ici, une vue de la place de l'Hôtel-de-Ville.*

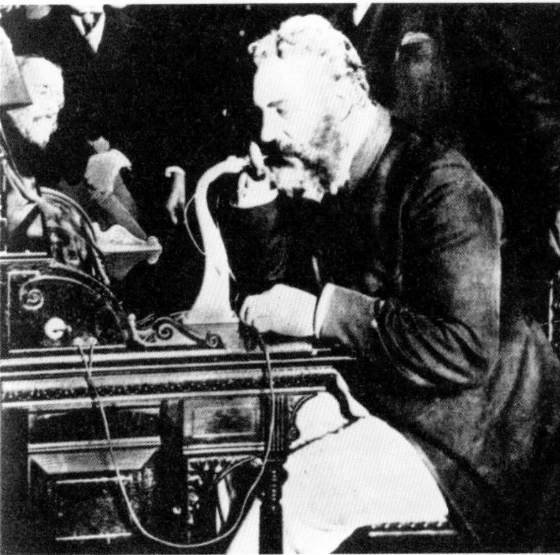

▶ *Alexander Graham Bell lançant le premier appel téléphonique sur la ligne New York-Chicago, en 1892.*

**BENZ, KARL** Ingénieur allemand (1844-1929). Ce pionnier de l'automobile inventa, en 1885, le premier moteur à quatre temps.

**BERBÈRES** Habitants originels de l'AFRIQUE du Nord, de race blanche et de religion musulmane. Parmi les tribus berbères figurent les Riffs, les Kabyles d'Algérie et les Touaregs nomades du Sahara.

**BERGSON, HENRI** Philosophe français (1859-1941), prix Nobel 1927. Parmi ses œuvres : *Matière et mémoire, le Rire.*

**BERLIN** Ville d'ALLEMAGNE, partagée entre Berlin-Est (1 500 000 habitants), capitale de la République démocratique allemande ou Allemagne de l'Est et Berlin-Ouest (1,9 million d'habitants), dépendante de fait de la République fédérale allemande (Allemagne de l'Ouest) bien qu'enclavée dans l'Allemagne de l'Est.

**BERLIOZ, LOUIS HECTOR** Compositeur français (1803-1869) qui se situe dans le courant romantique. Il écrivit des œuvres lyriques, symphoniques *(la Symphonie fantastique),* des mélodies de concert ou encore de la musique religieuse.

**BERMUDES** Archipel britannique de l'ATLANTIQUE Nord, les Bermudes comptent 61 000 habitants. Le tourisme constitue la principale industrie de ces îles. Superficie : 53,5 km$^2$ ; capitale : Hamilton. ▷

**BERNADOTTE, CHARLES JEAN-BAPTISTE** Maréchal de France sous Napoléon Ier (1763-1844). Il accepte la couronne de Suède et de Norvège que lui lègue le roi Charles XIII de Suède, sans héritier, et devient roi sous le nom de Charles XIV. Les souverains actuels de Suède sont ses descendants.

**BERNIN, GIAN LORENZO BERNINI** (dit en France *le Cavalier*) ; sculpteur et architecte italien (1598-1680) de la période BAROQUE (Voir ART), dont les sculptures respirent la grâce et le mouvement. On lui doit, entre autres, des marbres comme celui d'*Apollon et Daphné* ou de *David.*

**BESSEMER (PROCÉDÉ)** Procédé de transformation de la fonte en ACIER, mis au point en 1856 par l'industriel et métallurgiste britannique Sir Henry Bessemer (1813-1898), et qui consiste à insuffler de l'air sous pression dans la fonte en fusion pour la débarrasser de ses impuretés. Des quantités déterminées de carbone et d'autres substances sont ensuite ajoutées pour produire le type d'acier désiré.

**BETHLÉEM** Lieu de naissance de Jésus, selon les Évangiles, Bethléem est aujourd'hui une ville de Jordanie, à quelques kilomètres au sud de Jérusalem. (Voir JÉSUS-CHRIST)

▸ *Conçue par Karl Benz en 1893, cette voiture équipée d'un moteur de 2,75 chevaux fut la première automobile à être fabriquée à un nombre assez important d'exemplaires.*

◂ *Après la Seconde Guerre mondiale, Berlin-Ouest fut divisée en trois secteurs, placés respectivement sous contrôle des États-Unis, de la France et de la Grande-Bretagne, mais dirigés de fait par l'Allemagne de l'Ouest. Durement touchée par les bombardements, Berlin-Ouest a opéré après la guerre un redressement économique spectaculaire. C'est aujourd'hui l'un des principaux centres industriels d'Europe occidentale.*

**BÉTON** Matériau de construction solide, imperméable, incombustible, se moulant facilement et d'un prix de revient relativement modique. Les bétons dits *hydrauliques* se composent de CIMENT, d'agrégat fin (sable), d'agrégat grossier (gravier ou caillou) et d'eau. Le *béton armé* est du béton dans lequel on a enrobé des armatures métalliques de façon qu'il résiste mieux à des efforts de flexion ou de traction.

**BEURRE** Aliment obtenu à partir de la graisse contenue dans le LAIT de vache. Par centrifugation dans une écrémeuse, on obtient d'une part le lait écrémé, d'autre part la crème. Par introduction d'une BACTÉRIE, la crème est mûrie — elle s'acidifie et acquiert de l'arôme —, puis traitée dans des barattes qui, par des chocs mécaniques, la transforment en beurre. En France, on fabrique trois catégories de beurre : les beurres fermiers, laitiers et pasteurisés.

**BIBLE** Recueil des écritures saintes juives et chrétiennes. Les chrétiens divisent la Bible en deux parties : l'Ancien Testament, qui retrace l'histoire religieuse du peuple juif, et le Nouveau Testament qui a trait à la vie et à l'œuvre du Christ et des Apôtres. Les premières versions de l'Ancien Testament datent de l'an 1000 av. J.-C. environ ; les écrits qui composent le Nouveau Testament ont été rassemblés au cours des deux premiers siècles de notre ère. (Voir APOTRE ; CHRISTIANISME ; JÉSUS-CHRIST ; JUDAISME) ▷

BERMUDES L'archipel des Bermudes se compose de 300 petites îles environ. Elles furent découvertes en 1515 par Juan Bermudez, un Espagnol à qui elles doivent leur nom. Elles eurent pour premiers habitants des colons britanniques qui, en 1609, s'étaient embarqués pour l'Amérique du Nord sous la direction de Sir George Somers, et dont le bateau fit naufrage dans cette région.

BIBLE Le mot « bible » vient du nom de l'ancienne ville de Byblos, aujourd'hui Djebail, au nord de Beyrouth (Liban). Dans les années 2500 av. J.-C., Byblos était un important centre de commerce du papyrus — matériau fait de roseaux sur lequel étaient écrits les livres. Les archéologues pensent que c'est à Byblos, dans les années 1500 av. J.-C., que fut inventé le premier alphabet.

▸ *Cette broche en or a été fabriquée en Crète il y a 3 500 ans.*

**BIBLIOTHÈQUE** Lieu où sont conservés des LIVRES. Les plus anciennes bibliothèques connues sont celles des Babyloniens et des Assyriens qui écrivaient sur des tablettes d'argile. En Europe et aux États-unis, c'est vers 1850 que furent instaurées les premières bibliothèques publiques.

**BICYCLETTE** Véhicule léger, à deux roues de même diamètre, mues grâce à l'énergie musculaire du conducteur, par l'intermédiaire d'un système de pédalier et de chaîne. Parmi les ancêtres de la bicyclette figurent le bicycle du Français de Sivrac (1790) ou la *draisienne* du baron allemand Karl von Drais (1816) qui étaient actionnés par le mouvement alternatif des pieds sur le sol. Construit en 1883, le vélocipède était déjà équipé d'un système de pédales montées sur la roue avant. A peu près avec le siècle, apparaît la bicyclette moderne, avec ses deux roues d'égal diamètre, ses pneus gonflés à l'air, ses roulements à billes, ses freins, sa transmission par chaîne et sa selle suspendue. (Voir FREINS)

**CYCLES**

◂ *La draisienne de Karl von Drais (1817). Elle ressemblait à une bicyclette mais ne comportait pas de pédales.*

▴ *Le bicycle Matchless (1883) ou vélocipède avait des pneus pleins et une petite marche pour permettre au conducteur de se mettre en selle.*

▾ *La bicyclette moderne, avec son guidon courbe, ses pneumatiques et sa transmission par chaîne date du début du siècle.*

**BIÈRE** Boisson alcoolisée, obtenue par fermentation de l'extrait d'orge germée, ou *malt*, et parfumée avec du HOUBLON.

**BIJOU** Ornement généralement constitué de pierres et de métaux précieux (bracelet, collier, broche, boucles d'oreilles...). Dans la préhistoire, l'homme s'ornait déjà de bijoux faits d'os et de dents d'animaux. En bijouterie, les styles et les techniques de fabrication sont très divers.

**BILLARD** Jeu d'intérieur qui se joue avec trois boules d'ivoire et une longue tige de bois appelée *queue*, sur une table rectangulaire recouverte de feutre vert. Il existe des variantes de ce jeu tels les billards russe, américain ou japonais.

**BINAIRES (ÉTOILES)** Systèmes composés de deux étoiles qui gravitent autour d'un même centre, maintenues sur leur trajectoire par la GRAVITÉ. Environ une étoile sur trois est en réalité un système binaire (ou étoile double). Quelques étoiles doubles sont visibles à l'œil nu (Mizar-Alcor, dans le Timon de la Grande Ourse), d'autres s'observent mieux à travers un télescope.

▾ *Dans un système binaire typique, l'une des étoiles est plus grosse que l'autre. Toutes deux gravitent autour d'un point appelé barycentre.*

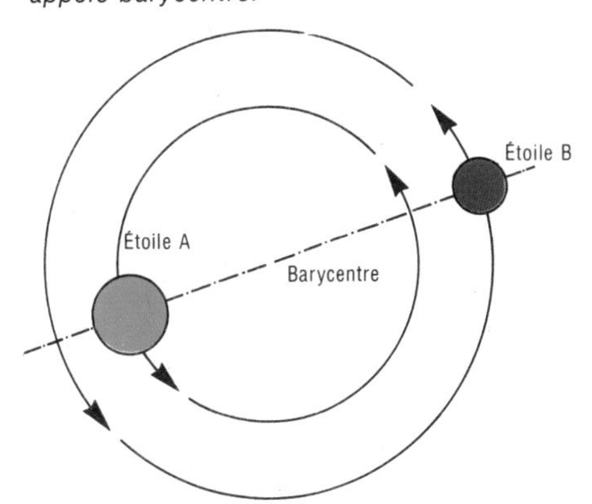

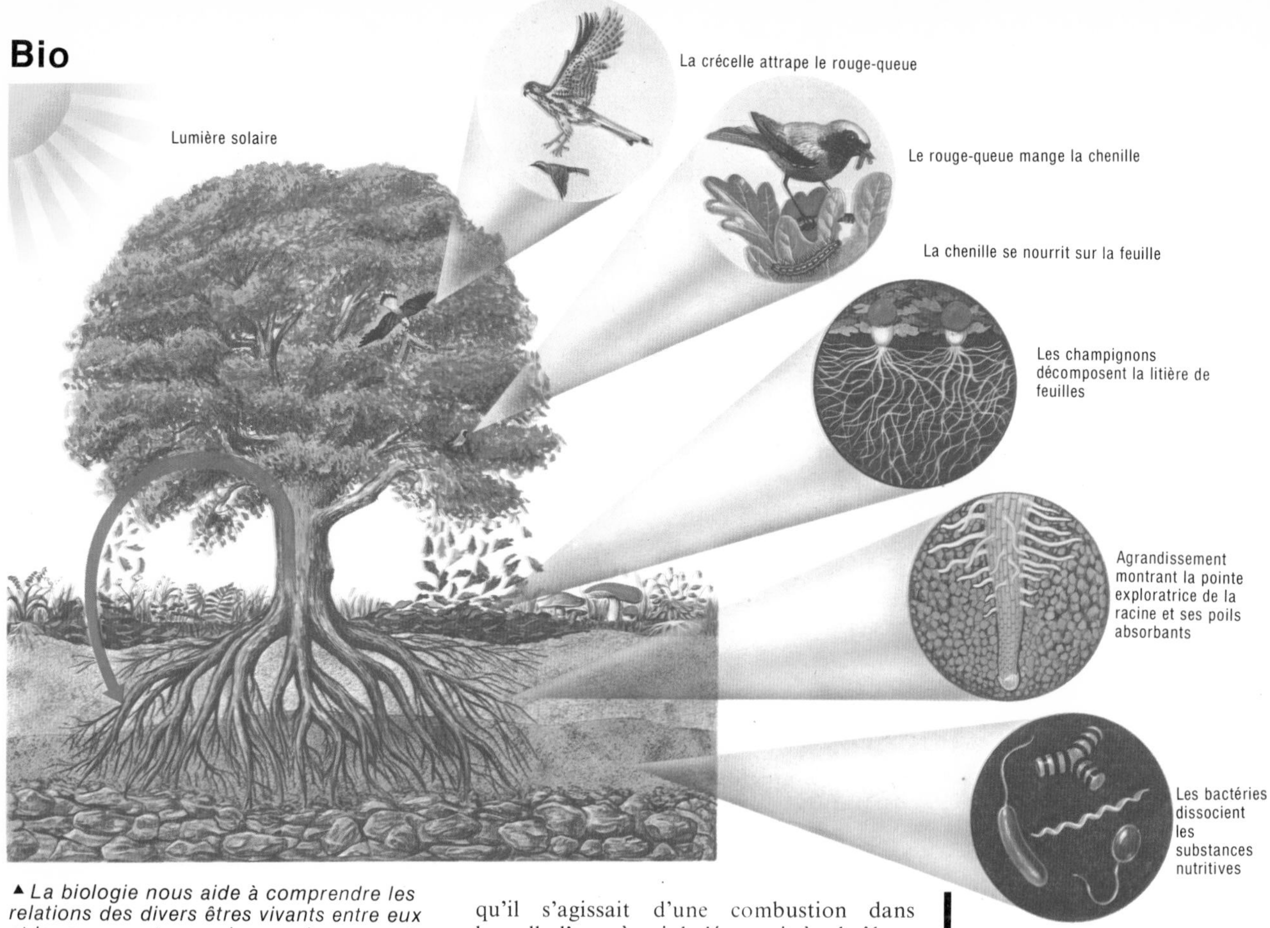


▲ *La biologie nous aide à comprendre les relations des divers êtres vivants entre eux et leurs rapports avec leur environnement. Les plantes transforment la lumière en une autre forme d'énergie qu'elles transmettent aux animaux qui les consomment. Morts, les animaux se décomposent en particules qui retournent à la terre. L'énergie de ces particules est ensuite réutilisée par les plantes. Sur l'illustration ci-dessus, les racines du chêne absorbent les éléments nutritifs du sol et les recyclent. La flèche bleue montre comment les feuilles mortes de l'arbre sont dissociées par les champignons et les bactéries. Les éléments nutritifs des feuilles rejoignent ainsi le sol et sont à nouveau absorbés par les racines, ce qui permet à l'arbre de produire de nouvelles feuilles. La chenille se nourrit des feuilles pour produire sa propre énergie – énergie qui passe dans le rouge-queue lorsque celui-ci mange la chenille. Le rouge-queue est mangé à son tour par la crécerelle. A la mort de la crécerelle l'énergie retournera à la terre et le cycle recommencera.*

**BIOCHIMIE** Partie de la CHIMIE qui étudie la structure et les réactions de la matière vivante. La biochimie étudie également la composition, la structure et l'action des aliments, médicaments, poisons ou boissons alcoolisées.

Les premières recherches biochimiques sur le corps humain furent conduites en particulier par Joseph Priestley (1733-1804) et Antoine LAVOISIER (1743-1794) qui analysèrent le processus de la RESPIRATION, montrant qu'il s'agissait d'une combustion dans laquelle l'oxygène inhalé servait à « brûler » les aliments pour créer de l'énergie. Aujourd'hui, les biochimistes sont parvenus à isoler, identifier et souvent créer artificiellement la plupart des composants chimiques du corps humain telles les HORMONES et les VITAMINES. Le travail des biochimistes a également permis la fabrication de machines comme le rein artificiel, destinées à suppléer un organe déficient. Le domaine de la biochimie s'est également étendu à la mise au point d'antibiotiques. (Voir BIOLOGIE) ▷

**BIOLOGIE** Science de la vie, la biologie s'applique à répondre à la question : qu'est-ce que la vie ? Lorsque les biologistes étudient un type particulier d'animal ou de plante, leur but n'est pas d'en apprendre plus sur sa structure mais d'essayer de comprendre comment fonctionnent les CELLULES ou comment il se fait que les organismes existent. Comme toutes les grandes disciplines scientifiques, la biologie est divisée en branches spécialisées. Parmi les plus importantes de ces branches figurent la *taxinomie* — la description des plantes et des animaux et leur classification systématique —, la *biogéographie,* qui étudie la répartition des plantes et des animaux sur la surface terrestre, l'ÉCOLOGIE — la découverte des relations entre les divers êtres vivants et entre ces êtres vivants et leur environnement —, l'*anatomie,* qui s'intéresse à la structure des organismes. *L'embryologie* étu-

BIOCHIMIE Un pas décisif dans le traitement des maladies a été franchi en 1928, avec la découverte — tout à fait accidentelle — de ce que certaines substances (que l'on appela plus tard antibiotiques) produites par des organismes vivants pouvaient servir à combattre les bactéries. Sir Alexander Fleming, un bactériologiste écossais qui faisait des cultures de bactéries dans son laboratoire de Londres, découvrit que les spores d'un mycélium apporté par le courant d'air détruisait les bactéries. Le mycélium fut identifié comme étant le *Penicillium notatum* et son principe actif — la pénicilline — isolé en 1940 par Sir Howard Florey et Ernst Chain. Depuis lors, de nombreux antibiotiques ont été découverts par les biochimistes du monde entier.

▲ *Les blaireaux sont des animaux paisibles mais qui peuvent se changer en combattants redoutables lorsqu'ils sont menacés. Ils comptent parmi les plus joueurs des animaux ; ils sortent souvent, à la nuit tombante, pour jouer en famille.*

die le développement des organismes, par exemple comment une minuscule graine peut se transformer en arbre ; l'*histologie* étudie les cellules en tant que constituantes des êtres vivants ; la *cytologie*, la cellule elle-même ; enfin, la *génétique* cherche à déterminer, par exemple, comment une caractéristique comme la couleur des yeux se transmet à travers les générations. Outre ses constantes recherches sur ce qu'est la vie, la biologie moderne s'applique à répondre à deux autres questions majeures : comment la vie a-t-elle commencé ? Et la vie existe-t-elle sur d'autres planètes ? (Voir BIOCHIMIE ; GÈNE)

**BIONIQUE** Science qui calque les systèmes vivants à l'aide de moyens technologiques. En bionique, ingénieurs et biologistes travaillent de concert : ils étudient la structure et le fonctionnement de plantes ou d'animaux pour mettre au point de nouvelles machines. Parmi les réalisations de la bionique figurent un propulseur de bateau dont la forme est calquée sur celle de la queue d'un poisson et un indicateur de vitesse au sol pour avion qui s'inspire de la structure de l'œil d'une abeille.

**BIRMANIE** République de l'ASIE du Sud-Est qui compte 36,2 millions d'habitants (1981) pour une superficie de 676 550 km$^2$. L'agriculture est le secteur principal de l'économie birmane, particulièrement dans les vallées de l'Irrawaddy et du Sittang. Capitale : Rangoon. ◁

**BISMARCK, PRINCE OTTO VON** Homme d'État prussien (1815-1898), artisan de la victoire de la Prusse sur la France (guerre de 1870-1871), il créa un État allemand uni. On l'appelait le Chancelier de Fer.

**BISON** Très grand bovidé sauvage pouvant peser plus d'une tonne. Les bisons possèdent de courtes cornes, une longue toison couvrant la tête, le cou, les épaules et les pattes avant. Le bison d'Amérique ne se trouve plus aujourd'hui que dans des réserves ; l'Europe orientale abrite encore quelques centaines de spécimens de bison d'Europe.

**BISSEXTILE** Se dit de l'année de 366 jours. Est bissextile toute année dont le nombre de jours est divisible par 4, le jour supplémentaire étant alors le 29 février. C'est la non-concordance de l'année définie par le CALENDRIER (365 jours) avec l'année solaire qui a rendu indispensable l'instauration des années bissextiles. Les années séculaires ne sont bissextiles que lorsqu'elles sont divisibles par 400.

**BLAIREAU** Mammifère à courtes pattes, pouvant atteindre 1 m de long et qui creuse des terriers dans les bois. De loin, sa fourrure paraît grise mais les poils sont en réalité noir et blanc. Le blaireau est reconnaissable à sa tête rayée noir et blanc. C'est un carnivore qui consomme occasionnellement des végétaux. Il reste caché le jour dans son terrier et ne sort que la nuit. ◁

BIRMANIE : DONNÉES
Plus long cours d'eau : Irrawaddy (2 080 km).
Langue : birman (mais plus de 100 langues différentes sont parlées).
Monnaie : kyat.
Religion : bouddhisme.
Plus de la moitié du pays est recouverte d'une épaisse forêt. Le pays connaît un climat typique de mousson : pluvieux de juin à octobre, sec et froid de novembre à février, sec et très chaud de mars à mai.

BLAIREAU Le terrier du blaireau s'enfonce dans le sol jusqu'à 3 m de profondeur au moins et comporte de nombreuses cavités reliées par des passages. Chaque cavité est affectée à une utilisation déterminée : sommeil, repas ou engrangement des réserves. Les jeunes sont mis au monde dans une cavité spéciale qu'ils ne quittent qu'au bout de 6 à 8 semaines.

**BLÉ** La première CÉRÉALE au monde pour l'alimentation humaine. Le blé est une GRAMINACÉE, cultivée dans les pays tempérés. L'U.R.S.S. et les États-Unis sont les deux plus importantes nations productrices de blé. A partir de la semoule ou de la farine de blé, on fabrique du pain, des pâtes (nouilles, macaroni, spaghetti, etc.), ou des préparations industrielles pour petit déjeuner. ▷

**BLÉRIOT, LOUIS** Ingénieur, industriel et aviateur français (1872-1936). Il effectua la première traversée de la Manche en aéroplane, de Calais à Douvres, le 25 juillet 1909. Blériot pilotait ce jour-là un monoplan qu'il avait conçu et réalisé lui-même. (Voir AVION)

**BOA** Gros serpent de l'Amérique tropicale, pouvant atteindre 9 m de long. Le boa tue sa proie en l'étouffant dans son étreinte. Le plus connu de la famille des *boïdés* est le boa constrictor. ▷

**BOBSLEIGH** Sport d'hiver, rapide et dangereux, pratiqué avec un traîneau métallique articulé (le bobsleigh ou bob), sur des pistes de glace. Le bobsleigh fait partie des disciplines olympiques. ▷

**BOCHIMANS** Ethnie primitive, négroïde, vivant dans le Sud-Ouest africain (Namibie) et le Botswana. De petite taille, les Bochimans sont des chasseurs nomades qui tuent le gibier à l'aide de flèches empoisonnées, de lances ou de couteaux. ▷

**BOERS (GUERRE DES)** Conflit qui, de 1899 à 1902, opposa la Grande-Bretagne aux colons hollandais (les *Boers*) des républiques indépendantes du Transvaal et de l'Orange et s'acheva par l'annexion de ces deux États à la colonie britannique du Cap. (Voir AFRIQUE DU SUD)

**BOIS** Substance compacte de l'intérieur des ARBRES et des buissons. Un tronc d'arbre est constitué de vaisseaux qui assurent la conduction de la sève et de fibres résistantes. Au fur et à mesure que l'arbre vieillit, le nombre de vaisseaux et de fibres s'accroît et le tronc s'épaissit. Les vaisseaux les plus anciens (qui perdent leur pouvoir conducteur) ainsi que les plus vieilles fibres du centre du tronc se durcissent : c'est le *bois de cœur*, dur et solide. Le bois vivant entourant le bois de cœur reste plus clair et plus tendre : c'est l'*aubier*.

On distingue deux types de bois. Les bois tendres proviennent en majorité des CONIFÈRES : on en fait surtout de la pâte à papier, de la soie artificielle, des matières plastiques ou de la cellophane.

Les bois durs, qui proviennent des feuillus, sont utilisés en menuiserie, ébénisterie et comme matériaux de construction. ▷

▲ Un groupe de moissonneuses-batteuses à l'œuvre dans l'un des immenses champs de blé d'Australie. Depuis des milliers d'années, l'homme cultive le blé. Le premier pays producteur de blé est l'U.R.S.S. La France vient au sixième rang.

▸ Aujourd'hui encore, les Bochimans vivent de la chasse.

▲ Coupe d'un tronc montrant le bois de cœur, plus sombre, et l'aubier, plus clair. On distingue également les cernes annuels de croissance.

**BOITE A MUSIQUE** Instrument muni d'un mécanisme à ressort et qui restitue de petits airs de musique. Mises au point en Suisse à la fin du XVIII^e siècle, les boîtes à musique étaient souvent insérées dans des objets quotidiens comme des poudriers ou des coffrets à bijoux.

BLÉ En 1982, quatre nations se sont réparties plus de la moitié de la production mondiale de blé. Ce furent respectivement : l'U.R.S.S. (17,6 %), les États-Unis (16 %), la Chine (13,2 %) et l'Inde (7,9 %).

BOA Le boa constrictor n'est pas dangereux pour l'homme qui peut en faire son animal de compagnie. Par contre, lorsque deux boas sont placés dans la même cage, on peut assister à des phénomènes de cannibalisme. Dans le cas, par exemple, où les deux serpents s'attaquent à chacune des extrémités de la même proie, le plus gros d'entre eux dévorera l'autre au moment où leurs deux museaux se toucheront.

BOBSLEIGH Parmi les disciplines des jeux Olympiques figurent des concours de bobsleigh à deux ou quatre, disputés en quatre courses. Lors de ces courses, il n'est pas rare d'enregistrer des vitesses de 160 km/h.

BOCHIMANS Une légende court à propos des Bochimans du Kalahari qui connaîtraient la situation géographique d'une oasis jonchée de diamants. L'histoire raconte qu'après avoir capturé un soldat blanc, les Bochimans l'auraient conduit jusqu'à cette oasis. Après son évasion, le soldat aurait réuni l'argent nécessaire et organisé une expédition. Il aurait été trouvé mort quelques semaines plus tard, une flèche bochiman plantée dans le cœur et, dans sa poche, une carte permettant de localiser l'oasis, plus quelques diamants bruts. Personne n'ayant jamais pu déchiffrer la carte, les Bochimans détiennent toujours le secret de l'oasis.

BOIS Le bois le plus lourd est le bois de fer africain. Le bois le plus léger est une essence de Cuba. A volume égal, ce bois pèse moins d'un dixième du poids de l'eau.

BOMBE ATOMIQUE En juillet 1945, près d'Almagordo (Nouveau-Mexique), les États-Unis faisaient exploser la première bombe A, du haut d'une tour d'acier. Pendant cinq ans, 500 000 personnes avaient pris part à la mise au point de cette arme nucléaire de 4 tonnes. En 1963, l'Union soviétique annonça qu'elle avait fabriqué une bombe H de 100 mégatonnes. A supposer qu'une telle bombe explose, elle creuserait un cratère de 30 km de diamètre et brûlerait tout dans un rayon de 130 km.

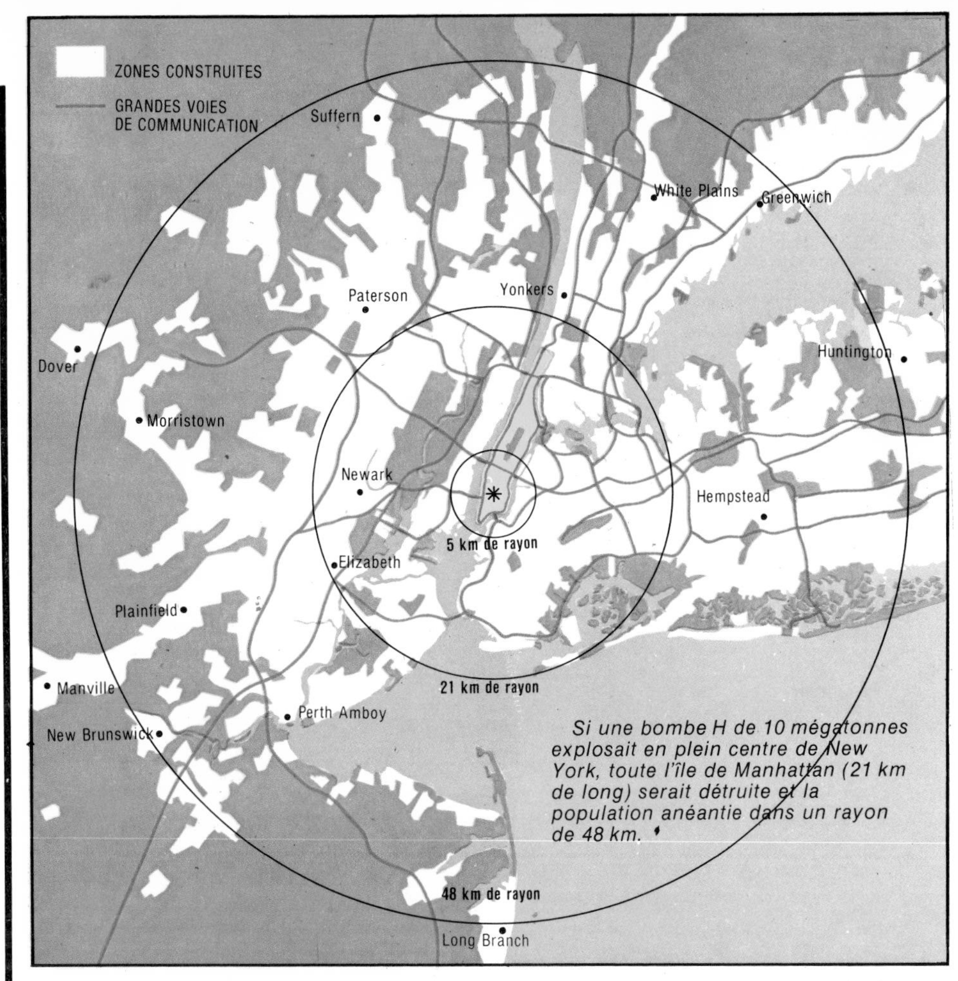


▼ *Le nuage en forme de champignon résultant de l'explosion d'une bombe atomique est devenu le symbole même de la puissance destructrice de l'atome. La force de l'explosion résulte de ce que toute l'énergie des atomes est libérée en une fraction de seconde.*

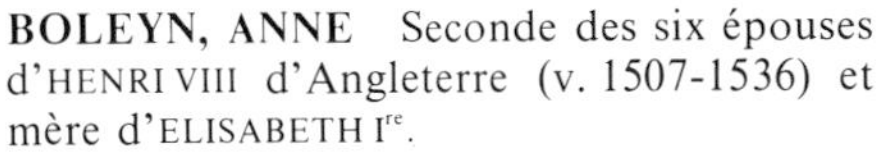

**BOLEYN, ANNE** Seconde des six épouses d'HENRI VIII d'Angleterre (v. 1507-1536) et mère d'ELISABETH Ire.

**BOLIVAR, SIMON** Patriote sud-américain (1783-1830) qui libéra la Bolivie, la Colombie, l'Équateur et le Pérou de la domination espagnole.

**BOLIVIE** République de l'AMÉRIQUE DU SUD, la Bolivie compte près de 6 millions d'habitants (1981) pour une superficie de 1 098 500 km². Si Sucre est la capitale administrative, le gouvernement siège à La Paz. La Bolivie est la plus pauvre des nations sud-américaines.

**BOMBE ATOMIQUE** Bombe dont la puissance explosive utilise l'énergie nucléaire. Dans les bombes dites à *fission* nucléaire — bombe A —, les atomes de certains types d'URANIUM et de PLUTONIUM sont conduits à se dissocier par un processus de RÉACTION EN CHAINE. Ce processus, extrêmement rapide, s'accompagne de la libération d'une énorme quantité de chaleur. L'explosion qui en résulte peut avoir une puissance destructrice équivalant à celle de dizaines de milliers de tonnes de T.N.T. (un explosif classique). Le souffle de la déflagration détruit immeubles et constructions, la chaleur intense met le feu sur une importante superficie et les RADIATIONS émises peuvent provoquer la mort de nombreuses personnes, voire, à plus long terme, des maladies graves ou des malformations des enfants à venir. Ce sont des bombes de ce type qui, les 6 et 9 août 1945, furent larguées par les États-Unis sur les villes japonaises d'Hiroshima et Nagasaki.

Basée sur le principe de la FUSION d'atomes légers (hydrogène), la bombe dite *thermonucléaire* — ou bombe H — est beaucoup plus puissante que la bombe A qui lui sert, d'ailleurs, d'amorce. La bombe H fut expérimentée pour la première fois par les États-Unis en 1952. (Voir ÉNERGIE ATOMIQUE; FUSION; NUCLÉAIRE; RADIOACTIVITÉ) ◁

**BOOMERANG** Arme de jet que les ABORIGÈNES d'Australie utilisent pour la chasse. De par sa forme, le boomerang revient à son point de départ s'il manque sa cible.

**BORNÉO** La troisième île du monde par sa superficie (746 500 km$^2$). Bornéo est partagée entre l'INDONÉSIE, qui en occupe les trois quarts (Kalimantan), la MALAISIE qui y compte les deux territoires de Sarawak et de Sabah et l'État indépendant de Brunei, sur la côte nord. ▷

**BOTANIQUE** Étude des PLANTES. Les plantes sont indispensables à l'homme. Elles lui procurent non seulement une partie de sa nourriture mais également des produits utiles comme le bois, les fibres végétales (jute, coton), le caoutchouc, les médicaments et les teintures. Depuis longtemps, l'homme a étudié les plantes, et la Grèce antique possédait déjà ses botanistes, tel le philosophe ARISTOTE qui, dans son grand jardin d'Athènes, faisait participer ses élèves à ses recherches. La botanique moderne est une science très élaborée, divisée en de nombreuses branches spécialisées. Par exemple, la *mycologie* étudie les CHAMPIGNONS, tandis que la *bactériologie* s'intéresse aux BACTÉRIES; la *taxinomie* végétale s'occupe d'attribuer un nom aux plantes et de les classifier (voir CLASSIFICATION), alors que la *morphologie* végétale étudie la forme et la structure des plantes. D'autres branches de la botanique s'attachent à l'utilisation économique qui est faite des plantes : ainsi la *sylviculture* qui a trait à l'entretien et à l'exploitation des forêts. L'*horticulture*, enfin, s'intéresse à la culture des plantes de jardin. ▷

**BOTSWANA** République d'AFRIQUE australe, anciennement appelée Betchouanaland. Membre du Commonwealth, le Botswana a acquis son indépendance en 1966. Population : 849 000 habitants ; capitale : Gaborone. ▷

**BOTTICELLI, SANDRO** Peintre de la RENAISSANCE italienne (v. 1444-1510), célèbre pour la délicatesse avec laquelle il peignait les visages féminins, ainsi par exemple, dans *le Printemps* et *la Naissance de Vénus*.

**BOUCANIER** Autrefois en Amérique, chasseur de bœufs sauvages. Le nom a été donné aux pirates qui, aux XVII$^e$ et XVIII$^e$ siècles, pillaient les navires et les colonies espagnols d'Amérique.

**BOUDDHA, SIDDHARTA GAUTAMA** Fondateur de la religion bouddhiste (v. 563-483 av. J.-C.). Pendant quarante ans, il prêcha sa nouvelle doctrine à travers l'Inde septentrionale et, à sa mort, le bouddhisme était bien installé en Inde.

**BOUDDHISME** Religion et philosophie prêchée en Inde par Gautama BOUDDHA, au VI$^e$ siècle av. J.-C. L'idéal bouddhiste est la sérénité parfaite, ou *nirvâna* état que l'on atteint par la pratique de l'humilité, par le contrôle de soi, la non-violence et la générosité. Les bouddhistes n'adorent aucun dieu.

BORNÉO La plus grosse fleur du monde est celle de *Rafflesia arnoldii*, une plante que l'on rencontre couramment dans les forêts de Bornéo. Cette fleur peut mesurer plus d'un mètre de diamètre, avec des pétales de 2 cm d'épaisseur, et peser jusqu'à 6,8 kg. Elle dégage une odeur caractéristique de viande pourrie.

BOTANIQUE D'abord baptisé *Stingray Bay*, le lieu d'abordage du capitaine James Cook en Australie (1768) prit ensuite le nom de *Botany Bay* (la baie de la Botanique), en l'honneur des remarquables collections de plantes que cultiva Joseph Banks, célèbre naturaliste qui accompagnait Cook sur le *Endeavour*. *Botany Bay* est aujourd'hui intégré à la banlieue de Sydney.

BOTSWANA : DONNÉES
Le Botswana est entouré par l'Afrique du Sud, la Namibie, la Rhodésie et la Zambie. Il est à plus de 480 km de l'Atlantique comme de l'océan Indien.
Principaux cours d'eau : Shashi, Okavango et Chobe.
Religion officielle : christianisme.
Langue : anglais.
Monnaie : pula.

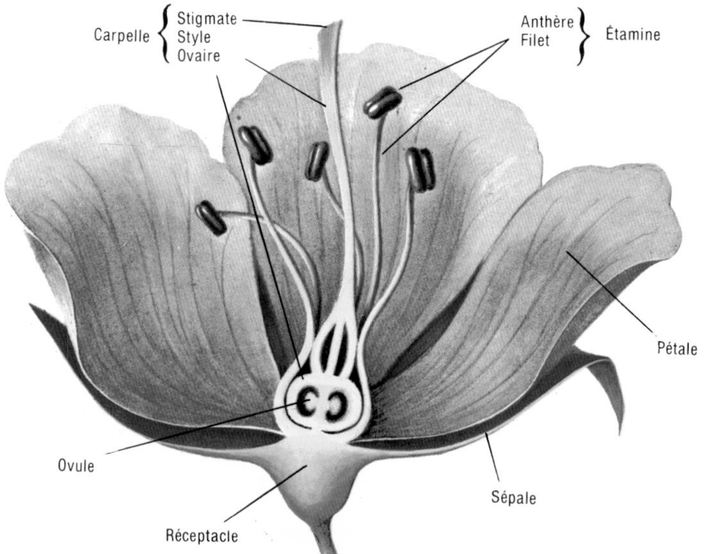

▸ *La botanique nous sert, entre autres, à connaître les différentes parties d'une fleur et leur fonction. A droite, une fleur typique. Les* sépales *verts recouvrent et protègent la fleur en bouton et, plus tard, soutiennent les* pétales *souples. Généralement de couleur vive, les pétales attirent vers la fleur les insectes qui vont contribuer à la pollinisation. Sépales et pétales enserrent les organes reproducteurs :* étamines *(mâles) et* carpelles *(femelles). L'extrémité de l'étamine, ou* anthère, *produit le pollen dont les grains sont transportés sur l'extrémité du carpelle, ou* stigmate. *Le grain de pollen forme alors un tube qui traverse le* style *et l'ovaire, de façon que les cellules reproductrices du pollen puissent féconder l'œuf femelle dans l'*ovule. *Une fois l'œuf fécondé, la fleur meurt et l'œuf se change en graine.*

## LES PRINCIPALES PARTIES D'UNE PLANTE

**Fleur :** Partie d'une plante à fleurs spécialisée dans la reproduction. La plupart des fleurs possèdent des organes mâles et des organes femelles. La partie mâle produit le pollen qui est transporté sur la partie femelle (d'une autre fleur, en général), ce qui conduit à la formation d'une graine d'où naîtra une nouvelle plante.

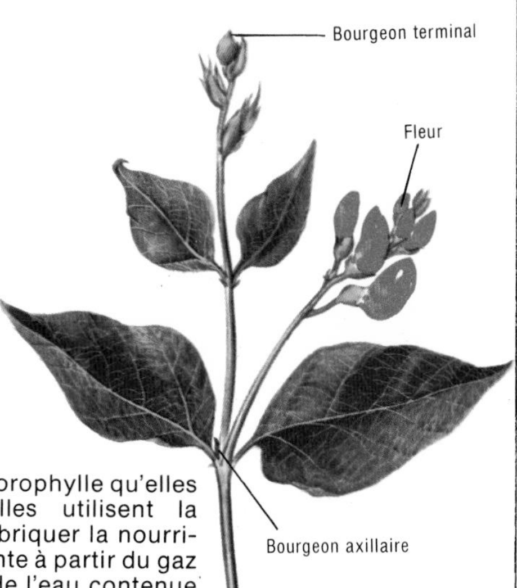


**Feuilles :** Grâce à la chlorophylle qu'elles contiennent, les feuilles utilisent la lumière solaire pour fabriquer la nourriture nécessaire à la plante à partir du gaz carbonique de l'air et de l'eau contenue dans le sol. L'eau est puisée par les racines, puis transportée par les nervures à toutes les parties de la plante.

**Tige :** Support des feuilles et des fleurs. La tige contient des vaisseaux qui emmagasinent et transportent la sève nutritive.

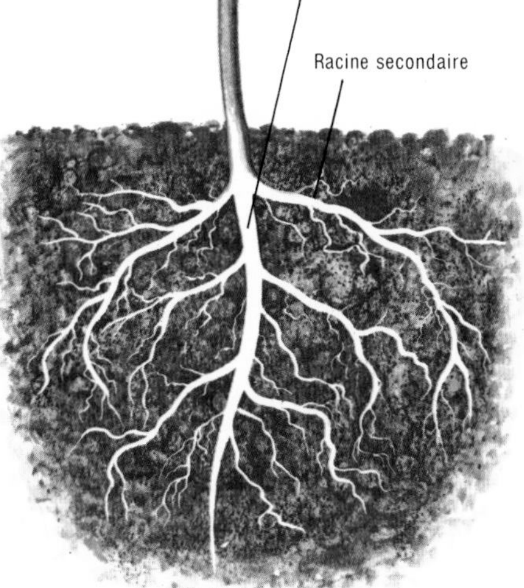


**Racines :** Elles ancrent la plante dans le sol, absorbent l'eau et les sels minéraux et, dans certains cas (la carotte, par exemple), emmagasinent de la nourriture. La racine principale qui s'enfonce dans le sol à la recherche de l'eau est protégée par une coiffe ; les poils absorbent l'eau.

▲ *Moines bouddhistes devant l'autel de Bouddha. Dans le bouddhisme, il ne suffit pas de croire à l'enseignement de Bouddha, il faut mettre en pratique les leçons du fondateur.*

De l'Inde, le bouddhisme s'est répandu en Chine et dans tout l'Extrême-Orient. Aujourd'hui, on estime à 200 millions le nombre des bouddhistes à travers le monde.

**BOUÉE** Corps flottant, en bois ou en métal, fixé par une chaîne au fond de la mer et qui sert à indiquer un écueil, un point déterminé, ou encore à amarrer un petit bateau.

**BOUGIE** Source lumineuse, composée d'une chandelle de CIRE entourant une mèche de lin ou de coton. Progressivement remplacées par les lampes à pétrole, puis les dispositifs électriques, les bougies sont largement réservées aujourd'hui à la décoration ou à des pratiques religieuses (cierges).

**BOULES (JEU DE)** Jeu de plein air qui se pratique généralement sur un terrain plat et sablé, à l'aide de boules métalliques lestées, de 12,5 cm de diamètre. Le but du jeu est de lancer ou de faire rouler la boule de façon qu'elle s'immobilise le plus près possible d'une petite bille de buis appelée *bouchon.*

**BOULIER** Appareil simple, utilisé depuis des milliers d'années dans diverses parties du monde et servant à compter. Un boulier se compose d'un châssis de bois retenant des tringles métalliques sur lesquelles coulissent des boules. Le boulier est encore couramment utilisé en Chine.

▲ *Un bouquetin – l'une des nombreuses espèces de chèvres sauvages qui peuplent les pentes escarpées d'Afrique et d'Eurasie. Comme tous les animaux de montagne, le bouquetin possède un pied dont la forme lui permet de s'agripper aux roches lisses.*

**BOUQUETIN** CHÈVRE sauvage des montagnes d'Europe, d'Asie et d'Afrique, aux longues cornes épaisses marquées d'anneaux saillants. Deux espèces appartiennent à la faune française : l'ibex des Pyrénées et l'ibex des Alpes.

**BOURBON** Nom de la famille royale de France de 1589 à 1792 et de 1814 à 1848. Le premier Bourbon fut Henri IV, suivi de Louis XIII, Louis XIV, Louis XV et Louis XVI ; à partir de 1814, Louis XVIII et Charles X, puis Louis-Philippe Ier (Bourbon, branche Orléans).

**BOURGEON** Germe des pousses nouvelles d'une plante. Les bourgeons apparaissent à l'extrémité de la tige (bourgeon terminal) ou à l'*aisselle* des feuilles — intérieur de l'angle formé par une feuille avec un rameau (bourgeons axillaires). Généralement entourés d'écailles pendant l'hiver, les bourgeons se développent ensuite pour donner feuilles et fleurs. (Voir BULBE)

**BOURSE** La Bourse des valeurs est un marché sur lequel s'effectuent quotidiennement l'achat et la vente de valeurs mobilières, actions et obligations émises par les sociétés commerciales ou les gouvernements. Les prix fixés pour la transaction varient selon la demande.

**BOVINS** Gros et massifs MAMMIFÈRES herbivores. Parmi les bœufs sauvages, tous à cornes, on compte le BISON, le BUFFLE et le YACK. Les bœufs domestiques descendent de l'*aurochs,* une espèce européenne sauvage, aujourd'hui éteinte. La domestication des bovins remonte à 6 000 ans environ ; depuis, ces animaux sont devenus indispensables à l'homme qui en tire viande, lait, ainsi que d'autres produits de transformation comme le cuir, la colle ou le savon. Un bovin consomme quotidiennement près de 70 kg d'herbe, qu'il digère suivant un processus original qui lui vaut son qualificatif de ruminant. L'estomac d'un bovin se compose de quatre parties ; l'herbe avalée est emmagasinée dans la première ; dans la seconde elle est ramollie, agglomérée en boules qui forment le bol alimentaire. Le bol alimentaire retourne à la bouche pour y être mâché avant de passer dans la troisième partie et d'être finalement digéré dans la quatrième. ▷

**BOXE** Sport de combat où les deux adversaires s'affrontent à coups de poing (*boxe anglaise ;* dans la *boxe française,* on emploie également des coups de pied).

**BOYLE, ROBERT** Chimiste et physicien irlandais (1627-1691), souvent surnommé le « père de la chimie moderne », qui formula la loi de compressibilité des gaz qui porte son nom. (Voir CHIMIE)

**BRAHMS, JOHANNES** Compositeur allemand (1833-1897) de musique symphonique, de chambre, de piano mais aussi de pièces pour chorales et de mélodies (près de 200).

**BRAILLE** Système d'écriture en relief à l'usage des aveugles, inventé par Louis Braille (1809-1852) et dans lequel les lettres de l'alphabet sont représentées par des points saillants.

**BRAZZA, SAVORGNAN DE, PIERRE** Explorateur français (1852-1905), fondateur du Congo français, il fut en outre un administrateur remarquable et très humain.

**BRÉSIL** La plus vaste nation de l'AMÉRIQUE DU SUD. La république fédérale du Brésil compte 121 600 000 habitants (1981) pour une superficie de 8 512 000 km². Elle a pour capitale Brasilia (420 000 habitants), mais les villes les plus importantes sont Sao Paulo (7 033 000 habitants) et Rio de Janeiro (5 093 000 habitants). Le bassin de l'AMAZONE est une région de forêt dense, sous-développée, la population étant concentrée sur les côtes, surtout dans le sud-est. L'agriculture fait encore vivre la moitié de la population. Le Brésil figure au premier rang mondial pour la production de bananes et de café ; il tend aujourd'hui à diversifier ses productions (bœuf, cacao, coton, maïs, sucre de canne et tabac). ▷

BOVINS L'aurochs, un bœuf sauvage qui pullulait autrefois dans les forêts européennes, a disparu depuis le Moyen Age, mais en utilisant leur connaissance des lois de l'hérédité deux zoologistes —Lutz et Heinz Heck — sont parvenus, en procédant à une série de croisements, à obtenir des bovins possédant les caractéristiques de l'aurochs : à la naissance des premiers veaux, ils ont sélectionné les animaux qui leur paraissaient posséder les caractères convenables et les ont accouplés... Et ainsi de suite jusqu'à l'obtention d'un véritable petit d'aurochs. C'est ce qui fait qu'il y ait aujourd'hui une harde d'aurochs au zoo de Berlin.

BRÉSIL : DONNÉES
Principaux cours d'eau : Amazone, Sao Francisco, Parana.
Point culminant : Pico da Neblina (3 014 m).
Langue : portugais.
Monnaie : cruzeiro.
Religion : catholicisme.

BREVET En soixante ans, le grand inventeur américain Thomas Edison n'a pas fait breveter moins de 1 100 inventions, ce qui a dû lui coûter quelques litres de sueur dans la mesure où lui-même définissait le génie comme : « 1 % d'inspiration et 99 % de transpiration ». Il lui fallut deux ans de travail et des milliers d'expériences pour mettre au point le filament de la lampe à incandescence.

▸ *Défilé de gardes devant le palais de Buckingham à Londres.*

ILES BRITANNIQUES Il y a quelque 40 000 ans, les îles Britanniques étaient encore rattachées au continent européen, et il y a 9 000 ans encore les hommes de l'Age de pierre pouvaient passer la Manche à gué, étant donné son peu de profondeur.

BRONTE La famille Brontë vivait dans un presbytère de campagne, à Haworth dans le Yorkshire (Angleterre). La maison est aujourd'hui transformée en musée et en bibliothèque, tandis que Charlotte et Emily sont enterrées au cimetière du village.

BULGARIE : DONNÉES
Principaux cours d'eau : Danube et Maritsa.
Point culminant : pic Musala (2 740 m).
Langue : bulgare.
Monnaie : lev.
Religion : orthodoxie, mais le gouvernement décourage la pratique des religions.
Au XIXe siècle, alors que la Bulgarie faisait partie de l'Empire ottoman, les troupes turques massacrèrent par milliers les nationalistes bulgares. En 1878, les forces russes accoururent au secours de leurs « frères slaves ». Aujourd'hui, la Bulgarie est toujours dans la zone d'influence soviétique.

**BREVET D'INVENTION** Document qui donne à un inventeur le droit exclusif d'exploiter commercialement son invention pendant un temps déterminé. Le titulaire d'un tel brevet peut décider de le vendre s'il le désire. ◁

**BRIDGE (JEU DE)** Jeu qui se pratique entre quatre personnes avec 52 cartes. La forme de bridge la plus couramment pratiquée aujourd'hui est le bridge *contrat.*

**BRIQUE ET BRIQUETAGE** La brique est le plus ancien matériau artificiel de construction. (Voir ARCHITECTURE.) De forme géométrique, les briques sont fabriquées à partir d'argile moulée, puis cuite. Le briquetage (maçonnerie de brique) est un travail qui réclame de l'habileté, particulièrement lorsqu'il s'agit de réaliser des motifs décoratifs.

**BRITANNIQUES (ILES)** Ensemble formé par le Royaume-Uni de Grande-Bretagne et d'Irlande du Nord (ANGLETERRE, Écosse, Pays de Galles, Irlande du Nord), la République d'Irlande (Eire), l'île de Man et les îles Anglo-Normandes. Séparées de l'Europe continentale par la MER DU NORD, le Pas-de-Calais et la MANCHE, les îles Britanniques regroupent une population de plus de 59 millions d'habitants.

Les îles Britanniques culminent au Ben Nevis, en Écosse (1 343 m) ; leur plus long cours d'eau est le Shannon (386 km), situé en République d'Irlande. Le Royaune-Uni de Grande-Bretagne et d'Irlande du Nord est une nation industrielle et commerciale de premier plan, tandis que la République d'Irlande a une vocation agricole. ◁

**BRITTEN, BENJAMIN** Compositeur britannique (1913-1976), qui jouit d'un succès international, notamment dans les domaines de l'opéra et de l'art choral *(A Ceremony of Carols, Peter Grimes).*

**BROCHET** Vorace poisson d'eau douce de l'hémisphère boréal. De couleur vert jaunâtre, le brochet peut mesurer jusqu'à 1,50 m.

**BRONTE (LES)** Trois sœurs (Charlotte, 1816-1855 ; Emily, 1818-1848 ; Anne, 1820-1849) anglaises qui, durant leur courte vie, écrivirent quelques-uns des classiques de la littérature anglaise. On leur doit, entre autres, *Jane Eyre* (Charlotte), et *les Hauts de Hurlevent* (Emily). ◁

**BRONTOSAURE** DINOSAURE sauropode géant, de 25 m environ, plus correctement dénommé *Apatosaurus.*

**BRONZE** Terme désignant un ALLIAGE de cuivre et d'étain, dans lequel peuvent figurer d'autres substances comme le phosphore ou le zinc (bronze à canon). Les alliages improprement baptisés bronze au silicium et bronze d'aluminium ne contiennent pas d'étain.

**BRUIT** On désigne généralement sous le terme général de bruit tous les sons indésirables ou désagréables. A l'inverse des sons musicaux, les bruits sont dépourvus d'harmonie du fait de leurs ondes vibratoires hasardeuses et irrégulières. Un bruit de forte intensité peut être douloureux pour l'oreille et il a été montré que, à long terme, le bruit était cause de dommages physiologiques irréversibles. De plus en plus, les habitants des villes prennent conscience du danger que représentent, dans la vie moderne, les « nuisances sonores ». (Voir SON.)

**BRUXELLES** Capitale de la BELGIQUE depuis la fondation de ce royaume indépendant (1830). Cette ville est le siège de nombreux organismes européens et de l'OTAN.

**BUDGET** Compte qui permet de prévoir les recettes et les dépenses (d'un pays, d'une communauté, d'une famille, etc.). En France, la définition du budget de l'État remonte au 31 mai 1862.

**BUFFLE** Bœuf sauvage (voir BOVINS) que l'on rencontre surtout en Inde et en Afrique australe. Les buffles sont généralement noirs, avec de grosses cornes. Ils aiment l'humidité et vivent souvent dans les marécages. Le buffle indien est domestiqué dans toute son aire de distribution qui s'étend de l'Italie aux Philippines ; c'est un animal de trait fournissant également lait et viande.

**BUFFON, GEORGES LOUIS LECLERC, COMTE DE** Naturaliste et écrivain français (1707-1788). Auteur d'une *Histoire naturelle* en 36 volumes.

**BULBE** Organe souterrain de certaines plantes (tulipes, oignons). Un bulbe se compose de feuilles charnues et renflées appelées écailles, entourant un ou plusieurs bourgeons. Les écailles sont emplies de nourriture — généralement de l'amidon — qui servira à alimenter le BOURGEON pendant son développement. Leurs réserves épuisées, les écailles se dessèchent tandis que de nouvelles se forment à l'intérieur pour constituer le futur bulbe.

**BULGARIE** Démocratie populaire du sud-est de l'Europe, la Bulgarie compte 8,9 millions d'habitants (1981) pour une superficie de 110 900 km$^2$. Agriculture, élevage, produits miniers et industrie de transformation constituent les principales ressources du pays ; à quoi on peut ajouter le tourisme, sur le littoral de la mer Noire. Capitale : Sofia. ◁

**BUNSEN (BEC)** Brûleur à gaz largement utilisé pour produire la chaleur nécessaire aux expériences de laboratoire. Il doit son nom au physicien et chimiste allemand qui l'inventa : Robert Bunsen.

▸ *En son temps, le cabriolet fut un moyen de transport prisé parmi les couches aisées de la société. Ainsi cet élégant cabriolet chinois devait-il témoigner de la confortable position sociale de son propriétaire.*

**CABRIOLET** Autrefois, VOITURE hippomobile à deux roues et munie le plus souvent d'une capote. En Europe, le cabriolet dans sa forme la plus simple fit son apparition au XIVe siècle.

**CACAHUÈTE OU CACAHOUÈTE** Graine de l'arachide, une plante des pays chauds. Les graines d'arachide se développent en terre ; elles sont entourées d'une « peau » rouge à consistance de papier et contenues (à une ou plusieurs) dans une gousse jaune pâle. Riches en PROTÉINES, ces graines sont consommées torréfiées ou, dans les pays anglo-saxons, sous forme d'une pâte appelée « beurre de cacahuètes ». On en tire de l'huile, commercialisée comme telle ou entrant dans la composition de produits comme la margarine et le savon. Les résidus solides obtenus après extraction de l'huile (tourteaux) sont utilisés pour l'alimentation des animaux.

**CACAOYER OU CACAOTIER** Petit arbre originaire de l'Amérique du Sud, à petites fleurs jaunes et drupes jaunes, charnues, contenant les graines appelées « fèves de cacao ». Torréfiées et pulvérisées, ces graines fournissent le cacao qui entre dans la composition du CHOCOLAT et des boissons chocolatées. ▷

**CACTÉE OU CACTACÉE** Plante le plus souvent épineuse des régions arides du Nouveau Monde. Les cactées absorbent l'eau de pluie qu'elles emmagasinent dans leurs tiges ou leurs feuilles renflées. Les espèces de cactées se comptent par centaines. (Voir ADAPTATION)

**CADRAN SOLAIRE** Dispositif permettant de repérer l'heure à partir de l'ombre projetée par une tige (gnomon) sur une surface plane où sont figurées les heures du jour. L'ombre se déplace en suivant les mouvements du Soleil dans le ciel. (Voir HORLOGE)

**CAFÉIER** Arbrisseau des régions tropicales dont les baies rouges contiennent chacune deux graines vert grisâtre. Séchées, torréfiées, puis moulues, ces graines servent à confectionner une boisson brune et stimulante. Le café est cultivé en Afrique, mais surtout en Amérique centrale et australe, particulièrement au Brésil.

**CAILLE** Oiseau migrateur voisin de la PERDRIX, à peu près mondialement distribué. La caille aime les terrains découverts. Dérangée, elle choisit la course de préférence au vol. Elle se nourrit de graines et d'insectes.

**CAIRE (LE)** Capitale de l'ÉGYPTE, Le Caire compte, banlieue comprise, 12 millions d'habitants. Fondée en 640 ap. J.-C., la ville possède de nombreux musées et mosquées. Les

CACAOYER Dans certaines parties de l'Amérique tropicale, le cacaoyer est cultivé depuis plus de 3 000 ans. Mayas, Toltèques et Aztèques consommaient des boissons au cacao lors des cérémonies et se servaient de fèves comme monnaie. C'est Christophe Colomb qui rapporta en Espagne des fèves de cacao. En 1606, le secret de la boisson au cacao atteignit l'Italie puis, de là, la France, et en 1657 un Français ouvrait à Londres une boutique de boissons au cacao. Mais il fallut attendre un siècle pour que soit mise au point la recette du chocolat proprement dit.

pyramides qui sont à proximité attirent quantité de touristes.

**CAISSE ENREGISTREUSE** Machine ou tiroir à monnaie qui enregistre et totalise les sommes que l'on y introduit. Les caisses enregistreuses modernes sont des machines sophistiquées capables, par exemple, d'enregistrer les informations nécessaires à la gestion du stock d'un magasin.

**CALCAIRE** Nom général donné à un groupe important de ROCHES SÉDIMENTAIRES. Selon leur composition et leur origine, on distingue de nombreux types de calcaires. Les calcaires constituent pour l'industrie des matières premières importantes ; ainsi les industries sidérurgique et verrière utilisent-elles de grandes quantités de calcaire ; cette matière première entre également dans la fabrication du ciment et de la chaux.

**CALCIUM** Métal blanc, mou, hautement réactif, obtenu par décomposition du chlorure de calcium. Les composés du calcium ont de nombreuses utilisations industrielles. La chaux vive (oxyde de calcium) est utilisée comme engrais ; elle entre aussi dans la composition du mortier et du verre.

**CALCUL** « Caillou » qui se forme parfois dans la VÉSICULE BILIAIRE, le canal cholédoque, la vessie ou les REINS et provoque des douleurs intenses. Pour éliminer les calculs, il faut assez fréquemment recourir à une opération chirurgicale.

**CALCUL** Activité mathématique qui s'attache aux variations de quantités. En calcul *différentiel,* ce sont des taux de variation qui sont calculés. Calculer une vitesse, par exemple, consiste à déterminer le taux de variation de la distance par rapport au temps, et l'accélération se définit comme le taux de variation de la VITESSE par rapport au temps. Le processus inverse — le calcul d'une quantité à partir de son taux de variation — est appelé calcul *intégral.*

**CALCUTTA** Port du golfe du Bengale, Calcutta compte avec ses faubourgs plus de 7 millions d'habitants, ce qui en fait la plus importante ville de l'INDE. Calcutta exporte principalement du jute, des peaux, de l'huile et des céréales.

**CALENDRIER** Système de division du temps en années, mois, etc. Dès 3000 av. J.-C., les Babyloniens avaient établi un calendrier lunaire, c'est-à-dire basé sur les phases de la Lune. Le calendrier moderne est issu du calendrier grégorien établi par le pape Grégoire XIII, en 1582. (Voir ASTRONOMIE ; AZTÈQUES)

▲ *La « Pierre du Soleil », calendrier zodiacal établi par les Aztèques au VI^e siècle av. J.-C. et inspiré de celui des Mayas. Il était basé sur un cycle de 52 ans, chaque année étant divisée en 365 jours, soit 18 mois de 20 jours chacune, plus 5 jours « de malchance ». Dans le cercle de rectangles intérieur, on voit représentés les signes correspondant à chacun des 20 jours du mois.*

◄ *Les feuilles des* Echinocactus *sont une masse d'aiguilles acérées. La surface d'évaporation étant réduite, les besoins en eau de la plante sont limités.*

▼ *De gauche à droite :* Le figuier de Barbarie (Opuntia) *et ses tiges transformées en raquettes ;* Lithops *et* Stapelia *emmagasinent l'eau dans leurs tiges et leurs feuilles ; coupe d'un* Echinocactus *montrant les tissus qui emmagasinent l'eau.*

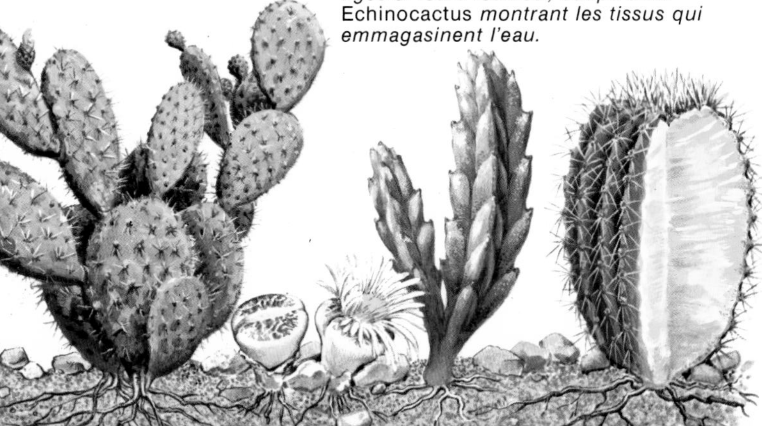

**CALIFORNIE** Située au sud-est des ÉTATS-UNIS d'Amérique, la Californie est le troisième État des États-Unis pour la population (plus de 23 millions d'habitants). Sacramento est la capitale de l'État, mais les villes les plus importantes sont LOS ANGELES et SAN FRANCISCO. La Californie est l'État le plus prospère des États-Unis. ▷

**CALIGULA, CAIUS CAESAR AUGUSTUS GERMANICUS** Troisième empereur romain (12-41 apr. J.-C., empereur en 37), tristement célèbre pour la sauvagerie avec laquelle il exerça son despotisme. ▷

**CALLIGRAPHIE** Art de bien former à la main les caractères d'ÉCRITURE. C'est à la RENAISSANCE que la calligraphie devient l'objet d'une recherche systématique, et les siècles suivants voient passer plusieurs styles et modes. Avec l'invention de la machine à écrire, la calligraphie s'est vu reléguée au rang d'art mineur.

**CALMAR** MOLLUSQUE marin voisin de la PIEUVRE, à tête quadrangulaire, à corps allongé muni de dix longs bras. Le calmar se déplace dans l'eau par un processus de RÉACTION. Il absorbe par les branchies de l'eau qu'il projette vers l'arrière par l'intermédiaire d'un organe en entonnoir, ce qui le propulse vers l'avant. Effrayé, le calmar émet un nuage d'« encre ». Le calmar géant de l'Atlantique peut atteindre 15 m.

▼ *Le caméléon est parfaitement adapté à la vie arboricole. Sa vision est excellente, ses pattes et sa queue lui permettent de s'agripper solidement aux branches.*

▲ *Les dix « bras » du calmar sont garnis de ventouses circulaires. Son excellente vision fait de ce céphalopode un redoutable prédateur qui chasse souvent en groupe.*

**CALORIE** Dans le système C.G.S. (centimètre-gramme-seconde), unité de chaleur. Une calorie équivaut à la quantité de chaleur nécessaire pour élever de 1 °C la température de 1 gramme d'eau. 1 calorie est égale à 4,1855 JOULES. On détermine en *grandes calories* ou kilocalories (valant 1 000 calories) la valeur énergétique des aliments.

**CALVIN, JEAN** Chef religieux et théologien français (1509-1564), propagateur de la Réforme. ▷

**CAMBODGE OU KAMPUCHEA (RÉPUBLIQUE POPULAIRE DU)** État du Sud-Est asiatique couvrant une superficie de 181 035 km$^2$. Anciennement intégré à l'Indochine, le Cambodge a acquis son indépendance en 1955. Le Kampuchea s'est trouvé engagé en 1970 dans la guerre du Vietnam qui s'est soldée en 1975 par la victoire des forces communistes. Population : 6 millions d'habitants ; capitale : Phnom Penh.

**CAMÉE** Gravure en relief exécutée sur des pierres dures comme l'onyx, la sardoine ou le cristal de roche. Dès le IV$^e$ siècle av. J.-C., la technique du camée fut largement employée en bijouterie et en décoration.

**CAMÉLÉON** LÉZARD arboricole des régions tropicales d'Afrique. D'une taille variant de 5 à 60 cm, les caméléons sont remarquables par leur corps aplati, leurs yeux aux mouvements indépendants et leur longue langue ; leur peau peut prendre la couleur du milieu environnant. ▷

CALIFORNIE : DONNÉES
En 1850, la Californie fut le trente et unième État à entrer dans l'Union. On l'a surnommé « l'État doré » à cause de sa production d'or.
Point culminant : mt Whitney (4 418 m) dans la Sierra Nevada, le second sommet des États-Unis.
Point le plus bas : vallée de la Mort (86 m au-dessous du niveau de la mer).
En 1849, la ruée vers l'or provoqua un énorme accroissement de la population californienne.

CALIGULA Cet empereur instable, aux caprices imprévisibles, s'est rendu célèbre pour avoir, entre autres, fait élire son cheval consul de Rome. Il mourut assassiné par l'un de ses gardes.

CALVIN En 1533, forcé de quitter Paris à cause de ses idées réformatrices, Calvin s'installe dans la cité-État de Genève, en Suisse, qui sous son influence devient le foyer des idées protestantes. Les idées de Calvin se répandent rapidement, en France (huguenots) comme en Angleterre ou en Amérique (puritains). Aujourd'hui, l'Église réformée de France ou celle d'Écosse sont organisées selon la structure établie par Calvin.

CAMÉLÉON La langue d'un caméléon peut être aussi longue que le corps de l'animal ; au repos, elle est enroulée à l'arrière de la bouche. Le caméléon la projette en avant pour attraper sa proie qui se trouve retenue à l'extrémité par une sécrétion gluante.

La peau d'un caméléon change de couleur en fonction de la variation de l'intensité lumineuse ou lorsque l'animal est dérangé. Elle est constituée d'une couche supérieure transparente, recouvrant quatre couches de cellules pigmentaires respectivement jaune et rouge, blanche, bleue — la couche inférieure étant constituée par un pigment brun appelé *mélanine*, capable d'obscurcir les autres couleurs. Les cellules pigmentaires peuvent changer de taille ; ainsi, lorsque les cellules jaunes s'agrandissent, l'animal paraît plus jaune.

▲ *La plie peut faire varier la coloration de sa face supérieure de manière à se fondre avec le fond.*
▼ *Les dessins de couleur vive ornant le corps de la vipère-rhinocéros rompent la ligne de son corps et lui permettent de se confondre avec le feuillage.*

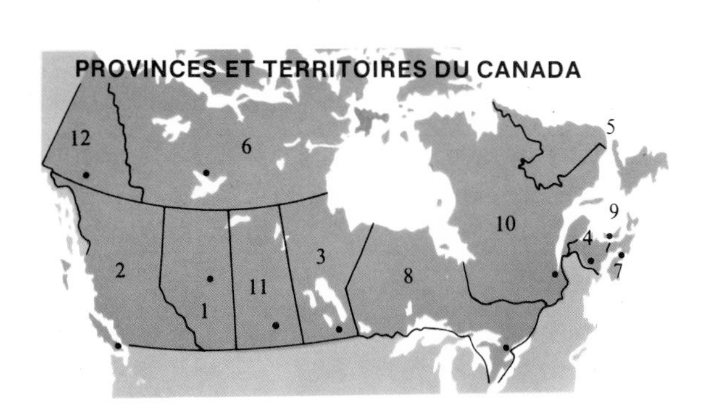


| | Province ou territoire | Superficie (en km²) | Population (1981) | Capitale |
|---|---|---|---|---|
| 1. | Alberta | 661 187 | 2 238 000 | Edmonton |
| 2. | Colombie britannique | 948 599 | 2 745 000 | Victoria |
| 3. | Manitoba | 650 089 | 1 026 000 | Winnipeg |
| 4. | Nouveau-Brunswick | 73 437 | 697 000 | Fredericton |
| 5. | Terre-Neuve | 404 518 | 568 000 | St John's |
| 6. | Terr. du Nord-Ouest | 3 379 693 | 45 000 | Yellowknife |
| 7. | Nouvelle-Écosse | 55 491 | 848 000 | Halifax |
| 8. | Ontario | 1 068 586 | 8 625 000 | Toronto |
| 9. | I. du Prince-Édouard | 5 657 | 122 000 | Charlottetown |
| 10. | Québec | 1 540 685 | 6 439 000 | Québec |
| 11. | Saskatchewan | 651 902 | 968 000 | Regina |
| 12. | Terr. du Yukon | 536 326 | 23 000 | Whitehorse |

▲ *Les portraits s'adaptaient très bien à la technique du camée. Ci-dessus, la* Gemma Augusta, *qui représente le portrait de Jules César, premier empereur romain ; elle fut gravée au premier siècle av. J.-C. Le diadème d'or et de pierres précieuses a été rajouté au Moyen Age.*

CAMOUFLAGE Art de dissimuler du matériel militaire pour le soustraire à l'attention de l'observation ennemie ou, pour une créature vivante, de se modifier pour se fondre dans le milieu environnant ou ressembler à autre chose que ce qu'elle est.

CAMPING Activité qui consiste à vivre temporairement en plein air. Dans les sociétés occidentales, le camping est considéré comme une activité touristique et récréative, le campeur transportant son matériel de couchage : tente ou simple sac de couchage. Les terrains de camping aménagés disposent d'installations permanentes (sanitaires, etc.), alors que le camping *sauvage* se pratique hors des lieux réservés à cet effet.

CANADA Au second rang par sa superficie derrière l'U.R.S.S., le Canada est composé en partie de vastes territoires glacés, la population n'occupant qu'une zone de terre large de 320 km, au nord de la frontière avec les États-Unis. Les premiers habitants du Canada —les INDIENS D'AMÉRIQUE — sont venus d'Asie il y a 20 000 ans environ. Suivirent les ESQUIMAUX, puis, plus tard, les immigrants européens dont les descendants constituent aujourd'hui la majorité de la population : Britanniques (61 %), Français (26 %), Allemands et Italiens (2 %). L'anglais et le français sont les deux langues officielles du Canada. De culture traditionnellement française, la province du Québec a été et est encore le siège de conflits entre indépendantistes et partisans d'une certaine forme d'intégration.

L'agriculture, l'élevage, la pêche et l'industrie forestière constituent quelques-unes des activités économiques du Canada qui est également l'une des premières nations minières. Le Canada est le premier pays producteur de nickel, de zinc et le second d'uranium. Il produit également du plomb, du cuivre, du platine, de l'or, etc. L'industrie (sidérurgique, alimentaire, textile...) est extrêmement développée, surtout dans la vallée du Saint-Laurent et autour des GRANDS LACS.

Instauré dominion du Canada par l'Acte de l'Amérique du Nord britannique (1867), le Canada est, depuis 1931, un État souverain, membre du Commonwealth. (Voir AMÉRIQUE DU NORD ; EMPIRE BRITANNIQUE) ▷

▲ *Le parc national de Banff, dans les Rocheuses canadiennes, est un lieu de vacances très apprécié des chasseurs, promeneurs, skieurs et alpinistes.*

CANADA : DONNÉES
Superficie : 9 976 000 km².
Population : 24 344 000 (1981).
Capitale : Ottawa, dans l'Ontario.
Point culminant : mt Logan (6 050 m), dans le territoire du Yukon.
Plus long cours d'eau : Mackenzie (4 241 km).
Monnaie : dollar.

**CANAL** Voie d'eau artificielle creusée par l'homme et utilisée à des fins diverses : navigation des bateaux et des péniches, irrigation, alimentation de centrales hydroélectriques, etc. Avant l'ère du chemin de fer, les canaux jouaient un rôle important dans le transport des denrées lourdes et volumineuses. En 486 av. J.-C., les Chinois avaient déjà creusé un canal de 1 450 km de long. En Europe et en Amérique du Nord, c'est le XIXe siècle qui fut l'âge des canaux : de 1815 à 1860, c'est 3 430 km de canaux de navigation qui furent creusés sur le territoire français qui en compte aujourd'hui 4 825 km. (Voir canal de PANAMA ; canal de SUEZ)

**CANARD** Oiseau palmipède que l'on rencontre sur les cours d'eau et les côtes du monde entier. Certaines espèces terrestres se nourrissent de feuilles, d'herbe et de graines ; d'autres, presque exclusivement aquatiques, attrapent les insectes à la surface ou plongent pour pêcher des poissons. Le *canard sauvage* ou *colvert*, de l'hémisphère Nord, est la souche des canards domestiques. Une autre espèce bien connue, l'eider, vient des mers arctiques de Sibérie et du Canada ; il est réputé pour son duvet dont on fait oreillers, duvets, gilets, etc.

**CANARIES (ILES)** Les treize îles volcaniques constituant cet archipel espagnol sont situées dans l'Atlantique, au large du Sahara. Les cultures (pomme de terre, banane, tomate, vigne) et le tourisme constituent les principales ressources de l'archipel. Population : 1 367 000 habitants.

**CANBERRA** Capitale fédérale du Commonwealth d'Australie, située dans le sud-est de l'État de Nouvelle-Galles du Sud. Population : 250 000 habitants. Centre politique, administratif et commercial. Université, nombreux établissements d'organisation et de recherche scientifique et industrielle. On doit les plans de la ville à l'architecte américain W.B. Griffin. ▷

**CANCER** Terme général désignant plusieurs types de TUMEURS résultant de la multiplication anarchique de cellules malignes. Les cancers s'attaquent à la quasi-totalité des tissus et organes humains ou animaux, y compris au sang. (Voir LEUCÉMIE.) Le tissu cancéreux se développe rapidement, détruit les tissus sains et se diffuse dans l'organisme sous forme de *métastases* par l'intermédiaire du sang ou du système lymphatique. Le plus courant des cancers est le cancer de la peau.

Si on ignore encore les causes du cancer, les recherches tendent à montrer qu'il existe de nombreux facteurs contribuant au développement des tumeurs malignes. La meilleure thérapie en matière de cancer est sa détection précoce, qui seule donne de bonnes chances de succès à des traitements comme la chirurgie, la chimiothérapie ou l'irradiation.

**CANICHE** Chien pouvant mesurer de 28 cm à 65 cm selon sa catégorie. Le poil est bouclé ou cordé, la robe est blanche, noire ou marron. Le caniche tire son origine du *barbet* — un chien d'arrêt —, dont le poil fut modifié par mutation. C'est aujourd'hui un chien de compagnie et d'exposition.

**CANNABIS** Voir MARIJUANA.

**CANNE** Nom de plusieurs grands roseaux et graminées comme le BAMBOU ou la canne à sucre, dont on fait, entre autres, des bâtons de marche ou des meubles.

CANBERRA En langue aborigène, *canberra* signifie « lieu de réunion ». La situation géogaphique de la ville est le résultat de neuf ans de discussions et de controverses qui opposèrent les États de Victoria et de Nouvelle-Galles du Sud au gouvernement australien.

CANOE Le canoë fut inauguré en tant que sport en 1865, par un homme de loi britannique du nom de John MacGregor. Le 26 juillet de l'année suivante, le premier club de canoë voyait le jour.

Le 25 avril 1936, Geoffrey W. Pope et Sheldon P. Taylor s'embarquaient à New York pour le plus long voyage en canoë de l'histoire. Ils abordèrent finalement à Nome, en Alaska, après 11 531 km parcourus en suivant les cours d'eau américains.

**CANOE** Petite embarcation effilée aux deux extrémités et mue à la pagaie simple. Les premiers canoës étaient de simples troncs évidés. Le canoë moderne — en bois, fibre de verre, aluminium ou toile — est inspiré des embarcations des Indiens d'Amérique du Nord, faites d'écorce de bouleau fixée sur une armature de bois. Lors des épreuves d'aviron, les embarcations, souvent baptisées « canoës », sont plus généralement des KAYAKS. (Voir CANOT) ◁

**CANON** Tube d'une ARME A FEU portative ou arme à feu de gros *calibre* (dimension de l'intérieur du canon). Probablement utilisé par les Arabes vers 1250, le canon, qui à ses débuts projetait des boulets de pierre, s'est perfectionné. Aujourd'hui, l'emploi des roquettes et des missiles a conduit à abandonner les canons de très gros calibre, et les canons modernes — antichars, antiaériens, automoteurs... — sont généralement couplés avec des radars et des calculateurs de tir électroniques.

**CANOT** Petite embarcation mue à la pagaie, l'aviron, la voile ou par un moteur. De simples troncs flottants, les canots sont devenus CANOES, KAYAKS ou radeaux, avant que l'utilisation de planches de bois ne permette des structures plus sophistiquées. Aujourd'hui, les coques sont souvent faites de fibres de verre, et les canots sont, le plus souvent, réservés à la navigation de plaisance ou à la compétition sportive. Parmi les bateaux de plaisance figurent les CANOTS AUTOMOBILES, les hydroglisseurs et les VOILIERS. Les canoës et kayaks sont largement utilisés pour la compétition.

**CANOT AUTOMOBILE** Embarcation mue par un moteur. Dans la catégorie des « hors-bord », le moteur et l'hélice sont fixés à l'extérieur de la coque. Les HYDROPTÈRES comportent, sous la coque, des ailes immergées qui, à grande vitesse, les soulèvent au-dessus de l'eau.

**CAOUTCHOUC** Le caoutchouc naturel est produit par certains gommiers tropicaux sous forme d'une substance laiteuse et élastique — le *latex* — qui s'écoule d'incisions pratiquées dans l'écorce de l'arbre. Les caoutchoucs synthétiques modernes sont obtenus à partir du pétrole et du charbon.

**CAPÉTIENS** Troisième dynastie royale de France qui succéda aux Mérovingiens et aux Carolingiens. Elle doit son nom à Hugues Iᵉʳ de France, dit Hugues Capet. Plusieurs branches de cette famille régnèrent aussi en France : les Valois (1328-1498), les Valois-Orléans (1498-1515), les Valois-Orléans-Angoulême (1515-1589), les Bourbons (1589-1792, puis 1815-1830) et les Bourbons-Orléans (1830-1848).

**CARABINE** FUSIL à canon *rayé,* employé comme arme de guerre, de chasse ou de sport. La carabine est une invention du XVᵉ siècle.

**CARAIBES (MER DES)** Partie de l'ATLANTIQUE qui sépare les Antilles du continent américain. D'une superficie de 2 590 000 $km^2$, la mer des Caraïbes était fameuse, aux XVᵉ et XVIᵉ siècles, pour ses pirates.

**CARAT** Unité de mesure de masse des pierres précieuses valant 200 mg. Le carat est également l'unité de mesure de pureté des ALLIAGES d'OR : un alliage est dit à un carat lorsqu'un vingt-quatrième de sa masse est constitué par de l'or fin.

**CARBONE** Élément non métallique présent dans tout organisme vivant. Le charbon de bois, le graphite ou le diamant sont des formes différentes du carbone, mais possédant les mêmes propriétés chimiques. Le carbone du charbon de bois est dit *amorphe*, c'est-à-dire sans forme définie. Le carbone amorphe est constitué de minuscules cristaux de graphite. Si le graphite est mou, c'est parce que ses atomes sont joints les uns aux autres par des LIAISONS faibles. Les liaisons fortes entre les atomes du diamant en font la matière la plus dure. L'étude des composés du carbone constitue une branche de la CHIMIE, dite chimie *organique.* (Voir CYCLE DU CARBONE ; DATATION AU CARBONE 14 ; ÉLÉMENT )

**CARBURATEUR** Partie d'un MOTEUR à explosion où s'opère le mélange du carburant et de l'air — mélange qui est ensuite aspiré dans les cylindres.

**CARÊME** Pour les catholiques, période de quarante jours (dimanches non compris) précédant la fête de PAQUES et qui doit être consacrée à la pénitence. Le carême va du mercredi des Cendres au Samedi saint.

**CARIBOU** RENNE sauvage d'Amérique du Nord, à la robe gris-brun. Le caribou passe l'été dans la TOUNDRA, se nourrissant de lichen et de mousse, mais émigre l'hiver vers les forêts. La femelle comme le mâle portent des bois, ce qui est inhabituel chez les cervidés.

**CARICATURE** Dessin qui exagère certaines caractéristiques physiques ou psychologiques du sujet pour créer un effet humoristique. Les caricatures servent souvent à critiquer les personnages publics.

**CARNAC** Commune de Bretagne où se trouve le plus célèbre ensemble de dolmens, menhirs et tumulus. Les trois principaux groupes comptent plus de 2 500 menhirs sur 4 kilomètres.

**CARNIVORE** Désigne un animal ou une plante qui se nourrit de viande. Parmi les carnivores figurent des animaux aussi divers que les RENARDS, les HIBOUX, les LIONS ou les REQUINS. Les animaux carnivores utilisent divers moyens pour se procurer leur nourriture : le GUÉPARD attrape sa proie à la course ; l'ARAIGNÉE la prend au piège dans sa toile ; le COBRA lui injecte du poison... Les plantes carnivores se nourrissent d'insectes qui sont pris au piège par leurs feuilles et digérés ensuite par des sucs puissants : le rossolis, par exemple, est muni de tentacules qui engluent les victimes. (Voir DIONÉE)

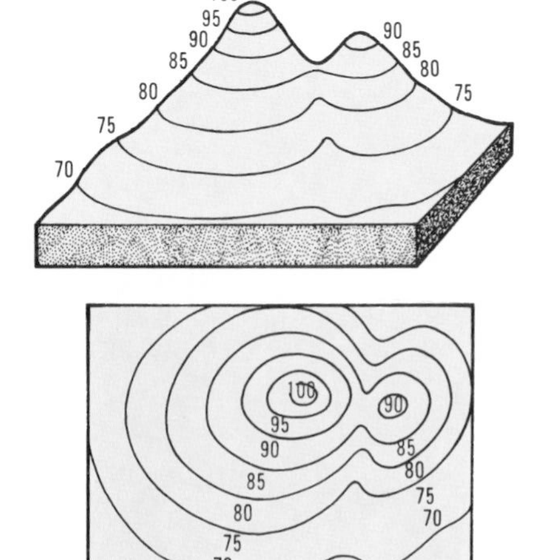


**CAROLINGIENS** Deuxième dynastie royale des Francs, qui succéda aux MÉROVINGIENS. Elle régna jusqu'en 987.

**CARTE** Une carte géographique est la représentation conventionnelle sur un plan de la surface totale ou partielle de la Terre. Le tracé respecte un certain rapport entre les distances réelles et celles qui figurent sur la carte (échelle). Les cartes topographiques sont des cartes à petite échelle sur lesquelles le relief est figuré par des courbes de niveau. Sur les cartes marines, utilisées pour la NAVIGATION, figurent les profondeurs, le tracé des côtes, les chenaux, les bouées, les ports, etc. Il existe encore des cartes astronomiques ou géologiques, des cartes représentant la distribution de la population ou les formations atmosphériques.

◂ *Les courbes de niveau sont des lignes tracées sur les cartes et joignant les points de même altitude. En haut, la représentation en perspective du relief figuré sur la carte du bas par des courbes de niveaux.*

▸ *L'effraie est une chouette carnivore, bien adaptée à la chasse nocturne. Son ouïe fine et ses grands yeux lui permettent de percevoir de loin les petits mammifères.*

▾ *Pour calculer une distance réelle à partir d'une carte, il faut connaître l'échelle de représentation. Ci-dessous, une carte à échelle graphique (en bas) indiquant que chaque centimètre représente 40 kilomètres.*

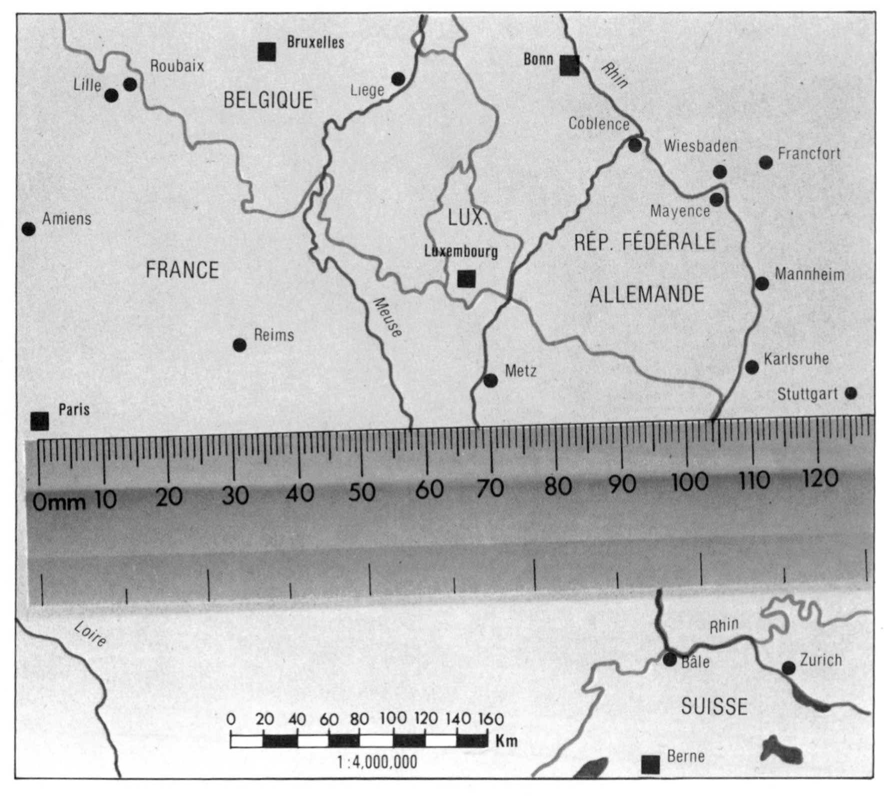

**CARTES A JOUER** Elles furent introduites en Europe vers 1320. Les jeux de cartes modernes les plus courants comportent 32 ou 52 cartes, réparties en quatre suites ou *couleurs* (cœur, carreau, pique, trèfle). Dans un jeu de 52 cartes, chaque couleur se compose de 13 cartes dont trois *figures* (roi, dame, valet).

**CARTHAGE** Important centre de commerce phénicien, fondé au VIIIe siècle av. J.-C. sur la côte septentrionale de l'Afrique, près de la Tunis actuelle. Durant tout le VIIe siècle av. J.-C., Carthage a établi sa domination sur le bassin occidental de la Méditerranée, jusqu'à ce qu'elle soit finalement vaincue par Rome. Les trois guerres PUNIQUES qui opposèrent Carthage à la puissance romaine se soldèrent finalement par la destruction complète de la ville, en 146 av. J.-C. (Voir PHÉNICIENS)

**CASOAR** Grand oiseau coureur d'Australie et de Nouvelle-Guinée, cousin de l'AUTRUCHE, de l'ÉMEU et du nandou. Le casoar peut mesurer jusqu'à 1,50 m de haut et courir à la vitesse de 48 km/h.

**CASPIENNE (MER)** La plus vaste mer fermée au monde. Bordée par l'Iran et surtout l'U.R.S.S., la Caspienne couvre une superficie de 371 800 km$^2$.

Le meilleur caviar du monde est issu des pêcheries d'esturgeon de la Caspienne.

**CASTE** Récemment encore, l'INDE était socialement organisée selon un système de castes, c'est-à-dire de classes fermées, qui n'avaient aucune communication entre elles. Les membres de la caste inférieure — les « intouchables » — ne bénéficiaient même d'aucune reconnaissance sociale.

**CASTOR** Animal amphibie d'Europe septentrionale et d'Amérique du Nord. Les castors peuvent mesurer jusqu'à près d'un mètre de long et peser jusqu'à 40 kg, ce qui fait d'eux les seconds rongeurs par la taille. Ce sont des bâtisseurs étonnants : leurs dents acérées leur servent à abattre les arbres pour barrer un cours d'eau ; dans le réservoir ainsi créé, ils construisent des huttes de boue et de branchages.

**CATACOMBE** Cimetière souterrain constitué de cryptes et de couloirs. Les catacombes les plus célèbres sont celles qui couraient sous Rome, sur une distance totale de 800 km, et qu'utilisaient les premiers chrétiens.

**CATAMARAN** Embarcation à deux coques reliées entre elles et à voiles, inspirée des pirogues à balancier des peuples primitifs et réservée aujourd'hui à la navigation de plaisance et à la compétition sportive.

*▾ Une hutte de castors. Lorsque la profondeur de l'eau est insuffisante, les castors construisent un barrage. Leur lieu d'habitation est situé au-dessus du niveau de l'eau ; ils y accèdent par des tunnels submergés.*

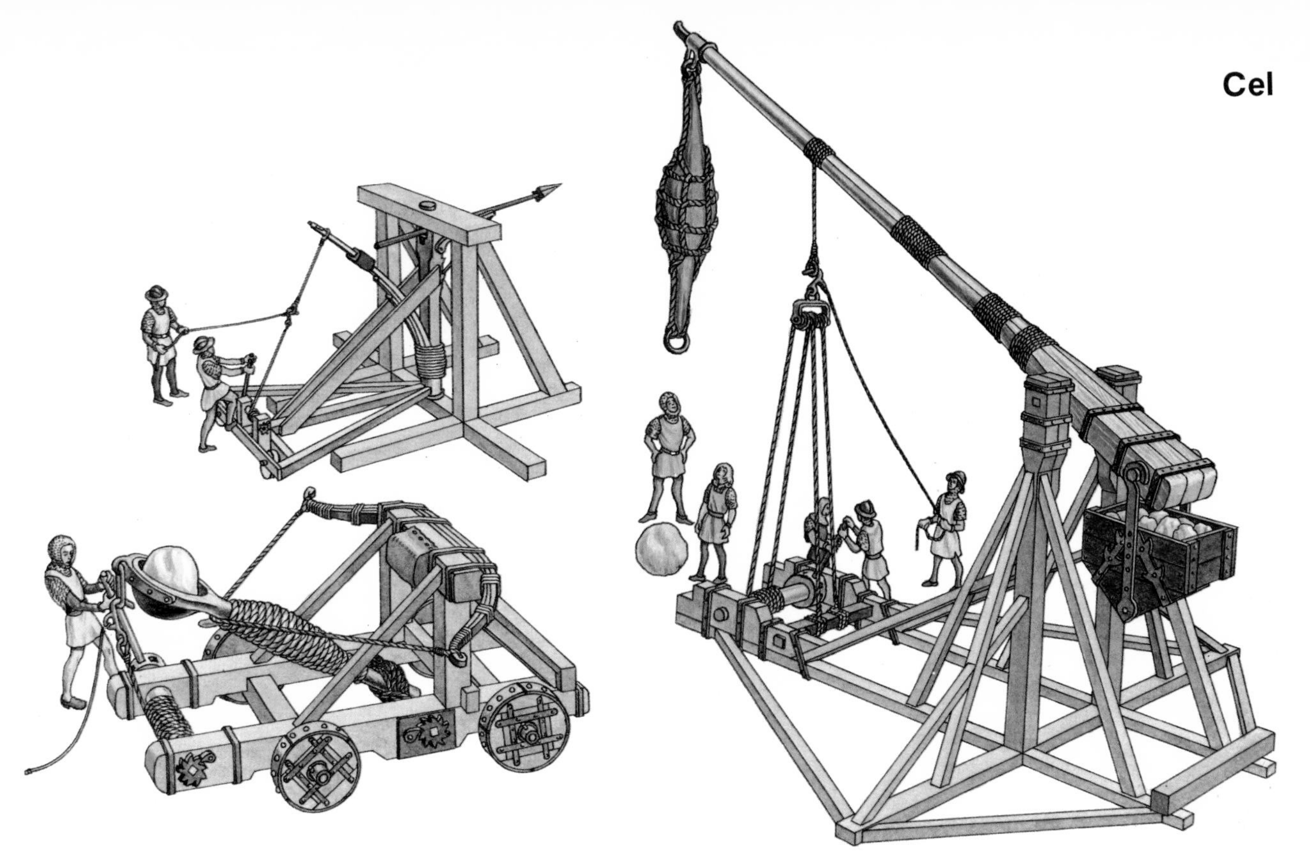

▲ *A gauche : deux types de catapulte de l'époque médiévale. Celle du haut décochait des traits à l'extrémité souvent garnie d'une substance enflammée. L'illustration du bas montre une arbalète géante prête à libérer un énorme quartier de roc. A droite : le trébuchet était une variante de la catapulte. Par l'intermédiaire de cordes, on abaissait le grand bras. Dès qu'il était relâché, le contrepoids le redressait brutalement, ce qui projetait la charge.*

**CATAPULTE** Autrefois, machine de guerre utilisée pour lancer des rochers, des lances ou des bombes incendiaires. Les Grecs et les Romains de l'Antiquité connaissaient déjà la catapulte qui demeura le principal engin de siège jusqu'à l'invention du canon. Aujourd'hui, le principe de la catapulte est appliqué au lancement des avions à partir des porte-avions.

**CATHÉDRALE** Du latin *cathedra* qui signifie chaire, principale église d'un diocèse où siège l'évêque ou l'archevêque. Les magnifiques cathédrales qui parsèment les villes d'Europe datent, pour la plupart, du MOYEN AGE. Outre leur architecture et leurs sculptures, il convient d'admirer leurs VITRAUX. Parmi les plus belles cathédrales, on cite généralement Chartres et Reims en France, Canterbury et York en Grande-Bretagne et Cologne en Allemagne. Saint-Pierre de Rome n'est pas une cathédrale mais une *basilique,* la plus vaste de la chrétienté.

**CAVALERIE** A l'origine, la partie d'une ARMÉE qui combattait à cheval. Déjà, au IXe siècle av. J.-C., Assyriens et Perses possédaient une cavalerie. Des unités de cavalerie figurèrent dans les diverses armées jusqu'à la Seconde Guerre mondiale.

**CAVIAR** Œufs salés de certaines espèces de poisson, et en particulier d'ESTURGEON, appréciés pour la délicatesse de leur saveur.

**CÉCITÉ** Incapacité totale ou partielle à voir. La cécité peut être congénitale ou résulter d'une maladie ou d'un accident.

**CÈDRE** Grand conifère de la famille des pinacées à branches étalées, dont le bois est dur et l'odeur prononcée.

**CELLULE** Élément constitutif de la matière vivante. Tout être vivant — animal ou végétal — est constitué d'une ou plusieurs de ces cellules microscopiques. Une cellule se compose d'une masse pareille à de la gelée — le PROTOPLASME — entourée par une très fine membrane cellulaire. Au centre de la cellule se trouve le « cerveau » ou noyau, fait d'un type particulier de protoplasme et qui contrôle l'activité de la cellule. La plupart des plantes et des animaux sont composés de millions de cellules, mais certaines formes de vie extrêmement simples ne se composent que d'une seule cellule : les animaux unicellulaires sont appelés PROTOZOAIRES ; les végétaux unicellulaires, protistes. Les organismes complexes, comme l'homme, sont constitués de plusieurs types de cellules : épithéliales, osseuses, etc., assumant des fonctions distinctes ; chez les organismes très simples, chacune des cellules assume l'ensemble des fonctions vitales.

Voir le diagramme sur la page de droite.

CELLULE GERMINALE Cellule spécialisée dans la REPRODUCTION. Les animaux, à l'exception des plus simples, possèdent deux types de cellules germinales : les spermatozoïdes, produits par le mâle, et les ovules, produits par la femelle. Lorsqu'un spermatozoïde et un ovule s'unissent, il y a production d'un nouvel individu. Les cellules germinales sont aussi appelées *gamètes.*

CELLULOSE Les parois des CELLULES de tous les végétaux sont presque entièrement constituées de cellulose. La cellulose représente plus de 95 % de la composition des FIBRES de plantes comme le coton et le lin, et la moitié environ de celle des fibres de bois. ▷

CELTES Ensemble des peuples guerriers qui occupèrent la plus grande partie de l'Europe du Nord au cours des cinq siècles qui précédèrent la naissance du Christ, et dont faisaient partie les Gaulois. En 390 av. J.-C., les Celtes pillèrent Rome et s'aventurèrent vers l'Orient, jusqu'en Galatie, en Asie Mineure. Les Celtes étaient groupés en royaumes tribaux. Leur religion était basée sur les rites et la magie et ils pratiquaient des sacrifices humains. Les artisans celtes étaient passés maîtres dans l'art de forger de magnifiques boucliers ou de fabriquer des ornements décorés de beaux motifs géométriques. Les langues celtes ont constitué la base du gallois (parlé dans le pays de Galles) et du gaélique (Irlande et Écosse). Après l'occupation par les Romains de la Gaule, de l'Espagne et de la Grande-Bretagne, la puissance celtique n'a survécu qu'en Irlande, en Écosse, en Cornouailles et au pays de Galles.

CENT ANS (GUERRE DE) Série de conflits qui, de 1337 à 1453, opposèrent la France à l'Angleterre qui revendiquait le trône de France. Dans un premier temps, l'armée anglaise d'Edouard III détruisit la flotte française et écrasa l'armée de Philippe VI de Valois à Crécy (1346). Interrompue peu après, l'offensive anglaise reprit. Charles V reconquit sur les Anglais la presque totalité de leurs possessions continentales, mais après sa mort le conflit resurgit et l'armée de Henri V d'Angleterre écrasa une nouvelle fois les troupes françaises à AZINCOURT (1415). Sous le règne de Charles VII, les Anglais tentèrent d'envahir le sud de la France, mais leurs ressources en hommes et en subsides étaient inférieures à celles des Français et l'intervention de JEANNE D'ARC donna aux troupes françaises l'impulsion décisive. En 1453, seul Calais restait aux mains des Anglais.

▲ *Le terme « céramique » recouvre plusieurs techniques et styles. A droite : un vase grec, peint de couleurs vives, provenant de Corinthe ; à gauche : un chameau en poterie, fabriqué en Chine sous la dynastie T'ang (618-907 apr. J.-C.).*

CENTAURE Dans la mythologie grecque, créature sauvage et souvent féroce, à torse, bras et tête d'homme sur un corps de cheval.

CÉRAMIQUE Art de fabriquer des objets à partir d'argile mélangée à de l'eau puis cuite. La céramique, qui compte parmi ses techniques celles de la PORCELAINE ou de la POTERIE est presque aussi ancienne que l'homme, et le pot de terre fut l'un des premiers objets manufacturés. (Voir TERRE CUITE).

◂ *La bataille de Crécy (1346), l'une des principales batailles de la guerre de Cent Ans, qui se déroula près d'Abbeville, et au cours de laquelle les troupes françaises de Philippe VI de Valois furent vaincues par l'armée anglaise d'Édouard III.*

CELLULOSE Le système digestif du corps humain peut décomposer la quasi-totalité de ce que nous mangeons, à l'exception de la cellulose qui traverse notre organisme sans être digérée.

C'est la cellulose du bois qui fait la valeur de celui-ci en tant que combustible ou matériau de construction. La cellulose du bois est également utilisée pour fabriquer du papier. La cellulose du coton et du lin fait de ces plantes d'importantes matières textiles.

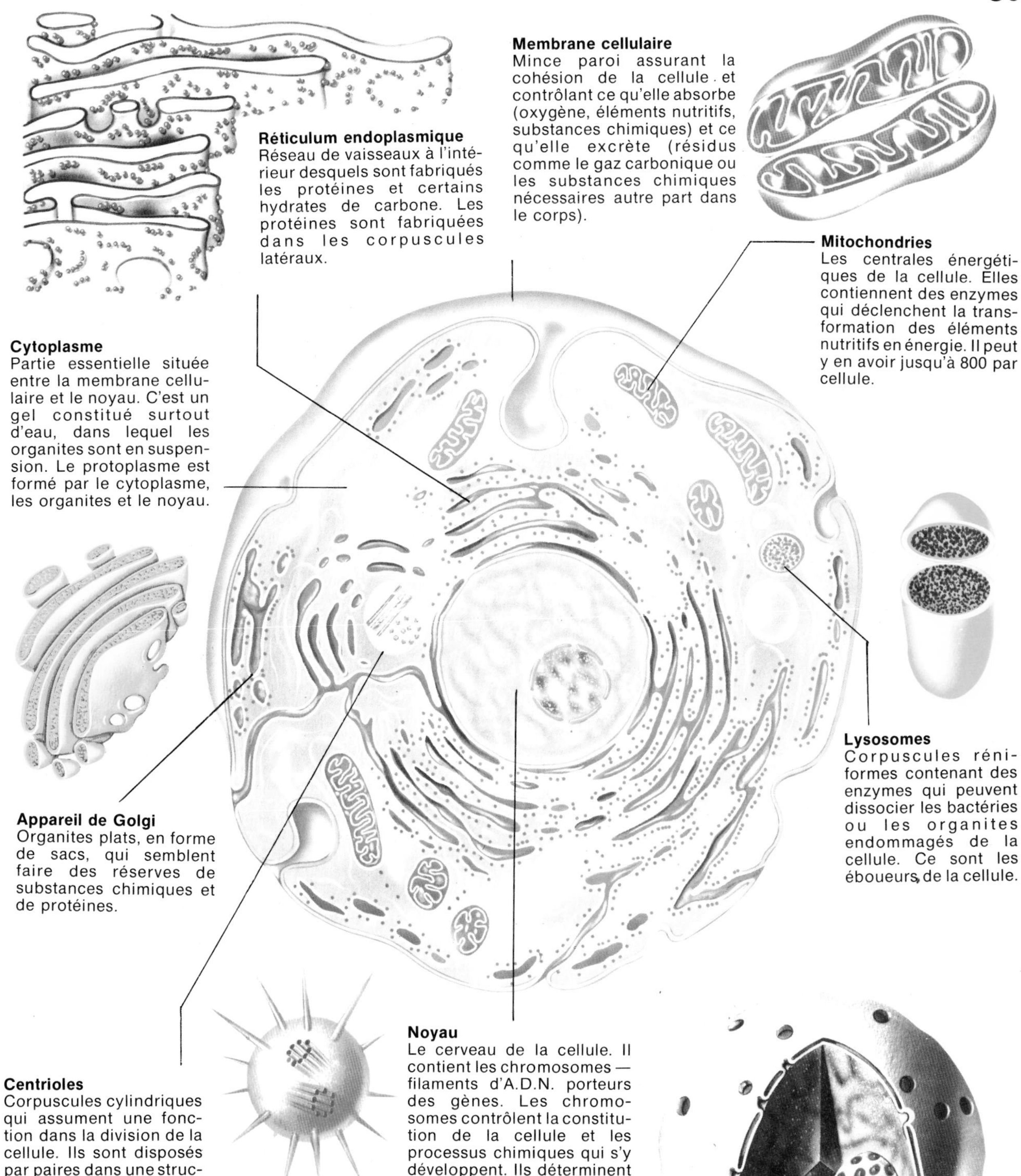


▲ *Représentation en coupe d'une cellule typique (agrandie environ 10 000 fois) et de ses principaux organites – structures spécialisées en suspension dans le cytoplasme.*

**CERCLE** Surface plane limitée par une ligne courbe dont tous les points sont à égale distance d'un même point appelé *centre*.

**CÉRÉALE** GRAMINÉE comestible, cultivée. Les céréales constituent la base de l'alimentation humaine dans la majeure partie du monde. Elles servent aussi à l'alimentation des bovins, des ovins et des porcins. Parmi les principales céréales figurent le BLÉ, l'ORGE, l'AVOINE, le SEIGLE (dans les pays tempérés), le RIZ, le maïs et le MILLET (dans les pays à étés chauds).

**CERF** Mammifère quadrupède de la famille des cervidés, au front garni de bois (mâle), que l'on rencontre en Europe, en Asie et en Amérique. Le cerf vit généralement dans la forêt où il se nourrit de feuilles, de pousses, d'herbe et de mousse. Chaque année, il perd ses bois qui repoussent l'année suivante. Il existe de nombreuses espèces de cervidés dont la taille varie de 40 cm, pour le petit poudou d'Amérique du Sud, à 2 m pour l'ÉLAN.

▲ *Le cerf de Virginie vit en bordure de bois et dans les fourrés d'Amérique du Nord. Quand il détale, ce cerf soulève sa queue, révélant la blancheur de sa face inférieure ; c'est un signal d'alarme lancé aux autres cerfs.*

**CERISE** Fruit estival, de couleur jaune, rouge, violacée ou noire selon la variété. La chair, généralement douce (bigarreaux, guignes...) peut être acidulée comme celle des griottes. On consomme les cerises fraîches, en confitures ou conservées dans de l'eau de vie.

**CERVEAU** Organe principal du système NERVEUX. Siège de la pensée, le cerveau contrôle également toutes les fonctions du corps. Par l'intermédiaire des nerfs, il reçoit des messages en provenance de chaque partie du corps et émet des signaux en direction des muscles et des glandes.

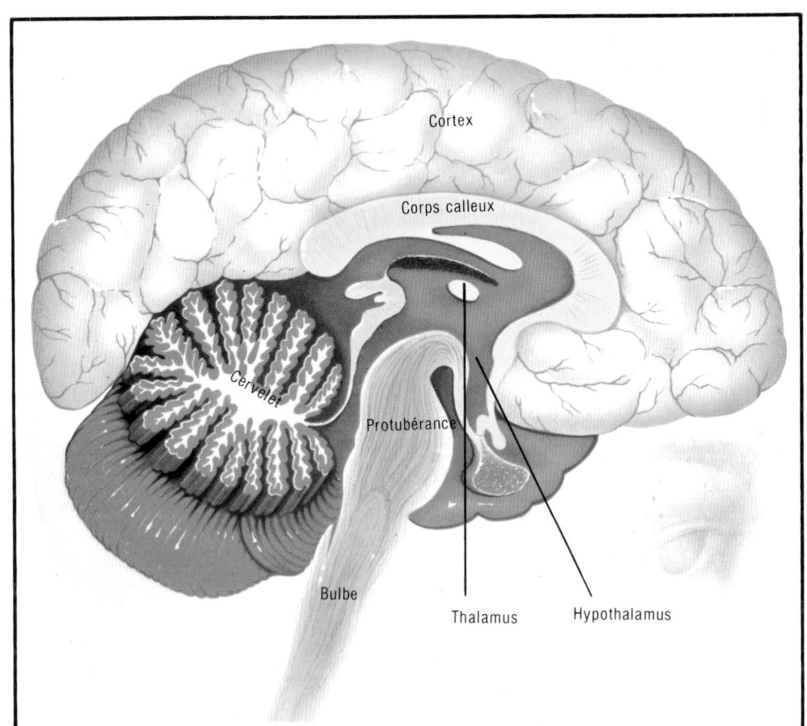


▲ *Les principales parties du cerveau : Le* cortex *constitue 90 % du volume du cerveau. La* protubérance *relie le* cortex *au* cervelet *qui contrôle l'équilibre et la coordination des mouvements. Le* bulbe, *en reliant la protubérance à la moelle épinière, participe au contrôle des rythmes respiratoire et cardiaque et de la digestion. Le* thalamus *reçoit et trie les signaux reçus avant de les répercuter vers le* cortex *; c'est également le siège de la douleur. L'*hypothalamus *règle la température du corps. Le* corps calleux *relie les parties gauche et droite du* cortex.

▼ *Le cortex est divisé en deux hémisphères (droit et gauche). Chaque hémisphère est composé de quatre lobes qui contrôlent différentes fonctions du corps. Les scientifiques ont cherché à savoir à quel lobe attribuer telle ou telle fonction, mais, dans la mesure où il existe des connexions entre les diverses parties du cortex, il est difficile de désigner exactement le siège des diverses fonctions.*

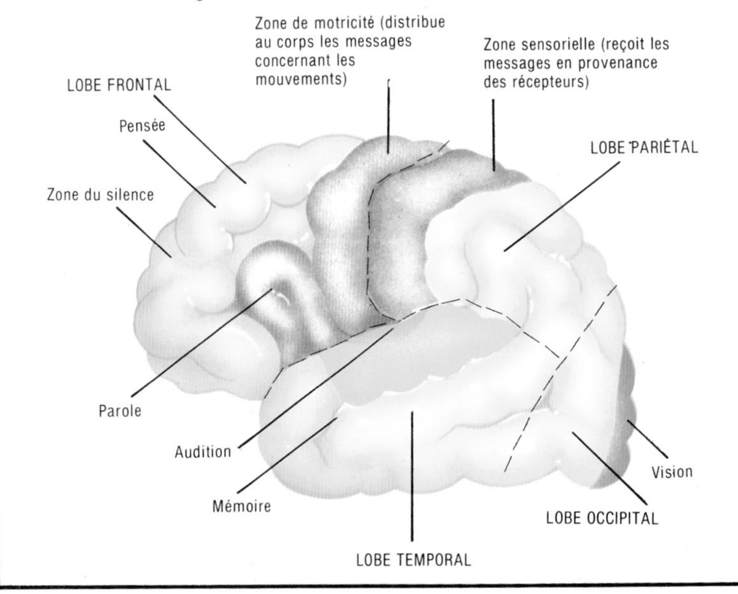

CHAMPAGNE Les bouteilles de vin étaient autrefois fermées par des morceaux d'étoffe trempés dans l'huile et la cire. Le bouchon de liège ne fut inventé qu'à la fin du XVIIe siècle, par un moine bénédictin du nom de Dom Pérignon. Cette invention d'un bouchon hermétique rendit possible à l'époque la fabrication du champagne ; jusqu'alors, la région produisait exclusivement du vin de Champagne, non mousseux.

Le cerveau se compose du *cortex* ou *écorce cérébrale* (la partie la plus volumineuse), du *cervelet*, du *cerveau moyen*, de la *protubérance cérébrale* et du *bulbe* qui le raccorde à la moelle épinière. Le cerveau est divisé en plusieurs sections ou *lobes*. Les lobes frontaux contrôlent les mouvements du corps — leur moitié gauche ceux du côté droit du corps et vice versa. Les lobes frontaux sont également le siège des fonctions supérieures (émotions, parole, réflexion). Les lobes *pariétaux* reçoivent les signaux en provenance de toutes les parties du corps, via la moelle épinière. Les lobes *temporaux* sont le siège de l'ouïe, les lobes *occipitaux* celui de la vue.

**CÉSAR, JULES** Général et homme d'État romain (v. 100-44 av. J.-C.) qui se fit élire empereur de Rome, transformant ainsi la république en empire. La puissance dont disposait César lui valut de nombreux ennemis et une conspiration de républicains le fit assassiner en 44 av. J.-C. Il vainquit Vercingétorix à Alésia (52 av. J.-C.).

**CÉZANNE, PAUL** Peintre français (1839-1906) de la période postimpressionniste dont le sens de la forme et de la couleur révolutionna la peinture du début du XXe siècle et influença l'ART ABSTRAIT.

**CHACAL** Petit canidé qui vit à l'état sauvage en Asie et en Afrique. Le chacal chasse la nuit. Il se nourrit de charogne, de petits animaux, voire de plantes et de fruits.

**CHAINE DE FABRICATION** Dans l'industrie, méthode de fabrication dans laquelle le produit — une voiture, par exemple — passe successivement par divers postes d'assemblage jusqu'à apparaître entièrement terminé, à l'autre extrémité de la chaîne. Chaque ouvrier répète la même opération sur chacune des voitures.

**CHALEUR** C'est une forme d'ÉNERGIE. Elle résulte de ce que les ATOMES, en perpétuel mouvement, se heurtent entre eux. Lorsqu'un corps possède de l'énergie calorifique en quantité, les mouvements de ses atomes en sont activés et le corps se réchauffe. L'étude de ce phénomène porte le nom de *thermodynamique.* La chaleur se transmet selon trois modes : par *conduction* dans les solides, par *convection* dans les liquides et les gaz (les parties les plus chaudes s'élèvent au-dessus des plus froides et créent des courants) et par *rayonnement* dans l'espace : la chaleur d'un feu nous parvient par l'intermédiaire d'ondes qui se propagent à la vitesse de la lumière. Dans le système international, l'unité de chaleur est le JOULE. (Voir CONDUCTION ; TEMPÉRATURE ; THERMOMÈTRE.)

**CHALUTAGE** PÊCHE qui se pratique au moyen d'un filet en forme de poche (chalut) que l'on traîne sur le fond de la mer. Le hareng et la morue, par exemple, se pêchent au chalut. Les chalutiers modernes sont de gros bateaux de 30 à 50 m dont certains sont équipés d'installations automatiques de manœuvre du chalut et de conditionnement du poisson.

▲ Caius Julius Caesar *fut l'un des plus grands hommes d'État de la Rome antique, mais le crédit dont il disposait auprès du peuple et l'accroissement de son pouvoir lui valurent des ennemis au Sénat. Craignant qu'il décide de se faire nommer roi, quelques sénateurs complotèrent son assassinat, qui eut lieu le 15 mars 44 av. J.-C.*

**CHAMEAU** Précieux animal du désert, dont on distingue deux espèces : le chameau à deux bosses, qui n'existe plus à l'état sauvage qu'en Mongolie, et le dromadaire ou chameau à une bosse, originaire d'Arabie, qui n'existe plus qu'à l'état domestique. D'une sobriété légendaire, le chameau mange à peu près n'importe quoi, boit peu et, lorsque c'est nécessaire, survit en utilisant les réserves de graisses contenues dans sa ou ses bosses. Dans le désert, les chameaux servent d'animaux de bât ; ils fournissent également lait, viande, poils et peau. Le dromadaire est un bon animal de selle.

**CHAMPAGNE** Célèbre vin blanc mousseux, c'est-à-dire ayant subi une seconde fermentation, que l'on prépare en Champagne. ◁

**CHAMPIGNON** Plante dépourvue de fleurs, de feuilles et de CHLOROPHYLLE. Ce que l'on appelle généralement champignon n'est que la partie reproductrice visible du végétal *(carpophore)*, le champignon proprement dit étant constitué par un réseau de filaments (le *mycélium*) qui, du fait qu'ils sont dépourvus de chlorophylle, tirent leur nourriture toute prête des plantes mortes ou vivantes, et même des animaux sur lesquels certains vivent en PARASITES. Certains champignons, comme les MOISISSURES, ne forment jamais de carpophore et croissent par développement de leur mycélium. Certains carpophores de gros champignons sont comestibles (cèpe, girolle, TRUFFE...) — parfois même les cultive-t-on (champignon de couche) en champignonnière —, d'autres sont vénéneux (amanite tue-mouche, bolet de satan...), voire mortels comme l'amanite phalloïde. Des champignons comme les LEVURES et la PÉNICILLINE ont des utilisations autres qu'alimentaires ; par contre, les espèces parasites causent des dommages aux animaux et aux végétaux.

**CHANG-HAI** Premier port de CHINE, assurant plus de 50 % du commerce maritime international, et première ville chinoise (12 millions d'habitants environ). Situé à l'embouchure du Yang-tseu-kiang, Chang-hai a connu un trafic intense au XIXe siècle, pendant la période des Concessions internationales.

**CHAPITEAU** En architecture, élément élargi formant le sommet d'une COLONNE et souvent richement décoré. L'architecture grecque élabora trois principaux types de chapiteaux : dorique, ionique et corinthien.

**CHAPLIN, CHARLES SPENCER, DIT CHARLIE** Acteur et cinéaste britannique (1889-1977). La silhouette qu'il se fabrique, chapeau melon, canne flexible, moustache, veston étriqué, pantalon en accordéon et immenses chaussures, devient rapidement célèbre dans le monde entier. Après vingt ans d'exil aux États-Unis dont il fait sa patrie d'adoption, Chaplin rentre en Angleterre où il est anobli, puis s'installe en Suisse. Parmi ses œuvres les plus achevées, on peut citer : *la Ruée vers l'or* (1925), *les Lumières de la ville* (1931), *les Temps modernes* (1935), *le Dictateur* (1940), *les Feux de la rampe* (1952).

**CHAR** Chez les Anciens, voiture attelée ouverte, utilisée pour la guerre. Les Égyptiens et les Sumériens utilisaient des chars à deux ou quatre roues qu'adoptèrent ensuite Grecs et Romains. Chaque char avait généralement son conducteur et transportait un archer ou un guerrier. Par la suite, les chars furent remplacés dans les armées par la CAVALERIE.

**CHARANÇON** Insecte COLÉOPTÈRE qui se distingue par sa tête allongée en bec. Avec plus de 50 000 espèces, les charançons (curculionidés) forment la plus vaste famille du règne animal. Ils sont répandus partout dans le monde. Chaque espèce se nourrit d'un végétal spécifique ; un certain nombre de charançons s'attaquent aux céréales.

▲ *Amanites tue-mouche parmi la litière de feuilles d'un bois. Elles se nourrissent de la matière en décomposition et des racines.*

**CHARBON DE BOIS** Forme de CARBONE, noire et impure, obtenue à partir de bois que l'on fait carboniser en lui fournissant peu d'oxygène. Le charbon de bois entre dans la composition de la POUDRE A CANON ; on l'utilise également comme combustible, pour dessiner (fusain), et pour l'absorption des gaz.

**CHARGE ÉLECTRIQUE** Dans les ATOMES d'un objet électriquement neutre, les charges négatives des électrons annulent les charges positives des protons. Un objet se charge électriquement lorsque cet équilibre est perturbé, par exemple par friction. (Voir ÉLECTRICITÉ.) L'UNITÉ SI de charge est le COULOMB.

CHARLES Outre Charlemagne, le premier, l'empire d'Occident eut à sa tête sept empereurs du nom de Charles. Ce furent successivement : Charles II le Chauve (823-877, empereur à partir de 875) ; Charles III le Gros (839-888, empereur de 881 à 887) ; Charles IV de Luxembourg (1316-1378, empereur à partir de 1347) ; Charles V ou Charles Quint (1500-1558, empereur de 1519 à 1556) ; Charles VI (1685-1740, empereur à partir de 1711) ; enfin Charles VII Albert (1697-1745, empereur à partir de 1742).

Trois rois de France du nom de Charles furent également empereurs du Saint-Empire : Charlemagne, Charles le Chauve et Charles le Gros. Les autres rois de France ayant porté le nom de Charles furent : Charles III le Simple (879-929, roi à partir de 898) ; Charles IV le Bel (1294-1328, roi à partir de 1322) ; Charles V le Sage (1338-1380, roi à partir de 1364) ; Charles VI le Bien-Aimé (1368-1422, roi à partir de 1380) ; Charles VII le Victorieux (1403-1461, roi à partir de 1422) ; Charles VIII (1470-1498, roi à partir de 1483) ; Charles IX (1550-1574, roi à partir de 1560) ; Charles X (1757-1836, roi de 1824 à 1830).

Quatre rois d'Espagne portèrent également le nom de Charles, le premier et le plus grand étant Charles Ier d'Espagne qui fut également empereur du Saint-Empire romain germanique sous le nom de Charles Quint (ou Charles V). Les autres furent : Charles II (1661-1700, roi à partir de 1665) ; Charles III (1716-1788, roi à partir de 1759) ; enfin, Charles IV (1748-1819, roi de 1788 à 1808).

De gauche à droite : des colonnes dorique, ionique et corinthienne. L'ordre dorique se caractérise par sa simplicité et sa sobriété de lignes. Dans l'ordre ionique, la colonne est cannelée, le chapiteau à volutes. Dans le style corinthien, répandu à partir du Ve siècle av. J.-C., le chapiteau est richement orné de volutes et de feuilles d'acanthe.

CHAT La région du lac Van, en Turquie, abrite une race de chats qui semblent préférer l'eau à la terre ferme et que leurs propriétaires emmènent régulièrement prendre leur bain. Ce phénomène s'explique par le fait que ce chat ne possède qu'une couche de poils et non deux comme la plupart des autres, ce qui lui évite de se noyer. Parmi les chats sauvages, le chat pêcheur d'Inde, d'Indochine, de Sumatra et de Java, est lui aussi un bon nageur.

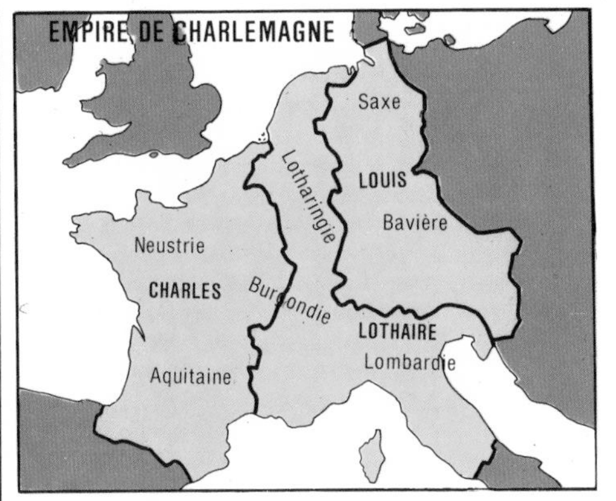


▲ *Carte de l'empire de Charlemagne, après sa division entre les trois petits-fils du grand empereur.*

**CHARLEMAGNE** Roi des Francs, empereur d'Occident et l'un des plus grands hommes d'État de l'histoire (742-814). Ses talents d'homme de guerre et d'administrateur lui valurent de contrôler, à la fin de son règne, un empire qui s'étendait de la mer du Nord à la Méditerranée et à l'Adriatique. A sa mort, son empire fut partagé entre ses fils et ses petits-fils.

**CHARLES I^er^** Roi de Grande-Bretagne (1600-1649 ; roi à partir de 1625). Des difficultés d'ordre économique provoquèrent entre le roi et le Parlement un conflit qui, en 1642, dégénéra en guerre civile. Condamné en 1648, Charles I^er^ fut décapité le 30 janvier 1649. (Voir CROMWELL [Oliver] ; RÉVOLUTION d'ANGLETERRE [première]). ◁

**CHARLES QUINT** Roi d'Espagne et empereur romain germanique (1500-1558). Régnant sur un immense domaine (Espagne, Flandres, Autriche, Allemagne), il s'opposa au roi de France François I^er^ pendant plus de trente ans.

▼ *La chasse à courre est encore pratiquée de nos jours. Les participants à une chasse à courre se conforment à des rites traditionnels très précis.*

▲ *Charlemagne fut non seulement un roi guerrier, mais également un protecteur des arts et de l'enseignement. Fils de Pépin le Bref, il devint roi en 768. Charlemagne s'attacha à la reconstitution de l'empire d'Occident. Le jour de Noël de l'an 800, le pape Léon III le sacra « empereur d'Occident » dans la basilique Saint-Pierre de Rome.*

**CHASSE** Capturer ou tuer les animaux sauvages était autrefois un moyen de se procurer de la nourriture et également une manière de se débarrasser des prédateurs. De nos jours, c'est généralement une activité sportive que le chasseur pratique pour exercer son habileté ou éprouver le plaisir de la poursuite.

**CHAT** MAMMIFÈRE carnassier de la famille des félidés dont font également partie le LION, le TIGRE, le JAGUAR, le GUÉPARD, le COUGOUAR et le LÉOPARD. Les chats sont des animaux agiles, au corps souple, aux fortes dents coupantes et aux griffes acérées parfaitement adaptées à l'escalade. La structure de leurs membres, très résistante aux chocs, leur assure un excellent sens de l'équilibre. Leur langue râpeuse leur sert à racler la viande sur les os et à nettoyer leur fourrure. Les chats sont fondamentalement des animaux nocturnes : leurs yeux n'ont besoin que de peu de lumière et leurs moustaches leur permettent de trouver leur chemin dans l'obscurité, à quoi s'ajoute leur ouïe, très fine, grâce à laquelle ils repèrent leur proie. Les anciens Égyptiens ont probablement été les premiers à domestiquer les espèces de chats sauvages d'Afrique et d'Europe. Les chats domestiques ordinaires ont généralement le poil court et tigré — brunâtre ou gris, rayé ou marbré de sombre. Le roux, l'écaille-de-tortue et le noir sont des couleurs classiques pour les chats, avec souvent des marques blanches. Il existe de nombreuses races domestiques de chats. Parmi les mieux connues, figurent le *chat de l'île de Man,* dépourvu de queue et très rapide, le *chat bleu de Russie,* remarquable par son pelage d'un bleu étonnant et ses yeux vert vif, le chat persan ou angora, au long poil soyeux, le *chat siamois* aux yeux bleus et au poil fauve qui descend du *chat sacré de Thaïlande.* ◁

**CHATEAUBRIAND, FRANÇOIS RENÉ, VICOMTE DE** Écrivain et diplomate français (1768-1848), auteur d'*Atala, René, le Génie du christianisme, Mémoires d'outre-tombe,* qui influença fortement le mouvement romantique.

**CHAUVE-SOURIS** Le seul mammifère capable de voler véritablement. Les chauves-souris ont des ailes coriaces sur un corps de souris. En général, elles passent la journée à dormir, suspendues la tête en bas, ne sortant que la nuit pour se nourrir. Certaines chauves-souris se nourrissent d'insectes, d'autres de fruits. Les chauves-souris frugivores ont une bonne vision nocturne, ce qui n'est pas le cas des espèces insectivores qui, ne pouvant compter sur leurs yeux, émettent pour se diriger et repérer leur nourriture des sons aigus que renvoient les obstacles : on dit qu'elles se dirigent par *écholocation.* ▷

**CHEMIN DE FER** Le chemin de fer existait bien avant l'invention des LOCOMOTIVES à vapeur. Au XVIe siècle déjà, dans les mines de charbon, les wagonnets tirés par des chevaux glissaient sur des rails de bois. La roue à gorge, qui assure une bonne assise sur les rails, est apparue aux alentours de 1800.

C'est en 1825, en Angleterre, que fonctionna la première MACHINE A VAPEUR montée sur rails — la *Rocket* de George Stephenson. En France, la première ligne fut ouverte entre Saint-Étienne et Andrézieux en 1830. ▷

▲ *Les jeunes félidés aiment agripper tout ce qui bouge. Une fois grand, ce jeune guépard aura à affronter des proies plus dangereuses que la queue de sa mère.*

Au cours des cent dernières années, les transports ferroviaires n'ont cessé de se développer à travers le monde. Aujourd'hui, les trains sont généralement tractés par des locomotives à diesel ou électriques.

**CHÊNE** Arbre bien connu, répandu dans presque toutes les parties du monde à l'exception des régions au climat très rigoureux. Il existe plus de 300 espèces de chêne, certaines à feuilles caduques, comme le chêne pédonculé et le chêne chevelu, d'autres à feuillage persistant comme le chêne vert ou le chêne-liège. Les chênes sont généralement des arbres imposants au tronc massif fournissant un bois de qualité. Le fruit du chêne est appelé gland.

▼ *Pendant plus de cent ans, le panache des locomotives à vapeur (ci-dessous) a fait partie du paysage quotidien. Aujourd'hui, presque partout dans le monde, les locomotives à diesel (à gauche) ont pris la relève.*

CHAUVE-SOURIS Grâce à la finesse de leur ouïe, les chauves-souris détectent des vibrations sonores d'une fréquence de 50 000 vibrations par seconde, ce qui correspond à des sons extrêmement aigus, inaudibles pour l'oreille humaine qui ne perçoit pas les sons dépassant 20 000 vibrations par seconde.

CHEMIN DE FER C'est en 1803, au sud de Londres (Angleterre), que fut ouverte la première ligne ferroviaire : elle mesurait 15 km et ne transportait que des marchandises. Aujourd'hui, le monde compte environ 1 250 000 km de voies ferrées, soit plus de trente fois le tour de la Terre.

CHENILLE La chenille du sphinx de la vigne use d'un camouflage original pour dissuader les prédateurs. Menacée, elle rentre ses pattes et se retourne sur le dos, laissant apparaître une paire de faux « yeux ». Elle prend alors l'apparence d'une vipère en miniature, ce qui effraie les oiseaux.

CHEVAL Une statuette ancienne, trouvée en Turquie, prouve que l'équitation existait déjà vers 1 400 av. J.-C.
Courses de chevaux : les courses de plat les plus importantes en France sont le Grand Prix de Paris, le Prix de l'Arc de triomphe, le Prix de Diane, le Prix du Jockey-Club. Pour la course de trot, c'est le Prix d'Amérique, et en obstacle le Grand Steeple-Chase de Paris. En Angleterre se courent en plat le Derby d'Epsom, les 2 000 Guineas de Newmarket ; en obstacle, le Grand National de Liverpool.

CHEVALERIE Les ordres de chevalerie sont nombreux en France et en Europe. En France : ordre de Saint-Michel (fondé en 1469), du Saint-Esprit (1578) ; en Angleterre : ordre de la Jarretière, ordre du Bain.

**CHENILLE** LARVE des PAPILLONS et des mouches à scie. Les chenilles ont généralement un corps allongé et mince, plusieurs paires de pattes et de fortes mandibules qui fonctionnent latéralement. La fonction d'une chenille étant de grossir, elle passe son temps à se nourrir — de feuilles principalement. Après un mois de vie environ, la chenille se métamorphose en chrysalide — stade suivant dans le cycle de la vie de l'insecte. ◁

**CHEVAL** Mammifère herbivore, possédant un seul doigt à chaque patte, longtemps utilisé par l'homme (et dans certains pays encore) comme animal de trait ou pour se déplacer. Aujourd'hui, la mécanisation de l'agriculture et des transports a provoqué une forte régression des chevaux de trait, au profit des chevaux de selle (compétitions sur les hippodromes ou équitation). Le cheval a été domestiqué il y a 5 000 ans environ et on compte près de 300 races de chevaux dans le monde. Dans la préhistoire, les chevaux sauvages abondaient en Europe et en Asie ; aujourd'hui, quelques-uns seulement ont survécu dans les territoires reculés de la Mongolie. Selon la race, la taille varie énormément : si le *poney des Shetland* peut ne mesurer que 65 cm, le *trait anglais Shire* est un véritable géant ; c'est l'un des animaux les plus forts du monde. (Voir ÉVOLUTION.) ◁

**CHEVALERIE** A l'origine, les chevaliers constituaient une catégorie de la société médiévale formée de spécialistes du combat à cheval qui s'engageaient à respecter le *code de chevalerie* — un code fondé sur des valeurs chrétiennes comme l'honnêteté, le courage, la modestie et l'honneur. A partir du XI^e siècle, l'Église provoque la fondation d'*ordres de chevalerie,* religieux, militaires et hospitaliers (Templiers, Hospitaliers) dont peu à peu les membres seuls porteront le titre de « chevalier ». Avec l'évolution militaire, le titre se transforme progressivement en degré de noblesse ou en titre honorifique. ◁

▲ *L'un des aérotrains français ainsi baptisés parce qu'ils ne roulent pas mais glissent sur un support d'air comprimé de quelques millimètres d'épaisseur. L'aérotrain est l'une des applications les plus achevées de la sustentation par coussin d'air.*

**CHÈVRE** Animal de montagne voisin du MOUTON. Le mâle de la chèvre — ou bouc — se distingue de celui du mouton (bélier) par sa barbiche et la forte odeur qu'il dégage. Les chèvres sauvages que l'on rencontre au Moyen-Orient et en Asie centrale sont des créatures au pied sûr ; elles vivent en troupeaux, se nourrissent d'herbe et de feuilles. Les chèvres domestiques descendent de la chèvre de Perse.

▼ *Choisir un cheval implique que l'on connaisse bien sa constitution. Ci-dessous, les parties importantes de l'animal.*

**LES PARTIES D'UN CHEVAL**

1 Oreille
2 Salière
3 Chanfrein
4 Œil
5 Ganache
6 Mâchoire inférieure
7 Naseau
8 Museau
9 Lèvre supérieure
10 Lèvre inférieure
11 Auge
12 Barres
13 Joue
14 Encolure
15 Trachée
16 Épaule
17 Poitrail
18 Muscle pectoral
19 Avant-bras
20 Coude
21 Poignet
22 Os canon
23 Boulet
24 Tendons
25 Paturon
26 Flanc
27 Encolure
28 Ventre
29 Fourreau
30 Grasset
31 Canon
32 Châtaigne
33 Couronne
34 Sabot
35 Arrière du sabot
36 Ergot
37 Fanon
38 Jarret
39 Pointe du jarret
40 Jambe
41 Queue
42 Fesse
43 Tronçon
44 Articulation de la cuisse
45 Cuisse
46 Hanche
47 Croupe
48 Reins
49 Dos
50 Garrot
51 Crinière
52 Crinière
53 Nuque

**CHEWING-GUM** Gomme à mâcher, confectionnée à partir de *chiclé* — substance élastique sécrétée par un arbre : le sapodillier — et qui est ensuite aromatisée.

**CHIEN** Mammifère de la famille des *canidés* dont font également partie le loup, le chacal et le renard. Carnassiers et bons chasseurs, les chiens courent vite et leurs fortes mâchoires sont garnies de dents solides. Le chien a été le premier animal que l'homme ait domestiqué pour en faire son compagnon ; il est probable que les hommes primitifs élevaient et dressaient les chiens pour chasser et se protéger contre les animaux sauvages. Les chiens sont classés en trois catégories : chiens de chasse, chiens de garde et chiens de luxe. Dans la catégorie des chiens de chasse figurent les *chiens de meute* (chien de Saint-Hubert), les *chiens courants* qui poursuivent le gibier sans pouvoir le forcer (harriers, fox-hounds, beagles, teckels), certains suivant la piste à l'odorat, d'autres, comme les LÉVRIERS afghans et anglais, à la vue ; les *chiens d'arrêt* sont, en principe, réservés à la chasse aux oiseaux (épagneuls, griffons, setters, pointers) ; enfin, parmi les *chiens terriers,* on peut citer les fox-terriers, les teckels et les airedale-terriers. Malgré la multiplicité des races, les chiens appartiennent tous à une même espèce que l'on pense issue du loup.

**CHILI** République de l'AMÉRIQUE DU SUD, le Chili compte 11,5 millions d'habitants pour une superficie de 757 000 km². Cette longue et étroite bande de terre est désertique au nord ; au centre, la végétation est de type méditerranéen et le sud est couvert par la forêt dense. Le Chili a d'importants gisements miniers (cuivre). Capitale : Santiago. ▷

**CHIMIE** Science qui étudie les propriétés des ÉLÉMENTS et des COMPOSÉS, ainsi que leurs transformations. Lorsque l'homme a appris à faire du feu, il ne savait pas qu'il était en train d'utiliser une RÉACTION chimique pour produire de la chaleur. Il ignorait que le bois qu'il brûlait se combinait à l'oxygène de l'air pour former diverses substances qui se traduisaient en fumées et en cendres. L'utilisation du feu conduisit à d'autres découvertes qui allaient transformer le monde. Ce furent d'étranges liquides scintillants qui s'écoulaient des roches chauffées et qui, en se refroidissant, se solidifiaient en morceaux de métal. C'est probablement ainsi qu'au Moyen-Orient, vers 4000 av. J.-C., fut découvert le cuivre. Quand l'homme eut trouvé comment, à partir de ces métaux, fabriquer des outils, il chercha comment les extraire de leurs MINERAIS, et apprit à réaliser des ALLIAGES en mélangeant les métaux en fusion.

A l'époque de l'Empire romain, les hommes savaient préparer diverses substances comme le verre, les peintures, les vernis, les parfums, les médications ou les poisons. Si l'homme utilisait la chimie, sa connaissance était purement empirique. Les diverses théories, élaborées par les Chinois, les Indiens et les Grecs, étaient pour la plupart incorrectes. Même lorsque la théorie était correcte, il n'était pas toujours aisé de l'appliquer ni de démontrer son exactitude. Ce fut le cas pour la théorie atomique de la matière, énoncée vers 400 av. J.-C. par le philosophe grec Démocrite et qui ne fut acceptée que plus de 2 000 ans plus tard. Du fait de cette confusion, la chimie resta longtemps associée dans les esprits à la magie, la sorcellerie ou la religion : ce fut l'époque de l'ALCHIMIE qui conserva sa popularité jusqu'au XVIIe siècle. La plupart des alchimistes cherchaient la « pierre philosophale » — une substance mythique censée opérer la transmutation en or des métaux courants. Ils étaient également à la recherche de l'« élixir de vie » — une potion supposée procurer la vie éternelle. Certains, pourtant, adoptèrent une approche plus méthodique, ne se fondant que sur des expériences soigneusement conduites. C'est ainsi que, au XVIIe siècle, allait naître la chimie moderne.

En 1661, Robert BOYLE exposa de manière correcte l'idée de l'existence d'ÉLÉMENTS et de COMPOSÉS. Au XVIIIe siècle, le Français Antoine LAVOISIER découvrit pourquoi le fer rouillait et ce qu'il advenait lors d'une combustion. Jusque-là, on croyait que les substances laissaient échapper une part d'elles-mêmes dans l'air lors de ce processus, mais Lavoisier montra qu'elles se combinaient, en réalité, avec un gaz présent dans l'air. Il nomma ce gaz OXYGÈNE.

En 1808, John Dalton élabora une théorie selon laquelle les éléments étaient constitués d'atomes. A l'époque, de nombreux éléments avaient été découverts ; les chimistes s'attelèrent à les classer dans un ordre logique, et, en 1869, Dimitri Mendeleïev acheva sa classification périodique des ÉLÉMENTS chimiques.

Au début du siècle, la nouvelle compréhension qu'avaient les chimistes de leur science conduisit à la mise en œuvre de l'INDUSTRIE CHIMIQUE. Depuis, les progrès de la PHYSIQUE ont accru les connaissances humaines en matière de structure atomique, ce qui a permis d'expliquer nombre de propriétés des éléments. Depuis les années 40, il est devenu possible de fabriquer artificiellement de nouveaux éléments en utilisant pour cela des ACCÉLÉRATEURS de particules. ▷

**CHIMIE INORGANIQUE** La chimie inorganique étudie les propriétés des substances exemptes de CARBONE et que l'on ne trouve dans aucun organisme vivant. Le VERRE, le FER et le SEL sont trois exemples de substances chimiques inorganiques. La chimie inorganique s'intéresse à la disposition des liaisons entre les ATOMES, à la disposition des atomes dans la MOLÉCULE et à la structure des CRISTAUX.

CHILI : DONNÉES
De forme très irrégulière, le Chili s'étend sur 4 500 km de long environ et 400 km de large seulement dans sa partie la plus large.
Point culminant : Aconcagua (7 060 m).
Langue officielle : espagnol.
Monnaie : peso.
Religion : catholicisme.

CHIMIE En médecine, le traitement des maladies par des produits chimiques porte le nom de chimiothérapie. Si nous tenons aujourd'hui pour acquis qu'il existe des « médicaments » correspondant à chaque affection ou presque, cet état de faits est très récent. Les principales substances chimiothérapeutiques sont, d'une part, les médicaments à base de soufre et d'azote (sulfonamides), d'autre part les antibiotiques. Le premier groupe fut découvert en 1930-1935 par F. Mietzch, G. Domagh et d'autres. Si Sir Alexander Fleming découvrit la pénicilline en 1928, il fallut attendre 1940 pour que soient produits des antibiotiques efficaces dans le traitement des maladies infectieuses. Avant la mise en œuvre de ces deux types de médicaments, seules quelques maladies pouvaient être traitées par des substances chimiques : la malaria (quinine), la syphilis (mercure et bismuth) et la maladie du sommeil (composés d'arsenic et d'antimoine). La chimiothérapie utilise depuis peu des substances chimiques naturelles, les hormones, et un grand nombre de tranquillisants qui ont largement suppléé à la chirurgie du cerveau dans le traitement des maladies mentales.

CHIMPANZÉ Les scientifiques de l'*Institute of Primate Studies* d'Oklahoma (États-Unis) ont utilisé pour leurs recherches sur l'intelligence des singes anthropoïdes une guenon chimpanzé baptisée Washoe. A l'âge d'un an, Washoe fut confiée à des parents humains qui s'appliquèrent à lui enseigner le langage américain des sourds-muets.

Vers l'âge de trois ans, Washoe connaissait plus de trente signes qu'elle utilisait dans une grande diversité de situations ; elle obéissait également aux ordres donnés par signes. Deux ans plus tard, Washoe connaissait 150 signes et avait découvert comment les combiner pour injurier quiconque n'exécutait pas ses quatre volontés.

**CHINE : DONNÉES**
Superficie : 9 560 000 km².
Population : 1 008 000 000 d'habitants.
Capitale : Pékin.
Point culminant : mt Everest (8 848 m), à la frontière du Tibet et du Népal.
Plus long cours d'eau : Yang-tseu-kiang (5 470 km). Les plus gros paquebots peuvent suivre son cours sur 1 000 km.
Langue officielle : chinois.
Monnaie : yuan.
La langue la plus parlée au monde est le mandarin, dialecte chinois parlé par 500 millions de personnes environ.
La plus grande ville chinoise est le port de Chang-hai (12 millions d'habitants).
Pékin, la capitale, compte 9 millions d'habitants. La Chine est constituée en 21 provinces ayant à leur tête un conseil qui règle les affaires locales.
Le recensement organisé, en 1982, par la Chine et l'O.N.U. a permis d'établir que la population s'élevait à 1 008 000 000 d'habitants. Les efforts faits pour limiter les naissances n'ont pas encore eu de résultats visibles (taux de natalité : 20,95 ‰ ; en France : 14,9 ‰).

▲ *Deux visions bien différentes de la Chine. En haut : un marché de la Chine ancienne ; à droite : un rassemblement politique dans la Chine populaire d'aujourd'hui.*

**CHIMPANZÉ** Le plus intelligent des singes anthropoïdes *(Pan troglodytes).* Le chimpanzé est originaire d'Afrique. L'adulte peut mesurer jusqu'à 1,30 m de haut et peser jusqu'à 68 kg. A l'état sauvage, les chimpanzés vivent en groupe, mais chacun construit sa propre plate-forme sur laquelle il dort. Les chimpanzés sont capables d'apprentissage ; lorsqu'un problème se pose, ils savent le résoudre en utilisant un outil comme un bâton ou une pierre. (Voir SINGE.) ◁

**CHINE (RÉPUBLIQUE POPULAIRE DE)** Troisième nation au monde par sa superficie, la République populaire de Chine est la plus peuplée. La population est surtout regroupée dans la partie orientale du pays, en particulier le long des côtes et dans les vallées fertiles du Houang-ho, du YANG-TSEU-KIANG et du Si-kiang. Au nord-est, les hivers sont rudes et les étés chauds mais l'extrême sud-est du pays est doté d'un climat tropical humide. L'intérieur (Chine extérieure) est beaucoup moins peuplé. C'est une région de plateaux battus par les vents, de hautes montagnes (dont une partie de l'HIMALAYA, au TIBET) et de déserts (plus d'un million de km²).

Les Hans, Chinois proprement dits, constituent la majorité de la population, mais une cinquantaine de minorités sont réparties à l'ouest : Tibétains, Mongols, Mandchous.

Le gouvernement communiste de la Chine décourage les pratiques religieuses. Traditionnellement, les Chinois sont confucianistes (voir CONFUCIUS) et taoïstes, parfois bouddhistes (voir BOUDDHISME), surtout au Tibet, ou musulmans, particulièrement dans le Si-kiang et le Nord-Ouest. ◁

La Chine est un pays principalement agricole ; c'est le premier producteur mondial de riz et de tabac, le second de maïs, de millet, de thé. Il produit également en grandes quantités blé, coton, arachide, soja, soie et bois. L'élevage et la pêche viennent en bonne place dans l'économie du pays. Néanmoins, l'agriculture chinoise n'assure pas l'autosuffisance alimentaire du pays. Depuis 1949, la population rurale a été regroupée en communes populaires où le travail s'effectue en commun et le produit est partagé. Les abondantes ressources du sous-sol (charbon, pétrole) ont commencé à être mises en valeur, et la Chine possède des réserves (fer, tungstène, antimoine, manganèse, bauxite) encore peu exploitées.

La priorité a été donnée au développement de l'industrie lourde. L'industrialisation du pays est déjà opérée en Mandchourie, dans le Seutchouan et dans les grandes villes comme CHANG-HAI et PÉKIN.

La civilisation chinoise remonte à 3 500 ans. Devenue république en 1912, la Chine a été par la suite (1931-1945) partiellement envahie et ravagée par les armées japonaises. De 1946 à 1949, les nationalistes chinois conduits par Chiang Kai-shek (1887-1975) ont mené une guerre civile contre les forces communistes de MAO TSO-TONG. Après 1949 — date du retrait de Chiang Kai-shek et de ses partisans dans l'île de Taiwan —, Mao Tsö-tong organisa la planification de l'économie qui prit un essor rapide. Dès 1950, les relations entre la Chine et l'Union soviétique se tendirent. Après la mort de Mao, Houa Kouo-fong et Teng Siao-p'ing remirent en cause la politique de révolution culturelle de leur prédécesseur et tournèrent la Chine vers les problèmes de sa modernisation économique. Depuis 1981, Hou Yao-pang est à la tête du parti unique chinois. La Chine communiste amorce maintenant une légère libéralisation de l'économie.

**CHIRURGIE** Branche de la MÉDECINE concernée par les blessures ou les maladies réclamant des interventions pratiquées sur le corps humain à l'aide d'instruments. Les premiers chirurgiens pratiquaient surtout des saignées et des amputations, ce sans anesthésique. Ambroise Paré (1509-1590), chirurgien français, a été surnommé le père de la chirurgie moderne. Il a imposé la ligature des artères au lieu de la cautérisation des artères au fer rouge après amputation. La chirurgie moderne sait opérer des transferts d'organes (rein, cœur), pratiquer des ablations d'organes, des greffes de peau, etc.

**CHLORE** Corps gazeux à la température ordinaire, verdâtre, toxique et d'odeur suffocante. Le chlore, de symbole Cl, est employé comme désinfectant ou pour le blanchiment (lin, coton, papier) ; il sert également à la fabrication de l'acide chlorhydrique. A faible dose, il est utilisé pour tuer les microbes de l'eau potable. ▷

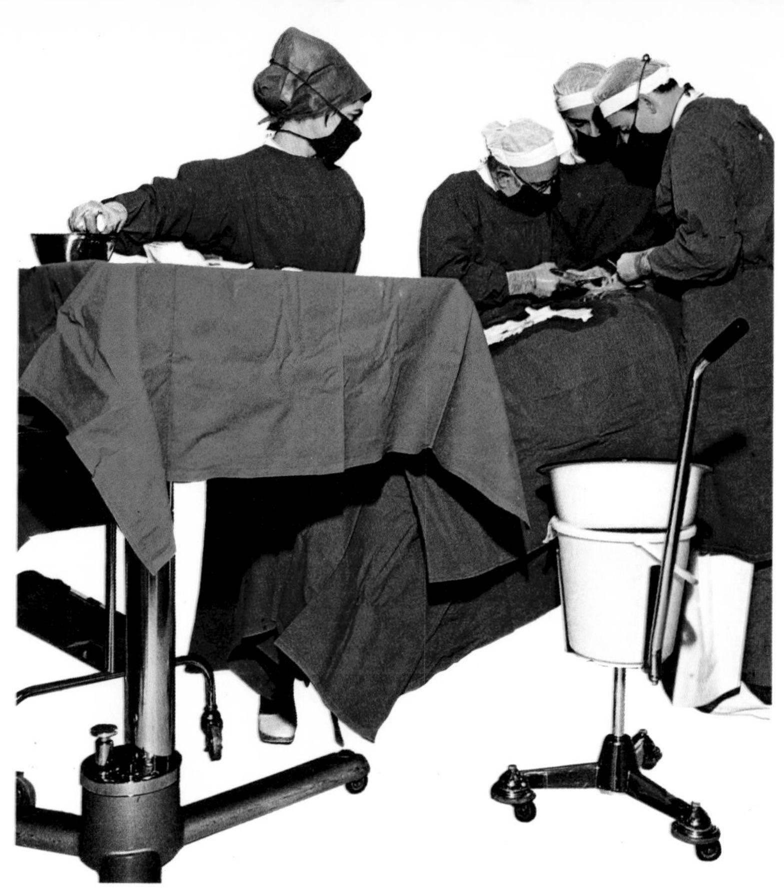

▲ *Le bloc opératoire d'un hôpital moderne. L'habileté du chirurgien et les derniers perfectionnements techniques assurent au patient un traitement efficace alors qu'à ses débuts la chirurgie était une procédure des plus hasardeuses.*

**CHLORHYDRIQUE (ACIDE)** L'acide chlorhydrique est un ACIDE très puissant, d'une grande importance commerciale. On l'utilise pour le décapage des surfaces métalliques, dans la fabrication du sucre et du caoutchouc synthétique, ainsi qu'en médecine.

**CHLOROFORME** Liquide lourd, incolore, résultant de l'action du chlore sur l'alcool et largement utilisé au XIXe siècle comme anesthésique. Découvert par Justus von Liebig (1831), le chloroforme fut utilisé pour la première fois comme anesthésique en 1847, en remplacement de l'ÉTHER. Aujourd'hui, son usage est limité aux ANESTHÉSIES locales.

▼ *La couleur qui prédomine dans un paysage campagnard est le vert de la chlorophylle, contenue dans les chloroplastes des cellules végétales formant la couche externe de la plupart des plantes.*

CHLORE Durant la Première Guerre mondiale, le chlore fut utilisé comme gaz intoxicant, à l'état naturel ou en composés comme le phosgène.

CHLOROPHYLLE L'analyse de la chlorophylle fut réalisée en 1817 par deux chimistes français : Pelletier et Caventou. Ils baptisèrent la substance « chlorophylle » du grec *chloros* qui signifie « vert » et *phyllon*, « feuille ».

**CHLOROPHYLLE** Pigment vert des cellules végétales. La chlorophylle est un élément essentiel de la PHOTOSYNTHÈSE — processus par lequel la plante transforme le GAZ CARBONIQUE et l'eau en sucre, l'énergie nécessaire étant fournie par la lumière solaire. La chlorophylle absorbe l'énergie lumineuse et l'utilise pour alimenter les diverses réactions chimiques qui ont lieu en son sein. La plante ne fabrique sa chlorophylle que si elle est exposée à la lumière ; à l'ombre, elle jaunit ou blanchit. ◁

▼ *La foi chrétienne est centrée sur la personne de Jésus-Christ représenté ici avec la Vierge Marie et saint Jean-Baptiste (à gauche) sur une toile de Léonard de Vinci.*

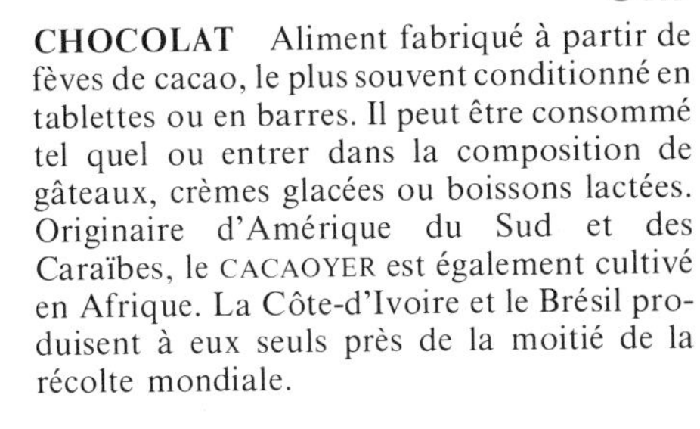

**CHOCOLAT** Aliment fabriqué à partir de fèves de cacao, le plus souvent conditionné en tablettes ou en barres. Il peut être consommé tel quel ou entrer dans la composition de gâteaux, crèmes glacées ou boissons lactées. Originaire d'Amérique du Sud et des Caraïbes, le CACAOYER est également cultivé en Afrique. La Côte-d'Ivoire et le Brésil produisent à eux seuls près de la moitié de la récolte mondiale.

**CHOLÉRA** Maladie infectieuse grave, souvent fatale, dont les épidémies frappent les régions où l'eau ne présente pas des caractéristiques sanitaires suffisantes. Le choléra est produit par la présence, dans l'eau ou les aliments, du bacille cholérique. La maladie se traduit par des douleurs stomacales violentes et des diarrhées.

**CHOLESTÉROL** Substance grasse qui se trouve dans les cellules du sang et de la bile. Le cholestérol contribue à l'assimilation des graisses, de la vitamine D et de diverses HORMONES. Véhiculé par le sang, le cholestérol est indispensable au fonctionnement de l'organisme, mais, présent en trop grande quantité dans les ARTÈRES, il est responsable de maladies cardio-vasculaires.

**CHOMAGE** Situation d'un travailleur privé d'emploi. Le chômage peut être saisonnier (des travaux comme les vendanges ne créant des emplois qu'une partie de l'année), structurel (dans le cas d'une industrie en déclin), ou général lorsque la nation traverse une période de récession économique.

**CHOPIN, FRÉDÉRIC** Compositeur et pianiste franco-polonais (1810-1849), l'un des maîtres de la musique pour piano du XIX$^{e}$ siècle. Il n'écrivit pas moins de 135 pièces pour clavier.

**CHOU** Légume bien connu comprenant plusieurs espèces cultivées pour l'alimentation (chou vert, chou rouge, chou de Bruxelles, chou-fleur, chou-rave) ou pour le fourrage. Dans le chou pommé et le chou de Bruxelles par exemple, ce sont les bourgeons de la plante que l'on consomme ; dans le chou-rave, c'est la tige renflée.

**CHRISTIANISME** Ensemble des religions fondées sur les enseignements et la personne de JÉSUS-CHRIST. Convaincus qu'après sa mort sur la croix Jésus était ressuscité, ses adeptes le proclamèrent leur Sauveur et prêchèrent que quiconque suivrait les enseignements du Fils de Dieu aurait la vie éternelle.

Issu d'une certaine manière du JUDAISME, le christianisme entrait en contradiction complète avec les religions gréco-romaines de l'époque, et pendant de nombreuses années les premiers chrétiens furent persécutés par l'État romain ; 500 ans après la mort de Jésus, pourtant, la majorité de la population de l'Empire romain — y compris les empereurs — était devenue chrétienne. L'Église chrétienne fut organisée en diocèses, ayant chacun à leur tête un évêque — l'évêque de Rome, considéré comme le successeur direct de l'apôtre Pierre, assumant la direction de cette Église sous le titre de PAPE.

Au Moyen Age, l'Église romaine devint extrêmement riche et puissante ce qui, au XVIe siècle, amena toute une partie de la communauté chrétienne à s'opposer à ce qu'elle considérait comme une perversion de l'idéal originel. Le protestantisme était né. Des réformateurs comme Martin LUTHER et Jean CALVIN remirent en cause l'autorité de l'Église romaine, prônant le retour aux enseignements de la BIBLE. Le conflit conduisit à la Contre-Réforme et à une série de guerres de Religion, en particulier, en Europe, à la guerre de TRENTE ANS.

A partir du XVIIIe siècle, le christianisme eut à lutter contre la montée des idées rationalistes qui participent de la déchristianisation du monde moderne tandis que, dans le même temps, les missions répandaient la foi chrétienne à travers les empires que l'Europe se bâtissait à travers le monde. (Voir CROISADES ; ÉGLISE CATHOLIQUE ; RÉFORME.)

**CHROME** Métal blanc, dur et inoxydable. Certains éléments des voitures ou des bicyclettes sont chromés dans un double objectif de protection et de décoration. Le chrome entre également dans la composition de l'acier inoxydable et d'autres ALLIAGES résistant à la corrosion.

**CHROMOSOME** Corps filiforme, microscopique, se présentant par paire dans les cellules vivantes ordinaires et constitué de longues chaînes d'A.D.N. Il est porteur des gènes qui déterminent les caractéristiques spécifiques de tout individu animal ou végétal. (Voir GÈNE ; HÉRÉDITÉ.)

**CHRONOLOGIE** Science des temps et des dates historiques, souvent appliquée à l'archéologie, la géologie et l'histoire. La chronologie géologique est déterminée par l'étude des strates (couches) de roches. ▷

**CHRONOMÈTRE** Montre de précision. En matière de navigation maritime ou aérienne, le chronomètre sert à calculer la longitude du lieu où se trouve l'avion ou le bateau. (Voir LATITUDE ET LONGITUDE.)

**CHURCHILL, WINSTON** Premier ministre britannique (1874-1965), ayant joué un rôle de premier plan lors de la Seconde Guerre mondiale. Winston Churchill est correspondant de guerre en Afrique du Sud pendant la guerre des Boers. En 1900, il embrasse la carrière politique et occupe successivement plusieurs postes gouvernementaux pendant l'entre-deux-guerres, jusqu'à devenir chef du gouvernement peu après l'explosion de la Seconde GUERRE MONDIALE. Durant toute la guerre, il mobilise derrière lui toutes les forces du pays par ses discours enflammés. Battu aux élections de 1945, il revient sur le devant de la scène comme Premier ministre de 1951 à 1956. Il est anobli en 1953. ▷

▲ *Lorsqu'un cours d'eau a usé toute une portion de roche, il se forme une chute.*

**CHUTE D'EAU** Les chutes résultent de ce que l'eau érode différemment les roches en fonction de leur dureté. Lorsqu'un cours d'eau coule à la jonction de roches dures et de roches tendres, les roches tendres sont usées plus vite, ce qui, à long terme, finit par créer une dénivellation. Les chutes les plus fameuses sont celles du Niagara, à la frontière du Canada et des États-Unis, et de Victoria, en Afrique. ▷

**CHYPRE** République insulaire de la MÉDITERRANÉE orientale, Chypre compte 656 000 habitants pour une superficie de 9 250 km$^2$ ; c'est la plus vaste île de la Méditerranée. L'économie de Chypre est majoritairement agricole (agrumes, vigne), bien que l'industrie minière joue un certain rôle. Le conflit qui oppose les Chypriotes grecs, de religion chré-

CHRONOLOGIE Le passé a vu différentes méthodes de division du temps. Dans la Grèce et la Rome anciennes, les cycles de la Lune recevaient chacun un nom, l'ensemble des 12 mois lunaires étant baptisé année. Ces 12 mois ne totalisant que 355 jours, on assistait à un décalage progressif des mois par rapport aux saisons. Ainsi, à l'époque de Jules César, le mois de mars était-il situé à la mi-été. C'est la raison pour laquelle, en 46 av. J.-C., Jules César décréta l'ajout de trois mois supplémentaires, de manière à rétablir la coïncidence des mois et des saisons. Il introduisit plus tard un calendrier solaire, basé sur la durée de la révolution de la Terre autour du Soleil. Ses astronomes ayant évalué cette durée à 365 jours un quart, il fut décidé que l'année comporterait 365 jours, plus un jour supplémentaire tous les quatre ans (année bissextile). Pourtant, ce calendrier julien péchait encore par imprécision dans la mesure où la durée de l'année solaire est de 365 jours, 5 heures, 48 minutes et 46 secondes et non de 365 jours et 6 heures, de sorte que le calendrier julien se décalait d'un jour tous les 128 ans. Vers la fin du XVIe siècle, l'erreur s'élevait à 10 jours. En 1582, le pape Grégoire XIII élimina ces dix jours du calendrier de cette année-là et, pour rectifier l'erreur à long terme, imagina qu'en ce qui concernait les années séculaires ne soient bissextiles que celles qui sont divisibles par 400. Pourtant, malgré ces aménagements successifs, l'année moyenne de notre calendrier compte 26 secondes de trop, ce qui ne correspondra néanmoins à une erreur d'un jour que dans plus de 3 300 ans.

CHURCHILL Durant la Seconde Guerre mondiale, Winston Churchill s'était rendu célèbre par ses discours mobilisateurs et patriotiques. On cite volontiers l'une des phrases qu'il prononça au cours d'une allocution destinée à honorer les aviateurs qui avaient tenu tête à la Luftwaffe allemande à la fin de l'été 1940 : « Jamais dans l'histoire autant d'hommes n'ont dû autant à si peu. »

CHUTE D'EAU : DONNÉES
La plus haute : le Salto Angel, au Venezuela (979 m).
La plus importante dénivelée : le Salto Angel, environ 800 m.
Le plus important débit : les Sete Quedas, au Brésil et au Paraguay (environ 13 300 m³ par seconde).
Les plus larges : les grands rapides Khône, au Laos (près de 11 km de large).

CIEL Le bleu du ciel varie en fonction de la quantité de poussière ou de vapeur d'eau en suspension dans l'air : plus l'air est chargé de ces particules, plus le ciel pâlit. Par contraste, le lever du Soleil fait paraître le ciel rouge du fait que les rayons solaires doivent parcourir une plus grande distance dans l'atmosphère. Le bleu s'en trouve à ce point dispersé que nous ne voyons plus que le rouge.

tienne (77 % de la population), aux Turcs, de confession musulmane (18 %), a conduit à la partition de Chypre, en 1974. Capitale : Nicosie.

**CIDRE** Boisson alcoolisée, préparée à partir du jus fermenté de variétés particulières de POMMES cultivées à cet effet. On distingue généralement trois catégories de cidre : doux, demi-sec et brut.

**CIEL** Lorsqu'on lève la tête, on contemple une portion de l'ATMOSPHÈRE terrestre et, au-delà, l'immensité de l'espace. Le bleu du ciel vient de ce que l'atmosphère décompose la lumière solaire en ses diverses composantes colorées en dispersant le bleu plus qu'elle ne le fait les autres couleurs. Sans la présence de l'atmosphère, le ciel nous apparaîtrait d'un noir d'encre, piqueté par le Soleil, la Lune et les étoiles. ◁

▼ *Dans les années 30, Hollywood a produit un certain nombre de comédies musicales à grand spectacle fort coûteuses. Ci-dessous, un extrait de* Prologue, *de Busby Berkeley.*

▲ *La cigogne blanche émigre d'Afrique en Europe à chaque printemps et vient parfois faire son nid sur les cheminées des maisons.*

**CIGOGNE** Oiseau échassier migrateur, au cou et au bec allongés, aux grandes ailes et à la queue courte, pouvant atteindre 1,50 m de haut. Les cigognes sont muettes mais, lorsqu'elles sont agitées, elles produisent un claquement avec leur bec.

**CIMENT** Important matériau de construction à partir duquel on fabrique le mortier et le béton. Le mortier est un mélange de ciment en poudre, de sable et d'eau, parfois additionné de chaux. Il sert à assembler les briques. Le BÉTON est du mortier auquel on ajoute des graviers plus ou moins grossiers.

**CINÉMA** Forme d'expression issue de l'invention du cinématographe — appareil qui, en projetant des images sur un écran à une certaine cadence, restitue l'illusion du mouvement continu.

Le cinéma est né en 1895, date à laquelle les frères Auguste et Louis Lumière firent breveter leur *cinématographe.* Au début, les cinéastes réalisent des documentaires sur la vie quotidienne puis, très vite, s'aventurent dans la fiction, voire la science-fiction avec quelques poètes de l'illusion comme Georges Méliès. Sous l'impulsion des Américains, le cinéma s'industrialise : c'est l'apparition des premières firmes et, aux États-Unis, la naissance d'Hollywood. En 1927 est projeté à New York le premier film parlant : *le Chanteur de jazz,* qui ouvre l'ère de la suprématie américaine. C'est l'époque des comédies musicales ou légères, des films de guerre, des westerns, des superproductions... Et c'est aussi l'époque des « stars ». La couleur fait son apparition en 1934, le DESSIN ANIMÉ se popularise. En Europe, l'Italie, la Suède et l'Allemagne ont connu le déclin entre les années 20 et 30, mais la France occupe avec l'U.R.S.S. une position privilégiée. L'après-guerre vient apporter quelques changements. L'Italie découvre le néo-réalisme, la France et la Grande-Bretagne ont leurs créateurs et, peu à peu, le cinéma échappe au monopole américain. Les années 1955-1975 consacrent des réalisateurs comme les Italiens Michelangelo Antonioni et Federico Fellini, l'Espagnol Luis Bunuel, le Suédois Ingmar Bergman, les Français Jean-Luc Godard et François Truffaut, le Japonais Akira Kurosawa... Désormais, le cinéma s'ouvre sur toutes les tendances esthétiques.

Depuis qu'elle est entrée en compétition avec la télévision, l'industrie cinématographique a cherché de nouveaux perfectionnements techniques comme le relief visuel ou sonore, mais jusqu'ici ces tentatives n'ont pas été réellement couronnées de succès.

**CIRCUIT INTÉGRÉ** Circuit électronique miniaturisé, composé d'une pastille de silicium dans laquelle sont diffusés des TRANSISTORS et autres composants. Les ingénieurs électroniciens commencent par dessiner un circuit qui est ensuite réduit par un procédé photographique à la dimension d'une tête d'épingle. Des conducteurs de 1/100 mm d'épaisseur sont alors fixés aux extrémités du circuit de façon à connecter celui-ci aux autres composants d'un ORDINATEUR, par exemple. Grâce aux circuits intégrés, des ordinateurs qui, il y a dix ans encore, occupaient une pièce entière sont maintenant réduits à la taille d'une machine à écrire.

▲ *Bien que plus petit qu'un ongle, le circuit intégré d'ordinateur représenté ci-dessus porte 4 096* bits *d'information.*

**CIRE** Substance plastique sécrétée par les abeilles (cire d'abeille) ou par certaines fleurs, feuilles ou graines, ou encore composition de cette substance avec d'autres (la cire à cacheter est un composé de gomme laque et de térébenthine). Les cires ne se dissolvent pas dans l'eau et leur température de fusion est peu élevée.

**CIRQUE** Spectacle comportant des exhibitions acrobatiques, du jonglage, des numéros de clowns, de dressage d'animaux, etc. Le cirque fit son apparition au XVIIIe siècle et culmina avec l'Américain Phineas T. Barnum (1810-1891).

**CITRON** Fruit à la peau jaune contenant un jus acide. Les citronniers sont surtout cultivés en Europe méridionale et au Moyen-Orient.

**CLARINETTE** Instrument de musique à vent, de la catégorie des bois, utilisé depuis le XVIIIe siècle et aussi bien adapté à la musique classique qu'au jazz. La clarinette se compose d'un long tube évasé à une extrémité et terminé à l'autre par une embouchure aplatie.

**CLASSIFICATION DES ÊTRES VIVANTS** Les êtres vivants — animaux ou végétaux — sont regroupés d'après leurs caractéristiques générales communes dans un certain nombre de vastes groupes qui se subdivisent successivement pour tenir compte de caractéristiques de plus en plus fines, jusqu'à ne décrire que des espèces (ours blanc, ours brun, ours de l'Alaska, etc.).

Le règne animal est divisé en 21 grands groupes appelés embranchements : protozoaires (animaux unicellulaires), mollusques, arthropodes (animaux et surtout insectes, aux membres articulés), vertébrés (animaux possédant une colonne vertébrale), etc. La plupart des embranchements sont divisés en classes — les vertébrés, par exemple, comptant cinq classes : AMPHIBIENS, REPTILES, OISEAUX, POISSONS, MAMMIFÈRES. Les classes sont divisées en ordres, familles, genres et espèces.

Le règne végétal compte deux grands groupes — les *cryptogames* et les *phanérogames* — qui possèdent plusieurs subdivisions. Les cryptogames, tels que CHAMPIGNONS, ALGUES, FOUGÈRES et MOUSSES n'ont ni fleurs ni graines. Les phanérogames, également appelés spermatophytes, sont les plantes à graines. Il existe deux types de spermatophytes : les *gymnospermes* et les *angiospermes.* Les gymnospermes — des CONIFÈRES pour la plupart — produisent des graines nues, alors que les angiospermes sont des plantes à fleurs dont les graines sont insérées dans un fruit.

Ce système de classification, adopté dans le monde entier, a été élaboré par le naturaliste suédois Carl von Linné (1707-1778).▷

**CLAVECIN** Instrument de musique à clavier et à cordes, plus petit et plus léger qu'un piano et comportant souvent deux, parfois trois claviers. Populaire du XVIe au XVIIIe siècle, le clavecin céda ensuite la place au piano.

**CLÉOPATRE VII** La plus célèbre d'une lignée de reines égyptiennes du même nom (v. 69-30 av. J.-C.). Renommée pour sa beauté et son intelligence, elle fit la conquête de Jules CÉSAR qu'elle suivit à Rome où elle demeura jusqu'à sa mort, en 44 av. J.-C. En 37 av. J.-C., elle séduisit le triumvir romain Marc Antoine. L'empereur Octave ayant déclaré la guerre à Antoine, celui-ci se suicida après la défaite d'Actium.

CLASSIFICATION DES ÊTRES VIVANTS
Pour illustrer les énormes difficultés que rencontre tout essai de classification des êtres vivants, voici reproduite la classification complète — les catégories étant signalées entre parenthèses — du loup roux du sud des États-Unis. Animal (règne) ; métazoaire (sous-règne) ; cordé (superembranchement) ; vertébré (embranchement) ; tétrapode (superclasse) ; mammifère (classe) ; thérien (sous-classe) ; euthérien (infraclasse) ; férongulé (cohorte) ; féré (superordre) ; carnivore (ordre) ; fissipède (sous-ordre) ; canoïdé (superfamille) ; canidé (famille) ; caniné (sous-famille) ; pas de *tribu* décrite pour ce groupe ; Canis (genre) ; pas de *sous-genre* décrit pour ce groupe ; *Canis lupus* (espèce) ; *Canis lupus niger* (sous-espèce).

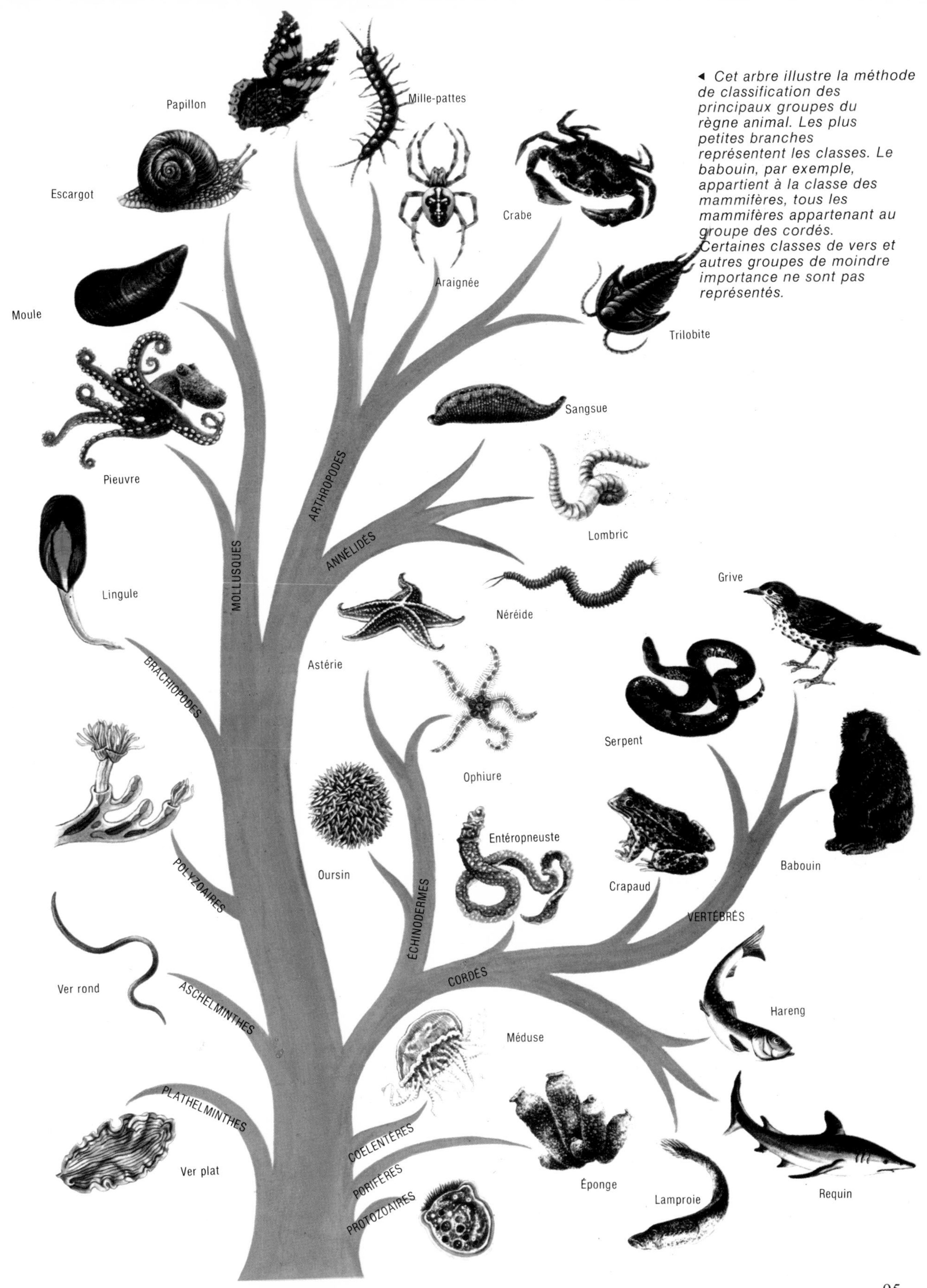


◂ *Cet arbre illustre la méthode de classification des principaux groupes du règne animal. Les plus petites branches représentent les classes. Le babouin, par exemple, appartient à la classe des mammifères, tous les mammifères appartenant au groupe des cordés. Certaines classes de vers et autres groupes de moindre importance ne sont pas représentés.*

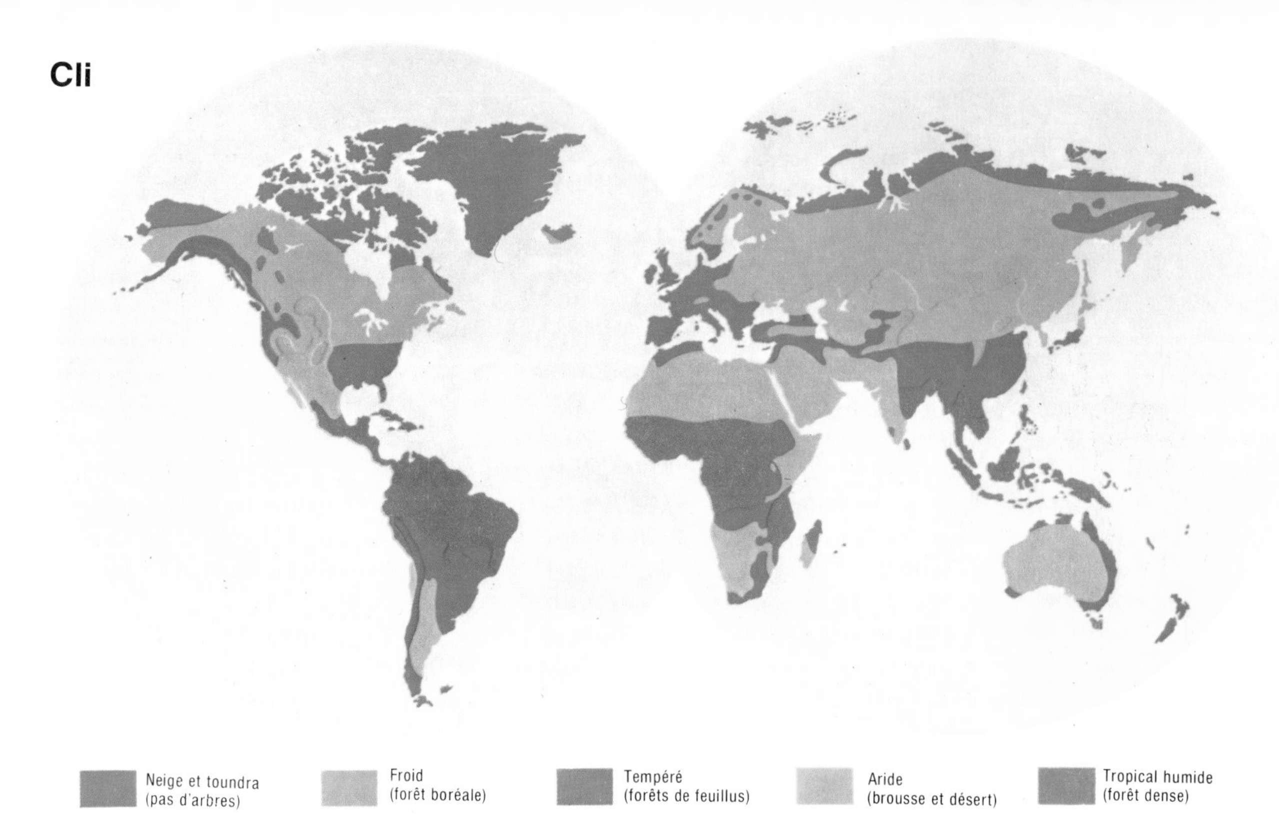


▲ *La carte ci-dessus montre que les zones climatiques sont grossièrement réparties en fonction de la latitude. La plupart des régions chaudes sont situées près de l'équateur, les plus froides près des pôles et les régions tempérées entre les deux. Il existe cependant un certain nombre d'exceptions à cette règle ; ainsi la zone montagneuse proche de l'équateur a un climat très froid, alors qu'il existe des déserts brûlants à des milliers de kilomètres de l'équateur.*

**CLIMAT** Ensemble des phénomènes météorologiques, tels que précipitations et température, qui caractérisent l'état moyen de l'atmosphère en un lieu donné. A l'intérieur d'une même zone climatique, il se produit quotidiennement des variations dans l'état de l'atmosphère : c'est ce que nous appelons le « temps ». (Voir MÉTÉOROLOGIE.) Le globe terrestre est divisé en cinq zones climatiques définies par rapport à la latitude : une zone tropicale, deux zones polaires et deux zones tempérées. (Voir LATITUDE ET LONGITUDE.)

**CLIPPER** Grand voilier à carène fine, conçu pour la vitesse dans l'Amérique du Nord du XIXe siècle. Les clippers étaient principalement affectés aux traversées transatlantiques et au commerce entre l'Europe, l'Amérique et l'Australie. (Voir NAVIRE.) ▷

**CLOCHE** Instrument métallique en forme de carène de navire et dont on tire des sons à l'aide d'un battant et d'un marteau. Il y a plus de 3 000 ans, les Assyriens construisaient déjà des cloches. Généralement faites en bronze, les cloches firent leur apparition en Europe vers le VIIIe siècle, et à partir du XIVe siècle les fonderies de cloches destinées aux églises se multiplièrent. On appelle *carillon* un groupe de plusieurs cloches de tonalités différentes. ▷

**CLOWN** Artiste de CIRQUE au maquillage et au costume délibérément outranciers, qui divertit les spectateurs entre les numéros, souvent en faisant rire de lui.

**COBALT** Métal dur, blanc rougeâtre, résistant bien aux hautes températures, qui entre dans la composition des aciers spéciaux pour outils, pièces de moteur et dans celle des ALLIAGES magnétiques.

**COBAYE** Petit mammifère dépourvu de queue, de l'ordre des rongeurs, originaire de l'Amérique du Sud, également appelé cochon d'Inde. Les cobayes furent domestiqués par les INCAS qui les élevaient pour s'en nourrir. Aujourd'hui, ce sont principalement des animaux de compagnie. Les cobayes se nourrissent d'herbe et de racines.

**COBRA** Serpent venimeux du genre naja, de la famille des *élapidés,* dont l'aire de distribution va de l'Afrique à l'Arabie, à la Chine, à la Malaisie et aux Philippines. ▷

**COCCINELLE** Petit insecte COLÉOPTÈRE vivement coloré, dont on compte environ 5 000 espèces. Les coccinelles sont généralement ovales, rouges ou jaunes et marquées de points noirs. Elles sont utiles dans la mesure où elles se nourrissent de pucerons.

CLIPPER Le clipper américain *Flying Cloud* battit le record de vitesse en reliant New York à San Francisco en 89 jours. Pour une traversée transatlantique, ce record revint au clipper britannique *James Baines* qui relia Boston à Liverpool en 12 jours. Le record de tous les temps de distance journalière fut établi par le clipper américain *Lightning* qui couvrit 436 miles nautiques en 24 heures.

COBRA Les charmeurs de serpents utilisent des cobras auxquels ils font adopter leur posture défensive : dressés, les crochets sortis. Les serpents étant sourds aux hautes fréquences, c'est aux mouvements du charmeur et non à la musique de sa flûte que réagit le cobra.
La morsure de cobra est mortelle pour les humains dans dix pour cent des cas environ. Le cobra royal est le plus gros serpent venimeux du monde : il peut dépasser 3,60 m de long et on a même enregistré un spécimen de 5,60 m. On le trouve en Inde méridionale, aux Philippines et en Indonésie.
Le cobra indien — qui mesure 1,70 m de long environ — tue chaque année plusieurs milliers de personnes. Il s'introduit fréquemment dans les maisons à la tombée de la nuit pour chasser les rats.

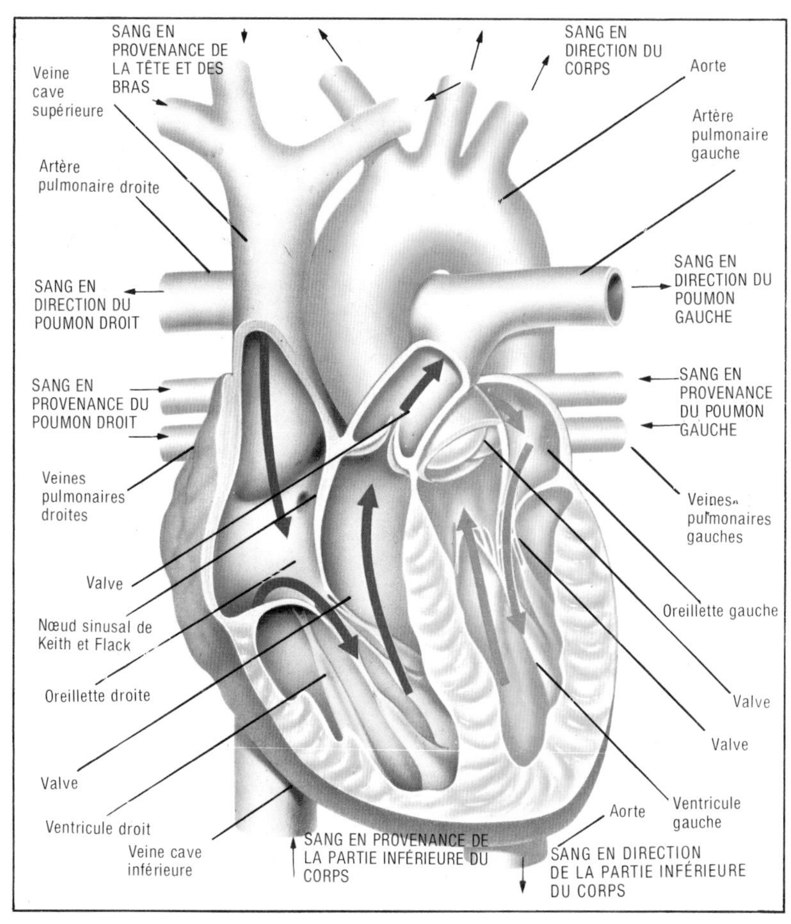


CŒUR En 70 ans de fonctionnement, le cœur produit deux milliards et demi de battements. Il pompe plus de 6 000 litres de sang par jour, soit plus de 150 millions de litres au cours d'une vie. Le travail quotidien effectué par le cœur équivaut à celui qu'il faut fournir pour soulever une voiture de 1,3 tonne jusqu'à la hauteur d'un immeuble de cinq étages.

Compte tenu du travail qu'il effectue, le cœur humain est étonnamment petit. Son poids moyen, pour un adulte, est de 225 g. Il mesure environ 125 mm de long, 90 mm de large et 63 mm d'épaisseur. Le rythme cardiaque est contrôlé par deux paires de nerfs — l'une, située dans la moelle épinière, qui accélère les battements et l'autre, située dans le bulbe du cerveau, qui les ralentit. Ces centres nerveux reçoivent des autres parties du corps des messages qu'ils transmettent au cœur. L'exercice physique et l'agitation accélèrent les battements cardiaques ; la peur les ralentit.

▲ *Le cœur assure en permanence la circulation du sang dans le corps. Le cœur humain bat environ 70 fois par minute. C'est parce que ce muscle est extrêmement puissant qu'il peut assurer sa fonction pendant les 70-80 ans que dure une vie humaine moyenne.*

▼ *Le dynaste « Hercule » vit dans les forêts denses de l'Amérique du Sud. Il fait partie des plus gros coléoptères connus.*

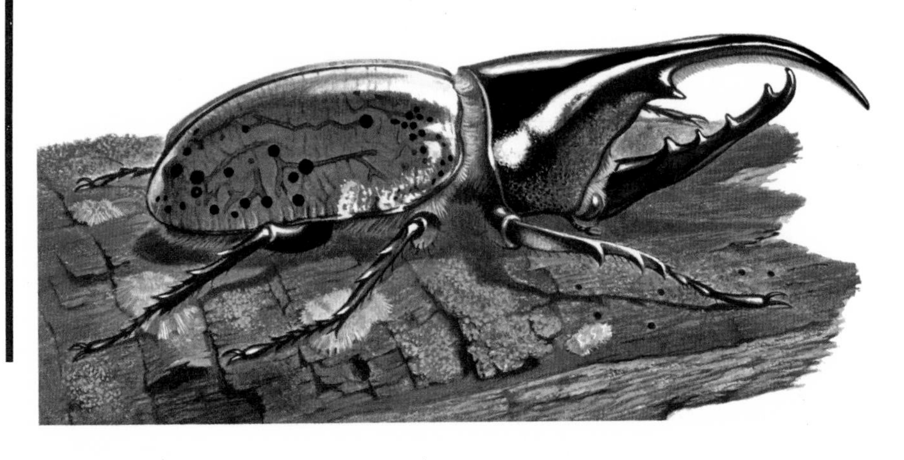

**CŒUR** Organe creux et musculaire qui assure la propulsion du SANG dans les vaisseaux sanguins. A l'exception des plus simples d'entre eux, tous les animaux possèdent un organe musculaire de ce type, divisé en deux ou plusieurs cavités. Le cœur des mammifères — et donc de l'homme — comporte quatre cavités : deux supérieures ou *oreillettes* et deux inférieures ou *ventricules.* Le sang riche en oxygène est propulsé à partir du ventricule gauche dans les diverses parties du corps et revient, chargé de GAZ CARBONIQUE, dans l'oreillette droite. De l'oreillette droite, le sang est propulsé dans le ventricule droit et de là dans les POUMONS où il se débarrasse du gaz carbonique et absorbe de l'oxygène avant de repasser dans l'oreillette puis le ventricule gauches, prêt à réitérer le cycle. Les vaisseaux transportant le sang riche en oxygène sont appelés ARTÈRES, tandis que les VEINES ramènent vers le cœur le sang chargé de gaz carbonique. ◁

**COGNAC** Eau-de-vie obtenue par distillation des vins de la région de Cognac (Charentes).

**COKE** Solide gris foncé et poreux, obtenu à partir de la HOUILLE et contenant plus de 85 % de CARBONE. Le coke est utilisé en métallurgie pour extraire les métaux des minerais. (Voir OXYDATION ET RÉDUCTION.) Certains cokes sont utilisés comme combustibles.

**COLBERT, JEAN-BAPTISTE** Homme d'État Français (1619-1683), ministre de Louis XIV qui développa le commerce et l'industrie français et réorganisa la justice, les finances, la marine.

**COLÉOPTÈRES** Le monde des INSECTES est divisé en quelque trente groupes ou *ordres* dont les coléoptères constituent le plus vaste avec plus de 250 000 espèces réparties à travers le monde. Comme la plupart des insectes, les coléoptères ont le corps divisé en trois segments, possèdent trois paires de pattes, deux paires d'ailes et une paire d'antennes —

organes du toucher et de l'odorat. Chez les coléoptères, la première paire d'ailes est dure et sert non pas à voler mais à protéger les autres ailes. Les coléoptères ont de solides mandibules qui leur servent à sectionner et, s'ils ne s'attaquent pas directement à l'homme, ils causent parfois des ravages : le *doryphore* est capable d'anéantir toute une récolte de pommes de terre, tandis que l'*horloge-de-la-mort* peut détruire une vieille maison en rongeant la charpente. D'autres espèces sont utiles, telle la COCCINELLE qui se nourrit de pucerons. Certains coléoptères sont terrestres, d'autres aquatiques. Leur cycle de vie est semblable à celui des PAPILLONS : œuf, larve, chrysalide, adulte. ◁

▲ *Le scolyte de l'orme creuse des galeries sous l'écorce de cet arbre, véhiculant ainsi le mycélium, responsable de la maladie de l'orme subéreux qui a tué un grand nombre de ces arbres, tant en Europe qu'en Amérique du Nord.*

▶ *Un colibri immobile en l'air devant une fleur d'hibiscus. Il enroule sa langue en tube et aspire ainsi le nectar de la fleur.*

▼ *Terminé en 80, le Colisée de Rome fut le théâtre de combats entre gladiateurs et animaux féroces ; les hommes comme les animaux étaient « logés » sous l'arène.*

**COLIBRI** Également appelé oiseau-mouche, ce minuscule oiseau aux vives couleurs vit dans le sud et le centre de l'Amérique. Il enfonce son long bec et sa langue tubulaire dans les fleurs pour y puiser le nectar. Une espèce indigène de Cuba est le plus petit oiseau du monde. ▷

**COLISÉE** Amphithéâtre de ROME, édifié sous l'empereur Vespasien à partir de 72 après J.-C. et capable d'accueillir 50 000 spectateurs. On y donnait des combats de gladiateurs et il fut le théâtre du martyre des premiers chrétiens. ▷

**COLOMB, CHRISTOPHE** Navigateur italien et premier explorateur du Nouveau Monde (1451-1506). Né à Gênes, Christophe Colomb persuada le roi Ferdinand et la reine Isabelle d'Espagne de financer une expédition maritime vers l'Asie. Convaincu que la Terre était ronde, Colomb était certain de parvenir jusqu'en Asie par la voie directe, c'est-à-dire par l'ouest. En 1492, il s'embarqua à la tête de trois navires — le *Nina*, le *Pinta* et le *Santa Maria*. Le 12 octobre, l'expédition mettait le pied sur une île des Caraïbes que Christophe Colomb baptisa San Salvador, persuadé de se trouver en Asie. Par la suite, il organisa encore trois expéditions mais mourut sans savoir qu'il avait exploré un nouveau continent. (Voir AMÉRIQUE) ◁

COLIBRI 320 espèces de colibris ont été répertoriées. Durant la migration, certains colibris sont capables, malgré leur petite taille, de demeurer vingt heures en l'air et de franchir plus de 800 kilomètres au-dessus de l'eau.

Les plus petits des colibris ne dépassent pas la taille d'une abeille. En vol, ils battent des ailes 70 fois par seconde.

COLISÉE Cette célèbre arène romaine a vu, lors d'une « fête », la mort de 2 000 gladiateurs et d'environ 230 animaux sauvages. Jusqu'à ce que la loi soit remaniée par l'empereur chrétien Constantin (en 326), tout individu pouvait être condamné par la cour à affronter des bêtes fauves dans l'arène. De fait, la « chasse » des bêtes fauves dans le Colisée se poursuivit jusqu'en 523 et cet édifice servit de modèle à ceux de Pompéi, Vérone, Possuoli, Capoue et Pola en Italie, Syracuse en Sicile, Arles et Nîmes en France, el-Djem en Afrique du Nord et Dorchester et Caerleon en Angleterre.

COLONNE VERTÉBRALE La colonne vertébrale de l'homme est constituée de 33 vertèbres. La première vertèbre du cou, ou *atlas*, soutient le crâne. Les vertèbres sont maintenues en place par des ligaments. De haut en bas, les vertèbres portent successivement le nom de : *cervicales* dans la région du cou, *dorsales* ou *thoraciques* dans la région thoracique, *lombaires* dans le bas du dos ; au niveau des hanches, elles forment le *sacrum* et les vertèbres terminales constituent le *coccyx*.

COMÈTE Le mot « comète » vient du grec *kometes aster*, qui signifie « étoile chevelue ». De fait, toutes les comètes ne sont pas brillantes et n'ont pas de longue queue. La plus fameuse comète, celle de Halley, a jalonné l'histoire humaine. Elle est apparue en 1066 et figure sur la Tapisserie de Bayeux. Son apparition en 1456 a provoqué une grande panique dans le monde chrétien parce que coïncidant avec la prise de Constantinople (aujourd'hui Istanbul) par les Turcs. Cette comète apparaît tous les 76 ans.

C.E.E. Dans la mesure où 40 % du commerce mondial prend ses sources en Europe et où il est apparu aux diverses nations européennes qu'elles n'auraient, économiquement, rien à gagner à entrer en compétition les unes avec les autres, il a été décidé d'organiser les relations économiques sous l'égide de la C.E.E. Cette institution a été également créée dans l'espoir d'un rapprochement politique entre les nations afin d'éviter les guerres.

**COLOMBE** Oiseau appartenant à la famille du PIGEON (columbidés). La colombe ressemble au pigeon, mais elle est plus petite. Dans la Bible, c'est une colombe qui rapporta à Noé le rameau d'olivier — signe de la fin du Déluge ; c'est pourquoi la colombe a été choisie comme le symbole de la paix.

**COLOMBIE** République de l'AMÉRIQUE DU SUD. Ancienne colonie espagnole, la Colombie a acquis son indépendance en 1819. Population : 27 800 000 habitants. Capitale : Bogota.

**COLONNE** En ARCHITECTURE, long support vertical composé d'un fût cylindrique et, généralement, d'une base et d'un CHAPITEAU, souvent orné.

**COLONNE VERTÉBRALE** Tige osseuse flexible s'étendant de la nuque à la naissance des cuisses chez l'homme ou jusqu'à la queue chez les animaux VERTÉBRÉS. Elle protège la moelle épinière, soutient le corps et constitue le point d'insertion de nombreux muscles. (Voir SQUELETTE ; SYSTÈME NERVEUX.) ◁

**COMBUSTIBLE** Voir ÉNERGIE ; ÉNERGIE ATOMIQUE ; ÉNERGIE SOLAIRE ; GAZ NATUREL ; HOUILLE ; HUILE ; HYDROCARBURE.

**COMBUSTION** Action de brûler. La combustion est une RÉACTION chimique qui dégage lumière et chaleur ; c'est une forme d'OXYDATION de la substance par l'oxygène.

**COMÉDIE** L'une des formes d'ART DRAMATIQUE, l'autre étant la tragédie. Les comédies sont conçues pour provoquer le rire du spectateur et comportent parfois des éléments de SATIRE.

**COMÈTE** Astre qui passe périodiquement au voisinage du Soleil, ce qui le rend alors visible de la Terre. La plupart du temps, les comètes se trouvent aux confins du SYSTÈME SOLAIRE ; elles sont probablement constituées de gaz gelés, de glace et de poussière. ◁

▲ *La brillante comète Ikeya-Seki de 1965, juste avant le lever du Soleil. Découverte par les astronomes amateurs japonais Kaoru Ikeya et Tsutoma Seki, c'est l'une des plus brillantes comètes de ces dernières années. Elle s'est approchée à 1,2 million de km du Soleil et, dans certaines parties du monde, on a pu la voir en plein jour. Elle décrit une orbite complète tous les 880 ans, alors qu'il ne faut que 3,3 ans à la comète d'Encke pour faire sa réapparition.*

**COMMUNAUTÉ ÉCONOMIQUE EUROPÉENNE (C.E.E.)** Également dénommée Marché commun, la C.E.E. est une institution créée par dix nations européennes pour stimuler la croissance économique. En 1958, en faisaient partie la Belgique, la France, l'Allemagne de l'Ouest, l'Italie, le Luxembourg et les Pays-Bas. La Grande-Bretagne, la République d'Irlande et le Danemark ont adhéré à la C.E.E. en 1973, la Grèce en 1981. L'adhésion de l'Espagne et du Portugal est actuellement en pourparlers. ◁

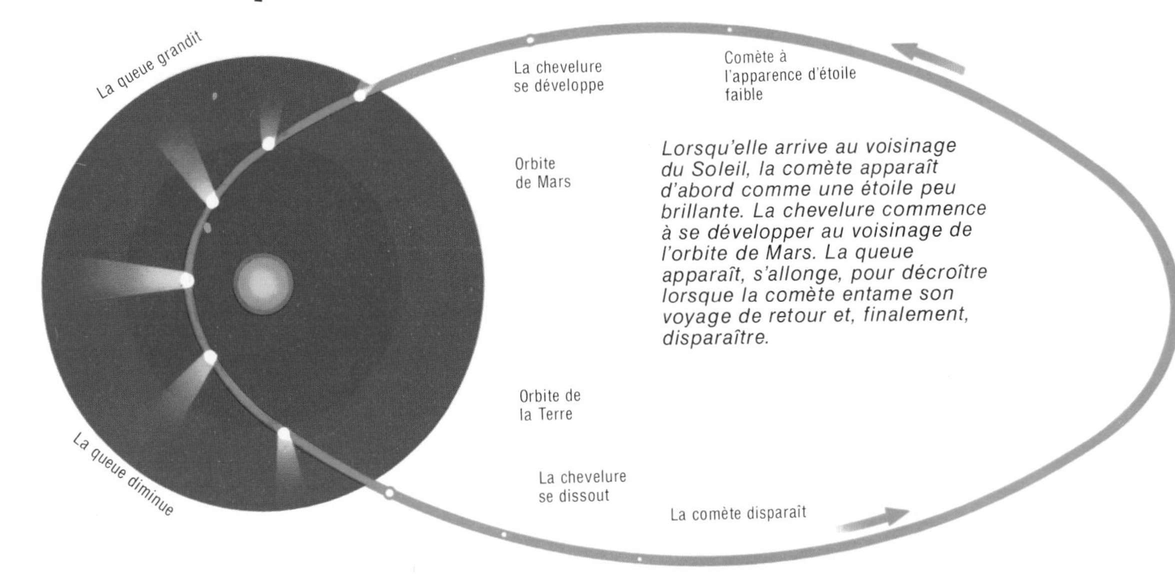


*Lorsqu'elle arrive au voisinage du Soleil, la comète apparaît d'abord comme une étoile peu brillante. La chevelure commence à se développer au voisinage de l'orbite de Mars. La queue apparaît, s'allonge, pour décroître lorsque la comète entame son voyage de retour et, finalement, disparaître.*

**COMMUNISME** Doctrine prônant la propriété collective des moyens de production, la restriction ou l'abolition de la propriété privée et la suppression des classes sociales. Le communisme a été adopté, sous une forme ou une autre, comme système politique par un certain nombre de pays, notamment l'UNION SOVIÉTIQUE et la CHINE. (Voir MARX, Karl ; STALINE, Joseph.)

**COMPAS** En matière de navigation, instrument qui permet de se diriger. Le *compas magnétique* simple se compose d'une aiguille aimantée montée sur un pivot et qui pointe vers les pôles magnétiques de la Terre. Le *compas gyroscopique* contient un GYROSCOPE qui le rend insensible aux influences magnétiques. Dans un avion, le *radiocompas* permet à l'appareil de conserver sa direction grâce aux indications fournies par une station émettrice au sol.

**COMPOSÉ** Voir ÉLÉMENTS ET COMPOSÉS.

**COMPRESSEUR** Appareil qui fournit de l'air comprimé, par exemple pour faire fonctionner les perforatrices, les pistolets à peinture ou les appareils à projection de sable qui servent à nettoyer les façades ou encore pour gonfler les pneumatiques. Dans les RÉFRIGÉRATEURS, le compresseur frigorifique convertit en liquide les vapeurs de fluide frigorigène.

**COMPTABILITÉ** Manière dont un individu ou une collectivité enregistre, met en évidence et analyse ses opérations financières. La comptabilité des entreprises commerciales est généralement effectuée par un comptable agréé ou expert-comptable.

**CONCOMBRE** Long fruit charnu, à peau verte, que l'on consomme comme légume ou en salade. Les concombres poussent sur des plantes rampantes, cultivées en serre.

**CONDENSATION** Passage d'une substance de l'état gazeux à l'état liquide ou solide. Par exemple, le refroidissement de la vapeur la fait se condenser en gouttelettes d'eau. On condense parfois les gaz par compression.

**CONDOR** Grand rapace d'Amérique. Les condors ont une peu séduisante tête dénudée, un bec crochu, de longues serres et d'énormes ailes. Le condor des Andes est noir et blanc ; l'envergure de ses ailes peut atteindre 3 m, ce qui en fait le plus grand voilier du monde. ▷

**CONDUCTEUR** Tout corps capable de transmettre la chaleur ou l'ÉLECTRICITÉ. Les métaux, et particulièrement l'argent et le cuivre, sont de bons conducteurs du courant électrique. Les substances qui ne laissent pas passer le courant électrique ou la chaleur sont appelées ISOLANTS.

**CONDUCTION** Action de transmettre d'un corps à un autre la chaleur ou l'électricité.

**CONFECTION** Fabrication en série de pièces d'habillement. L'invention, au début du XIX$^{e}$ siècle, de machines à couper et à coudre a rendu possible la production de masse des vêtements. La confection est aujourd'hui une industrie de premier plan, dont le développement est favorisé par les fluctuations de la mode.

**CONFUCIUS** Philosophe chinois et fondateur du confucianisme (v. 551-479 av. J.-C.), doctrine philosophique qui prône la tolérance, la simplicité, le respect de la famille et de la société. Confucius croyait en un homme vertueux et enseignait que seuls les hommes vertueux pouvaient diriger une société. Le confucianisme fut la doctrine de la classe dirigeante chinoise jusqu'au XX$^{e}$ siècle.

**CONGÉLATION** Processus par lequel une substance liquide se transforme en solide. Lorsque la pression diminue, le point de congélation d'un liquide s'élève. ▷

**CONGO (ZAIRE)** Le second fleuve d'Afrique par sa longueur (4 370 km) et l'un des plus longs du monde. Il traverse l'Afrique centrale selon la direction sud-ouest et se jette dans l'Atlantique. Le premier Européen à avoir découvert le Zaïre fut le navigateur portugais Diogo Cam (1484). Plus tard, le fleuve fut exploré par David LIVINGSTONE (1813-1873) et Henry M. Stanley (1841-1904). ▷

**CONIFÈRE** Arbre dont les fruits sont en forme de cône. Parmi les conifères figurent les PINS, les SAPINS, les CÈDRES et les ifs. Les conifères produisent leur POLLEN et leurs GRAINES dans des cônes. Leurs feuilles sont d'étroites aiguilles, le plus souvent persis-

CONDOR Le condor de Californie est devenu rarissime : il n'en reste que 40 individus qui survivent dans les monts San Raphael, près de Santa Barbara en Californie (États-Unis). Dans la mesure où ils ne s'accouplent qu'une fois par an et ne pondent qu'un œuf, ces vautours du Nouveau Monde risquent fort de disparaître totalement.

CONGÉLATION Au cours de la Seconde Guerre mondiale, une technique particulière — la lyophilisation — utilisant la congélation fut mise au point pour conserver le plasma sanguin. Aujourd'hui, des produits de consommation courante comme le café, les jus de fruits ou les petits pois sont parfois lyophilisés. Le produit est d'abord congelé, puis légèrement décongelé de façon à le débarrasser d'une forte proportion de son humidité que l'on fait évaporer grâce à d'énormes ventilateurs : le produit ne contient alors plus que 10 % de son eau originelle.

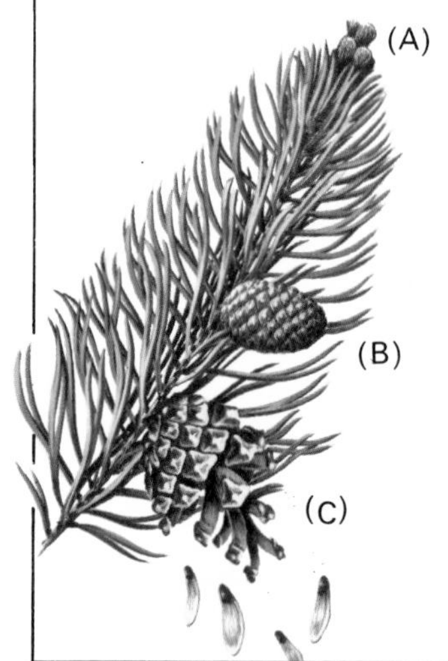


**LE CYCLE DE VIE**

Chez les pins, les cônes contenant le pollen (mâles) sont petits et souples, pareils à des chatons. Les jeunes cônes femelles (A) sont dressés et leurs écailles ouvertes pour permettre au pollen d'atteindre les ovules. Après la pollinisation, les écailles se durcissent et se ferment, et le pédoncule du cône se recourbe pour le laisser pendre (B). Protégées à l'intérieur du cône, les cellules du pollen fertilisent les cellules reproductrices femelles et les ovules se développent en graines. Lorsque celles-ci sont mûres, les écailles du cône se dessèchent et s'ouvrent pour laisser échapper des graines ailées (C).

CONGO (Zaïre) Le débit du Zaïre est si important que ses sédiments sont charriés dans l'Atlantique jusqu'à 280 km des côtes par les courants qui parcourent le canyon sous-marin du Congo. Dans l'estuaire, ce canyon n'est profond que de 21 m, mais, là où il traverse le plateau continental africain, ses parois en « V » atteignent 1 100 m de haut et sont distantes de 15 km. Finalement, sur le fond de l'océan, à 2 650 m, les sédiments sont dispersés dans une vaste vallée en éventail, dont les parois ne mesurent plus que 30 m de haut environ.

CONSERVE C'est l'inventeur français Nicolas Appert qui découvrit la conservation des aliments par chauffage en vase clos. Son procédé lui valut un prix du gouvernement français et, en 1812, Appert ouvrit la première conserverie du monde. Peu après, un Anglais, Bryon Donkin, adapta le procédé et ouvrit à son tour une conserverie à Bermondsey (Londres). Ses boîtes étaient en fer étamé et s'ouvraient au ciseau et au marteau.

COOK, JAMES De nos jours, James Cook est célèbre en tant que navigateur et explorateur, mais, en son temps, il s'illustra pour n'avoir lors de ses longs voyages perdu aucun de ses marins par la faute du scorbut. A l'époque, cette maladie, causée par le manque d'acide ascorbique (vitamine C), tuait une forte proportion des équipages lors des séjours prolongés en mer. Cook fut l'un des premiers commandants de navire à intégrer au régime alimentaire de l'équipage du cresson, de la choucroute et de l'extrait d'orange.

COPERNIC Le traité qui fit la renommée de Copernic, *De revolutionibus orbium coelestium*, était organisé en six parties. Copernic consacra sa vie entière à le penser et le rédiger. Le premier exemplaire imprimé de son œuvre lui fut finalement remis le 24 mai 1543, veille de sa mort.

tantes. Arbres des pays froids, les conifères forment une vaste ceinture de forêt qui va de la Norvège au Canada en passant par la Sibérie. Du fait de leur croissance rapide, les conifères sont largement plantés pour leur bois.

**CONQUISTADOR** Nom donné aux aventuriers espagnols qui, au XVI^e^ siècle, partirent à la conquête de l'Amérique, poussés par la soif de l'or, le zèle religieux ou le désir de conquête. Pour atteindre leurs buts, les conquistadors firent souvent montre d'une grande cruauté vis-à-vis des populations locales et se rendirent coupables d'actes de barbarie. (Voir AZTÈQUES ; CORTÉS.)

**CONSERVATION (LOI DE LA)** La loi de la conservation établit que l'énergie comme la masse ne peuvent être créées ni détruites. Au début du XX^e^ siècle, EINSTEIN démontra que masse et énergie étaient deux manifestations d'une même réalité et il a été montré depuis que la masse pouvait être convertie en énergie. (Voir ÉNERGIE ATOMIQUE.) Il en résulte que, dans tout système, la somme de la masse et de l'énergie (exprimées dans les mêmes unités) restera identique quelle que soit l'évolution du système. En d'autres termes, lorsqu'une certaine quantité de masse est détruite, il y a production d'une quantité équivalente d'énergie.

**CONSERVATISME** Mode de pensée basé sur la préservation des institutions politiques et sociales établies. Dans une société, les conservateurs s'opposent à toute innovation brutale dans la mesure où ils croient au développement naturel de la société. La philosophie conservatrice a été particulièrement puissante après la Révolution française, et nombreux sont ceux qui l'ont adoptée comme doctrine politique.

**CONSERVE** Aliments conservés, stérilisés, dans un récipient hermétiquement clos (bocal ou boîte métallique scellée). L'industrie de la conserve a pris son essor au début du XIX^e^ siècle, à cause de la nécessité qu'il y avait de conserver la nourriture destinée aux armées en campagne. Les aliments furent d'abord conservés dans des bocaux de verre fermés par des bouchons de liège renforcés par du fil de fer; plus tard, les « boîtes de conserve » prirent la relève. Aujourd'hui, la mise en conserve est accélérée grâce à des machines automatiques qui conditionnent le produit, emplissent et scellent les boîtes. ◁

**CONSTELLATION** Groupe d'ÉTOILES qui, vu de la Terre, dessine une figure déterminée qui permet de l'identifier. Les étoiles d'une constellation sont situées dans une même région du ciel mais peuvent se trouver respectivement à des distances très diverses de la Terre.

**CONSTRUCTION IMMOBILIÈRE** Ensemble des techniques qui touchent à la conception et à la réalisation d'édifices pourvus de murs, de toit et de planchers, à usage d'habitations, de bureaux, d'écoles, d'hôpitaux, de lieux de culte, d'usines, etc.

**CONSULAT** Régime de dictature personnelle instauré par Napoléon Bonaparte, dans le cadre de la 1^re^ République, qui dura de novembre 1799 à mai 1804.

**CONTRE-PLAQUÉ** Matériau de construction, constitué de minces lames de bois assemblées par collage. Les fibres de chaque lame sont disposées perpendiculairement à celles de la plaque adjacente, ce qui donne de la solidité à l'ensemble et empêche le contreplaqué de se gondoler.

**CONTROLE DES NAISSANCES** Expression générale désignant les divers moyens dont dispose l'homme pour prévenir ou repousser la conception d'un enfant. Il existe des moyens anticonceptionnels définitifs comme la stérilisation, des contraceptifs chimiques et des contraceptifs mécaniques.

**COOK (ILES)** Archipel composé de 15 îles dispersées dans le Pacifique et s'autogouvernant en libre association avec la Nouvelle-Zélande. Environ la moitié de la population est concentrée à Rarotonga, le siège du gouvernement. Population : 17 700 habitants. Superficie : 238 km² de terres.

**COOK, JAMES** Explorateur et cartographe britannique (1728-1779) qui découvrit les îles HAWAII, gagna l'AUSTRALIE et la NOUVELLE-ZÉLANDE à l'Empire britannique et cartographia une large part de l'océan Pacifique et de ses îles. Cook lança trois expéditions dans le Pacifique, s'aventurant jusqu'au détroit de Béring (1778) au nord et au-delà du cercle polaire arctique au sud (1774). ◁

**COPERNIC, NICOLAS** Astronome polonais souvent considéré comme le père de l'ASTRONOMIE moderne (1473-1543). Il est l'auteur d'un traité d'astronomie héliocentrique qui mit fin à presque vingt siècles de croyance en un monde centré sur la Terre. ◁

**COQUELUCHE** Maladie infectieuse contagieuse, provoquée par une bactérie et qui s'attaque surtout aux enfants, provoquant des accès de toux convulsive qui s'achèvent en respiration sifflante. Les ANTIBIOTIQUES sont assez efficaces pour combattre le mal, mais la prévention par vaccination est préférable.

**COQUILLE** Enveloppe protectrice dure qui couvre le corps de nombreux MOLLUSQUES et de quelques autres animaux invertébrés. De nature calcaire, la coquille est

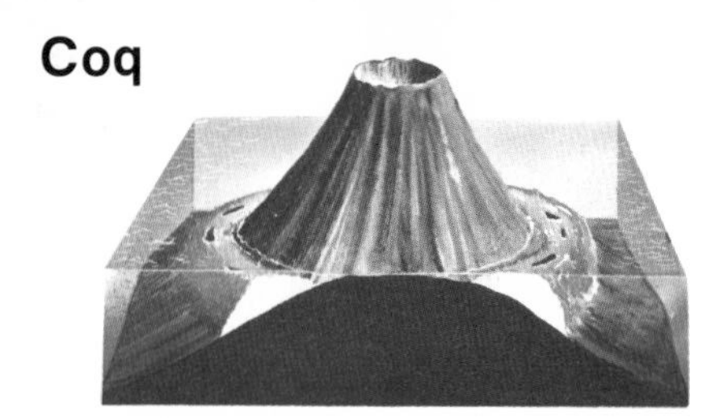

▲ *Le corail se développe dans les eaux chaudes entourant une île ; sur l'illustration ci-dessus, il s'agit d'une île volcanique.*

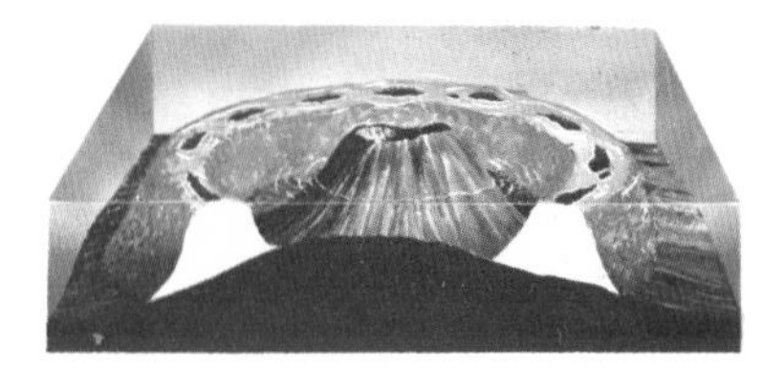

▲ *L'île s'enfonce, le niveau de la mer s'élève, et le corail continue à se développer sur les récifs.*

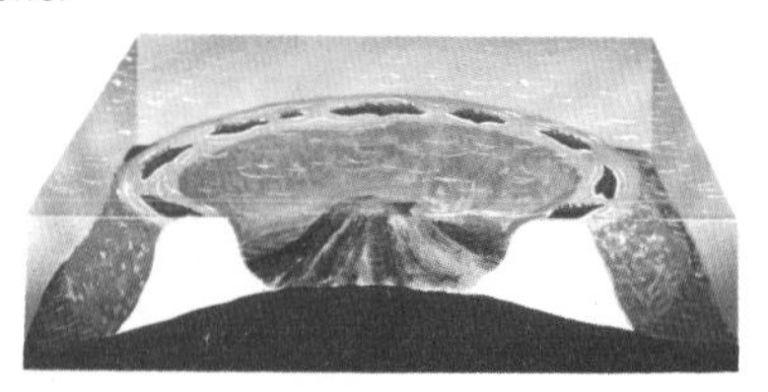

▲ *Une fois l'île totalement disparue, reste le récif de corail qui forme un atoll.*

▲ *Les coraux sont de minuscules animaux appelés polypes. Les coraux commencent par n'être qu'un unique polype ouvert à une extrémité et entouré de tentacules. Sur l'illustration ci-dessus, les polypes de gauche sont ouverts, montrant les tentacules qui cernent la bouche ; les polypes de droite sont fermés.*

sécrétée par couches superposées, par des glandes spécialisées. Les mollusques peuvent être *univalves* (coquille hélicoïdale) ou *bivalves* (coquille formée de deux parties reliées par une charnière). Le terme de coquille désigne également l'enveloppe de certains fruits comme les noix et les noisettes.

**COQUILLE SAINT-JACQUES** Mollusque bivalve que l'on trouve un peu partout dans le monde, surtout en eaux peu profondes. La coquille Saint-Jacques se propulse dans l'eau en refermant brutalement ses valves.

**COR** Instrument de musique à vent en cuivre constitué d'un tube conique pouvant atteindre 5 m de long et enroulé sur lui-même. Le corps à pistons comporte trois pistons permettant de changer de tonalité : il tire son origine du cor de chasse français du XVIIᵉ siècle. ▷

**CORAIL** Animalcule marin constitué d'un tube creux terminé par une bouche entourée de tentacules. Les tentacules retiennent les petits CRUSTACÉS qu'ils déposent dans la bouche. A la base du tube, le corail sécrète un squelette calcaire en forme de coupe. Certains coraux sont solitaires, mais la plupart forment des colonies par bourgeonnement (ils se ramifient, le squelette se développant autour de nouvelles « branches »). La colonie finit par se composer de millions de polypes et par mesurer plusieurs mètres de long, de large et de haut. Les colonies constituent la base des récifs de coraux — l'extérieur du récif étant constitué par du corail vivant, le reste par des squelettes morts et autres matériaux comme des débris de coquilles. Les coraux solitaires vivent dans la quasi-totalité des mers, mais les espèces qui construisent des récifs ne peuvent subsister que dans les mers tropicales. (Voir ATOLL )

**CORAN** Livre sacré des musulmans, déclarant contenir les révélations faites au prophète MAHOMET par l'archange Gabriel. Les thèmes abordés dans le Coran sont proches de ceux de l'Ancien Testament (voir BIBLE) et, par son style, cet ouvrage constitue l'un des monuments de la littérature arabe.

**CORBEAU** Oiseau passereau noir de la famille des corvidés et mesurant jusqu'à 64 cm de long. Les corbeaux se nourrissent de charognes, de petits animaux et peuvent vivre jusqu'à 26 ans. Ils sont reconnaissables à leur croassement. Le nom générique est également donné à des espèces plus petites de corvidés (46 cm maximum) : la corneille et le freux, carnivores, et à certains migrateurs. ▷

**CORÉE** Nom de deux nations du nord-est de l'ASIE. La République démocratique populaire de Corée ou Corée du Nord compte

COR L'invention, en 1818, des pistons, a donné naissance au corps d'harmonie moderne. Jusqu'alors, on obtenait des cors de tonalités diverses par l'intermédiaire de tubes insérés dans le pavillon. Aujourd'hui, les trois pistons offrent la disposition de sept tonalités, couvrant une gamme chromatique de trois octaves et demie.

CORBEAU Le corbeau est affligé de la triste réputation d'être l'annonciateur de tous les malheurs : mort, maladie, malchance, et même mauvais temps. Les armées en marche redoutaient d'être suivies par des corbeaux — présage de nombreuses morts sur le champ de bataille.

CORÉE : DONNÉES
Langue officielle : coréen.
Monnaie : won.
Climat : chaud et pluvieux en été, froid et sec en hiver.
La population est aux deux tiers paysanne.

CORTÉS Le 10 février 1519, Cortés s'embarqua pour Cuba avec seulement 508 soldats, 100 marins et 16 chevaux. Son expédition était armée de fusils à pierre, d'arcs et d'arquebuses. En dépit de son petit nombre, cette force pauvrement armée conquit pourtant le puissant Empire aztèque du Mexique. Pour bien marquer sa détermination de vaincre à tout prix, Cortés, une fois débarqué au Mexique, fit brûler ses vaisseaux pour ôter à ses hommes toute idée de retraite.

◂ *Les corbeaux se nourrissent de charogne (chair d'animaux morts). Ils vivent dans les forêts et les landes et bâtissent souvent leur nid sur les corniches rocheuses.*

COSAQUES Le terme « cosaque » vient du turc *kazak* qui signifie « aventurier » ou « homme libre », ce qui reflète bien les origines de ce peuple constitué originellement par des serfs évadés de Pologne et de Russie et qui s'installèrent dans le sud et le sud-ouest de l'Empire russe.

18 300 000 habitants pour une superficie de 120 500 km². La capitale en est Piong-yang. La République de Corée ou Corée du Sud a une population de 38 800 000 habitants pour une superficie de 98 500 km². La capitale en est Séoul. ◁

**CORNE** Substance dure, semi-transparente, produite par la couche supérieure de la peau. Ongles, sabots et becs sont en corne. Il en est de même des organes — appelés cornes — qui ornent la tête de nombreux mammifères ruminants.

**CORNÉE** Partie antérieure, transparente, du globe oculaire. Sa courbure a une influence sur la vision : irrégulière, elle est cause de l'ASTIGMATISME. (Voir ŒIL.)

◂ *Pusan, deuxième ville de Corée du Sud et port au trafic important. La Corée a été divisée en deux en 1945. En 1972, les deux nations ont donné leur accord pour être réunies, mais les négociations n'ont guère progressé depuis.*

**CORNEILLE, PIERRE** Poète dramatique français (1606-1684). Il a écrit notamment *le Cid, Polyeucte, Horace, Cinna.*

**CORNEMUSE** L'un des plus vieux instruments du monde. La cornemuse est constituée de deux tuyaux à anches ou plus et d'une outre de cuir que le joueur gonfle à la bouche ou en actionnant un soufflet. Les origines de la cornemuse remontent au XIᵉ siècle av. J.-C. De nos jours, cet instrument est généralement associé à la musique écossaise.

**CORNET A PISTONS** Instrument de musique en cuivre, à vent et à embouchure, dont la sonorité est intermédiaire entre la trompette et le cor et qui figure souvent dans les orchestres de cuivres.

**CORROSION** Action dommageable de produits chimiques sur la surface des métaux ou sur d'autres substances. La forme de corrosion la plus courante est la rouille qui se forme sur le fer ou l'acier exposé à l'air humide. La corrosion peut être combattue par l'application de peinture ou autre revêtement. (Voir ROUILLE.)

**CORSE** La quatrième île de la Méditerranée en importance (après la Sicile, la Sardaigne et Chypre). La Corse fait partie de la France depuis 1768, date à laquelle Louis XV la racheta aux Génois.

**CORTÉS, HERNAN** Explorateur et CONQUISTADOR espagnol (1485-1547) qui conquit le Mexique en se rendant maître de Tenochtitlan, la capitale AZTÈQUE, et en tuant l'empereur Montezuma II. ◁

**CORTISONE** HORMONE sécrétée par les GLANDES SURRÉNALES et qui appartient au groupe des STÉROÏDES. La cortisone est un important facteur de régulation du métabolisme ; elle contribue à transformer les graisses et les protéines en GLUCOSE. La cortisone synthétique est utilisée dans le traitement de maladies comme les affections allergiques aiguës ou l'arthrite.

**COSAQUES** Peuple nomade qui, au XVᵉ siècle, patrouillait en permanence aux confins de la Russie, jouant le rôle de police des frontières. Cavaliers émérites, les Cosaques servirent dans la cavalerie de l'armée. Ce peuple férocement indépendant prit part à plusieurs reprises, au cours de son histoire, aux grandes révoltes contre les divers gouvernements russes. ◁

**COSMÉTIQUE** Préparation destinée à nettoyer, embellir ou maquiller le corps et surtout le visage. L'usage des cosmétiques remonte aux civilisations anciennes de Sumer, d'Égypte et de Phénicie dans lesquelles onguents, huiles et pigments étaient utilisés pour parfumer et orner le corps. Aujourd'hui, la préparation des cosmétiques constitue une industrie florissante qui, depuis quelques années, s'adresse aux hommes aussi bien qu'aux femmes.

**COSTA RICA** République de l'AMÉRIQUE CENTRALE d'une superficie de 50 700 km². Le Costa Rica produit du café, des bananes et du bois. Population : 2 350 000 habitants. Capitale : San José. ▷

**COSTUME** L'histoire du costume côtoie souvent l'histoire des civilisations elles-mêmes. En effet, si l'habillement est fonction du climat, il varie également selon le degré de civilisation, l'art, l'organisation politique et économique d'une société donnée.

Les costumes du monde antique avaient pour base la tunique, qui retombait en plis souples dans le *chiton* grec ou la toge romaine. L'Orient, par l'intermédiaire de l'EMPIRE BYZANTIN, apporta la richesse des couleurs et des motifs, la beauté des matières et l'ornementation de bijoux. Dans l'Europe du Moyen Age, les vêtements du peuple étaient des plus rustiques, mais les riches portaient des soieries fines et damassées venues d'Orient. Les fastes de la RENAISSANCE et le renouveau de l'art s'accompagnèrent d'un goût prononcé pour les matières somptueuses et les raffinements souvent exagérés du vêtement.

Le XVIIIᵉ siècle marqua un sommet dans la recherche vestimentaire et, par réaction, le début du XIXᵉ siècle se caractérisa par une extrême sobriété du vêtement qui se maintint sous une forme adoucie tout au long du siècle. Le XXᵉ siècle a vu une véritable révolution dans le domaine de la mode, avec notamment l'adoption par les femmes de vêtements plus pratiques et une uniformisation qui touche presque toutes les parties du monde. (Voir ART BYZANTIN ; BIJOU ; MODE ; SOIE)

**COTE-D'IVOIRE** République d'AFRIQUE occidentale. Ancien territoire français, la Côte-d'Ivoire a acquis son indépendance en 1960. L'agriculture constitue le secteur économique le plus important du pays, dont plus de la moitié des exportations est constituée par le café et le cacao. ▷

**COTON** FIBRE qui recouvre les graines de plusieurs espèces du genre *Gossypium* et utilisée comme textile depuis 3000 av. J.-C. Le coton fut introduit en Europe au IVᵉ siècle av. J.-C. par Alexandre le Grand. Le coton ne prit une réelle importance qu'au XVIIIᵉ siècle, avec l'invention par Eli Whitney d'une égreneuse qui séparait les graines de la fibre, ce qui diminuait énormément le prix de revient des cotonnades. Aujourd'hui, en dépit de la concurrence des fibres synthétiques, le coton reste un matériau apprécié. (Voir TEXTILES.)

▲ *Le coton est récolté, soit à la main, soit avec des machines, au moment où les capsules parvenues à maturité s'ouvrent, formant des boules blanches mousseuses.*

**COUCOU** Il doit son nom au cri caractéristique que seul, en Europe, pousse le mâle du coucou gris — oiseau gris-bleu qui passe l'été en Europe septentrionale et hiverne en Afrique. Certaines espèces, dont le coucou gris, ne construisent pas de nid : les femelles pondent leurs œufs dans les nids d'autres oiseaux, laissant aux parents adoptifs le soin de couver les œufs et d'élever les oisillons. ▷

▼ *Le bec grand ouvert du coucou déclenche chez la mère adoptive le réflexe alimentaire, ce qui fait de l'intrus l'oisillon le mieux nourri du nid.*

COSTA RICA : DONNÉES
Point culminant : Chirripo Grande (3 800 m).
Religion : catholicisme.
Monnaie : colon.
Langue officielle : espagnol.

COTE-D'IVOIRE : DONNÉES
Superficie : 322 460 km².
Population : 8 400 000 habitants.
Capitale : Abidjan (1 400 000 habitants).
Monnaie : franc CFA.
Langue officielle : français.
Cours d'eau : le Bandama, le Comoé et le Sassandra.
Climat : chaud et humide, avec de fortes chutes de pluie.
La Côte-d'Ivoire est devenue colonie et a été intégrée à l'Afrique Occidentale française en 1904. Depuis 1960, elle est membre indépendant des Nations unies.

COUCOU Les coucous déploient des trésors d'ingéniosité pour déposer leurs œufs dans le nid d'autres espèces. Ils sont capables de faire ressembler leurs œufs à ceux de l'hôte ou d'enlever l'un des œufs du nid pour le remplacer par le leur, de façon que la mère ne s'aperçoive pas de la supercherie ; à leur naissance, les jeunes coucous possèdent l'instinct d'éjecter du nid les autres nouveau-nés ou les œufs non éclos.

◄ *Le cougouar ou lion des pampas vit à haute altitude dans les montagnes Rocheuses et les Andes.*

**COUGOUAR** Autre nom du puma *(Felis concolor)* ou lion des pampas, un grand CHAT sauvage largement répandu du sud des États-Unis à l'Argentine. Il vit en montagne ou en terrain découvert.

**COULÉE** Procédé métallurgique qui permet de reproduire un objet métallique. Le métal en fusion est versé dans un moule à la forme de la pièce et, en se refroidissant, le métal se solidifie à la forme donnée.

**COULEUR** Ce que nous appelons « couleurs » est une interprétation par notre cerveau de phénomènes lumineux. Nous voyons du rouge lorsque notre œil reçoit des ondes lumineuses relativement longues et du violet si ces ondes sont beaucoup plus courtes. Entre ces deux extrêmes, notre cerveau fournit comme interprétation les diverses couleurs du SPECTRE. Un mélange de plusieurs longueurs d'ondes se traduit pour nous par une seule couleur, comme si l'on avait affaire à une unique longueur d'onde lumineuse. C'est pourquoi la couleur est dite de qualité *subjective* — c'est la réaction que nous avons à la lumière, plus qu'une relation exacte de la nature de la lumière.

La lumière blanche est un mélange de lumières de diverses longueurs d'ondes. Pour le démontrer, il suffit de décomposer la lumière du spectre solaire en ses diverses couleurs par l'intermédiaire d'un PRISME. Les arcs colorés d'un ARC-EN-CIEL sont formés de manière identique, les gouttes d'eau jouant alors le rôle de prismes.

Par souci de simplification, on a coutume de considérer la lumière blanche comme formée de trois couleurs seulement : le rouge, le vert et le bleu. Ces couleurs, dites *primaires,* peuvent se mêler les unes aux autres pour produire la quasi-totalité des autres couleurs. En peinture, ce sont le rouge, le jaune et le bleu qui constituent les couleurs primaires, ou plus précisément le magenta, le jaune et le cyan. La différence entre le mélange des lumières (synthèse additive) et le mélange des couleurs de peintres (synthèse soustractive) est montrée sur le schéma ci-dessous.

COULOMB Charles Augustin de Coulomb (1736-1806) était un soldat et un ingénieur français qui, s'étant intéressé aux travaux de Joseph Priestley sur l'électricité, énonça en 1785 la loi connue sous le nom de loi de Coulomb et qui établit que « la force d'attraction de deux charges électriques est proportionnelle au produit des charges et inversement proportionnelle au carré de la distance qui les sépare ». Coulomb étudia également le frottement, le travail des moulins à vent et l'élasticité du métal et des fibres de soie.

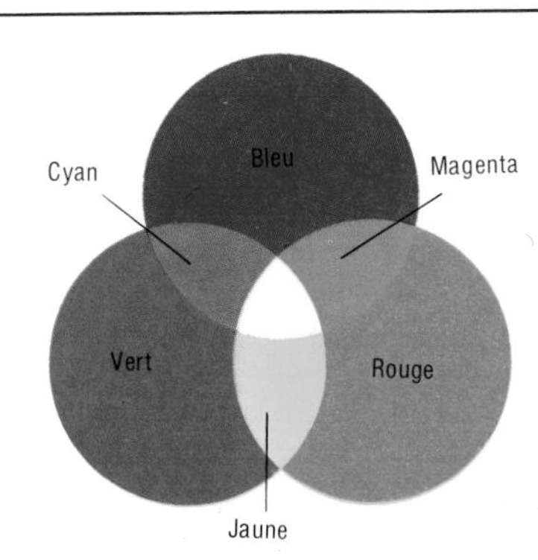


Synthèse additive. Le blanc est formé par la combinaison des trois couleurs primaires, et trois couleurs secondaires sont formées par la combinaison deux à deux des couleurs primaires.

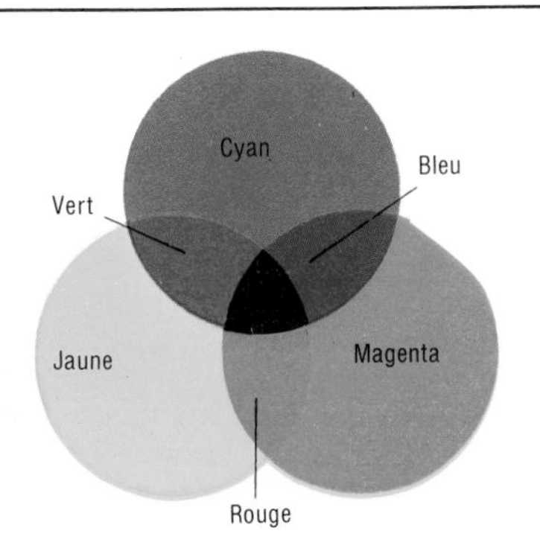


Synthèse soustractive. Les pigments primaires sont les trois couleurs secondaires de la synthèse additive. Les trois pigments primaires se combinent pour donner le noir.

**COULOMB** UNITÉ SI de mesure de CHARGE électrique, équivalant à la quantité d'électricité transportée en 1 seconde par un courant de 1 AMPÈRE. Le coulomb est représenté par le symbole C. ◁

**COURANT ÉLECTRIQUE** Voir ÉLECTRICITÉ et MAGNÉTISME.

**COURGE** Genre de plantes de la famille des cucurbitacées, aux tiges rampantes et aux fruits volumineux, allongés ou arrondis. Certaines espèces comme la courge proprement dite ou le potiron sont consommées comme légumes, d'autres comme les citrouilles sont réservées à l'alimentation des animaux.

**COURONNE** En ASTRONOMIE, région externe de l'atmosphère du Soleil. Lors des ÉCLIPSES de SOLEIL, la couronne solaire est visible sous forme d'un halo diffus de lumière argentée.

▲ *La couronne solaire n'est visible que lors des éclipses totales de Soleil, et ce pendant 7 minutes environ. En temps normal, elle est masquée par la lumière du Soleil.*

**COURSE DE HAIES** Course à pied qui se dispute sur un parcours interrompu à intervalles réguliers par des obstacles — les haies — que le concurrent doit franchir en sautant ; il peut renverser les haies au passage sans être disqualifié mais doit demeurer en permanence dans son couloir. ▷

**COUSIN** Nom donné à un certain nombre d'insectes ailés de l'ordre des diptères aux longues pattes fines, dont les MOUSTIQUES.

**COUTEAU** L'une des premières et des plus utiles INVENTIONS. Le couteau de l'homme des cavernes était taillé dans des morceaux de silex ou de quartz. Aujourd'hui, le couteau s'est diversifié dans sa forme et son utilisation, du ciseau du sculpteur au scalpel du chirurgien, en passant par le coupe-papier, le canif ou le couteau de chasse. ▷

**COUTURE** Toute opération qui consiste à assembler des morceaux d'étoffe à l'aide d'une aiguille et de fil. Aujourd'hui, une bonne part des travaux de couture s'effectue à l'aide de MACHINES A COUDRE, et des travaux d'aiguille décoratifs comme la broderie tendent à disparaître.

▼ *Certains couteaux sont plus décoratifs qu'utilitaires. Celui-ci a été fabriqué au Pérou, il y a 600 ou 700 ans environ. Les Péruviens étaient d'habiles métallurgistes, mais la plupart de leurs réalisations furent détruites il y a 500 ans par les conquérants espagnols.*

**COW-BOY** Au XIXe siècle, les cow-boys étaient des hommes qui surveillaient le bétail dans les vastes plaines de l'Amérique du Nord. De nos jours, le cow-boy est devenu un héros de la culture populaire américaine.▷

**CRABE** CRUSTACÉ à carapace dure et à pattes articulées. Il existe environ 4 500 espèces de crabes, dont la taille varie d'un demi-centimètre à peine pour le crabe des moules, jusqu'à l'envergure de près de 4 mètres du crabe-araignée du Japon. La plupart des espèces sont marines, quelques-unes terrestres.

**CRAIE** Roche CALCAIRE tendre, généralement blanche, principalement constituée de coquilles de minuscules animaux marins et de cristaux de calcite — deux formes de carbonate de calcium. ▷

**CRÈTE** Cette île en grande partie montagneuse de la Méditerranée orientale est la plus grande île de GRÈCE. Elle compte 457 000 habitants pour une superficie de 8 330 km$^2$. La Crète a été le berceau de la civilisation MINOENNE et les fouilles pratiquées à Cnossos, près d'Héraklion, ont mis au jour des fresques et des poteries d'une grande qualité artistique. ▷

**CREVETTE** Petit CRUSTACÉ décapode marin, de 5 cm de long en moyenne, qui vit sur le fond et passe la majeure partie de son temps enterré dans le sable. Plusieurs espèces comme la crevette grise et la crevette rose sont comestibles. Au Japon et dans le sud des États-Unis, la crevette est un produit commercial important.

**CRICKET** Jeu de balle qui se joue avec des battes aplaties et une balle dure recouverte de cuir, entre deux équipes de onze joueurs. Le cricket, sport national britannique, se pratique également en Australie, Nouvelle-Zélande, Afrique du Sud, aux Antilles, en Inde et au Pakistan. Des matchs sont disputés chaque année entre ces divers pays.

**CRIME** Tout acte humain qui viole les lois de la communauté ou de la nation dans laquelle il est commis. Les crimes sont punis en fonction des lois en vigueur, qui peuvent varier énormément d'un endroit à un autre. Dans la plupart des pays, néanmoins, sont considérés comme actes criminels l'incendie volontaire, le vol, la falsification, le meurtre et la trahison.

Au Moyen Age, un crime aussi bénin que le vol d'une miche de pain pouvait valoir la mort à son auteur. De nos jours, si dans l'ensemble les peines sont moins lourdes, le nombre des actes répertoriés comme criminels a augmenté. (Voir LOI.) ▷

COURSE DE HAIES Pour les hommes, la plus courte des courses de haies est le 110 m au cours duquel les concurrents doivent franchir 10 haies de 1,07 m de haut. Le parcours du 200 m haies comporte 10 obstacles de 76 cm de haut. Le plus long parcours est celui du 400 m qui comporte 10 haies de 91 cm de haut. Les femmes courent le 100 m haies qui compte 10 obstacles de 84 cm de haut.

COUTEAU Les couteaux peuvent être parfois employés à des usages macabres ; ainsi, par exemple, les couteaux sacrificiels des Aztèques du Mexique. Faits de silex taillé, ils servaient aux prêtres à ouvrir la cage thoracique des victimes propitiatoires pour leur arracher le cœur.

COW-BOY Le mot « cow-boy » est la traduction littérale du terme espagnol *vaquero*, nom que se donnaient les gardiens de bétail mexicains du Texas, avant l'arrivée des colons américains dans les années 1820-1830.

CRAIE La craie dont sont constituées les falaises de Douvres est responsable du nom d'« Albion », du latin *albus* qui signifie « blanc », que donnèrent les Romains à l'Angleterre.

CRÈTE L'un des plus fameux « fils » de la Crète est Domenico Theotokopoulos qui y naquit en 1541. Il étudia et peignit son île natale avant de la quitter pour Venise, Rome et Tolède où il devint célèbre sous le nom de « el Greco » — le Grec. Plus près de nous, un autre Crétois fameux, l'écrivain Nikos Kasantzakis, à qui l'on doit *la Liberté ou la Mort* et *Alexis Zorba*.

CRIME *Crime et Châtiment*, le roman de l'écrivain russe Fedor Dostoïevski, publié en 1866, est l'un des plus grands chefs-d'œuvre de la littérature mondiale. La philosophie du roman repose sur l'affirmation que le criminel est toujours puni de son crime par le remords.

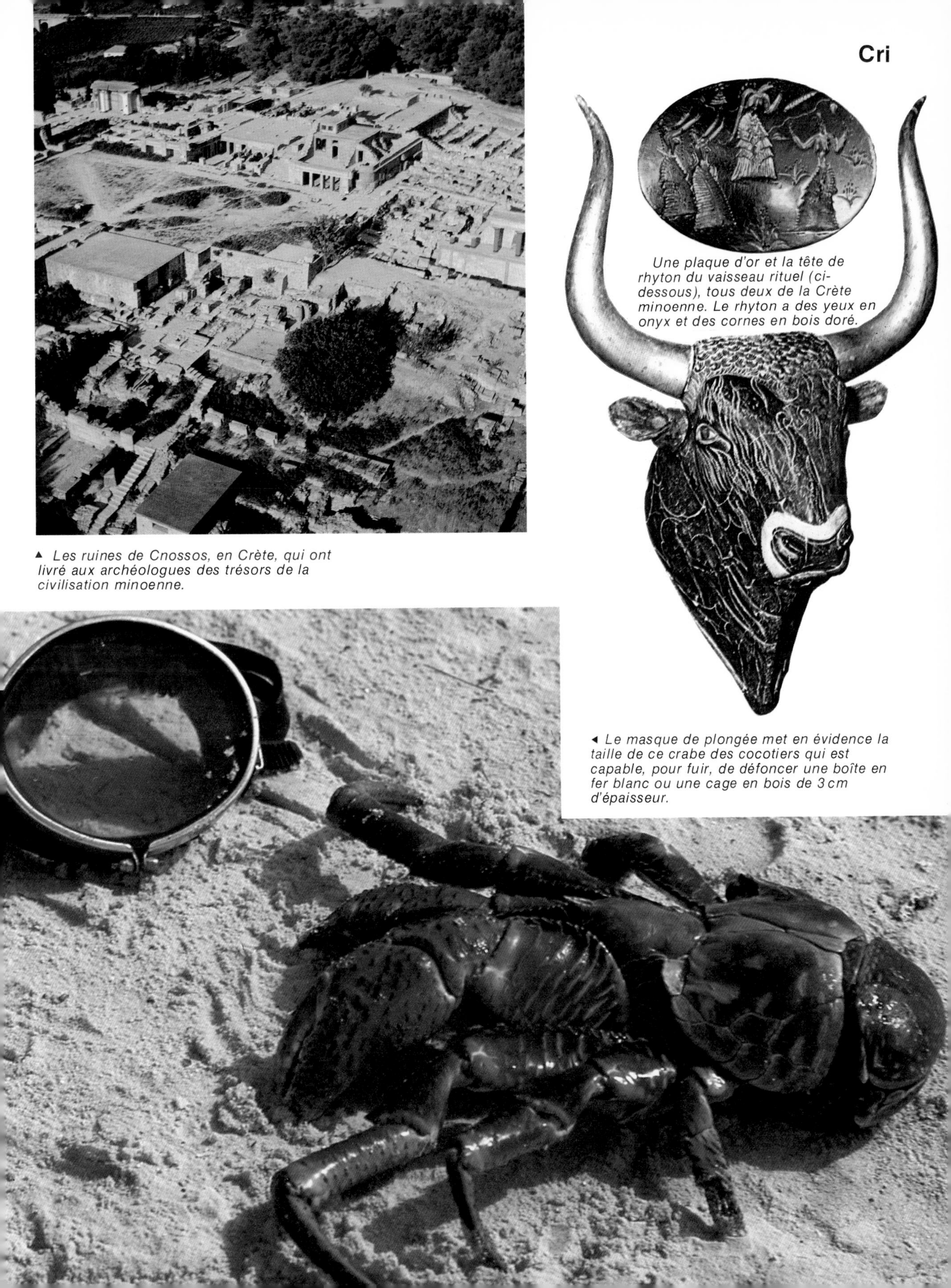

▲ Les ruines de Cnossos, en Crète, qui ont livré aux archéologues des trésors de la civilisation minoenne.

Une plaque d'or et la tête de rhyton du vaisseau rituel (ci-dessous), tous deux de la Crète minoenne. Le rhyton a des yeux en onyx et des cornes en bois doré.

◂ Le masque de plongée met en évidence la taille de ce crabe des cocotiers qui est capable, pour fuir, de défoncer une boîte en fer blanc ou une cage en bois de 3 cm d'épaisseur.

◂ *Gravure montrant les rudes conditions dans lesquelles se déroula la guerre de Crimée. Plus de 650 000 hommes périrent dans ce conflit, de maladie, d'épuisement ou à cause de fautes de commandement. En haut, une carte montrant la position de la Crimée.*

**CRIMÉE (GUERRE DE)** Conflit qui, de 1853 à 1856, opposa la Russie aux forces alliées de la France, de l'Angleterre, de la Turquie et du Piémont. Les Alliés, alarmés par les prétentions du tsar Nicolas Ier sur l'Empire ottoman, affrontèrent l'armée russe dans la péninsule de Crimée et la battirent. La défaite de la Russie fut entérinée par le traité de Paris. (Voir NIGHTINGALE, Florence.)

**CRIQUET** Insecte proche du GRILLON, qui se déplace en sautant et en volant. Herbivores, les criquets vivent parmi l'herbe et les fleurs, près du sol. Si la plupart des espèces sont capables de voler, les criquets préfèrent souvent sauter sur leurs pattes arrière longues et puissantes. Un grand nombre d'entre eux produisent un chant caractéristique en frottant leurs pattes arrière contre leurs ailes. Certaines espèces des pays chauds, comme le criquet pèlerin et le criquet migrateur, dévastent des régions entières en s'abattant en nuées de milliards d'individus.

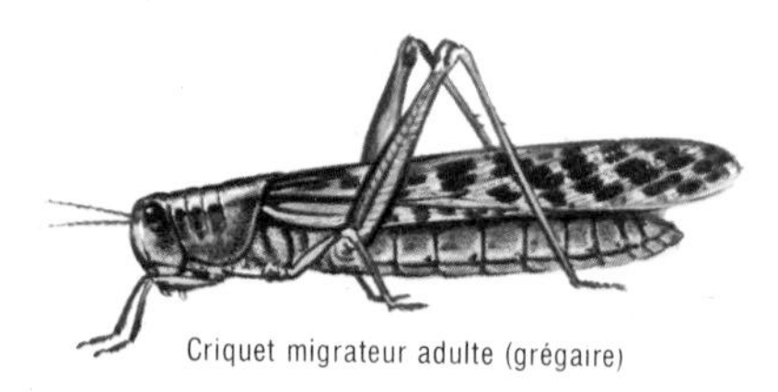

Criquet migrateur adulte (grégaire)

▴ *Seul l'adulte du criquet migrateur est capable de voler; les jeunes se contentent de sauter. L'espèce est grégaire, c'est-à-dire qu'elle se déplace en groupes nombreux. La lutte contre le criquet migrateur se fait par pulvérisation d'insecticide sur les jeunes avant l'essaimage.*

**CRISTAL** Substance qui s'est solidifiée selon des formes géométriques définies. (Voir GÉOMÉTRIE.) La plupart des solides peuvent former des cristaux. Les substances incapables de se cristalliser sont dites *amorphes.* On peut obtenir de gros cristaux à partir d'une solution concentrée d'un solide dans l'eau que l'on laisse lentement évaporer. Lors d'une ÉVAPORATION rapide, il se forme de petits cristaux.

**CROCHET** Longue dent pointue, généralement à venin, de certains serpents comme les vipères et les cobras. Une dent à venin est parcourue d'un étroit canal ouvert à une extrémité ; le VENIN pénètre dans la base par la dent et est injecté à la victime par l'extrémité.

**CROCHET** Type de TRICOT que l'on exécute à l'aide d'une seule aiguille recourbée à une extrémité — le crochet, que l'on utilise pour tirer des boucles de fil. Le crochet sert, par exemple, à confectionner dessus-de-lit, sacs, écharpes, etc., mais aussi de la dentelle.

▸ *L'étude de la forme d'un cristal est appelée* morphologie. *Les minéraux peuvent se cristalliser sous diverses formes : ainsi le graphite et le diamant, qui sont deux formes de cristallisation du carbone. Le carbonate de calcium peut exister sous forme de calcite ou d'aragonite. A droite, un cristal de calcite.*

CROCODILE Le plus gros crocodile du monde, *Crocodilus porosus*, vit sur les côtes d'Australie, d'Indonésie, des îles Salomon, des Philippines, d'Inde, du Sri Lanka et du Pakistan. Il se nourrit de chair morte ou vivante et constitue un danger sérieux pour les humains. On a vu des spécimens de ce crocodile mesurer 9 m et peser plus de 2 t.

CROMWELL, OLIVER Oliver Cromwell mourut à Whitehall, à Londres, le 3 septembre 1658. Le 23 novembre, il reçut des funérailles nationales, mais treize jours plus tard son corps avait déjà été secrètement enterré à l'abbaye de Westminster. Pourtant, en 1661, après la restauration de Charles II sur le trône d'Angleterre, les restes de Cromwell furent exhumés et sa dépouille pendue à Tyburn (aujourd'hui Marble Arch) — le lieu d'exécution des criminels —, puis enterrée sous le gibet. La tête de l'ancien lord-protecteur fut piquée sur un poteau et hissée en haut du palais de Westminster où elle demeura pendant tout le règne de Charles II.

CROTALE Les petits trous situés entre les yeux et les narines du crotale lui servent à détecter la présence d'autres créatures par un système à « infrarouges ». Le crotale détecte la chaleur du corps de sa proie et peut ainsi la localiser, même dans le noir.

▲ *S'ils passent le plus clair de leur temps dans l'eau, les crocodiles peuvent s'aventurer sur la terre ferme et poursuivre leur victime avec une rapidité étonnante. Il leur arrive d'assommer leur proie d'un coup de queue. Dans l'eau, les crocodiles flottent sous la surface, ne laissant apparaître que leurs yeux et leurs narines.*

**CROCODILE** Ce REPTILE des cours d'eau tropicaux est le plus proche parent vivant du DINOSAURE. Les crocodiles, qui peuvent mesurer jusqu'à 6 mètres de long, ont une peau épaisse et écailleuse. Ils passent le plus clair de leur temps à flotter à fleur d'eau ou à lézarder au soleil sur les rives. Certains crocodiles pondent leurs œufs blancs dans des trous de la berge, d'autres font des nids. ◁

**CROISADE** Expédition militaire organisée entre le XI$^{e}$ et le XIV$^{e}$ siècle par les chrétiens d'Europe pour aller délivrer la Terre sainte, et tout particulièrement JÉRUSALEM, de l'emprise des musulmans. A cause de dissensions entre les dirigeants, auxquelles vint s'ajouter pour les croisés l'appât du gain, toutes les croisades échouèrent. (Voir ARABES ; ISLAM ; MAHOMET ; RICHARD I$^{er}$.)

▼ *Ci-dessous, quelques-uns des crustacés que l'on rencontre le plus couramment sur le littoral. La crevette rose (1) ; l'anatife - ici fixé en groupe sur une bouteille flottante (2) ; la langouste (3) ; le homard (4) ; le crabe-araignée (5) ; la langoustine (6).*

**CROIX** Ancien instrument de supplice, devenu l'emblème de la foi chrétienne ; la croix est le signe de la rédemption de l'homme par la mort du Christ sur la croix.

**CROIX-ROUGE** Organisation internationale de la santé, fondée en 1863 par Henri Dunant pour venir en aide aux blessés sur les champs de bataille et ayant pour emblème une croix rouge sur fond de drapeau blanc. La Croix-Rouge a son quartier général en Suisse.

**CROMWELL, OLIVER** Homme d'État anglais (1599-1658). Lors de la première guerre civile (1642), ses troupes bien disciplinées défirent les forces royalistes et, après l'exécution de CHARLES I$^{er}$ (1649), l'Angleterre fut instituée république. Après la mort de Cromwell, la République s'effondra et Charles II monta sur le trône. ◁

**CROTALE** Serpent venimeux de l'Amérique du Nord. Le crotale est également appelé serpent à sonnette à cause de son grelot constitué d'anneaux de peau desséchée et cornée situés à l'extrémité de sa queue. ◁

**CRUSTACÉS** CRABES, HOMARDS, CREVETTES ou BALANES sont des crustacés. Les crustacés ont généralement une enveloppe calcaire dure et, à l'exception de quelques espèces comme le cloporte, presque tous sont des animaux marins. On les a surnommés les « insectes de la mer » du fait de leur grand nombre et de leur diversité. Parmi les crustacés, on trouve aussi bien des créatures microscopiques que des homards géants atteignant 14 kg. Ce sont de petits crustacés qui constituent la majeure partie du PLANCTON qui

flotte à la surface de la mer et constitue la nourriture de nombreux poissons. Les petits crustacés servent également de nourriture à la baleine à bosse, le plus gros mammifère vivant.

**CUBA** République insulaire des ANTILLES ayant à sa tête un gouvernement communiste depuis 1959. Cuba compte 9 700 000 habitants pour une superficie de 114 500 km². Les principales productions sont : le sucre, le tabac (cigares), le nickel et le rhum. Capitale : La Havane. ▷

**CUBISME** École de peinture moderne qui s'attacha à mettre en évidence la nature tridimensionnelle des objets en les décomposant en formes géométriques telles que sphères, cubes, cylindres et cônes. Pablo PICASSO et Georges Braque impulsèrent ce mouvement en France au début du XXᵉ siècle. ▷

**CUIR** Matériau préparé à partir de la peau d'animaux que l'on *tanne* après l'avoir débarrassée de la chair et des poils. Le tannage consiste à appliquer sur la peau des produits chimiques qui empêchent sa décomposition et donnent au cuir souplesse et résistance.

**CUIVRE** Métal rougeâtre, bon CONDUCTEUR de la chaleur et de l'électricité. Le cuivre sert à fabriquer des tuyaux, des alambics, des câbles électriques. Il entre dans la composition d'alliages comme le BRONZE et le LAITON.

**CULTURE ET ÉLEVAGE** C'est au Moyen-Orient, vers 8000 av. J.-C., que l'homme a commencé à cultiver des plantes et à élever des animaux pour les manger. Aujourd'hui, un dixième environ de la surface de la Terre a été transformé en terre arable (cultivable) et un cinquième en pâtures, ce qui laisse encore une forte proportion de terres totalement improductives.

La principale culture mondiale est celle des CÉRÉALES : le maïs dans les régions chaudes, le RIZ dans les pays tropicaux humides, le BLÉ dans les pays tempérés froids, etc. Dans les pays en voie de développement, les populations pratiquent une culture et un élevage extensifs qui fournissent uniquement de quoi nourrir les familles. Dans les pays développés, la culture et l'élevage sont mécanisés et les rendements élevés ; les agriculteurs utilisent des méthodes scientifiques et se regroupent souvent en coopératives. Ils pratiquent la rotation des cultures (voir ASSOLEMENT) et utilisent des ENGRAIS pour entretenir la fertilité du sol. Les pays tropicaux pratiquent souvent la culture en vastes plantations sur lesquelles on cultive une seule espèce de végétaux comme le THÉ ou le CAFÉ.

L'élevage peut être, lui aussi, extensif, comme celui pratiqué par les nomades dans certaines contrées, ou intensif comme c'est de

▲ *Les grandes exploitations agricoles modernes pratiquent la pulvérisation de pesticides pour lutter contre les larves, insectes ou champignons parasites, capables de faire baisser d'un tiers parfois le volume de la récolte.*

plus en plus fréquemment le cas dans les pays développés. (Voir AGRICULTURE ; INDUSTRIE LAITIÈRE ; VOLAILLE.)

**CUPIDON** Dieu de l'Amour dans la MYTHOLOGIE romaine, représenté sous la forme d'un angelot souriant bandant un arc dont les flèches transpercent quiconque devient amoureux.

**CURIE, MARIE ET PIERRE** Couple de chimistes et de physiciens français : Marie, d'origine polonaise (1867-1934), et Pierre (1859-1906), qui conduisirent la plupart de leurs recherches en commun.

En 1898, étudiant l'URANIUM — élément radioactif de la pechblende —, Marie pensa avoir découvert un nouvel ÉLÉMENT. Pierre se joignit à sa recherche et, dans la même année, tous deux découvraient le polonium et le RADIUM. En 1902, après avoir traité des tonnes de pechblende — minerai d'uranium —, ils isolaient un gramme de radium pur. En 1903, ils partageaient le PRIX NOBEL de physique avec Henri Becquerel. Après la mort de Pierre, Marie reprit sa chaire de physique à la Sorbonne et, en 1911, se vit attribuer le prix Nobel de chimie. ▷

▼ *Marie et Pierre Curie dans leur laboratoire, en 1903 - année où ils se virent attribuer le prix Nobel pour la découverte du radium.*

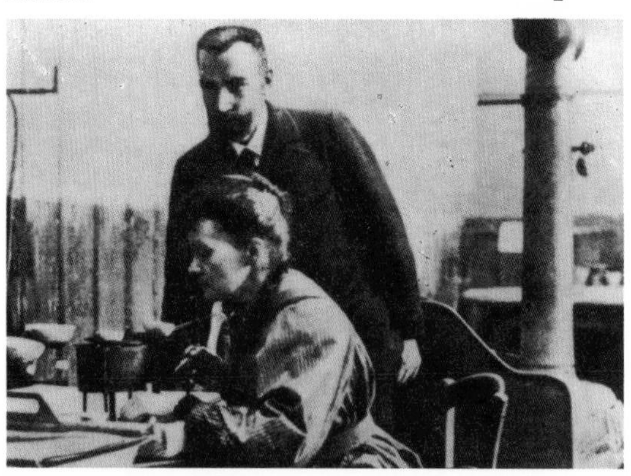

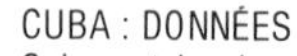

CUBA : DONNÉES
Cuba est la plus grande des îles Caraïbes. Elle mesure environ 1 200 km de long sur 96 km de large.
Langue officielle : espagnol.
Monnaie : peso.
Point culminant : Pico Turquino (1 973 m), dans la Sierra Maestra.
Principal cours d'eau : le Cauto.
Religion : catholicisme.

CUBISME Ce mouvement artistique doit son nom aux commentaires railleurs de l'artiste Henri Matisse et du critique Louis Vauxcelles qui, en 1908, devant une toile de Georges Braque *(Maisons à l'Estaque)*, avaient décrété qu'elle était « composée de cubes ».

CURIE, MARIE ET PIERRE Les Curie constituaient une famille tout à fait remarquable. Non seulement Pierre et Marie partagèrent le prix Nobel de physique en 1903, mais leur fille, Irène, et leur gendre, Jean-Frédéric Joliot, se virent attribuer en commun le prix Nobel de chimie en 1935.

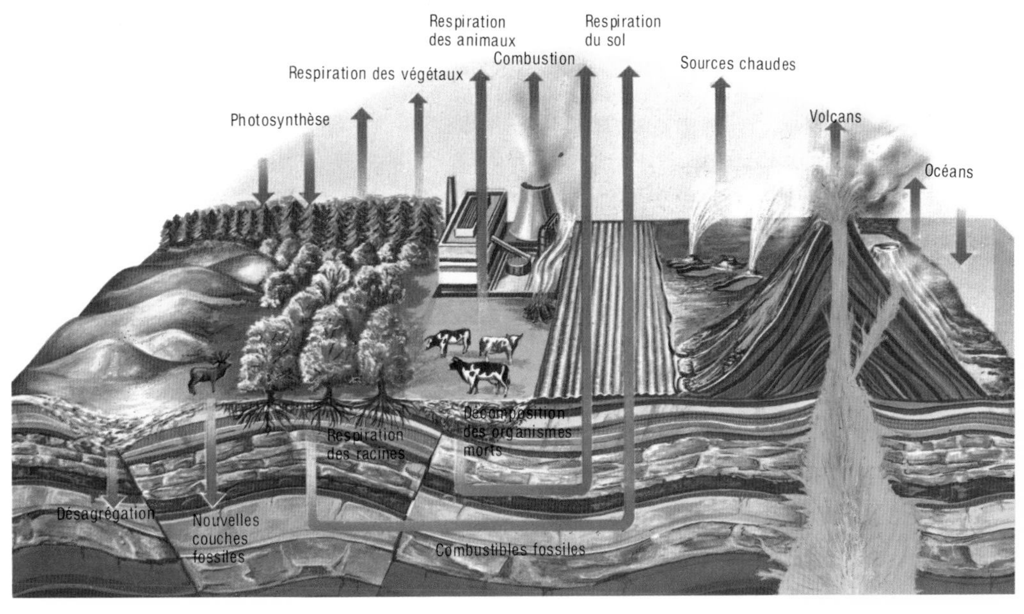


**CYCLE DU CARBONE** Série de réactions au cours desquelles le CARBONE circule entre les êtres vivants et leur environnement. Dans le processus dit de PHOTOSYNTHÈSE, les plantes absorbent le GAZ CARBONIQUE de l'air qu'elles transforment en divers composés carbonés ; ce processus s'accompagne d'une absorption d'énergie solaire. Les animaux consomment les plantes, d'autres mangent des animaux herbivores. Dans le corps des animaux, les composés de carbone sont dissociés — processus qui se traduit par un dégagement d'énergie et de gaz carbonique ; c'est ainsi que les animaux se procurent l'énergie nécessaire aux fonctions vitales. En expirant (Voir RESPIRATION), les animaux expulsent dans l'air le gaz carbonique, complétant ainsi le cycle. Il y a également libération de gaz carbonique lors de la décomposition des organismes vivants et de la combustion de certaines substances.

▲ *La circulation du carbone et de l'oxygène entre le sol, l'atmosphère et les organismes vivants. Le gaz carbonique est absorbé par les végétaux qui rendent de l'oxygène à l'air. Les animaux absorbent du carbone en consommant des végétaux puis, en respirant, absorbent de l'oxygène et restituent du gaz carbonique. Animaux et végétaux contribuent conjointement à maintenir plus ou moins constante la quantité globale d'oxygène et de gaz carbonique. Les végétaux, principalement par l'intermédiaire de leurs racines, libèrent du gaz carbonique au cours de la respiration, et la décomposition des organismes morts libère une plus forte proportion de ce gaz. La combustion des végétaux consomme de l'oxygène et dégage du gaz carbonique.*

CYGNE Selon une ancienne légende, le cygne, juste avant de mourir, lancerait un chant mélancolique, ce qui a donné naissance à l'expression « le chant du cygne » qui désigne la dernière œuvre d'un poète ou d'un musicien.

**CYGNE** Oiseau au long cou souple, aux ailes puissantes et aux pattes palmées. Les cygnes passent le plus clair de leur temps dans l'eau où ils trouvent leur nourriture. Ils forment des couples permanents. Une espèce de cygne toute blanche est domestiquée comme ornement de pièces d'eau ; le cygne noir *(Cygnus atratus)* d'Australie a été choisi comme emblème de l'Australie occidentale. ◁

**CYPRÈS** CONIFÈRE au bois dur et au feuillage dense. Le cyprès est originaire de Grèce, ce qui le singularise de la majorité des conifères — généralement espèces des régions froides. Dans les régions méditerranéennes, la forme sombre et élancée du cyprès fait partie du paysage quotidien.

◀ *Le cygne a coutume de lisser ses plumes avec son bec, ce qui les débarrasse de la poussière et des parasites.*

**DALI, SALVADOR** Peintre surréaliste espagnol, né à Barcelone en 1904. La stupéfiante invention onirique dont il témoigne dans ses œuvres le fait figurer parmi les peintres les plus originaux de la période contemporaine. (Voir SURRÉALISME.)

**DALMATIEN** Chien de taille moyenne au poil court, blanc marqué de taches noires. Les dalmatiens doivent leur nom à la Dalmatie, province de Yougoslavie dont on les suppose originaires.

**DALTONISME** Incapacité de distinguer une COULEUR d'une autre. Le daltonisme est une affection héréditaire qui se transmet le plus souvent de mère en fils. Elle doit son nom au chimiste anglais John Dalton (1766-1844) qui l'identifia.

**DANEMARK** Petite monarchie de l'Europe septentrionale, le Danemark compte 5,2 millions d'habitants (1982) pour une superficie de 43 069 km$^2$. Copenhague, la capitale, est située sur l'une des nombreuses îles du Danemark. Le Danemark produit et exporte des produits laitiers, de la viande et autres denrées alimentaires, mais c'est principalement un pays industriel. ▷

**DANSE** Danser est l'une des activités humaines les plus naturelles qui consiste à se mouvoir rythmiquement dans l'espace. La forme de musique de danse la plus simple est le battement rythmé des tambours, tel que le pratiquent les tribus d'Afrique. Il existe plusieurs types de danses : les danses religieuses et les danses de guerre, les représentations théâtrales dansées comme le BALLET et les danses sociales que les gens pratiquent comme une distraction. A travers l'histoire, la danse a parfois été utilisée comme moyen narratif. Les Grecs anciens considéraient la danse comme un art majeur, indispensable au maintien de la santé. Aujourd'hui, les divers pas de danse sont encore pratiqués, mais les gens préfèrent souvent se mouvoir librement au son de la musique.

**DANTON, GEORGES JACQUES** Avocat et révolutionnaire français (1759-1794). Il fut guillotiné sur l'instigation de Robespierre.

**DANUBE** Le Danube, second fleuve d'EUROPE par sa longueur et importante voie commerciale, prend sa source en Allemagne et se jette dans la mer Noire après avoir parcouru 2 780 km. Il traverse l'Autriche, la Tchécoslovaquie, la Hongrie et la Yougoslavie, formant par endroits frontière entre la Roumanie d'une part, la Bulgarie et l'U.R.S.S. d'autre part. ▷

DANEMARK : DONNÉES
Langue officielle : danois.
Monnaie : couronne danoise.
Point culminant : Yding Skovho (173 m). Le Danemark est un pays très plat.
Le Danemark se compose de la péninsule du Jutland — qui le relie à l'Allemagne — et de quelque 500 îles.
Un cinquième environ de la population vit à Copenhague, capitale et principal port du pays (1 200 000 habitants).

DANUBE On évalue à 80 millions de tonnes les sédiments que charrient en un an les eaux du Danube, ce qui impose un dragage constant du fleuve pour le garder navigable. En dépit de cela, le delta du Danube s'agrandit chaque année d'une trentaine de mètres.

▸ *La danse est l'une des plus anciennes formes d'expression humaine. Ici, une représentation de danse avec écharpes, à Hong Kong. Les danseuses orientales portent souvent de superbes costumes et sont renommées pour les mouvements gracieux de leurs mains et de leurs bras.*

DATATION AU CARBONE 14 Les humains, les animaux et les végétaux sont faiblement radioactifs. Ils contiennent une quantité donnée d'un isotope radioactif du carbone appelé *carbone 14*. Quand la personne, l'animal ou la plante meurt, la formation de carbone 14 s'interrompt et celui qui s'est formé commence à se décomposer lentement par émission des particules bêta. Il s'est à demi décomposé au bout de 5 570 ans. En mesurant la quantité de carbone 14 restant dans les vestiges d'une plante ou d'un animal, on peut donc calculer la date de sa mort. La datation au carbone 14 a permis de dater des vestiges jusqu'à 40 000 ans environ.

DAUPHIN Les dauphins usent de moyens de communication sophistiqués. Comme les humains, ils émettent et captent des sons, les interprètent et construisent des images et des schémas mentaux. Des recherches conduites récemment sur certaines espèces de dauphins — en particulier les souffleurs de l'Atlantique — ont montré que la communication était possible entre l'homme et le dauphin. De plus, les dauphins semblent tout à fait intéressés à communiquer avec l'homme.

DEBUSSY Si quelqu'un a mérité le qualificatif de rebelle, c'est bien Debussy. De sensibilité anarchiste, il rejeta toutes conventions, sociales comme musicales. Sa nature hypersensible d'artiste fut pour lui une source de conflits permanents qu'il tentait de résoudre par l'intermédiaire d'un certain « monsieur Croche » de son invention, auquel, lors d'une conversation, il fit un jour poser à son autre moi la question suivante : « A quoi sert votre art quasi incompréhensible ? N'est-il pas plus profitable de contempler un lever de soleil que d'écouter la *Symphonie pastorale* de Beethoven ? »

DENSITÉ Le corps naturel ayant la plus forte densité est l'osmium, découvert en 1804, de densité 22,5 — c'est-à-dire que, alors que 1 m³ d'eau pèse 1 t, 1 m³ d'osmium pèse 22,5 t. Les scientifiques pensent que les « trous noirs » de l'espace sont constitués de matière astronomiquement plus dense que l'osmium.

▲ *Charles Darwin en 1840. A son départ pour l'expédition du* Beagle, *Darwin n'était âgé que de 22 ans. Il avait 27 ans à son retour et jusqu'à sa mort, survenue à l'âge de 73 ans, il ne quitta plus le sol anglais. Il publia* Sur l'origine des espèces *en 1859.*

**DARWIN, CHARLES** Naturaliste anglais (1809-1882) qui élabora la théorie de l'ÉVOLUTION. Jeune homme, Darwin se dirige d'abord vers la médecine, puis la fonction ecclésiastique, mais opte finalement pour l'histoire naturelle. En 1831, il s'embarque sur le navire scientifique *Beagle,* pour un voyage d'étude de cinq ans au cours duquel il observe des milliers d'animaux et de végétaux. De retour en Angleterre, il poursuit ses recherches, et en 1859 publie l'ouvrage qui le rendra célèbre : *Sur l'origine des espèces,* dans lequel il résume ses théories concernant l'évolution. Dans un second livre publié en 1871, il fait remonter les origines de l'homme jusqu'aux singes anthropoïdes. Jusqu'à sa mort, en 1882, Darwin continue à écrire et à étudier.

**DATATION PAR LE CARBONE 14** Technique qui permet de dater les vestiges de corps autrefois vivants, comme le bois. Un arbre vivant contient un isotope radioactif (voir ATOME) qui se décompose, après l'abattage de l'arbre, à une vitesse connue. (Voir RADIOACTIVITÉ.) En mesurant la quantité restante de l'isotope, on peut estimer l'âge du bois. (Voir ARCHÉOLOGIE.) ◁

**DAUPHIN** Petite BALEINE à dents que l'on trouve dans presque toutes les mers du monde ; quelques-uns vivent dans les fleuves tropicaux. Gris ou noirs pour la plupart, les dauphins mesurent entre 2 et 4 m. Ils nagent en bancs et se nourrissent principalement de poissons. Ce sont des animaux familiers qui s'amusent souvent à suivre les bateaux. ◁

**DÉ** Petit cube marqué sur chaque face de points, de un à six, ou de figures, et utilisé pour différents jeux.

**DEBUSSY, CLAUDE** Compositeur français (1862-1918), auteur d'une musique de style impressionniste. Il rompt avec la composition traditionnelle au profit d'une expression plus libre et plus poétique. ◁

**DÉCATHLON** Épreuve inscrite aux jeux Olympiques depuis 1912, étalée sur deux jours et comportant dix spécialités : le saut en longueur, en hauteur et à la perche ; le lancer du poids, du disque et du javelot et quatre courses : 100 m, 400 m, 1 500 m, 110 m haies.

**DÉCLARATION D'INDÉPENDANCE AMÉRICAINE** Le 4 juillet 1776, les délégués de 13 colonies britanniques d'Amérique signaient la Déclaration d'indépendance américaine qui entérinait la création des treize premiers États unis d'Amérique.

**DEFOE, DANIEL** Romancier anglais (1660-1731) et auteur de nombreux pamphlets. Son œuvre la plus connue, *Robinson Crusoé,* imagine la survie d'un naufragé sur une île des Tropiques.

**DELTA** Zone de terrains alluviaux, édifié à leur embouchure par certains fleuves comme le Houang-Ho, le MISSISSIPPI ou le NIL. Le plus grand delta du monde est celui du GANGE-Brahmapoutre, au Bangladesh.

**DÉMOCRATIE** Forme de GOUVERNEMENT organisée par le peuple au bénéfice du peuple. Dans les démocraties, le peuple élit généralement des représentants chargés de défendre les idées de leurs électeurs dans diverses instances locales ou parlementaires.

**DENSITÉ** Rapport de la masse d'un certain volume d'un corps solide ou liquide à celle du même volume d'eau (air pour les gaz). ◁

**DENT** Organe dur, inséré dans les mâchoires de la plupart des VERTÉBRÉS, à l'exception des oiseaux. La denture est généralement constituée par deux rangées de dents — une dans la mâchoire supérieure, l'autre dans la mâchoire inférieure. Les dents servent principalement à déchirer, mâcher ou broyer les aliments. La denture est adaptée au régime alimentaire de chaque type d'animal : les rongeurs comme les RATS ont des dents pointues et aiguës, les animaux qui broutent, comme les CHEVAUX, de longues dents aplaties. Les dents ne servent pas exclusivement à manger. Certains CARNIVORES, comme les HYÈNES, utilisent leurs dents pour saisir leur proie. Les

CASTORS se servent des leurs pour abattre les arbres et les énormes dents des ÉLÉPHANTS leur servent à creuser et à se battre. ▷

**DENTELLE** Tissu aéré, uni ou orné, confectionné à partir de boucles de fil — lin, coton, soie, argent, or, nylon ou laine. La dentelle a fait son apparition en Italie à la fin du XVe siècle.

**DENTISTE** Praticien diplômé, spécialisé dans les soins dentaires. Le travail d'un dentiste consiste dans le traitement des affections dentaires, la correction de l'implantation des dents ou les malformations de la mâchoire, les soins des caries, l'adaptation de prothèses (bridges, couronnes, dentiers...). L'obtention du diplôme de dentiste demande environ six ans d'études.

**DÉODORANT** Désigne un produit qui fait disparaître les odeurs corporelles (lorsqu'il s'agit d'une pièce, on utilise le terme « désodorisant »). Les antiperspirants sont des déodorants qui agissent par suppression temporaire de la transpiration.

**DERBY** Célèbre course de chevaux qui se court chaque année à Epsom, en Angleterre, sur une distance de 1,5 mile (2 414 m). Le Derby est ouvert aux poulains et pouliches de trois ans qui doivent être inscrits pour la course au moins dix-huit mois à l'avance.

**DÉSERT** Région sèche, à végétation rare ou absente. Les déserts chauds, comme le SAHARA, sont situés sous les tropiques. Les déserts froids, comme l'ANTARCTIQUE, doivent leur paysage désolé à ce que les températures trop basses empêchent la croissance de la végétation. ▷

**DÉSINFECTANT** Substance chimique utilisée pour tuer les microbes et éviter certaines maladies. Le chlore est un désinfectant couramment utilisé pour la stérilisation de l'eau.

**DESSIN ANIMÉ** Suite de dessins qui, projetés à une cadence donnée, donnent l'illusion du mouvement. L'un des plus fameux cinéastes de dessin animé a été Walt DISNEY qui révolutionna la technique du genre. Ses personnages, tels **Mickey** et **Donald**, sont célèbres dans le monde entier.

**DESTROYER** Bâtiment de guerre de 90 à 120 m, généralement chargé de missions d'escorte et de patrouille. Un destroyer est armé de torpilles et de canons de petit et moyen calibres. Mis en service à partir de 1893, les destroyers sont aujourd'hui largement remplacés par des bâtiments plus petits : les FRÉGATES.

**DÉTERGENT** Voir SAVON ET DÉTERGENTS.

*▸ La structure d'une molaire. Elle se compose de deux parties : la couronne et la racine. La couche d'émail visible à l'extérieur est la substance la plus dure du corps. La couche inférieure est en ivoire ou dentine ; elle entoure la chambre pulpaire qui contient les vaisseaux sanguins et les nerfs.*

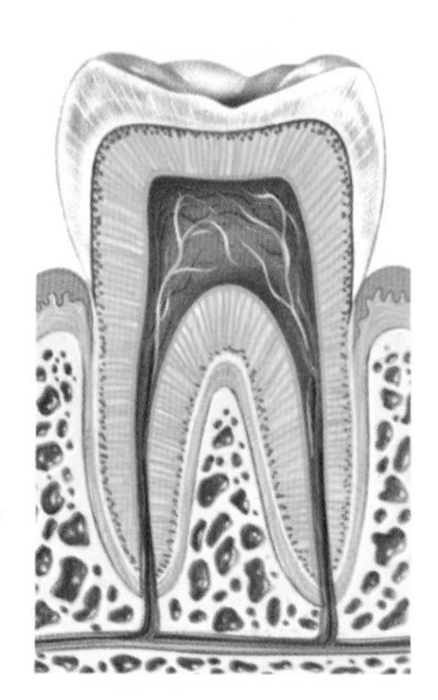

**DÉTONATEUR** Dispositif pour amorcer la détonation d'une charge explosive.

**DEUX-ROSES (GUERRE DES)** Nom donné à la guerre civile qui, de 1455 à 1485, en Angleterre, opposa la maison d'York, dont l'emblème était une rose blanche, à celle de Lancastre (rose rouge).

**DIABÈTE** Si l'on ignore la cause du diabète sucré, on suppose généralement qu'il s'agit d'une maladie héréditaire. Il existe plusieurs types de diabète mais, en ce qui concerne le diabète sucré, il se manifeste par un dérèglement dans le processus de régulation du taux de glucose sanguin (hyperglycémie) provoqué par une insuffisance dans la production d'insuline. ▷

**DIAMANT** Une des formes de cristallisation du CARBONE. Pur, le diamant est incolore, mais il contient souvent des impuretés qui le teintent. Les diamants naturels sont taillés à facettes et intégrés le plus souvent à des bijoux. En tant que substance la plus dure, le diamant sert à fabriquer des outils coupants. Les diamants industriels sont fabriqués à partir du GRAPHITE. (Voir CARAT.)

**DIAMÈTRE** Voir CERCLE.

**DICKENS, CHARLES** L'un des plus grands romanciers anglais (1812-1870). A 24 ans, Dickens se rend célèbre en publiant *les Aventures de M. Pickwick*. Des années de pauvreté et de dur labeur de son enfance, Dickens a tiré la matière de romans comme *Olivier Twist*, *David Copperfield* et *les Grandes Espérances*.

*▸ Dès que la nuit est tombée sur le brûlant désert américain, la température baisse considérablement et les animaux restés cachés tout le jour s'éveillent pour se nourrir. Le pic de Gila s'attaque à un cierge. Le kit-fox (renard à grandes oreilles), l'un des prédateurs du désert, se nourrit de lapins et de rongeurs. Les crotales et les monstres Gila se mettent, eux aussi, en quête de rongeurs, et la tortue du désert sort de son terrier pour brouter la végétation.*

DENT Chez les êtres humains, les premières dents apparaissent entre six et neuf mois. La dentition de l'enfant jusqu'à deux ou trois ans correspond à l'éruption de 20 dents de lait, 10 supérieures et 10 inférieures. Le denture définitive est constituée de 32 dents ; ce sont généralement les molaires qui apparaissent d'abord à partir de six ou sept ans ; les dernières sont les dents de sagesse (les quatre molaires postérieures). Leur éruption se situe entre 17 et 21 ans, mais il arrive qu'elles n'apparaissent jamais.

DÉSERT On définit comme un désert toute région dans laquelle le niveau des précipitations ne dépasse pas 25 cm par an ou dont la surface perméable ne retient pas suffisamment d'eau pour permettre la croissance des végétaux. Un huitième environ de la surface mondiale est désertique et le Sahara, qui couvre 8,4 millions de km² de l'Afrique du Nord, est le plus vaste désert du monde.

DIABÈTE Jusqu'en 1921, toute personne atteinte de diabète courait à une mort certaine. Or, cette année-là, trois chercheurs de l'université de Toronto, au Canada (Sir Frederick Banting, Charles H. Best et John James Richard Macleod), identifièrent et isolèrent l'insuline — hormone produite par le pancréas, mais en quantité insuffisante chez les diabétiques. En extrayant de l'insuline de pancréas d'animaux et en l'injectant à des diabétiques, les chercheurs découvrirent que le diabète pouvait être endigué.

1
2
3
4
5
6
1 Pic de Gila
2 Chevêchette elfe
3 Kit-fox (renard à grandes oreilles)
4 Crotale
5 Monstre de Gila
6 Tortue du désert

**DICTIONNAIRE** Recueil dans lequel il est possible de trouver l'orthographe, la prononciation, la définition, voire la traduction dans une autre langue des mots d'une langue classés par ordre alphabétique. Les dictionnaires de langues donnent, sous une forme abrégée, des informations sur la nature (*n.* pour NOM, *adj.* pour ADJECTIF...) des mots, leur genre (*m.* pour masculin...). Parfois, une phrase illustre l'emploi du mot dont l'étymologie est souvent fournie.

**DIGESTION** Processus de décomposition des aliments en molécules susceptibles de circuler dans le SANG pour alimenter les CELLULES. La digestion débute par la mastication des aliments et la production de salive (voir GLANDES SALIVAIRES) ; elle se poursuit dans l'ESTOMAC puis dans l'INTESTIN grêle. Lorsque la nourriture pénètre dans le gros intestin, ou côlon, presque tous les éléments nutritifs sont passés dans le sang. Les déchets sont expulsés par l'anus.

**DINDON** Gros oiseau originaire d'Amérique du Nord et centrale aujourd'hui élevé pour sa chair dans de nombreuses parties du monde. Domestiqué par les AZTÈQUES du Mexique, le dindon fut importé en Europe par les CONQUISTADORS espagnols. La dinde constitue le plat traditionnel de Noël dans de nombreux pays. Le dindon domestique est brun teinté de bronze. ▷

**DINOSAURES** Vaste groupe de REPTILES préhistoriques de l'ère secondaire (entre 225 millions et 65 millions d'années). Le mot dinosaure signifie en grec « lézard terrible », ce qui était le cas pour quelques-uns de ces animaux. *Tyrannosaurus* était un genre carnivore, féroce, mesurant 15 m de long et près de 6 m de haut dressé sur ses fortes pattes arrière. Son énorme bouche était garnie de dents

▼ Tyrannosaurus, *l'un des dinosaures carnivores les plus féroces, s'attaque à* Corythosaurus, *l'un des dinosaures à bec de canard, tous herbivores.*

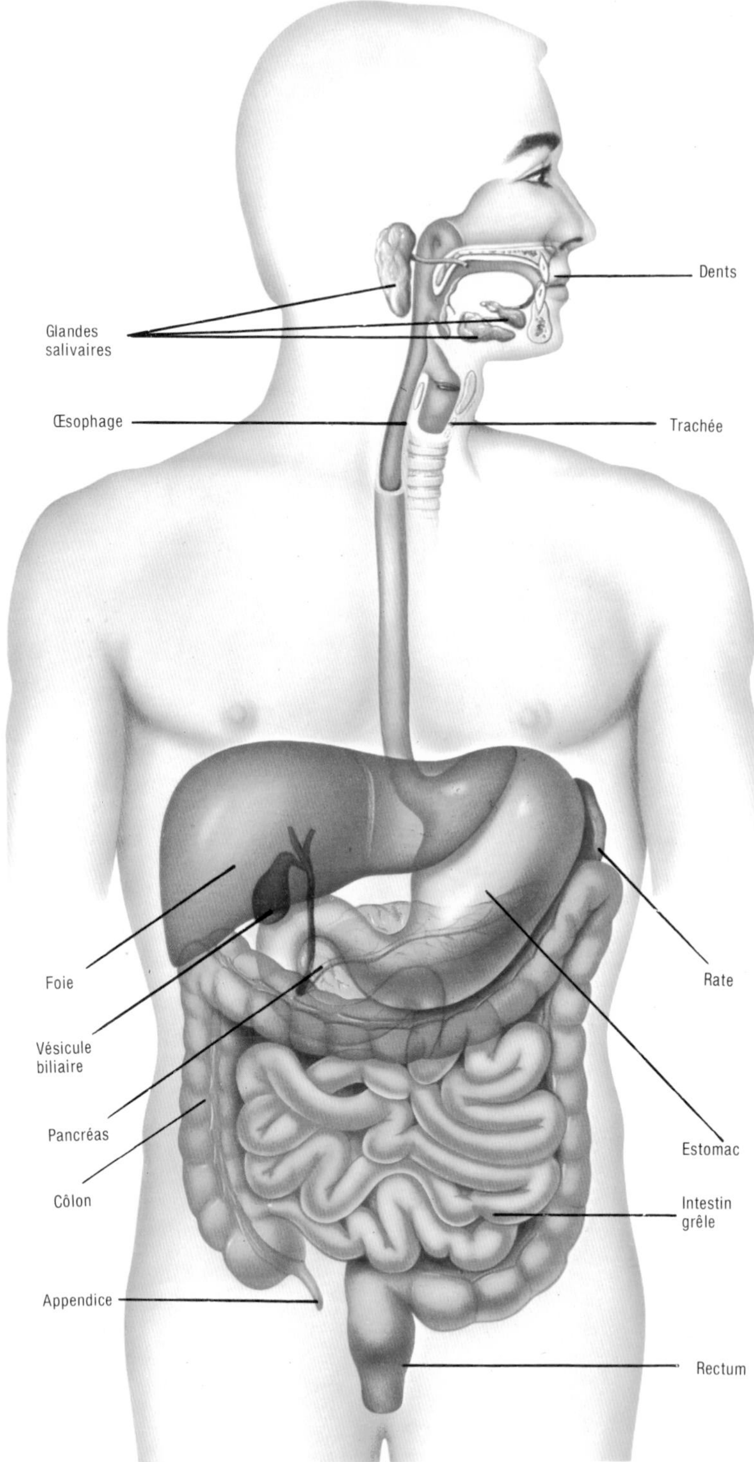


▲ *Le système digestif (l'échelle n'est pas respectée). Le système digestif d'un adulte mesure environ 9 m. Il débute par la bouche et se termine par l'anus. La nourriture progresse dans l'œsophage et les autres conduits du système digestif, grâce aux contractions d'une série de muscles – contractions appelées mouvements péristaltiques.*

DINDON La dinde, femelle du dindon, doit son nom à ce que, bien qu'elle fut importée d'Amérique du Nord, les Français de l'époque (XVI^e siècle) l'imaginèrent venue « d'Inde », et les Anglais, qui l'appellent *turkey*, venue de Turquie.

DIRIGEABLE Pendant la Première Guerre mondiale, les Allemands utilisèrent des dirigeables pour bombarder l'Angleterre. L'un d'eux s'écrasa dans l'Essex, en 1916, et les Anglais en profitèrent pour copier les plans et les utiliser pour leurs *R 33* et *R 34*. En 1919, le *R 34* réussit la traversée aller et retour de l'Atlantique.

aiguisées comme des sabres. Par contre, l'ère secondaire avait également ses paisibles herbivores, tels que *Brachiosaurus, Apatosaurus* (autrefois dénommé *Brontosaurus*) et *Diplodocus,* à petite tête, long cou et queue allongée. Les plus lourds de tous étaient les dinosaures du genre *Brachiosaurus,* dont certains spécimens pouvaient peser jusqu'à 100 t, soit l'équivalent de vingt éléphants. Avec quelque 27 m, les *Diplodocus* étaient les plus longs. Certains dinosaures étaient comme caparaçonnés, ainsi les *Stegosaurus* au dos hérissé d'énormes plaques osseuses. Aujourd'hui encore, les scientifiques s'interrogent sur les raisons de la disparition brutale des dinosaures.

**DIONÉE OU ATTRAPE-MOUCHES** Petite plante insectivore des marécages du sud des États-Unis. Le sol des fondrières manquant d'azote, la dionée se procure cette substance vitale en absorbant des insectes. Les feuilles en forme de coquille articulée se referment brusquement lorsqu'un insecte s'y pose. Grâce à ses sucs, la plante digère sa victime dont elle assimile les protéines, obtenant ainsi l'azote qui lui manque.

**DIPHTÉRIE** Maladie infectieuse qui s'attaque à la gorge et bloque les conduits respiratoires. La vaccination antidiphtérique a considérablement réduit la fréquence de cette maladie.

**DIRIGEABLE** Aéronef plus léger que l'air et muni de systèmes de propulsion et de direction. Le premier dirigeable fut mis au point par l'ingénieur français Henri Giffard, en 1852. Il mesurait 44 m et était propulsé par une machine à vapeur de 3 ch de puissance. Le plus célèbre des dirigeables fut évidemment celui du comte allemand Ferdinand von Zeppelin (1838-1917). Construit en 1900, le premier zeppelin servit de modèle à une centaine d'autres.

En 1919, après la Première Guerre mondiale, le *R 34* britannique fut le premier dirigeable à traverser l'Atlantique. En 1926, Roald Amundsen survola le pôle Nord en dirigeable. Le *R 101* britannique s'écrasa sur une colline française en 1930 et en 1937 le fameux zeppelin Hindenburg fut détruit par le feu dans le New Jersey ; il était gonflé à l'HYDROGÈNE, gaz extrêmement explosif, qui fut ensuite remplacé par l'HÉLIUM, incombustible mais n'offrant pas tout à fait la même portance.

L'intérêt pour les dirigeables s'éteignit au cours de la Seconde Guerre mondiale car, si ces aéronefs présentaient l'avantage de pouvoir transporter de lourdes charges, ils étaient moins rapides, moins maniables et plus vulnérables aux intempéries que les aéroplanes. Aujourd'hui, certains envisagent la possibilité de remettre les dirigeables à l'honneur, comme cargos ou aéronefs de croisière. ◁

**DISNEY, WALT** Producteur de DESSINS ANIMÉS (1901-1966) et inventeur de petits personnages célèbres comme Mickey, Donald ou Bambi. Il réalisa également des films d'aventure comme *Davy Crockett* et des documentaires comme *le Désert vivant.*

**DISQUE** Palet rond, en bois, de 21,90 cm de diamètre, plus épais au centre, que lancent les athlètes.

**DISTILLATION** Procédé qui permet de séparer les divers fluides d'un mélange ou d'extraire les solides en solution dans un liquide. L'opération consiste à chauffer le liquide pour le vaporiser et à condenser les vapeurs formées pour les séparer. (Voir CONDENSATION.) Les boissons à forte teneur en alcool sont obtenues par distillation de solutions moins concentrées, ce qui permet d'éliminer une grande proportion de l'eau.

**DOCK** Dans les ports, bassin entouré de quais, pour le chargement et le déchargement des navires. Les docks flottants sont des pontons d'acier mobiles et flottants qui servent pour le carénage des bateaux. On insère le ponton sous la coque et, lorsqu'on pompe l'eau contenue dans les caissons étanches du ponton, le bateau se soulève.

**DODO OU DRONTE** Exterminé par l'homme, le dodo était un oiseau massif, incapable de voler, aux pattes courtes et au gros bec crochu qui vivait dans l'île Maurice et à la Réunion (océan Indien). Il a totalement disparu au XVII^e siècle.

**DOGUE ALLEMAND** Anciennement (et improprement) appelé en France *grand danois,* ce grand chien puissant est originaire d'Allemagne. C'est généralement un animal calme au caractère égal, mais qui peut devenir féroce, ce qui en fait un excellent chien de garde.

▸ *Le dodo était incapable de voler et donc d'échapper aux hommes et à leurs animaux domestiques lorsqu'ils s'installèrent sur les îles de l'océan Indien qui l'abritaient. De sorte qu'à la fin du XVII^e siècle il avait totalement disparu.*

**DOME** Toit en forme de coupe renversée, couronnant généralement des édifices religieux comme mosquées et églises. Parmi les édifices comportant un dôme figurent le TADJ MAHALL, à Agra en Inde, le Panthéon de Rome ou celui de Paris.

**DOM TOM** Départements (DOM) et territoires (TOM) français d'outre-mer qui font partie de la République française et dont les habitants sont citoyens français.

DOM : Martinique, Guyane, Guadeloupe, Réunion, Saint-Pierre et Miquelon.

TOM : Nouvelle-Calédonie, Polynésie française, Wallis et Futuna, Mayotte, Terres australes et antarctiques françaises.

**DON QUICHOTTE** Héros du roman *(Don Quichotte de la Manche)* de l'écrivain espagnol Cervantès, un auteur du début du XVIIe siècle. Le héros part à l'aventure, monté sur son vieux cheval, la tête emplie d'exploits héroïques qui jamais ne s'accompliront.▷

**DORURE** Action d'appliquer de la feuille ou de la poudre d'OR sur du bois, du métal, etc., dans un but décoratif. Les cadres modernes « dorés » sont, en réalité, plus souvent recouverts de poudre de bronze.

**DOSTOIEVSKI, FIODOR MIKHAILOVITCH** Écrivain russe (1821-1881) qui fut déporté en Sibérie pour avoir comploté contre le régime. Il a écrit *Crime et Châtiment, l'Idiot, les Frères Karamazov.*

**DOULEUR** Souffrance physique, correspondant à la réponse du cerveau à des messages captés par des *récepteurs sensoriels* disposés dans différentes parties du corps et transmis par l'intermédiaire des nerfs. Ne pas ressentir de douleur impliquerait également d'ignorer que l'on est malade ou blessé. (Voir CERVEAU ; système NERVEUX.)

**DRAGAGE** Méthode permettant de creuser le sol au-dessous du niveau de l'eau, généralement utilisée pour nettoyer ou approfondir un canal, une rivière ou l'entrée d'un port afin de le rendre accessible aux bateaux.

**DRAINAGE** Opération qui consiste à faciliter l'écoulement des eaux de pluie dans les villes ou les terrains trop humides en pratiquant des fossés.

Le drainage est également une opération consistant à faire écouler un liquide du corps au moyen d'une mèche ou drain.

**DRAPEAU** Il est difficile de croire qu'un simple morceau d'étoffe colorée soit important, à moins qu'il ne s'agisse d'un drapeau. Un drapeau peut être l'emblème d'une nation, d'un mouvement religieux, d'une firme commerciale, d'un idéal... Certains servent de signaux. Le langage des drapeaux est complexe. L'étude des drapeaux et de leur signification porte le nom de *vexillologie.*

▲ *Le scintillant dôme d'or de la mosquée d'Omar à Jérusalem. Les dômes sont partie intégrante de l'architecture islamique et sont souvent ornés de carreaux de mosaïque. Aujourd'hui, on érige, pour les expositions ou les compétitions sportives, des structures légères en forme de dôme.*

**DROITS CIVILS** Droits garantis par la loi à chaque individu. La Déclaration universelle des droits de l'homme, adoptée par l'Organisation des NATIONS UNIES en 1948, établit la liste des droits minimaux dont devrait pouvoir jouir chaque homme dans le monde.▷

**DROSOPHILE** Mouche qui pond ses œufs dans les fruits, particulièrement dans les fruits charnus, à noyau, comme la prune. Les œufs se développent en larves qui se nourrissent du jus des fruits. La drosophile cause souvent d'importants ravages dans les cultures fruitières.

**DU GUESCLIN, BERTRAND** Connétable de France (v. 1320-1380) sous Charles V, cet homme de guerre finit par « bouter l'Anglais hors de France ».

**DYNAMIQUE** Branche de la MÉCANIQUE qui étudie le mouvement des corps.

**DYNAMITE** EXPLOSIF couramment utilisé, composé principalement de nitroglycérine et d'une substance absorbante inerte, appelée *kieselguhr,* qui rend l'explosif stable. On doit l'invention de la dynamite au chimiste suédois Alfred Nobel (1867).

DON QUICHOTTE La popularité de ce « chevalier à la triste figure », à la tête emplie de généreuses chimères, a donné naissance dans la langue au terme « donquichottisme » ; fait preuve de donquichottisme quiconque se pose, comme Don Quichotte, en redresseur de tous les torts du monde. De ces gens, on dit souvent qu'ils « se battent contre des moulins à vent » — allusion faite à l'un des « exploits » de Don Quichotte : ayant confondu des moulins avec des géants, il les chargea à la lance.

DROITS CIVILS Au cours de ces récentes années, la campagne pour l'égalité des droits civils qui a obtenu le plus de succès fut celle que menèrent les Noirs américains. En 1954, la Cour suprême des États-Unis déclara « inégalitaire et par conséquent anticonstitutionnelle » la ségrégation en matière d'établissements scolaires entre les Blancs et les Noirs. Cette décision marqua le début d'une lutte contre la discrimination raciale qui obtint certains succès, particulièrement avec le Mouvement pacifiste conduit par le pasteur Martin Luther King. Après l'assassinat de Martin Luther King en 1968, le mouvement pacifiste céda la place à des mouvements plus radicaux comme celui des « Black Panthers ».

# DRAPEAUX DU MONDE

Afghanistan

Albanie

Algérie

Argentine

Australie

Autriche

Belgique

Bolivie

Brésil

Bulgarie

Birmanie

Canada

Sri Lanka

Chili

Chine

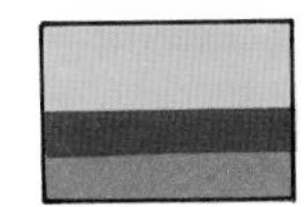
Colombie

Cuba

Chypre

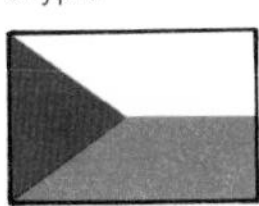
Tchécoslovaquie

Danemark

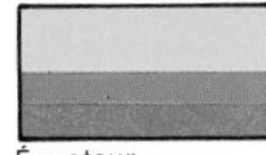
Équateur

Éthiopie

Finlande

France

R.D.A.

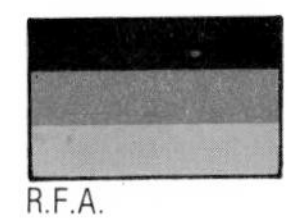
R.F.A.

Ghana

Grèce

Hongrie

Islande

Inde

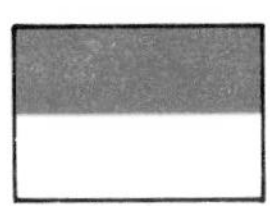
Indonésie

Iran

Irak

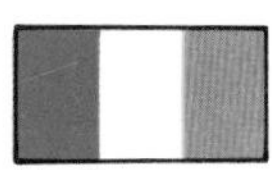
Irlande

Israël

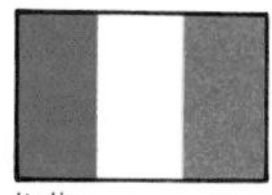
Italie

Jamaïque

Japon

Jordanie

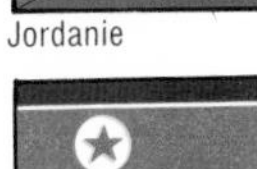
Corée du Nord

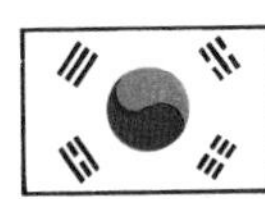
Corée du Sud

Liban

Libéria

Malaysia

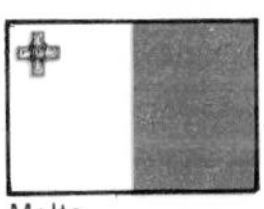
Malte

Mexique

Maroc

Pays-Bas

Nouvelle-Zélande

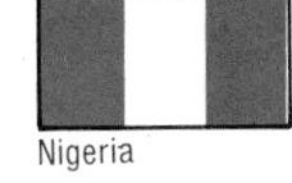
Nigeria

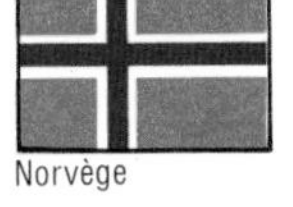
Norvège

Pakistan

Paraguay

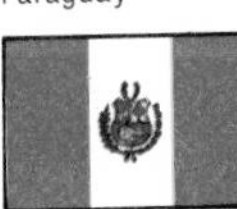
Pérou

Philippines

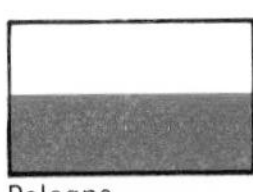
Pologne

Portugal

Roumanie

Arabie Saoudite

Sierra Léone

Singapour

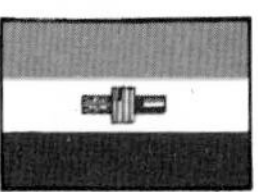
Afrique du Sud

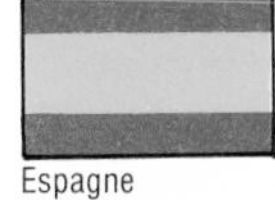
Espagne

Suède

Suisse

Thaïlande

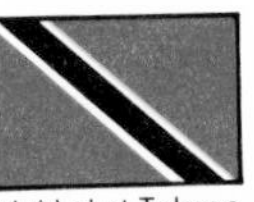
Trinidad et Tobago

Tunisie

Turquie

Royaume-Uni

États-Unis

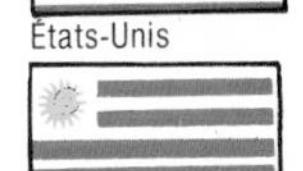
Uruguay

U.R.S.S.

Cité du Vatican

Vénézuela

Yougoslavie

Zaïre

**EAU** Un peu plus de 70 % de la superficie de la Terre est recouverte d'eau, dont la plus grande partie constitue les OCÉANS. L'eau des océans s'évapore et retombe en pluie, neige ou grêle ; cette eau s'évapore à nouveau ou retourne aux mers et aux océans par l'intermédiaire des cours d'eau. Non seulement l'eau est indispensable à la vie mais elle sculpte le relief : ici, creusant des vallées, là, déposant ses alluvions. L'eau chimiquement pure est une combinaison d'oxygène et d'hydrogène de formule $H_2O$. L'eau présente des particularités dans ses propriétés physiques : elle se contracte en se refroidissant et atteint sa densité maximale à la température de 4 °C, puis se dilate en se congelant à 0 °C. C'est cette dilatation qui est cause de l'éclatement des conduites d'eau par temps froid. (Voir ALIMENTATION EN EAU ; ÉNERGIE HYDRAULIQUE.) ▷

**EAU-FORTE** Estampe obtenue à partir d'une plaque de métal gravée à l'acide nitrique et non à l'aide d'un outil comme dans la GRAVURE courante. La plaque est ensuite encrée et le dessin reproduit sur papier, sous presse.

**ÉBÈNE** Bois dur, noir, de l'ébénier, arbre de l'Asie et de l'Afrique tropicale. Certains des ébènes les plus réputés proviennent du Sri Lanka. Le bois, qui acquiert un beau poli, est utilisé en sculpture, ébénisterie, ainsi que pour fabriquer des touches de piano.

**ÉBULLITION (POINT D')** Température à laquelle un liquide passe à l'état gazeux. Le point d'ébullition d'un liquide donné varie en fonction de la pression ; la température d'ébullition *normale* est celle qui correspond à la pression de 760 mm de mercure.

**ÉCAILLE** Chez les POISSONS, petite plaque osseuse recouvrant le corps de la plupart d'entre eux. Les écailles évitent le dessèchement du corps ; elles sont recouvertes d'un mucus qui empêche l'eau d'être absorbée par le corps du poisson.

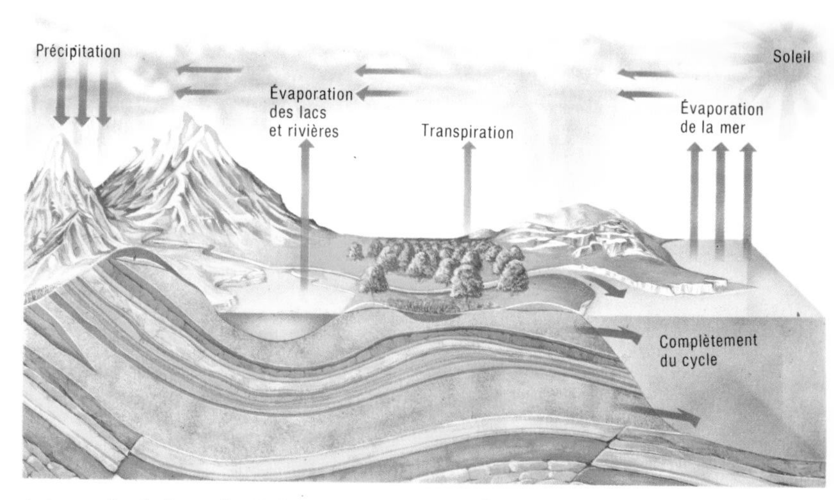


▲ *Le cycle de l'eau. Le Soleil réchauffe océans et lacs, vaporisant l'humidité qui, en s'élevant, se condense en nuages. L'humidité des nuages retombe en précipitations (pluie ou neige). Une partie de cette eau s'évapore à nouveau, une autre retourne à l'atmosphère par l'intermédiaire de la transpiration des plantes, le reste est transporté jusqu'à la mer par les cours d'eau.*

**ÉCHECS** Jeu qui se pratique entre deux joueurs, à l'aide de pièces que l'on déplace sur un échiquier, et qui nécessite certaines capacités intellectuelles. Probablement originaires de l'Inde, les échecs sont pratiqués dans de nombreux pays. ▷

**ÉCHELLE THERMOMÉTRIQUE CELSIUS (OU CENTÉSIMALE)** Échelle de mesure des températures graduée en degrés Celsius, dans laquelle la graduation 0 représente le point de congélation de l'eau et 100 son point d'ébullition dans des conditions normales de pression (760 mm de mercure).

**ÉCHIDNÉ** Petit mammifère ovipare confiné à l'Australie et à la Nouvelle-Guinée. L'œuf est pondu dans une poche de la mère où il éclôt, le petit poursuivant son développement pendant six à huit semaines avant de

EAU Environ 97 % de l'eau recouvrant la Terre est contenue dans les mers, 2 % dans les couches de glace, les calottes glacières et les glaciers. Le reste est constitué par de l'eau souterraine, qui émerge souvent en cours d'eau, lacs, étangs, sources, vapeur d'eau, pluie ou neige.

ÉCHECS L'expression « échec et mat », par laquelle un joueur signifie sa défaite à son adversaire, est originaire d'Iran. Dans la langue perse, *shah mat* signifie « le roi est mort ».

ÉCHIDNÉ Avec l'ornithorynque, l'échidné constitue la sous-classe des monotrèmes — mammifères les plus proches des ancêtres reptiliens. Ce sont des animaux qui pondent des œufs comme certains reptiles ; mais ils ont un sang chaud et allaitent leurs jeunes.

ÉCLIPSE Dans la Chine de l'an 213 ap. J.-C., une éclipse totale terrifia une population persuadée qu'un dragon était en train d'avaler le Soleil. Tous se précipitèrent dans les rues en hurlant et en frappant du tambour pour faire fuir le monstre. Quelques minutes plus tard, le Soleil réapparut à la satisfaction de tous, excepté des astronomes de la cour que l'on exécuta pour n'avoir pas signalé l'approche du dragon.

sortir de la poche. Les échidnés sont couverts de piquants. Ils possèdent une bouche allongée en tube, une langue collante sur laquelle s'engluent fourmis et termites et des pattes fouisseuses. ◁

**ÉCHO** Répétition d'un SON due à la réflexion des ondes sonores par une surface. A partir du retard entre l'émission du son et son écho, il est possible de calculer la distance à laquelle se trouve la surface réfléchissante. Ce principe est utilisé dans le SONAR.

**ÉCLAIR** Décharge électrique entre deux nuages chargés d'ÉLECTRICITÉ ou entre un nuage et la terre. L'éclair et le coup de tonnerre qui suit sont la manifestation des perturbations que fait subir à l'air la décharge électrique.

▼ *Un éclair de nuit sur un port. On attribuait autrefois les éclairs à la colère des dieux tels que Jupiter ou Thor, mais on sait aujourd'hui qu'il s'agit de gigantesques étincelles électriques.*

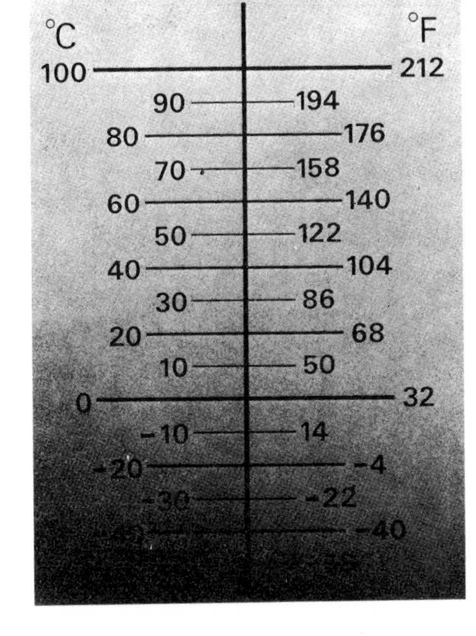


▲ *Comparaison entre les échelles thermométriques Celsius et Fahrenheit. La conversion de degrés Celsius en degrés Fahrenheit s'opère en multipliant l'expression numérale par 9/5 et en ajoutant 32. Pour la conversion inverse, on soustrait 32 et on multiplie par 5/9.*

**ÉCLIPSE** Une éclipse de Soleil (éclipse solaire) se produit lorsque la Lune s'interpose entre la Terre et le Soleil. Lors d'une éclipse totale, la Lune occulte complètement le Soleil. Les éclipses partielles, au cours desquelles le Soleil n'est que partiellement occulté, sont plus fréquentes. Une éclipse de Lune (éclipse lunaire) se produit lorsque l'ombre de la Terre tombe sur la Lune. Une éclipse lunaire peut être partielle ou totale. ◁

▼ *Une éclipse solaire se produit lorsque la Lune s'interpose entre la Terre et le Soleil. Une éclipse lunaire se produit lorsque le Soleil, la Lune et la Terre sont alignés de façon que l'ombre de la Terre s'étende sur la Lune.*

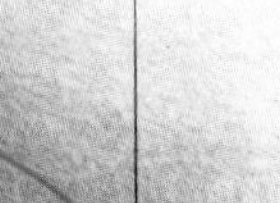

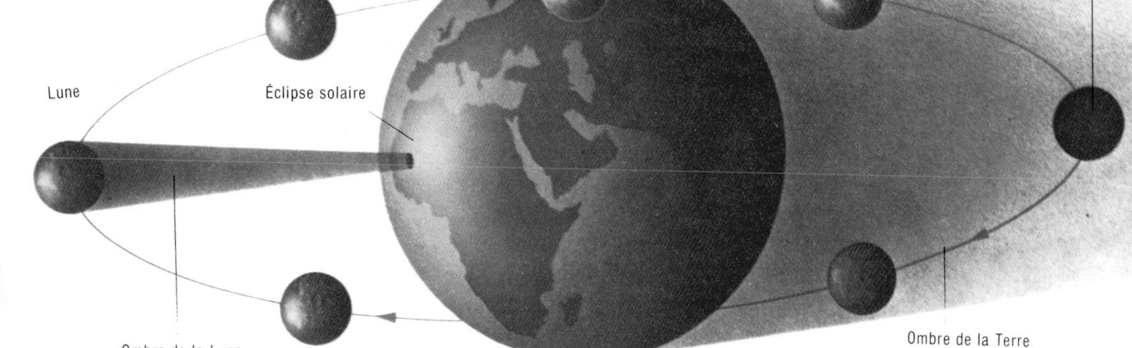

**ÉCOLOGIE** Étude des relations entre les êtres vivants et leur environnement. Par environnement, on entend aussi bien le climat, le sol et l'air que les autres êtres vivants. Parce qu'ils contrôlent la végétation, le climat et le sol sont les facteurs les plus importants de l'écologie ; en retour, la végétation influence la vie animale en ce que les animaux mangent les plantes. Il en résulte que chacun des grands habitats du monde — la TOUNDRA arctique, la forêt dense tropicale ou le DÉSERT — possède une flore et une faune caractéristiques. L'écologiste étudie la relation entre les êtres vivants et ce milieu naturel : il cherche à déterminer l'influence du milieu sur les êtres vivants et, inversement, de quelle manière ceux-ci influent sur leur environnement. (Voir ADAPTATION ; BIOLOGIE.)

**ÉCONOMIE** L'économie s'attache à la circulation des richesses et de l'argent. Elle étudie les rapports commerciaux, privés ou d'État, cherche à déterminer de quelle manière les fluctuations du coût de la vie — celles du prix du pain, par exemple — influent sur le volume des achats ou sur l'épargne.

**ÉCORCE** Enveloppe protectrice du tronc et des branches d'ARBRE. Chaque année, la couche de LIÈGE entourant le tronc meurt, tandis qu'une nouvelle couche se forme sous l'ancienne. La couche morte constitue l'écorce. Au fil des ans, l'écorce s'épaissit par addition des couches successives. Certaines écorces sont utilisées en tannerie, en teinture, ou entrent dans la composition de remèdes.

**ÉCREVISSE** CRUSTACÉ d'eau douce. De couleur vert brunâtre, l'écrevisse peut atteindre 10 cm ; elle vit dans les ruisseaux et les étangs, se nourrissant de gastéropodes, d'insectes et de végétaux qu'elle saisit dans sa paire de fortes pinces.

**ÉCRITURE** Représentation de la pensée par des signes graphiques conventionnels. Considérons, par exemple, la phrase suivante : « L'homme tue le tigre ». Pour la représenter graphiquement, les premiers hommes auraient dessiné un homme tuant un tigre. Plus tard, trois symboles auraient remplacé le dessin : l'un pour « homme », un autre pour « tuer », un troisième pour « tigre ». Plus tard encore, on commença à associer les symboles au son des mots, de sorte qu'il devenait possible de les utiliser pour former d'autres mots (de la même manière qu'on pourrait associer au dessin d'un dé à jouer la lettre « D »). Cela conduisit à la création d'ALPHABETS de sons, mais qui ne comportaient pas encore de voyelles, ce qui pourrait donner dans l'exemple choisi : « hm t tgr ». Ce sont les Grecs qui, par l'apport des voyelles, sont à l'origine de nos alphabets modernes.

▲ *L'écureuil gris, originaire de l'Amérique du Nord, a été introduit en Grande-Bretagne. Il s'y est si bien développé qu'il y a presque remplacé l'écureuil roux.*

**ÉCUREUIL** Petit mammifère rongeur à l'épaisse queue touffue, que l'on trouve un peu partout à travers le monde. Les écureuils roux ou gris sont les plus courants. L'écureuil vit principalement dans les arbres, accessoirement sur le sol, et se nourrit de graines, glands, noisettes, faînes, etc. ▷

**EDISON (THOMAS)** Inventeur américain (1847-1931), auteur de plusieurs inventions importantes dont le phonographe, en 1877, et la lampe électrique à incandescence, en 1878.

▼ *L'un des premiers phonographes de Thomas Edison et les cylindres sur lesquels figuraient les enregistrements. Ce n'est qu'en 1887 qu'Émile Berliner inventa le disque.*

ÉCUREUIL En Asie tropicale vit un type d'écureuil « volant ». Il peut étaler latéralement les larges surfaces membraneuses qui relient ses membres antérieurs aux membres postérieurs et passer ainsi d'arbre en arbre en planant.

**ÉDITION** Impression et diffusion d'œuvres écrites et illustrées. Il y a seulement 150 ans, les éditeurs étaient à la fois imprimeurs et libraires. Aujourd'hui, leur tâche consiste à choisir un manuscrit, à le faire imprimer sous forme d'un livre ou d'un magazine, à en assurer la publicité et à en organiser la diffusion. (Voir IMPRIMERIE ; LIVRES ET RELIURE.)

**ÉDUCATION** Le terme « éducation », dans son acception la plus simple, désigne la manière dont chacun acquiert des connaissances sur lui-même et le monde qui l'entoure. C'est l'éducation informelle : ce que l'on apprend par l'intermédiaire de ses relations, de la lecture ou à travers l'expérience quotidienne.

Écoles ou UNIVERSITÉS sont les lieux où se dispense l'éducation formelle ou enseignement. Pour une majorité d'enfants, le début de la scolarité se situe vers l'âge de six ans. Les établissements dispensent à la fois des connaissances générales et un savoir spécialisé. Au cours de leurs premières années de scolarité, les enfants apprennent à lire, à écrire et à calculer. Ils étudient en secondaire l'histoire, les sciences, les langues et la géographie. Par la suite, il leur est possible d'acquérir des connaissances spécialisées grâce auxquelles, une fois leur scolarité achevée, ils pourront espérer s'intégrer dans le monde du travail.

**ÉGLISE** Chez les chrétiens et en particulier les catholiques, édifice consacré à la célébration du culte. Le terme église est issu du grec *kuriakos,* signifiant « qui appartient au Seigneur ». Les églises chrétiennes sont généralement construites sur le plan de la basilique romaine : une longue salle rectangulaire terminée par une abside. Le Moyen Age a fait l'ajout du transept, de façon à donner aux églises la forme de la croix latine. Les églises, dont la silhouette était allégée par l'addition d'arcs-boutants, de voûtes et de colonnes élancées, étaient éclairées par de hautes fenêtres ornées de vitraux. Les églises modernes se démarquent souvent des styles traditionnels, bien que l'aménagement intérieur reste fondamentalement le même et constitué essentiellement par l'autel. (Voir ARCHITECTURE.)

**ÉGLISE CATHOLIQUE OU ROMAINE** Église qui continue la tradition de l'Église chrétienne dont elle constitue la fraction la plus considérable. Elle reconnaît l'autorité

*▸ Trois styles d'églises chrétiennes. A droite, une petite chapelle blanche, en bois, dans le Vermont (États-Unis). En bas, à droite, une église à voûte et colonnades, de style gothique. En bas, à gauche, l'église de Ronchamp, dessinée par Le Corbusier, dont toute l'architecture est centrée sur les jeux de lumière.*

suprême du PAPE qui réside au VATICAN, à ROME. Les origines de l'Église catholique remontent au collège des APOTRES, au Ier siècle de notre ère. L'Église catholique se fonde sur les enseignements de JÉSUS-CHRIST; elle repose également sur un certain nombre de dogmes, entre autres ceux de l'infaillibilité pontificale et de l'Immaculée Conception. (Voir CHRISTIANISME; RÉFORME.)

**ÉGLISE ORTHODOXE** Née du concile de Nicée (787). Elle refuse l'autorité du pape et le dogme de l'Immaculée Conception. Les orthodoxes se trouvent principalement en Russie, en Grèce et dans les pays balkaniques.

**ÉGRENEUSE** Machine utilisée pour séparer les graines des fibres végétales (lin, COTON). Inventée en 1793 par l'Américain Eli Whitney, l'égreneuse de coton permit de développer considérablement la production de cette fibre.

**ÉGYPTE (ANCIENNE)** La civilisation de l'Égypte ancienne a fleuri pendant 3 000 ans dans la fertile vallée du NIL. Ce fut l'une des civilisations les plus brillantes et les plus durables que le monde ait connues. Des recherches font remonter aux années 3100 av. J.-C. la première dynastie de PHARAONS, fondée après la victoire du Haut-Empire sur le Bas-Empire du delta du Nil. La dernière dynastie s'éteignit avec la conquête du territoire par les Grecs et les Perses, au IVe siècle av. J.-C.

Dans la civilisation égyptienne, le pharaon, ou roi, était tout-puissant. Il était non seulement homme mais dieu, à la fois possesseur de droit de la terre et chef religieux. Il avait

▼ *La vie rurale dans l'Égypte ancienne. L'irrigation permettait au cultivateur de cette propriété d'en réserver une partie pour son jardin privé et de faire pousser des palmiers pour abriter sa maison. Au premier plan, des laboureurs préparent le sol pour l'ensemencement.*

ÉGYPTE (ANCIENNE) Il a fallu vingt ans à 200 000 esclaves pour bâtir la pyramide de Chéops avec 2,5 millions de blocs de pierre pesant parfois jusqu'à 2,5 t. L'assemblage des blocs de façade est par endroits si précis qu'il est impossible de glisser une feuille de papier dans la jointure. Le fait que cette massive construction soit encore debout 4 500 ans plus tard est une preuve suffisante des remarquables talents d'ingénieur des Égyptiens.

L'Égypte ancienne ignorait l'argent. Les employés de l'État — scribes, fonctionnaires, ouvriers, esclaves — ainsi que les prêtres, étaient payés en nature. La nourriture qu'ils recevaient en paiement était prélevée sur les récoltes et emmagasinée jusqu'à son utilisation ; ces réserves pouvaient également servir en cas de famine. Les fonctionnaires évaluaient la récolte encore en herbe, d'après quoi l'impôt était fixé, le défaut de ce système étant qu'en cas de catastrophe naturelle le montant de l'impôt restait inchangé.

A plusieurs reprises, durant la XXe dynastie, les ouvriers travaillant à l'édification de la tombe du pharaon à Deir el-Medinah, sur la rive occidentale du Nil, ne reçurent pas à temps le salaire en nature qui leur revenait. Ils se mirent en grève et se massèrent devant le temple où était gardée la nourriture, réclamant du pain. Ils obtinrent satisfaction du fait qu'il était totalement impensable que le tombeau ne fût pas achevé.

▲ *Peinture découverte sur le plafond de la tombe du pharaon Seti 1er et montrant le passage du Soleil à la nuit.*

ÉGYPTE : DONNÉES
Langue officielle : arabe.
Monnaie : livre égyptienne.
Religion : islam.
3 % seulement de la superficie de l'Égypte — la vallée et le delta du Nil — sont peuplés et cultivés. Le reste est désertique : à l'ouest, c'est le désert Libyque ; à l'est, le désert Arabique.
Le canal de Suez, construit au XIXe siècle sous la direction d'un Français, Ferdinand de Lesseps, relie la Méditerranée au golfe de Suez. Il mesure 162 km.
Le Nil traverse l'Égypte sur 1 488 km. Sa vallée fertile mesure entre 1,6 km et 24 km de large.
Avec une population de 12 millions d'habitants, Le Caire est la plus importante ville d'Afrique. Alexandrie compte 2,5 millions d'habitants.

également la haute main sur l'armée, le gouvernement et les finances.

Les Égyptiens étaient fascinés par la mort. Pour honorer leurs défunts, ils construisirent tombeaux et PYRAMIDES grandioses. Dans la tombe étaient ensevelis en même temps que le mort des objets ou modèles réduits d'objets quotidiens, de façon que le défunt puisse jouir dans l'au-delà de ce qui avait fait sa joie de son vivant. (Voir CLÉOPATRE ; PHARAON ; TOUTANKHAMON.) ◁

**ÉGYPTE** République d'Afrique septentrionale qui compte 44 millions d'habitants (1982) pour une superficie de 1 001 500 km$^2$. L'Égypte est en majeure partie désertique, l'agriculture étant concentrée dans l'étroite vallée du NIL. Le coton est encore la principale production du pays qui est en voie d'industrialisation. En 1977-1979, l'Égypte a signé un traité de paix avec Israël à la suite des guerres israélo-arabes de 1948-1949, 1956, 1967 et 1973. Capitale : Le Caire. ◁

▼ *L'eau du Nil conditionne totalement la vie en Égypte. Des canaux d'irrigation transportent l'eau du fleuve jusqu'aux exploitations agricoles de la vallée. 95% des Égyptiens vivent dans la vallée du Nil, qui ne représente que 3% de la superficie du pays.*

**EIFFEL (TOUR)** Dominant Paris du haut de ses trois cents mètres, la tour Eiffel attire chaque année des millions de touristes. Construite pour l'Exposition universelle de 1889, elle porte le nom de celui qui la conçut : Gustave Eiffel.

**EINSTEIN (ALBERT)** Physicien allemand naturalisé Américain (1879-1955), à qui l'on doit les théories de la RELATIVITÉ qui révolutionnèrent la PHYSIQUE. Einstein montra que les lois de NEWTON se vérifiaient de moins en moins à mesure que la vitesse d'un corps s'accroissait. Il avait également prévu la possibilité de produire une énorme quantité d'énergie à partir de la destruction d'une très faible masse, ce que les développements de la physique atomique ont vérifié. (Voir ÉNERGIE ATOMIQUE.) En 1921, Einstein s'est vu attribuer le PRIX NOBEL de physique.

**ÉLAN** Avec plus de 2 m de haut, l'élan est le plus grand des cervidés. Il vit en Europe septentrionale et en Asie ; c'est un proche parent de l'ORIGNAL d'Amérique du Nord.

**ÉLASTICITÉ** Propriété qu'ont certains corps de reprendre leur forme et leurs dimensions d'origine après avoir été étirés ou déformés. Le caoutchouc est la matière élastique la plus connue, mais ce n'est pas la seule ; tous les solides possèdent une certaine élasticité. Aussi peu que ce soit, une bille d'acier qui tombe sur le sol rebondit : la force de l'impact déforme à la fois la bille et le sol et l'élasticité de l'acier fait retrouver sa forme à la bille qui rebondit. L'acier, de par son élasticité, sert à fabriquer des ressorts.

▼ *Né en Allemagne, Albert Einstein a travaillé dans son pays, puis en Suisse, avant que ses origines juives ne le contraignent à fuir le régime nazi et à se réfugier aux États-Unis où il fut naturalisé Américain.*

**ÉLECTION** Choix de représentants aux diverses instances sociales et politiques, opéré par voie de suffrages. Une élection peut se dérouler à main levée ou à bulletin secret, les suffrages étant alors exprimés par l'intermédiaire de bulletins que les électeurs déposent dans une urne ou, dans certains cas, grâce à des machines électroniques. ▷

**ÉLECTRICITÉ ET MAGNÉTISME** Les Grecs avaient découvert que l'ambre et certaines autres substances attiraient des objets légers après avoir été frottés avec une étoffe. Sans le savoir, ils avaient produit des charges électriques par friction, charges qui étaient la cause de cette attraction. Au début du XVIIIe siècle, de nombreux scientifiques parvinrent à produire de la même manière des charges importantes. L'électricité ainsi produite se manifestait par des étincelles et des décharges violentes, mais sa puissance s'évanouissait rapidement. En 1752, Benjamin FRANKLIN montra que les ÉCLAIRS étaient provoqués par des nuages chargés d'électricité, ce qui l'amena à l'invention du paratonnerre. (Voir CHARGE ÉLECTRIQUE.)

Dans les années 1790, Alessandro Volta inventa la pile électrique qui permit aux scientifiques de conduire des expériences impossibles auparavant. Ils découvrirent ainsi qu'en faisant passer dans un fil métallique un courant électrique de forte intensité on le faisait s'échauffer. En 1819, tandis qu'il faisait une démonstration de ce phénomène, Hans Oersted découvrit que l'aiguille d'une boussole posée à proximité déviait chaque fois qu'il ouvrait ou fermait le circuit électrique : il venait de découvrir l'électromagnétisme ou production de MAGNÉTISME par l'électricité. Michael FARADAY s'inspira de cette découverte pour mettre au point un MOTEUR électrique, en 1821, puis le GÉNÉRATEUR et le TRANSFORMATEUR, dix ans plus tard — trois dispositifs qui sont à la base des systèmes modernes de production d'ÉLECTRICITÉ.

**ÉLECTRICITÉ (PRODUCTION D')** Le principe d'une centrale électrique est d'utiliser une source d'énergie pour actionner des TURBINES reliées à des GÉNÉRATEURS. Par l'intermédiaire de câbles, on distribue alors un courant de haute tension et de faible intensité, ce qui réduit les déperditions de PUISSANCE dans les lignes. Dans le circuit de distribution, des TRANSFORMATEURS réduisent la tension du courant au voltage convenant à son utilisation domestique ou industrielle. Les centrales thermiques et nucléaires font tourner les turbines à l'aide de vapeur d'eau. Dans le premier cas, la chaleur nécessaire à la vaporisation de l'eau est obtenue par combustion de charbon, pétrole ou gaz, dans le second cas par des réactions nucléaires. (Voir ÉNERGIE ATOMIQUE.) Dans les centrales hydroélectriques, les turbines sont actionnées par l'énergie d'une chute d'eau. (Voir ÉNERGIE HYDROÉLECTRIQUE.) ▷

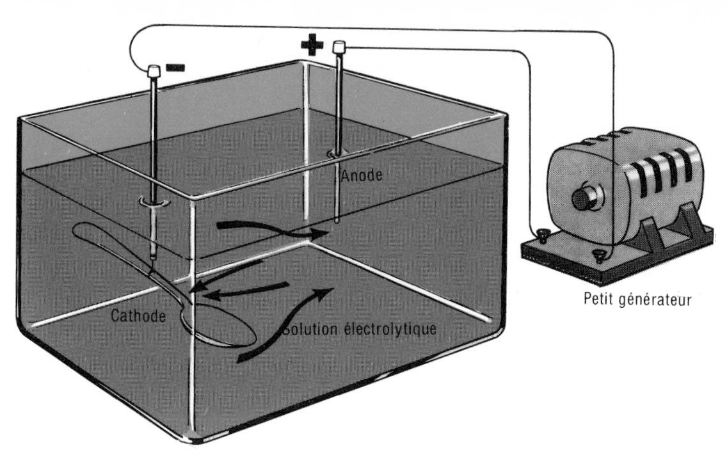


▲ *L'électrolyse consiste à utiliser le courant électrique pour provoquer une réaction chimique dans une solution. L'une des applications de l'électrolyse est le revêtement superficiel de pièces par galvanoplastie. Ci-dessus, une cuillère est chromée à partir d'une solution d'acide chromique.*

**ÉLECTROLYSE** Décomposition d'un liquide — constitué de substances en fusion ou en solution — par le passage d'un courant électrique. Au passage du courant, les atomes du liquide ou *électrolyte* forment les IONS. Les ions chargés positivement sont alors attirés par l'une des deux *électrodes* qui assurent la circulation du courant électrique dans l'électrolyte, les ions chargés négativement par l'autre. (Voir BATTERIE.) L'électrolyse est utilisée pour l'extraction de certains métaux en solution ou en galvanoplastie (dorure, argenture).

**ÉLECTRON** Voir ATOME.

**ÉLECTRONIQUE** Branche de la technologie qui met en jeu des circuits électriques comportant des TUBES CATHODIQUES, des VALVES, des TRANSISTORS et autres dispositifs semi-conducteurs. C'est en 1879 que William Crookes construisit le premier tube cathodique, ancêtre des tubes modernes utilisés dans l'équipement de TÉLÉVISION et de RADAR. Les premiers systèmes de RADIO n'avaient qu'un rayon d'action limité parce qu'ils étaient dépourvus d'amplificateurs capables de renforcer les signaux. L'amplification est devenue possible en 1907, avec l'invention par Lee De Forest de la valve triode qui apporta une amélioration considérable de l'équipement radio et conduisit au développement d'un système de télévision. Les premiers ORDINATEURS, construits dans les années 40, nécessitaient un volume considérable de matériel, dont des milliers de valves, mais la mise au point des transistors (1948) a permis de réduire considérablement ce volume. La taille et le prix de revient des circuits électroniques se sont encore réduits plus récemment, avec l'introduction des microcircuits.

ÉLECTION La plus ancienne loi électorale connue remonte au VIe siècle. Il s'agit d'un décret athénien stipulant que, « en cas de désordres civils », les citoyens auront à choisir leur parti et à résoudre le conflit au plus vite. Les abstentions n'étaient pas admises, pour cette raison que, en trop grand nombre, elles eussent été la porte ouverte à la tyrannie.

ÉLECTRICITÉ (PRODUCTION D') Du fait de la raréfaction des combustibles fossiles comme le charbon et le pétrole, les scientifiques se tournent vers la mer comme source d'énergie de l'avenir. Des équipes de chercheurs travaillent sur l'idée de générateurs flottants installés le long des côtes et qui utiliseraient l'énergie marémotrice. Peut-être un jour verrons-nous s'étirer le long des côtes des kilomètres de petits générateurs distribuant l'électricité.

## TABLEAU PÉRIODIQUE DES ÉLÉMENTS CHIMIQUES

Chaque case du tableau correspond à un élément, assorti de son symbole et de son numéro atomique. Les éléments aux propriétés chimiques similaires sont alignés verticalement (par ex. le cuivre, l'argent et l'or). Les éléments 89 à 105 (dont l'uranium 92), très voisins, ne sont pas représentés.

| 1 | 2 | 3 | 4 | 5 | 6 | 7 | 8 | 9 | 10 | 11 | 12 | 13 | 14 | 15 | 16 | 17 | 18 |
|---|---|---|---|---|---|---|---|---|---|---|---|---|---|---|---|---|---|
| Hydrogène H 1 | | | | | | | | | | | | | | | | | Hélium He 2 |
| Lithium Li 3 | Béryllium Be 4 | | | | | | | | | | | Bore B 5 | Carbone C 6 | Azote N 7 | Oxygène O 8 | Fluor F 9 | Néon Ne 10 |
| Sodium Na 11 | Magnésium Mg 12 | | | | | | | | | | | Aluminium Al 13 | Silicium Si 14 | Phosphore P 15 | Soufre S 16 | Chlore Cl 17 | Argon Ar 18 |
| Potassium K 19 | Calcium Ca 20 | Scandium Sc 21 | Titane Ti 22 | Vanadium V 23 | Chrome Cr 24 | Manganèse Mn 25 | Fer Fe 26 | Cobalt Co 27 | Nickel Ni 28 | Cuivre Cu 29 | Zinc Zn 30 | Gallium Ga 31 | Germanium Ge 32 | Arsenic As 33 | Sélénium Se 34 | Brome Br 35 | Krypton Kr 36 |
| Rubidium Rb 37 | Strontium Sr 38 | Yttrium Y 39 | Zirconium Zr 40 | Niobium Nb 41 | Molybdène Mo 42 | Technétium Tc 43 | Ruthénium Ru 44 | Rhodium Rh 45 | Palladium Pd 46 | Argent Ag 47 | Cadmium Cd 48 | Indium In 49 | Étain Sn 50 | Antimoine Sb 51 | Tellure Te 52 | Iode I 53 | Xénon Xe 54 |
| Cœsium Cs 55 | Baryum Ba 56 | Série des Lanthanides 55 à 71 | Hafnium Hf 72 | Tantale Ta 73 | Tungstène W 74 | Rhénium Re 75 | Osmium Os 76 | Iridium Ir 77 | Platine Pt 78 | Or Au 79 | Mercure Hg 80 | Thallium Tl 81 | Plomb Pb 82 | Bismuth Bi 83 | Polonium Po 84 | Astate At 85 | Radon Rn 86 |
| Francium Fr 87 | Radium Ra 88 | Série des Actinides 89 à 105 | | | | | | | | | | | | | | | |

Métaux — Métalloïdes — Série des lanthanides — Non-métaux — Gaz inerte — Série des actinides — 93 à 105 sont artificiels

**ÉLÉMENTS ET COMPOSÉS** Tout dans l'univers est composé de matériaux fondamentaux appelés éléments chimiques. Certaines substances comme le CUIVRE ou le CARBONE purs ne sont composées que d'un seul élément. L'air est un *mélange* de plusieurs éléments gazeux, AZOTE et OXYGÈNE principalement. Dans un mélange, les éléments ont une existence et des propriétés propres ; un corps *composé,* par contre, est une combinaison d'éléments chimiques. La plupart des substances sont des composés : l'eau, par exemple, est un composé d'oxygène et d'hydrogène. Les propriétés physiques et chimiques d'un corps composé diffèrent de celles de ses éléments.

Tout élément est constitué d'ATOMES et possède un numéro atomique propre. Les éléments numérotés de 1 à 92 sont des éléments naturels. D'autres éléments sont obtenus artificiellement à partir de réactions nucléaires. (Voir CHIMIE.)

**ÉLÉPHANT** Le plus gros MAMMIFÈRE terrestre actuel. L'éléphant vit en Afrique ou en Asie selon l'espèce. Les éléphants se nourrissent d'herbe, de feuilles et de fruits et vivent généralement en troupeaux. Le genre compte deux espèces : l'éléphant d'Asie, largement domestiqué comme bête de somme, et l'éléphant d'Afrique. ◁

ÉLÉPHANT Un éléphant n'atteint sa taille adulte qu'au bout de vingt-cinq ans.

A la naissance, un éléphanteau mesure environ 1 mètre et pèse quelque 90 kg. La gestation de l'éléphante dure 22 mois environ.

Le plus proche parent de l'éléphant est le daman des rochers qui ne mesure que 30 cm environ. Il vit en Afrique et au Moyen-Orient et ressemble à un rongeur, mais il possède les doigts cornés de son géant de cousin.

**ELISABETH Ire** Souveraine anglaise (1533-1603 ; reine à partir de 1558). Elisabeth Ire renforça la position de l'Église anglicane mais s'attacha à aplanir les différends entre protestants et catholiques. Elle repoussa la tentative d'invasion espagnole de 1588 (voir ARMADA), mais parvint à éviter les guerres longues et coûteuses. Sous son règne, l'Angleterre s'affirma comme grande puissance et s'implanta solidement dans le Nouveau Monde.

**ÉMAIL** Substance dure et lisse rappelant le VERRE. L'émail est constitué de sable et de borax auxquels on ajoute d'autres composés pour l'opacifier et le colorer. L'émail est utilisé en décoration ou pour protéger les surfaces de la corrosion. La couche d'émail recouvrant la couronne des DENTS est principalement composée de sels de calcium. Certaines PEINTURES résineuses sont dites émaillées.

**ÉMERAUDE** Pierre précieuse rare, d'une belle couleur verte, pouvant avoir une valeur supérieure à celle du diamant. La production d'émeraudes est surtout assurée par l'Amérique du Sud, en particulier la Colombie.

**ÉMEU** Grand oiseau d'Australie, brun-gris, incapable de voler mais atteignant à la course des vitesses de l'ordre de 60 km/h. Les émeus se nourrissent de graminées, de plantes et de fruits, ce qui explique qu'ils ne soient guère aimés des agriculteurs dont ils endommagent les récoltes.

▼ *Un poussin d'émeu. L'émeu appartient au même groupe d'oiseaux coureurs que l'autruche d'Afrique ; en Australie, il fait par endroits l'objet d'une chasse active du fait qu'il entre en compétition avec le bétail pour sa nourriture.*

**ÉMIRATS ARABES UNIS** Fédération de nations ARABES composée de sept émirats (principautés), les E.A.U. comptent 1 100 000 habitants (1982) pour une superficie de 77 800 km². Territorialement, les E.A.U. correspondent à l'ancienne Côte des Pirates ; la Fédération est l'un des plus importants producteurs de pétrole et de gaz naturel. ▷

**EMPIRE BRITANNIQUE** Nom donné aux territoires gouvernés par la Grande-Bretagne entre les XVIᵉ et XXᵉ siècles. L'Empire britannique fut le plus vaste de tous les empires coloniaux européens et s'étendit à tous les continents. La Grande-Bretagne parvint à le maintenir grâce à sa flotte, longtemps la plus puissante du monde. L'Empire britannique atteignit son apogée au XIXᵉ siècle, sous le règne de la reine VICTORIA, mais se démantela rapidement après la Seconde Guerre mondiale et l'accession à l'indépendance de la plupart des colonies ; il se composait de quatre types de possessions : les dominions, occupés par des Européens et qui, par la suite, accédèrent au statut de membres du Commonwealth ; les colonies, gouvernées par des fonctionnaires britanniques ; l'Empire des Indes, partie la plus importante territorialement et politiquement de l'Empire britannique ; enfin les territoires sous protectorat anglais, contrôlés par la Grande-Bretagne à des degrés divers. (Voir AFRIQUE DU SUD ; AUSTRALIE ; CANADA ; INDE ; NOUVELLE-ZÉLANDE.) ▷

**EMPIRE BYZANTIN** Empire romain d'Orient, fondé en 285 ap. J.-C., à la suite de la division de l'Empire romain. Après la chute de ROME (en 476), la partie orientale de l'empire se développa, tandis que la moitié occidentale déclinait. L'Empire byzantin, avec sa capitale Byzance (plus tard Constantinople et aujourd'hui Istanbul), élargit rapidement ses frontières et développa une civilisation qui devait influencer longtemps l'histoire européenne. L'Empire byzantin se maintint un millier d'années et s'acheva avec la prise de Constantinople par les Turcs, en 1453. L'un des plus fameux hommes d'État de l'Empire byzantin fut l'empereur Justinien (482-565), dont l'œuvre législative (le *Code justinien,* 553) a inspiré la plupart des codes législatifs européens. La civilisation byzantine est parvenue à un haut degré d'achèvement et a apporté des contributions majeures dans les domaines de l'art et de l'ARCHITECTURE. (Voir ART BYZANTIN.)

**EMPIRE (PREMIER)** Régime sous lequel a vécu la France de 1804 à 1814, puis du 20 mars au 22 juin 1815 (les Cent-Jours) et dont le souverain était Napoléon Iᵉʳ.

**EMPIRE (SECOND)** Régime de la France (1852-1870) établi par Louis-Napoléon Bonaparte (neveu de Napoléon Iᵉʳ), empereur des Français sous le nom de Napoléon III. Le régime s'effondra après la défaite de la France devant la Prusse pendant la guerre de 1870.

▲ *Artisans chinois préparant et mélangeant les divers ingrédients (noir de fumée, huile, résine et gomme) qui entrent dans la composition de l'encre. Apparue en Chine aux environs de 1500 av. J.-C., l'encre y était – et y est encore – utilisée au pinceau et non à la plume.*

**EMPREINTES DIGITALES** L'extrémité des doigts humains est parcourue d'un réseau de sillons dont la configuration n'est jamais identique d'un individu à l'autre ; c'est ce qu'on appelle les empreintes digitales. La police utilise les empreintes digitales pour identifier avec certitude les criminels ; le relevé, sur le lieu d'un crime, des empreintes laissées sur un objet peut être utilisé comme indice au cours de l'enquête. Ce procédé s'appelle la dactyloscopie. ▷

**ENCENS** Mélange de résines aromatiques de divers arbres et plantes qui brûle en dégageant une odeur forte et agréable. L'encens, présenté en poudre ou en bâtonnets, est utilisé lors de cérémonies religieuses des cultes catholique, orthodoxe et bouddhiste.

**ENCRE** Les premières encres étaient probablement fabriquées à partir de baies écrasées dans de l'eau. Depuis, elles se sont diversifiées : il existe des encres liquides pour écrire ou dessiner, des encres pâteuses comme l'encre d'IMPRIMERIE, ou l'encre des stylos à bille.

**ENCYCLOPÉDIE** Ouvrage, en un ou plusieurs volumes, où est exposé succinctement l'ensemble des connaissances d'une époque ou, de manière plus détaillée, l'état des connaissances dans un domaine particulier. Les rubriques sont généralement classées par ordre alphabétique et peuvent être illustrées. Le modèle du genre est l'*Encyclopédie* de Diderot (1713-1784).

ÉMIRATS ARABES UNIS : DONNÉES
Langue officielle : arabe.
Monnaie : dirham.
Religion : sunnisme (islam).
Les deux plus vastes émirats sont l'Abu Dhabi et le Dubai ; les cinq autres : l'Ajman, le Sharjah, le Fujeira, l'Umm al-Owain et le Ras al-Khaimah.

EMPIRE BRITANNIQUE 1897, année du jubilé de la reine Victoria, est généralement considéré comme marquant l'apogée de l'Empire britannique qui couvrait à l'époque 26,4 millions de km² — soit plus d'un quart de la superficie de la Terre — et rassemblait une population de près de 390 millions de personnes.

EMPREINTES DIGITALES C'est en 1880 que le Dr Henry Faulds suggéra d'utiliser les empreintes comme moyen d'identification. En effet, il avait constaté que les empreintes digitales d'un individu demeuraient identiques de sa naissance à sa mort. L'idée paraissait neuve, mais, peu après, un certain William Herschel affirma utiliser ce procédé d'identification des prisonniers depuis vingt ans. Le procédé se répandit rapidement dans tous les services de police.

ÉNERGIE ATOMIQUE Dans de nombreux pays, les physiciens s'attachent à contrôler la puissance de la bombe H de façon à produire de l'énergie à bon marché. Le processus de fusion thermonucléaire implique que les atomes fusionnent pour libérer d'énormes quantités d'énergie. Or la fusion n'est pas aisée à provoquer : pour qu'elle se produise, il faut maintenir pendant une seconde au moins une température de l'ordre de 100 millions de degrés.

**ÉNERGIE** L'énergie revêt diverses formes : mécanique, chimique, électrique, nucléaire, thermique, rayonnante. Le ressort d'une montre est une source d'énergie mécanique dite *potentielle :* en se détendant, il fournit un TRAVAIL, actionnant le mécanisme qui fait tourner les aiguilles de la montre. L'eau de retenue d'un barrage est également une source d'énergie mécanique potentielle (voir ÉNERGIE HYDROÉLECTRIQUE) : elle peut actionner des TURBINES reliées à des générateurs qui produisent de l'électricité. L'énergie mécanique potentielle d'un corps se transforme en énergie *cinétique* lorsque ce corps tombe en chute libre. L'énergie chimique est produite lors de certaines réactions chimiques — par exemple lorsqu'un combustible est brûlé. L'énergie électrique est produite dans les piles, les BATTERIES, ou par les GÉNÉRATEURS. L'ÉNERGIE ATOMIQUE, le plus souvent transformée en énergie calorifique, est produite lors de réactions nucléaires. Parmi les énergies rayonnantes, on compte la chaleur, la lumière et autres formes de radiations électromagnétiques. (Voir ONDES ÉLECTROMAGNÉTIQUES.) Dans le système international, l'unité d'énergie est le JOULE. (Voir loi de la CONSERVATION.)

**ÉNERGIE ATOMIQUE** Énergie libérée par le noyau des ATOMES lorsque la matière est détruite. L'énergie atomique (ou énergie NUCLÉAIRE) est produite dans les BOMBES ATOMIQUES (A ou H) et dans les réacteurs nucléaires. Par la destruction d'une toute petite quantité de matière, on obtient une grande quantité d'énergie.

Pour les scientifiques du XIXe siècle, la MASSE pas plus que l'énergie ne pouvaient être détruites. (Voir loi de la CONSERVATION.) Or, au début de ce siècle, le physicien allemand Albert EINSTEIN montra que cette théorie devait être révisée, car masse et énergie constituent deux formes différentes d'une même réalité, de sorte que, à partir du moment où l'on peut détruire la masse, celle-ci est remplacée par de l'énergie. Einstein formula l'équation $E = mc^2$, dans laquelle $E$ représente l'énergie, $m$ la masse et $c$ la vitesse de la lumière. Étant donné l'importance numérique de $c$ (environ 300 millions de m par seconde), le produit de $m$ par $c^2$ donne à $E$ une valeur très forte, même lorsque $m$ est très petit. D'où la quantité importante d'énergie produite lors d'une réaction nucléaire.

▼ *En France, dans l'estuaire de la Rance, le mouvement des marées actionne les turbines d'une centrale hydroélectrique.*

Dans les années 30, les savants qui étudiaient la structure atomique en bombardant les atomes de divers éléments à l'aide de particules en mouvement découvrirent que les atomes de l'uranium 235 pouvaient être disloqués par un bombardement de neutrons — processus qui s'accompagnait d'une déperdition de masse et d'une production de chaleur, exactement comme l'avait prévu Einstein. De plus, les neutrons en mouvement arrachaient à l'uranium un nombre plus grand de neutrons. Le scientifique italien Enrico Fermi analysa les implications de ce phénomène. Si un petit nombre de neutrons pouvait libérer un nombre plus important des neutrons de l'uranium, ces derniers à leur tour pouvaient servir à provoquer des réactions de fission plus importantes ; d'où un processus en chaîne grâce auquel on pouvait obtenir d'énormes quantités de chaleur. De fait, en 1942, à Chicago, Fermi parvint à réaliser une RÉACTION EN CHAINE contrôlée pour libérer de l'énergie atomique : la physique nucléaire venait de faire un grand pas en avant.

On était alors en pleine Seconde Guerre mondiale et, l'Allemagne travaillant activement à la mise au point d'une arme nucléaire, les États-Unis mirent également en chantier la réalisation d'une bombe atomique. En 1945, les États-unis effectuèrent les premiers essais de leur bombe A ; un mois plus tard, ils utilisaient leur nouvelle arme contre le Japon. Plus puissante, la bombe à hydrogène, ou bombe H, fut réalisée aux États-Unis en 1952. Bien que de nombreuses nations soient aujourd'hui en possession de la bombe H, celle-ci n'a pas encore été utilisée et les physiciens travaillent à une utilisation pacifique de l'atome : produire de l'énergie à bon marché. ◁

**ÉNERGIE HYDRAULIQUE** Déjà à l'époque romaine, l'homme utilisait la puissance des cours d'eau pour faire tourner des roues hydrauliques et obtenir de l'énergie. Au début, des seaux disposés verticalement sur le pourtour de la roue plongeaient dans l'eau dont le courant les poussait successivement, faisant tourner la roue. Plus tard, les seaux furent remplacés par des pales en bois. Jusqu'au XIXe siècle, les roues hydrauliques actionnèrent moulins et autres dispositifs. Aujourd'hui, les centrales hydroélectriques utilisent l'énergie hydraulique pour actionner des TURBINES reliées à des GÉNÉRATEURS qui produisent de l'électricité. Dans certaines régions, l'électricité est produite à partir de l'énergie des vagues et des marées.

**ÉNERGIE HYDROÉLECTRIQUE** Énergie électrique obtenue à partir de l'énergie de l'eau en mouvement : chute naturelle ou barrage. L'eau est canalisée en direction de TURBINES à eau qui actionnent des GÉNÉRATEURS de courant électrique. Le courant est ensuite distribué aux consommateurs par l'intermédiaire d'un réseau de câbles. Le rendement d'une centrale hydroélectrique est fonction du débit de l'eau et de la hauteur de la chute.

**ÉNERGIE POTENTIELLE** Énergie renfermée dans un corps du fait de sa position, de son état. Pour soulever un poids, il faut fournir une certaine quantité de travail. Mais ce travail n'est pas perdu car le poids possède plus d'énergie que lorsqu'il se trouvait sur le sol. C'est cette énergie emmagasinée que l'on appelle énergie potentielle. Lorsqu'on laisse tomber le poids, son énergie potentielle se transforme en énergie cinétique. (Voir ÉNERGIE.)

**ÉNERGIE SOLAIRE** L'énergie irradiée par le Soleil peut être captée et utilisée. Elle peut être convertie en électricité par des cellules photoélectriques ; cette technique est utilisée, par exemple, pour alimenter les instruments des satellites artificiels. L'énergie solaire peut également servir au chauffage domestique : l'énergie rayonnante fournie par des capteurs solaires sert à chauffer de l'eau qui est emmagasinée dans des réservoirs isothermes et distribuée lorsque nécessaire dans un système de radiateurs à eau.

**ENGRAIS** Substance incorporée au SOL pour en maintenir ou en augmenter la fertilité, généralement par apport d'AZOTE, de sels de POTASSIUM et de phosphates. (Voir PHOSPHORE.) Les engrais organiques sont composés principalement de déjections d'animaux et de poudre d'os.

**ENGRENAGE** Dispositif constitué de roues dentées qui s'entraînent les unes les autres. L'engrenage est généralement utilisé pour transmettre le mouvement d'un arbre en rotation à un autre et peut servir à faire varier la direction ou la vitesse de rotation de l'arbre d'arrivée. Dans une voiture, la boîte de vitesses est un système d'engrenages qui servent à faire varier les rapports des vitesses de rotation du moteur et des roues.

**ENZYME** Substance chimique complexe fabriquée par les cellules vivantes. Chez les animaux, les enzymes provoquent ou accélèrent des processus biochimiques comme la DIGESTION. ▷

**ÉOLIENNE** Moteur actionné par le vent. L'ancêtre de l'éolienne est le moulin à vent, dans lequel le vent actionnait des « ailes » de bois ou de toile. Apparus en Europe occidentale au XIIe siècle, les moulins à vent servaient principalement à moudre le grain. Aujourd'hui, des éoliennes à pales métalliques sont utilisées dans diverses parties du monde pour pomper l'eau et parfois produire de l'électricité. ▷

▲ *Le plus grand four solaire du monde est installé dans les Pyrénées. Des miroirs paraboliques polis concentrent les rayons du Soleil pour produire des températures de l'ordre de 3 000 °C.*

▼ *Épées d'officiers britanniques de l'époque napoléonienne. L'épée est l'une des armes les plus anciennes.*

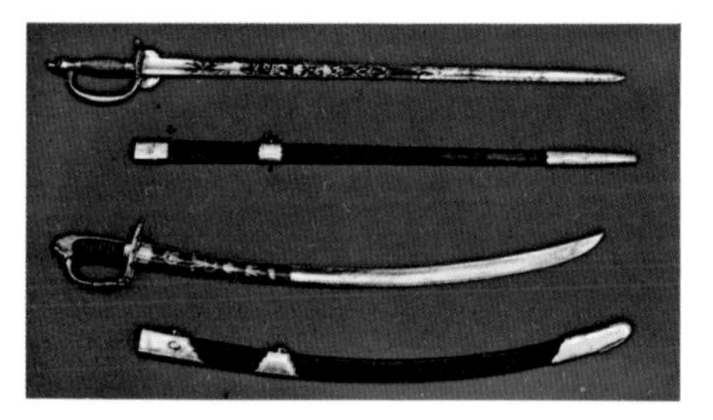

ENZYME Les enzymes sont couramment utilisées dans la production des boissons alcoolisées dans lesquelles des levures et du sucre sont combinés à de l'eau. Le mélange est légèrement chauffé, de manière que les enzymes de la levure réagissent sur le sucre, provoquant la formation d'alcool. On produit de cette manière de la bière, du vin ou des alcools.

**ÉPÉE** Arme constituée d'une longue lame plate fixée à une poignée généralement munie d'une garde qui protège la main. Elle permet de frapper du tranchant ou de la pointe et peut être tenue à une ou deux mains. La lame, à un ou deux tranchants, peut être droite ou courbe. Aujourd'hui, l'épée n'est plus utilisée comme arme militaire, mais certains corps d'officiers la portent encore au côté lors des cérémonies officielles.

**ÉPICE** Substance aromatique végétale pour l'assaisonnement des aliments et des boissons. Il peut s'agir de baies, de feuilles, de noix, de graines ou d'écorce d'arbres.

**ÉPICÉA** Conifère voisin du SAPIN, dont l'aire de distribution s'étend, au nord, jusqu'au cercle arctique. On reconnaît les épicéas à leurs cônes pendants (ceux des sapins sont dressés). ▷

▲ *L'épicéa appartient au groupe des* gymnospermes, *qui fournissent 80 % de la production mondiale de bois.*

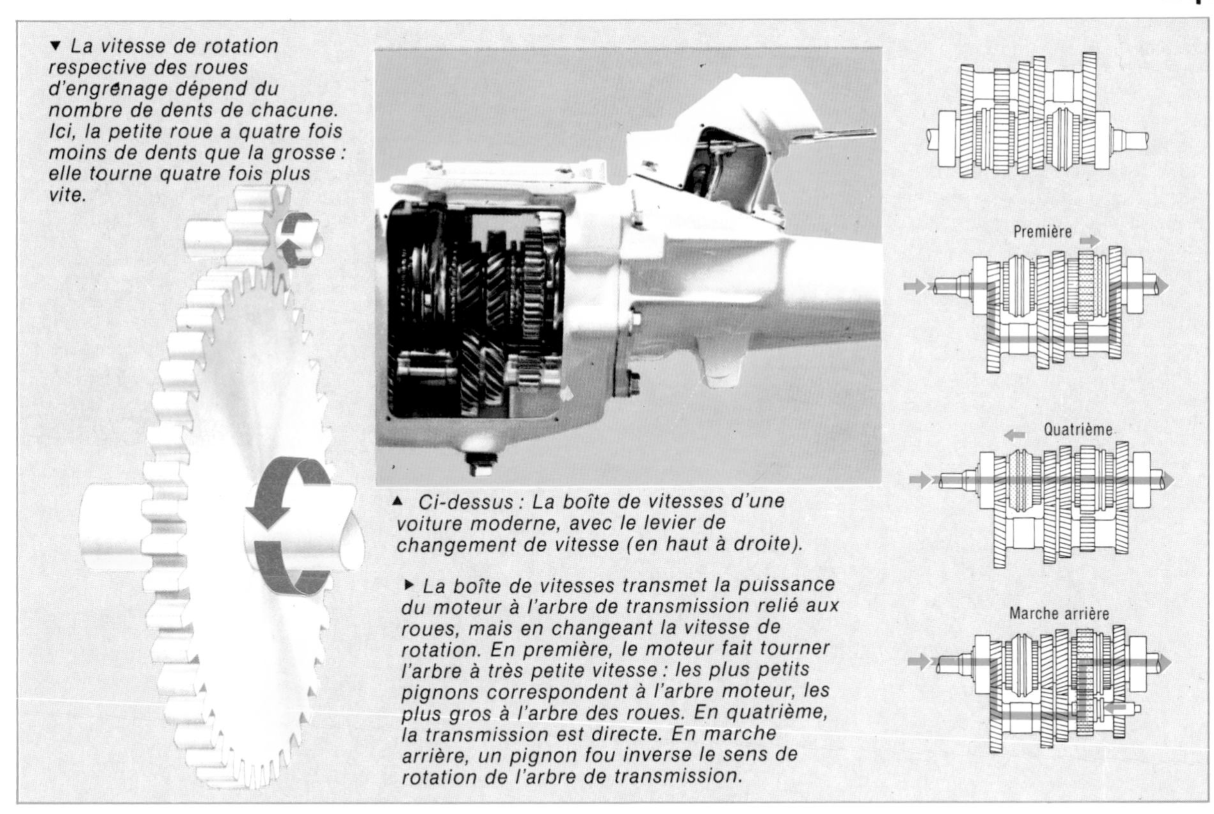


▼ *La vitesse de rotation respective des roues d'engrenage dépend du nombre de dents de chacune. Ici, la petite roue a quatre fois moins de dents que la grosse : elle tourne quatre fois plus vite.*

▲ *Ci-dessus : La boîte de vitesses d'une voiture moderne, avec le levier de changement de vitesse (en haut à droite).*

▸ *La boîte de vitesses transmet la puissance du moteur à l'arbre de transmission relié aux roues, mais en changeant la vitesse de rotation. En première, le moteur fait tourner l'arbre à très petite vitesse : les plus petits pignons correspondent à l'arbre moteur, les plus gros à l'arbre des roues. En quatrième, la transmission est directe. En marche arrière, un pignon fou inverse le sens de rotation de l'arbre de transmission.*

ÉOLIENNE C'est en Allemagne que fonctionne la plus grande éolienne du monde. Elle comporte deux pales décrivant un cercle de plus de 100 m de diamètre. Les ingénieurs américains étudient la construction d'éoliennes encore plus importantes.

ÉPICÉA Le bois d'épicéa est largement utilisé pour la fabrication de la pâte à papier. La sapinette blanche, le sapin de l'Arizona et le sapin rouge (épicéa commun) sont des épicéas. Ce sont généralement des sapins rouges, encore appelés sapins de Norvège, qui servent d'arbres de Noël.

ÉPONGE Les éponges naturelles utilisées pour le bain sont des squelettes mous d'animaux. Ramassées sur le fond marin, les éponges sont mises à sécher, de manière à les débarrasser de la chair gélifiée de l'animal, puis battues pour éliminer les résidus et suspendues à l'air où elles achèvent de sécher.

**ÉPINARD** Plante potagère dont les feuilles vertes contiennent une forte proportion de fer et de vitamines A et C. On consomme les feuilles cuites.

**ÉPINETTE** Instrument de musique de la famille du CLAVECIN et comportant un seul clavier. Les cordes sont pincées et non frappées comme dans un PIANO.

▼ *Le calibrage des éponges en Grèce, principal pays fournisseur. Aujourd'hui, les éponges végétales ou synthétiques – meilleur marché – remplacent largement les éponges animales pour les usages domestiques.*

**ÉPONGE** Nom usuel des spongiaires, INVERTÉBRÉS marins dont on compte quelque 5 000 espèces. La vie fondamentalement végétative de ces animaux les a longtemps fait confondre avec des plantes. Leur squelette poreux retient de grandes quantités d'eau, ce qui fait leur utilité domestique. ◁

**ÉQUATEUR** République chevauchant l'équateur dans le nord-ouest de l'AMÉRIQUE DU SUD, et qui compte 8,6 millions d'habitants (1982) pour une superficie de 284 000 km². Quito, la capitale, est située dans la haute chaîne des Andes. L'agriculture produit notamment des bananes, du cacao et du café.

**ÉQUATEUR** Ligne imaginaire qui fait le tour de la Terre, à égale distance du pôle Nord et du pôle Sud (0° de latitude). L'équateur mesure 40 075 km.

**ÉQUINOXE** Moment de l'année où le Soleil paraît situé exactement au-dessus de l'ÉQUATEUR et correspondant à des durées égales du jour et de la nuit. L'équinoxe de printemps se situe le 21 mars, l'équinoxe d'automne le 23 septembre.

**ÉRABLE** Arbre à feuilles caduques de l'hémisphère Nord. A l'automne, les feuilles d'érable prennent de belles teintes jaunes, orange et rouges. Il existe plusieurs espèces dont l'une, au Canada, fournit une sève sucrée. La feuille d'érable est d'ailleurs l'emblème du Canada.

**ÉROSION** Dégradation du relief terrestre dont les agents peuvent être l'eau de pluie ou de ruissellement, le vent ou la glace. L'érosion naturelle est un processus lent que l'homme peut aggraver fortement par la destruction de la végétation.

**ESCALATOR** Escalier mécanique. Les marches sont fixées souplement sur un tapis roulant, et une main courante assure la sécurité des usagers. >

**ESCARGOT** MOLLUSQUE gastéropode qui se déplace en glissant sur son corps aplati et porte sur le dos une coquille dans laquelle il peut se rétracter. La coquille des achatines, escargots terrestres des Tropiques, peut dépasser 15 cm. >

**ESCHYLE** Poète grec (525-456 av. J.-C.), considéré comme le père de la tragédie grecque. Sept seulement des quatre-vingt-dix drames qu'il fit jouer sont parvenus jusqu'à nous, dont *l'Orestie* (une trilogie), *les Perses, les Sept contre Thèbes* et *Prométhée enchaîné.*

**ESCLAVAGE** État de ceux qui sont sous l'autorité absolue d'un maître qui les possède comme un bien propre. Les sociétés grecque et romaine reposaient en grande partie sur l'esclavage. Aboli en France en 1848, l'esclavage n'a pas encore disparu dans certains États arabes de la mer Rouge et du golfe Persique. (Voir guerre de SÉCESSION.) >

**ESCRIME** Art du maniement du fleuret, de l'ÉPÉE et du sabre, le fleuret étant le plus célèbre.

La pointe de l'arme est recouverte d'une mouche (un bouchon protecteur) et les escrimeurs sont revêtus de masques et de vêtements rembourrés. Un point (touche) est marqué chaque fois que l'arme touche le corps de l'adversaire — la surface de touche reconnue variant selon les armes. >

▲ *Ce haut rocher émergeant de l'eau est tout ce qui reste d'une arche naturelle (côte méditerranéenne de la France). En assaillant continuellement la côte, les vagues ont creusé une arche dans la falaise, arche qui a fini par s'effondrer.*

▲ *L'achatine d'Amérique du Sud pèse jusqu'à 227 g et sa coquille peut mesurer jusqu'à 20 cm.*

▼ *Rencontre olympique d'escrime entre J. Hehn (Allemagne) et I. Osztrics (Hongrie). L'escrime est considérée aujourd'hui comme une forme artistique autant qu'un sport.*

ESCALATOR Si le brevet du nom date de 1859, le premier Escalator n'a fonctionné qu'en 1899.
Un Escalator moderne peut véhiculer jusqu'à 10 000 personnes à l'heure ; le plus long « trottoir roulant », installé dans le Neue Messe Center de Düsseldorf (R.F.A.), mesure 225 m.

ESCARGOT Les escargots sont généralement herbivores. Quelques-uns sont carnivores et se nourrissent de vers de terre.

ESCLAVAGE Dans les pays musulmans, il arrivait parfois que les esclaves soient recrutés comme soldats ou fonctionnaires. Dans certains cas, comme celui des mamelouks de la milice turco-égyptienne, les esclaves parvinrent à arracher les postes de commande des mains de leurs anciens maîtres et à constituer de véritables puissances.

▲ *Magnifique château dominant un village dans la province espagnole d'Almeria. L'architecture espagnole doit beaucoup à l'influence islamique des Maures.*

▲ *Le théâtre romain de Meridia, en Espagne. Les Romains ont exporté leur culture, y compris leur amour du théâtre, dans toutes les parties de leur vaste empire.*

ESCRIME Sport pratiqué en Égypte dès 1360 av. J.-C., l'escrime fut introduite en Europe par le roi d'Angleterre Henri VIII.

L'escrime figure aux jeux Olympiques depuis leur création, en 1896, et des championnats du monde sont organisés régulièrement. L'escrimeur français Christian d'Oriola détient le record des titres mondiaux. Il en gagna quatre, en 1947, 1949, 1953 et 1954.

ESPAGNE : DONNÉES
Superficie : 505 000 km².
Population : 37,6 millions d'habitants (1982).
Capitale : Madrid.
Langue officielle : espagnol.
Religion : catholicisme.
Monnaie : peseta.
Cours d'eau principaux : Èbre, Guadalquivir, Douro.
Grandes villes : Madrid (3 150 000 habitants), Barcelone (1 750 000 habitants), Valence (750 000 habitants), Séville (650 000 habitants).
En 1977, les Espagnols ont voté librement pour la première fois depuis 41 ans.

**ESCULAPE** L'*Asclépios* de la mythologie grecque, guérisseur fameux, fils supposé d'Apollon. Il fut choisi comme dieu de la médecine et représenté portant un caducée.

**ÉSOPE** Personnage à demi légendaire de la Grèce antique (v. 600 av. J.-C.), réputé l'auteur de centaines de fables parmi lesquelles *le Lièvre et la Tortue* et *la Poule aux œufs d'or.*

**ESPADON** Poisson à la mâchoire supérieure allongée comme une lame d'épée et capable de percer la coque d'un bateau. L'espadon peut atteindre 6 m et peser jusqu'à 450 kg.

**ESPAGNE** Monarchie occupant la majeure partie de la péninsule Ibérique, en EUROPE méridionale. Les îles BALÉARES (Méditerranée) et les îles CANARIES (Atlantique) font également partie de l'Espagne. L'Espagne continentale est surtout constituée de hautes terres, d'altitudes variant entre 600 m et 900 m, et de chaînes de montagnes dont la Sierra Nevada et les PYRÉNÉES.

L'agriculture constitue le secteur essentiel de l'économie espagnole (olivier, vigne, agrumes, orge, pomme de terre), mais l'élevage des bovins, ovins et porcins est également important. L'Espagne exploite ses gisements de fer, de charbon, de zinc, de mercure (premier producteur mondial), et l'industrie de transformation est développée dans les grandes villes comme MADRID et Barcelone. L'Espagne attire chaque année quelque 30 millions de visiteurs venus jouir du climat, des plages et des sites historiques.

Si l'espagnol (castillan) est la langue officielle, les populations espagnoles parlent également le catalan, le BASQUE et le galicien — les diverses communautés réclamant souvent un certain degré d'indépendance.

Au cours de l'histoire, l'Espagne a été conquise à diverses reprises : par les Carthaginois, les Phéniciens, les Romains, les Wisigoths, les Maures... Reconquise par les rois chrétiens au début du XIIIe siècle, l'Espagne accéda au XVIe siècle au rang de première puissance mondiale, mais aux XIXe et XXe siècles, elle perdit son vaste empire. La guerre civile qui ravagea l'Espagne dans les années 1930 a conduit le pays à subir la dictature du général F. Franco (1892-1975). Depuis la mort du *caudillo*, le pays est régi par une monarchie constitutionnelle ayant à sa tête le roi Juan Carlos. ◁

▼ *Cette jeune Esquimaude présente les traits caractéristiques des races mongoloïdes : visage et nez plats, pommettes saillantes, cheveux noirs et lisses, lèvres épaisses et peau brun-jaune.*

**ESQUIMAU OU ESKIMO** Les Esquimaux constituent une ethnie de mongoloïdes à la peau mate et aux cheveux noirs qui vivent principalement en Alaska, au Groenland et au Labrador. Il existe plusieurs groupes distincts d'Esquimaux, ayant chacun leur dialecte et leur mode de vie. Les Esquimaux vivent exclusivement du fruit de la pêche (poissons, phoques, morses) et de la chasse (ours). Ils restent peu nombreux à avoir conservé leur mode de vie tribal ; beaucoup se sont transformés en artisans dans les villes du littoral arctique.

**ESTAMPE** Image obtenue à partir d'une gravure sur bois. Le motif est dessiné sur le bloc de bois qui est ensuite évidé de manière à laisser le tracé en relief. Le dessin est alors encré puis mis sous presse pour être reproduit sur papier. L'estampe est la plus ancienne forme d'IMPRIMERIE ; cette technique était déjà en usage en Chine au IIIe siècle av. J.-C.

**ESTOMAC** Organe principal de la digestion des aliments. Chez l'homme, l'estomac, renflé en poche, est relié à la bouche par l'*œsophage* et, de l'autre extrémité, à l'INTESTIN grêle. Dans l'estomac, les aliments sont brassés, imprégnés de suc gastrique et transformés en une bouillie appelée *chyme.* (Voir DIGESTION.)

**ESTUAIRE** Embouchure d'un fleuve où il subit l'influence des marées ; d'où un mélange d'eau douce et d'eau de mer, avec une flore et une faune particulières. Les ports importants sont souvent construits dans des estuaires.

**ESTURGEON** Poisson à la bouche ventrale évoquant celle du requin, mais dépourvue de dents, et qui peut atteindre 3,50 m. L'esturgeon est estimé pour ses œufs que l'on consomme sous le nom de CAVIAR. Il existe environ 25 espèces d'esturgeons d'eau douce ou salée.

**ÉTAIN** Métal blanc, malléable, que l'on extrait de son principal minerai : la cassitérite. On étame l'acier (fer-blanc) pour le protéger de la corrosion. L'étain entre également dans la composition de divers ALLIAGES servant, entre autres, à mouler et former de la vaisselle. Traditionnellement, la vaisselle en étain contenait 10 à 15 % de plomb ; aujourd'hui, ce type d'alliage est constitué de 5 à 20 % d'antimoine, 1 % de cuivre et le reste d'étain. ▷

**ÉTATS-UNIS** Nation puissante et prospère, les États-Unis occupent le quatrième rang au monde pour la superficie et la population. Cette république fédérale est composée de 50 États : 49 en AMÉRIQUE DU NORD et un — l'archipel d'HAWAII — dans le centre du Pacifique.

Les États-Unis offrent un paysage varié. Ils sont bordés à l'est par le massif des Appalaches, tandis que le système des rocheuses — montagnes Rocheuses, chaîne des Cascades et Sierra Nevada — occupe tout l'ouest du pays. S'ajoutent à ces chaînes de montagnes de vastes plaines herbeuses, des hauts plateaux, et même des déserts brûlants.

Les premiers habitants du pays étaient les INDIENS d'AMÉRIQUE, dont les ancêtres étaient venus d'Asie il y a quelque 20 000 ans. Les VIKINGS, sous la conduite de Leif Ericsson (Xe-XIe siècle), furent probablement les premiers Européens à mettre le pied en Amérique du Nord, mais l'exploration systématique de la côte Atlantique date de la période des grandes explorations, au début du XVIe siècle. (Voir Christophe COLOMB.)

Les Anglais furent les premiers à coloniser massivement l'Amérique du Nord ; vers 1760, ils formaient dans l'est du pays 13 colonies britanniques regroupant 1,5 million de personnes. A la suite de la guerre de l'INDÉPENDANCE AMÉRICAINE (1775-1783), ces colonies s'unirent et acquirent leur indépendance. La nouvelle nation poursuivit son extension vers l'ouest et le sud du pays — extension un moment menacée par la guerre de SÉCESSION (1861-1865) qui opposa le Nord, industriel et puritain, au Sud, agricole et esclavagiste.

Dès la fin du XIXe siècle, les États-Unis jouèrent un rôle sans cesse croissant dans le monde des affaires, pour émerger à la fin des deux guerres mondiales comme l'une des deux superpuissances mondiales (l'autre étant l'UNION SOVIÉTIQUE.)

La population des États-Unis est très diversifiée. Elle est composée de 88 % de Blancs (descendants des premiers colons européens et Hispaniques), et de 11 % de Noirs — descendants, eux, des esclaves africains. S'ajoutent à cela de petits groupes d'Indiens (0,5 %), de Chinois, de Japonais, de Vietnamiens, de Philippins, d'Hawaiiens et d'Esquimaux.

L'industrie constitue le secteur le plus important de l'économie des États-Unis ; elle fournit, à elle seule, la moitié du volume mondial des produits manufacturés. Les réserves minières sont énormes : la nation occupe le premier rang mondial pour la production du cuivre, de la houille, du gaz naturel, des phosphates, du soufre et de l'uranium. Les vastes plaines du centre nourrissent un cheptel important qui classe les États-Unis parmi les principaux exportateurs de denrées alimentaires. Du fait du haut degré de mécanisation de l'agriculture, la terre n'emploie que 3,5 % de la population. (Voir NEW YORK ; WASHINGTON.) ▷

▼ *Le dôme du Capitole, à Washington, qui valut un prix à son architecte, en 1792. Washington a été la première grande ville au monde à bénéficier d'un plan d'ensemble.*

ÉTAIN Jusqu'au XVIIIe siècle, la Cornouailles est demeurée l'unique source d'étain du monde. Les Phéniciens effectuaient la traversée depuis la Méditerranée pour se procurer ce métal.

ÉTATS-UNIS : DONNÉES
Langue officielle : anglais.
Monnaie : dollar.
Superficie : 9 360 000 km².
Population : 229 810 000 habitants (1981).
Capitale : Washington.
Point culminant : mt McKinley (6 194 m), en Alaska.
Plus long cours d'eau : Missouri (4 368 km de long), un affluent du Mississippi.
Principales villes : New York (9 120 000 habitants), Chicago (7 102 000 habitants), Los Angeles (7 478 000 habitants), Philadelphie (4 717 000 habitants), Detroit (4 353 000 habitants).
Religion : la population compte environ un tiers de protestants, un quart de catholiques et 3 % de juifs.
Parmi les 50 États, l'Alaska est de loin le plus vaste, mais la Californie le plus peuplé. Les 13 premiers États de l'Union ont été le Connecticut, le Delaware, la Géorgie, le Maryland, le Massachusetts, le New Hampshire, le New Jersey, New York, la Caroline du Nord, la Pennsylvanie, Rhode Island, la Caroline du Sud et la Virginie. Les derniers à s'intégrer à la fédération — en 1959 — furent l'Alaska et Hawaii.

◄ *Berger éthiopien et son fils. Les Éthiopiens sont principalement agriculteurs ou éleveurs nomades. A droite, Éthiopiens battant le grain. L'orge, le dourah (variété de millet), le blé et le maïs constituent les principales productions céréalières.*

**ÉTHERS** Groupe de composés chimiques très divers (voir ÉLÉMENTS ET COMPOSÉS), dont l'*oxyde d'éthyle* $(C_2H_5)_20$, couramment appelé éther ; il est utilisé comme solvant et anesthésique. (Voir ANESTHÉSIE.)

ÉTHIOPIE : DONNÉES
Langue officielle : amharique.
Monnaie : birr.
Point culminant : Ras Dachan (4 620 m).
Capitale : Addis Abeba.
Le Nil Bleu prend sa source dans le lac Tana.
L'Éthiopie portait anciennement le nom d'Abyssinie.
Le principal produit d'exportation est le café.

**ÉTHIOPIE** République de l'AFRIQUE orientale, sur la mer Rouge, l'Éthiopie compte 32 millions d'habitants (1982) pour une superficie de 1 221 900 km². Ce pays montagneux, semi-désertique, est l'un des plus pauvres du monde. L'agriculture est sa seule ressource (café et élevage). ◁

**ÉTIQUETTE** Ensemble de règles régissant le comportement des personnes dans une cour, lors de manifestations officielles ou dans une réception. L'étiquette est basée sur la courtoisie et les bonnes manières.

**ÉTOILE** Corps céleste émettant de grandes quantités d'énergie rayonnante — principalement sous forme de lumière — résultant de réactions de fusion nucléaire. (Voir ÉNERGIE ATOMIQUE.) La taille de certaines étoiles représente des milliers de fois celle de la Terre. Le Soleil est une étoile relativement petite, que l'on classe dans la catégorie des naines. Les systèmes BINAIRES d'étoiles sont constitués de deux étoiles gravitant autour d'un même centre de gravité. Les PULSARS sont des étoiles émettant des pulsations rythmées d'énergie. ◁

ÉTOILE A partir de la Terre, on ne peut voir à l'œil nu que 7 000 étoiles, appartenant toutes à la Voie Lactée. Un puissant télescope permet de distinguer quelques millions d'étoiles parmi les 100 000 millions au moins que compte notre galaxie.
L'étoile la plus proche de la Terre (exception faite de notre Soleil) est Proxima du Centaure, située à 4,2 années-lumière.

▼ *Des dizaines de milliers d'étoiles constituent l'amas globulaire d'Hercule, M 13. Les faibles étoiles jaunes ont quelque 10 milliards d'années.*

**ÉTOILE DOUBLE** Voir étoile BINAIRE.

**ÉTOILE DE MER** Nom vulgaire de l'astérie, INVERTÉBRÉ marin, à cinq bras ou plus, formant couronne autour d'un disque central contenant les organes vitaux de l'animal. L'étoile de mer est capable de régénérer un bras amputé. L'espèce la plus grosse atteint 60 cm.

▲ *Cette étoile de mer* (Solaster papposus) *vit sur le fond du littoral et dans les trous rocheux. Comme tous les* échinodermes, *les étoiles de mer se déplacent grâce à un système de tubes, les* podia.

**ÉTOURNEAU** Passereau au luisant plumage noir tacheté de blanc. Son bec allongé lui sert à attraper les insectes. L'étourneau se nourrit également de fruits et de graines et cause d'importants dommages aux récoltes.

**ÉTRUSQUES** Peuple de la côte occidentale de l'Italie, dont la civilisation prospéra du VIIIe au IVe siècle av. J.-C., puis qui fut soumis par les Romains. Les Étrusques étaient organisés en cités-États prospères, d'abord avec un roi, puis fédérées en république. Les Étrusques se sont rendus célèbres par leurs sculptures et leurs tombeaux superbement décorés.

**EUCALYPTUS** Grand arbre à feuilles persistantes, originaire d'Australie et introduit dans de nombreuses contrées chaudes. L'eucalyptus fournit une huile et une gomme odorantes, et son bois rougeâtre est très apprécié. Ses longues feuilles coriaces constituent la nourriture exclusive des KOALAS.

**EUCLIDE** Mathématicien du IIIe siècle av. J.-C. Ses *Éléments* étaient encore considérés il y a peu comme l'ouvrage de référence en matière de géométrie. La géométrie euclidienne repose sur le fameux postulat des parallèles : *Par un point extérieur à une droite, on peut tracer une parallèle à cette droite et une seule.*

**EURATOM** Communauté européenne de l'énergie atomique. Marché commun nucléaire institué en même temps que la C.E.E. (1957).

**EUROPE** Au sixième rang par la superficie, l'Europe, avec 63 habitants au kilomètre carré, arrive en première place pour la densité de population. Berceau de la civilisation occidentale, elle a exporté sa culture et sa technologie par l'émigration et la colonisation.

25 % de la superficie de l'Union soviétique faisant partie de l'Europe, celle-ci est limitée à l'est par la chaîne de l'Oural, à l'ouest par l'Atlantique, au nord par la TOUNDRA arctique et au sud par la MÉDITERRANÉE.

L'Europe appartient entièrement à la zone de climat tempéré avec des variations qui sont fonction de la latitude et de la proximité de la mer ; de sorte que la partie occidentale bénéficie d'un climat océanique, alors que les régions orientales ont un climat continental, avec des hivers rigoureux.

L'Europe compte trois grandes zones de relief : au nord et au centre, une région de massifs anciens — Islande, Écosse, Scandinavie et Oural — faiblement peuplée ; au centre, une grande plaine à forte densité de population forme une ceinture pratiquement ininterrompue d'est en ouest ; enfin, l'Europe méridionale compte des montagnes jeunes comme les ALPES et les PYRÉNÉES.

Les populations européennes sont majoritairement de race blanche, de religions chrétiennes et de langues indo-européennes, dont l'anglais, l'allemand et le français — langues dans lesquelles se traitent les quatre cinquièmes du volume du commerce mondial. L'Europe est un continent très industrialisé qui possède des réserves de charbon et de fer mais importe d'autres métaux ainsi que la majeure partie de son pétrole. Les grandes régions industrielles sont situées en Europe centrale, mais certaines nations méridionales comme l'Italie possèdent d'importants centres industriels. Dans le passé, l'Europe a été le théâtre de violents conflits nationaux, mais récemment un certain nombre de nations se sont décidées à collaborer, particulièrement dans le domaine économique.

**ÉVANOUISSEMENT** Perte subite de connaissance provoquée par un apport insuffisant de SANG au CERVEAU. Un évanouissement peut être précédé de vertiges ou de nausées et provenir d'une émotion violente.

**ÉVAPORATION** Transformation d'un liquide en vapeur par sa surface, sans qu'il y ait ébullition.

**EVEREST (MONT)** Point culminant du globe terrestre, l'Everest est situé dans le massif de l'HIMALAYA, à la frontière du Népal et de la Chine. Il culmine à 8 848 m d'altitude et a été vaincu pour la première fois en 1953. ▷

**ÉVOLUTION** Série de transformations successives qu'ont subies animaux et végétaux. La théorie établit que les espèces actuelles descendent d'autres formes aujourd'hui disparues. Ce processus de transformation s'est poursuivi au fil de millions d'années et continue de se poursuivre. Les FOSSILES sont des témoins de l'évolution. Les roches contiennent les restes d'animaux ou de végétaux disparus, ce qui permet de mettre en évidence des lignées évolutives. Dans le cas du cheval, par exemple, les fossiles permettent de reconstruire l'histoire complète de l'animal à partir d'une créature à quatre doigts, de la taille d'un chien et qui vivait il y a 50 millions d'années. L'explication de l'évolution est basée sur la lutte pour la vie et sur la survie du mieux adapté. Pour exister, animaux et végétaux doivent s'adapter à leur environnement,

L'HISTOIRE DU CHEVAL

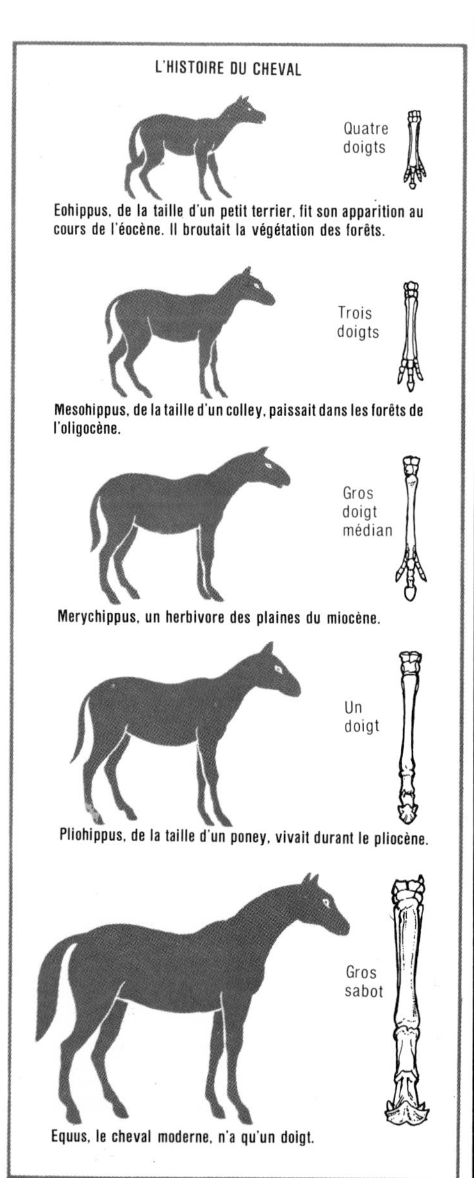


EVEREST (MONT) Les premières expéditions dans l'Everest remontent à 1920, date de l'ouverture des frontières du Tibet. Les dix premières tentatives échouèrent. En 1953, Edmund Hillary et le Sherpa N. Tensing entreprirent l'escalade par la face sud-est et atteignirent le sommet. Depuis, quatre expéditions ont réussi l'ascension de l'Everest, dont une cordée japonaise dans laquelle figurait une femme.

ÉVOLUTION Le concept d'évolution n'est pas une idée neuve. Déjà le philosophe grec Héraclite avait imaginé que l'homme descendait d'une sorte de poisson, et pour saint Augustin la création de l'homme telle qu'elle est décrite dans la Bible était à prendre comme symbolique et non au sens littéral. Plus près de nous, Jean-Baptiste Lamarck, dans sa *Philosophie de la zoologie* (1809), élabora une théorie de l'évolution et, vingt-huit années plus tard, Edouard Blyth mentionna dans ses essais le mécanisme de la « sélection naturelle ». Il fallut pourtant attendre 1871 et les travaux de Darwin pour que les idées d'évolution et de sélection naturelle soient admises par le monde scientifique.

OCÉAN GLACIAL ARCTIQUE
Reykjavik
ISLANDE
Mourmansk
Narvik
Arkhangelsk
MER DE NORVÈGE
CHAINE SCANDINAVE
FINLANDE
I. Féroé
Trondheim
L. Onega
Sundswall
Tampere
L. Ladoga
I. Shetland
NORVÈGE
SUÈDE
Vyborg
Bergen
Helsinki
Leningrad
I. Orcades
Oslo
Stavanger
Vänern
Stockholm
Yaroslavl
Aberdeen
Vättern
Gothenburg
MER BALTIQUE
Moscou
Glasgow
Edimbourg
Riga
OCÉAN ATLANTIQUE
Belfast
MER DU NORD
Dvina
IRLANDE
DANEMARK
Copenhague
Malmö
Dublin
Manchester
Smolensk
Liverpool
Sheffield
Kaliningrad
Cork
ROYAUME UNI
Birmingham
Hambourg
Minsk
Brême
Elbe
Vistule
PAYS-BAS
POLOGNE
U.R.S.S.
Amsterdam
Cardiff
Tamise
Londres
Hanovre
Berlin
Plymouth
Southampton
Rotterdam
Poznan
Varsovie
Anvers
Lodz
Kharkov
Bruxelles
Cologne
R.D.A.
Manche
BELGIQUE
Bonn
Wroclaw
Kiev
Dniepr
Brest
Le Havre
Rhin
Francfort
Cracovie
LUXEMBOURG
Prague
Dniepropetrovsk
Paris
TCHÉCOSLOVAQUIE
Dniestr
Seine
R.F.A.
Stuttgart
Nantes
Loire
Strasbourg
Munich
Vienne
Prut
Linz
Bâle
Zurich
Budapest
Odessa
FRANCE
Saône
Berne
AUTRICHE
CARPATHES
SUISSE
La Coruna
Lyon
Genève
ALPES
HONGRIE
Bordeaux
ROUMANIE
Pô
Milan
Trieste
Zagreb
Santander
Turin
Venise
YOUGOSLAVIE
MER NOIRE
Bilbao
Porto
Douro
Ebre
Toulouse
Rhône
Gênes
Belgrade
Bucarest
Valladolid
PYRÉNÉES
ST-MARIN
Danube
Marseille
MONACO
Florence
Nice
PORTUGAL
ANDORRE
Saragosse
Toulon
Sofia
Lisbonne
Tage
Madrid
Corse
ITALIE
APENNIN
Dubrovnik
ALBANIE
BULGARIE
Barcelone
Ajaccio
Rome
TURQUIE
Istanbul
ESPAGNE
Guadiana
Valence
Tirana
Sardaigne
Naples
Bari
Thessalonique
Tarante
Séville
I. Baléares
Cagliari
Cadix
GRÈCE
Malaga
Cartagène
GIBRALTAR
Athènes
Palerme
Messine
Sicile
MALTE
Crète
EUROPE
MER MÉDITERRANÉE
0
200
400
600 kilomètres
Capitales

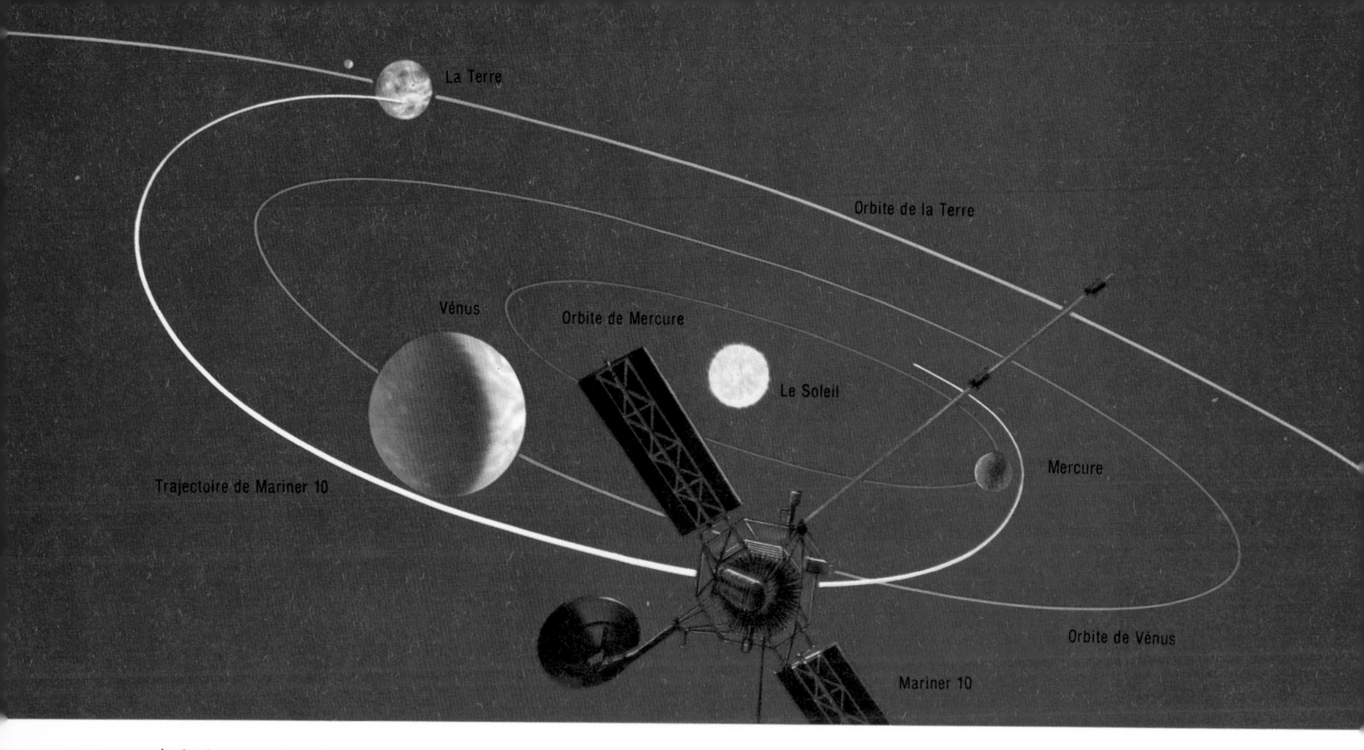


ceux qui s'adaptent le mieux ayant le plus de chances de survivre. Le premier à avoir élaboré une théorie satisfaisante de l'évolution fut le naturaliste anglais Charles DARWIN. (Voir ADAPTATION.) ◁

**EXOCET** Poisson des mers chaudes, appelé *poisson volant* à cause de ses deux grandes nageoires pectorales qui lui permettent de planer. L'exocet s'élance à la nage, atteignant des vitesses de 56 km/h ; au dernier moment, il étend ses nageoires et peut ainsi planer sur 400 m sans agiter ses « ailes ».

**EXPLORATION DE L'ESPACE** Le 4 octobre 1957, les Soviétiques plaçaient en orbite autour de la Terre le premier satellite artificiel. *Spoutnik 1* mesurait 58 cm de diamètre et pesait 84 kg. Le premier satellite américain, lancé l'année suivante, était plus petit encore, mais l'exploration de l'espace allait connaître un développement rapide. Le 8 novembre 1957, l'Union soviétique lance *Spoutnik 2,* avec à son bord la chienne Laïka. A partir des informations transmises par les dispositifs reliés à l'animal, les scientifiques étudient les réactions d'un être vivant aux pressions du lancement et à l'apesanteur. Le 12 avril 1961, le major soviétique Youri GAGARINE, à bord de *Vostok 1,* effectue le tour de la Terre. Le 20 février 1962, c'est la capsule américaine *Friendship 7,* avec à son bord le lieutenant-colonel John GLENN, qui effectue trois tours autour de la Terre.

▲ *La trajectoire de* Mariner 10, *première sonde à utiliser l'attraction d'une planète - Vénus - pour en atteindre une autre : Mercure. C'est* Mariner 10 *qui a transmis les premiers gros plans de Mercure, en mars 1974. Les instruments étaient alimentés en électricité grâce à deux panneaux solaires.*

Au cours des années suivantes, la technologie spatiale connaît un développement rapide. Soviétiques et Américains procèdent à de nombreux lancements de vaisseaux habités ou non. Des sondes spatiales étudient la Lune, Mars et Vénus. Du fait de la proximité de la Lune, celle-ci fait l'objet d'un intérêt tout particulier. Les premières sondes étaient conçues pour s'écraser sur la Lune après avoir transmis des photographies de la surface au cours de la descente. Vers 1966, Russes et Américains parviennent à faire atterrir les sondes en douceur et à obtenir des informations en provenance directe de la surface. D'autres sondes, orbitales celles-là, transmet-

EXPLORATION DE L'ESPACE Les informations transmises par *Voyager 1,* qui, en mars 1979, s'est aventuré jusqu'au voisinage (278 000 km) de Jupiter, montrent que la planète est une boule de gaz et de liquides qui tourbillonnent autour d'un noyau rocheux. Après avoir parcouru 640 millions de km, la sonde a tourné vers Jupiter ses onze caméras et photographié des dizaines de turbulences. La plupart s'étendent sur 9 600 km de diamètre environ, mais la plus grande d'entre elles, la Grande Tache Rouge, est une tempête atmosphérique assez grande pour engouffrer trois fois la Terre.

▸ *La Terre, photographiée par les astronautes d'*Apollo 17, *en décembre 1972. On aperçoit la quasi-totalité du continent africain ainsi que la calotte polaire antarctique.*

◂ *L'astronaute et géologue Harrison Schmitt, photographié à côté d'un énorme bloc, sur le site d'atterrissage lunaire de Taurus-Littrow, en train de prélever des échantillons. Au premier plan, le Rover lunaire.*

EXPLOSIF La question de savoir si l'on doit attribuer aux Anglais ou aux Chinois l'invention des explosifs n'est pas tranchée. Des documents témoignent de Chinois utilisant la poudre noire (poudre à canon) pour projeter des pierres à partir de tubes de bambou, au XIIIe siècle. D'autre part, en 1242, l'Anglais Roger Bacon coucha par écrit des instructions portant sur la fabrication de la poudre à canon.

tent des photographies de la face cachée de la Lune. A partir de ce moment, les Soviétiques concentrent leurs efforts sur la construction de sondes de plus en plus sophistiquées, alors que les États-Unis se lancent à l'assaut de la Lune.

Le 20 juillet 1969, c'est le succès pour les Américains. Les astronautes Neil Armstrong et Edwin Aldrin atterrissent sur la Lune et quelque 600 millions de téléspectateurs assistent « en direct » à cet événement historique. Armstrong et Aldrin collectent des échantillons de roches et de sol qu'ils rapportent sur la Terre pour y être analysés. Les Soviétiques, dans les mêmes années, font prélever des échantillons de la surface lunaire par des sondes-robots.

En 1976, deux sondes américaines *Viking* atterrissent en douceur sur Mars. Des expériences sont conduites sur des échantillons de sol, dont les résultats sont transmis à la Terre par radio. Les scientifiques avaient espéré, grâce à ces expériences, découvrir s'il existait de la vie sur Mars, mais les résultats ne se révélèrent pas concluants. En 1981, enfin, les Américains lancent la navette spatiale Columbia, le premier vaisseau réutilisable. (Voir ASTRONAUTIQUE.) ◁

**EXPLOSIF** Substance qui produit une EXPLOSION sous l'influence de la chaleur ou d'un choc. Parmi les explosifs les plus courants figurent la POUDRE A CANON, le T.N.T. et la cordite. ◁

**EXPLOSION** Augmentation soudaine et violente de pression, résultant souvent de la libération d'un grand volume de gaz par un EXPLOSIF chimique. Une onde de choc se propage à partir du lieu de l'explosion et se manifeste sous forme d'un bruit violent. Une *implosion* est provoquée par un subit afflux de gaz dans un espace vide.

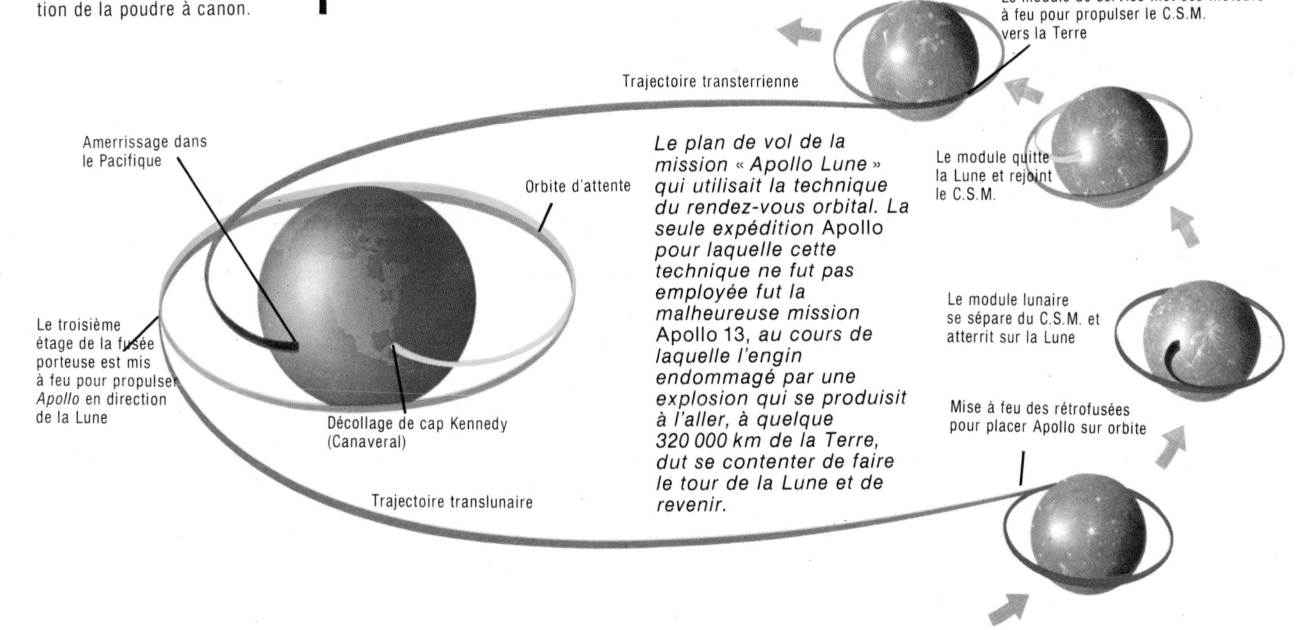


*Le plan de vol de la mission « Apollo Lune » qui utilisait la technique du rendez-vous orbital. La seule expédition* Apollo *pour laquelle cette technique ne fut pas employée fut la malheureuse mission* Apollo 13, *au cours de laquelle l'engin endommagé par une explosion qui se produisit à l'aller, à quelque 320 000 km de la Terre, dut se contenter de faire le tour de la Lune et de revenir.*

**FABLE** Court récit imaginaire qui se conclut en général par une morale. Dans les fables, l'argument met souvent en scène des animaux ou des objets. Les fables les plus célèbres sont celles d'ÉSOPE et de La Fontaine.

**FAHRENHEIT** Échelle thermométrique anglo-saxonne que l'on doit au physicien allemand Daniel Gabriel Fahrenheit (1686-1736) et dans laquelle le degré équivaut à la 180e partie de l'écart entre la température de fusion de la glace et celle de l'ébullition de l'eau. 0 °F correspond à 32 °C et 212 °F correspondent à 100 °C. (Voir ÉCHELLE THERMOMÉTRIQUE CELSIUS.)

**FAILLE** Fracture ou cassure de l'écorce terrestre qui se traduit par une dénivellation entre des blocs rocheux séparés qui se déplacent l'un par rapport à l'autre, généralement dans le sens vertical, parfois dans le sens horizontal. Dans les ROCHES sédimentaires, les failles sont visibles parce que les couches géologiques ne coïncident pas de part et d'autre de la faille. Les déplacements brusques de blocs rocheux le long des failles portent le nom de SÉISMES. ▷

**FAISAN** Oiseau estimé pour sa chair, originaire d'Asie et introduit dans de nombreuses parties du monde. Le plumage du mâle revêt d'éclatantes couleurs métalliques. Les faisans passent le plus clair de leur temps au sol, à gratter la terre à la recherche de graines et d'insectes. Leurs pattes puissantes font d'eux d'excellents coureurs.

**FALCONIDÉS** Famille d'oiseaux de proie diurnes rassemblant de nombreuses espèces d'AIGLES, d'éperviers, d'autours, de busards, de balbuzards, de serpentaires, de FAUCONS, de gypaètes, de percnoptères et de VAUTOURS de l'Ancien Monde (oricou, griffon, etc.).

**FAMILLE** Groupe de personnes liées par le sang et le MARIAGE. La famille type est représentée par le père, la mère et les enfants qui vivent généralement ensemble. Dans la famille au sens large sont inclus les grands-parents, oncles, tantes, cousins à des degrés divers, ainsi que les ancêtres décédés.

**FARADAY, MICHAEL** Physicien britannique (1791-1867). Faraday s'intéressa d'abord à la chimie, mais c'est surtout pour ses travaux sur l'*induction électromagnétique* qu'il est connu. Ses découvertes conduisirent à l'invention du GÉNÉRATEUR et du MOTEUR électriques. (Voir ÉLECTRICITÉ ET MAGNÉTISME.)

**FARINE** Poudre provenant de la mouture du BLÉ ou d'autres céréales. La production annuelle de farine — de blé principalement — s'élève à 125 millions de t environ.

▼ *En 1831, Faraday démontra qu'en introduisant ou en retirant un aimant d'une bobine de fil métallique on engendrait un courant électrique. Ci-dessous, le galvanomètre indique que le sens du courant diffère selon que l'on insère ou que l'on retire l'aimant.*

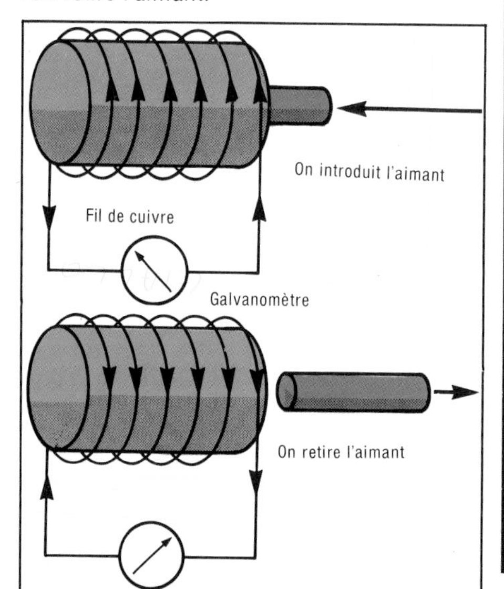


FAILLE Les failles géologiques de l'écorce terrestre sont souvent causes de séismes. La ville de San Francisco, construite sur la faille de San Andreas — la plus importante du monde —, a appris à vivre avec le danger. De sérieux tremblements de terre ont ébranlé la ville à plusieurs reprises : en 1864, 1898, 1900 et 1906. L'incendie qui a suivi le séisme de 1906 a fait rage pendant trois jours entiers. La catastrophe a provoqué la mort de 700 personnes, abattu 28 000 immeubles, et le coût total des dommages a été évalué à 500 millions de dollars.

FASCISME Le fascisme est un phénomène du XXe siècle qui a dominé l'Europe de 1919 à 1944. Le premier mouvement fasciste fut fondé en Italie sous la direction de Mussolini, par réaction au carnage et à l'inanité de la Première Guerre mondiale et à la montée du communisme qui s'est ensuivie. Le mot d'ordre des milices fascistes — « Croire, Obéir, Combattre » — était l'antithèse directe de celui de la Révolution française : « Liberté, Égalité, Fraternité ». Les Français avaient rendu la puissance de l'État responsable de leurs maux, les Italiens accusaient des leurs la liberté individuelle. En fin de compte, en faisant alliance avec l'Allemagne hitlérienne pendant la Seconde Guerre mondiale, Mussolini conduisit son pays à la défaite et mourut assassiné peu après par ses anciens partisans.

**FASCISME** Type de GOUVERNEMENT dictatorial tel celui qui a régi l'Italie sous Benito MUSSOLINI. Dans un régime fasciste, le pouvoir est aux mains d'un parti unique et les intérêts individuels doivent céder le pas à l'intérêt de l'État, même au prix d'un recours à la force armée. ◁

**FAUCON** Oiseau de proie proche de l'AIGLE. Certaines espèces se rencontrent sur la quasi-totalité du globe. L'espèce la plus répandue est le faucon pèlerin, qui vit sur rochers et falaises escarpés. Il chasse en vol, fondant à la vitesse de quelque 400 km/h sur les autres oiseaux. La crécerelle est un autre faucon commun, mais qui, à l'inverse des autres espèces, trouve ses proies au sol : souris, grenouilles et criquets.

**FAUX** Contrefaçon d'un objet réalisé en vue de tromper : falsification d'écritures en comptabilité, imitation de signature sur un chèque, ou contrefaçon de billets de banque, par exemple. En peinture et en sculpture, les faux existent également. Ainsi, dans les années 1930, un Français fit-il acquérir par le Metropolitan Museum de New York un cheval de bronze prétendument grec. La falsification ne fut découverte qu'en 1967. ◁

**FAUX** Instrument agricole utilisé pour couper les récoltes. Une faux se compose d'une longue lame recourbée, fixée à un manche de bois à deux poignées. Inventée par les Romains, la faux constitua à l'époque une amélioration par rapport à la faucille.

**FELDSPATH** Important groupe de silicates naturels (voir SILICE) présents dans de nombreuses ROCHES. Les feldspaths constituent l'essentiel de l'écorce terrestre. Généralement blancs ou gris, ils sont décomposés par l'érosion en argile et terre végétale.

**FER** ÉLÉMENT métallique de symbole Fe, le fer se classe au quatrième rang des substances de l'écorce terrestre par l'abondance. On l'extrait de ses minerais — *pyrites, magnétite* ou *hématites* —, généralement en HAUT FOURNEAU. Des procédés sidérurgiques permettent d'obtenir également de la fonte et des ACIERS. ◁

▼ *Coupe d'une feuille*

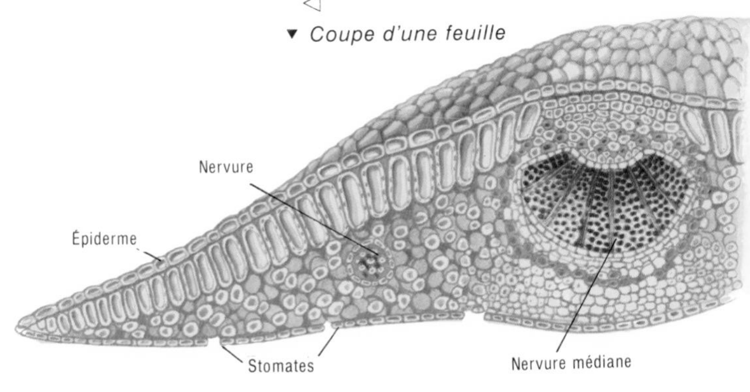

▲ *De nos jours, la fauconnerie est encore pratiquée mais n'a plus l'importance qu'elle revêtait au Moyen Age. Ce faucon est dressé pour la chasse ; sur un ordre, il s'élance et rapporte sa proie.*

**FERMI, ENRICO** Physicien atomiste américain, né en Italie (1901-1954). Le premier, il parvint à provoquer une RÉACTION nucléaire EN CHAINE (1942). Il joua un rôle important dans la mise au point de la BOMBE ATOMIQUE américaine. (Voir NUCLÉAIRE.) ◁

**FEU** Voir COMBUSTION ; FLAMME.

**FEUILLE** Principal organe de nutrition d'un VÉGÉTAL. Parce qu'elles contiennent de la CHLOROPHYLLE, les feuilles peuvent utiliser la lumière solaire pour fabriquer de la nourriture à partir de gaz carbonique et d'eau. (Voir PHOTOSYNTHÈSE.) Une feuille se compose d'une partie généralement étalée — le limbe — reliée à la tige par un pétiole. La face supérieure du limbe, riche en chlorophylle, capte la lumière solaire, tandis que la face inférieure est percée d'orifices appelés *stomates* qui absorbent le gaz carbonique et libèrent de l'oxygène. Le limbe est soutenu par un squelette de nervures qui distribuent l'eau dans toutes les parties de la feuille. Le pétiole est constitué de minuscules vaisseaux qui transmettent l'eau des racines aux feuilles et aux autres parties de la plante. Les feuilles se développent généralement de façon à capter le plus de lumière possible.

**FIBRE** Filament naturel ou chimique. Les fibres naturelles constituent certains tissus animaux ou végétaux. La LAINE et la SOIE sont des fibres animales, le LIN et le chanvre des fibres végétales. La RAYONNE, par contre, est une fibre naturelle fabriquée à partir de cellulose. Il existe aujourd'hui de nombreuses fibres synthétiques, dont la plus connue est le NYLON.

**FIDJI OU FIJI (ILES)** Monarchie insulaire du Pacifique sud, composée de 322 îles. Les îles Fidji comptent 670 000 habitants (1983) pour une superficie de 18 400 $km^2$. Elles produisent du sucre, de l'huile de palme, des bananes et de l'or. Capitale : Suva.

FAUX En 1941, les services secrets allemands avaient prévu d'inonder la Grande-Bretagne de fausses livres sterling afin de provoquer une dévaluation de la monnaie et, par suite, la chute du gouvernement. 150 millions de £ en billets de 5 £ furent donc imprimées, mais un petit nombre seulement de billets fut mis en circulation en Angleterre.

FER Le plus important gisement de fer du monde est situé à Lebedinsky, en Union soviétique. Ses réserves suffiraient à alimenter la planète entière pendant une génération. Le Canada et le Brésil ont également de très importantes réserves.

FERMI (ENRICO) En 1938, après avoir reçu à Stockholm (Suède) le prix Nobel, Fermi choisit d'abandonner son Italie natale, alors sous le régime fasciste, de crainte que ses travaux puissent être utilisés par l'Allemagne nazie pour construire une bombe atomique. Il offrit ses services aux États-Unis et reçut la direction du Projet Manhattan — projet qui aboutit à l'expérimentation, à Almagordo (Nouveau-Mexique), de la première bombe A américaine (16 juillet 1945). Peu après, les États-Unis prenaient la responsabilité de larguer leur nouvelle bombe sur les villes japonaises d'Hiroshima et de Nagasaki, mettant fin à la guerre.

**FIÈVRE** La température normale du corps humain est de 37 °C. On a ce qu'on appelle de la fièvre lorsque cette température s'élève à cause de désordres organiques. La fièvre n'est pas une maladie en elle-même, mais le symptôme d'un traumatisme ou d'une infection.

**FIGUE** Fruit charnu en forme de poire du figuier, un arbre des pays chauds et secs et particulièrement du bassin méditerranéen. Vertes ou violettes, les figues fraîches supportent mal les transports et celles qui ne sont pas consommées dans la région de production sont mises en conserve ou séchées. Le figuier est un arbre à grandes feuilles luisantes, à tronc gris et lisse. ▷

**FILTRE** Les filtres servent généralement à séparer les solides des liquides et des gaz. La vidange d'un évier comporte le plus souvent un filtre. Dans un moteur de voiture, l'essence, l'huile et l'air sont filtrés afin d'être débarrassés des poussières indésirables. En laboratoire, on utilise des filtres en papier pour séparer les solides des liquides. Lorsqu'on veut intercepter certains rayons du spectre lumineux, on interpose des filtres transparents et colorés.

**FINLANDE** République d'EUROPE septentrionale, la Finlande compte 4,8 millions d'habitants (1982) pour une superficie de 337 000 $km^2$. Ce pays froid compte quelque 60 000 lacs qui occupent, pour la plupart, des auges d'anciens GLACIERS. Le bois est la principale production du pays. Capitale : Helsinki. ▷

**FJORD** Dépression longue, étroite et profonde creusée à l'origine par un GLACIER et envahie par la suite par la mer. On trouve des fjords dans les régions ayant traversé une période de glaciation comme le sud de l'Islande, la NOUVELLE-ZÉLANDE, la NORVÈGE, le GROENLAND et le CHILI.

**FLAMANT** Gros oiseau aquatique aux longues pattes fines, au cou gracieux et au plumage d'un rose rare. Les flamants vivent en troupes nombreuses dans les marais, les étangs et les lagunes. Ils préfèrent généralement la marche à la nage. Ils se nourrissent de petits animaux aquatiques qu'ils attrapent à l'aide de leur gros bec.

**FLAMME** Gaz ou vapeurs incandescents, résultant d'une COMBUSTION rapide. Lorsque des matières comme la laine ou le charbon atteignent leur point d'incandescence, ils libèrent des gaz qui s'enflamment. Selon le gaz, la flamme est différente. La poussière peut produire une flamme plus brillante.

**FLEMING, ALEXANDER** Bactériologiste britannique (1881-1955) qui découvrit la PÉNICILLINE. Il fit sa découverte accidentellement en 1928, mais ce n'est que plus tard que la pénicilline fut utilisée comme ANTIBIOTIQUE. (Voir BIOCHIMIE.)

▲ *Les fjords, paysage typique de la Norvège, ont été creusés par les glaciers à l'époque glaciaire. Après la fusion des glaciers, ces profondes vallées en auge ont été envahies par la mer.*

**FLET** Poisson plat d'Europe qui vit en eau douce ou salée. Il remonte le courant pour se nourrir mais retourne à la côte pour frayer. Brunâtre dessus, blanc perlé dessous, le flet peut atteindre 2,7 kg. ▷

**FLÉTAN** Gros poisson plat de l'Atlantique et du Pacifique nord, le flétan peut atteindre 1,80 m de long. Ses yeux sont situés tous deux sur la face droite de la tête. Le flétan est un bon poisson de consommation ; son foie fournit une huile riche en vitamine D.

**FLOTTE** Ensemble des navires de guerre d'un pays. Longtemps, les flottes furent constituées de navires marchands réquisitionnés lorsque le besoin s'en faisait sentir. La première flotte permanente fut probablement celle de ROME, en 311 av. J.-C. Aujourd'hui, ce sont les États-Unis et l'Union soviétique qui possèdent les flottes les plus importantes. Les NAVIRES de guerre de surface et les porte-avions ont tendance à perdre leur suprématie au profit des SOUS-MARINS armés de missiles nucléaires.

FIGUE Il faut distinguer les figuiers mâles, ou caprifiguiers, des figuiers femelles. Les caprifiguiers servent essentiellement à la fécondation des figuiers femelles : ils abritent un insecte hyménoptère, *Blastophaga psenes*, qui s'échappe des ovaires des fleurs chargé de pollen pour aller féconder les fleurs femelles avoisinantes. Ce type de fécondation est appelé « caprification ». Parmi les variétés recherchées de figues, « Smyrne » — une figue d'automne — est le type même de fruit à sécher.

FINLANDE : DONNÉES

Langues officielles : finnois et suédois.
Monnaie : mark finlandais.
Le pays est recouvert aux deux tiers par la forêt, ce qui explique que le bois et ses dérivés constituent les principales ressources économiques du pays.
Principaux cours d'eau : Torne, Oulu et Kemi, qui se jettent dans le golfe de Botnie.
Helsinki (860 000 habitants), capitale et principal port de la Finlande, est pris par les glaces en hiver, mais le port est généralement dégagé par les brise-glace.

FLET Comme la sole, le flet est aplati selon un plan perpendiculaire à celui des autres poissons, de sorte que ce qui nous semble la face supérieure du poisson est en réalité sa face droite ou gauche. Au stade larvaire, les yeux, qui au début se trouvent dans la position normale, se déplacent de manière à se trouver tous deux sur la même face du corps qui s'aplatit pour donner un poisson plat.

FOIE Le foie est la plus grosse glande du corps humain. Il pèse entre 1,4 kg et 1,9 kg.

FONTAINE Au fil des siècles, les fontaines ont toujours fasciné l'homme. Louis XIV les adorait au point d'en faire construire 1 400 dans les jardins de Versailles. Leur alimentation nécessitait un volume d'eau supérieur à la consommation totale de Paris, de sorte qu'il fallut installer des moulins à eau et des systèmes de pompage gigantesques. Ces systèmes s'étant détériorés, deux grands réservoirs furent construits à proximité et les fontaines alimentées par des aqueducs.

**FLUORESCENCE** Propriété que possèdent certaines substances d'émettre de la LUMIÈRE lorsqu'elles sont exposées à des radiations invisibles comme les rayons ultraviolets ou les RAYONS X. L'énergie absorbée qui est renvoyée par la substance a une longueur d'onde située dans la partie visible du SPECTRE.

**FLUTE** Instrument de musique à vent constitué d'un tube creux percé de trous et d'une embouchure. Le fait d'obturer ou de libérer les trous fait varier la HAUTEUR du son créé par la vibration de la colonne d'air.

**FOIE** Organe important présent chez tous les VERTÉBRÉS et chez certains INVERTÉBRÉS. Le foie fabrique ou emmagasine la plupart des substances vitales : il sécrète la bile, un suc digestif (voir DIGESTION ; VÉSICULE BILIAIRE), l'urée (déchet des matières azotées de l'organisme), ainsi que diverses protéines. Le foie emmagasine également des substances essentielles comme les PROTÉINES, les sels MINÉRAUX, les VITAMINES et le glycogène (réserve d'HYDRATES DE CARBONE.) ◁

*▾ Schéma des vaisseaux sanguins du foie. La vésicule biliaire, représentée en jaune, emmagasine la bile. Deux artères alimentent le foie en sang. L'artère rouge (au centre) et les veines bleu foncé assument la circulation normale du sang dans le foie. L'artère hépatique (en bleu pâle, au centre) véhicule le sang dans le foie à partir du système digestif. Hydrates de carbone, vitamine B 12 et certaines autres substances en excès sont emmagasinés dans le foie, les déchets étant transformés en urée et éliminés par l'urine. Le foie élimine également les globules rouges hors d'usage et stocke du fer.*

**FOIRE** Rassemblement de personnes désireuses d'exposer et de vendre leur production ou d'échanger des informations commerciales. Aujourd'hui, les foires sont également des fêtes populaires où abondent les jeux récréatifs et les stands de confiserie.

**FOLIE** Terme ancien qui désignait les troubles mentaux. En termes juridiques, la folie est désignée comme « aliénation mentale ». Toute personne reconnue atteinte d'aliénation mentale se voit interdire certains actes légaux comme la rédaction d'un testament et n'est pas tenue pour responsable de ses actes.

**FOLKLORE** Ensemble des croyances, des légendes et des coutumes populaires. En général, le folklore s'exprime oralement, sous forme de chansons, d'histoires, de poèmes ou de comptines. Il a également ses rites, ses proverbes (« Tel qui rit vendredi dimanche pleurera »), ses dictons météorologiques (« Noël au balcon, Pâques aux tisons »), ses superstitions (« Araignée du matin, chagrin »).

**FONDATIONS** Base d'un immeuble, d'un pont ou d'une tour sur laquelle repose la structure de l'édifice. Les fondations sont généralement enfouies dans le sol ou l'eau.

**FONDERIE** Processus calorifique d'extraction et d'affinage des métaux à partir de MINERAIS. Le premier métal à avoir été fondu est probablement le CUIVRE, il y a de cela quelque 7 000 ans.

**FONTAINE** Construction destinée à la distribution de l'eau ou à la décoration et comportant un bassin. Les conduites d'alimentation en eau du bassin sont souvent insérées dans des piliers ou des sculptures décoratives. La coutume de jeter des pièces dans les fontaines est issue d'une tradition ancienne qui consistait à faire des offrandes aux dieux de l'eau. ◁

**FOOTBALL** Sport dans lequel deux équipes de 11 joueurs s'efforcent de marquer des points en envoyant un ballon rond dans le but du camp adverse, sans utiliser les mains. Chaque match, ou rencontre, se déroule en deux mi-temps de 45 min, séparées par une pause (appelée aussi mi-temps). Seul le gardien de but est autorisé à se servir de ses mains pour contrôler le ballon à l'intérieur de la surface de réparation. Né en Grande-Bretagne, le football est aujourd'hui le sport le plus populaire du monde. Il regroupe au sein de la F.I.F.A. (Fédération Internationale de Football Association), créée en 1904, plus de cent cinquante nations. La plus célèbre épreuve de football est la Coupe du monde des nations (ou Coupe du monde) qui a lieu tous les quatre ans. Le football américain, essentiellement pratiqué aux États-Unis, est plus proche du rugby que du football (jeu à la main, ballon ovale).

**FORCE** En MÉCANIQUE, on appelle force tout ce qui provoque une variation dans le mouvement d'un corps, ce qui le met en mouvement ou qui interrompt son mouvement. Dans le SYSTÈME INTERNATIONAL, l'unité de mesure de force est le newton, défini comme la force nécessaire pour communiquer à un corps ayant un kilogramme de masse une accélération de 1 mètre/seconde par seconde.

Les lois du mouvement de NEWTON établissent que la grandeur d'une force est proportionnelle à la masse du corps et à l'accélération.

**FORCE CENTRIFUGE** Force produite par un corps en rotation autour d'un point et qui tend à éloigner le corps de ce point. Cette force est neutralisée par la réaction du support, ou force *centripète*, qui tend à attirer le corps, de sorte que celui-ci conserve sa trajectoire.

**FORD, HENRY** Célèbre constructeur d'AUTOMOBILES (1863-1947) qui fonda l'une des plus puissantes entreprises du monde. Il inaugura les CHAINES DE FABRICATION et imagina la standardisation des pièces principales, parvenant ainsi à produire une voiture à un prix relativement bas, le *Model T*, qui fut vendu à 15 millions d'exemplaires entre 1908 et 1927. ▷

**FORÊT** Vaste étendue de terrain couverte d'ARBRES. On distingue trois types de forêt : la forêt dense, de feuillus ou de conifères, typique des régions tropicales très chaudes et humides ; elle se caractérise par des espèces à feuilles persistantes, fournissant souvent un bois de qualité, tels l'ACAJOU, le TECK et l'ÉBÈNE, et qui atteignent des tailles élevées. Les arbres à feuilles caduques appartiennent aux régions tempérées comme l'Europe ou l'est des États-Unis ; ce sont, par exemple, le CHÊNE, le hêtre, le frêne et l'ÉRABLE. Les forêts de conifères, constituées de PINS, SAPINS, ÉPICÉAS et mélèzes, sont caractéristiques de l'hémisphère nord.

**FORGEAGE** Martelage et laminage de métal préalablement chauffé. Le forgeage est plus qu'un procédé de façonnage, car il améliore les propriétés du métal, en particulier sa résistance.

**FORUM** Place centrale des anciennes villes romaines sur laquelle se déroulaient nombre d'activités commerciales ainsi que des débats politiques et des échanges sociaux. Le forum le plus célèbre est celui de Rome.

**FOSSILE** Reste ou empreinte d'un être vivant dans la roche. Les fossiles remontent souvent à des millions d'années. Il peut s'agir de coquilles, de squelettes, d'empreintes de feuilles ou de pattes. La fossilisation s'est produite à la suite de l'ensevelissement de l'animal ou du végétal. Les couches de boue s'étant durcies, les restes de l'organisme mort ont été préservés de la décomposition. Les fossiles fournissent à l'homme des renseignements importants sur l'histoire de la Terre et l'ÉVOLUTION des espèces.

**FOUGÈRE** Les fougères sont des *cryptogames*, c'est-à-dire des plantes dépourvues de fleurs et de graines. Elles se reproduisent par dispersion de spores. Les fougères ont généralement des feuilles plumeuses et poussent dans les endroits ombreux et humides. Présentes dans toutes les parties du monde, les fougères sont de taille très variable selon les espèces. Certaines ne sont pas plus hautes que des mousses, alors que les espèces tropicales peuvent atteindre 20 m.

**FOURCHE** Outil à long manche et à dents de fer ou de bois, utilisé pour retourner la terre ou pour la manutention du fourrage.

**FOURCHETTE** Ustensile en forme de FOURCHE, à deux dents ou plus, servant à piquer ou soulever les aliments.

**FOURMI** Les fourmis, qui se distinguent des autres INSECTES par leur « taille » étroite, ne sont absentes que des parties les plus froides du globe. On en a dénombré quelque 7 000 espèces, quasiment toutes sociales : elles vivent en colonies de quelques dizaines à 200 000, voire 500 000 individus. La colonie se compose d'une femelle fertile, la reine, d'un certain nombre de mâles et de femelles stériles et sans ailes — les ouvrières —, qui construisent la fourmilière, généralement sous terre, se procurent la nourriture et élèvent les jeunes. Chez nombre d'espèces, les ouvrières sont armées d'un aiguillon ; d'autres projettent de l'acide sur leurs ennemis. Les fourmis ont trois manières de se nourrir : certaines espèces chassent les petits insectes ; d'autres collectent graines, nectar et miellat (un liquide visqueux et sucré élaboré par divers pucerons) ; certaines espèces d'Amérique du Sud produisent leur nourriture en cultivant des CHAMPIGNONS dans la fourmilière sur des couches de feuilles mâchées. ▷

▲ *Les ruines du Forum de Rome. Centre de l'activité de la cité, le forum était un marché entouré de monuments et de temples. Au premier plan, les ruines du temple de Vesta.*

FORD (HENRY) Lorsqu'il se lança dans l'industrie — il fabriquait alors des voitures à transmission par chaîne et à deux cylindres —, Ford se vit refuser un emprunt par une banque, sous prétexte qu'il était ridicule de vouloir vendre des voitures à « des fermiers et des vendeuses » comme il prétendait vouloir le faire. Le banquier qui lui répondit alors de « garder pour lui ses chimères » dut vivre un jour pénible lorsque, en 1915, Henry Ford fêta la sortie de sa millionième voiture. L'entreprise Ford était si florissante qu'en 1914, alors que le salaire journalier moyen était aux États-Unis de 2,40 $, les usines Ford payaient leurs ouvriers 5 $ au minimum.

FOURMI De nombreuses espèces de fourmis aiment à se nourrir de miellat, une substance sucrée élaborée par certains pucerons à partir de la sève des végétaux. Certaines élèvent même des pucerons dans la fourmilière et les « traient » comme des vaches. En été, les pucerons sont conduits à l'extérieur, de façon qu'ils s'alimentent sur les plantes.

Certaines espèces de fourmis dépendent totalement de leurs esclaves pour leur nourriture. Elles mourront de faim au milieu d'une abondance de nourriture pour peu qu'on leur retire leurs esclaves.

Les plus grosses fourmis au monde sont sans doute les fourmis-bouledogues du Queensland (Australie). On a vu certaines de leurs ouvrières mesurer jusqu'à 38 mm.

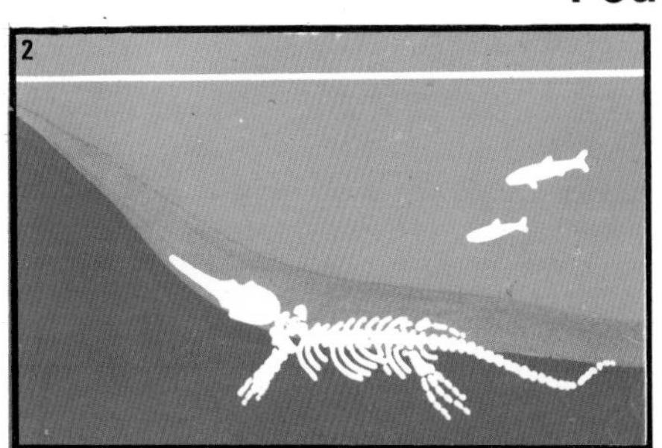

▲ *L'histoire d'un fossile. Un reptile marin meurt et son corps s'enfonce dans le lit de la mer (1). Sa chair se décompose, ne laissant que le squelette (2). Le squelette est recouvert de vase et de sable qui se durcit, formant de la roche. Le squelette, lui aussi, se change en roche. Beaucoup plus tard, les mouvements de l'écorce terrestre font émerger le fond de la mer (3) et le processus d'érosion commence, couche après couche, jusqu'à ce que les restes fossilisés du reptile émergent à la surface (4).*

▼ *En bas, de gauche à droite : Certaines fourmis à miel sont alimentées en miellat qu'elles gardent en réserve dans leur corps. Les fourmis moissonneuses engrangent des graines dans la fourmilière pour l'hiver. Les fourmis coupeuses de feuilles préparent un compost de feuilles pour y faire pousser des champignons qu'elles consomment ensuite. Certaines espèces élèvent des pucerons sur les racines des arbres. Les pucerons se nourrissent sur le végétal et les fourmis n'ont plus qu'à les « traire » pour se nourrir. Au second niveau : le cycle de vie des fourmis. La reine pond des œufs. Les ouvrières les transportent dans une chambre où, quelques jours plus tard, ils se métamorphosent en larves qui sont nourries, toujours par les ouvrières. Dans la chambre pupale, les larves tissent un cocon à l'intérieur duquel elles se métamorphosent en nymphes. Les cocons sont transportés dans une dernière chambre pour y subir une ultime métamorphose et émerger sous forme de fourmis. Les cocons vides sont retirés et déposés dans une chambre « poubelle ».*

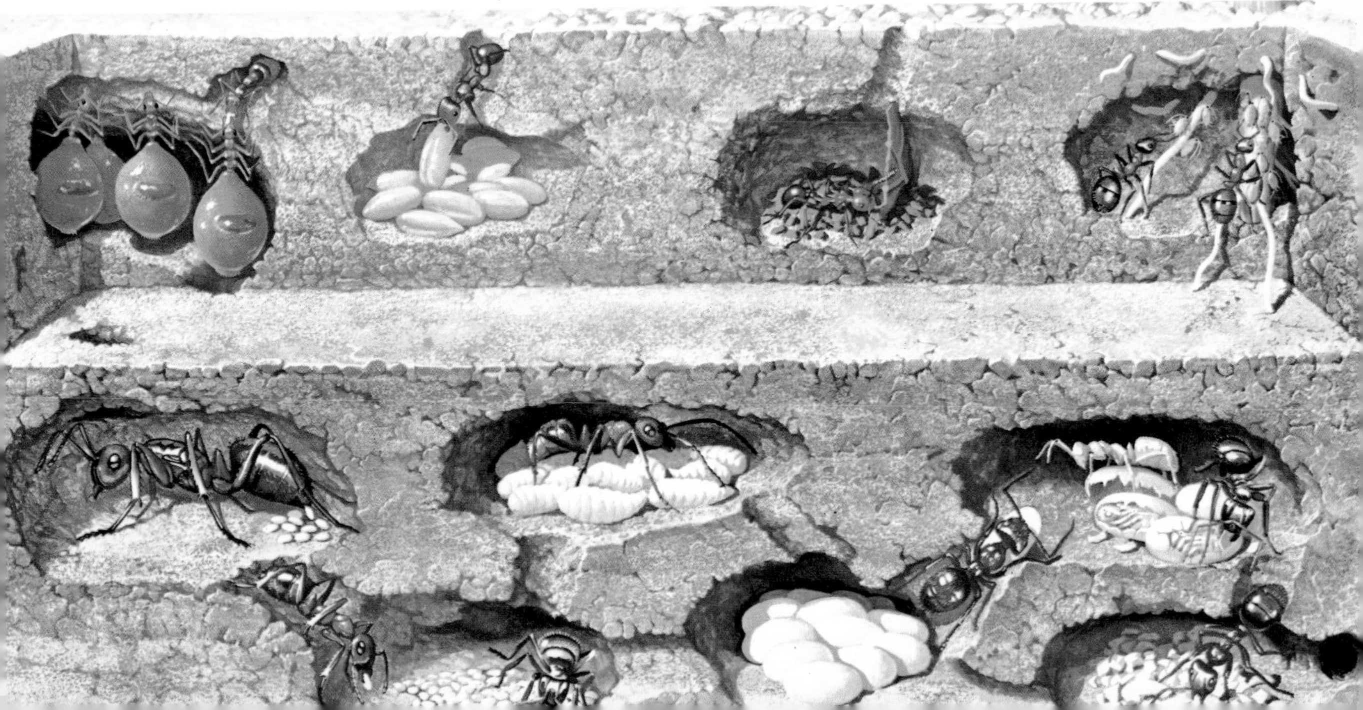

**FOURMILIER** Nom donné à plusieurs espèces de mammifères édentés des forêts tropicales et des marais du sud et du centre de l'Amérique. Les fourmiliers sont des animaux nocturnes qui attaquent fourmilières et termitières à l'aide de leurs pattes fouisseuses. Ils dardent alors une longue langue visqueuse sur laquelle s'engluent les insectes.

**FOURRURE** Revêtement de POILS couvrant la peau de certains animaux. La peau de certains animaux à fourrure sert à faire, doubler ou garnir des vêtements. Parmi les fourrures très recherchées figurent l'HERMINE et le VISON d'Amérique du Nord et la ZIBELINE de Russie.

**FOX-TERRIER OU FOX** Petite race de chiens d'abord élevés comme terriers (pour dénicher les RENARDS), mais qui ne jouent plus qu'un rôle d'animaux de compagnie. A poil dur ou ras, le fox est blanc, marqué de noir ou de tan.

**FRANCE** La plus vaste et l'une des plus belles nations d'EUROPE occidentale. L'histoire et la culture de la France se reflètent dans ses vieilles villes, ses monuments, ses galeries d'art et ses musées, ses châteaux et ses élégants palais. Au fil des siècles, la France a été le berceau de nombreux fameux écrivains, artistes, compositeurs et philosophes européens.

La France, située à l'extrémité occidentale de l'Europe, est baignée par la mer du Nord, la Manche, l'océan Atlantique, la mer Méditerranée. Elle possède deux chaînes de montagnes jeunes : les ALPES, au sud-est, et les PYRÉNÉES au sud-ouest. Les chaînes anciennes du Centre (Massif central) et de l'Est (Jura et Vosges) n'atteignent jamais 2 000 m. La Corse est une île montagneuse de la Méditerranée. Mais la France est couverte surtout de plaines fertiles, de bassins et de vallées (Dordogne, Garonne, Loire, Rhône-Saône et Seine).

La France a beaucoup souffert au cours des deux guerres mondiales, mais elle est revenue aujourd'hui au rang des nations européennes les plus prospères. L'agriculture et l'élevage jouent un rôle important dans l'économie du pays, les diversités climatiques permettant une production variée. La France est le premier pays agricole européen. Malgré de faibles ressources minières, la France est un grand pays industriel : elle se situe dans les premiers rangs pour les industries de pointe que sont l'aéronautique, le nucléaire, l'armement. D'importants centres industriels sont répartis sur le terroire, autour de Paris, Lyon, Marseille, Lille. La France est membre de la COMMUNAUTÉ ÉCONOMIQUE EUROPÉENNE.

Outre le français, sont parlés en France l'alsacien, dans le Nord-Est, le breton en Bretagne, le BASQUE et le catalan dans le Sud-Ouest, le provençal dans le Sud-Est.

**FRANC-MAÇONNERIE** Association en partie secrète, répandue dans le monde entier et dont les membres se réclament d'un idéal humaniste de fraternité et de solidarité. La franc-maçonnerie est constituée en groupes ou loges, qui ont leurs signes de reconnaissance, leurs emblèmes et leurs rites initiatiques. En France, on connaît deux loges maçonniques : le *Grand Orient* et la *Grande Loge.* ▷

**FRANCO - ALLEMANDE (GUERRE)** Conflit (1870-1871) qui opposa la France à la PRUSSE, assistée de tous les États allemands, et se solda par la défaite française. Au cours de la guerre, NAPOLÉON III fut fait prisonnier et Paris assiégé. Par le traité de Francfort, la France cédait à l'Allemagne l'Alsace moins Belfort et une partie de la Lorraine : elle dut également payer au Reich une dette de guerre de cinq milliards de francs. ▷

**FRANCO BAHAMONDE, FRANCISCO** Général et homme d'État espagnol. (1892-1975). Chef de l'Espagne, sous le nom de caudillo, il restaura la monarchie mais garda le pouvoir jusqu'à sa mort.

**FRANÇOIS D'ASSISE (SAINT)** Fondateur de l'ordre des Franciscains (1182-1226), le plus important ordre monastique de l'Église catholique. Fils d'un riche drapier d'Assise, François abandonna tous ses biens pour s'en aller, mendiant par les routes, prêcher les vertus chrétiennes.

**FRANÇOIS Ier** Roi de France (1494-1547) dont le règne fut marqué par la lutte contre l'empereur d'Autriche Charles Quint et qui favorisa le développement de la Renaissance française.

**FRANCS** Peuple germanique qui conquit la Gaule romaine et lui donnera plus tard son nom, la France.

**FRANKENSTEIN** Monstre créé par l'homme, mais à qui il manque l'« étincelle divine » et qui se venge en provoquant la mort de son créateur, le Dr Frankenstein. A l'origine, il s'agit d'un personnage d'un roman de Mary Shelley : *Frankenstein ou le Prométhée moderne* (1818), devenu l'un des classiques de la littérature et du cinéma fantastiques. ▷

**FRANKLIN, BENJAMIN** Imprimeur physicien, politicien, écrivain et philosophe américain (1706-1790), Benjamin Franklin fut l'homme aux mille talents et curiosités. Parmi ses inventions figurent les lentilles à double foyer et le paratonnerre. Il fut le premier ambassadeur américain en France et

FRANCE : DONNÉES
Langue officielle : français.
Population : 53 400 000 habitants.
Superficie : 551 000 km$^2$.
Capitale : Paris.
Monnaie : franc.
Point culminant : mont Blanc (Alpes), 4 807 m.
Le tunnel du Mont-Blanc est le plus long tunnel routier du monde (11 km).
Fleuves : le Rhin forme frontière entre la France et l'Allemagne sur 160 km. Le plus long fleuve français entièrement navigable est la Seine, qui arrose Paris. Les autres fleuves sont la Loire, la Garonne et le Rhône. Les terres cultivées couvrent à peu près 35 % du pays ; l'agriculture emploie 8,6 % de la population. La France se place au premier rang dans le monde pour la production de vins de qualité.

La France produit entre 300 et 350 variétés de fromages. En fonction de l'humidité des fromages et des traitements qu'ils ont subis, on distingue : les fromages frais (petit-suisse), les fromages à pâte molle (camembert, brie, etc.), les fromages à pâte pressée non cuite (saint-paulin, édam) et les fromages à pâte cuite (gruyère).

FRANCO-ALLEMANDE (GUERRE)
Après la capitulation de l'armée française à Sedan, en septembre 1870, les troupes prussiennes marchèrent sur Paris qu'elles assiégèrent pendant quatre mois. Le 28 janvier 1871, le gouvernement français se vit contraint de signer l'armistice. Cette défaite cuisante allait influer sur le cours de l'histoire européenne des cinquante années suivantes. En janvier 1871, à Versailles, le chancelier Bismarck faisait proclamer empereur d'Allemagne le roi Guillaume II de Prusse. A la suite de la défaite française, l'animosité ne fit que croître entre les deux nations pour aboutir finalement à la Première Guerre mondiale de 1914-1918.

FRANC-MAÇONNERIE C'est la plus importante société secrète au monde. Elle compte environ 6 millions de membres, dont 4 millions pour les États-Unis, 1 million pour la Grande-Bretagne et environ 67 000 pour la France.

apposa sa signature au bas de la déclaration d'indépendance. (Voir ÉLECTRICITÉ ET MAGNÉTISME.)

**FRÉGATE** Dans la marine à voile du XVIII<sup>e</sup> siècle, les frégates étaient des bâtiments moins lourds que les vaisseaux. Les frégates modernes sont des bâtiments de tonnage intermédiaire entre la corvette et le croiseur.

**FREIN** Dispositif permettant de ralentir ou d'interrompre le mouvement d'une machine ou d'un véhicule. Sur une bicyclette, deux mâchoires enserrent la jante de la roue lorsqu'on presse la poignée de frein. C'est le FROTTEMENT entre les deux mâchoires et la jante qui ralentit la bicyclette en opposant une résistance au mouvement.

FRANKENSTEIN *Frankenstein* symbolise le danger qu'il y a pour l'homme à vouloir jouer les dieux. Une adaptation cinématographique du roman a été tournée aux États-Unis en 1931, mais des films plus anciens tels que *le Golem* (1915) traitaient déjà du même thème. Depuis, nombre de films ou de livres d'épouvante ont utilisé ce thème.

**FRESQUE** Type de PEINTURE MURALE exécutée sur une couche de mortier frais. La RENAISSANCE fut pour l'Italie la grande époque de la fresque ; d'innombrables églises, à l'époque, ont vu leurs murs revêtus de fresques représentant des scènes de la Bible, dont la plus célèbre est sans conteste *la Création de l'Homme* — scène extraite de la Genèse et peinte par MICHEL-ANGE sur le plafond de la chapelle Sixtine, à Rome.

**FREUD, SIGMUND** Considéré comme « le père de la PSYCHANALYSE », Freud (1856-1939) était un respectable médecin de Vienne lorsqu'il commença à divulguer ses théories révolutionnaires sur la nature humaine. Intrigué par certaines « incohérences » apparentes du comportement humain, il avança pour les expliquer l'idée de l'existence, dans la pensée humaine, d'un niveau inexploré qu'il appela « inconscient », et dans lequel étaient refoulés les désirs contradictoires avec d'autres désirs ou avec la morale de l'individu. La mise au jour de ces désirs inconscients constitue le fondement même de la cure analytique.

▼ *Les frégates modernes sont affectées à des missions d'escorte et de défense des convois.*

▲ *Benjamin Franklin était physicien autant qu'homme d'État. En 1752, il mit en évidence la nature électrique des éclairs en hissant un cerf-volant en plein orage, faisant naître ainsi des étincelles d'une clé fixée au bout de la ficelle du cerf-volant. Franklin est également l'inventeur des lentilles bifocales et de l'harmonica.*

FROMAGE La texture et la saveur d'un fromage dépendent de la matière première utilisée (lait de vache, de chèvre ou de brebis), de la méthode d'affinage et du temps de maturation. En règle générale, un affinage prolongé produira un fromage grumeleux et fort comme le roquefort, tandis qu'une courte période d'affinage donnera un fromage doux à pâte lisse.

Si on ignore comment et quand est né le fromage, la petite histoire attribue sa naissance à une nomade du désert qui, ayant rempli de lait une outre faite d'un estomac de veau, se serait mise en selle et, après avoir voyagé un certain temps, n'aurait pu tirer de son outre qu'un liquide blanchâtre alors qu'une masse s'était coagulée au fond. Cette fabrication involontaire de fromage frais résultait de la présence de présure dans l'estomac du veau.

**FROMAGE** Aliment préparé à partir de LAIT de vache, mais aussi de chèvre et de brebis. La fabrication du fromage comporte trois phases : on commence par faire coaguler le lait par addition d'une enzyme, la présure ; on obtient alors d'une part le *caillé,* substance crémeuse et épaisse contenant la majeure partie des protéines et des graisses du lait, et d'autre part le *petit-lait,* un liquide translucide que l'on élimine par égouttage. Le caillé peut être consommé frais, mais le plus souvent il est salé, découpé et mis en cave où il va subir une dégradation contrôlée sous l'effet de l'action de certaines bactéries ainsi que de traitements chimiques : c'est ce que l'on appelle l'affinage. ◁

**FRONT POPULAIRE** Coalition des forces de gauche qui vint au pouvoir en 1936, en France, avec Léon Blum. Au cours de cette période furent institués les congés payés.

**FROTTEMENT** Il y a frottement lorsque deux corps en contact sont en mouvement l'un par rapport à l'autre. Il existe deux types de frottement. Il y a frottement *de glissement* lorsqu'un corps glisse simplement sur un autre. Le frottement « de roulement » est la résistance produite, par exemple, lorsqu'une roue roule sur une route. La résistance au roulement est moins importante que la résistance au glissement. Sans les forces de frottement, les roues de locomotive ne mordraient pas sur les rails, les clous et les vis ne seraient d'aucune utilité et les freins n'existeraient pas. Le frottement produit de la chaleur, ce qui oblige, par exemple, à graisser les machines pour réduire ce frottement et à utiliser des roulements à billes.

**FRUIT** Organe d'une plante contenant les GRAINES. Les fruits, de toutes tailles et de toutes formes, peuvent ne contenir qu'une graine, mais le plus souvent ils en contiennent plusieurs. On distingue généralement deux types de fruits : les fruits secs et les fruits charnus. Les fruits secs sont ceux qui se dessèchent en mûrissant (gousse de haricot, akène d'érable ou gland de chêne). Ils sont souvent équipés de moyens pour disperser leurs graines : les gousses de pois, par exemple, éclatent tandis que les akènes de sycomore, ailés, sont dispersés par le vent. En ce qui concerne les fruits charnus comme la TOMATE, le RAISIN, la BANANE ou le CONCOMBRE, les graines sont recouvertes d'une pulpe molle et juteuse que mangent les animaux, ce qui permet aux graines de rejoindre la terre fertile, souvent à bonne distance de la plante mère.

**FUSÉE** Les premières fusées furent l'œuvre des Chinois, au XIII^e^ siècle. Comme les fusées pour feux d'artifice actuelles, elles étaient propulsées par de la POUDRE A CANON. Les gaz produits par la combustion rapide étaient éjectés violemment par l'arrière, ce qui projetait le dispositif vers le haut. De la même manière, jeter des briques à partir d'un chariot monté sur des rails fait avancer le chariot dans la direction opposée, par la production d'une force égale et opposée à celle du jet et que l'on appelle réaction. La différence entre une fusée et un moteur à réaction réside en ce que la fusée n'a pas besoin d'air pour fonctionner (voir RÉACTION), ce qui permet de l'envoyer dans l'espace. De fait, les fusées sont, à ce jour, les seuls moyens connus pour propulser des véhicules spatiaux. Un vaisseau est généralement lancé par une fusée à trois étages. Une fusée à poudre assume le décollage. Son carburant épuisé, elle se sépare de l'ensemble, et le second étage prend la relève. Celui-ci retombe aussi après utilisation, tandis que le troisième étage, plus petit encore, se charge de fournir la dernière poussée nécessaire à l'entrée dans l'espace. Durant les derniers stades de la mission, de petits moteurs-fusées contrôlent le vaisseau. La

▲ *Les scientifiques de nombreux pays s'efforcent de trouver un moyen pratique de contrôler la fusion nucléaire. Dans la machine photographiée ci-dessus, un faisceau de* deutérium *est comprimé par l'énorme force d'un puissant champ magnétique.*

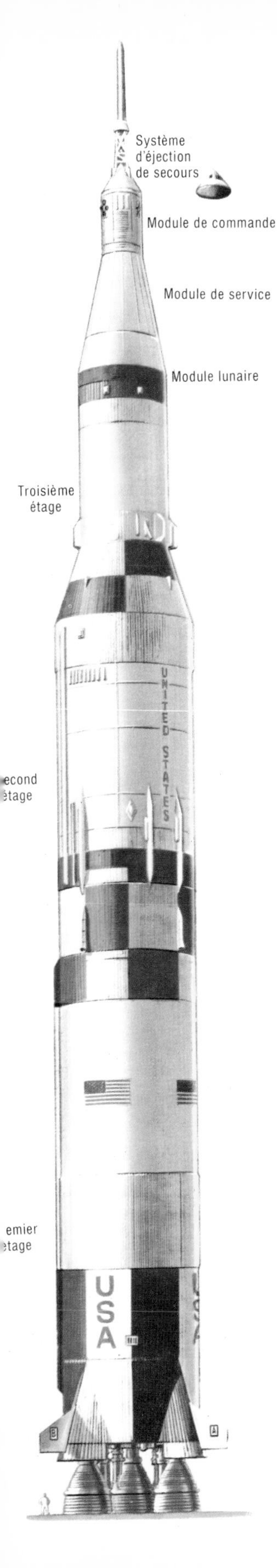


◄ *La fusée* Saturn V, *qui équipait les missions Apollo, est la plus grosse du monde. La mission achevée, seul le module de commande abritant les astronautes (en haut, à droite) rejoignait la Terre.*

plus grosse fusée américaine jamais construite a été *Saturne V*. Elle se dressait à 110 m au-dessus de son pad de tir et pesait 2,7 millions de kg. Ses moteurs développaient une poussée de 3,4 millions de kg, de quoi placer en orbite terrestre une charge utile de 127 t ou envoyer dans la Lune une masse de 45 t.

**FUSIBLE** Dispositif de sécurité des circuits électriques. En cas de court-circuit, l'intensité du courant qui passe dans les fils du circuit augmente considérablement, d'où un échauffement des fils qui risquent de prendre feu. C'est pourquoi circuits et même prises électriques sont équipés de fusibles, c'est-à-dire de petits morceaux de conducteur qui fondent dès que l'intensité du courant devient trop forte, interrompant ainsi le circuit. On utilise des fusibles de valeurs différentes selon la capacité du circuit. (Voir loi d'OHM.)

**FUSIL** Arme à feu portative constituée d'un canon de petit calibre et d'une monture de bois : la crosse. Le fusil à mèche remonte au XIVe siècle.

**FUSION NUCLÉAIRE** Les ATOMES d'un corps se déplacent de plus en plus vite au fur et à mesure que le corps s'échauffe. Dans le SOLEIL, la chaleur est telle que les atomes se heurtent les uns aux autres, avec une violence suffisante pour vaincre les forces qui maintiennent généralement les atomes séparés. Les noyaux des atomes entrent en collision et fusionnent. Les éléments légers tels que l'hydrogène et l'hélium sont susceptibles de fusion (la *fission,* processus de séparation, concerne, elle, les éléments *lourds* comme l'uranium et le plutonium). Le processus de fusion s'accompagne de la libération d'énormes quantités d'énergie (supérieures à celles que libère la fission). Il y a une limite à la puissance d'une bombe à fission ou bombe A, et peu après la Seconde Guerre mondiale les scientifiques ont cherché à produire des bombes utilisant la fusion. Le problème réside en ce qu'il faut, pour que la fusion se produise, maintenir les éléments à une température de l'ordre de celle du Soleil, ce qui n'est possible sur Terre que par l'intermédiaire de l'explosion d'une bombe A. Les physiciens utilisèrent donc une bombe à fission pour provoquer la fusion d'ISOTOPES de l'hydrogène, créant ainsi la bombe H. Mais, en ce qui concerne l'utilisation pacifique de la fusion nucléaire, les scientifiques en sont encore au stade de la recherche. Ils espèrent pouvoir utiliser le *deutérium* — un isotope de l'hydrogène — comme source d'énergie de la fusion, car le deutérium abonde dans la mer. Si la fusion contrôlée devenait une réalité, les problèmes énergétiques que connaît la Terre s'en trouveraient relégués dans le passé. (Voir ÉNERGIE ATOMIQUE.)

**GAGARINE, YOURI** Astronaute soviétique (1934-1968). En 1961, il devint le premier homme de l'espace en exécutant une révolution autour de la Terre à bord de *Vostok 1*. (Voir EXPLORATION DE L'ESPACE.)

**GAINSBOROUGH, THOMAS** Célèbre portraitiste anglais (1727-1788). Cet autodidacte exécuta les portraits de plus de 500 célébrités de son époque, dont celui de George III, Benjamin FRANKLIN et Samuel Johnson. Son œuvre la plus connue s'intitule le *Blue Boy*.

**GALAGO** Nom donné à cinq espèces de lémuriens arboricoles de l'Afrique tropicale. Les galagos passent le jour dans leur nid et sont actifs de nuit. Ils ont de gros yeux, une queue touffue ; effrayés, ils peuvent faire des bonds extraordinaires de branche en branche (jusqu'à 4,60 m).

**GALAPAGOS (ILES)** Archipel du Pacifique, situé à l'ouest de l'ÉQUATEUR, nation dont elles font partie. Ces îles volcaniques couvrent une superficie de 7 850 km² et comptent 5 500 habitants. Elles abritent une faune et une flore originales, dont certaines espèces n'existent nulle part ailleurs. L'étude des espèces animales des Galapagos a aidé Charles DARWIN à élaborer sa théorie de l'ÉVOLUTION.

◂ *Galilée et deux des lunettes qu'il utilisa pour étudier le Soleil et les planètes. Les méthodes d'observation et d'expérimentation de Galilée ont ouvert la voie à la science moderne.*

**GALAXIE** Le Soleil n'est qu'une étoile parmi la centaine de milliards que compte notre galaxie (dite « la Galaxie »), dont la structure est la spirale. Dans certaines parties du ciel, les étoiles sont si nombreuses que nous les voyons de nuit sous forme d'une traînée laiteuse baptisée Voie lactée. L'univers compte des milliards d'autres galaxies, certaines spirales comme la nôtre, d'autres elliptiques, d'autres encore de forme non caractéristique.

**GALÈRE** Bâtiment de commerce ou de guerre, à rames et accessoirement à voiles, en usage dans le bassin méditerranéen de l'Antiquité au XVIIIᵉ siècle. Il fallait parfois affecter 5 hommes à chaque rame, et les plus grosses galères de guerre pouvaient transporter 1 200 hommes. ▷

**GALÈRE PORTUGAISE** MÉDUSE bleu violacé des mers chaudes, constituée d'un flotteur et de tentacules garnis de cellules urticantes ; les tentacules peuvent atteindre 12 m.

**GALILÉE** Physicien et astronome italien (1564-1642). Il fait sa première découverte scientifique à l'âge de 18 ans. Assis dans la cathédrale de Pise, il a l'idée de chronométrer les oscillations d'un lustre en s'aidant des pulsations de son poignet et découvre ainsi que, lorsque les oscillations s'amortissent, la durée de chaque oscillation reste identique, contrairement à ce qu'aurait donné à imaginer le sens

GALÈRE En 1571 à Lépante, port de Grèce, se déroula la plus formidable bataille de galères de l'histoire. Elle opposait la flotte chrétienne de la Sainte Ligue, constituée de 200 galères et de bâtiments à voiles, à la flotte ottomane, supérieure en nombre mais constituée exclusivement de galères. 117 galères turques furent prises et 50 coulées. Les chrétiens durent leur victoire à l'utilisation des voiliers et de la canonnade à distance, tactique qui se révéla surclasser celle de l'éperonnage et de l'abordage, inhérente à l'utilisation des galères.

GALILÉE Tout jeune, déjà, Galilée cherchait à prouver l'exactitude d'idées que tout un chacun tenait pour établies, ce qui l'amenait à passer son temps à construire toutes sortes de dispositifs. Pour son père, Galilée n'était qu'un « petit rêveur au regard perdu dans les étoiles ».

◂ *Pèlerins hindous se baignant dans le Gange. Dans la religion hindoue, un bain dans le fleuve sacré lave le croyant de ses péchés.*

GAMA (VASCO DE) Lorsqu'il atteignit le port de Calicut, en Inde, Vasco de Gama prépara des cadeaux destinés au chef d'État du pays. La liste de ces cadeaux comprenait : 12 pièces de tissu rayé, 4 capelines, 6 chapeaux, 4 colliers de corail, 6 lave-mains, une caisse de sucre, 2 barils d'huile et 2 de miel. Le chef d'État ayant déclaré ces babioles indignes d'un roi, Vasco de Gama vendit sa cargaison, acheta à la place un chargement de poivre, de cannelle et de gingembre et prit le chemin du retour. Il avait passé plus de deux ans en mer lorsqu'il atteignit Lisbonne, et perdu 115 hommes sur les 170 que comptait son équipage au départ. Par contre, la vente des épices rapporta soixante fois le coût de l'expédition.

GAUGUIN (PAUL) Les débuts dans la vie de Paul Gauguin ne laissaient rien paraître de son futur génie pictural. Élève médiocre, il passe ensuite cinq ans dans la marine en qualité de second maître avant de se tourner vers la Bourse. Ce n'est qu'à l'âge de 35 ans qu'il décide de se consacrer entièrement à la peinture.

commun. (Voir PENDULE.) Plus tard, en jetant des billes du haut de la tour de Pise, il montre que tous les corps tombent à la même vitesse, ce qui lui permet par la suite d'énoncer les lois de la chute des corps. C'est également Galilée qui construisit l'une des premières lunettes astronomiques. Il observe les cratères de la Lune, les satellites de JUPITER (1610), découvre que VÉNUS est soumise à des phases et en déduit que la planète tourne autour du Soleil, ajoutant ainsi sa pierre à l'édifice de COPERNIC et sa théorie héliocentrique de l'univers. Ses théories entrant malheureusement en contradiction avec celles de l'Église, Galilée est contraint d'abjurer ses idées coperniciennes, mais d'ores et déjà il a posé les fondements de l'astronomie moderne. ◁

**GALION** Grand navire à voiles quadrangulaires des XVI<sup>e</sup>-XVIII<sup>e</sup> siècles, utilisé surtout par les Espagnols pour transporter l'or et les richesses retirées de leurs colonies américaines, ainsi que pour la guerre.

**GALVANISATION** Procédé consistant à recouvrir le fer ou l'acier d'une couche de ZINC pour protéger le métal de la CORROSION.

**GALVANOMÈTRE** Instrument qui permet de détecter ou de mesurer l'intensité de COURANTS ÉLECTRIQUES faibles. Un galvanomètre se compose d'une bobine de fil métallique disposée entre les deux pôles d'un aimant. Lorsqu'il passe dans la bobine, le courant la fait pivoter, l'angle de rotation étant proportionnel à l'intensité du courant.

**GAMA, VASCO DE** Navigateur portugais (v. 1469-1524). En 1497-1498, il trouve la route de l'Inde par le cap de Bonne-Espérance. Jusqu'au creusement du CANAL DE SUEZ, cet itinéraire sera emprunté par la majorité des navires européens commerçant avec l'Asie. ◁

▸ *Le galvanomètre mesure le flux de courant électrique. Ci-contre, le type de galvanomètre utilisé dans l'ampèremètre et le voltmètre à bobine mobile.*

**GANDHI, MOHANDAS KARAMCHAND** Dirigeant spirituel, social et politique de l'Inde (1869-1948). Sa lutte nationaliste par des moyens non violents contribua à l'accession du sous-continent indien à l'indépendance vis-à-vis de la Grande-Bretagne (1947). Gandhi a été surnommé le *Mahatma*, ce qui signifie « la Grande Ame ».

**GANGE** L'un des plus grands fleuves de l'INDE et du BANGLADESH. Le Gange est le fleuve sacré des hindous. (Voir HINDOUISME.) Long de 2 480 km, il prend sa source dans l'HIMALAYA et se jette dans le golfe du Bengale.

**GARNIER, FRANCIS** Officier de marine et explorateur français (1839-1873) qui reconnut le cours du Mékong et conquit le delta du fleuve Rouge.

**GARONNE** Fleuve du sud-ouest de la France, né en Espagne, long de 647 km. Il se jette dans l'Atlantique par un estuaire, la Gironde, qu'il forme avec la Dordogne. Toulouse et Bordeaux sont construites sur la Garonne.

**GAUGUIN, PAUL** Peintre français (1848-1903). D'abord influencé par VAN GOGH, Gauguin développe son propre style, coloré, soutenu par un dessin concis, et l'utilise pour décrire l'univers à la fois primitif et magique des habitants des îles du Pacifique sud. ◁

**GAULE** Nom donné dans l'Antiquité à ce qui est aujourd'hui la France et la Belgique. Les habitants de la Gaule étaient des CELTES qui, à une époque, envahirent même le nord

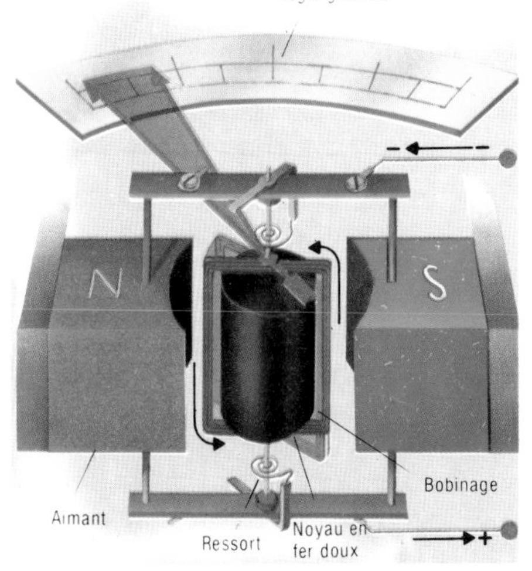

de l'Italie, mais leur puissance décrut en proportion de la montée de celle de Rome et, vers 51 av. J.-C., Jules CÉSAR avait intégré la Gaule dans l'Empire romain.

La Gaule connut la prospérité sous la domination romaine, et de grandes villes s'y développèrent : Lyon, Arles, Toulouse, Bordeaux, Orléans, Lutèce (le futur Paris). Elle fut envahie par les Germains au IIIe siècle, puis par les Francs, entre autres, au Ve siècle. ▷

GAULE Il fallut neuf années à Jules César pour soumettre la Gaule. Finalement, le chef des Gaulois, Vercingétorix, s'étant retranché dans la forteresse d'Alésia, César l'assiégea, faisant creuser pour cela un système de tranchées si larges que la terre retirée aurait occupé les quatre cinquièmes du volume de la Grande Pyramide d'Égypte. Vercingétorix fut contraint de se rendre.

**GAULLE, CHARLES DE** Général et homme d'État français (1890-1970). Installé à Londres après la défaite de la France en 1940, il dirigea et anima la Résistance française contre l'Allemagne. Chef du Gouvernement provisoire (1944-1946) qui assura la transition entre la fin de la guerre et la fondation de la IVe République, il abandonna ensuite le pouvoir et la vie politique jusqu'en mai 1958 — ce fut ce qu'on appela « la traversée du désert ». Il revint ensuite au pouvoir à la suite des événements d'Algérie et fit approuver par référendum une nouvelle Constitution, de type présidentiel, fondant ainsi la Ve République. Deux fois élu président de la République, il démissionna en 1969 par suite du rejet d'un projet de loi sur la régionalisation qu'il avait soumis au référendum. Charles de Gaulle fut le grand défenseur de l'indépendance française, notamment face aux États-Unis (la France a quitté l'OTAN en 1966), le promoteur de la détente avec l'U.R.S.S. et la Chine et l'artisan de la décolonisation.

▲ *Charles de Gaulle, que l'on voit ici en compagnie de l'empereur d'Éthiopie, Haïlé Sélassié, fut le fondateur et le premier président de la Ve République (1959-1969).*

**GAZ** L'un des trois états de la matière, les autres étant l'état liquide et l'état solide. Les particules d'un gaz se déplacent librement et occupent le plus grand volume possible. Lorsqu'on refroidit un gaz, ses particules ralentissent, se rapprochent, et le gaz devient liquide. Si l'on abaisse encore la température, le liquide se solidifie. A l'inverse, un solide que l'on chauffe se liquéfie puis se transforme en gaz. Ainsi, par exemple, la glace qui se change en eau puis en vapeur d'eau. ▷

GAZ Les gaz les plus nocifs sont ce que l'on appelle les agents V. Une seule goutte que l'on respire ou qui touche la peau peut suffire à provoquer la mort.

**GAZ CARBONIQUE** Nom courant de l'anhydride carbonique ou dioxyde de carbone : un gaz lourd, incolore, de formule chimique $CO_2$. Présent dans l'atmosphère, le gaz carbonique entre dans le processus de PHOTOSYNTHÈSE (voir CYCLE DU CARBONE) ; il est assez soluble dans l'eau (eau de seltz, boissons gazeuses). Il se solidifie à — 79 °C et est alors employé comme réfrigérant sous le nom de glace sèche.

**GAZ NATUREL** Mélange de gaz produit naturellement à partir de matière organique dans les couches rocheuses et utilisé comme

▶ *Le gisement de gaz naturel de Hass R'Mel, en Algérie. Ci-dessous : un type courant de plissement - un anticlinal - dans lequel se sont formées des nappes de pétrole et de gaz naturel.*

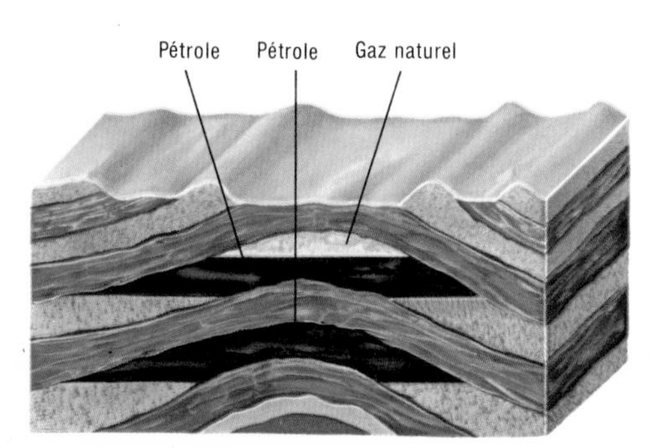

▼ *Les gemmes utilisées en joaillerie proviennent de roches et de minéraux naturels. Les pierres précieuses et semi-précieuses représentées ici appartiennent au groupe des béryls ; ce sont : l'émeraude, l'aigue-marine, le béryl doré et la morganite.*

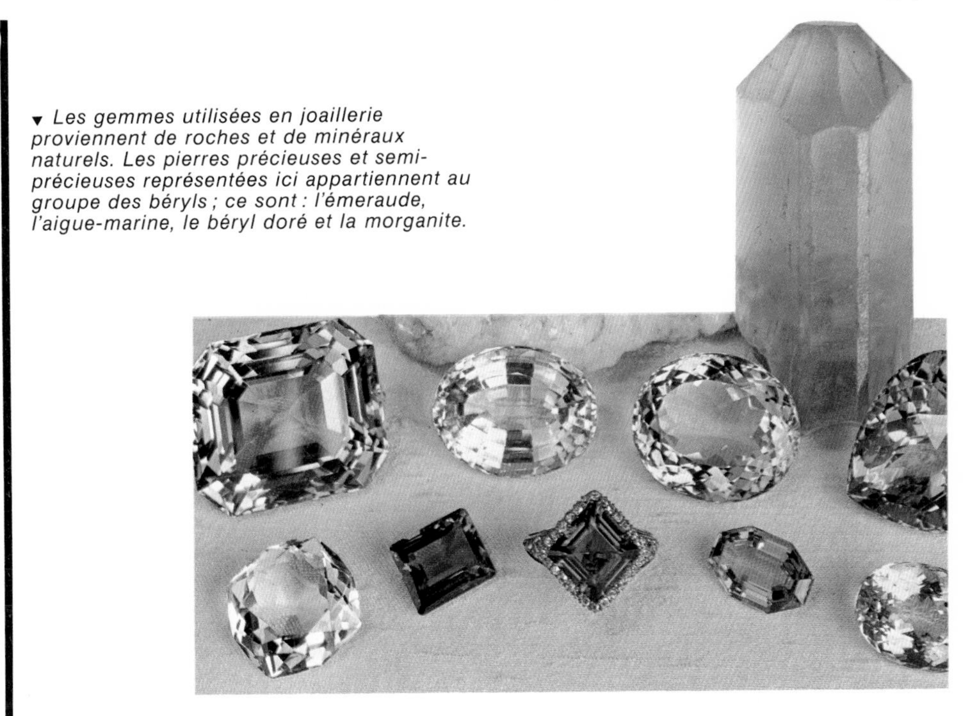

combustible. Le gaz naturel se compose principalement de méthane (80 à 95 %), sous pression dans les pores de la roche réservoir. On extrait le gaz naturel par forage, comme pour le pétrole. Le gaz est alors véhiculé par des conduites jusqu'à une raffinerie pour y être débarrassé des substances indésirables puis distribué pour l'usage domestique ou industriel.

**GAZELLE** ANTILOPE fine, couleur sable, des steppes d'Afrique et de certaines régions d'Asie. Chez la plupart des espèces, la tête est marquée d'une raie blanche sur l'une ou l'autre face. Les mâles ont de longues cornes recourbées. Contrairement aux bois des cervidés qui tombent chaque année, les cornes des antilopes sont permanentes.

**GÉLATINE** Substance obtenue à partir d'os et de peaux d'animaux. La gélatine se présente sous forme de gelée transparente et insipide, constituée principalement de PROTÉINE, et qui fond vers 25 °C. On l'utilise en cuisine et en photographie.

**GEMME** Pierre précieuse. Sur le plan commercial, les gemmes les plus appréciées sont les DIAMANTS et les ÉMERAUDES, suivies par les rubis et les SAPHIRS. Il existe de nombreuses autres pierres, dites « semi-précieuses » (les PERLES sont également recherchées en bijouterie, mais ne sont pas des pierres). La valeur d'une pierre précieuse dépend de sa taille, de sa couleur et de sa pureté. Les gemmes sont généralement taillées de manière à permettre à la lumière de jouer sur leur eau. Les pierres de qualité médiocre sont réservées à l'usage industriel pour lequel on fabrique également aujourd'hui des pierres précieuses synthétiques.

**GÈNE** Élément fondamental conditionnant le processus d'HÉRÉDITÉ. Tout organisme vivant hérite des gènes de ses géniteurs. Chaque gène détermine une caractéristique bien précise de l'être vivant comme la forme de la feuille, la couleur des cheveux ou la taille d'un individu. Chaque cellule compte des centaines, parfois des milliers de gènes, disposés dans le noyau en petits chapelets appelés CHROMOSOMES.

**GÉNÉRATEUR ÉLECTRIQUE** Un générateur transforme de l'énergie mécanique en électricité. L'énergie mécanique est fournie par un moteur ou une TURBINE, fonctionnant généralement à l'essence ou au charbon. Le principe du générateur repose sur le fait que, lorsqu'une spire de fil métallique tourne sur elle-même entre les deux pôles d'un aimant, il y a passage d'un COURANT électrique. Un générateur comporte des bobinages de fil *(l'armature)* qui tournent sur un arbre disposé dans l'entrefer d'un électro-aimant. Lorsqu'ils sont traversés par un courant électrique, les électro-aimants créent des champs magnétiques. Le courant généré par les bobinages est capté par des *balais* de carbone en contact avec les bornes de cuivre installées à chaque extrémité de l'arbre.

(Voir illustration p. 154). ▷

▲ *Un générateur produit de l'électricité à partir d'énergie mécanique. Les besoins sans cesse croissants en électricité imposent la construction de générateurs toujours plus gros.*

**GENGIS KHAN** Grand conquérant MONGOL (v. 1167-1227). A 13 ans, il succède à son père comme chef d'une petite tribu. En 1206, il a réussi à unir tous les Mongols, et 1213 marque le début des campagnes qui le conduiront en Chine, en Russie, en Inde et en Perse. Son empire, qui à sa mort s'étend de la Mandchourie à la Caspienne, sera divisé entre ses quatre fils. ▷

**GÉNIE** Dans le folklore, petite créature à traits humains supposée peupler les bois et les collines et douée de pouvoirs magiques ; les génies peuvent être bons ou mauvais.

**GÉOGRAPHIE** Étude de la surface de la Terre, la géographie se subdivise en plusieurs branches. La géographie physique étudie le relief et le paysage, ainsi que leur évolution ; la climatologie étudie le CLIMAT ; la géomorphologie s'attache à la constitution des SOLS et la biogéographie cherche à mettre en évidence les interactions qui se produisent entre climat, sol, animaux et végétaux.

La géographie humaine traite de l'interaction entre les humains et leur environnement. La géographie économique s'attache aux ressources naturelles, à la production de nourriture, à la localisation des minéraux, des combustibles et à la distribution industrielle. La géographie urbaine étudie la situation des villes et leur croissance ; la géographie historique est l'étude de la géographie des périodes passées. Les géographes s'intéressant tout particulièrement à la *distribution* des caractéristiques géographiques, les CARTES constituent leur principal outil de travail.

**GÉOLOGIE** Science qui étudie l'écorce terrestre. Les deux branches principales de la géologie sont : la *pétrologie,* ou étude des roches, et la *minéralogie* qui étudie les minéraux. Au fil des milliards d'années de son existence, la Terre a subi de nombreux bouleversements dont le relief a conservé les traces sous forme de montagnes, vallées, océans et cours d'eau, restes fossilisés d'espèces éteintes ou combustibles fossiles tels que le charbon. Ces divers éléments constituent l'objet de l'étude des géologues. (Voir FOSSILE ; MINÉRAUX ; ROCHES ; SÉISME ; TERRE.)

**GÉOMÉTRIE** Branche des mathématiques qui a pour objet les points, les lignes, les plans et les volumes. La géométrie plane s'attache aux figures situées dans un seul plan (à deux dimensions). La géométrie des solides s'intéresse aux corps à trois dimensions et la géométrie sphérique traite des figures tracées sur une surface sphérique. (Voir CERCLE ; EUCLIDE ; PARABOLE ; PYTHAGORE ; SPHÈRE.)

**GÉRANIUM** Nom générique de plusieurs espèces de plantes sauvages à fleurs roses,

GÉNÉRATEUR A la fin des années 70, les États-Unis possédaient le plus gros générateur du monde, d'une capacité de 1 300 mégawatts. Aujourd'hui, la Grande-Bretagne et les États-Unis sont en train de réaliser des générateurs d'une capacité de l'ordre de 2 000 mégawatts.

GENGIS KHAN La légende raconte qu'à sa naissance Gengis Khan serrait dans son poing un caillot de sang de la grosseur d'une phalange — présage des flots de sang qu'il verserait un jour.

GEYSER Waimangu, en Nouvelle-Zélande, était le plus grand de tous les geysers. En période d'activité, il crachait des jets d'eau de 460 m. L'un des geysers les plus célèbres est le « Old Faithful » (Vieux Fidèle), situé dans le parc national de Yellowstone, aux États-Unis. Il doit son nom à ce que ses jaillissements se produisent fidèlement pendant 5 minutes toutes les 65 minutes.

GHANA : DONNÉES
Le Ghana se classe au douzième rang des nations africaines pour la superficie et au vingt-huitième pour la population.
Langue officielle : anglais, mais sont également parlés l'éwé, le twi, le fanti et de nombreux autres dialectes.
Religions : animisme, christianisme, islam.
Monnaie : cédi.
Principal cours d'eau : la Volta, formée par la réunion de la Volta Blanche et de la Volta Noire.

GIBBON Les gibbons (genres *Hylobates* et *Symphalangus*) sont les plus petits des anthropoïdes et les plus éloignés de l'homme. Si leur cerveau est relativement gros par rapport à leur poids (ce qui prédispose généralement au développement de l'intelligence), les gibbons ne sont pas très intelligents. Ce sont, par contre, les plus agiles des anthropoïdes : ils se balancent de branche en branche avec une aisance stupéfiante. A terre, ce sont les seuls anthropoïdes à se déplacer debout sur leurs pattes arrière, les bras tendus afin de maintenir leur équilibre. Les gibbons sont extrêmement bruyants et adorent s'appeler les uns les autres.

GIBRALTAR Le nom de ce rocher fameux lui vient de l'expression arabe *Gebel al-Tarik* qui signifie le « Rocher de Tariq ». En 711, le chef berbère Tariq Ibn Ziyad, à la tête de 7 000 hommes, écrasa l'armée chrétienne et s'empara de Gibraltar, première étape de la conquête de l'Andalousie par les musulmans. Certaines parties de l'Espagne allaient vivre sous le régime islamique pendant plus de sept siècles.

GINGKO On a trouvé des gingkos fossiles remontant à la période triasique (apparition des dinosaures) et ressemblant pourtant énormément aux espèces actuelles.

écarlates, rouges ou violettes et à fruit terminé par un long bec. Le nom est également donné, à tort, à des races d'un hybride de *Pelargonium,* le pélargonium des jardins, dont il existe des plantes à fleurs blanches ou encore à fleurs doubles.

**GEYSER** Source d'eau chaude d'où jaillissent régulièrement des jets de vapeur. Les geysers sont des manifestations de phénomènes volcaniques — l'eau souterraine étant surchauffée par le MAGMA ou par l'action de gaz. ◁

**GHANA (RÉPUBLIQUE DU)** État d'Afrique occidentale, le Ghana compte 12 millions d'habitants (1982) pour une superficie de 240 000 km². Sous son ancien nom de Côte de l'Or, le Ghana était une colonie britannique ; il est devenu membre du Commonwealth en 1957. Pays essentiellement agricole, le Ghana est l'un des principaux producteurs de CACAO et de manioc. Capitale : Accra. ◁

**GIBBON** Petit SINGE anthropoïde des forêts du Sud-Est asiatique. Le gibbon est principalement arboricole ; ses longs bras lui servent à se balancer de branche en branche à une vitesse telle qu'il peut attraper des oiseaux en plein vol. Outre les oiseaux, les gibbons mangent des fruits, des feuilles, des insectes. Bruns ou noirs, les gibbons sont célèbres pour les ululements sur deux tons qu'ils lancent au petit matin. ◁

**GIBRALTAR** Territoire britannique occupant la péninsule rocheuse qui forme l'extrémité méridionale de l'Espagne. Puissante base aéronavale contrôlant l'accès de la Méditerranée, Gibraltar constitue également une attraction touristique. La population s'élève à 30 000 habitants (1975) pour une superficie de 6,5 km². Périodiquement, l'Espagne affirme sa volonté de récupérer Gibraltar. ◁

**GINGEMBRE** Plante dont la racine aromatique est utilisée comme condiment, principalement dans les cuisines anglo-saxonne et orientale. Les meilleurs gingembres proviennent de la Jamaïque.

**GINGKO** Arbre de Chine à feuilles en éventail, fleurs jaunes et fruits rappelant l'abricot dont on consomme l'amande torréfiée. Traditionnellement, le gingko est considéré en Chine et au Japon comme un arbre sacré que l'on plante à proximité des temples. ◁

**GIRAFE** Avec ses quelque 5 m, la girafe est l'animal le plus grand du monde. Les pattes et

▲ *Les éruptions de geysers peuvent atteindre plus de 30 m. Il existe des geysers en Islande, en Nouvelle-Zélande et aux États-Unis (parc de Yellowstone).*

le cou sont immenses, le pelage orangé, bigarré de sombre ; la queue est terminée par une touffe de poils qui sert de chasse-mouches. Les girafes vivent dans la savane africaine, se nourrissant de feuilles d'arbres, surtout d'acacia. Leurs pattes leur servent de moyen de défense.

**GLACE** Forme solide de l'eau. La température de fusion de la glace ou de congélation de l'eau pure est de 0 °C. Contrairement à la plupart des liquides, l'eau en se congelant augmente de volume ; en conséquence, sa densité décroît, ce qui explique que la glace flotte sur l'eau —, les sept huitièmes environ de son volume restant immergés.

▶ *Un épais manteau de glace recouvre la quasi-totalité de l'Antarctique. Seuls quelques pics, appelés* nantukas, *émergent de la glace. Le long des côtes, la glace se brise, formant des icebergs à sommet aplati.*

▲ *En haute montagne, le poids de la neige accumulée transforme en glace les couches inférieures, ce qui forme un glacier. La gravité fait glisser lentement cette masse vers l'aval. La fonte des glaciers alimente de nombreux cours d'eau.*

**GLACE** Crème sucrée et aromatisée, à base de lait ou de crème fraîche et que l'on consomme congelée. Il y a 5 000 ans déjà, les Chinois confectionnaient des glaces. La recette fut ramenée en Europe par MARCO POLO, 4 000 ans plus tard.

**GLACE SÈCHE** État solide du GAZ CARBONIQUE qui, sous des conditions normales de température et de pression, existe à l'état gazeux. Lorsqu'on refroidit ce gaz, il ne passe pas par l'état liquide et se solidifie à — 78,5 °C.

**GLACIAIRE (PÉRIODE)** Période géologique marquée par le développement des glaciers en Europe septentrionale et en Amérique du Nord. On a enregistré quatre périodes glaciaires, séparées par des ères de réchauffement. La première période glaciaire remonte à un million d'années, la dernière s'est achevée il y a 20 000 ans. On est en droit de supposer que nous traversons actuellement une période de réchauffement séparant deux périodes glaciaires.

**GLACIER** Masse de GLACE que la gravité fait glisser lentement le long des vallées. Dans les régions polaires, les glaciers forment de vastes coupoles *(glacier continental)*. Ce sont des glaciers qui ont modelé les plus impressionnants paysages de montagne. L'escalade des glaciers constitue un sport dangereux à cause des crevasses, masquées par la neige, dont ils sont parcourus. ▷

GLACIER Le plus long glacier du monde est le *Lambert-Fisher Ice Passage*, découvert dans l'Antarctique dans les années 1950. Il s'étend sur plus de 500 km.

La végétation ressemble à celle d'aujourd'hui mais comporte des espèces n'existant plus que dans les régions chaudes. L'*Homme de Neanderthal* chasse hippopotames et autres gros animaux.

Les chevaux parcourent les prairies, souvent chassés par les lions des cavernes. Les castors rongent bouleaux et trembles.

L'énorme éléphant à défenses droites coexiste avec d'autres gros mammifères. L'*Homo erectus* chasse probablement ces animaux.

▲ *Les illustrations ci-dessus montrent à quoi ressemblait l'Europe occidentale – et probablement l'Amérique du Nord – au cours des diverses périodes glaciaires et interglaciaires. Aucun être vivant ne pouvant survivre dans les zones entièrement glacées, les mammifères survivaient à la limite méridionale des glaciers et l'homme vivait de la chasse de ces animaux. Les conifères croissaient dans de nombreux endroits, mais dans les zones les plus froides seuls les herbes et les lichens parvenaient à pousser. La plus ancienne période de glaciation, qui remonte à un million d'années et n'intéressa que les régions alpines, n'est pas illustrée.*

## LES PÉRIODES GLACIAIRES

20 000

75 000

150 000 (Période interglaciaire)

300 000

350 000 (Période interglaciaire)

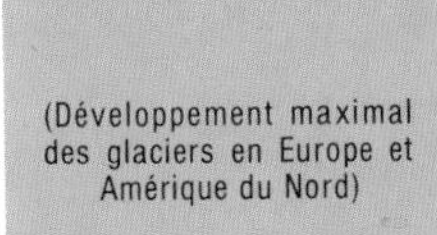

(Développement maximal des glaciers en Europe et Amérique du Nord)

550 000

750 000 (Période interglaciaire)

900 000

(Glaciation développée dans les Alpes et en Amérique du Nord)

La végétation, clairsemée, est composée principalement de conifères et de saules nains. L'*Homme de Cro-Magnon,* comme le renard polaire, se nourrit de rennes.

Un mammouth laineux tué par les lances de l'*Homme de Neanderthal* assure en quantité nourriture et peaux destinées à la confection des vêtements.

Durant cette période, le paysage ressemble à celui de l'Arctique d'aujourd'hui. Les bœufs musqués se nourrissent de la maigre végétation ; ils sont chassés par les loups.

Sangliers et ours bruns habitaient les forêts bordant la toundra. Les forêts sont surtout constituées de pins et d'épicéas.

**GLADIATEUR** Dans la Rome antique, homme qui livrait des combats à mort pour distraire les spectateurs. C'était généralement un esclave ou un condamné. Le COLISÉE a vu nombre de combats de gladiateurs.

**GLANDE** Chez les animaux, organe qui sécrète des substances nécessaires au fonctionnement de l'organisme. Les glandes dites *exocrines* libèrent leurs sécrétions dans des conduits comme l'INTESTIN ou à l'extérieur du corps (glandes salivaires, sudoripares ou lacrymales). Les glandes *endocrines* déversent directement dans le sang des substances appelées HORMONES. Les hormones agissent sur la croissance et le développement du corps. La THYROIDE est une glande endocrine très importante car son hormone gère l'utilisation par le corps de l'oxygène et des aliments.

**GLANDES SALIVAIRES** Chez l'homme, trois paires de GLANDES situées dans ou à proximité de la bouche. La *salive* qu'elles sécrètent imprègne les aliments et permet de les avaler. La salive contient également des ENZYMES qui amorcent la digestion des HYDRATES DE CARBONE. Le fait de voir, de sentir ou de penser à de la nourriture peut stimuler la sécrétion des glandes salivaires qui produisent environ 1,75 l de salive par jour.

**GLAUCOME** Affection marquée par le durcissement du globe oculaire, et qui va souvent de pair avec le vieillissement. Non traité,

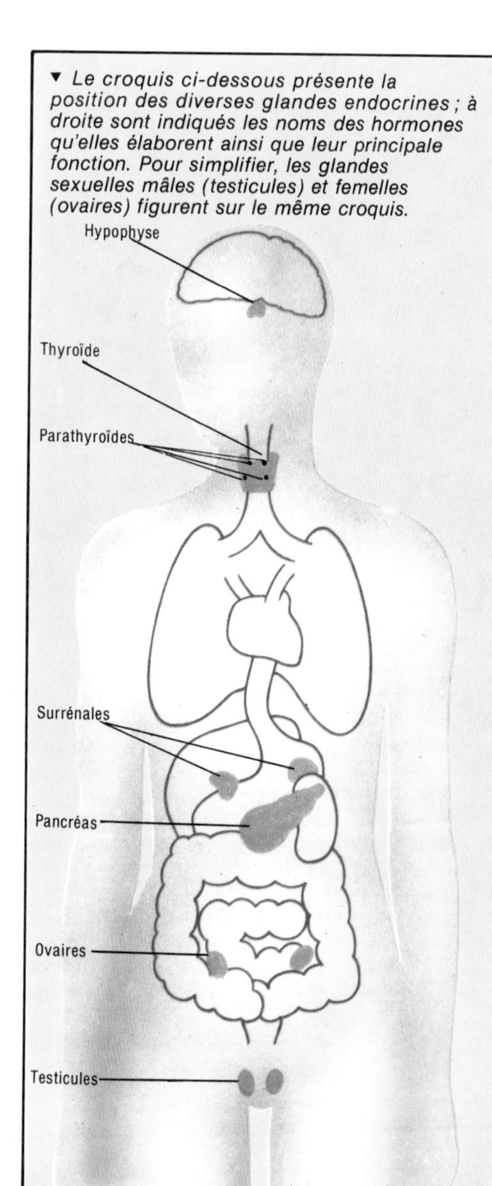


▼ *Le croquis ci-dessous présente la position des diverses glandes endocrines ; à droite sont indiqués les noms des hormones qu'elles élaborent ainsi que leur principale fonction. Pour simplifier, les glandes sexuelles mâles (testicules) et femelles (ovaires) figurent sur le même croquis.*

## LE SYSTÈME ENDOCRINIEN

**Glande hypophyse ou pituitaire**

| Hormone | Fonction |
|---|---|
| Thyréostimuline | Contrôle l'activité de la thyroïde. |
| Corticostimuline | Ajuste la sécrétion des surrénales. |
| Gonadostimuline | Contrôle les sécrétions des glandes reproductrices. |
| Hormone somatotrope | Contrôle la croissance. |
| Hormone antidiurétique | Ajuste la quantité d'eau rejetée par les reins. |
| Prolactine | Stimule la production du lait chez la mère. |
| Oxytocine | Stimule les contractions de la matrice lors de l'accouchement. |

**Glande thyroïde**

| Hormone | Fonction |
|---|---|
| Thyroxine | Contrôle le rythme auquel la nourriture est convertie dans les cellules en chaleur et en énergie. Essentielle à la croissance et au bon fonctionnement du système nerveux. |

**Glandes parathyroïdes**

| Hormone | Fonction |
|---|---|
| Parathormone | Stimule la libération de calcium dans les os et contrôle le taux de calcium du sang. Une insuffisance en parathormone se manifeste par des contractions musculaires. |

**Glandes ou capsules surrénales** (corticale-médullaire)

| Hormone | Fonction |
|---|---|
| Adrénaline (et noradrénaline) | Produite par la région médullaire, renforce les effets du système nerveux sympathique en réponse à la peur, l'angoisse, l'excitation. |
| Cortisone | Stéroïde produit par le cortex, qui aide à lutter contre l'angoisse et les traumatismes. |
| Aldostérone | Produite par le cortex ; gère l'équilibre du sel et de l'eau dans le sang. |

**Pancréas**

| Hormone | Fonction |
|---|---|
| Insuline | Gère l'utilisation par le corps du glucose. |

**Ovaires** (glandes reproductrices femelles)

| Hormone | Fonction |
|---|---|
| Œstrogène | Contrôle le développement des caractères sexuels secondaires, limite la croissance des os longs, et stimule la préparation de la matrice lors de l'ovulation. |
| Progestérone | Prépare la matrice pour la grossesse*. |

* Durant la grossesse, le placenta produit les hormones nécessaires au développement du fœtus et à l'adaptation du corps de la mère à la grossesse.

**Testicules** (glandes reproductrices mâles)

| Hormone | Fonction |
|---|---|
| Testostérone | Contrôle le développement des caractères sexuels secondaires. |

◂ *Une harde de gnous au Kenya. La saison sèche contraint les troupeaux à se déplacer pour trouver de l'eau et de l'herbe. Les gnous s'accouplent au cours de cette migration.*

GLYCÉRINE La glycérine fut découverte par le chimiste suédois Carl Wilhelm Scheele (1742-1786) qui découvrit également le chlore, l'oxygène (indépendamment de Priestley), l'acide tartrique, ainsi que de nombreux autres éléments et composés. Scheele détient le record du nombre de substances découvertes.

GNOU Les gnous sont parmi les plus abondants des gros mammifères d'Afrique orientale. Les troupeaux d'éléphants comptent une centaine d'individus ; ceux de buffles peuvent atteindre 600 spécimens ; les hardes mixtes de gnous et de zèbres peuvent rassembler jusqu'à 10 000 bêtes.

le glaucome peut conduire à la cécité. Le traitement peut être chirurgical ou pharmaceutique.

**GLENN, JOHN HERSCHEL** Astronaute américain né en 1921. Il fut le premier Américain à effectuer une révolution autour de la Terre (20 février 1962). Le vol dura 4 heures, 55 minutes.

**GLUCOSE** SUCRE simple contenu dans de nombreux fruits et plantes, ainsi que dans le MIEL. Le glucose (ou dextrose) est également produit à partir d'autres sucres ou d'amidon au cours du processus de DIGESTION : il est ensuite absorbé par le sang et véhiculé à travers les tissus.

**GLYCÉRINE** Alcool liquide incolore et inodore qui entre dans la fabrication des parfums, cosmétiques, EXPLOSIFS, antigels et produits médicamenteux. Il s'agit d'un sous-produit de la fabrication du SAVON. ◁

**GNOU** Grande ANTILOPE d'Afrique. Si les antilopes sont d'ordinaire gracieuses, le gnou, lui, ne l'est guère avec son cou épais, sa tête allongée, ses petits yeux et ses cornes massives. ◁

**GOETHE, JOHANN WOLFGANG VON** Écrivain allemand (1749-1832). Romancier, poète et auteur dramatique, Goethe était également un savant, un politicien et un homme d'État. *Faust,* son chef-d'œuvre, raconte l'histoire d'un homme qui vend son âme au diable. L'œuvre littéraire de Goethe s'inscrit dans le mouvement romantique.

**GOLF** Sport dans lequel chaque joueur a sa propre balle qu'il doit envoyer à l'aide de crosses (clubs) successivement dans chacun des trous d'un parcours, et ce en un minimum de coups. Un terrain de golf complet comporte 18 trous.

**GOMME** Substance visqueuse exsudée par certains arbres comme le cerisier, l'acacia et l'eucalyptus. Les gommes durcissent en séchant mais sont solubles dans l'eau. Elles entrent dans la composition de teintures, produits pharmaceutiques et encres.

**GORILLE** Grand SINGE anthropoïde des forêts de l'Afrique équatoriale ; il peut atteindre 1,80 m. Les gorilles marchent sur leurs quatre pattes ; ils vivent en groupes familiaux et passent la plupart de leur temps sur le sol à chercher racines, feuilles et fruits. Ils dorment dans des nids. En dépit de leur aspect massif, les gorilles sont paisibles et n'attaquent que s'ils sont provoqués.

**GOTHS** Peuple germanique, probablement originaire du sud de la Scandinavie, et qui envahit l'Empire romain au IIIe siècle de notre ère. Repoussé vers l'ouest par les HUNS, l'un des groupes (les Wisigoths) mit Rome à sac en 410, puis fonda en Espagne un royaume qui dura jusqu'à la conquête de l'Espagne par les Arabes, en 711. Le second groupe (les Ostrogoths) atteignit l'Italie plus tard et fut absorbé par les populations locales.

**GOUDRON** Substance épaisse, sombre et visqueuse, obtenue à partir de la houille, du bois et de diverses graisses et huiles. Il est utilisé pour revêtir les ROUTES. Le goudron est également une importante source de phénol, de toluène et d'autres substances chimiques.

◂ Goethe dans la campagne romaine, *peint par T.H. Tischbein. L'arrière-plan classique suggère que Goethe est digne de figurer aux côtés des grands écrivains du passé. Dans les années 1780, Goethe séjourna deux ans en Italie.*

**GOUT** L'un des cinq sens humains. La surface de la LANGUE comporte des centaines de bourgeons sensoriels qui assurent la gustation ; ils sont capables de détecter quatre saveurs de base : le doux, l'acide, l'amer et le salé. Les différenciations plus subtiles requièrent l'intervention d'un autre sens : l'ODORAT.

**GOUTTE** Affection caractérisée par une inflammation douloureuse des articulations et qui résulte d'une mauvaise assimilation par l'organisme de certaines PROTÉINES. La maladie est incurable, mais les accès de goutte peuvent être contrôlés par la chimiothérapie.

**GOUVERNEMENT** Corps qui dirige les affaires d'un groupe de personnes. Il peut s'agir d'un seul homme (ex. : un chef tribal) ou d'une organisation complexe gouvernant toute une nation. (Voir PARLEMENT.) Un gouvernement promulgue les lois et peut faire usage de la force pour rétablir son autorité. Les gouvernements peuvent être forts ou faibles, actifs ou inactifs, dictatoriaux ou démocratiques. (Voir DÉMOCRATIE ; COMMUNISME ; FASCISME.)

Actuellement, ensemble des ministres et secrétaires d'État, avec à leur tête le Premier ministre, qui dirige la France avec le président de la République.

**GRAINE** Le centre d'une graine est occupé par un embryon de plante, avec sa racine, sa tige et sa ou ses feuilles particulières. Cet embryon est généralement entouré d'un tissu qui assure sa nutrition lors de la germination : l'*endosperme*. L'ensemble est entouré d'une enveloppe dure ou *tégument*. La dispersion des graines s'opère de diverses manières ; les agents peuvent en être le vent, les animaux auxquels elles s'accrochent, les oiseaux qui les mangent, etc. Pour produire une nouvelle plante *(germer)*, la graine devra rencontrer de bonnes conditions de sol, d'humidité et de température. (Voir VÉGÉTAL.)

**GRAISSE** Les graisses ou lipides font partie intégrante d'un régime alimentaire équilibré. La chaleur et l'énergie nous sont fournies

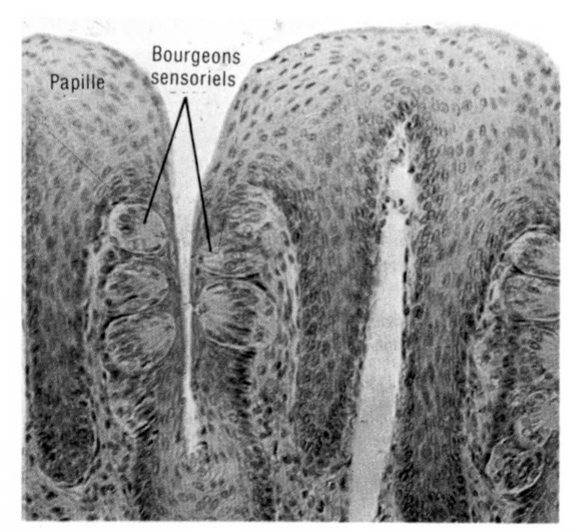


## LES ORGANES DU GOUT ET DE L'ODORAT

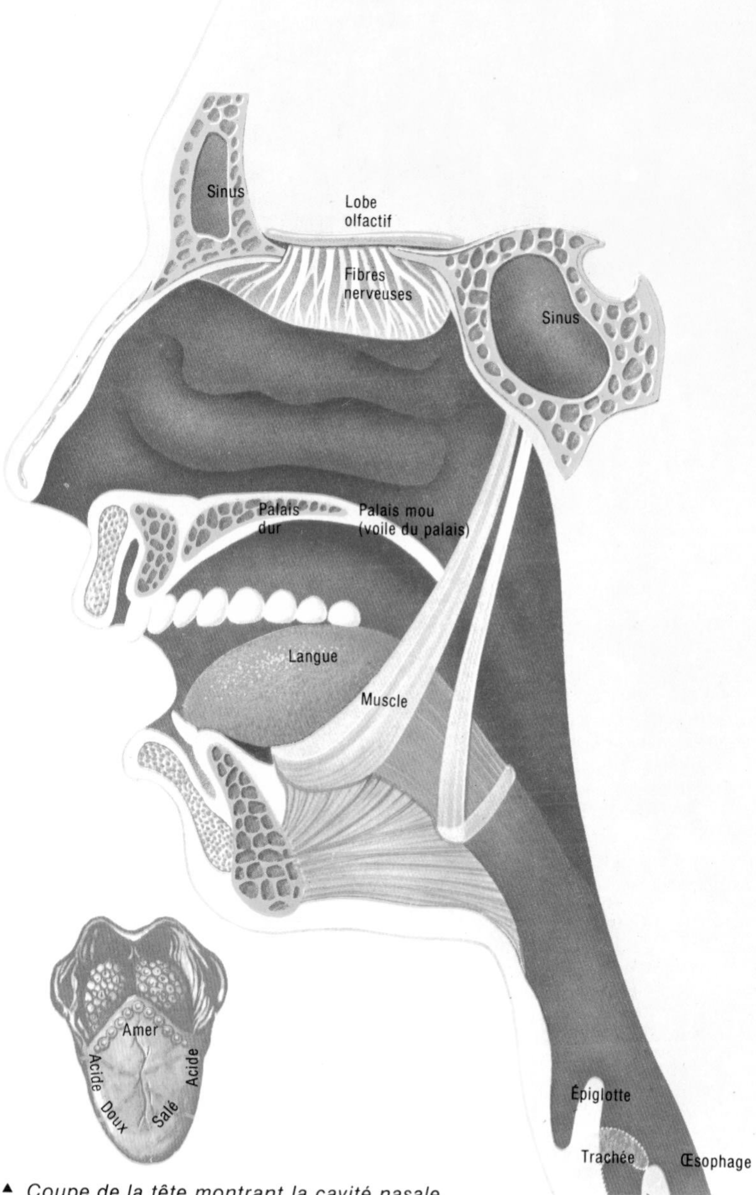


▲ *Coupe de la tête montrant la cavité nasale et la bouche. Les récepteurs olfactifs sont insérés dans le revêtement de la voûte du nez. Les quatre types de bourgeons sensoriels gustatifs sont distribués sur la langue en zones distinctes dont chacune peut détecter une saveur particulière.*

◄ *Coupe très agrandie des bourgeons gustatifs. Ils sont insérés latéralement sur de petites éminences de la langue : les papilles. La sensation de saveur est une combinaison de l'odorat et du goût.*

## STRUCTURE D'UNE GRAINE

Les deux dessins ci-dessous représentent une graine dicotylédone (haricot) et une monocotylédone (blé). Le volume d'une graine est en grande partie occupé par ses réserves nutritives : les cotylédons pour le haricot, l'endosperme pour le blé.

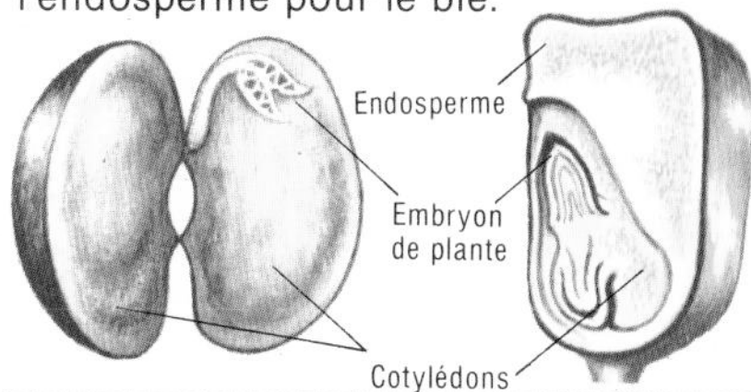


aux deux tiers par les graisses que nous consommons (parmi les autres sources figurent les HYDRATES DE CARBONE et les PROTÉINES.) Si nous consommons plus de graisses que nécessaire, nous prenons du poids.

Chauffées, les graisses se liquéfient en huiles. Les huiles végétales sont extraites de graines et de plantes, en particulier le SOJA. A partir d'huiles végétales, on fabrique la MARGARINE et le SAVON. Parmi les graisses animales, on peut citer le beurre — produit dérivé du lait —, le lard ou le saindoux de porc et le suif des bovins et ovins.

**GRAMINÉE OU GRAMINACÉE** Plante à fleurs courante à travers le monde entier. Les graminées ont de longues feuilles étroites, des fleurs peu apparentes, sans pétales, odeur ni couleur ; la tige est presque toujours souple et creuse. Il existe environ 5 000 espèces de graminées, dont certaines sont vitales pour l'homme : ce sont, par exemple, les CÉRÉALES cultivées comme le BLÉ, le RIZ et l'AVOINE.

**GRAMMAIRE** Règles qui structurent une langue. Ces règles décident de la fonction qu'assument les divers mots (NOMS, VERBES, ADJECTIFS, ADVERBES, etc.), de la manière de modifier le sens de ces mots (un homme, des hommes ; passer, passa, passé) ou de les assembler pour traduire la pensée (le chien a mordu l'homme *ou* l'homme a mordu le chien).

**GRAND CANYON** Nom des gorges du fleuve Colorado, situées aux États-Unis, dans le sud-ouest de l'Arizona ; larges de 3 à 29 km, ces gorges atteignent parfois 1 680 m de profondeur.

◂ *Le Grand Canyon. Les couches de roches mises à nu sont des témoins des différentes étapes de l'histoire de la Terre et permettent d'en remonter le cours jusqu'à 200 millions d'années.*

**GRANDE BARRIÈRE (RÉCIFS DE LA)** Le plus grand récif corallien du monde. Situé au large de la côte orientale de l'Australie, il se compose de nombreuses petites îles et de récifs immergés. Il mesure 2 000 km de long environ et 70 km à son point le plus large. Le site attire les touristes en nombre. ▷

**GRANDE-BRETAGNE** La plus vaste des îles Britanniques. La Grande-Bretagne se compose de l'ANGLETERRE, de l'Écosse et du pays de Galles, ainsi que des îles proches, à l'exception des îles Anglo-Normandes et de l'île de Man qui possèdent leur propre gouvernement.

Le terme « Grande-Bretagne » désigne parfois le Royaume-Uni de Grande-Bretagne et d'Irlande du Nord — dénomination qui inclut les îles Anglo-Normandes et l'île de Man. La population du Royaume-Uni était en 1982 de 55,9 millions d'habitants, pour une superficie de 244 000 km². Si LONDRES est la capitale, le Royaume-Uni compte des capitales régionales telles que Belfast (Irlande du Nord), Cardiff (pays de Galles) et EDIMBOURG (Écosse). (Voir EUROPE.)

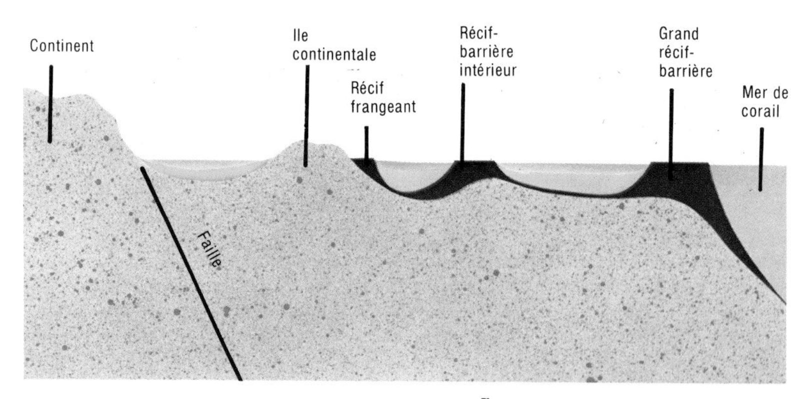


▲ *Un scénario possible de formation de la Grande Barrière. Une plate-forme s'enfonce lentement au large de la côte du Queensland, en suivant une faille. La formation de corail qui accompagne le processus produit graduellement des îles et des récifs.*

▼ *Un décor typiquement anglais. La cathédrale de Worcester, qui date du XI^e siècle mais a été restaurée, domine un terrain de cricket sur lequel une partie est en cours.*

GRANDE BARRIÈRE Cet énorme récif qui compte environ 700 îles constitue l'une des plus importantes réserves de vie sauvage du monde. On estime son âge à 15 000 ans. Dans sa partie la plus profonde, il est épais de 150 m. On y a dénombré plus de 300 espèces de coraux.

▸ *La Grande Muraille de Chine. Elle fut construite sous la dynastie Ch'in, pour préserver le pays des pillards venus de Mongolie et de Turquie. Le mur de terre et de pierre est revêtu de briques ; des tours de guet sont disposées à intervalles réguliers.*

**GRANDE CHARTE** Document imposé en 1215 au roi Jean Sans Terre par les barons anglais et par lequel les droits seigneuriaux étaient renforcés et l'arbitraire royal limité. La Grande Charte *(Magna Carta)* promettait à chacun la justice et un jugement régulier.

**GRANDE MURAILLE** Gigantesque mur de fortification édifié dans le centre-nord de la Chine, dans les années 300 av. J.-C., pour défendre le pays contre les envahisseurs venus du nord-ouest. La Grande Muraille mesure 2 400 km.

**GRAND LAC SALÉ** Marécage salé situé dans le nord-ouest de l'Utah (États-Unis) et couvrant 3 900 km$^2$ de superficie. Ce lac ne possédant pas de déversoir, l'eau s'évapore progressivement, d'où un taux de salinité supérieur à celui des océans. ◁

GRAND LAC SALÉ Trop salé pour les poissons, ce lac n'abrite que quelques petits animaux, dont une sorte de crevette ; les œufs de ces crevettes peuvent survivre des années à la dessiccation, pour éclore lorsque la pluie remplit à nouveau les trous d'eau.

**GRANDS LACS** Ensemble de cinq grands lacs nord-américains reliés entre eux et formant frontière entre les États-Unis et le Canada. Ce sont, par ordre décroissant de superficie : le Supérieur, le Michigan, l'Huron, l'Érié, l'Ontario. Leur superficie totale est d'environ 245 300 km$^2$. Ils sont reliés à l'Atlantique par le fleuve Saint-Laurent. ◁

GRANDS LACS Les Grands Lacs sont ce qu'il reste de lacs beaucoup plus vastes, constitués par la fusion des glaciers à la fin de la dernière période glaciaire. A l'ouest des Grands Lacs existait autrefois le lac Agassiz, équivalant à trois fois le lac Supérieur — aujourd'hui le plus vaste des Grands Lacs et le plus important réservoir d'eau douce du monde.

**GRANITE OU GRANIT** Roche formée par le refroidissement et la cristallisation de MINÉRAUX en fusion dans les couches inférieures de l'écorce terrestre. Le granite est principalement constitué de FELDSPATH, de QUARTZ et de MICA. Il est utilisé pour la construction d'immeubles et de monuments.

**GRAPHITE** CARBONE naturel ou artificiel, le graphite est le plus tendre des minéraux. Sa structure pailletée en fait un bon LUBRIFIANT. Le graphite est chimiquement identique au diamant, le plus dur des minéraux. On l'utilise pour fabriquer les mines de crayon.

**GRATTE-CIEL** Immeuble à nombreux étages, érigé sur un châssis d'acier. Ce style d'immeuble fut lancé à la fin du XIX$^e$ siècle aux États-Unis, et tout particulièrement à NEW YORK et Chicago où les prix du terrain à bâtir étaient élevés.

◂ *L'*Empire State Building *de New York fut, en son temps, l'immeuble le plus haut du monde. La structure rocheuse de l'île de Manhattan permet la construction de gratte-ciel de cette hauteur.*

**GRAVITÉ** Force qui attire tous les corps vers le centre de la Terre. En réalité, la force de gravitation s'applique à l'univers tout entier. La loi de l'attraction universelle de NEWTON établit que deux corps sont attirés l'un vers l'autre avec une force directement proportionnelle au produit de leurs masses et inversement proportionnelle au carré de la distance qui les sépare. En d'autres termes, plus la masse des corps est élevée et plus ils sont proches, plus ils sont attirés l'un vers l'autre. Lorsqu'on se trouve à la surface de la Terre, on est soumis à une force de gravitation élevée à laquelle on ne peut échapper que grâce à de puissantes fusées atteignant des vitesses de l'ordre de 40 000 km/h. Il est toutefois possible de placer un satellite en orbite autour de la Terre sans avoir à développer des vitesses aussi importantes. La vitesse nécessaire dans ce cas dépend de l'altitude de l'orbite. Plus l'orbite est haute, moins le vaisseau subit l'influence de la gravité et inversement. C'est également la gravité qui maintient la Lune en orbite autour de la Terre et les planètes autour du Soleil. (Voir ACCÉLÉRATION ; FORCE ; INERTIE ; SATELLITE.)

**GRAVURE** Estampe obtenue à partir d'un motif creusé dans un bloc ou une plaque de bois ou de métal. Le motif est d'abord dessiné, puis gravé à l'aide d'ustensiles appropriés. La plaque est alors encrée, recouverte d'une feuille de papier et mise sous presse pour imprimer le motif sur la feuille.

▲ *La force de gravitation qu'exerce la Lune sur un corps est inférieure à celle qu'exerce la Terre, dont la masse est supérieure à celle de la Lune. C'est pourquoi un corps pèse moins sur la Lune que sur la Terre.*

**GREC** Langue grecque, dont sont issus, entre autres, bon nombre de nos termes scientifiques : *cosmos, atome, biologie,* etc. Au fil des siècles, le grec est passé par des formes multiples : des premiers dialectes sont issus le grec classique, le grec du Moyen-Orient, ainsi que les deux formes modernes (grec littéraire et parlé). Pourtant, les fondements de la langue sont restés à ce point inchangés que deux individus pourraient se comprendre à des siècles de distance.

GRÈCE (ANCIENNE) Dans la Grèce antique, un établissement scolaire accueillait de 60 à 100 élèves, tous de sexe masculin. Dès l'âge de 6 ans, un garçon se rendait à l'école vers 7 heures du matin, conduit par un esclave. Il apprenait à lire, à écrire, à jouer de la flûte double *(aulos)* et de la lyre et consacrait une grande part de son temps à la pratique des sports. Dans les familles aisées, les fils bénéficiaient, en dehors de leurs horaires strictement scolaires, des leçons de professeurs itinérants appelés *sophistes* (du grec *sophia* qui signifie « sagesse »).

▼ *L'Acropole d'Athènes, couronné par le Parthénon. Construit au IVe siècle av. J.-C., il constituait un magnifique ensemble de monuments et de statues.*

▲ *Une expédition grecque de colonisation, aux environs de 500 av. J.-C. Le site a été choisi en fonction de sa facilité à être défendu. Les marchands, attirés par la nouvelle colonie, ont tiré leurs bateaux à la côte.*

Instauré en Grèce depuis les temps les plus reculés, l'esclavage était trop utile aux Grecs pour être à aucun moment sérieusement remis en cause. Les esclaves travaillaient au foyer, dans les ateliers et les mines. Ils apprenaient à lire et à écrire aux tout jeunes enfants. Ils ne bénéficiaient d'aucun droit politique, ne votaient pas et n'occupaient pas de postes officiels. Par contre, ils étaient tenus d'effectuer un service militaire et, du moins à Athènes, étaient protégés par la loi contre les mauvais traitements. Dans la mentalité grecque, l'esclavage était considéré comme le moyen de permettre aux citoyens de se consacrer aux tâches réellement importantes de l'existence, à savoir, tenir leur place dans les diverses assemblées gouvernant la cité.

**GRÈCE (ANCIENNE)** Berceau de la civilisation occidentale, la Grèce de l'Antiquité n'a pourtant jamais été réunie sous l'autorité d'un chef d'État unique, du moins jusqu'à son déclin. La civilisation grecque est d'abord MYCÉNIENNE à l'âge du bronze, et influencée par la civilisation crétoise MINOENNE. Florissante des années 1600 à 1200 av. J.-C., cette civilisation est ensuite détruite par des vagues d'envahisseurs. La Grèce traverse alors une période obscure — le *Moyen Age grec* — qui dure jusqu'au VIIIe siècle av. J.-C. et au cours de laquelle se créent sur la côte d'Asie Mineure et à l'intérieur des terres les grandes « cités-États » comme ATHÈNES, SPARTE et Thèbes. Le relief montagneux empêchant tout progrès de l'unité nationale, les Grecs se tournent vers la mer et à partir de 750 av. J.-C. deviennent un grand peuple marchand, exportant vin et huile d'olive et important du grain. Du fait du commerce, des colonies se créent tout autour du bassin méditerranéen et sur les rives de la mer Noire, dont certaines prennent de l'importance.

Quoique liées par une langue, des coutumes et des traditions communes, les villes grecques se font fréquemment la guerre. Si les cités-États ont un roi à leur tête, le développement de la richesse conduit certaines vers une extension du pouvoir politique — dans un premier temps aux riches marchands et propriétaires terriens, puis à l'ensemble des citoyens. Cette DÉMOCRATIE est rendue possible par la petitesse de ces « États » dans lesquels tous peuvent se réunir sur une même place et débattre des affaires publiques.

La culture grecque atteint son apogée à partir des années 600 av. J.-C., dans les domaines de la littérature, de la science et de la philosophie. (Voir ARISTOTE ; SOCRATE ; PLATON ; EUCLIDE ; ARCHIMÈDE.) Unies un certain temps contre la menace de l'Empire perse (guerres médiques, 490-479 av. J.-C.), les cités grecques reprennent leurs luttes pour la suprématie sitôt le péril écarté. La puissance d'Athènes est d'abord battue en brèche par Sparte, puis celle de Sparte par Thèbes, jusqu'au moment où la MACÉDOINE (le territoire du Nord) devient capable d'établir son autorité sur la Grèce entière (sous Philippe II et son fils ALEXANDRE LE GRAND). Finalement, en 146 av. J.-C., la Grèce est annexée par ROME ; la culture grecque, par contre, survit et devient même dominante dans l'Empire romain à son déclin. ◁

**GRÈCE** République d'EUROPE méridionale, la Grèce attire chaque année plus de 5 millions de touristes qui viennent admirer les ruines de la Grèce antique, jouir du climat — chaud et sec en été, doux en hiver — ou visiter les nombreuses îles qui bordent la côte, dont la plus vaste : la CRÈTE.

L'agriculture occupe près du tiers de la population active, les principales productions étant le blé, le tabac et les raisins. La Grèce est pauvre en minerais (bauxite, nickel, lignite) et l'industrie encore peu développée. La Grèce tire d'importants revenus de sa flotte marchande qui compte plus de 3 000 navires. Elle fait partie, depuis 1981, de la COMMUNAUTÉ ÉCONOMIQUE EUROPÉENNE.

De 1453 à 1822, la Grèce a fait partie de l'Empire ottoman pour devenir monarchie en 1830, à la suite de la guerre d'indépendance contre les Turcs. A l'exception de deux intermèdes (1924-1935 et 1941-1944), elle est demeurée monarchie constitutionnelle jusqu'en 1973 — date à laquelle la république a été proclamée. ▷

**GRECO, DHOMINIKOS THÉOTOKOPOULOS, dit EL** Peintre espagnol d'origine crétoise (1541-1614), surtout connu pour ses toiles d'inspiration religieuse.

**GRECQUE (LITTÉRATURE)** La plus ancienne littérature d'Europe occidentale. Née avec HOMÈRE, la littérature grecque atteint son apogée au Ve siècle av. J.-C. avec le poète Pindar, les dramaturges ESCHYLE, Sophocle, Euripide et Aristophane, les historiens Hérodote et Thucydide. De fait, les Grecs sont à l'origine de presque tous les types de LITTÉRATURE connus aujourd'hui. ▷

**GRENAT** Silicate de divers métaux dont il existe plusieurs variétés ; certaines — dont la rouge sombre — sont des pierres fines utilisées en joaillerie, d'autres sont employées dans l'industrie comme ABRASIFS.

**GRENOUILLE** AMPHIBIEN dépourvu de queue et présent dans de nombreuses parties du monde. Les grenouilles ont une peau lisse et visqueuse, des yeux proéminents, des pieds palmés et de fortes pattes arrière qui leur servent à nager et à sauter. La grenouille rousse, très commune, hiverne dans les fonds vaseux des plans d'eau. On rencontre également souvent la grenouille verte ou grenouille comestible. Il existe diverses espèces de rainettes (spécialement dans les forêts tropicales) — des grenouilles arboricoles. Les grenouilles volantes de Java sont capables de planer sur de courtes distances grâce à leurs pattes palmées très développées. ▷

**GRÈS** ROCHE formée de grains de sable réunis par un ciment tel qu'argile, silice, fer ou calcaire. La résistance de cette roche est très variable. Le grès tendre est parfois broyé pour fournir du SABLE. Le grès dur est utilisé comme matériau de construction et de pavage.

**GRIEG, EDVARD** Compositeur norvégien (1843-1907) qui puise souvent son inspiration dans la musique populaire de son pays. Il doit sa renommée à *Peer Gynt* (1876), une composition de musique de scène.

**GRIFFON** Animal fabuleux à tête et ailes d'aigle, corps de lion, oreilles de cheval, crête de nageoires de poisson. Le griffon figurait souvent sur les blasons et armoiries.

**GRILLON** Petit INSECTE sauteur. Les grillons sont des créatures nocturnes qui restent cachées tout le jour dans leur trou. Ils sont connus pour leur chant, qu'ils produisent en frottant l'une contre l'autre leurs ailes antérieures. Dans certaines régions, les grillons sont gardés en cage comme porte-bonheur. ▷

**GRIMM (FRÈRES)** Jacob (1785-1863) et Wilhelm (1786-1859), deux écrivains allemands, spécialistes de la langue et du folklore et mondialement célèbres pour leurs recueils de contes populaires.

**DU TÊTARD A LA GRENOUILLE**

La grenouille n'est d'abord qu'un œuf entouré de gelée et fécondé dans l'eau en début de printemps. L'œuf éclôt sous forme de larve, le têtard, petite créature apode, à queue de poisson, respirant par des branchies et se nourrissant principalement d'algues. L'été venu, pattes et poumons se développent, queue et branchies disparaissent : le têtard s'est métamorphosé en une petite grenouille.

GRÈCE : DONNÉES
Superficie : 132 000 km².
Population : 9,8 millions d'habitants (1982).
Parmi les nations purement européennes, la Grèce se place au quatorzième rang pour la population et au douzième pour la superficie.
Langue : grec.
Religion : orthodoxie.
Monnaie : drachme.
Capitale : Athènes.
Point culminant : mt Olympe (2 917 m).

LITTÉRATURE GRECQUE Dans une comédie d'Aristophane (448-330 av. J.-C.), on trouve le mot le plus long de toute la littérature. Il est composé de 170 lettres grecques et décrit les 17 ingrédients d'une recette.

GRENOUILLE La grenouille la plus dangereuse du monde est indubitablement *Dendrobates tinctorius* de Colombie. Sa peau sécrète de la batrochotoxine, un alcaloïde dont un millionième de gramme suffirait à tuer un humain adulte.

*◂ Avec son corps élancé et ses longues pattes, le guépard supplante à la course tous les prédateurs. Il est même capable de rattraper une antilope.*

*▾ La coloration noire et jaune des guêpes est dissuasive pour les autres insectes.*

**GRIPPE** Affection saisonnière d'origine virale, souvent grave, qui se manifeste généralement par épidémies. La grippe s'accompagne de fièvre, de maux de gorge, de frissons et de douleurs dans les membres.

**GROENLAND** La plus vaste île du monde. Situé dans l'Atlantique nord, le Groenland occupe une superficie de 2,2 millions de km² et dépend administrativement du Danemark. Son autonomie interne a été instaurée en 1979. Enfoui à 85 % sous un manteau de glace, le Groenland ne compte que 51 000 habitants (1982). ◁

**GROTTE** Excavation naturelle souterraine, communiquant généralement avec la surface et formée par l'ÉROSION mécanique (vagues) ou chimique (action de l'eau sur le calcaire). ◁

**GRUE** Grand oiseau échassier présent dans de nombreuses parties du monde. Chez nombre d'espèces, le plumage est blanc ou gris. Le cri rappelle le son de la trompette. Les grues se servent de leur long bec pour fouiller le sol à la recherche de racines et de vers.

**GUADELOUPE** DOM. 1 779 km², 328 000 habitants. Ile située dans la mer des Antilles où sont cultivées la canne à sucre et la banane et où se développe le tourisme.
Chef-lieu : Basse-Terre.

**GUATEMALA** République d'AMÉRIQUE CENTRALE, le Guatemala compte 7,5 millions d'habitants (1982) pour une superficie de 109 000 km². Ce pays tropical produit principalement du café et des bananes. La population est en majorité indienne ou métissée d'Indiens et d'Espagnols.
Capitale : Guatemala. ◁

**GUÉPARD** Mammifère carnassier, de la famille des félidés, le guépard est l'animal le plus rapide du monde. On le trouve en Afrique orientale. Il a un pelage tacheté, de très longues pattes qui lui permettent de dépasser les 110 km/h à la course. (Voir CHAT.)

**GUÊPE** INSECTE, souvent noir et jaune, cousin de l'ABEILLE et que l'on rencontre partout dans le monde. Les femelles sont armées d'un aiguillon venimeux. Certaines espèces sont solitaires, d'autres sociales et groupées en colonies de milliers d'individus. Les guêpes sociales construisent des nids élaborés à partir de fibres de bois et de salive dont elles font une sorte de carton. Les guêpes adultes ont une nourriture sucrée (nectar, fruits), tandis que les larves se nourrissent d'insectes.

*▸ Les grues huppées élaborent des parades nuptiales faites de bonds gracieux et de jeux de pattes. Les grues ressemblent aux hérons, sinon que leur plumage est lisse et compact et qu'en vol elles tendent le cou en avant (les hérons le replient).*

GRILLON Il existe plus de 2 400 espèces de grillons, dont la taille varie de 3 à 50 mm. Le mâle stridule en frottant l'un de ses élytres garni de denticulations *(l'archet)* contre le bord aminci de l'autre élytre. La fréquence du son ainsi produit varie entre 1 500 vibrations par seconde pour les espèces les plus grosses, et 10 000 pour les plus petites. Le « chant » du grillon est destiné à attirer la femelle et à écarter les autres mâles.

GROENLAND Découvert par l'Islandais Erik le Rouge en 982, le Groenland n'a été réellement exploré qu'au XIXᵉ siècle. En 1888, une expédition norvégienne sous la conduite de Fridtjof Nansen accomplit la traversée de l'île.

GROTTE La plus vaste grotte du monde, située à Carlsbad au Nouveau-Mexique (États-Unis), mesure environ 1 300 m de long, 200 m de large et 100 m de haut.

GUATEMALA : DONNÉES
Langue officielle : espagnol (mais les habitants utilisent plusieurs dialectes indiens).
Religion : christianisme.
Monnaie : quetzal.
Point culminant : Tajumulco (4 210 m), le plus haut pic d'Amérique centrale.
L'emblème national du Guatemala est le quetzal, un très bel oiseau.

**GUERRE MONDIALE (PREMIÈRE)** Conflit qui, de 1914 à 1918, oppose les puissances alliées (conduites par la France, la Grande-Bretagne et la Russie) aux puissances d'Europe centrale (conduites par l'Allemagne, l'Autriche-Hongrie et la Turquie) pour des raisons diverses de rivalités territoriales. L'assassinat de l'archiduc d'Autriche François-Ferdinand fait office de détonateur. En Europe occidentale, la guerre s'enlise rapidement dans les tranchées, et les positions resteront quasiment inchangées jusqu'à la fin du conflit, en dépit des pertes effarantes en vies humaines (environ 10 millions de morts). Sur les autres fronts : la Russie subit de lourdes pertes et, en 1917, c'est le déclenchement de la révolution russe ; la flotte allemande évite l'affrontement direct, mais ses sous-marins harcèlent les navires marchands, réduisant presque la Grande-Bretagne à la famine. En 1918, les Américains se joignent aux Alliés dont les troupes, sous le commandement unique du général Foch, parviennent à contenir l'offensive allemande. Devant la montée du mouvement révolutionnaire dans son propre pays, l'Allemagne est forcée de capituler ; par le traité de Versailles (28 juin 1919), elle se voit contrainte à payer d'importants dommages de guerre. Ce fut une guerre longue, cruelle en pertes humaines, civiles et militaires, et qui eut de nombreuses conséquences politiques et économiques.

**GUERRE MONDIALE (SECONDE)** Conflit qui, de 1939 à 1945, opposa les Alliés (Pologne, Grande-Bretagne et pays du Commonwealth, France, Danemark, Norvège, Pays-Bas, Belgique, Yougoslavie, Grèce, puis U.R.S.S., États-Unis, Chine et la plupart des pays d'Amérique latine) aux puissances de l'Axe (Allemagne hitlérienne, Italie mussolinienne, Japon et leurs satellites). Désireux d'affranchir son pays des conséquences du traité de Versailles et de dominer l'Europe, Hitler se livre à plusieurs annexions territoriales et finit par envahir la Pologne en septembre 1939. Le conflit s'étend au bénéfice des forces de l'Axe jusqu'en 1943, année au cours de laquelle les Alliés prennent position en Italie tandis que les armées soviétiques repoussent les Allemands sur le front de l'Est. En 1944, le débarquement en France *(Jour J)* des Alliés conduit à la libération de la France, de la Belgique et des Pays-Bas. Ces libérations, ajoutées à l'avance des forces soviétiques, conduisent l'Allemagne à capituler, en 1945, tandis que dans le Pacifique les bombardements américains d'HIROSHIMA et de Nagasaki mettent également un terme au conflit. Pour la première fois, une puissance a utilisé la bombe atomique. ▷

**GUI** Plante à feuilles persistantes, à fruits blancs, globuleux contenant une substance visqueuse, et qui pousse en PARASITE sur les branches de certains arbres, en particulier des pommiers. On trouve rarement le gui sur le chêne, et c'est cette rareté qui le fit choisir par les Gaulois comme plante sacrée. Aujourd'hui, le gui est employé comme décoration pour les fêtes de Noël.

**GUILLAUME LE CONQUÉRANT** Duc de Normandie (1027-1087), il dirigea l'invasion de l'Angleterre par les NORMANDS, infligeant aux Anglo-Saxons la défaite d'Hastings (1066). Couronné roi sous le nom de Guillaume Ier, il conquit toute l'Angleterre ainsi qu'une partie du pays de Galles et de l'Irlande. Son règne marqua le triomphe du système féodal, et à sa mort la monarchie anglo-normande était devenue la plus puissante d'Europe.

**GUILLOTINE** Instrument de décapitation qui doit son nom à son inventeur : le Dr Guillotin. Utilisée pour la première fois pendant la RÉVOLUTION FRANÇAISE, la guillotine était, jusqu'à la suppression de la peine de mort en France, l'instrument d'exécution des condamnés.

**GUINÉE** République d'AFRIQUE occidentale. Ancienne colonie française, la Guinée a obtenu son indépendance en 1958. C'est un pays pauvre, où la majorité de la population travaille la terre et dont la bauxite et le fer constituent les principales ressources. ▷

**GUITARE** Instrument de musique. La guitare classique, dite guitare sèche, possède une caisse de résonance en bois et des cordes en boyau (de plus en plus remplacées par des cordes de métal ou de nylon). Dans la guitare électrique, le son est amplifié électriquement et le corps de l'instrument est plein.

▼ *Les troupes canadiennes repoussant une attaque lors de la seconde bataille d'Ypres, en 1915. Au cours de la Première Guerre mondiale, les conditions de vie dans les tranchées étaient atroces.*

▲ *Ci-dessus : Le Spad, le chasseur le plus employé au cours de la Première Guerre mondiale par Français, Américains, Italiens et Belges. Construit à près de 15 000 exemplaires, il possédait un moteur de 140 ch et était armé de mitrailleuses Vickers.*

GUERRE MONDIALE (SECONDE)
Ce fut la guerre la plus meurtrière de tous les temps. Probablement 55 millions de militaires et de civils y laissèrent la vie. La Première Guerre mondiale, déjà, avait tué près de 10 millions de personnes.

GUINÉE : DONNÉES
Superficie : 245 860 km².
Population : 5,1 millions d'habitants (1982).
Langue officielle : français.
Religions : animisme, islam.
Monnaie : syli.
Capitale : Conakry.

GUYANA : DONNÉES
Langue officielle : anglais. Le Guyana est le seul pays de langue anglaise du continent sud-américain.
Religions : christianisme, hindouisme, islam.
Monnaie : dollar guyanais.

**GUTENBERG, JOHANNES GENSFLEISCH, dit** Imprimeur allemand (v. 1400-1468), inventeur du procédé d'imprimerie en caractères mobiles ou typographie. Ce procédé permettait de réutiliser les caractères. (Voir IMPRIMERIE ; LIVRES.)

**GUYANA** République du nord-est de l'AMÉRIQUE DU SUD, le Guyana compte 903 000 habitants (1982) pour une superficie de 215 000 km². Le pays produit principalement du sucre de canne, du riz, des diamants, de l'or et de la bauxite. De vastes zones du pays sont couvertes par la forêt tandis que l'herbe pousse sur les plus hautes montagnes.

Capitale : Georgetown. ◁

**GUYANE** DOM (90 000 km², 73 000 habitants) situé en Amérique du Sud entre le Brésil et le Surinam. Le centre d'essais spatiaux de Kourou, d'où a été lancée la fusée *Ariane*, y est installé.

Chef-lieu : Cayenne.

**GYMNASTIQUE** Exercices physiques destinés à développer le corps. La gymnastique moderne figure aux JEUX OLYMPIQUES depuis leur réorganisation (1896). Au nombre des épreuves, certaines s'exécutent au sol, d'autres requièrent l'utilisation d'appareils tels qu'anneaux, poutre, cheval-arçons, etc.

**GYROSCOPE** Roue qui tourne autour d'un axe à l'intérieur d'un boîtier et n'est en contact que par un seul point avec une autre surface. Lorsque la roue tourne, son support peut être orienté dans n'importe quelle direction sans que cela altère le plan de rotation originel de la roue. Un gyroscope en rotation peut tenir en équilibre sur la pointe d'un crayon. En ralentissant, il commence à osciller comme le ferait une toupie. Le gyrocompas ainsi que d'autres instruments de navigation fonctionnent sur le principe du gyroscope.

► *Le débarquement en Normandie du 6 juin 1944 permit aux Alliés d'introduire en France des troupes et du matériel. Un an plus tard, la guerre était terminée.*

▲ *Exercice à la barre fixe. Très pratiquée dans la Grèce et la Rome antiques, la gymnastique a été remise à l'honneur au siècle dernier. Plus près de nous, les démonstrations de gymnastique par les championnes féminines comme Olga Korbut ont gagné en popularité.*

**HABSBOURG** Dynastie de souverains européens qui régnèrent sur l'Autriche et dont certains furent empereurs du SAINT-EMPIRE ROMAIN GERMANIQUE. Avec Charles Quint (1500-1558), les Habsbourg étendirent leur domination à l'Espagne et son empire, aux Pays-Bas et à la Bourgogne. La famille de Habsbourg occupa le trône, presque sans interruption, de 1273 à 1918.

**HADRIEN OU ADRIEN** Empereur romain de 117 à 138 (né en 76), il mit un terme à l'expansion romaine et s'attacha à améliorer l'organisation, la législation et les communications à travers l'empire. En Bretagne (Angleterre), il fit construire un retranchement célèbre sous le nom de « mur d'Hadrien ».

▼ *Le Soviétique Vassili Alexeiev aux jeux Olympiques de Munich (1972). Aujourd'hui, le record dépasse 250 kg.*

▲ *Rodolphe de Habsbourg recevant la nouvelle de son élection au titre de roi des Romains (1273). Quoique à la tête du Saint-Empire, il ne sera jamais sacré empereur.*

**HAENDEL, GEORG FRIEDRICH** Compositeur allemand (1685-1759), naturalisé anglais à la suite de son installation à Londres. Haendel est célèbre, entre autres, pour ses oratorios (*le Messie,* 1742), mais également pour sa musique pour orchestre qui témoigne de la culture internationale de l'auteur. ▷

**HALTÉROPHILIE** Exercice ou sport consistant à soulever des haltères. Dans le concours dénommé *arraché,* le concurrent doit amener les haltères au-dessus de sa tête, bras tendus, d'un seul mouvement, tandis qu'à l'*épaulé-jeté* le mouvement s'exécute en deux temps, avec immobilisation des haltères au niveau des épaules. Les haltérophiles sont classés en diverses catégories, en fonction de leur poids. ▷

HAENDEL (GEORG FRIEDRICH) Avant même de savoir parler, Haendel jouait du violon, du hautbois, de l'orgue et du clavecin. Vers l'âge de cinq ans, il était déjà célèbre ; à onze ans, il avait écrit six sonates pour un basson et deux hautbois ; à seize ans, il écrivait des opéras.

HALTÉROPHILIE : CATÉGORIES
Poids mouche : jusqu'à 52 kg ; poids coq : jusqu'à 56 kg ; poids plume : jusqu'à 60 kg ; poids léger : jusqu'à 67,5 kg ; poids moyen : jusqu'à 75 kg ; lourd-léger : jusqu'à 82,5 kg ; mi-lourd : jusqu'à 90 kg ; lourd : jusqu'à 110 kg ; super-lourd : plus de 110 kg.

HANNIBAL La petite histoire raconte qu'à son départ pour la campagne d'Italie Hannibal était accompagné de 50 éléphants. Parvenu en France, il en avait déjà perdu 13. 29 autres périrent au cours de la traversée des Alpes. Sur les 8 restants, un seul survécut aux quinze années que dura la campagne d'Hannibal.

HARPE A la fin des années 20, un archéologue britannique occupé à fouiller, en Irak, des tombes royales vieilles de 4 500 ans découvrit dans le sol deux trous mystérieux. Il y coula du plâtre, réalisant ainsi un moulage de la cavité qui se révéla, une fois la terre déblayée, présenter la forme d'une des plus anciennes harpes connues. Le cadre de bois s'était décomposé, ne laissant que les garnitures en or fin.

HATTÉRIA La femelle de l'hattéria *(Sphenodon punctatus)* pond de 8 à 15 œufs qui subissent ensuite une longue période d'incubation. Un mâle adulte peut peser jusqu'à 1 kg, mais les femelles sont deux fois plus petites. L'hattéria est une espèce survivante de rhynchocéphale — un ordre de reptiles qui existait il y a entre 200 et 120 millions d'années. L'hattéria est aujourd'hui une espèce protégée.

HAWAII Les géologues attribuent aux îles Hawaii une origine volcanique. Du fait que l'île la plus jeune est située à une extrémité de l'archipel et la plus ancienne à l'autre, ils émettent l'idée d'une dérive de l'écorce terrestre au-dessus d'un point volcanique, créant de nouvelles îles par éruptions successives de roches en fusion.

**HANNIBAL** Général carthaginois (247-182 av. J.-C.) qui s'attaqua à la puissance de Rome. (Voir CARTHAGE.) Hannibal traversa les Alpes, envahit l'Italie, battant les troupes romaines à Cannes (216 av. J.-C.). Plus tard, vaincu, exilé, il finit par se suicider. ◁

**HARENG** Poisson de l'Atlantique et du Pacifique nord, très estimé pour sa chair. Les harengs — à dos bleu-vert et ventre argenté — vivent en vastes bancs près de la surface. Contrairement à la plupart des poissons de mer qui laissent flotter leurs œufs à la surface, les harengs pondent sur le fond.

**HARICOT** Plante aux longues gousses contenant des graines réniformes appelées également haricots. On consomme les gousses vertes *(haricots verts)*, les graines peu mûres *(flageolets)* ou mûres et sèches *(haricots secs)*.

**HARPE** Instrument de musique constitué d'un cadre triangulaire tendu de 46 cordes dont chacune produit une seule note (toutefois, les harpes récentes possèdent des pédales permettant d'altérer la HAUTEUR du son). ◁

**HASTINGS (BATAILLE D')** Célèbre bataille (1066) que livrèrent les troupes normandes de GUILLAUME LE CONQUÉRANT à celles du roi anglo-saxon Harold II et au cours de laquelle ce dernier fut défait et tué. La bataille d'Hastings marqua pour l'Angleterre le début de la civilisation anglo-normande.

**HATTÉRIA** Lézard présent exclusivement sur les îlots du détroit de Cook et de la Nouvelle-Zélande. C'est le plus primitif des REPTILES vivants. Il passe ses journées dans son trou, ne sortant que la nuit pour capturer insectes et autres animaux. Souvent, au lieu de creuser son propre terrier, l'hattéria s'empare de celui d'une des nombreuses espèces de pétrels qui nichent en ces lieux. ◁

▼ *Une scène de la bataille d'Hastings telle qu'elle est représentée sur la tapisserie de Bayeux. On a longtemps cru que le soldat de droite en train de s'arracher une flèche de l'œil pouvait être Harold. Il a été établi depuis que le roi anglo-saxon avait été, en réalité, taillé en pièces par les cavaliers de Guillaume de Normandie.*

**HAUTBOIS** Instrument de musique à vent, à anche double, spécialement utilisé dans la musique d'ORCHESTRE. L'instrument, tenu verticalement, produit un son nasal. Il couvre près de trois octaves.

**HAUTEUR (D'UN SON)** Les sons sont une manifestation des vibrations de l'air ; lorsque ces vibrations sont irrégulières, elles produisent du BRUIT ; régulières, elles produisent des sons musicaux : plus la fréquence des vibrations est élevée, plus la *note* de musique est haute.

**HAUT FOURNEAU** Four permettant d'obtenir du FER par fusion du minerai de fer (oxyde de fer). La cuve est chargée par l'extrémité supérieure d'un mélange de minerai, de coke et de fondant (calcaire). Des tuyères alimentent en air chaud le bas de la cuve de façon à provoquer la combustion du coke et donc la fusion du métal qui s'écoule par le trou de coulée. Les impuretés du minerai se combinent aux résidus de calcaire, formant le laitier qui flotte à la surface du fer en fusion.

**HAWAII (ILES)** Archipel tropical de la Polynésie (Pacifique), Hawaii compte 981 000 habitants (1982), pour une superficie de 16 700 km². En 1959, Hawaii est devenu le 50e État des États-Unis. Capitale : Honolulu. ◁

**HAYDN, JOSEPH** Compositeur autrichien (1732-1809). Il composa plus de cent symphonies, des sonates et des trios pour piano, des messes et deux oratorios, dont *les Saisons* (1801). Haydn est à l'origine de schémas musicaux que des compositeurs exploitèrent plus tard.

**HÉBREU** Langue sémitique parlée autrefois par les Hébreux et aujourd'hui par les Israéliens. L'hébreu utilise un alphabet de 22 consonnes et des symboles supplémentaires faisant office de voyelles. Parlé depuis 2000 av. J.-C., l'hébreu est la plus ancienne langue vivante.

**HECTOR** Héros et chef troyen qui défendit vaillamment sa ville contre les Grecs. Il fut tué par Achille.

**HÉLÈNE DE TROIE** Dans la légende grecque, fille de ZEUS et d'une mortelle : Léda. Mariée au roi grec Ménélas, Hélène prit la fuite en compagnie de Pâris, prince de Troie, provoquant ainsi la guerre de TROIE. Elle fut célèbre aussi pour sa grande beauté.

**HÉLICE** Ensemble de pales (ou d'ailes) disposées régulièrement autour d'un moyeu actionné par un moteur et servant à propulser certains avions et bateaux ou à sustenter les HÉLICOPTÈRES. Les pales décrivent un mouvement hélicoïdal, exerçant sur l'air ou l'eau une poussée qui fait avancer l'appareil. ▷

**HÉLICOPTÈRE** AVION équipé d'un *rotor* horizontal qui assure à la fois la sustentation et le déplacement de l'appareil. Ce dispositif permet les décollages et atterrissages verticaux. Selon l'inclinaison du rotor, l'hélicoptère se déplace vers l'avant, l'arrière ou latéralement ; il peut même demeurer en vol stationnaire. Une petite hélice de queue (ou deux rotors principaux tournant en sens contraire) assure la stabilité de l'appareil. Selon le modèle d'appareil, les hélicoptères servent à transporter passagers ou troupes ou à exécuter des missions de sauvetage. ▷

**HÉLIUM** ÉLÉMENT qui se classe au second rang dans l'univers pour l'abondance, mais qui est rare sur la Terre. C'est un gaz léger, de

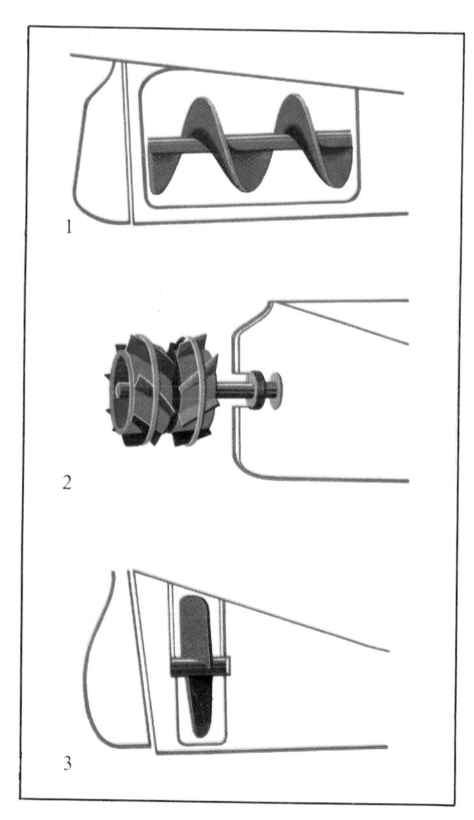


▲ *Schémas de propulseurs du XIX^e siècle. 1. Un modèle expérimental de 1836 (durant les essais, à la suite de la rupture d'une partie de la lame, on s'aperçut que le bateau prenait de la vitesse). 2. L'hélice double de John Ericsson. 3. La version améliorée de l'invention d'Ericsson : la première hélice de bateau moderne.*

## UN HÉLICOPTÈRE EN VOL

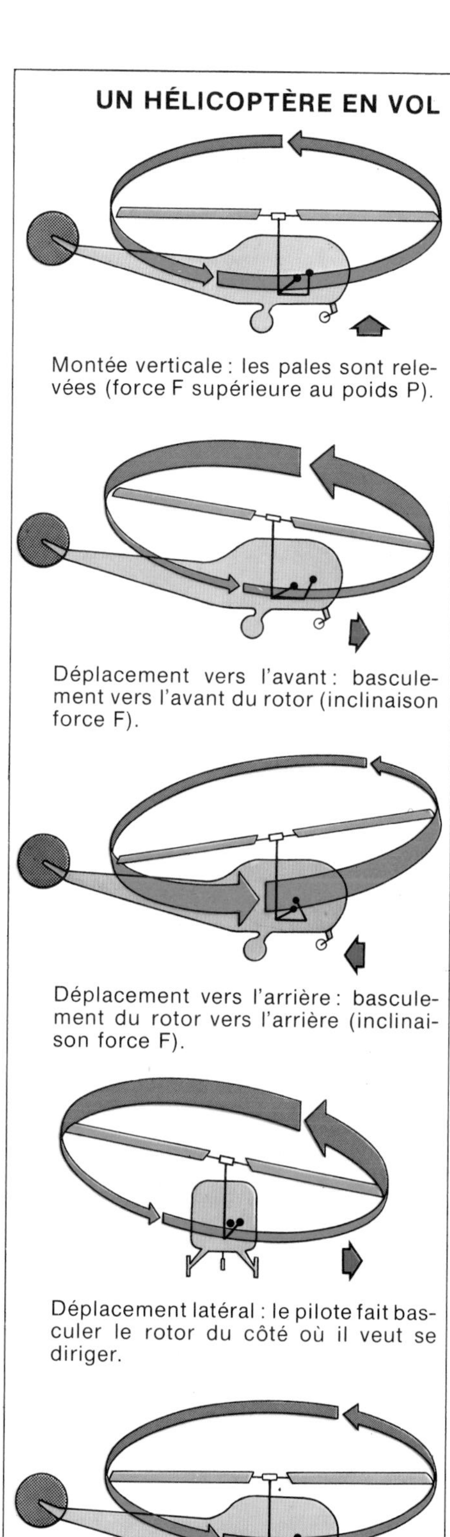

Montée verticale : les pales sont relevées (force F supérieure au poids P).

Déplacement vers l'avant : basculement vers l'avant du rotor (inclinaison force F).

Déplacement vers l'arrière : basculement du rotor vers l'arrière (inclinaison force F).

Déplacement latéral : le pilote fait basculer le rotor du côté où il veut se diriger.

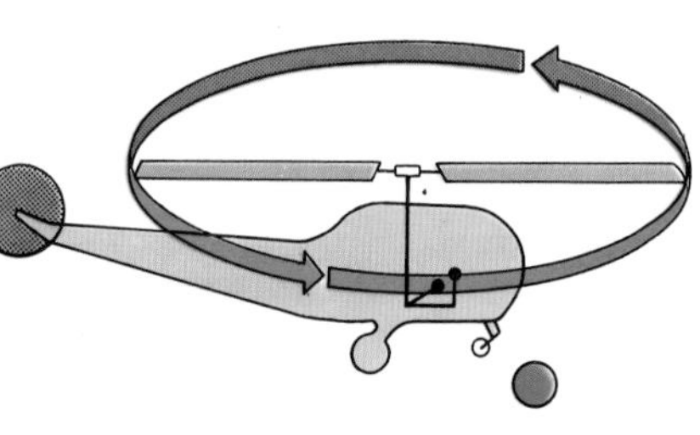

Vol *au point fixe :* rotor à l'horizontale (force F = poids P).

HÉLICE Pendant des millénaires, les hommes ont utilisé pour puiser l'eau dans le sol un système de spirale insérée dans un conduit ouvert à une extrémité. Pourtant, ce n'est qu'en 1796 que l'Américain John Fitch eut l'idée d'appliquer le même principe à la propulsion d'un bateau. Son propulseur était une spirale pivotant sur un axe. Le premier propulseur à pales date de 1837. Son inventeur était John Ericsson, un Suédois installé en Angleterre.

HÉLICOPTÈRE Il y a déjà des siècles, les Chinois fabriquaient, à l'aide de couvercles et de plumes, des jouets basés sur le principe de l'hélicoptère. Ce furent les Français qui, en 1907, mirent au point le premier hélicoptère.

HÉLIUM Ce gaz tire son nom du grec *hélios* qui signifie « soleil ». En effet, les scientifiques eurent connaissance de sa présence dans le Soleil avant d'avoir découvert son existence sur la Terre. C'est à William Ramsey que l'on doit la découverte d'hélium sur la Terre (1895). On extrait généralement l'hélium d'un gaz naturel dont les constituants se liquéfient lorsqu'on le refroidit suffisamment, à l'exception de l'hélium que l'on peut ainsi récupérer.

HÉMIPTÈRE Les corps séchés et pulvérisés de cochenilles du nopal (Mexique et Pérou) entrent dans la fabrication du carmin — une couleur d'un rouge cramoisi utilisée en teinture. Aux Indes, les cochenilles du genre *Tachardina* sécrètent de la laque qui entre dans la composition de vernis, cires, encres, linoléum et matériaux isolants.

HÉRALDIQUE En héraldique, la « brisure » indique la place d'un fils dans sa famille. La *bande* est généralement réservée au fils aîné ; le *croissant*, au second ; la *molette* (étoile à cinq branches), au troisième ; la *merlette* (oiseau), au quatrième ; l'*annelet*, au cinquième ; la *fleur de lis*, au sixième ; la *rose*, au septième ; la *croix anillée*, au huitième.

La coloration de l'écu se compose de métaux et d'émaux, ainsi que de fourrures. Il y a deux métaux : l'*or* et l'*argent ;* quatre émaux essentiels : l'*azur*, le *sable*, le *sinople* et le *gueules ;* quatre fourrures : l'*hermine*, la *contre-hermine*, le *vair*, le *contre-vair*.

Sur un blason, on entend par *attributs* les manières d'être des pièces en disposition, en nombre, etc. Ainsi une croix est *losangée ;* un chevron est *fuselé*, *bordé*, *bandé ;* un chef est *chargé* d'un soleil à dextre, etc. Le lion, par exemple, est une *charge* courante ; il peut être *naissant* (représenté à mi-corps), *rampant* (sur les pattes arrière), *couchant*, *passant* ou *dormant*.

▸ *Un hélicoptère* Westland *à l'atterrissage sur le pont d'un porte-aéronefs. Les hélicoptères sont utilisés à des fins militaires de lutte anti-sous-marine et de sauvetage. Un premier type d'appareil - l'autogyre (1923) - fut remplacé en 1939 par le premier appareil réellement opérationnel, mis au point par Igor Sikorsky.*

symbole chimique He. Il est ininflammable, ce qui l'a fait préférer à l'hydrogène pour assurer la sustentation des BALLONS et DIRIGEABLES. On l'utilise également dans les FUSÉES. ◁

**HEMINGWAY, ERNEST** Écrivain américain (1898-1961) qui rechercha toute sa vie le risque et l'aventure. Ses romans *(Pour qui sonne le glas, Le soleil se lève aussi, Le Vieil Homme et la mer)*, écrits dans un style simple, lui valurent le prix Nobel en 1954.

**HÉMIPTÈRE** INSECTE possédant des pièces buccales piqueuses et suceuses (rostre), tels pucerons, punaises ou cigales ; certains hémiptères se nourrissent sur les animaux ou autres insectes, d'autres s'attaquent aux plantes. Certains hémiptères sont ailés, d'autres aptères, d'autres encore aquatiques. ◁

**HÉMOPHILIE** Anomalie du SANG qui se caractérise par une coagulation anormalement lente ; il en résulte que, chez les hémophiles, la moindre coupure peut provoquer de dangereuses hémorragies. L'hémophilie, généralement héréditaire, affecte plus fréquemment les hommes — les femmes en étant rarement atteintes.

**HENRI IV** (1553-1610) Roi de Navarre puis roi de France. Il dut abjurer le protestantisme pour succéder à Henri III et devenir roi de France. Il publia l'Édit de Nantes qui donnait les droits civils aux huguenots. Il fut assassiné par Ravaillac.

▾ *De nombreuses herbes servent à enrichir la saveur des aliments. Quelques-unes sont représentées ci-dessous.*

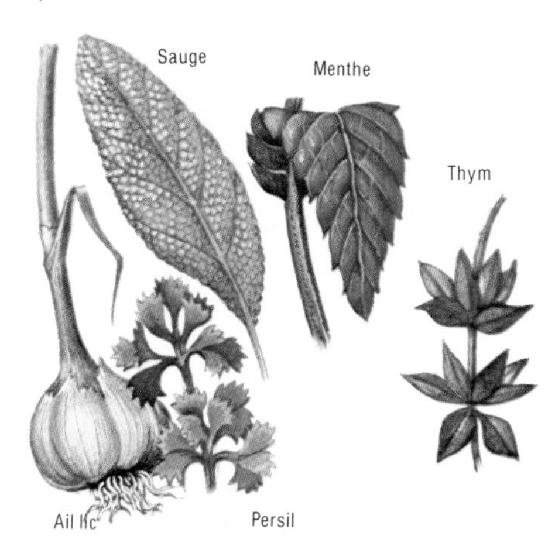


**HENRI VIII** Roi d'Angleterre (né en 1491, roi de 1509 à 1547), célèbre pour s'être marié six fois. L'annulation de son premier mariage avec Catherine d'Aragon lui ayant été refusée par le pape, il rompt avec l'ÉGLISE CATHOLIQUE, se proclame chef suprême de l'Église d'Angleterre et supprime les monastères, ouvrant ainsi la voie au protestantisme. Le règne d'Henri VIII a vu le renforcement du pouvoir étatique et de la marine de guerre anglaise.

**HÉRALDIQUE** Étude des blasons et armoiries par lesquels, au Moyen Age, les chevaliers se reconnaissaient dans les batailles. (Voir CHEVALERIE.) A partir de la fin du XIIe siècle, les armoiries devinrent des propriétés régulières et transmissibles des familles et, sous le nom de « blason », on comprit alors les armoiries peintes sur l'écu, mais aussi les supports, les casques, les lambrequins qui l'accompagnaient. L'art héraldique est régi par des règles et une terminologie à la fois précises et complexes. De nos jours, les villes — voire certaines firmes commerciales — possèdent leurs armoiries. ◁

**HERBE** En BOTANIQUE, une herbe est une plante non ligneuse, de taille réduite et dont les tiges meurent chaque année : pâquerettes et choux, par exemple, sont des herbes. Dans le langage courant, les herbes, ou fines herbes, sont des plantes que l'on utilise comme aromates : thym, romarin, ciboulette, MENTHE, PERSIL, SAUGE... Les herbes sont également utilisées en parfumerie et dans l'industrie.

**HERCULE** Héraclès en grec. Homme célèbre et fort de la mythologie, le plus grand des héros déifiés. Il accomplit douze travaux pour expier le meurtre de son épouse Mégara.

**HÉRÉDITÉ** Transmission des caractéristiques physiques d'une génération à une autre. L'hérédité s'applique à tous les êtres vivants par l'intermédiaire des CELLULES qui les composent. Chaque noyau de cellule contient des milliers de filaments en forme d'hélice — les CHROMOSOMES — porteurs des GÈNES, constitués de petits segments d'A.D.N. Les gènes sont porteurs de la totalité des informations concernant le fonctionnement des cellules. Tel gène peut, par exemple, déterminer ce que sera la couleur des cheveux. En réalité, chaque individu hérite de deux gènes d'un même caractère — celui du père et celui de la mère —, mais l'un des gènes prend toujours le pas sur l'autre : c'est le gène *dominant,* tandis que l'autre est dit *récessif.* Cela explique, par exemple, qu'un enfant puisse avoir une couleur de cheveux différente de celle de l'un ou l'autre de ses parents : il a hérité d'un gène qui, récessif chez ses parents, est dominant chez lui. (Voir MENDEL.) ▷

**HERMINE** Petit carnivore, long de 25 cm, proche de la BELETTE. L'hermine habite les régions froides de l'hémisphère nord. Son pelage, fauve l'été, devient blanc l'hiver. La fourrure blanche de l'hermine servait autrefois à border les vêtements de cérémonie (manteaux des rois ou toges des juges).

**HÉROINE** Drogue dérivée de la MORPHINE. Bien que ce soit un puissant analgésique, l'héroïne est trop dangereuse pour que la médecine en fasse usage ; elle provoque une accoutumance, et son usage prolongé est souvent la cause d'importants troubles physiques et psychologiques.

**HÉRON** Oiseau échassier à long bec, longues pattes, long cou. Il existe quelque 60 espèces de hérons, qui peuplent, pour la plupart, les régions chaudes. Ils vivent à proximité de l'eau, se nourrissant de poissons et de petits animaux, et nichent au sommet des grands arbres. ▷

**HIBERNATION** Chez certains animaux, long sommeil hivernal qui s'accompagne d'un abaissement de la température du corps. Lorsqu'il n'y a pas abaissement de la température — comme chez les SERPENTS, par exemple —, on emploie le terme d'*hivernage.* Parmi les animaux hibernants, on compte au moins une espèce d'oiseau — l'engoulevent — et de nombreux mammifères : chauve-souris, hérisson, écureuil, marmotte, etc. Au début de l'hiver, ces animaux trouvent un endroit abrité — souvent souterrain — où ils passeront l'hiver à dormir sans se nourrir jusqu'au printemps, en vivant une vie ralentie sur leurs réserves de graisse. Une marmotte en hibernation peut ralentir son rythme respiratoire de 16 à 2 respirations par minute et son rythme cardiaque de 88 à 15 pulsations par minute.

**DES YEUX BLEUS OU BRUNS ?**

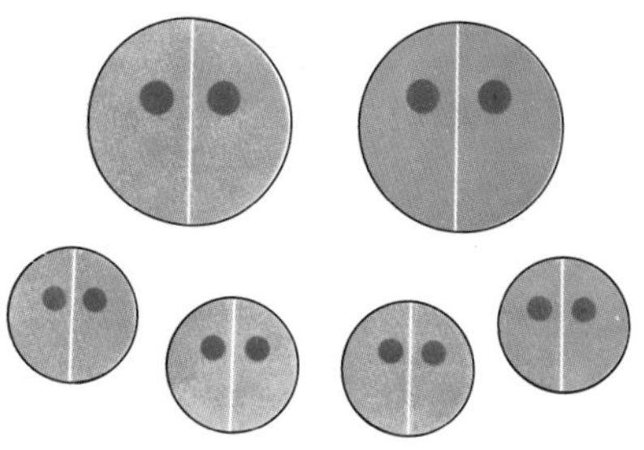

Les parents possèdent chacun deux gènes « yeux bleus » (b) : leurs enfants auront tous les yeux bleus.

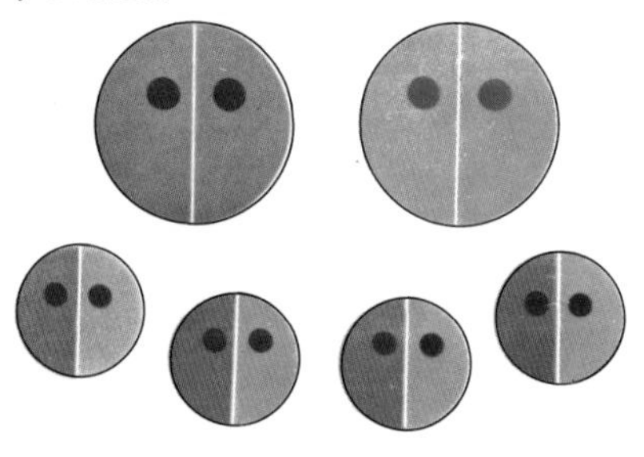

L'un des parents possède deux gènes « yeux bruns » (B), l'autre deux gènes b : les enfants héritent d'un gène b et d'un gène B, mais ils auront les yeux bruns car B est dominant.

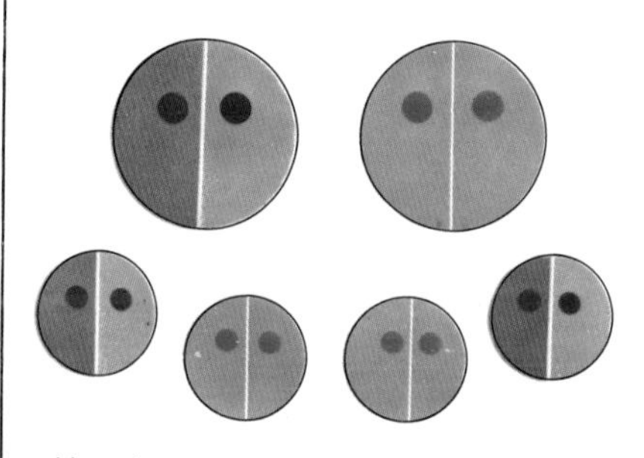

L'un des parents possède un gène B et un gène b récessif, et ses yeux sont bruns. Mais, si le second parent a les yeux bleus, les enfants pourront avoir les yeux bruns ou bleus.

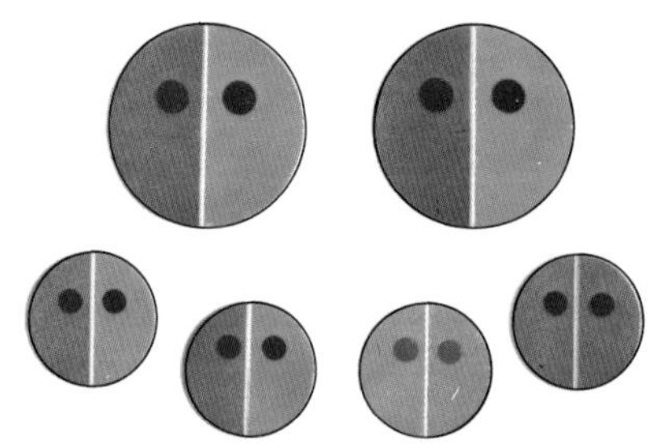

L'un des parents possède un gène B et un gène b récessif et a les yeux bruns ; le second parent a les yeux bruns mais un gène b récessif : il peut y avoir des enfants aux yeux bleus.

▲ *L'hérédité décide de caractéristiques physiques comme la couleur des yeux et des cheveux. Elle influe même sur la longévité.*

HÉRÉDITÉ Le hasard conduisit le moine autrichien Gregor Mendel (1822-1884) à étudier les plantes et par conséquent à percer les secrets de l'hérédité. Le père de Mendel possédait un verger et, comme à l'école du village on lui enseignait l'histoire naturelle, le jeune Mendel fut très tôt amené à s'intéresser aux plantes. Plus tard, sa vie monastique lui permit de mener à bien ses expériences devenues célèbres sur les petits pois.

Mendel établit que, dans le cas d'un homme et d'une femme possédant à la fois les gènes des yeux bleus et des yeux marron et qui auraient quatre enfants, trois de ces enfants auraient en général les yeux marron et un seul les yeux bleus, le gène « yeux marron » étant dominant par rapport au gène « yeux bleus ». De même les cheveux foncés sont-ils dominants par rapport aux cheveux blonds ; les cheveux bouclés par rapport aux cheveux raides ; une peau bronzant facilement par rapport à une peau qui ne bronze pas...

Certaines anomalies et défectuosités sont héréditaires. C'est le cas de la calvitie, de la cataracte, du diabète, de l'hémophilie, de diverses allergies et de certains types de déficience mentale.

HÉRON Le héron appartient à la famille des ardéidés. Le représentant le plus courant de la famille est *Ardea cinerea,* dont l'aire de distribution va de Madagascar à l'Europe septentrionale et à l'Asie occidentale. Ce héron à dos gris et ventre blanc mesure 1 m de haut environ. L'extrémité des ailes est noire ; la tête s'orne d'une aigrette de plumes noires. Butors et aigrettes font partie de la même famille que le héron.

HIBOU Les hiboux parviennent à surprendre leur proie grâce à leur vol silencieux, rendu possible par la présence, dans leurs plumes, de prolongements très souples et flottants : des barbules, qui, placées entre les barbes, suppriment tout bruit de frottement. Les ingénieurs aéronautiques ont équipé les tuyères des moteurs à réaction de dentures similaires afin de réduire les bruits de gaz d'échappement.

**HIBOU** Oiseau de proie présent dans toutes les parties du monde. Les hiboux ont des plumes souples — grises ou brunes —, une queue courte, une grosse tête ornée de deux aigrettes et de gros yeux ronds. Ils vivent généralement dans les arbres, dormant le jour et chassant la nuit souris, rats et campagnols. (Voir CARNIVORE.) ◁

**HICKORY** Grand arbre d'Amérique du Nord, cousin du NOYER, dont le bois lourd et très dur sert à fabriquer mobilier et manches d'outils. Il donne aussi un bon charbon de bois. Certaines espèces produisent des noix comestibles.

◂ *Un grand-duc. Oiseaux de proie, les hiboux possèdent de grands yeux dirigés vers l'avant, à la rétine ultrasensible, qui ont besoin de très peu de lumière. Les hiboux se servent de leurs serres et de leur bec crochu pour tuer oiseaux et petits mammifères.*

▾ *De nombreux animaux ne survivent à l'hiver, à la froidure et à la rareté de la nourriture qui l'accompagnent que grâce à l'hivernage ou à l'hibernation. Certains de ces animaux sont représentés ci-dessous (du haut, de gauche à droite) : un triton, un crapaud calamite, des vipères, un crapaud vert, un crapaud commun, une tortue et une marmotte d'Amérique.*

**HIÉROGLYPHES** Ancienne forme d'écriture, en usage par exemple en Égypte de 3500 av. J.-C. à 200 ap. J.-C. Constituée à l'origine de symboles représentant un objet ou une idée, l'écriture hiéroglyphique intégra par la suite des signes syllabiques et des lettres, comme dans un ALPHABET. Les hiéroglyphes égyptiens doivent se lire de droite à gauche.

**HILLARY, SIR EDMUND** Alpiniste et explorateur néo-zélandais (né en 1919). En 1953, en compagnie du Sherpa N. Tensing, il fut le premier homme à atteindre le sommet de l'EVEREST.

**HIMALAYA** La plus haute chaîne de montagnes du monde. En forme d'arc, l'Himalaya borde le plateau du Tibet. Outre le plus haut pic du monde — le mont Everest (8 882 m) —, la chaîne compte plusieurs sommets dépassant 8 000 m (Kanchenjunga, Makalu, Annapurna, etc.).

**HINDOUISME** Religion et philosophie des hindous de l'INDE. Si l'hindouisme est la plus ancienne religion du monde, il n'est pas l'œuvre d'un unique fondateur mais s'est développé au fil des siècles. Parmi les principaux recueils de textes sacrés figurent les *Veda* et la *Bhagavad-Gîta*. Les hindous ont foi en la *réincarnation :* renaissance de l'âme dans une succession de corps — les actes accomplis dans les vies antérieures affectant le futur. La religion hindoue vénère trente-trois divinités, dont les trois principales sont Brahma, le créateur de l'univers, Visnu, le principe de conservation, et Siva, le principe de destruction. Pour les personnes cultivées, il ne s'agit

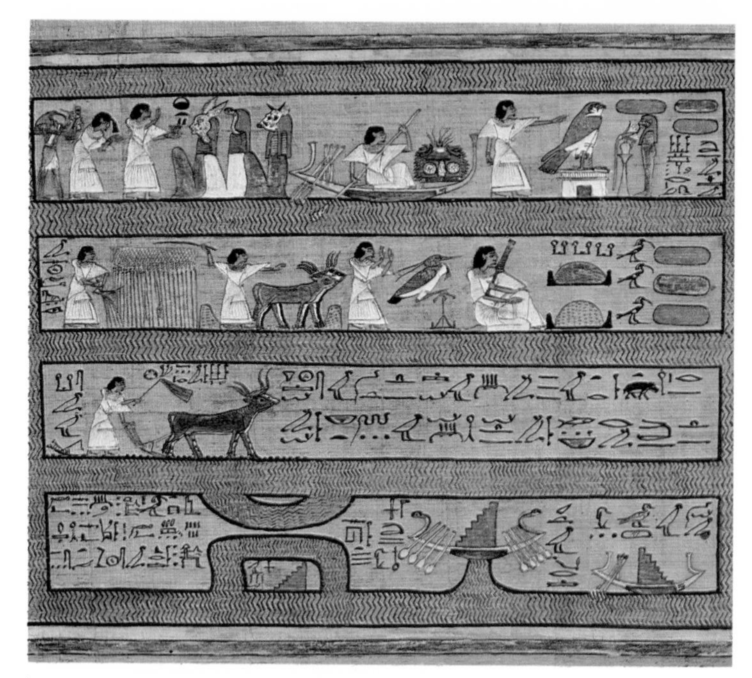

▲ *Les hiéroglyphes sont une forme d'écriture pictographique. Ci-dessus, un extrait du* Livre des morts *qui, dans l'Égypte ancienne, rassemblait les instructions devant servir aux morts dans l'au-delà.*

▼ *L'Himalaya. Seuls quelques rares êtres humains, tels les Sherpas du Népal, sont capables de vivre dans ces montagnes. Le mot « himalaya » signifie « royaume des neiges ».*

▲ *L'hippopotame est un animal très lourd : il peut peser jusqu'à 4 t. Il est aussi à l'aise dans l'eau que sur la terre ferme.*

HIPPOCAMPE Pratique inhabituelle chez les poissons, c'est le mâle de l'hippocampe qui porte les œufs jusqu'à leur éclosion. La femelle les dépose dans une poche de l'abdomen du mâle, et 40 à 50 jours plus tard naissent jusqu'à 200 jeunes hippocampes.

HIROSHIMA L'explosion de la bombe A sur Hiroshima fit fondre la pierre et le métal, rasant tout dans un rayon de 3 km. Dans un rayon de 5 km, les 2/3 des 90 000 immeubles que comptait la ville furent détruits. Le souffle de l'explosion, les brûlures et la radioactivité anéantirent tout ce qui vivait dans un rayon de 2 km.

là que d'aspects différents d'un Esprit suprême. La célébration du culte se pratique à l'intérieur de la famille, sans sortir du cadre rigide des CASTES. Même les mariages sont célébrés au foyer.

**HIPPISME** Sport qui se pratique comme un délassement mais pour lequel il existe également des concours et des courses sur pistes donnant lieu à des PARIS. En France, les courses de plat se courent, pour la plupart, de mars à novembre et les courses d'obstacles (ou STEEPLE-CHASE) l'hiver. Pour égaliser les chances, les officiels des courses affectent à certains chevaux un handicap constitué par une masse plus ou moins pesante fixée à la selle.

◂ *Scène de destruction à Hiroshima, après le bombardement atomique de la ville. Des milliers de personnes furent tuées sur le coup, sans compter les effets de la radioactivité dont souffrent, encore aujourd'hui, certaines personnes irradiées.*

**HIPPOCAMPE** Petit poisson présent dans de nombreuses mers. Il est doté d'un délicat corps osseux prolongé par une tête rappelant celle d'un cheval. L'hippocampe se tient dans la position verticale en enroulant souvent l'extrémité de sa queue autour des algues. Il existe une cinquantaine d'espèces d'hippocampes. ◁

**HIPPOCRATE** Grand médecin grec (v. 460 - v. 357 av. J.-C.). Ce « père de la médecine » est l'initiateur de l'observation clinique. Il est à l'origine du serment (serment d'Hippocrate) que prêtent les médecins au moment d'exercer leurs fonctions.

**HIPPOPOTAME** Gros mammifère à la silhouette massive des cours d'eau et des lacs d'Afrique. La peau est glabre, la tête courte et massive, les pattes trapues. L'hippopotame passe ses journées dans l'eau et s'y déplace avec une aisance remarquable ; la nuit, il regagne la rive pour y chercher de l'herbe fraîche et d'autres plantes. Dans l'eau, lorsque l'hippopotame plonge, il s'enfonce d'abord par l'arrière.

**HIRONDELLE** Oiseau à la queue échancrée, aux ailes effilées, capable d'allures de vol extrêmement rapides. L'hirondelle passe le plus clair de son temps en l'air, se nourrissant d'insectes qu'elle attrape au vol.

**HIROSHIMA** Port du Japon situé sur l'île de Honshu, Hiroshima fut la cible de la première BOMBE ATOMIQUE qui fut larguée le 6 août 1945, tuant quelque 70 000 personnes. La population d'Hiroshima s'élève aujourd'hui à 850 000 habitants. ◁

**HISTOIRE** Enregistrement du passé de l'humanité. Personne n'étant capable de tout voir ni de tout dire, l'historien doit choisir ce qui lui semble important ou significatif et, de fait, chaque période (et chaque nation) tend à fournir sa propre interprétation du passé. Les premiers véritables écrits historiques remontent à l'Antiquité grecque et à ses historiens : Hérodote (v. 484-425 av. J.-C.) et Thucydide (v. 471-401 av. J.-C.). Pour interpréter le passé, les historiens font usage de l'ARCHÉOLOGIE, de l'ÉCONOMIE, voire de la PSYCHOLOGIE.

**HITLER, ADOLF** Dictateur allemand (1889-1945). Né en Autriche, Hitler passe le début de sa vie dans la pauvreté. En 1921, il crée le « parti national-socialiste allemand du travail ». En 1930, Hitler commence à recevoir un large soutien ; il devient, en 1932, chancelier de l'Allemagne, dont il fait un État dirigé par un parti unique et dont il est le Führer (le chef). Il reconstitue une armée forte, annexe l'Autriche et la Tchécoslovaquie, puis envahit la Pologne, déclenchant ainsi la Seconde GUERRE MONDIALE. En avril 1945, Hitler se suicide. Il a, dans son livre *Mein Kampf,* développé l'idéologie nazie.

**HOCKEY** Jeu de balle avec une crosse qui se pratique sur gazon ou sur glace, entre deux équipes de onze joueurs dans le hockey sur gazon, de six patineurs dans le hockey sur glace. Né en Angleterre, le hockey sur gazon figure aux jeux Olympiques depuis 1908.

**HOLLYWOOD** Situé dans la banlieue de Los Angeles, aux États-Unis, Hollywood fut, à partir de 1911, l'un des principaux centres de l'industrie cinématographique (voir CINÉMA). Aujourd'hui c'est là que sont tournées la plupart des « séries » télévisées américaines.

**HOLOGRAPHIE** Méthode de photographie permettant de produire des images en relief. La lumière d'un LASER est scindée en deux faisceaux. L'un des faisceaux est dirigé sur une plaque photographique en verre. L'autre éclaire le sujet à reproduire puis rejoint le premier sur la plaque, constituant ce que l'on appelle un *hologramme.* Lorsqu'un rayon laser traverse un hologramme, le spectateur voit une image en relief ; si le spectateur se déplace par rapport à l'image, il la voit sous une autre perspective.

▲ *Adolf Hitler assistant à un rassemblement du parti nazi. Lors de la défaite allemande, Hitler préféra se suicider plutôt que d'être fait prisonnier.*

**HOMARD** Gros CRUSTACÉ à deux fortes pinces des côtes de l'hémisphère Nord. Le homard vit caché dans les rochers, ne sortant que de nuit pour se nourrir de crabes, de vers et de poissons. Bleu marbré de jaune lorsqu'il est vivant, le homard devient rouge vif à la cuisson. ▷

▼ *Si le homard est bleu-noir, sa cousine la langoustine (à gauche) est rouge. Les homards possèdent cinq paires de pattes – les antérieures se terminant en fortes pinces que le homard utilise pour broyer sa proie. Les homards sont généralement conservés dans des viviers spéciaux ; ils doivent être consommés très frais et, généralement, on les ébouillante vivants.*

HOMARD Le plus gros homard est une espèce de l'Atlantique nord et plus particulièrement des eaux américaines. On en a vu des spécimens peser plus de 14 kg.

HOMÈRE On a longtemps cru que les récits d'Homère relevaient de la pure fiction. Jusqu'au jour de 1869 où un Allemand, Heinrich Schliemann, utilisant l'*Iliade* comme guide, déduisit que le site de Troie devait se trouver à l'emplacement d'une butte située en Turquie et appelée Hissarlik. Des fouilles montrèrent qu'il avait raison.

HOMME DE NEANDERTAL Le nom « Neandertal » vient de celui du vallon affluent de la Düssel, en Allemagne, où en 1856 fut mise au jour une calotte crânienne de néandertalien ainsi que d'autres ossements. Bien que la calotte crânienne des néandertaliens laisse à penser que leur cerveau était aussi gros que le nôtre, les scientifiques ne voient pas en eux les véritables ancêtres de l'homme mais pensent que la race s'éteignit, laissant la place à l'homme de Cro-Magnon, considéré comme notre ancêtre direct.

HONDURAS : DONNÉES
Principaux cours d'eau : le Patuca, l'Ulua et l'Aguan, qui tous se jettent dans le Pacifique.
Langue officielle : espagnol.
Monnaie : lempira.
Religion : catholicisme.
Le Honduras possède au nord 560 km de côtes ouvertes sur la mer des Caraïbes et au sud 65 km seulement de côtes sur le Pacifique.

▲ *Les hommes de Cro-Magnon étaient vêtus de peaux grattées et se paraient souvent d'ornements d'os ou de coquillages. Dans des grottes du sud de la France et d'Espagne, on a retrouvé sur les parois quelques-unes de leurs peintures rupestres.*

**HOMÈRE** Poète épique grec, auteur supposé de l'*Iliade* et de l'ODYSSÉE. La légende dépeint Homère comme un aveugle errant de ville en ville et récitant ses poèmes. On situe sa vie entre 1050 et 650 av. J.-C. ◁

**HOMME DE CRO-MAGNON** Nom donné à une race d'hommes préhistoriques d'Europe dont on fait remonter l'existence de — 30 000 à — 12 000. La race doit son nom au petit village de la Dordogne où l'on a découvert des os et d'autres restes. Les hommes de Cro-Magnon vivaient dans des cavernes à l'intérieur desquelles ils érigeaient parfois des tentes de peaux. Leurs vêtements étaient faits de peaux, leurs outils d'os et de pierre. (Voir ANTHROPOLOGIE.)

**HOMME DE NEANDERTAL (ou NÉANDERTHAL)** Race d'hommes primitifs de la période paléolithique, soit de — 100 000 à — 30 000. C'est en 1856 que furent découverts des restes de ce paléanthropien plus proche du primate que de l'homme moderne : court, le dos voûté, avec des bras et des jambes forts, des sourcils épais, un front bas. Pourtant, l'homme de Néanderthal savait déjà utiliser des outils en silex. (Voir ANTHROPOLOGIE.) ◁

Voir illustration p. 180-181.

**HOMOSEXUALITÉ** Attirance sexuelle pour une personne du même sexe. Pendant des siècles, l'homosexualité a été largement condamnée comme perversion, mais les sociétés modernes sont devenues plus tolérantes à cet égard. Dans certains pays, cependant, les actes homosexuels restent illégaux.

**HONDURAS** République montagneuse de l'AMÉRIQUE CENTRALE ; faiblement peuplé, le Honduras compte 3,9 millions d'habitants (1982) pour une superficie de 112 000 km$^2$. La population est principalement composée de métis d'Indiens et d'Espagnols. Le Honduras produit principalement des bananes. Capitale : Tegucigalpa. ◁

**HONGKONG** Colonie britannique située sur la côte sud-est de la Chine. (Voir EMPIRE BRITANNIQUE.) Ce prospère centre industriel et commercial s'étend sur 1 045 km$^2$ et compte 5,1 millions d'habitants (1982). Capitale : Victoria. ▷

**HONGRIE** Démocratie populaire d'EUROPE centrale, la Hongrie est principalement un pays de plaines, drainé par le DANUBE et ses affluents. La production agricole — maïs, pomme de terre, raisin, betterave à sucre, seigle et blé — est importante mais le secteur industriel est primordial : il emploie 40 % de la population, contre 16 % pour l'agriculture.

Avant la Première GUERRE MONDIALE, la Hongrie et l'Autriche étaient à la tête de l'Empire austro-hongrois dont la Hongrie s'est séparée en 1919 ; durant la Seconde GUERRE MONDIALE, la Hongrie faisait partie des puissances de l'Axe. Envahie en 1944-1945 par les troupes soviétiques, elle devint démocratie populaire en 1947. ▷

**HOPITAL** Établissement, public ou privé, dans lequel des médecins et des infirmiers traitent maladies et blessures. Les hôpitaux généraux traitent tous les patients, dans des services spécialisés : service *pédiatrique* pour les enfants, *gériatrique* pour les personnes âgées, *maternité* pour les accouchements ou encore service *psychiatrique* pour les maladies mentales. Par contre, les centres hospitaliers spécialisés ne traitent, comme leur nom l'indique, qu'un seul type de maladie ou de désordre (hôpital psychiatrique, par exemple) ; aux hôpitaux importants sont parfois associés des centres de recherche et d'enseignement (C.H.U.). Si chaque agglomération possède, en principe, un hôpital général, les centres hospitaliers spécialisés sont réservés aux grandes villes. (Voir MÉDECINE ; CHIRURGIE.)

▲ *La petite colonie britannique de Hongkong est surpeuplée au point que des milliers de personnes sont contraintes de vivre sur des bateaux.*

HONGKONG : DONNÉES
L'île de Hongkong ne mesure que 18 km de long sur 8 km de large au maximum.
Point culminant : Victoria Peak (551 m).
Monnaie : dollar.

HONGRIE : DONNÉES
Superficie : 93 000 km².
Population : 10,7 millions d'habitants (1982).
Capitale : Budapest (2 millions d'hab.).
Langue officielle : hongrois.
Monnaie : forint.
Religions : catholicisme ; protestantisme pour une minorité.

HORLOGE Jusqu'à une période récente, la mesure du temps était basée sur les cycles astronomiques ou les vibrations mécaniques (celles d'un balancier ou d'un cristal de quartz). En 1967, c'est la fréquence d'un faisceau atomique de cæsium 133 qui fut choisie comme référence de mesure du temps. Cette fréquence — 9 192 631 770 mégahertz (ou unités d'un million de cycles par seconde) — est devenue la définition de la seconde. L'horloge atomique au cæsium installée au *National Physical Laboratory* de Teddington, en Angleterre, est « accordée » pour ne présenter qu'une erreur d'une seconde sur mille ans.

**HORLOGE** Machine servant à mesurer le TEMPS et à indiquer l'heure. Contrairement aux montres, les horloges sont généralement installées à poste fixe.

L'un des premiers dispositifs de mesure du temps était le CADRAN SOLAIRE qui, pour indiquer l'heure, utilisait l'ombre portée du Soleil sur un cadran. Inventé vers 800, le sablier était un appareil dans lequel du sable s'écoulait d'un compartiment à un autre, mesurant une durée déterminée. Dans un sablier horaire, le sable mettait une heure à s'écouler.

Les premières horloges mécaniques firent leur apparition en Europe vers 1300. L'horloge à balancier fut mise au point en 1656 par un horloger hollandais, Christian Huygens, et améliorée par la suite, mais elle restait inutilisable en mer ; or, il fallait aux navigateurs des horloges précises afin de faire le point en mer. En 1759, John Harrison (1693-1776) mit au point un appareil de précision — ce que nous appelons aujourd'hui un CHRONOMÈTRE. Les horloges modernes, qui mesurent le temps à partir des vibrations d'un cristal de quartz, sont encore beaucoup plus fiables. Quant à l'horloge atomique, elle est supposée ne varier que d'une seconde par période de mille ans. ◁

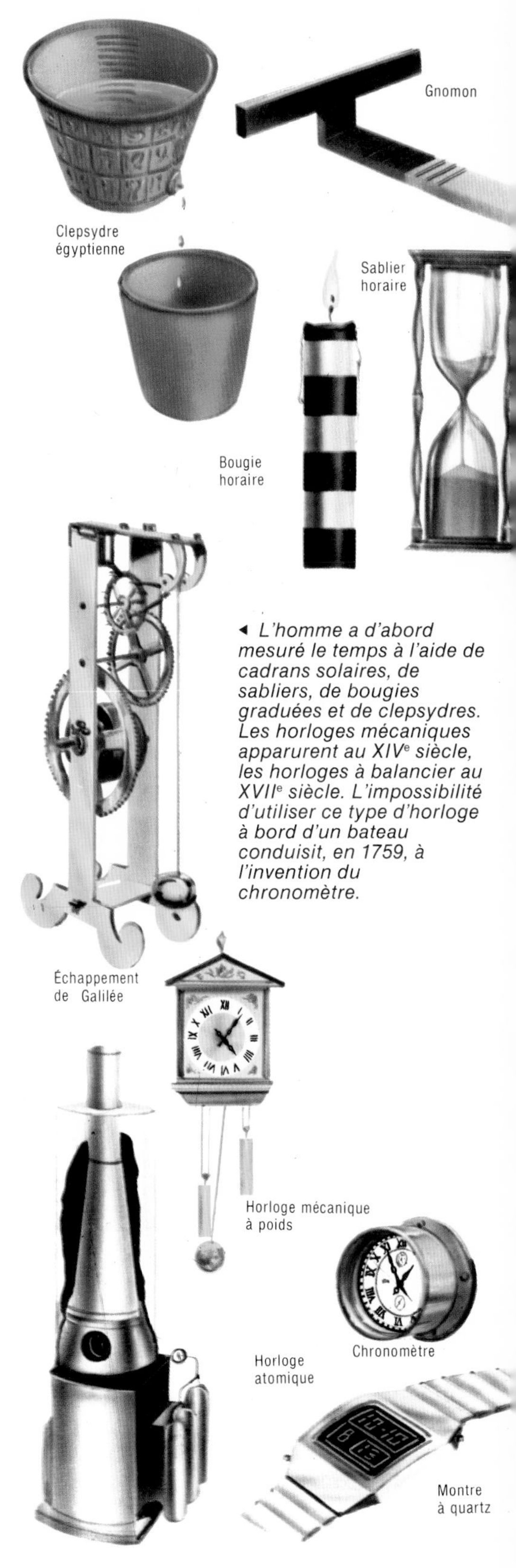


◂ *L'homme a d'abord mesuré le temps à l'aide de cadrans solaires, de sabliers, de bougies graduées et de clepsydres. Les horloges mécaniques apparurent au XIVe siècle, les horloges à balancier au XVIIe siècle. L'impossibilité d'utiliser ce type d'horloge à bord d'un bateau conduisit, en 1759, à l'invention du chronomètre.*

▾ *Pour trouver refuge dans les cavernes, l'homme de Neandertal devait parfois en déloger des ours, comme en témoigne le fait qu'on ait trouvé, dans certaines grottes, des restes d'ours des cavernes en même temps que des signes d'occupation humaine. Il semble possible que l'homme de Neandertal ait fait de l'ours une sorte de divinité, si l'on en croit les carcasses soigneusement disposées dans certaines cavernes.*

**HORLOGE BIOLOGIQUE** Presque tous les être vivants se nourrissent, dorment, migrent, etc., en suivant des rythmes naturels. Lorsque ces rythmes paraissent utilisés par une créature pour mesurer le passage du temps, on leur donne le nom d'horloges biologiques. Il peut s'agir de l'ouverture ou de la fermeture des fleurs, de la capacité des abeilles à assimiler à quel moment les fleurs sont ouvertes ou des talents de navigateur des oiseaux migrateurs. ▷

**HORMONE** Substance chimique régulatrice des activités du corps. Les hormones, produites principalement par les GLANDES, assurent le bon fonctionnement des cellules, des tissus et des organes. Deux hormones bien connues sont l'*insuline,* qui contrôle le taux de sucre du sang (voir DIABÈTE), et l'*adrénaline,* qui fournit au corps un supplément d'énergie lorsque le besoin s'en fait sentir. Les végétaux produisent également des substances hormonales appelées *auxines ;* les auxines gèrent des processus comme la croissance des tiges et des racines.

**HORN (CAP)** Pointe de terre rocheuse, située à l'extrémité méridionale de l'Amérique du Sud, dans une région soumise à de terribles tempêtes. Découvert en 1616 par le navigateur hollandais William Schouten, le cap Horn fait aujourd'hui partie du Chili.

**HOUBLON** Plante grimpante, cultivée pour ses fruits en forme de cônes qui servent à aromatiser la BIÈRE.

**HOUILLE** Pendant des siècles, la houille a constitué un important combustible ainsi qu'une source de matières premières. La houille est un combustible minéral FOSSILE, c'est-à-dire formé à partir des restes fossilisés d'arbres et autres végétaux qui poussaient il y a quelque 300 millions d'années. Les mouvements géologiques ayant recouvert les couches de feuilles et de branches en décomposition, au fil des siècles, celles-ci ont été comprimées et transformées progressivement en houille. L'épaisseur des couches, ou filons, peut varier de quelques centimètres à 30 m environ. Parmi les dérivés de la houille, on compte le gaz d'éclairage, le COKE, ainsi que des substances chimiques utilisées dans la fabrication des matières plastiques, du caoutchouc synthétique, des teintures et des explosifs.

**HOUX** Arbuste rustique, à feuilles persistantes épaisses et luisantes, à baies rouge vif. Dans de nombreux pays, le houx sert traditionnellement aux décorations des fêtes de Noël. Le bois de houx, dur et blanc, est utilisé en sculpture et ébénisterie.

**HUDSON (BAIE D')** Grande baie du Canada communiquant avec l'Atlantique et l'océan Glacial Arctique. Elle s'étend sur quelque 115 000 km². Elle a été explorée, en 1610, par Henry Hudson (v. 1550-1611).

**HUGO, VICTOR** Écrivain et poète français (1802-1885), l'une des têtes de file du mouvement romantique. Écrivain extrêmement prolifique, Victor Hugo a abordé tous les genres : poésie *(la Légende des siècles,* vaste peinture de la lutte du bien et du mal, *les Châtiments, les Contemplations),* théâtre *(Hernani, Ruy Blas, Marie Tudor, Lucrèce Borgia),* roman *(Notre-Dame de Paris, les Misérables),* essais. Dans le même temps, il menait une carrière politique, défendant une démocratie libérale et humanitaire, qui lui valut même d'être exilé de 1851 à 1870. A sa mort, Victor Hugo reçut des funérailles nationales.

**HUGUENOT** Surnom donné en France, à partir du XVIe siècle, aux adeptes de la Réforme, en particulier aux calvinistes.

**HUILE** Composé chimique d'origine animale, végétale ou minérale, qui se dissout dans l'ÉTHER mais est insoluble dans l'eau. Le terme est généralement réservé à des substances qui sont liquides à la température normale d'un local ; aux composés solides, on attribue le nom de GRAISSES. Les *huiles fixes,* qui ne s'évaporent pas facilement, sont principalement obtenues par pressage de substances animales ou végétales telles que poissons ou graines. Le pouvoir de dessiccation des huiles est très variable ; laissées au contact de l'air, certaines d'entre elles forment une pellicule dure, d'où leur nom de « siccatifs » ; ces huiles entrent dans la composition des peintures et vernis. Parmi les siccatifs, on compte les huiles de lin, de tournesol et d'œillette. Les huiles s'évaporant rapidement sont dites *volatiles ;* certaines d'entre elles — les huiles essentielles (de lavande, par exemple) — entrent dans la composition des savons et parfums. D'autres, comme l'huile de trèfle, servent à aromatiser aliments et médicaments. Les huiles végétales et animales sont surtout employées en alimentation, tandis que les huiles minérales, extraites du pétrole brut, servent principalement de lubrifiants pour les machines.

**HUITRE** Mollusque dont le corps mou et charnu est inséré dans une coquille à deux valves, articulées autour d'une charnière. Présentes dans la plupart des mers du monde, les huîtres sont recherchées pour leur chair ; on en pratique d'ailleurs l'élevage. (Voir PERLE.)

**HUMIDITÉ** Quantité de vapeur d'eau présente dans l'ATMOSPHÈRE. Dire que l'air est humide, c'est juger qu'il contient trop de vapeur d'eau. Sous un climat chaud et humide, l'être humain a chaud et transpire ; il est particulièrement à son aise lorsque la température avoisine 29 °C, à condition que le

HORLOGE BIOLOGIQUE Le puceron noir de la fève est si parfaitement adapté au rythme des jours et des saisons qu'il peut, en fonction de la durée du jour, pondre des œufs ou mettre au monde des petits vivants. Au-delà de 14 heures 55 minutes de jour, les petits naissent vivants, ce qui leur permet de profiter du surplus de chaleur ; en deçà, la femelle du puceron pond des œufs qui n'écloront qu'au lever de soleil suivant.

HYDROGÈNE Si ce gaz a été décrit pour la première fois en 1766 par Henry Cavendish, qui le qualifia d'« air inflammable », il doit son nom à Lavoisier — le terme « hydrogène » signifiant « générateur d'eau ». L'hydrogène est 14,4 fois plus léger que l'air, c'est pourquoi on l'utilisa dans un premier temps pour gonfler ballons et dirigeables ; mais son inflammabilité fut la cause, en 1937, du désastre survenu à l'atterrissage au dirigeable allemand le *Hindenburg.* L'hydrogène se liquéfie difficilement ; sa température d'ébullition est de 252,5 °C, sa température de solidification de — 259 °C.

HYPNOSE Le premier homme à avoir délibérément hypnotisé des sujets fut le médecin autrichien Franz Mesmer (1734-1815), pour qui l'hypnose était une sorte de « magnétisme animal » passant d'une personne à une autre. Mesmer s'enrichit à essayer de soigner des patients par hypnose.

Il n'est pas clairement prouvé que l'on puisse contraindre un sujet sous hypnose à accomplir des actes contradictoires avec sa nature. Il est douteux, par exemple, que, placé sous hypnose, quelqu'un d'honnête en vienne à commettre des actes criminels.

HYPOCONDRIE Un hypocondriaque terrifié par la mort et les médecins fut le personnage principal du *Malade imaginaire*, la dernière pièce de Molière (1622-1673). Au cours de la quatrième représentation, Molière, qui tenait le rôle principal, mourut terrassé par une hémorragie.

taux d'humidité soit faible ; mais il aura alors beaucoup trop chaud à la même température si le taux d'humidité est élevé. Conditionner l'atmosphère d'un local consiste à la rafraîchir et à abaisser son taux d'humidité.

**HUNS** Peuple nomade et barbare des steppes que l'on suppose d'origine mongole. Ils apparaissent dans l'histoire à partir du IIe siècle apr. J.-C. En 451, avec à leur tête leur chef Attila, ils envahirent la Gaule en ravageant le pays mais furent battus, en Champagne, aux champs Catalauniques. Ensuite, ils se dirigèrent vers l'Italie et enfin se dispersèrent en Europe orientale.

**HUXLEY, ALDOUS LEONARD** Écrivain anglais (1894-1963) qui exprima dans ses romans une vision du monde ironique et critique *(Contrepoint, Le Meilleur des mondes).*

**HYBRIDE** En biologie, individu provenant du croisement de variétés, d'espèces différentes.

**HYDRATE DE CARBONE** Substance organique composée de CARBONE (C), d'HYDROGÈNE (H) et d'OXYGÈNE (0). Au nombre des hydrates de carbone, on compte le SUCRE, l'AMIDON et la CELLULOSE, présents dans de nombreux aliments et indispensables au corps humain en tant que fournisseurs d'énergie. L'organisme transforme les hydrates de carbone en un sucre simple : le GLUCOSE. Par l'intermédiaire du sang, le glucose est véhiculé vers les muscles et autres tissus dans lesquels il est « brûlé » (oxydé) pour fournir de l'énergie. Les aliments riches en hydrates de carbone sont principalement le sucre, le pain et les pommes de terre.

**HYDRAVION** Avion pouvant prendre son essor sur l'eau et s'y poser.

**HYDROCARBURE** Composé organique de CARBONE et d'HYDROGÈNE. (Voir ÉLÉMENTS ET COMPOSÉS.) Les hydrocarbures sont obtenus à partir du pétrole et du gaz naturel ; ils servent à fabriquer des matières plastiques et des fibres synthétiques.

**HYDROGÈNE** GAZ incolore, inodore et sans saveur, l'hydrogène est le plus léger des ÉLÉMENTS (symbole H). S'il constitue moins de 1 % de l'écorce terrestre, l'hydrogène est probablement l'élément le plus abondant dans l'univers ; les étoiles, en particulier, sont constituées en grande partie d'hydrogène. L'hydrogène est utilisé dans la synthèse de l'ammoniac et dans la fabrication de la margarine. ◁

**HYDROLYSE** Décomposition chimique d'un corps sous l'action de l'eau, dont il fixe les éléments en se dédoublant.

**HYDROPTÈRE** Type de bateau équipé d'ailes immergées qui, à une vitesse suffisante, soulèvent la coque au-dessus de l'eau, assurant la portance et réduisant considérablement le frottement et la traînée — ce qui autorise des vitesses supérieures à celles des bateaux ordinaires.

**HYÈNE** Mammifère sauvage, ressemblant à un chien, présent en Inde et dans certaines régions d'Afrique. Les hyènes chassent en groupe, de nuit, et se nourrissent principalement de charognes. Quand elles chassent, les hyènes poussent d'étranges cris ressemblant à des rires.

**HYGIÈNE** Science de la santé. L'hygiène s'attache à maintenir le bien-être physique et mental de l'homme ; on distingue souvent l'hygiène individuelle de l'hygiène publique ou industrielle. L'hygiène individuelle a trait aux soins à apporter aux dents, aux cheveux, aux ongles, à l'exercice physique, au sommeil ou au régime alimentaire de chacun. L'hygiène publique couvre les divers aspects affectant la santé de la communauté, qu'il s'agisse de l'alimentation en eau, du tout-à-l'égout, des normes de propreté des lieux publics, des restaurants, des cinémas... L'hygiène industrielle a trait aux conditions de travail — aération, espace, lumière, chaleur — dans les usines et les bureaux.

**HYPNOSE** Technique permettant de provoquer chez un sujet un état de sommeil. Une personne hypnotisée peut avoir un comportement normal, mais elle se trouve sous la dépendance de son hypnotiseur, qui contrôle ses actes (en hypnose profonde, le sujet ne ressent généralement plus la douleur). L'hypnose peut avoir des applications analgésiques ou psychothérapiques. Voir PSYCHANALYSE ; PSYCHIATRIE.) ◁

**HYPOCONDRIE OU HYPOCHONDRIE** Peur permanente de la maladie. L'hypocondriaque est sans cesse à la recherche sur sa personne de signes de maladie, et de remèdes à ces maladies. L'hypocondrie est souvent symptomatique de troubles psychologiques. (Voir PSYCHIATRIE.) ◁

**HYPOPHYSE** GLANDE importante, de la taille d'un petit pois, située à la base du cerveau. Elle se compose de deux lobes produisant chacun des HORMONES distinctes : les unes contrôlent les autres glandes du corps et influent sur la croissance, les autres contrôlent, en particulier, l'équilibre du corps en eau.

**HYPOTHÈQUE** Méthode permettant d'emprunter de l'argent — à une BANQUE, par exemple — en fournissant au créancier une garantie qui ne dépossède pas le propriétaire. Une hypothèque peut être constituée sur une maison, un terrain, etc.

**IBIS** Oiseau échassier à bec long et fin, recourbé vers le bas. Les ibis sont répandus dans toutes les régions chaudes du globe ; ils vivent généralement à proximité de l'eau, se nourrissant de petits animaux.

**ICEBERG** Dans les régions polaires, énorme bloc de glace flottant à la surface de l'océan. Bien que la plus grande partie des icebergs soit immergée (de 7/8 à 9/10), ceux-ci peuvent s'élever à 40 m au-dessus de l'eau, pesant jusqu'à un million de tonnes.

**ICHTYOSAURE** REPTILE fossile à aspect de dauphin, qui vivait il y a 200 millions d'années. Les ichtyosaures étaient de gros poissons aux membres étalés en forme de pagaie, ce qui faisait d'eux d'excellents nageurs.

**ICONE** Dans l'Église orthodoxe d'Orient, image du Christ, de la Vierge, d'un ange ou d'un saint. Il s'agit généralement de peintures sur bois, montrant des formes humaines stylisées.

**ICTÈRE** Dénommé familièrement jaunisse, l'ictère est une coloration jaune de la peau et de l'œil due à la présence dans le sang et la peau de pigments biliaires. L'ictère est souvent le résultat d'une obstruction du canal biliaire par des CALCULS.

**IGUANE** Grand LÉZARD des régions tropicales d'Amérique, de Madagascar et de Polynésie. On trouve souvent les iguanes dans les arbres surplombant cours d'eau et lacs. Ce sont de bons nageurs. En cas de danger, ils plongent dans l'eau. Ils se nourrissent principalement de feuilles, de fleurs et de fruits.

**ILE** Étendue de terre entourée d'eau. Le GROENLAND est la plus grande des îles, l'Australie, elle, étant considérée comme un continent. Certaines îles appartiennent aux PLATES-FORMES CONTINENTALES qui prolongent les continents. D'autres sont des VOLCANS surgis du plus profond des océans. ▷

▲ *Certains spécimens fossiles d'ichtyosaures sont merveilleusement conservés au point que les contours du corps sont parfaitement visibles.*

**ILLUSTRATION** Image qui accompagne un texte écrit pour l'enrichir ou l'expliciter. Dans un premier temps, ce furent des ESTAMPES que l'on fit figurer dans les ouvrages ; aujourd'hui, il peut s'agir de photographies, de dessins, de PEINTURES ou de SCULPTURES reproduites, en noir et blanc ou en couleurs, selon des procédés divers. (Voir IMPRIMERIE, LITHOGRAPHIE.) La publicité, les affiches, les cartes, les journaux et magazines utilisent couramment des illustrations.

**IMPALA** ANTILOPE brun rougeâtre, vivant en hardes numériquement importantes, dans la moitié sud du continent africain.

**IMPOT SUR LE REVENU** Impôt instauré en France en 1814. Progressif, l'impôt sur le revenu est calculé par foyer, à partir du revenu annuel des personnes. En deçà d'un certain revenu, la personne peut être exonérée de l'impôt ; au-delà de cette somme plus les revenus sont importants, plus le pourcentage prélevé au titre de l'impôt est élevé.

**IMPRESSIONNISME** École picturale ayant pris naissance en France dans les années 1860. Rompant avec l'académisme de l'époque, les impressionnistes s'attachèrent à

ILE Le plus important groupe d'îles est l'archipel indonésien, qui en compte 13000. Exception faite de l'Australie, considérée comme un continent, les cinq plus vastes îles du monde sont, par ordre décroissant : le Groenland, la Nouvelle-Guinée, Bornéo, Madagascar et l'île de Baffin.

IMPRESSIONNISME Le fait que, dans la peinture impressionniste, les contours soient suggérés et non « léchés », comme dans la peinture académique de l'époque, suscita l'horreur chez les critiques des années 1870. L'un d'eux raconte comment, lors d'une exposition, les visiteurs hurlaient de rire — lui-même jugeant, d'ailleurs, qu'il avait devant les yeux des œuvres de fous.

IMPRIMERIE Dans la Chine et le Japon anciens, le procédé d'impression utilisé consistait à transférer texte et images gravés en pleine page sur un bloc de bois. Vers 1030, les Chinois inventèrent les caractères mobiles, mais le nombre même des caractères (10 000) composant leur langue écrite rendait le procédé très lent. Rien d'étonnant, par contre, à ce que les caractères mobiles aient été adoptés en Europe où les alphabets ne comptent que 26 lettres.

Les presses modernes permettent de produire en l'espace de quelques heures des millions d'exemplaires d'un journal. Au Japon, par exemple, un journal, tiré en deux éditions (matin et soir), est diffusé à plus de 12 millions d'exemplaires.

traduire dans leur peinture leurs sensations plus que le tracé des objets, travaillant souvent par petites touches de couleurs pures. Parmi les impressionnistes les plus connus, figurent : Manet, MONET, Degas et RENOIR. ◁

▲ *Dans le procédé moderne de lithographie, la forme imprimante, ou plaque – souvent obtenue par des procédés photographiques (photogravure) –, est assujettie au cylindre d'une rotative.*

▼ *Estampe imprimée par William Caxton dans les années 1480. L'image gravée dans un bloc de bois était encrée puis transférée par pressage manuel. En Europe, ce procédé d'impression fut d'abord utilisé pour la fabrication de cartes à jouer.*

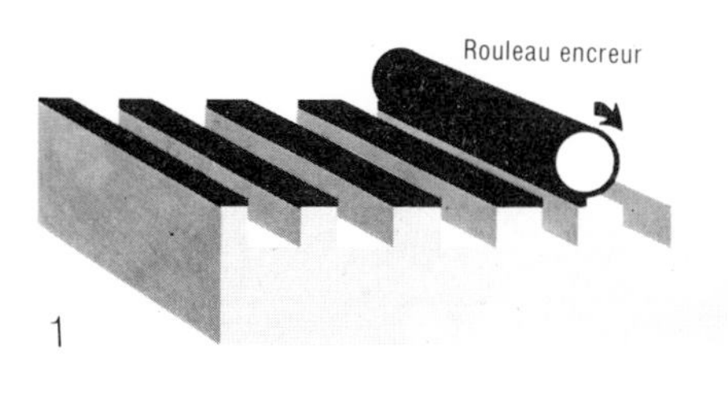


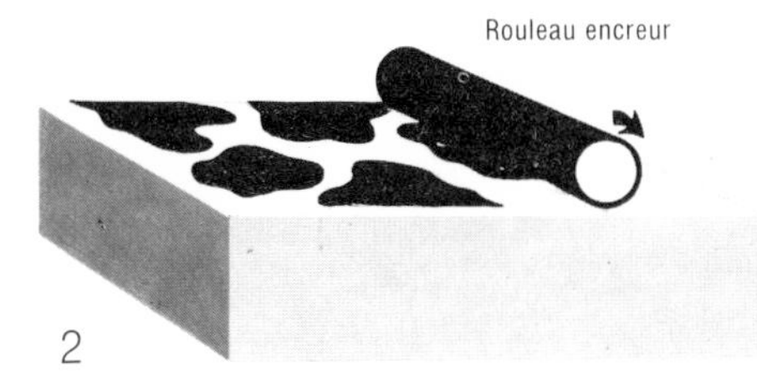


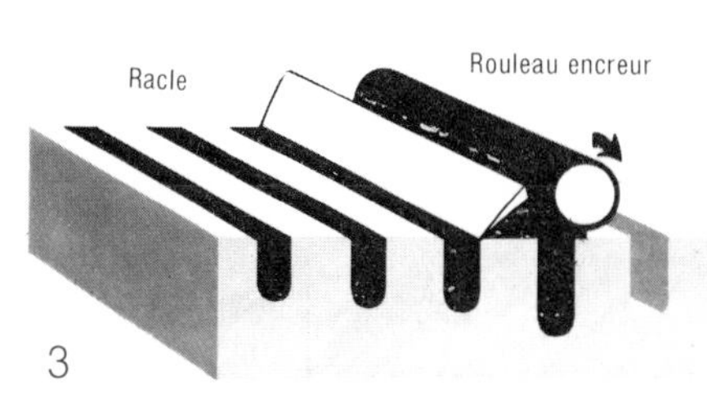


▲ *Les trois principaux procédés d'impression. 1. En typographie, le transfert s'opère à partir de formes en relief. 2. En lithographie, le transfert s'opère à partir de formes planographiques. 3. En héliogravure, les éléments imprimants sont en creux. Une racle retire l'excès d'encre.*

**IMPRIMERIE** Ensemble des techniques permettant de reproduire du texte et des images par transfert d'un tracé imprimant, encré, sur un support de papier, de tissu ou de métal. Les principaux procédés d'impression sont : la typographie, la LITHOGRAPHIE offset et l'héliogravure. Le plus ancien de ces procédés, la typographie, a vu le jour en Europe au XV^e^ siècle, avec Johann GUTENBERG, mais il était déjà en usage au Japon au VIII^e^ siècle. Dans ce procédé, chaque caractère, ou *type*, est glissé dans un rail métallique capable d'accepter une ligne de types. Les lignes sont ensuite assemblées dans un cadre. Durant quatre siècles, l'ensemble des opérations s'est effectué manuellement : les *typographes* composaient les textes, les encraient et procédaient au tirage. Par la suite, les machines (linotype ou monotype) sont venues restreindre les opérations manuelles, et plus récemment encore l'ordinateur a créé une révolution dans le monde de l'imprimerie. (Voir ÉDITION ; LIVRES ET RELIURE.) ◁

**INCAS** Tribu d'Amérique du Sud dont l'empire, instauré vers le XIII^e^ siècle, s'écroula en 1532 sous les coups des CONQUISTADORES espagnols. A son apogée, l'Empire inca s'étendait depuis le sud de la Bolivie jusqu'au

◂ *La cité fortifiée de Machu Picchu constitua l'ultime refuge des Incas après l'invasion espagnole.*

Chili central. La société inca, placée sous l'autorité d'un souverain déifié, l'Inca, était régie par des règles extrêmement strictes. S'ils ignoraient la roue et l'écriture, les Incas étaient passés maîtres dans les domaines de l'architecture, de la métallurgie des métaux précieux, et ils pratiquaient même la chirurgie. Ils furent cependant vaincus par les armes à feu, la cavalerie et les armures d'acier des envahisseurs espagnols. ▷

**INCUBATEUR** Appelé aussi *couveuse,* cet appareil permet de reconstituer les conditions idéales de chaleur et d'HUMIDITÉ pour l'éclosion des ŒUFS fécondés ou la protection des bébés nés avant terme.

**INDE** Septième pays au monde par la superficie, l'Inde arrive au second rang pour la population. L'accroissement démographique (plus de 20 ‰ par an) constitue pour l'Inde un problème crucial et les famines ne sont pas rares. La diversité des langues et des religions pose également des problèmes d'unification du pays ; si l'hindi et l'anglais sont les langues officielles, on parle en Inde plus de 800 langues et dialectes. La religion principale, l'HINDOUISME, concerne 82 % de la population, qui compte également 12 % de musulmans et des communautés assez importantes de chrétiens, de bouddhistes, de sikhs et de jaïnistes.

Du point de vue du relief, l'Inde compte trois régions principales. La chaîne de l'Himalaya constitue la frontière septentrionale ; les fertiles plaines du Nord — les plus fortement peuplées — sont arrosées par le GANGE et le Brahmapoutre ; au sud s'étend le plateau du Deccan. L'Inde est un pays pauvre, principalement agricole, qui produit surtout du riz, mais également du coton, du jute, du sucre de canne, du thé et du blé. L'industrie minière est sous-développée mais les industries de transformation sont en voie de développement. Les principales grandes villes sont CALCUTTA, Bombay, Delhi et Madras.

Avec le PAKISTAN et le BANGLADESH, l'Inde était autrefois incluse dans l'EMPIRE BRITANNIQUE. En 1947, le pays s'est scindé en deux nations indépendantes : l'Inde, à majorité hindoue, et le Pakistan, musulman. La guerre que se livrèrent les deux États pour la possession du Cachemire prit fin en 1949, avec l'annexion par l'Inde des deux tiers du territoire revendiqué. (Voir ASIE.) ▷

INCAS En 1532, le conquistador espagnol Francisco Pizarro, ayant pris en otage l'empereur inca Atahualpa, réclama comme rançon une pièce remplie d'or. Pendant des mois, les Indiens parcoururent le pays en tous sens pour rassembler la rançon. Un mois durant, neuf forges fonctionnèrent nuit et jour pour fondre en lingots d'or les bijoux récoltés. Mais, en dépit de sa promesse, Pizarro fit exécuter Atahualpa.

Les Incas furent les premiers cultivateurs de pommes de terre. Ils imaginèrent même un procédé de conservation consistant à les congeler en tranches fines puis à en extraire l'eau. On utilise de nos jours un procédé similaire pour préparer industriellement les purées « instantanées ».

INDE : DONNÉES
Superficie : 3,3 millions de km².
Population : 677 millions d'habitants (1982).
Capitale : New Delhi.
Langues officielles : hindi, anglais.
Monnaie : roupie.
Point culminant : Nanda Devi (7 817 m) dans l'Himalaya.

**INDÉPENDANCE AMÉRICAINE (GUERRE DE L')** Conflit qui, de 1775 à 1783, opposa au régime britannique les 13 colonies américaines désireuses d'obtenir leur indépendance. La guerre s'acheva par la fondation des ÉTATS-UNIS d'Amérique. Les colonies s'étaient habituées à jouir d'une grande liberté vis-à-vis du régime britannique et protestaient contre le fait que le roi levât de lourds impôts sans qu'elles eussent été consultées au préalable. Le gouvernement anglais ayant repoussé toutes revendications, le conflit éclata. (Voir EMPIRE BRITANNIQUE.)

**INDICE D'OCTANE** La qualité de l'essence se mesure à son indice d'octane. Dans un moteur à essence, les carburants à faible indice d'octane risquent de provoquer de l'auto-allumage qui se traduit par un fonctionnement irrégulier du moteur et des détonations. Numéroté de 0 à 100, l'indice d'octane indique la qualité antidétonante d'un carburant ; ainsi, de l'essence à fort indice d'octane ne produira pas de détonations.

**INDIEN (OCÉAN)** Au troisième rang pour la superficie, l'océan Indien couvre 73,4 millions de km². Il est compris entre l'Afrique, l'Asie, l'Australie et l'Antarctique. Sa profondeur moyenne est de 3 960 m.

**INDIENS D'AMÉRIQUE** On pense que les premiers Indiens à atteindre l'Amérique du Nord sont venus d'Asie, il y a quelque 20 000 ans — après avoir traversé l'Alaska —, et se sont répandus à travers le continent, se regroupant çà et là en tribus. Dans les territoires boisés de l'Est vivaient les Iroquois et les Algonquins, qui cultivaient la terre et chassaient de petits animaux. Les Sioux, les Comanches et les Pieds-Noirs vivaient sur les troupeaux de bisons des Grandes Plaines. Les Navajos, Hopis et Apaches, installés dans le Sud-Ouest, étaient des éleveurs et des chasseurs. Avec l'arrivée des hommes blancs, les

▲ *Une rue de Delhi, la capitale de l'Inde. Après être demeurée 150 ans sous le régime britannique, l'Inde est devenue, en 1947, une république membre du Commonwealth.*

▼ *Les Indiens des plaines étaient des nomades, déplaçant leurs villages de tentes pour suivre les grands troupeaux de bisons dont dépendaient leur nourriture et leur habillement. Leurs tentes, ou tipis, étaient chargées sur des châssis de bois (travois) tirés par des chiens ou des chevaux.*

Indiens furent en grande partie massacrés ou parqués dans des réserves. Aujourd'hui, leurs descendants luttent pour la restauration de leurs droits et la sauvegarde de leur culture.

**INDOCHINE** Grande péninsule de l'ASIE du Sud-Est continentale, qui englobe la Birmanie, la THAILANDE, la Malaisie, le CAMBODGE (Kampuchéa), le LAOS et le VIETNAM. A la fin du siècle dernier, la France gouvernait ce que l'on appelait alors l'Indochine française, soit une colonie (Cochinchine) et quatre protectorats (Annam, Tonkin, Laos et Cambodge) ; mais à la suite de la lutte « de libération » menée par les forces du Viêt-minh (1946-1954), la France fut totalement évincée de la péninsule indochinoise après un conflit armé qui mettait aux prises les forces de la France et les maquisards du Viêt-minh. La défaite de la France à Diên Biên Phu au Vietnam, en 1954, l'obligea à quitter l'Indochine. Elle laissa la place aux troupes des États-Unis. En 1975, à la suite d'une lutte qui avait duré trente ans, des régimes communistes furent établis au Laos, au Cambodge et au Vietnam.

**INDONÉSIE** République du Sud-Est asiatique qui compte 153 millions d'habitants (1982) pour une superficie totale de 1,9 million de km². Dans cette nation insulaire, la population est en majorité musulmane et composée d'agriculteurs. Le riz est la production principale du pays qui exporte du café, du coprah, de l'huile de palme, du caoutchouc, du thé et du tabac. Capitale : Djakarta. ▷

**INDUSTRIE CHIMIQUE** L'industrie chimique fabrique des produits aussi divers que les peintures, les teintures, les savons et détergents, les colles, les engrais, les pesticides, les fibres synthétiques et les matières plastiques. A partir de matières premières comme la houille, le pétrole brut et l'eau de mer, l'industrie fabrique des produits de base, qui servent à élaborer des substances plus complexes grâce à l'utilisation de procédés chimiques ou physiques comme le broyage, l'ÉVAPORATION, la DISTILLATION, le filtrage et le séchage. La chimie lourde s'attache à la manufacture en grandes quantités de substances comme l'acide SULFURIQUE, tandis que les produits plus complexes, à usages spécifiques, sont manufacturés en petites quantités.

**INDUSTRIE LAITIÈRE** Secteur économique concerné par la production, la transformation et la distribution du LAIT et des produits laitiers : BEURRE, crème, lait concentré ou en poudre, FROMAGES. En 1982, la France a produit 34,5 millions de tonnes de lait, dont une partie pour l'exportation. Les agriculteurs français fournissent 25,5 % du lait produit dans la C.E.E. La France produit plus de 340 variétés de fromages — de vache surtout, mais aussi de brebis et de chèvre.

▲ *Réfugiés vietnamiens fuyant la bataille. Pays de la péninsule indochinoise, le Vietnam a été pendant plus de vingt ans (1954-1975) scindé en deux États en guerre, l'U.R.S.S. soutenant le Vietnam du Nord, les États-Unis le Vietnam du Sud.*

▼ *Chaque année, l'humanité absorbe des milliards de pilules destinées à soigner à peu près tout – de la migraine et du rhume aux maladies contagieuses –, ce qui fait de l'industrie pharmaceutique l'un des secteurs principaux de l'industrie chimique. Dans une usine pharmaceutique moderne, des machines automatiques se chargent du conditionnement des médicaments et de leur emballage.*

INDONÉSIE : DONNÉES
Langue officielle : indonésien.
Monnaie : rupiah.
Les Indonésiens sont pour la majorité musulmans, mais il existe d'importantes minorités hindoues, bouddhistes et chrétiennes.
Les deux tiers de la population indonésienne vivent sur l'île de Java.

INSECTE Parmi les insectes détenteurs de records figurent : la cétoine Goliath (le plus lourd), un phasme (le plus long), une guêpe (le plus petit), les podures (les plus nombreux), les reines des termites (qui vivent le plus longtemps) et les cigales (les plus bruyantes).
Les insectes sont les animaux dotés des meilleures facultés d'adaptation et donc les plus nombreux. D'après certains, il resterait encore plus d'espèces d'insectes à découvrir que ce que le monde compte d'espèces animales connues. On évalue à 1 000 millions de milliards le nombre d'insectes présents dans le monde entier, soit 300 millions par être humain.

**INERTIE** Résistance que les corps, de par leur masse, opposent aux variations de mouvement. Un corps au repos résiste au mouvement ; un corps en mouvement résiste à l'accélération ou au ralentissement. Dans chaque cas, il faut appliquer au corps une force extérieure pour vaincre cette résistance, ou inertie.

**INFANTERIE** Ensemble des troupes qui combattent à pied. L'infanterie constitue, dans la plupart des armées, la principale force combattante. Aujourd'hui, l'infanterie est armée de fusils automatiques, mitrailleuses, grenades, mortiers et même lance-roquettes. Elle combat en formations dispersées, irrégulières, pour éviter d'offrir à l'ennemi une cible trop vulnérable. (Voir ARMÉE.)

**INFLATION** Déséquilibre économique qui se traduit par une hausse générale des prix. L'inflation peut être le résultat de l'excès de la demande sur la production, ou d'une surenchère entre prix et salaires. Liée jusqu'ici à la croissance économique, l'inflation va aujourd'hui de pair avec la montée du chômage et la stagnation économique.

**INFRAROUGE (RAYON)** Rayonnement électromagnétique de longueur d'onde supérieure à celle de la lumière rouge et inférieure à celles des ondes radio. Invisibles pour l'œil humain, les rayons infrarouges se manifestent par de la chaleur. Pour réaliser dans l'espace des photographies par satellite, mais également en botanique, dans d'autres disciplines scientifiques ou dans la détection des crimes, on utilise de la pellicule sensible aux rayons infrarouges. Des appareils de chauffage à infrarouges et des fours à micro-ondes ont été mis au point pour un usage domestique. (Voir ONDES ÉLECTROMAGNÉTIQUES.)

▼ *Ci-dessous : les diverses parties d'un insecte, mises en évidence sur un papillon. Hyménoptères, lépidoptères, orthoptères et coléoptères ne sont que quatre groupes d'insectes parmi des multitudes d'autres.*

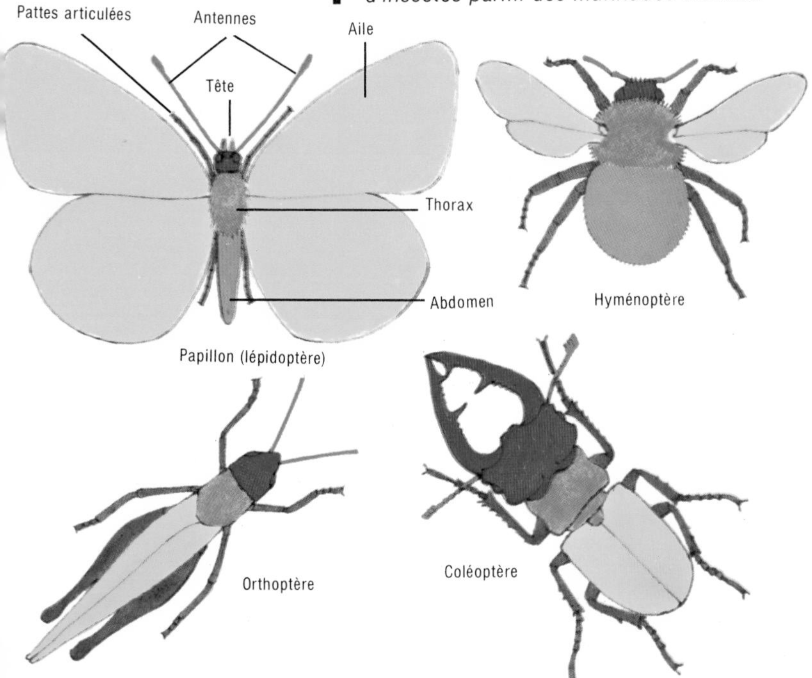


**INGÉNIERIE OU ENGINEERING** Ensemble des applications de la connaissance scientifique à des problèmes pratiques de conception, de fabrication et d'entretien des moteurs, machines, structures et autres dispositifs. Dans nos civilisations industrielles, l'ingénierie concerne tous les secteurs d'activité : mécanique, chimie, génie civil, travaux miniers, métallurgie, AÉRONAUTIQUE, agriculture, marine et électricité. (Voir ÉLECTRICITÉ ; INDUSTRIE CHIMIQUE ; MACHINE-OUTIL ; MINE ; PONT ; TUNNEL.)

**INQUISITION** Tribunal ecclésiastique de l'ÉGLISE CATHOLIQUE, chargé de traquer et réprimer l'hérésie. Fondée en 1229, l'Inquisition reprit ses activités durant la RÉFORME pour lutter contre le protestantisme, mais ne joua en France aucun rôle dans ce sens. Particulièrement active en Espagne de 1480 à 1834, l'Inquisition constituait dans ce pays un corps distinct, dépendant du roi et non de l'épiscopat.

**INSECTE** Petit animal au corps constitué de trois parties : la tête, ornée d'une paire d'antennes ; le thorax, porteur de trois paires de pattes et, généralement, deux paires d'ailes ; et l'abdomen. La tête porte également des pièces oculaires et buccales. La plupart des insectes ont des yeux *composés*, constitués de nombreuses petites lentilles — chacun ne « voyant » qu'une partie de l'image. (Voir MOUCHE.) Les pièces buccales des insectes sont de divers types : les insectes mordeurs, comme les GUÊPES et les COLÉOPTÈRES, ont de fortes mâchoires externes et des dents aiguës ; les insectes suceurs, comme les PAPILLONS, possèdent une langue allongée ; les insectes piqueurs, comme le MOUSTIQUE, un aiguillon. Le mode de respiration est unique chez les insectes : un système de minuscules canaux transporte l'air de la surface à toutes les parties du corps. On compte dans le monde quelque 35 millions d'espèces d'insectes. Chez la grande majorité d'entre eux, le cycle de vie comporte quatre phases : œuf, LARVE, nymphe et adulte. ◁

**INSECTICIDE** Substance destinée à tuer les INSECTES. Le plus souvent manufacturés à base de produits chimiques, les insecticides sont utilisés dans les exploitations agricoles pour protéger récoltes et animaux d'élevage, ainsi que dans les foyers et les lieux publics, comme les hôpitaux et les restaurants.

**INSOMNIE** Privation de sommeil. L'insomnie est rarement une maladie en elle-même ; c'est plus couramment le symptôme de désordres physiologiques ou mentaux, tels que l'indigestion ou l'anxiété.

**INSTINCT** Déterminant héréditaire du comportement. L'instinct joue un rôle important dans la vie des animaux. Les araignées, par exemple, n'apprennent pas à tisser leur toile, pas plus que les castors à abattre les arbres et à construire des barrages ; ils agissent par instinct. Des caractéristiques héréditaires, comme la taille et la couleur d'une espèce, contrôlent, chez nombre d'animaux, des activités comme les tactiques de défense, les mœurs alimentaires, les parades nuptiales, les soins des jeunes, la MIGRATION et l'HIBERNATION. (Voir INTELLIGENCE.)

**INTELLIGENCE** Faculté de raisonner et de comprendre. Chez la plupart des animaux, le comportement est régi par des réflexes (réponses automatiques à des *stimuli* tels que la chaleur et la lumière) et par l'INSTINCT. C'est également le cas pour beaucoup de réactions humaines : une personne à qui l'on plante une aiguille dans le bras sursaute ; il s'agit là d'un acte réflexe, exécuté sans réfléchir. Mais les êtres humains sont capables de penser et, par conséquent d'agir, en fonction d'un raisonnement : ils sont intelligents. Les grands SINGES anthropoïdes, tels le chimpanzé et le gorille, sont capables de comportements intelligents, mais leur niveau d'intelligence est très inférieur à celui de l'homme. Le degré d'intelligence est lié, dans une certaine mesure, à la taille du CERVEAU. Or, même chez les singes anthropoïdes, le cerveau est deux fois moins gros que celui de l'homme. ▷

**INTÉRÊT** Somme que l'on paie sur de l'argent emprunté, et calculée en fonction d'un certain taux annuel. Sur de l'argent emprunté, par exemple, à un taux d'intérêt de 10 %, l'emprunteur devra rembourser chaque année un intérêt de 10 F par tranche de 100 F.

**INTESTIN** Viscère creux qui fait suite à l'ESTOMAC. Chez l'homme, l'intestin se divise en deux parties : l'*intestin grêle* et le *gros intestin*, ou *côlon.* La DIGESTION s'achève dans l'intestin grêle dont la paroi absorbe les aliments digérés qui passent dans le sang. Les déchets passent alors dans le gros intestin où ils sont débarrassés de leur eau avant d'être évacués hors du corps.

**INTOXICATION ALIMENTAIRE** Empoisonnement résultant de la consommation d'aliments avariés et qui se traduit par des douleurs d'estomac, des vomissements et des diarrhées. Les responsables en sont des BACTÉRIES qui se sont développées dans la nourriture. Dans la mesure où ces bactéries n'affectent ni l'apparence ni l'odeur des aliments, leur présence est difficile à détecter. ▷

▲ *L'abeille n'apprend pas à bâtir son nid : elle sait le faire d'instinct. Tout comme les autres animaux, ces insectes héritent à leur naissance des comportements caractéristiques de leur espèce.*

**INVENTION** Lorsqu'on découvre quelque chose, c'est que cette chose existait déjà sans que l'on en eût connaissance. Par contre, lorsque l'homme invente, il crée quelque chose de nouveau — les outils en silex, la charrue ou la ROUE, comme les TRANSISTORS, les LASERS et les ORDINATEURS. L'homme est le seul animal capable d'inventer, que ce soit pour améliorer ses conditions d'existence, pour s'enrichir ou pour faire la guerre. Les inventions humaines en matière d'énergie ou de machines ont ouvert la voie à la RÉVOLUTION INDUSTRIELLE. Les inventions en matière d'équipement ménager (machine à laver, à coudre...) ont transformé la vie domestique, tandis que dans le domaine des communications, la voiture, le téléphone ou la télévision révolutionnaient l'organisation sociale tout entière. Jusqu'au début de ce siècle, les inventions étaient généralement l'œuvre d'individus isolés, travaillant seuls. Aujourd'hui, elles sont plus couramment le fruit du travail d'équipes de chercheurs ou d'ingénieurs. Les inventions ne sont pas forcément que bénéfiques aux êtres humains. Outre celles que l'on adapte à la fabrication d'armes nouvelles, il en est dont les retombées posent des problèmes : par exemple, la pollution provoquée par les voitures et les camions. Toutefois, on peut considérer que, dans l'ensemble, les inventions ont amélioré les conditions de vie des êtres humains. (Voir BREVET.).

INTELLIGENCE En 1967, on découvrit en Corée du Sud un enfant de quatre ans parlant quatre langues, composant des vers et exécutant des calculs complexes. Les spécialistes évaluèrent son quotient intellectuel à 210, alors que, selon la même échelle, un quotient à 150 dénote déjà un génie.

INTOXICATION ALIMENTAIRE Le botulisme est l'une des formes les plus dangereuses d'intoxication alimentaire ; elle est mortelle dans plus de 50 % des cas, principalement par suite de défaillances respiratoires. Le bacille botulique ne survit pas à l'exposition à l'air, mais se développe dans les boîtes de conserve imparfaitement stérilisées. Ingéré par l'homme, ce bacille sécrète une toxine qui s'attaque aux centres nerveux et provoque des paralysies.

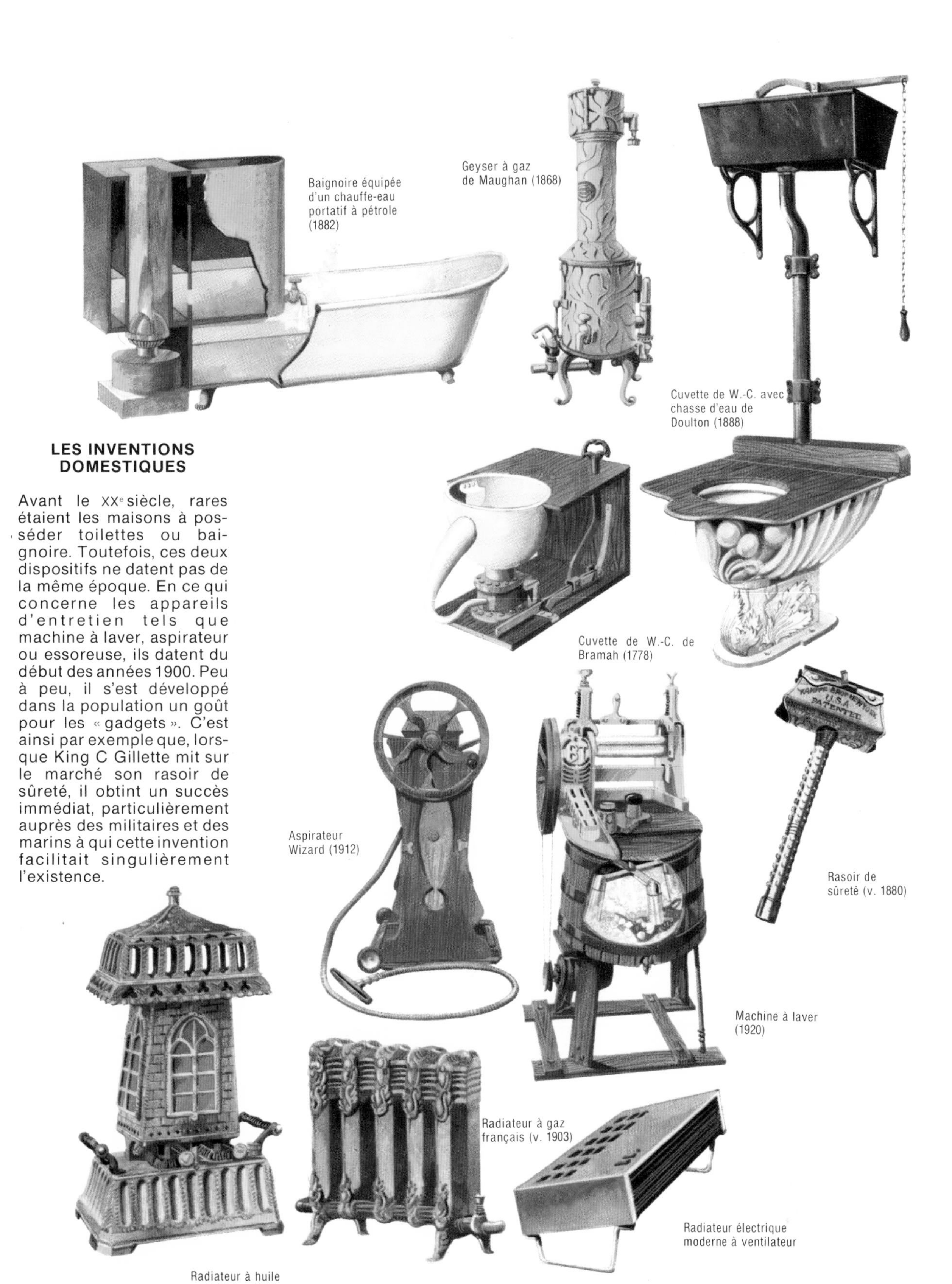

Baignoire équipée d'un chauffe-eau portatif à pétrole (1882)

Geyser à gaz de Maughan (1868)

Cuvette de W.-C. avec chasse d'eau de Doulton (1888)

Cuvette de W.-C. de Bramah (1778)

Aspirateur Wizard (1912)

Rasoir de sûreté (v. 1880)

Machine à laver (1920)

Radiateur à gaz français (v. 1903)

Radiateur électrique moderne à ventilateur

Radiateur à huile portatif (v. 1890)

## LES INVENTIONS DOMESTIQUES

Avant le XXe siècle, rares étaient les maisons à posséder toilettes ou baignoire. Toutefois, ces deux dispositifs ne datent pas de la même époque. En ce qui concerne les appareils d'entretien tels que machine à laver, aspirateur ou essoreuse, ils datent du début des années 1900. Peu à peu, il s'est développé dans la population un goût pour les « gadgets ». C'est ainsi par exemple que, lorsque King C Gillette mit sur le marché son rasoir de sûreté, il obtint un succès immédiat, particulièrement auprès des militaires et des marins à qui cette invention facilitait singulièrement l'existence.

**INVERTÉBRÉ** Animal dépourvu de colonne vertébrale. Au nombre des invertébrés figurent les INSECTES, les CRUSTACÉS, les VERS, les gastéropodes et les myriapodes. Dans la mesure où ces animaux sont dépourvus de colonne vertébrale et de squelette interne, ils sont nombreux à posséder un squelette externe ou une coquille qui leur assure forme, soutien et protection. Le règne animal compte quelque 1 200 000 espèces d'invertébrés qui sont numériquement supérieurs aux VERTÉBRÉS (pourvus d'une colonne vertébrale) dans le rapport de 30 pour 1.

**IODE** ÉLÉMENT cristallisé gris-noir, de symbole chimique I. Chauffé, l'iode dégage une vapeur violette ; présent dans les ALGUES, cet élément est indispensable au bon fonctionnement de la GLANDE thyroïde. ▷

**ION** ATOME — ou groupe d'atomes — chargé électriquement après avoir gagné ou perdu un ou plusieurs électrons. Les ions peuvent résulter d'une électrolyse ou d'un rayonnement (de RAYONS X ou de RAYONS GAMMA.)

**IONOSPHÈRE** Couche de la haute ATMOSPHÈRE terrestre — située approximativement entre 80 et 500 km d'altitude — qui doit son nom à ce que l'air y est fortement ionisé (voir ION) par le rayonnement ultraviolet en provenance du Soleil. L'ionosphère renvoie vers la Terre les ondes radio qui, sans cela, iraient se perdre dans l'espace.

**IRAK OU IRAQ** Nation arabe du MOYEN-ORIENT, l'Irak compte 13,5 millions d'habitants (1982) pour une superficie de 435 000 km². Les vallées du Tigre et de l'Euphrate — berceaux de civilisations antiques — demeurent d'importantes régions agricoles dans ce pays en grande partie désertique, dont le pétrole constitue la principale source de richesses. Capitale : BAGDAD. ▷

**IRAN** La République islamique d'Iran occupe approximativement les territoires qui portaient autrefois le nom de PERSE. L'Iran compte 39,3 millions d'habitants (1982) pour une superficie de 1 650 000 km². La principale richesse du pays est constituée par les hydrocarbures (pétrole et gaz naturel) dont les réserves sont considérables. Les terres cultivées ne couvrent que 10 % du pays et l'élevage est le secteur agricole le plus important. Capitale : Téhéran. ▷

**IRIS** Plante à *rhizome* (tige souterraine), à feuilles ensiformes (en forme d'épée), à fleurs ornementales et odorantes. L'iris pousse à l'état sauvage dans l'hémisphère nord. Les fleurs sont de toutes couleurs, d'où le nom « iris » qui, en grec, signifie « arc-en-ciel ».

**IRLANDE** Seconde des îles BRITANNIQUES par la superficie, l'Irlande est divisée en deux parties. La République d'Irlande, ou Eire, est indépendante depuis 1921. Manquant de ressources, depuis 140 ans, elle a vu sa population diminuer considérablement pour cause d'émigration. C'est une région de beaux paysages, principalement agricole.

L'Irlande du Nord, ou Ulster, fait partie du Royaume-Uni de GRANDE-BRETAGNE et d'Irlande du Nord. L'opposition entre les protestants — qui ont toujours dominé — et les catholiques a provoqué dans le pays — surtout depuis 1969 — des troubles graves. ▷

**IRRIGATION** Ensemble des techniques utilisées pour amener l'eau aux cultures lorsque le niveau des précipitations est insuffisant. Dans l'Antiquité, l'ÉGYPTE, la

▲ *Depuis des siècles, on utilise, en Irlande, la tourbe comme combustible. Elle est extraite des tourbières, comme ici, et séchée avant utilisation.*

▲ *En Irlande, l'hostilité entre protestants et catholiques a conduit à la multiplication des actes de violence. Ici, l'explosion d'une voiture piégée, en Irlande du Nord.*

IODE L'iode a été découvert en 1811 par Bernard Courtois, alors que celui-ci analysait des cendres d'algues. Quasiment insoluble dans l'eau, l'iode est soluble dans l'alcool, l'iodure de potassium, le sulfure de carbone ; il fond à 113,5 °C et bout à 184,4 °C.

IRAK : DONNÉES
Langue officielle : arabe.
Monnaie : dinar.
Fleuves : Tigre et Euphrate.
La population est arabe aux quatre cinquièmes, mais les Kurdes forment une importante minorité.
L'Irak fournit une grande part de l'approvisionnement mondial en dattes.

IRAN : DONNÉES
Langue officielle : perse.
Monnaie : rial.
Point culminant : mt Demavend (5 670 m).
Cours d'eau principal : Karoun.
Religion : population composée en majorité de musulmans shiites, avec des minorités de bahais, de sunnites, de zoroastriens et de chrétiens.
L'intérieur du pays est occupé par deux vastes déserts : le Grand Kavir et le Lut.

IRLANDE : DONNÉES
Superficie : 83 000 km².
Population : République d'Irlande, 3,4 millions d'habitants ; Irlande du Nord, 1,5 million d'habitants (1982).
Capitales : République d'Irlande, Dublin ; Irlande du Nord, Belfast.
Le Shannon est le plus long cours d'eau des îles Britanniques.
Dans la plus grande partie du pays, le niveau des précipitations dépasse 100 cm par an, répartis sur plus de 200 jours. Avec 69 cm seulement, Dublin est l'un des endroits les plus secs.

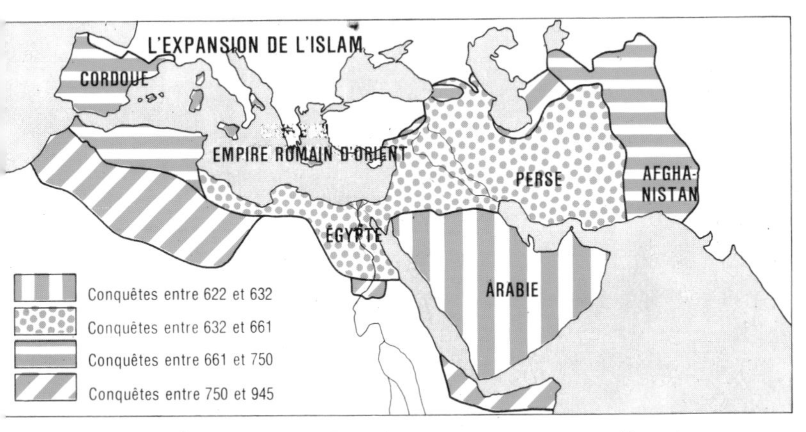


ISLANDE : DONNÉES
Langue : islandais.

Religion : luthérianisme.

Monnaie : krona (couronne islandaise).

L'Islande est le plus occidental des États d'Europe ; elle est située juste sous le cercle polaire arctique.

Point culminant : Hvannadalshnukur (2 119 m).
Le plus connu des volcans islandais est l'Hekla.

▸ *Les musulmans accomplissent, en principe au moins une fois dans leur vie, un pèlerinage à La Mecque, le lieu de naissance de Mahomet. Leur but est le Ka'aba (bâtiment noir) dans lequel se trouve la Pierre Noire - pierre sacrée qui, selon la tradition, fut apportée à Abraham par l'ange Gabriel.*

▾ *La pêche constitue la principale activité économique de l'Islande. Les pêcheurs photographiés ci-dessous ramènent dans leur chalut de quoi remplir des centaines de leurs paniers.*

MÉSOPOTAMIE et la CHINE (culture du RIZ) utilisaient déjà un système d'irrigation primitif, basé sur le creusement d'un réseau de fossés en terre. Aujourd'hui, l'irrigation se fait à partir de BARRAGES de retenue destinés à créer des RÉSERVOIRS artificiels (tel celui d'Assouan, en Égypte), souvent équipés également de centrales hydroélectriques.

**ISLAM** Religion des musulmans — parfois baptisés mahométans —, l'islam est l'une des religions les plus répandues. Le credo de cette religion, fondée par MAHOMET (570-632), peut s'exprimer en ces termes : « Il n'est de Dieu qu'Allah, et Mahomet est son prophète. » L'adhésion à l'Islam repose sur cinq actes essentiels : la profession de foi, la prière légale que le fidèle accomplit cinq fois par jour, l'observance du jeûne diurne pendant le mois de ramadan et le pèlerinage à LA MECQUE. Le *Coran* est le recueil des textes sacrés de l'islam, qui reconnaît la plupart des textes bibliques, en mettant tout particulièrement l'accent sur le dogme de l'unicité de Dieu et en rejetant le culte des saints et les représentations imagées. L'islam inspira les conquêtes ARABES et, de fait, le monde compte aujourd'hui environ 588 millions de musulmans.

**ISLANDE** République insulaire de l'Atlantique nord, l'Islande compte 235 000 habitants (1982) pour une superficie de 103 000 km². Ce pays prospère exporte principalement des produits de la pêche (harengs, morues, produits extraits de la baleine). Outre les champs de glace et les GLACIERS qui couvrent une importante partie du pays, l'Islande compte de nombreux VOLCANS actifs, des champs de lave, des sources chaudes et des GEYSERS. Capitale : Reykjavik. ◁

**ISOLANT** En ÉLECTRICITÉ, toute substance mauvaise conductrice (caoutchouc, plastique, porcelaine, verre). La plupart des substances non métalliques sont de bons isolants. On utilise les isolants pour empêcher l'électricité de se propager dans des endroits indésirables. Le contraire d'un isolant est un CONDUCTEUR.

**ISOTOPE** Se dit des diverses formes d'un même ÉLÉMENT chimique dont les ATOMES ne diffèrent que par le nombre de neutrons de leur noyau. Certains isotopes sont radioactifs (radio-isotopes) et leur radioactivité permet de les suivre à la trace au cours de divers processus industriels. Les isotopes sont également utilisés en médecine pour détecter et éliminer les cellules malades du corps humain. ▷

**ISRAEL** République du Proche-Orient, Israël a connu des conditions de peuplement originales en ce que cet État a été créé pour accueillir les immigrants JUIFS du monde entier. La population est néanmoins ARABE à 13 %. Autrefois intégré à la PALESTINE, l'État d'Israël a été fondé en 1948, en dépit de l'opposition des nations arabes limitrophes. A la suite des guerres israélo-arabes de 1948-1949, 1956, 1967 et 1973, l'État d'Israël s'est étendu à certaines parties de l'Égypte, de la Jordanie et de la Syrie. En 1977-1979, Israël et l'Égypte en sont venus à signer un traité de paix, malgré les critiques émanant des divers dirigeants arabes. Israël pratique une agriculture intensive (surtout oliviers, vignes et agrumes), exploite des gisements de phosphate, de potasse et de cuivre, mais ses exportations reposent surtout sur l'industrie de transformation (taille des diamants, électronique, chimie, produits pharmaceutiques). ▷

▲ *La production des radio-isotopes. Les isotopes émettent des rayons alpha, bêta et gamma – les trois types de radiations. En conséquence, les radio-isotopes sont les sources de radiations les plus pratiques. On les obtient en faisant bombarder un échantillon d'isotope non radioactif par des particules atomiques. Sur la photographie ci-dessus, les manipulateurs disposent l'échantillon. Par la suite, le cyclotron (à droite) produira un faisceau de particules qui bombarderont l'échantillon et le transformeront en radio-isotope. Du fait des dangers que présentent les radiations, l'opérateur ne peut pénétrer dans le local et les radio-isotopes sont aussitôt enfermés dans des conteneurs étanches à ces radiations.*

▲ *Sur ce cadran de combiné téléphonique, on a appliqué un radio-isotope faible et du phosphore qui, sous l'effet du rayonnement de l'isotope, devient fluorescent ; le cadran est ainsi visible dans l'obscurité.*

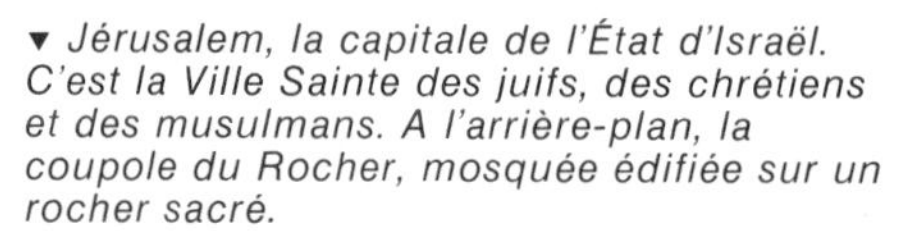

▼ *Jérusalem, la capitale de l'État d'Israël. C'est la Ville Sainte des juifs, des chrétiens et des musulmans. A l'arrière-plan, la coupole du Rocher, mosquée édifiée sur un rocher sacré.*

ISOTOPE Les botanistes étudient les processus d'assimilation des plantes en leur fournissant du gaz carbonique contenant un radio-isotope du carbone. Ils peuvent alors détecter à quel moment la plante absorbe et utilise le carbone.

ISRAEL : DONNÉES
Superficie : 20 770 km².

Population : 4 millions d'habitants (1982).

Langues officielles : hébreu, arabe.

Monnaie : shekel.

Grandes villes : Tel-Aviv/Jaffa (335 000 habitants) et Jérusalem, la capitale (407 000 habitants).

Le lac de Tibériade (mer de Galilée), entièrement israélien, est situé à 212 m au-dessous du niveau de la mer. Israël est la Terre Sainte des juifs, des chrétiens et des musulmans.

ITALIE : DONNÉES
Superficie : 301 000 km².

Population : 57,3 millions d'habitants (1982).

Capitale : Rome.

Langue officielle : italien.

Monnaie : lira (lire italienne).

Religion : catholicisme.

Volcans : le Vésuve, qui domine la baie de Naples ; l'Etna, en Sicile, et le Stromboli, dans les îles Lipari.

Principaux cours d'eau : le Pô, le Tibre et l'Arno.

Grandes villes : Rome (2,9 millions d'habitants) ; Milan (1,7 million d'habitants) ; Naples (1,3 million d'habitants) et Turin (1,2 million d'habitants).

IVAN IV (LE TERRIBLE) Violent et passionné, Ivan le Terrible tua son fils aîné, Ivan, d'un coup de bâton. Le tsar mourut fou en 1584. Aux dernières heures de son existence, il embrassa la vie monastique et mourut sous le nom de moine Jonah.

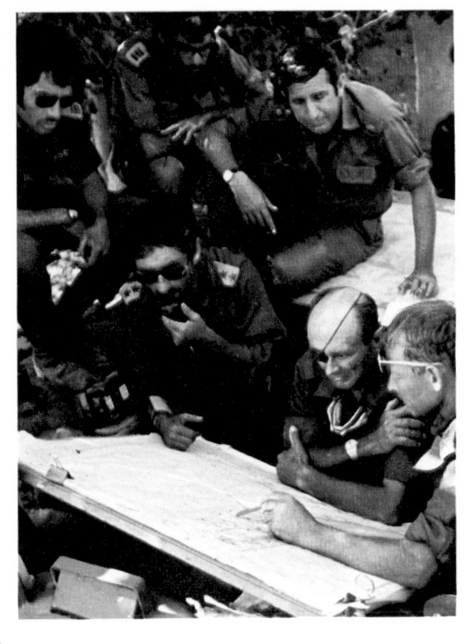

▲ *Moshe Dayan (l'œil barré d'un bandeau), chef d'état-major de l'armée israélienne, pendant la guerre du Kippour (1973). A plusieurs reprises, les conflits d'intérêts entre Arabes et Israéliens dégénérèrent en conflit armé.*

**ISTHME** Étroite bande de terre comprise entre deux mers et reliant deux terres. Ainsi l'isthme de PANAMA réunit-il l'Amérique du Nord à l'Amérique du Sud, tandis que l'Afrique est reliée à l'Asie par l'isthme de Suez.

**ITALIE** République de l'Europe méridionale, l'Italie est réputée pour la beauté de ses paysages, de ses ruines — témoins d'un passé grandiose (voir ROME), de ses villes telles Florence, VENISE et Rome (cité du VATICAN). Le passé artistique de l'Italie est tout aussi réputé : berceau de la RENAISSANCE, l'Italie a abrité des artistes tels que LÉONARD DE VINCI et MICHEL-ANGE. C'est également dans ce pays, dans les années 1600, qu'est né l'opéra, avec des compositeurs tels que Claudio Monteverdi (1567-1643), puis Giuseppe Verdi (1813-1901) et Giacomo Puccini (1858-1924).

▶ *Autre exemple du travail de l'ivoire : une boussole incrustée de cette substance.*

Entre les Alpes, au nord, et la péninsule italienne, qui s'avance dans la Méditerranée, se situe la large plaine de Lombardie — région agricole, arrosée par le Pô. La chaîne des Apennins constitue l'épine dorsale de la péninsule. La portion méridionale de la « botte » est relativement sous-développée, comme le sont également les deux grandes îles italiennes : la SICILE et la Sardaigne. Le Sud compte des volcans actifs parmi lesquels le VÉSUVE, près de Naples, l'Etna en Sicile et le Stromboli, dans les îles Lipari. L'Italie bénéficie, pour une grande part, d'étés chauds et secs et d'hivers doux et humides. 42 % de la superficie du pays sont cultivés. L'Italie est le premier producteur mondial de raisin. Les ressources minières sont très faibles. L'industrie de transformation est développée, particulièrement dans les grandes villes comme Rome, Milan, Naples et Turin. Au nombre de produits manufacturés figurent les textiles (laine et soie), les produits chimiques et les véhicules automobiles. (Voir EUROPE.) ◁

**IVAN III (LE GRAND)** Grand prince de Moscou et de toute la Russie (né en 1440, a régné de 1462 à 1505). Il établit la suzeraineté de Moscou sur les provinces des boyards, les forçant à se soumettre, et assit la position officielle de l'Église orthodoxe. Il édicta également le premier Code administratif russe.

**IVAN IV (LE TERRIBLE)** Premier tsar de Russie (né en 1530, a régné de 1533 à 1584). Dès l'âge de 14 ans, il assuma le pouvoir et se couronna lui-même tsar en 1547. Il étendit son gouvernement à tout le territoire russe et réduisit le pouvoir des nobles. A la fin de sa vie, il fit régner sur la Russie un régime de terreur. ◁

**IVOIRE** Substance blanche, dure, constituant les dents de certains animaux. Avec l'ivoire tiré des défenses d'éléphants, on fabrique des touches de piano, des boules de billard et des sculptures décoratives.

◀ *Cette sculpture en ivoire est originaire d'Afrique. Depuis les temps préhistoriques, l'homme a sculpté l'ivoire, que ce soit en Europe, au Proche-Orient, en Chine ou en Inde. L'ivoire des défenses d'éléphants d'Afrique et d'éléphants d'Asie est le plus recherché car il est très dur et très massif.*

**JADE** Pierre dure, généralement verte, mais aussi blanche, jaune ou rose, et utilisée comme pierre fine. C'était autrefois le plus dur des matériaux connus. Chinois, Aztèques et Maoris sculptaient le jade.

**JAGUAR** Grand CHAT carnassier d'Amérique du Sud. Très puissant, le jaguar est capable de tuer un homme d'un seul coup de patte. Les jaguars vivent généralement dans les forêts, se déplaçant silencieusement dans les arbres pour bondir soudain sur leur proie.

**JAMAIQUE** Attirante petite île des Grandes ANTILLES, la Jamaïque a une superficie de 11 000 km² et une population de 2,2 millions d'habitants. Depuis 1962, la Jamaïque forme un État indépendant, membre du Commonwealth. La bauxite (3ᵉ producteur mondial) et divers produits agricoles sont ses principales richesses. Le tourisme constitue un secteur important de l'économie. Capitale : Kingston.

**JAPON** État insulaire d'ASIE orientale, doté d'une constitution démocratique, mais ayant conservé à sa tête un empereur. Le Japon est une nation hautement industrialisée, tant dans le secteur de l'industrie lourde que dans celui des industries de transformation (produits chimiques ou alimentaires, appareillage électrique et électronique, fer et acier, papier, bateaux et textiles). Depuis 1955, le Japon occupe la première place dans le domaine de la construction navale ; en 1982, près de la moitié des bateaux lancés sont sortis des chantiers japonais. Deuxième producteur d'acier brut, le Japon a également mis sur le marché, en 1980, plus de 15 millions de téléviseurs et plus de 15 millions de récepteurs radio. En outre, le Japon domine largement les autres puissances industrielles dans le domaine de la robotique.

La population japonaise est urbaine à 76 %. TOKYO est la ville la plus peuplée. Avec 15 % seulement de sa superficie en terres cultivables, le Japon pratique une agriculture inten-

▲ *Anneau de jade chinois, de la période Han, qui remonte à quelque 2 000 ans.*

▼ *L'une de ces plages superbes de la Jamaïque qui attirent chaque année dans l'île des milliers de touristes.*

JAPON : DONNÉES

Superficie : 372 300 km².

Population : 118 millions d'habitants (1982).

Capitale : Tokyo.

Point culminant : Fuji-Yama (3 766 m).

Langue officielle : japonais.

Monnaie : yen.

Religion : shintoïsme et bouddhisme, avec des minorités chrétiennes.

Le Japon est situé dans une zone sismique et, dans certaines régions, la moyenne des secousses est de quatre par jour.

Le Japon compte dix villes de plus d'un million d'habitants. Tokyo, avec ses 11,7 millions d'habitants est la plus grande ville du monde ; Osaka compte 2,7 millions d'habitants, Yokohama, 2,6 millions et Nagoya 2,1 millions.

En 1982, le Japon a produit plus de voitures que les États-Unis.

JAVA L'île mesure 1 060 km de long et de 60 à 160 km de large. Sa population de près de 95 millions d'habitants fait de cette île l'un des endroits les plus peuplés du monde.

Java est composée sur plus d'un quart de sa superficie de roche volcanique. L'île compte rien de moins que 112 volcans, dont 35 en activité, soit le tiers des volcans actifs du monde. Le plus haut volcan de l'île est le Semeru (3 660 m).

sive, principalement celle du riz. La pêche constitue une activité primordiale (1/7 du volume mondial) : le Japon occupe le premier rang pour la pêche à la baleine.

Le Japon est constitué de quatre îles principales — Hokkaido, Honshu, Kyushu et Shikoku — et de quelque 300 petites îles. C'est un pays largement montagneux, qui compte de nombreux volcans, et où les tremblements de terre sont fréquents.

Jusqu'au milieu du XIXe siècle, le Japon est demeuré un État féodal, coupé du reste du monde. Il a commencé à se moderniser et à s'industrialiser à la fin du siècle dernier. Durant la Seconde GUERRE MONDIALE, le Japon s'est battu aux côtés des puissances de l'Axe, jusqu'à sa reddition en 1945. Il s'est alors vu occupé par les forces des États-Unis. Le Japon d'aujourd'hui s'est largement démocratisé. L'empereur a abandonné son droit « divin » et le pays vit sous un régime de monarchie constitutionnelle. ◁

**JARDINAGE** Activité de délassement consistant à cultiver un jardin (petit lopin de terre) d'agrément (fleurs, buissons) ou potager (légumes, fruits, fines herbes...). Les styles des jardins diffèrent souvent d'un pays à l'autre.

**JASMIN** Arbuste ornemental d'origine asiatique, à fleurs blanches ou jaunes, généralement odorantes. Le jasmin est encore cultivé dans le Midi de la France pour la parfumerie.

**JAVA** Ile du Sud-Est asiatique, Java abrite les deux tiers de la population de l'INDONÉSIE. Sa capitale, Djakarta, est la plus importante ville indonésienne. Ile au relief montagneux, Java possède un sol fertile sur lequel on cultive surtout du riz. ◁

▲ *Jeunes Japonaises en kimono. Il est fréquent, chez les Japonais, de porter des vêtements occidentaux pour travailler et de revêtir les vêtements traditionnels au foyer ou pour des occasions particulières.*

**JAVELOT (LANCER DU)** Discipline athlétique inscrite aux jeux Olympiques. L'instrument, en forme de lance, doit être projeté le plus loin possible, à bout de bras et après une course d'élan. Pour que l'essai soit homologué, c'est d'abord la pointe du javelot qui doit toucher terre, et ce dans les limites d'une zone matérialisée au sol par des lignes concentriques.

▼ *Un village japonais typique, construit au pied d'un volcan. Les villes sont le domaine des gratte-ciel, mais la population rurale vit souvent dans des maisons comme celles-ci.*

**JAZZ** Type de musique qui a pris naissance aux États-Unis — et plus particulièrement à La Nouvelle-Orléans — dans les années 1880, parmi la population noire américaine. Si, depuis, les styles se sont diversifiés, le jazz n'en demeure pas moins une musique rythmée, construite selon une structure simple qui appelle l'improvisation ; elle a largement influencé les musiques contemporaines. Parmi les musiciens de jazz les plus connus figurent Louis Armstrong, Duke Ellington et Charlie Parker.▷

**JEANNE D'ARC** Héroïne française (1412-1431) de la guerre de CENT ANS. Convaincue d'agir sur « ordre divin », cette jeune paysanne se rend auprès du dauphin Charles et le fait sacrer à Reims. Après quoi elle prend la tête de l'armée française et dirige la lutte contre les Anglais. Avec une troupe armée que lui a confiée le roi, elle repousse les Anglais qui assiègent Orléans et délivre d'autres villes aux mains des Anglais. En voulant secourir Compiègne assiégée par le duc de Bourgogne, elle est faite prisonnière par les Bourguignons et livrée aux Anglais. Elle est condamnée au bûcher par un tribunal de l'INQUISITION pour sorcellerie et hérésie et brûlée à Rouen. Devenue héroïne nationale, elle est canonisée par l'Église catholique en 1920. ▷

**JEFFERSON, THOMAS** Président des États-Unis (1743-1826). Il participa à l'élaboration de la Déclaration de l'INDÉPENDANCE AMÉRICAINE, fut ambassadeur à Paris et créa le Parti démocrate. Il occupa successivement les fonctions de vice-président (1796-1801) et de président des États-Unis (1801-1809).▷

**JENNER, EDWARD** Médecin anglais (1749-1823). Ayant découvert que quiconque contractait la vaccine (ou *cow-pox)* — une maladie de la vache — était immunisé contre la VARIOLE, il mit au point le VACCIN antivariolique.▷

**JÉRICHO** Ancienne ville de Palestine, située dans la vallée du Jourdain. Les archéologues ont mis au jour sur ce site 17 niveaux de peuplement, remontant au-delà de 5 000 av. J.-C. Jéricho fut la première ville cananéenne dont s'emparèrent les Hébreux lors de leur installation en Palestine. Selon la BIBLE, ils en auraient fait tomber les murailles en sonnant de la trompette.

**JÉRUSALEM** Capitale d'ISRAEL, Jérusalem est une ville historique de Palestine qui revêt un caractère sacré pour les chrétiens, les JUIFS et les musulmans. En 1948, la ville a été partagée entre Israël et la Jordanie, mais en 1967 l'État d'Israël a pris le contrôle de la totalité de la ville. Jérusalem compte 407 000 habitants (1982).

**JÉSUITE** Membre de la Compagnie de Jésus — un ordre de clercs réguliers de l'ÉGLISE CATHOLIQUE, fondé par Ignace de Loyola en 1539 avec pour mission d'évangéliser et d'éduquer. L'ordre fut expulsé de France, d'Espagne et du Portugal au XVIIIe siècle, supprimé par le pape Clément XIV en 1773 et rétabli en 1814.

**JÉSUS-CHRIST** Fondateur de la religion chrétienne. Juif né en Palestine (v. 4 av. notre ère - v. 29), il rencontre Jean-Baptiste vers 26 ou 27 et commence alors son apostolat. L'essentiel du message de Jésus est résumé dans le Sermont sur la Montagne, qui figure dans les Évangiles. En 29, Jésus entre dans Jérusalem, acclamé comme le Messie ; mais il est ensuite arrêté et condamné à mourir sur la croix. Selon les APOTRES de Jésus, il serait ressuscité d'entre les morts et monté aux cieux — profession de foi qui constitue l'un des fondements de la religion chrétienne qui voit en Jésus-Christ le fils de Dieu.

**JEU (D'ACTEUR)** Au théâtre, au cinéma ou à la télévision, manière d'interpréter un personnage. Les enfants eux-mêmes, lorsqu'ils jouent à certains jeux d'imagination — « cow-boys et indiens », par exemple — incarnent, dans une certaine mesure, un personnage. En ce qui concerne les acteurs professionnels, ils apportent à un texte et à des actions généralement prédéterminés le travail de leur imagination. Un acteur ou une actrice doit pouvoir jouer les princes comme les mendiants, se mouvoir avec aisance sur une scène, posséder une bonne élocution, savoir se maquiller et paraître à l'aise dans n'importe quel costume.▷

**JEUX OLYMPIQUES** A l'origine, jeux de l'ancienne GRÈCE, célébrés tous les quatre ans à Olympie, de 776 av. J.-C. à 396 apr. J.-C.

▸ *Statue de Jenner à l'œuvre.*

JAZZ Le premier enregistrement de jazz remonte à 1917. A l'époque, l'« Original Dixieland Jazz Band » avait enregistré *The Dark Town Strutters Ball* et *Indiana.*

JEANNE D'ARC Jeanne d'Arc a toujours affirmé avoir agi guidée par les apparitions et les voix de trois anges dont les statues figuraient dans l'église de son village. Certains médecins qui se sont intéressés au cas de Jeanne d'Arc ont avancé l'hypothèse qu'elle souffrait, en réalité, d'un mal qui provoquait chez elle des hallucinations visuelles et auditives.

JEFFERSON (THOMAS) Jefferson était doué de capacités étonnantes pour l'apprentissage des langues. Il maîtrisait parfaitement le grec, le latin, le français, l'espagnol, l'anglais et le gaélique. Il travaillait régulièrement quinze heures par jour, après quoi il faisait environ trois kilomètres de course à pied.

JENNER (EDWARD) Jenner avait eu connaissance que, dans les campagnes, les gens étaient persuadés que quiconque avait contracté la vaccine était immunisé contre la variole. En 1796, il inocula à un jeune garçon nommé James Phipps une solution préparée à partir de matière prélevée sur la main d'une jeune fille de ferme contaminée par la vaccine. Six semaines plus tard, il inocula à James les germes de la variole... sans dommages pour le jeune garçon : il venait de découvrir le *vaccin* (de vaccine) antivariolique.

JEU Au fil des temps, les acteurs ont été considérés de façons très diverses. Dans l'ancienne Grèce, ils bénéficiaient d'honneurs et de privilèges, tandis que dans la Rome antique ils étaient bannis de la ville. En Europe, jusqu'à une époque relativement récente, ils étaient considérés comme des gens peu recommandables et automatiquement excommuniés par l'Église catholique.

JEUX OLYMPIQUES Villes ayant accueilli les jeux Olympiques depuis la Seconde Guerre mondiale :
1948 Londres, Grande-Bretagne
1952 Helsinki, Finlande
1956 Melbourne, Australie
1960 Rome, Italie
1964 Tokyo, Japon
1968 Mexico, Mexique
1972 Munich, Allemagne fédérale
1976 Montréal, Canada
1980 Moscou, U.R.S.S.
1984 Los Angeles, États-Unis

Villes ayant accueilli les jeux Olympiques d'hiver depuis la Seconde Guerre mondiale :
1948 St-Moritz, Suisse
1952 Oslo, Norvège
1956 Cortina d'Ampezzo, Italie
1960 Squaw Valley, États-Unis
1964 Innsbruck, Autriche
1968 Grenoble, France
1972 Sapporo, Japon
1976 Innsbruck, Autriche
1980 Lake Placid, États-Unis
1984 Sarajevo, Yougoslavie

311 concurrents seulement ont pris part aux premiers jeux Olympiques modernes qui se sont tenus à Athènes en 1896, alors qu'aux jeux de Munich, en 1972, le nombre des concurrents atteignait 7 150.

Aux jeux de 1972, le nageur américain Mark Spitz créa l'événement en remportant 7 médailles d'or — 4 aux épreuves individuelles et 3 aux relais. Ayant déjà gagné 2 médailles d'or en 1968, Spitz égalait ainsi le record absolu de 9 médailles d'or, établi par le grand athlète finlandais Paavo Nurmi entre 1920 et 1928, ainsi que par la gymnaste soviétique Larissa Latynina entre 1956 et 1964.

JORDANIE : DONNÉES
Langue officielle : arabe.

Monnaie : dinar.

Religion : islam.

La Jordanie possède un seul port de mer, Aqaba, ouvert sur le golfe d'Aqaba. Le Jourdain sépare la région en deux parties ; la rive occidentale est occupée par Israël. La mer Morte, dans laquelle se jette le Jourdain, est à 393 m au-dessous du niveau de la mer : c'est le point le plus bas du globe.

◄ *En haut : Le mime Marcel Marceau. En bas : Une représentation de nô, forme théâtrale japonaise inchangée depuis trois siècles.*

Les jeux ne comportaient au début que des courses à pied, auxquelles vinrent ensuite s'ajouter de la boxe, de la lutte, des courses de chars et des courses montées. Rénovés depuis 1896, les jeux modernes se sont déroulés, depuis, tous les quatre ans (sauf en temps de guerre), et chaque fois dans un pays différent. Ils sont supervisés par le Comité olympique international et comportent de nombreuses épreuves et concours (athlétisme, sports d'équipes, concours nautiques, etc.). Depuis 1924 sont venus s'ajouter les jeux Olympiques d'hiver qui englobent les sports de neige et de glace. Ne sont admis à participer aux jeux Olympiques que les amateurs.◁

**JIU-JITSU** Méthode japonaise de lutte sans arme, héritée des anciens SAMOURAIS et comportant des postures et des prises qui rappellent celles du judo, bien que les règles de cet art martial soient moins strictes que celles du judo.

**JOHANNESBURG** Johannesburg compte une population de 1,7 million d'habitants, ce qui en fait la plus grande ville d'AFRIQUE DU SUD. Située au centre de la région aurifère du Witwatersrand, Johannesburg est un important centre industriel (métallurgie de transformation, chimie, constructions électriques) et financier.

**JONQUILLE** Nom donné à deux espèces de NARCISSE, la petite et la grande jonquille (la vraie jonquille). Plantes horticoles populaires, les jonquilles produisent au printemps des fleurs jaune vif, en forme de trompette entourée de six pétales. Les jonquilles sont rustiques dans la majeure partie de l'Europe.

**JORDANIE** Royaume arabe du MOYEN-ORIENT, la Jordanie compte 3,4 millions d'habitants (1982) pour une superficie de 97 700 km². C'est un pays en grande partie désertique. Concentrée dans la partie occidentale — et plus humide — du pays, l'agriculture occupe toutefois la majeure partie de la population jordanienne. La Jordanie exporte principalement des phosphates. Capitale : Amman.◁

**JOULE** Unité de mesure d'ÉNERGIE, de TRAVAIL et de chaleur, qui doit son nom au physicien anglais James Prescott Joule (1818-1889). Le joule se définit comme le travail produit par une FORCE d'un newton dont le point d'application se déplace d'un mètre dans la direction de la force. On peut également définir cette unité comme le travail produit en une seconde par un courant d'un AMPÈRE parcourant une résistance d'un OHM.

**JOURNAL** Publication quotidienne ou périodique qui donne les nouvelles politiques, scientifiques et culturelles et les commente. La diffusion de masse des journaux imprimés remonte au XIXᵉ siècle. Aujourd'hui viennent s'ajouter à la presse écrite les journaux dits parlés, ou télévisés — informations quotidiennes diffusées par la radio ou la télévision.

Le premier hebdomadaire publié en France (1631) fut *La Gazette de France,* publiée par Théophraste Renaudot. Parut ensuite *le Mercure français* (1635). Le premier quotidien français parut en 1777, c'était *le Journal de Paris.*

**JUDAISME** Religion du peuple JUIF. La tradition religieuse juive se réclame tout particulièrement de MOISE. Elle enseigne qu'il n'existe qu'un seul Dieu, qui a choisi le peuple juif pour accomplir sa volonté, révélée à Moïse sur le mont Sinaï, et dont l'essentiel est consigné dans la *Torah* (les cinq premiers livres de la Bible). La vie religieuse juive est répartie entre le foyer et la SYNAGOGUE. Au nombre des pratiques religieuses figurent la circoncision et l'observance du repos sabbatique, la célébration de la fête du Yom Kippour, de la Pâque, de la Pentecôte, de la fête du Tabernacle.

**JUIFS** Peuple dispersé, héritier des Hébreux — peuple sémite, installé en PALESTINE vers 2000 av. J.-C. Réduits en esclavage par les Égyptiens, les Hébreux furent conduits hors d'Égypte par MOISE — à la fois libérateur et législateur de son peuple. (Voir JUDAISME.) Vers 1000 av. J.-C., les Hébreux avaient conquis toute la Palestine, mais, à la suite de dissensions, le territoire fut divisé entre deux royaumes qui s'affaiblirent en luttes fratricides, ouvrant la porte à la domination de divers empires (Assyrie, Rome). 66 ap. J.-C. marqua le début des soulèvements des Hébreux contre les Romains — révoltes qui s'achevèrent, en 70, par la destruction du Temple de JÉRUSALEM et la dispersion totale du peuple juif. Au Moyen Age, en Europe, les Juifs furent persécutés comme « meurtriers du Christ » (voir JÉSUS-CHRIST) et isolés dans des *ghettos ;* cet antisémitisme fut utilisé plus tard, entre autres par HITLER, qui fit tuer plus de six millions de Juifs au cours de la guerre de 1939-1945. En 1948, la fondation de l'État d'ISRAEL a attiré en Palestine des Juifs venus du monde entier. Aujourd'hui, Israël abrite quelque 4 millions d'entre eux.

**JUMELLE** Instrument d'optique permettant une vision binoculaire. Les jumelles de théâtre et les jumelles à prismes sont, en fait, des TÉLESCOPES binoculaires, constitués par l'association de deux lunettes. Les MICROSCOPES binoculaires comportent un seul objectif, mais deux oculaires.

**JUNON** Héra en grec. Dans la mythologie, femme et sœur de Jupiter (Zeus) ; esprit protecteur des femmes et du mariage.

**JUPITER (DIEU)** Le dieu suprême de la Rome antique (assimilé au *Zeus* des Grecs). Divinité du Ciel et de la Lumière, Jupiter régnait sur l'Olympe.

◂ *Statuette représentant Jupiter. Dans les pays qui constituèrent, un temps, l'Empire romain, on a retrouvé des témoins de la religion et de la culture romaines.*

**JUPITER (PLANÈTE)** Planète géante du SYSTÈME SOLAIRE dont l'orbite est comprise entre celle de MARS et celle de SATURNE. L'atmosphère de Jupiter est surtout constituée d'hydrogène gelé. Principale caractéristique de la planète, la *Grande Tache Rouge* est une formation ovale, que l'on suppose constituée par une masse tourbillonnante de gaz entraîné dans une incessante tornade.

**JURA** Chaîne de montagnes entre la France et la Suisse qui se prolonge jusqu'en Allemagne. Le sommet le plus élevé est le crêt de la Neige (1 718 m).

**JURY** En matière de justice, groupe de citoyens (les jurés) appelés à remplir occasionnellement des fonctions judiciaires. Lors d'un procès, les jurés, après avoir entendu témoignages et plaidoyers, décident de la culpabilité ou de la non-culpabilité de l'accusé. En France, seul fonctionne le jury qui siège dans les cours d'assises. La décision du jury est prise à la majorité et non à l'unanimité.

▸ *Les tailles respectives de la Terre et de Jupiter. Le diamètre de Jupiter équivaut à dix fois celui de la Terre.*

▾ *La planète Jupiter entourée de ses bancs de nuages, photographiée à partir de la Terre. Jupiter compte seize satellites. La tache noire que l'on aperçoit au-dessus de la Grande Tache Rouge est l'ombre portée de l'un des satellites.*

▼ *Bébé kangourou et sa mère. A la naissance, le jeune kangourou est aveugle et tout juste capable de ramper jusqu'à la poche ventrale de sa mère en suivant la ligne de salive que celle-ci a tracée sur sa fourrure.*

**KAMPUCHÉA** Voir CAMBODGE.

**KANGOUROU** MAMMIFÈRE d'Australie, de Tasmanie et de Nouvelle-Guinée, de l'ordre des MARSUPIAUX. Les kangourous ont des membres postérieurs très longs et puissants, des membres antérieurs courts, une queue épaisse et une petite tête. Les jeunes demeurent en permanence pendant six mois dans la poche ventrale de leur mère et ne la quittent définitivement que vers un an. Les kangourous se déplacent sur leurs pattes arrière, par bonds gigantesques; leurs pattes avant ne leur servent que lorsqu'ils broutent. A l'arrêt, l'animal se tient sur ses membres postérieurs, sa queue lui servant de balancier. Les kangourous se nourrissent à l'aube, au crépuscule ou la nuit, d'herbes et autres végétaux. Selon les espèces, la taille peut varier de celle d'un lapin (rat-kangourou) à celle d'un homme (kangourou rouge).

**KARATÉ** Art martial, d'origine japonaise, n'utilisant comme « armes » que les pieds ou les mains. En tant que sport, le karaté donne lieu à des combats simulés et à des épreuves formelles ouvrant l'accès à diverses catégories établies en fonction du degré de maîtrise technique.

**KAYAK** Canot des ESQUIMAUX, fait de peaux de phoque tendues sur un châssis de bois, et utilisé pour la pêche ou la chasse au phoque.

**KEATS, JOHN** Le plus grand de tous les poètes romantiques anglais (1795-1821). Keats est particulièrement connu pour ses *Odes,* toutes composées en 1819 *(Ode à un rossignol; à une urne grecque; à l'automne).* Atteint de tuberculose, Keats meurt à Rome, au cours d'un voyage en Italie.

**KENNEDY, JOHN FITZGERALD** Né en 1917, John Kennedy se lance très tôt dans la politique. Député démocrate à partir de 1947, puis sénateur du Massachusetts en 1952, il est élu à la présidence des États-Unis en 1960 (contre Richard Nixon), ce qui fait de lui le premier président catholique, et le plus jeune qu'aient jamais eu les États-Unis. En 1962, il règle avec succès la crise cubaine, obtenant de l'U.R.S.S. le retrait des missiles installés à Cuba. A l'intérieur, par contre, sa politique libérale rencontre une certaine opposition. En 1963, il est assassiné à Dallas.

**KENYA** République d'AFRIQUE orientale, le Kenya compte 17,2 millions d'habitants (1982) pour une superficie de 583 000 km$^2$. C'est un pays splendide, doté de magnifiques parcs nationaux, et où le tourisme est en train de connaître un développement rapide. Anciennement colonie britannique, le Kenya a acquis son indépendance en 1963. C'est un pays sec, cultivable sur 12 % de sa superficie seulement, et dont l'économie repose pourtant sur la culture du thé et du café. Capitale : Nairobi. ▷

**KIPLING, RUDYARD** Écrivain anglais (1865-1936), surtout connu pour les récits que lui inspira l'Inde, son pays natal, et pour ses ouvrages pour enfants *(Kim, Simples Contes des collines, le Livre de la jungle)*. Il obtint le prix Nobel de littérature en 1907.

**KIWI OU APTÉRIX** Oiseau néo-zélandais, très rapide à la course mais incapable de voler. De la taille d'une poule, le kiwi a des plumes brunes ou grises, un long bec et pas de queue. C'est un oiseau nocturne qui reste caché le jour dans les trous ou les fourrés. ▷

**KOALA** Petit MAMMIFÈRE marsupial grimpeur d'Australie orientale. Si leur épaisse fourrure grise et leurs oreilles rondes garnies de longs poils font ressembler les koalas à des oursons, ces animaux n'ont rien de commun avec les ours. Les petits restent à l'abri dans la poche dorsale de leur mère (et non ventrale comme chez les KANGOUROUS). Les koalas se nourrissent de feuilles et pousses d'eucalyptus.

**KOWEIT** Émirat arabe du MOYEN-ORIENT, le Koweït compte 1,5 million d'habitants (1982) pour une superficie de 17 800 km$^2$. Ce pays très chaud et très sec est néanmoins l'un des plus riches du monde grâce au pétrole dont il est l'un des quinze premiers producteurs.

**KREMLIN** Forteresse historique qui occupe le centre de MOSCOU et abrite des palais (aujourd'hui transformés en musées) ainsi que deux cathédrales. Le Kremlin est aujourd'hui le siège du Soviet suprême (organe gouvernemental) de l'U.R.S.S. (Voir UNION SOVIÉTIQUE.) Le Kremlin est tout ce qui reste de l'ancienne ville de Moscou, détruite à plusieurs reprises par le feu. En fait, le mot « kremlin » veut dire forteresse et plusieurs autres villes russes ont leur Kremlin. Ce n'est pas l'apanage de Moscou.

**KUBILAY KHAN** Empereur mongol (1216-1294) et petit-fils du grand GENGIS KHAN. Sous son règne, l'empire s'étend en Asie du Sud-Est (Indochine et Corée). Kubilay Khan transfère la capitale impériale à Khanbalik (l'actuelle Pékin) et encourage les arts et le commerce. Parmi ses visiteurs célèbres figure MARCO POLO.

▲ *John F. Kennedy fut le quatrième président américain à être assassiné pendant son mandat.*

◄ *Les kiwis se nourrissent la nuit. Presque aveugles, ils se servent, pour repérer les vers, des narines ouvertes à l'extrémité de leur long bec.*

◄ *Les koalas vivent de préférence dans les arbres, se nourrissant de feuilles et de pousses d'eucalyptus.*

KENYA : DONNÉES
Langues officielles : anglais et swahili.
Monnaie : shilling.
Religion : christianisme, animisme.
Point culminant : mt Kenya (5 199 m).
Le Kenya compte quelque 40 ethnies africaines, plus un petit nombre d'Asiatiques et d'Européens. Kikuyu et Luo constituent les groupes ethniques numériquement les plus importants.

KIWI Les kiwis sont les seuls survivants de l'ordre des aptéryges qui autrefois comprenait également les *moas*. Les moas étaient des oiseaux néo-zélandais de près de 4 m de haut, ce qui faisait probablement d'eux les plus grands oiseaux qui aient jamais existé.

**LAC** Étendue d'eau entourée de terres. Les lacs d'eau douce communiquent généralement avec la mer par l'intermédiaire de cours d'eau. Certains lacs salés constituent des bassins de drainage continentaux, ne communiquant pas avec la mer.

**LA FAYETTE, MARIE JOSEPH, MARQUIS DE** Général et homme politique français (1757-1834) qui participa, aux côtés des Américains, à leur guerre d'INDÉPENDANCE (1775-1783).

**LA FONTAINE, JEAN DE** Poète français (1621-1695) célèbre pour ses *Fables*.

**LAINE** Fibre naturelle, provenant des poils modifiés qui constituent la toison des moutons et de quelques autres ruminants. La laine est probablement la première fibre à avoir été filée et tissée (voir TISSAGE) en vue de confectionner des vêtements. A partir de la laine brute, il est possible d'obtenir un matériau lisse (laine peignée) ou velu (lainage), dont on fait couvertures, tapis, articles tricotés ou tissus, tels le tweed ou la gabardine.

▼ *Pour certaines races de moutons sélectionnés, la tonte d'un seul animal produit de quoi confectionner jusqu'à sept costumes d'homme.*

**LAIT** ALIMENT liquide, de grande valeur nutritive. Le lait contient des HYDRATES DE CARBONE, des sels MINÉRAUX, des PROTÉINES et des VITAMINES. Le lait de vache, mais aussi de chèvre et de brebis, est utilisé pour la consommation humaine, le plus souvent après avoir été débarrassé des germes par PASTEURISATION.

**LAITON** ALLIAGE de zinc et de cuivre, parfois additionné de petites quantités d'un autre métal. Selon les proportions de chaque composant, les propriétés physiques de l'alliage varient. Le laiton à forte teneur en zinc est dur et cassant. Dans la construction navale, on utilise du laiton contenant 70 % de cuivre, 29 % de zinc et 1 % d'étain (pour augmenter la résistance à la CORROSION).

**LAITUE** Légume poussant à ras de terre, sur une très courte tige. Les grandes feuilles vertes de la laitue se consomment généralement crues, en salade.

**LAMA** Mammifère ruminant d'Amérique du Sud dont il existe des races sauvages *(guanaco* et *vigogne)* et des races domestiques (*alpaga* et *lama* proprement dit). Cousin du

▼ *Un lama de la cordillère des Andes, en Amérique du Sud. La robustesse des lamas en fait d'excellents animaux de bât.*

CHAMEAU, le lama n'a pourtant ni la taille élevée ni les bosses de celui-ci. Les lamas ont le pied sûr, ce qui les rend utiles, dans la cordillère des ANDES, comme animaux de bât. On les élève également pour leur viande, leur lait et leur laine.

**LAMANTIN** Mammifère aquatique, gris-brun, des côtes et cours d'eau côtiers de l'Atlantique, dans la zone tropicale. Les lamantins peuvent atteindre 4,50 m et peser jusqu'à 680 kg. Leur corps, allongé en fuseau, porte deux nageoires pectorales et se termine par une nageoire caudale en forme de palette. Les lamantins se nourrissent d'algues et autres plantes aquatiques. Chassés pour leur viande, leur huile et leur peau, ils sont devenus assez rares.

**LAMPROIE** Animal primitif, au corps cylindrique et allongé, présent dans les eaux douces ou salées. Si elle ressemble à un poisson, la lamproie n'a ni mâchoires ni ÉCAILLES. Certaines espèces se nourrissent en aspirant les petits animaux sur le fond ; d'autres se fixent sur les poissons grâce à leur bouche en forme de ventouse et mordent dans la chair.

**LANCE** Arme constituée d'un long manche terminé par une masse métallique pointue (le fer) et qui peut être tenue en main ou lancée. La lance a été utilisée dès l'AGE DE PIERRE pour la guerre et la chasse. Les premiers fers de lance remontent à l'AGE DU BRONZE. ▷

**LANCER DU POIDS** Concours inscrit aux JEUX OLYMPIQUES et consistant à projeter le plus loin possible, d'une seule main, une boule métallique, à partir d'un cercle matérialisé au sol. Pour le concours masculin, la boule pèse 7,260 kg, contre 4 kg pour le concours féminin.

**LANGAGE** Écrit ou parlé, le langage est l'un des principaux moyens qu'ont les hommes de communiquer entre eux. Le mot « langage » vient du latin *lingua* qui signifie « langue » (l'organe). Les enfants apprennent leur premier langage de façon naturelle, en imitant les sons prononcés par leurs parents ou leur entourage et en établissant la corrélation avec ce que représentent ces sons.

Les premiers langages possédaient peu de mots, mais des GRAMMAIRES compliquées. Au fur et à mesure que de nouvelles idées se développaient, le vocabulaire s'enrichissait de nouveaux mots tandis que les grammaires se simplifiaient. Il existe aujourd'hui dans le monde quelque 2 800 langages parlés, sans compter les dialectes — langues dont l'usage est confiné à un territoire restreint. Les principaux langages, sur le plan du nombre de leurs utilisateurs, sont : le chinois, l'ANGLAIS, le russe, l'hindi, l'espagnol et l'allemand — l'anglais étant le plus utilisé en tant que langage commercial.

▲ *La lamproie est une espèce remontant à plus de 300 millions d'années. On suppose qu'elles ont survécu si longtemps pour n'avoir pas eu à entrer en compétition avec d'autres.*

▲ *Les lances, telles celles que portent les guerriers représentés sur ce vase grec, comptent parmi les armes les plus anciennes.*

**LANGUE** Elle sert à goûter les aliments, à déglutir et à parler. C'est un organe musculaire, recouvert d'une muqueuse contenant de nombreuses fibres nerveuses ainsi que des bourgeons gustatifs. Les mouvements de la langue dirigent les aliments vers les dents ou la gorge, ou encore font varier la forme de la cavité buccale pour permettre l'émission de sons.

**LAOS** République populaire d'ASIE du Sud-Est, le Laos compte 3,8 millions d'habitants (1982) pour une superficie de 237 000 km². L'agriculture, avec le riz, constitue la principale ressource de ce pays montagneux. Capitale : Vientiane.

**LAPIN** Petit MAMMIFÈRE à longues oreilles et très courte queue. Originaire d'Europe, le lapin, sauvage ou domestique, est répandu dans toutes les parties du monde. Le lapin

LANCE Au Moyen Age, tout chevalier qui pénétrait, la lance en avant, sur les terres d'un autre seigneur était considéré comme animé d'intentions hostiles ; par contre, la lance inclinée vers l'arrière était interprétée comme un geste de paix.

LAQUE La gomme-laque était autrefois utilisée en grandes quantités pour la fabrication des disques ; aujourd'hui, le vinyle synthétique l'a remplacée dans cet usage.

▲ *Lapons au milieu d'un troupeau de rennes. Au-delà du cercle polaire, le jour règne à peu près en permanence pendant six mois de l'année et c'est la nuit quasi totale pendant les six autres mois.*

LARVE Certaines larves sont si différentes de la forme adulte qu'on a longtemps considéré la larve et l'insecte comme deux créatures distinctes, de sorte que les larves ont conservé le nom qu'on leur avait alors attribué. C'est le cas, par exemple, des larves de papillons *(chenilles)* et de mouches *(asticots)*.

LASER Certains faisceaux laser dispensent une lumière un millier de fois plus brillante que le Soleil.

sauvage, ou lapin de garenne, creuse des terriers collectifs dans les bois, ne sortant qu'à l'aube ou au crépuscule pour se nourrir d'herbe et autres végétaux. C'est un gibier apprécié. Le lapin domestique est élevé pour sa chair, parfois pour sa fourrure.

**LAPONIE** Région septentrionale de l'Europe, s'étendant au-delà du cercle polaire sur la Norvège, la Suède, la Finlande et l'U.R.S.S., et faiblement peuplée. La population est constituée en partie de nomades qui suivent les migrations annuelles du RENNE, une autre partie de la population s'étant aujourd'hui sédentarisée et vivant dans des villages.

**LAQUE** Gomme-RÉSINE fournie par des arbres d'Extrême-Orient, de la famille des anacardiacées. Appliquée sur le bois, la porcelaine ou le métal, la laque revêt la surface d'une pellicule dure, lisse, brillante et transparente. Ce que l'on appelle *gomme-laque* est une substance sécrétée par l'épiderme d'une cochenille d'Inde et d'Extrême-Orient. De cette gomme-laque, on extrait une cire et une teinture rouge ; le résidu, ou laque en plaques, est utilisé pour donner au bois et au plâtre fini et protection. ◁

**LARVE** Chez les INSECTES, entre autres, stade de développement précédant l'état d'adulte. Certaines larves, au moment où elles émergent de l'œuf, ressemblent déjà à l'insecte adulte (CRIQUETS et LIBELLULES). Durant le stade larvaire, ces jeunes se transforment en adultes complets. D'autres larves, telles celles des PAPILLONS, des COLÉOPTÈRES et des ABEILLES, ne ressemblent en rien à l'adulte. Pour celles-ci, le stade larvaire constitue la période pendant laquelle elles se nourrissent et se développent, avant de se métamorphoser en *nymphe* ou *chrysalide*, stade précédant celui de l'adulte. ◁

**LARYNGITE** Inflammation de la muqueuse qui tapisse le LARYNX. Les responsables des laryngites peuvent être des germes pathogènes ou des substances irritantes comme la fumée de tabac ; une laryngite provoque souvent une extinction de voix.

**LARYNX** Cavité située au-dessus de la trachée (le conduit permettant le passage de l'air) et dans laquelle sont produits les sons.

**LASER** Le mot « laser » est l'abréviation d'une phrase anglaise signifiant : « amplification de lumière par émission stimulée d'un rayonnement ». La lumière d'un rayon laser

▼ *Le cristal installé au cœur du laser produit un puissant faisceau lumineux que se renvoient successivement deux miroirs, jusqu'à ce que le faisceau soit assez intense pour que sa lumière traverse le miroir semi-argenté.*

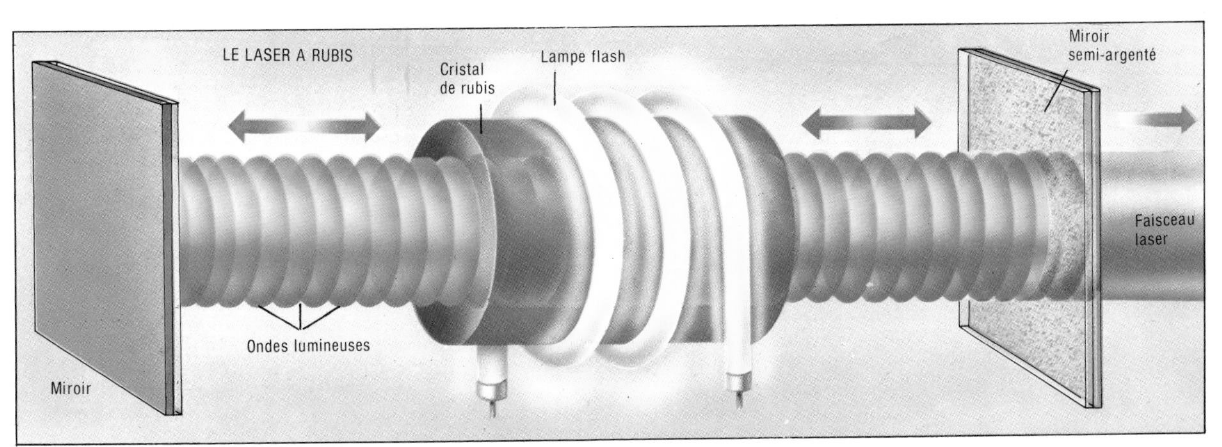

est très puissante et forme un faisceau très étroit qui ne s'évase presque pas, au contraire d'un rayon lumineux habituel. Ainsi un faisceau laser émis à partir de la Terre en direction de miroirs disposés sur la Lune par des astronautes d'*Apollo* afin de mesurer avec précision la distance de la Terre à la Lune ne mesurait que 3 km de large en atteignant son objectif. Cela parce que les lasers produisent une LUMIÈRE *cohérente,* c'est-à-dire dont les ondes vibrent exactement au même rythme. Ces ondes se renforcent les unes les autres pour produire une lumière dotée d'une grande énergie. La lumière d'un laser donné possède une seule longueur d'onde, mais chaque type de laser produit sa propre longueur d'onde. ◁

**LATITUDE ET LONGITUDE** Sur une CARTE de géographie ou une mappemonde, les lignes de latitude et de longitude forment un réseau régulier. Les lignes de latitude (parallèles) sont mesurées de l'équateur (0°) aux pôles (± 90°), positivement vers le nord, négativement vers le sud. Les lignes de longitude (MÉRIDIENS) sont mesurées, positivement vers l'ouest et négativement vers l'est, à partir d'un méridien origine (0° de longitude) qui passe par GREENWICH (Angleterre).

**LAURIER** Arbre au feuillage dense et persistant, de la région méditerranéenne. Les feuilles du vrai laurier, ou laurier-sauce, sont utilisées comme condiment ; par contre, les feuilles du laurier-rose — buisson aux fleurs décoratives — sont toxiques.

**LAVANDE** Plante vivace des régions méditerranéennes, cultivée pour ses feuilles et ses fleurs bleu-mauve dont on extrait une essence utilisée en parfumerie.

**LAVE** Roche en fusion émise par les cratères des VOLCANS ou les fissures de l'écorce terrestre. La lave provient des vastes poches de MAGMA enfouies dans les profondeurs de la Terre. Parvenue à la surface, la lave se durcit en roches comme le basalte. ▷

**LAVOISIER, ANTOINE LAURENT DE** Chimiste français (1743-1794). Considéré comme le fondateur de la CHIMIE moderne, Lavoisier étudia les processus de COMBUSTION et montra que l'AIR est un mélange d'oxygène et d'azote. Il découvrit aussi la composition de l'eau et écrivit un *Traité élémentaire de chimie.* Il fut guillotiné pendant la RÉVOLUTION FRANÇAISE. (Voir BIOCHIMIE.)

**LÉGION ÉTRANGÈRE** Formation militaire française créée en 1831, et composée de volontaires, en majorité étrangers, attirés par la réputation d'hommes rudes, intrépides, au passé souvent louche, des légionnaires. Des recrues originaires de 55 nations différentes ont servi dans les rangs de la Légion.

▲ *Rayon laser découpant une plaque d'acier dans un jaillissement d'étincelles. La puissance d'un faisceau laser est concentrée sur une très petite surface, ce qui lui permet d'entamer les matériaux les plus durs, y compris le diamant.*

**LÉGION D'HONNEUR (ORDRE DE LA)** Ordre national institué par Napoléon Bonaparte, alors consul, pour récompenser les plus éminents services, militaires ou civils. Le ruban qui symbolise cette décoration est de couleur rouge.

**LÉGUME** PLANTE cultivée pour l'alimentation. Selon le légume, c'est la racine, la tige, les feuilles, les fruits ou les graines qui sont consommés : de l'OIGNON, on mange le bulbe, de la carotte, la racine, de l'asperge, la tige ; le CHOU pommé est cultivé pour son bourgeon terminal, le chou de Bruxelles pour ses bourgeons auxiliaires, le chou-fleur pour son inflorescence. Petits POIS et HARICOTS secs sont des graines, tandis que les CONCOMBRES et les TOMATES sont, en réalité, des fruits. Certains légumes, comme la LAITUE, sont consommés crus, d'autres, tel le NAVET, cuits. On qualifie de végétariennes les personnes qui ne consomment que des légumes, à l'exclusion de toute nourriture d'origine animale, comme la viande et le poisson.

**LEMMING** Petit MAMMIFÈRE rongeur des régions froides de l'hémisphère nord. Les

LAVE Dans la partie occidentale de l'Inde, 650 000 km² sont recouverts de lave sur une épaisseur pouvant atteindre 2 100 m. Par endroits, on a dénombré jusqu'à 30 coulées superposées.

LENTILLE La fabrication des lentilles constitue une branche extrêmement spécialisée de l'industrie du verre. Le verre utilisé doit être d'une qualité particulière, et le meulage être effectué avec une grande précision. Le verre encore en fusion est découpé automatiquement en morceaux du poids voulu qui sont ensuite moulés et pressés, jusqu'à offrir approximativement la forme désirée. Les pièces sont ensuite recuites (réchauffées et refroidies) pour en diminuer la fragilité, et enfin mises à la forme et à la courbure définitives.

LÉONARD DE VINCI Si ses talents artistiques ne sont plus à louer, Léonard de Vinci, en revanche, ne sut jamais écrire correctement. Il écrivait de droite à gauche, en inversant les lettres — anomalie à laquelle les médecins avaient donné le nom de *Strephosymbolia*.

Parmi les inventions de Léonard de Vinci figurent : une machine à hacher, une roue à aube, une scie à pierre, une arme à feu se chargeant par la culasse et tirant des projectiles pointus et non plus ronds.

▸ *La migration des lemmings s'opère par vagues nombreuses se déplaçant avec une grande rapidité. De nombreux individus périssent alors, mais il en reste suffisamment pour que l'espèce survive.*

lemmings sont brun clair, marqués de sombre. A certaines époques, ils prolifèrent, d'où une insuffisance de nourriture qui les force à migrer vers le sud.

**LÉNINE, VLADIMIR ILITCH OULIANOV, DIT** Fondateur de l'État soviétique, (1870-1924), c'est lui qui dirigea la révolution d'Octobre (1917).

**LENTILLE** Une lentille est un morceau de VERRE ou d'autre matériau transparent, taillé de manière à présenter une courbure sur l'une au moins de ses faces. Les lentilles servent à faire *diverger* la lumière (à élargir le rayon) ou à la faire *converger* (à refermer le rayon). Lorsqu'un rayon lumineux traverse une lentille *convexe*, celle-ci le fait converger en un point appelé *foyer*. Les lentilles *concaves* font, au contraire, diverger le rayon lumineux. Les lentilles servent dans les instruments d'optique tels que TÉLESCOPE, MICROSCOPE, appareil photographique, caméra et projecteur. On utilise aussi des lentilles pour fabriquer LUNETTES et VERRES DE CONTACT. ◁

**LÉONARD DE VINCI** L'un des hommes les plus originaux et les plus talentueux de la RENAISSANCE italienne. Ce que le monde connaît le mieux de Léonard de Vinci (1452-1519) ce sont probablement ses toiles, en particulier *la Cène* (1497) et *la Joconde* (1503), mais cet artiste fut également sculpteur, architecte, musicien, inventeur, ingénieur civil et militaire, botaniste, astronome, géologue et anatomiste. Il dessina même des machines volantes. ◁

**LÉOPARD** Félin des régions méridionales d'Afrique et d'Asie, le léopard porte, en Inde, le nom de panthère. Il est généralement jaune foncé, tacheté de noir. C'est un chasseur nocturne et solitaire, qui hisse souvent sa proie — chien, cerf, etc. — dans un arbre, pour la mettre hors d'atteinte des lions et autres prédateurs.

**LÈPRE** Maladie infectieuse qui touche principalement les pays tropicaux. La lèpre provoque des décolorations et des exfoliations de la peau, des troubles du système nerveux et, dans des cas graves, des difformités et la cécité, mais elle est rarement mortelle. La chimiothérapie obtient d'excellents résultats dans le traitement des cas de lèpre.

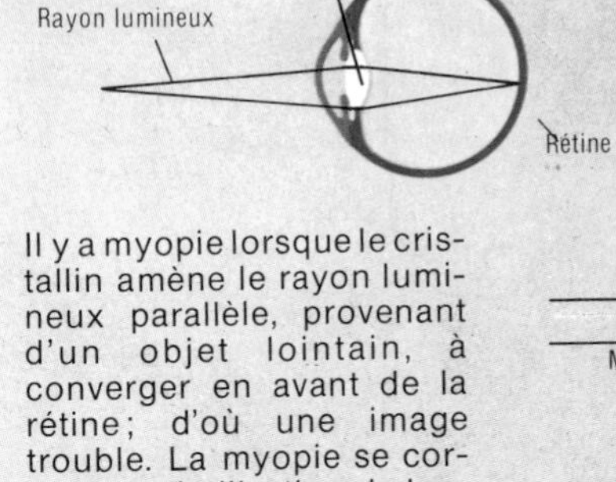


La vue est normale lorsque la lentille qui constitue la partie antérieure du globe oculaire (cristallin) fait converger les rayons lumineux sur la rétine ; d'où une image nette.

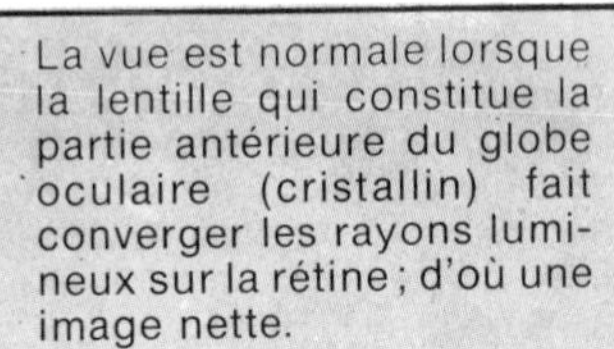

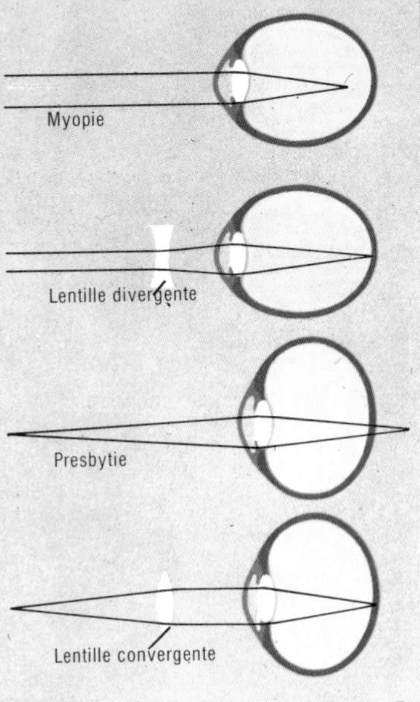


Il y a myopie lorsque le cristallin amène le rayon lumineux parallèle, provenant d'un objet lointain, à converger en avant de la rétine ; d'où une image trouble. La myopie se corrige par l'utilisation de lentilles divergentes : le rayon lumineux diverge au passage du verre correcteur, après quoi le cristallin le fait converger exactement sur la rétine.

Il y a presbytie lorsque le cristallin tend à faire converger le rayon lumineux provenant d'un objet proche en arrière de la rétine. La presbytie se corrige par des verres convergents.

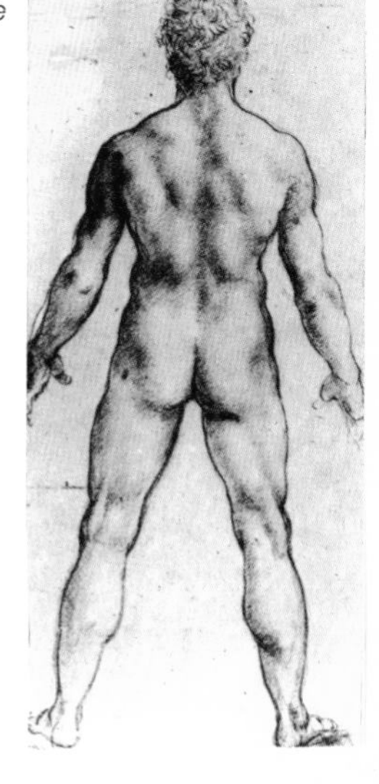

▾ *Autoportrait de Léonard de Vinci. Le croquis anatomique de droite met en évidence les talents d'artiste, mais également de scientifique, de Léonard de Vinci.*

◂ *L'iguane australien est une créature de près d'un mètre de long, tout à fait inoffensive. Attaqué, il déploie la collerette de peau qui cerne son cou et émet un puissant sifflement pour se donner l'air féroce et décourager son agresseur.*

**LESOTHO** Monarchie de l'AFRIQUE australe, enclavée dans l'Afrique du Sud, indépendante et membre du Commonwealth depuis 1966 (ancien Basutoland). Ce pays montagneux compte 1,4 million d'habitants pour une superficie de 30 300 km². Capitale : Maseru. ▷

**LETTONIE** République fédérée d'U.R.S.S. (voir UNION SOVIÉTIQUE), la Lettonie borde la mer Baltique. Elle compte 2,6 millions d'habitants (1982) pour une superficie de 64 000 km². Sous l'influence russe depuis le XVIIIe siècle, la Lettonie a connu une brève période d'indépendance (1918-1940), avant de retomber dans la sphère d'influence soviétique. Capitale : Riga.

**LEUCÉMIE** CANCER du SANG dans lequel une prolifération anarchique des globules blancs se traduit par une diminution de la production de sang et par conséquent de la résistance de l'organisme aux infections. Le développement de la maladie peut être contrôlé par la chimiothérapie ou les traitements aux RAYONS X, mais la médecine s'avoue encore incapable d'obtenir la guérison.

**LÉVRIER** Type de chien léger et svelte, d'une rapidité à la course légendaire et dont les origines remontent à la nuit des temps ; on le trouve, en effet, gravé sur des monuments égyptiens. En France, il apparaît au Moyen Age. Les variétés de lévriers se différencient par les dimensions ou le poil, mais tous ont la taille élancée, le ventre très rentré, les jambes et le museau fins.

Parmi les variétés les plus connues, figurent : le *lévrier afghan* (65-70 cm), aux oreilles pendantes et au long poil soyeux ; le *lévrier anglais* (63-70 cm), le plus rapide des coursiers pour lequel il existe, en Angleterre, des courses ; le *lévrier d'Irlande* (70-89 cm), à poil dur, autrefois utilisé pour la chasse au loup et à l'ÉLAN et que l'on emploie encore aux États-Unis pour chasser les prédateurs.

**LEVURE** Type particulier de CHAMPIGNON, constitué de minuscules cellules ovales et non de filaments. Les levures possèdent des sucs digestifs spécifiques qui, à partir des solutions sucrées, produisent de l'alcool et du gaz carbonique. Il existe différentes catégories de levures, les plus connues étant celles à partir desquelles on obtient le PAIN, la BIÈRE ou le VIN. Dans la fabrication du pain, les bulles de gaz carbonique libérées par la levure font lever la pâte, tandis que, dans le cas du vin et de la bière, la levure provoque la fermentation alcoolique du sucre contenu dans le raisin ou le malt. La *levure chimique,* utilisée en pâtisserie, est composée de bicarbonate de soude auquel on a ajouté un acide, généralement de l'acide tartrique.

**LÉZARD** REPTILE apparenté au serpent, que l'on trouve principalement dans les régions chaudes du globe. La plupart des lézards ont le corps recouvert de petites écailles imbriquées et quatre membres ; toutefois, certains sont apodes. En règle générale, les lézards pondent des œufs et se nourrissent de matière animale, insectes par exemple. Il existe quelque 2 000 espèces de lézards, parmi lesquels le CAMÉLÉON, l'IGUANE, le gecko et le scinque. (Voir MONSTRE GILA.) ▷

**LHASSA** Capitale du TIBET (qui fait aujourd'hui partie de la Chine), Lhassa était autrefois déclarée « cité interdite ». La ville compte de nombreux monastères et temples bouddhistes.

**LIAISON CHIMIQUE** Liaison entre deux ATOMES d'une MOLÉCULE. On appelle liaison *ionique,* ou *électrovalente,* l'attraction qui s'exerce entre deux charges électriques opposées. Les atomes reliés entre eux par une liai-

LESOTHO : DONNÉES

Langues officielles : anglais, sesotho.

Monnaie : maloti.

Point culminant : Mont-aux-Sources (3 298 m).

Les Européens ne sont pas autorisés à s'installer dans le pays.

LÉZARD Le plus gros lézard du monde est le dragon de Komodo, un varan dont le plus grand spécimen connu mesurait 3 m et pesait deux fois le poids d'un homme moyen. Les dragons de Komodo vivent sur de petites îles de l'archipel indonésien où ils tuent pour se nourrir chèvres et petits cervidés.

LIBAN : DONNÉES

Langue officielle : arabe ; également l'arménien, l'anglais et le français.

Monnaie : livre libanaise.

Religion : la population est chrétienne à 37 %, musulmane à 60 % et druze (3 %).

Cours d'eau : Oronte et Litani.

A la fin de la Première Guerre mondiale, le Liban fut placé sous mandat français. Son indépendance, proclamée en 1941, n'est devenue effective qu'en 1944.

LIBELLULE L'envergure des ailes d'une libellule peut atteindre 16 cm. Le vol est très rapide, et en l'espace d'une demi-heure la libellule est capable d'attraper l'équivalent de son propre poids en petits insectes.

LIBERIA : DONNÉES
Langue officielle : anglais.

Monnaie : dollar libérien.

Climat : équatorial, avec un niveau annuel de précipitations de plus de 250 cm sur les côtes, moins élevé à l'intérieur.

Le Liberia produit principalement du minerai de fer et du caoutchouc, mais tire surtout des ressources des « pavillons de complaisance » qu'il procure aux navires de commerce.

LIBYE : DONNÉES
Langue officielle : arabe.

Monnaie : dinar libyen.

Religion : islam.

Le pays est en grande partie désertique ; l'agriculture n'est possible que sur deux étroites bandes de terre entourant Tripoli et Benghazi.

La Libye est devenue un royaume indépendant en 1951. En 1969, la monarchie a été renversée par un coup d'État militaire.

LIÈGE Lorsque le tronc du chêne-liège atteint 15 cm de diamètre environ, on le dépouille de son écorce à l'aide d'un instrument spécial qui permet de ne pas endommager la couche intérieure de l'écorce. La première récolte donne généralement un liège de qualité médiocre. Les récoltes suivantes, auxquelles on procède tous les huit à dix ans, donnent un matériau de qualité, dont l'exploitation joue un rôle économique important au Portugal et en Espagne. La durée de vie d'un chêne-liège est de 150 ans environ.

Il y a longtemps que l'on utilise le liège. Ce matériau est constitué de cellules microscopiques, agglomérées par des résines naturelles. Chaque cellule emprisonne une petite quantité d'air, de sorte que 50 % du volume du liège est constitué d'air — ce qui en fait l'un des matériaux les plus légers. On utilise des plaques de liège pour l'isolation calorifique des locaux ; comprimé, on emploie le liège pour l'isolation phonique.

▸ *Lichen sur un rocher. Les lichens sont adaptés aux endroits désolés où peu d'autres végétaux sont capables de survivre. Ils finissent, au bout d'un certain temps, par décomposer les rochers en terre végétale sur laquelle peuvent se développer d'autres plantes.*

son *covalente* ont en commun deux électrons, provenant chacun d'un atome. Une liaison est dite *dative* ou *coordonnée* lorsqu'un même atome fournit les deux électrons partagés. Une liaison *hydrogène* est celle qui unit des atomes d'hydrogène ayant entre eux une liaison covalente à un autre atome. Les atomes peuvent être unis par plusieurs liaisons. (Voir VALENCE.)

**LIBAN** République du MOYEN-ORIENT, le Liban compte 2,7 millions d'habitants (1982) pour une superficie de 10 400 km². Place bancaire traditionnelle du Moyen-Orient, l'économie du pays repose principalement sur le commerce, ce malgré le conflit armé au centre duquel se trouve le Liban depuis 1976. Capitale : Beyrouth. ◁

**LIBELLULE** Grand INSECTE volant, carnivore, aux splendides ailes irisées, présent dans les régions chaudes du globe. Au stade larvaire, l'insecte est aquatique. A maturité, il abandonne l'eau pour la terre. ◁

**LIBERIA** République d'AFRIQUE occidentale qui compte 2,1 millions d'habitants (1982) pour une superficie de 111 400 km². Au XIX^e^ siècle, les Noirs américains libérés sont venus s'installer en masse au Liberia et leurs descendants occupent dans le pays les principales fonctions. Capitale : Monrovia. ◁

**LIBERTÉ D'EXPRESSION** Droit fondamental de tout être humain à exprimer publiquement ses opinions sans avoir à craindre du pouvoir étatique une répression. Rares sont les États à n'avoir jamais violé ce droit.

**LIBYE** État arabe d'AFRIQUE du Nord, la Libye compte 3,1 millions d'habitants (1982) pour une superficie de 1 760 000 km². En grande partie désertique (SAHARA), la Libye possède dans son sous-sol d'importantes réserves de PÉTROLE qui constituent sa principale richesse. L'activité rurale est limitée à la côte méditerranéenne. Capitale : Tripoli. ◁

**LICHEN** Végétal dans lequel un CHAMPIGNON et une ALGUE d'un type particulier vivent et se développent ensemble. Les algues microscopiques, insérées dans les filaments du champignon, fabriquent, par PHOTOSYNTHÈSE, la nourriture nécessaire à leur croissance et à celle du champignon. De son côté, le champignon alimente les algues en eau, qu'il puise dans l'air, et en sels minéraux, obtenus sur les roches sur lesquelles il pousse. Jaunes ou gris, les lichens se développent sur les murs, les troncs d'arbre et les sols pauvres.

**LICORNE** Animal fabuleux au corps de cheval et au front orné d'une longue corne rectiligne. Au Moyen Age, la licorne symbolisait la pureté et le don de soi.

**LIÈGE** Couche protectrice qui tapisse l'intérieur de l'ÉCORCE des arbres. Le liège est constitué de CELLULES compactes, emplies d'air, ce qui le rend imperméable à l'air et à l'eau — la tige elle-même étant ainsi protégée contre les maladies. Les bouchons en liège sont fabriqués à partir de l'écorce du chêne-liège, une espèce méditerranéenne. ◁

**LIERRE** Plante vivace, grimpante, aux luisantes feuilles vert foncé. Les tiges du lierre émettent de petits crampons grâce auxquels la plante s'agrippe aux murs et aux arbres. S'il ne se nourrit pas sur son support, le lierre l'endommage et peut même le tuer lorsqu'il s'agit d'un arbre.

**LIÈVRE** Petit MAMMIFÈRE, anatomiquement très voisin du LAPIN, à longues oreilles et pattes postérieures très développées, ce qui fait de lui un bon coureur ; en outre, le lièvre est doté d'une ouïe très fine. Contrairement au lapin, le lièvre ne creuse pas de terrier mais gîte dans les abris naturels ; à l'exception de l'Antarctique on le trouve partout dans le monde.

▾ *On trouve le lièvre européen dans les régions herbeuses d'une grande partie du monde. Contrairement aux lapereaux qui sont mis au monde nus, aveugles et dans un nid, les levrauts naissent à découvert et sont immédiatement capables de survivre.*

**LIGNE DE CHANGEMENT DE DATE** Ligne imaginaire passant par les points de longitude 180° (est ou ouest). Un voyageur qui traverse la ligne d'ouest en est « gagne » un jour ; il en « perd » un lorsqu'il la traverse d'est en ouest. Cela est dû au fait que les longitudes sont comptées positivement vers l'ouest, à partir du MÉRIDIEN de Greenwich (de 0 à 12 h) et négativement vers l'est à partir de ce même méridien.

**LILAS** Arbuste cultivé dans de nombreuses parties du monde pour ses grappes de fleurs odorantes, mauves ou blanches.

**LILLE** Métropole du nord de la France. Avec Roubaix et Tourcoing, Lille forme une des plus importantes agglomérations françaises (plus d'un million d'habitants).

**LIMACE** MOLLUSQUE terrestre, rampant, apparenté à l'ESCARGOT mais dépourvu de coquille. La limace, qui se nourrit de matière végétale, est considérée comme un fléau pour les jardins potagers.

**LIN** Plante cultivée dans de nombreuses parties du monde pour sa tige, dont on tire une fibre textile, et pour ses graines. La fibre est tissée pour faire de la TOILE DE LIN ; des graines, on extrait l'huile qui entre dans la composition de peintures et vernis. On plante également le lin dans les jardins d'agrément, pour ses jolies petites fleurs bleues.

**LINCOLN, ABRAHAM** L'un des plus éminents chefs d'État qu'eurent les ÉTATS-UNIS. Abraham Lincoln (1809-1865) fut élu à la présidence en 1861. Durant la guerre de SÉCESSION, il parvint à préserver l'unité de l'Union. Il mourut assassiné à Washington, cinq jours après la capitulation des sudistes.

**LINDBERGH, CHARLES** Aviateur américain, Lindbergh (1902-1974) réussit, à bord du *Spirit of St Louis*, la première traversée aérienne transatlantique sans escale. (Voir AVION.)

◄ *Charles Lindbergh à la fenêtre de l'Aéro-Club de Paris, après sa traversée aérienne transatlantique de mai 1927.*

▲ *Lionne au repos. Pendant que les lionnes chassent, les mâles restent en arrière pour assurer la garde du territoire.*

**LINOLÉUM** Revêtement de sol, composé de poudre de bois ou de liège agglomérée mélangée à de l'huile de lin et montée sur toile de jute ou sur feutre. On doit le linoléum à un Anglais : Frederick Walton.

**LINOTYPE** Machine à composer utilisée dans l'IMPRIMERIE et qui fond les caractères par lignes entières. Dans les journaux, remplacée le plus souvent par la photocomposition.

**LION** Le plus grand des félidés. On trouve le lion en Afrique et dans certaines régions d'Asie. Couleur sable, le lion a une grosse tête massive, une queue touffue, de fortes pattes antérieures et, chez les mâles seulement, une crinière fauve. Il dort le jour, se mettant, la nuit, en chasse pour attraper zèbres ou antilopes. Les lions vivent en troupes pouvant atteindre une trentaine d'individus. ▷

**LIS OU LYS** Plante à BULBE, de la famille des liliacées, à fleurs blanches, jaunes ou rouges. Outre les lis, la famille des liliacées compte des fleurs comme la TULIPE et la jacinthe ou des plantes potagères tels l'AIL, le poireau, l'OIGNON et l'asperge.

**LISBONNE** Capitale du PORTUGAL. Lisbonne, dont les origines remontent à l'Antiquité, est un important port situé dans l'estuaire du Tage. La ville compte, avec son agglomération, 1,6 million d'habitants. ▷

**LISZT, FRANZ** Pianiste et compositeur hongrois, Liszt (1811-1886), dans ses célèbres *Rhapsodies hongroises*, réalisa l'alliance des musiques populaires et tziganes. ▷

LION Rares sont les lions mangeurs d'hommes. Il en fut pourtant deux, au début de ce siècle, qui tuèrent et dévorèrent en bonne partie 135 Africains et Indiens employés à la construction d'une ligne de chemin de fer, dans ce qui est aujourd'hui l'Ouganda. Ces deux lions furent finalement tués, empaillés et expédiés au musée de Chicago.

LISBONNE En 1755, la ville fut ébranlée par le plus violent tremblement de terre que l'Europe ait jamais connu. Séisme qui souleva, de surcroît, d'énormes lames de fond. Tremblement de terre et vagues tuèrent les habitants par milliers et détruisirent la quasi-totalité des constructions.

LISZT (FRANZ) Liszt fut un enfant chétif et maladif. Un jour, le croyant perdu, son père alla jusqu'à commander un cercueil. Or Liszt vécut, en fin de compte, jusqu'à près de 75 ans.

**LITHOGRAPHIE** Procédé d'impression, permettant de reproduire une image dessinée sur une pierre calcaire, et utilisant la propriété que possède l'huile d'être insoluble dans l'eau. Le dessin est donc réalisé au crayon gras sur la surface de la pierre qui est ensuite mouillée ; lorsqu'on applique l'encre d'imprimerie — grasse elle aussi — elle n'est absorbée que par les parties grasses et repoussée par les plages mouillées. Il suffit alors d'appliquer sur le dessin encré une feuille de papier pour en obtenir une reproduction.

**LITTÉRATURE** Tout ce qui est écrit, de l'article de JOURNAL à la pièce de théâtre, fait partie de la littérature. Toutefois, on réserve en général le terme d'« œuvre littéraire » à une production de qualité, par opposition à des textes moins ambitieux. Sont à ranger dans le domaine de la littérature d'imagination des formes littéraires comme la pièce de THÉATRE, le ROMAN, la POÉSIE et la SCIENCE-FICTION, alors que les écrits historiques, par exemple, se fondent sur des événements réels. Les premières œuvres littéraires remontent à quelque 5 000 ans, à l'époque sumérienne. Des années 900 à 300 av. J.-C., la littérature a accédé à des sommets dans la GRÈCE antique — en particulier avec HOMÈRE. Par la suite, l'invention de l'IMPRIMERIE est venue offrir quasiment à tout un chacun l'accès à la littérature.

**LITUANIE** République fédérée de l'U.R.S.S. (voir UNION SOVIÉTIQUE), sur la Baltique. La Lituanie compte 3,5 millions d'habitants (1982) pour une superficie de 65 000 km² ; elle est demeurée indépendante de 1918 à 1920. Capitale : Vilnius.

**LIVERPOOL** Port maritime et important centre industriel du nord-est de l'ANGLETERRE, Liverpool compte 540 000 habitants.

**LIVINGSTONE, DAVID** Explorateur écossais. Livingstone (1813-1873) s'embarqua pour l'Afrique en tant que missionnaire. Il s'opposa violemment à l'ESCLAVAGE et explora la plus grande partie de l'Afrique centrale. En 1855, il découvrit les chutes VICTORIA, sur le ZAMBÈZE.

**LIVRE ET RELIURE** L'histoire du livre remonte à 3 000 av. J.-C. en Égypte où les textes étaient manuscrits sur des rouleaux de PAPYRUS. Sous l'Empire romain, on utilisait toujours le papyrus, mais également le PARCHEMIN. Après la chute de Rome, ce furent les moines d'Europe qui, dans leurs monastères, continuèrent à rédiger des ouvrages superbement manuscrits et richement enluminés. (Voir MANUSCRITS ENLUMINÉS.) Bien qu'originaire de Chine, le PAPIER fut introduit en Europe par les Maures. Avec l'invention de son procédé d'IMPRIMERIE en caractères mobiles, GUTENBERG vint révolutionner le monde du livre : il imprima, en particulier, entre 1452 et 1456, une *Bible* devenue célèbre.

▼ *Œuvre d'imagination, montrant David Livingstone lors de sa traversée de l'Afrique centrale. Des porteurs africains l'accompagnent, ainsi qu'un âne. Victime des fièvres, Livingstone dut être finalement transporté sur une litière.*

# Loc

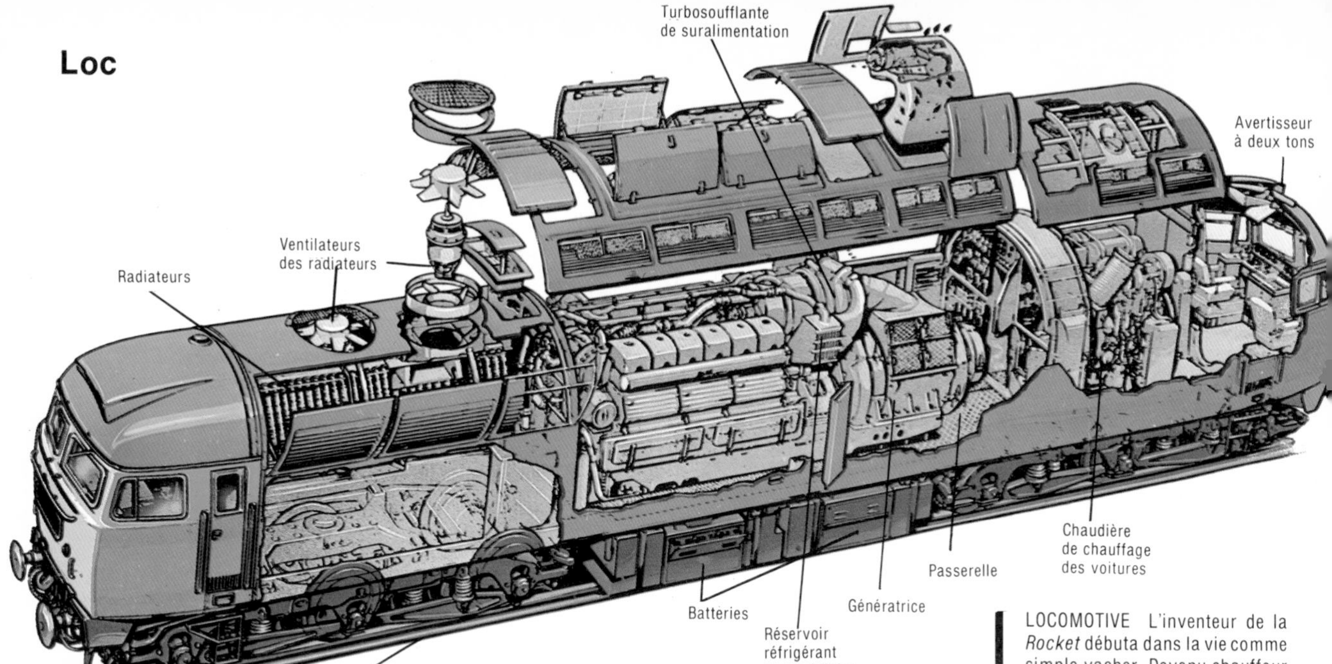


▲ *Les principaux éléments d'une locomotive Diesel électrique. Le démarrage est assuré par des batteries, puis le moteur Diesel fait tourner la génératrice afin d'alimenter en électricité les moteurs de traction.*

▸ *Le* California Zephyr, *dans les collines du Colorado.*

▾ *Une page de la Bible de Gutenberg, l'un des premiers livres imprimés.*

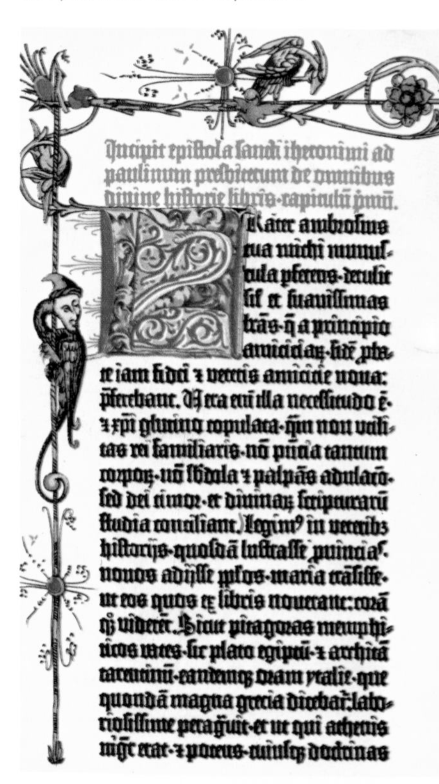
Incipit epistola sancti iheronimi ad
paulinum presbiterum de omnibus
divine historie libris-capitulu primu.
Frater ambrosius
tua michi munus
cula perferens-detulit
sil et suavissimas
lras-q a principio
amicicias-fide pba
te iam fidei et veteris amicicie nova:
preferebant. Vera enim illa necessitudo e.
et xpi glutino copulata-qm non utili
tas rei familiaris-no presencia tantum
corporu-no subdola et palpans adulacio:
sed dei timor-et divinaru scripturaru
studia conciliant. Legimus in veteribus
historiis-quosda lustrasse provincias.
novos adisse populos-maria transisse.
ut eos quos ex libris noverant: cora
q viderent. Sicut pitagoras memphi
ticos vates-sic plato egiptu-et archita
tarentinu-eandemq oram ytalie-que
quonda magna grecia dicebat: labo
riosissime peragravit-et ut qui athenis
mgr erat-et potens-cuiusq doctrinas

Aujourd'hui, la reproduction des livres est largement automatisée : une presse quadrichrome est capable de fournir des milliers d'exemplaires de livres à l'heure. On appelle reliure l'ensemble des procédés par lesquels les feuillets imprimés sont réunis et protégés d'une couverture. Si la reliure artisanale demeure l'un des beaux-arts, la grande majorité des livres est aujourd'hui reliée mécaniquement.

**LOCOMOTIVE** Machine destinée à remorquer les trains. Il peut s'agir de MACHINES A VAPEUR, à MOTEUR DIESEL ou électrique. Les locomotives à vapeur imposent un certain délai de mise en route — le temps qu'elles montent en pression. Les locomotives Diesel peuvent être mises en route ou stoppées rapidement ; elles ont un meilleur rendement que les locomotives à vapeur. Parmi les locomotives Diesel, la plus puissante est la Diesel électrique, dans laquelle un moteur actionne une génératrice d'électricité ; l'électricité produite alimente des moteurs de traction couplés aux roues motrices. Les locomotives électriques sont d'une mise en route rapide et, de plus, ne produisent pas de fumée ; leur entretien est également plus simple. Actuellement, le record de vitesse sur rail, 381 km/h, est détenu par la France. La plupart des locomotives actuelles sont alimentées en courant électrique par une ligne dominant la voie, à laquelle elles peuvent se brancher par l'intermédiaire d'un bras mobile appelé *pantographe.* D'autres puisent le courant sur un troisième rail isolé.

La première locomotive à vapeur fut construite en 1804 par l'inventeur britannique Richard Trevithick (1771-1833), mais la

LOCOMOTIVE L'inventeur de la *Rocket* débuta dans la vie comme simple vacher. Devenu chauffeur sur la machine à vapeur d'une houillère, il en étudia le principe en la démontant pour la nettoyer. A 18 ans, il ne savait toujours ni lire ni écrire — lacune qu'il combla en rognant sur son salaire et ses heures de sommeil pour se faire donner des leçons. Plus tard, il étudia de la même manière les mathématiques.

La *Rocket* de Stephenson possédait déjà les caractéristiques fondamentales des locomotives à vapeur plus modernes ; les grandes trouvailles de Stephenson furent d'augmenter le tirage du foyer de la locomotive en faisant déboucher le tuyau d'échappement de la vapeur dans la cheminée et d'utiliser pour la chaudière un chauffage tubulaire. La *Rocket* atteignait la vitesse de 48 km/h, soit, pour l'époque, le record de vitesse sur terre.

Si, en Europe, les locomotives furent prévues dès le départ pour fonctionner au charbon, ce ne fut pas le cas aux États-Unis où, même après la guerre de Sécession, on utilisait encore largement le bois comme combustible. Le danger d'incendie était considérable à cause des flammèches qui s'élevaient de ces locomotives à bois ; c'est la raison pour laquelle les cheminées étaient équipées de grilles à flammèches.

La plus grosse locomotive jamais construite fut la *Big Boy* de l'*Union Pacific*, aux États-Unis. Elle servait au transport des marchandises à travers les Rocheuses et pesait près de 600 tonnes.

5551

première à avoir été effectivement mise en circulation fut la *Rocket* de George Stephenson (1781-1848), construite en 1829. L'ère des locomotives électriques fut ouverte à la fin du XIXe siècle par la firme allemande Siemens et Halske. Les premières locomotives Diesel datent de 1912. (Voir CHEMIN DE FER.) ◁

**LOI** Tout groupe humain se doit de se donner des règles de conduite afin de se préserver contre les dommages que pourraient causer à la communauté certains de ses membres, ainsi que des règles servant à régler les conflits. C'est l'ensemble de ces règles qui constitue la loi. Le GOUVERNEMENT édicte les lois et veille par l'intermédiaire de la POLICE et des institutions judiciaires à ce qu'elles soient respectées. Les systèmes législatifs varient d'une nation à l'autre, et parfois même d'une partie d'un pays à une autre.

**LOIRE** Le plus long fleuve de France (1 012 km). Il naît au mont Gerbier-de-Jonc dans le Massif central et se jette dans l'Atlantique. La plus grande partie de son cours est impraticable à la navigation. Il est jalonné de villes importantes (Orléans, Tours, Nantes).

**LONDRES** Capitale du Royaume-Uni de GRANDE-BRETAGNE et d'IRLANDE du Nord, Londres, que baigne la TAMISE, est un important centre commercial. La ville compte de nombreux édifices qui témoignent de la richesse de l'histoire britannique ; ainsi le palais du PARLEMENT, l'abbaye de Westminster, la tour de Londres, etc. Fondée par les Romains, Londres a été en grande partie reconstruite après le grand incendie survenu en 1666. Population : 7 millions d'habitants (1982). ▷

▲ *Une cour de justice hollandaise au début du XVIIIe siècle. Un avocat expose le cas, un autre (à droite) défend l'accusé. A gauche, les douze membres du jury sont chargés de décider si l'accusé est coupable. Dans l'affirmative, c'est le juge qui prononce la sentence.*

▲ *A Londres, après que l'incendie eut détruit la plus grande part de la cité médiévale, Sir Christopher Wren dirigea la construction de nombreuses églises, et entre autres celle de la cathédrale Saint-Paul (ci-dessus). Malgré les bombardements, Saint-Paul survécut, intacte, à la Seconde Guerre mondiale. Le dôme de cette église anglicane est visible à des kilomètres à la ronde.*

LONDRES Chaque année, Londres s'enfonce de 0,3 cm dans ses fondations. Du fait que le sol supportant la ville s'enfonce également, on a calculé que, d'ici à un siècle, le niveau de la Tamise aura monté de 6 m. Aujourd'hui déjà, une marée particulièrement forte inonderait toute la ville ; c'est pourquoi une digue est en cours de construction à Woolwich.

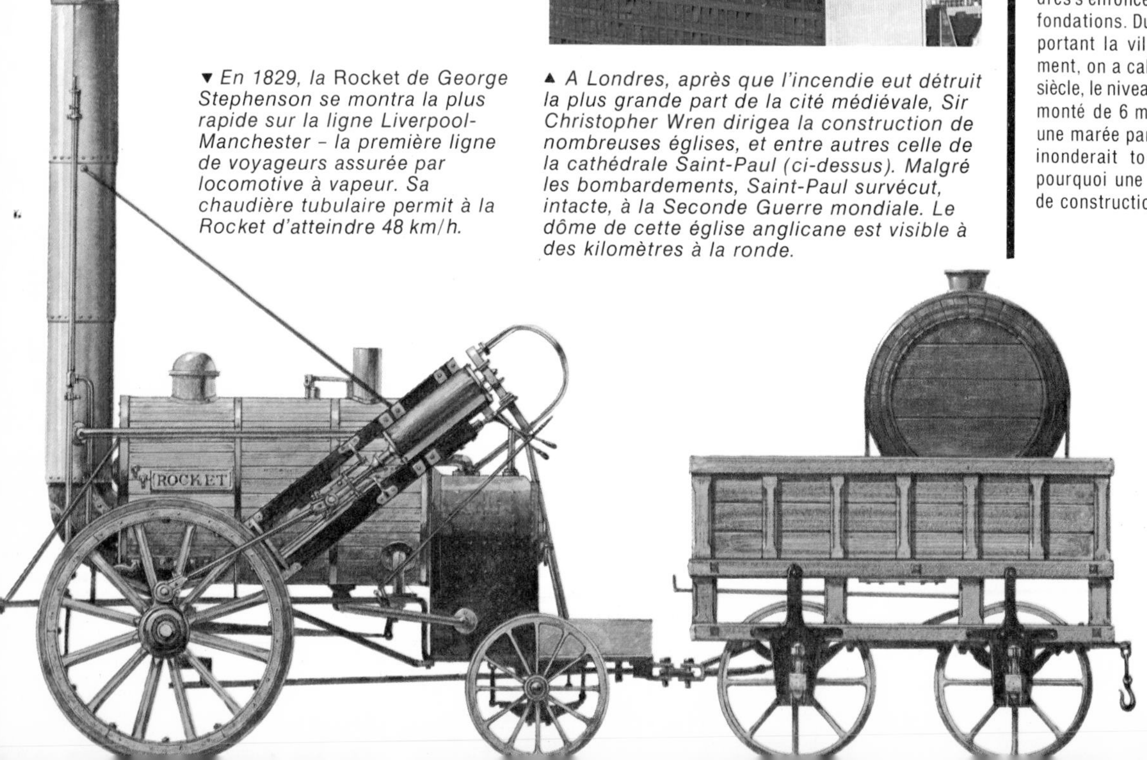


▼ *En 1829, la* Rocket *de George Stephenson se montra la plus rapide sur la ligne Liverpool-Manchester – la première ligne de voyageurs assurée par locomotive à vapeur. Sa chaudière tubulaire permit à la* Rocket *d'atteindre 48 km/h.*

▲ *Louis XIV (1638-1715) fut l'un des plus puissants rois de France. Ici, Louis XIV reçoit les hommages du duc de Lorraine.*

**LOS ANGELES** Ville des ÉTATS-UNIS, dans le sud de la Californie, sur le Pacifique. Cette ville est mondialement célèbre pour abriter HOLLYWOOD, le centre de l'industrie cinématographique américaine. Population : 7,5 millions d'habitants (banlieue comprise).

**LOUIS IX (SAINT LOUIS)** Roi de France (1214-1270) qui réorganisa la justice, raffermit le pouvoir royal et participa à deux croisades (il mourut au cours de la huitième croisade). Il fut sanctifié en 1297.

**LOUIS XI** Roi de France (1423-1483) qui réunit la Bourgogne à la France, ainsi que l'Anjou et la Provence, et favorisa l'expansion économique.

**LOUIS XIV (LE GRAND)** Roi de France (1638-1715). Roi fastueux, il fut appelé le Roi-Soleil. Roi absolutiste, il gouverna avec de grands ministres (Colbert, Louvois) le royaume le plus puissant de son époque. Son règne fut marqué par de nombreuses guerres et des conflits religieux qui laissèrent le pays ruiné.

**LOUIS XV (LE BIEN-AIMÉ)** Roi de France (1710-1774) dont le règne vit de nombreuses guerres, connut une réorganisation administrative et une expansion économique.

**LOUIS XVI** Roi de France (1754-1793) qui, accusé de trahison et de complot avec l'ennemi, fut guillotiné, ainsi que sa femme, la reine MARIE-ANTOINETTE, sous la Révolution française.

**LOUIS-PHILIPPE 1er** Dernier roi de France (1773-1850) qui dut abandonner son trône à la Révolution de 1848.

**LOUTRE** MAMMIFÈRE aquatique, carnassier, présent dans de nombreuses parties du monde. Les loutres ont un corps élancé, de courtes pattes palmées et une épaisse fourrure, généralement brunâtre. Bons nageurs, ces animaux sont également agiles sur terre. Les loutres se nourrissent de poissons mais aussi de lapins, grenouilles ou canards.

▲ *La loutre nage en agitant latéralement sa puissante queue – ses pattes palmées lui servant d'avirons. Dans l'eau, elle laisse apparaître sa tête, son dos arrondi et l'extrémité de sa queue, ce qui la rend aisément reconnaissable.*

▼ *Ce portrait de Louis XIV, exécuté par Hyacinthe Rigaud, reflète tout le faste et la puissance du « Roi-Soleil ».*

**LOUVRE** Le plus grand musée du monde, situé dans une ancienne résidence royale, commencée au XIIIe siècle et aménagée jusque sous Napoléon III. Le musée contient les collections d'œuvres d'art de François Ier, de Louis XIV, une partie de celles de Richelieu. On y trouve la *Vénus de Milo* et la *Mona Lisa* de Léonard de Vinci parmi les 275 000 œuvres qui enrichissent ce palais. De grands artistes français ont collaboré à l'édification et à la décoration du Louvre : Pierre Lescot, Le Vau, Jean Goujon.

**LUBRIFIANT** Substance utilisée pour réduire le FROTTEMENT entre deux surfaces. Les principaux lubrifiants liquides sont les huiles et les graisses. Au nombre des lubrifiants solides, on compte le GRAPHITE et le talc.

**LUCIOLE** Insecte COLÉOPTÈRE qui, de nuit, émet des éclairs discontinus, verdâtres. Il existe environ deux mille espèces de lucioles, présentes surtout dans les régions tropicales et dont quelques-unes fréquentent la zone méditerranéenne.

**LUMIÈRE** Comme la chaleur et le son, la lumière est une forme d'ÉNERGIE. Si nous voyons les objets, c'est parce qu'ils réfléchissent la lumière. Tout corps dont la température est extrêmement élevée émet de la lumière ; ainsi, par exemple, le soleil, qui est une boule de gaz incandescents. Selon la théorie ondulatoire, la lumière est formée d'ondes qui se propagent à la manière des rides sur un plan d'eau dans lequel on a jeté un caillou. La distance entre deux crêtes (ou deux creux) successives est appelée *longueur d'onde* de la lumière. Les longueurs d'ondes lumineuses sont extrêmement courtes — de l'ordre de quelques millionièmes de centimètre. Le nombre de vibrations par unité de temps est appelé *fréquence* de la lumière. La lumière se propage à la vitesse d'environ 300 000 km par seconde. La couleur de la lumière est fonction de sa longueur d'onde : ainsi la lumière rouge a-t-elle une longueur d'onde supérieure à celle de la lumière bleue. Lorsque la lumière blanche (qui est une lumière complexe) du soleil traverse un PRISME, celui-ci réfracte un peu différemment chacune de ses composantes, de sorte que l'on obtient ce que l'on appelle un SPECTRE, c'est-à-dire un ensemble de rais différemment colorés. Un arc-en-ciel est composé des différentes couleurs du spectre solaire. (Voir ONDES ÉLECTROMAGNÉTIQUES.) ▷

**LUMIÈRE, AUGUSTE** (1862-1954) et **LOUIS** (1864-1948) Frères français qui inventèrent le cinématographe.

**LUNE** L'unique SATELLITE naturel de la Terre et son plus proche voisin dans l'espace. La Lune tourne autour de la Terre, à la distance moyenne de 384 000 km. Aussi loin que remonte l'histoire de l'homme, celui-ci s'est servi, pour repérer le passage du temps, du *mois*, basé sur le cycle complet des phases de la Lune, d'une pleine lune à une autre ; cette durée est de 29 jours et demi. La Lune présente toujours à la Terre la même face. Sa surface est creusée de milliers de cratères, résultant pour la plupart d'impacts de météorites. (Voir MÉTÉOROIDES.) Le 20 juillet 1969, les astronautes d'*Apollo 11* — Neil Armstrong et Edwin Aldrin — ont, pour la première fois, marché sur la Lune. Les expériences pratiquées au cours de ce vol et des suivants nous ont beaucoup appris sur la Lune. Nous savons, par exemple, que notre voisine est constituée en grande partie des mêmes éléments qui forment les roches volcaniques de notre planète, et qu'elle est dépourvue d'eau. (Voir ÉCLIPSE, MARÉES, SYSTÈME SOLAIRE.) ▷

**LUNETTES** Les lunettes sont étudiées pour dévier les rayons lumineux avant que ceux-ci n'atteignent les YEUX (voir LENTILLE), de manière à renforcer ou corriger le travail de l'œil lui-même. L'usage des lunettes en Europe remonte aux années 1300.

▲ *Un arc-en-ciel est une manifestation atmosphérique qui témoigne de ce que la lumière blanche est composée de lumières de diverses longueurs d'ondes. En traversant les gouttes de pluie, la lumière solaire est décomposée, de sorte que l'on obtient des raies respectivement rouge, orange, jaune, verte, bleue, indigo et violette. Si la lumière est réfléchie à nouveau, il se forme un arc secondaire, dont l'ordre des couleurs est inversé.*

LUMIÈRE Pour étudier la lumière en provenance des étoiles, les astronomes utilisent un instrument appelé spectroscope. Selon le type de lumière qu'émet une étoile, on peut en déduire la nature des substances qui la composent et la vitesse à laquelle l'astre se rapproche ou s'éloigne de la Terre.

LUTHER A l'école que fréquentait le jeune Luther, il était de mise de dénoncer à l'autorité quiconque jurait, parlait allemand ou ne respectait pas quelques autres interdictions. A la fin de la semaine, chacune de ces fautes était sanctionnée d'un coup de canne. Luther raconte qu'il reçut parfois quinze de ces coups.

LUNE : DONNÉES
Diamètre équatorial : 3476 km.

Gravité : 1/6 de la gravité terrestre.

Densité moyenne : 3,34 (eau = 1).

Tourne sur son axe en 27,32 jours.

Tourne autour de la Terre en 27 1/3 jours.

Vitesse de libération : 2,4 km/s.

La face visible de la Lune compte plus de « mers » que la face cachée qui, elle, est presque entièrement montagneuse.

La datation par radio-isotope d'un morceau de roche rapporté par les astronautes d'*Apollo 12* lui a attribué 4,6 milliards d'années, ce qui en fait la roche la plus ancienne jamais découverte.

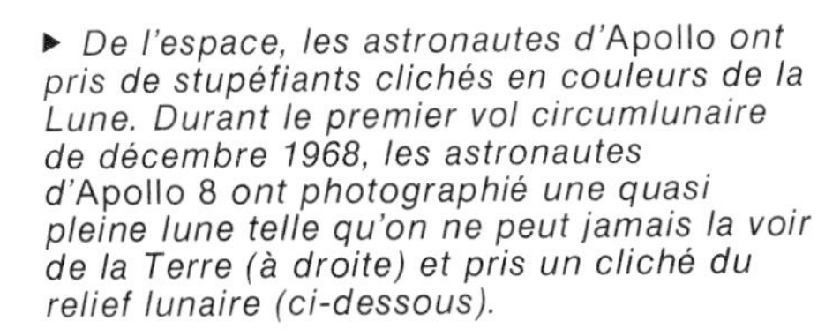

▶ *De l'espace, les astronautes d'*Apollo *ont pris de stupéfiants clichés en couleurs de la Lune. Durant le premier vol circumlunaire de décembre 1968, les astronautes d'*Apollo 8 *ont photographié une quasi pleine lune telle qu'on ne peut jamais la voir de la Terre (à droite) et pris un cliché du relief lunaire (ci-dessous).*

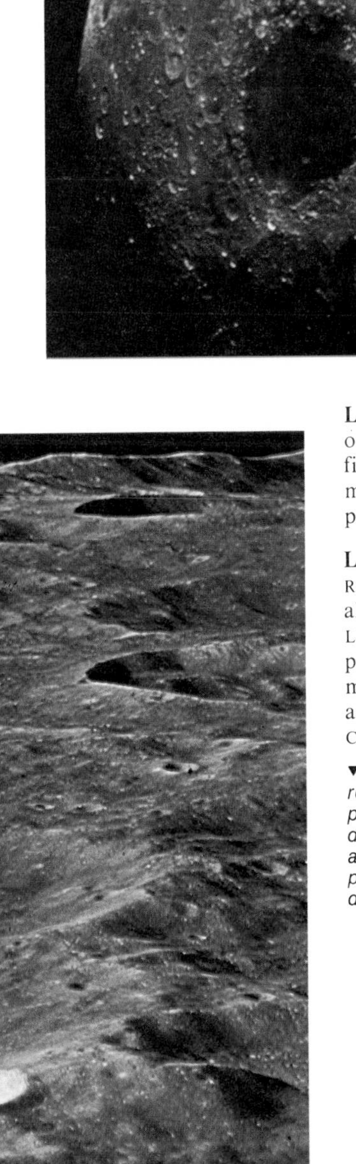

**LUTH** Instrument de musique à cordes, originaire d'Asie et introduit en Europe à la fin du XIIIe siècle. Les luths européens modernes ont un corps en forme de demi-poire et plusieurs paires de cordes.

**LUTHER, MARTIN** Chef de file de la RÉFORME protestante et premier réformateur allemand à avoir rompu avec l'ÉGLISE CATHOLIQUE. Pour Luther (1483-1546), l'homme ne pouvait être sauvé que s'il croyait en Dieu, mais il ne suffisait pas de faire des bonnes actions pour obtenir ce salut. (Voir CHRISTIANISME.) ◁

▼ *Martin Luther, le moine allemand qui remit en cause les enseignements et les pratiques de l'Église catholique. En se développant, le mouvement protestant assuma un rôle politique, et pendant plusieurs siècles l'Europe fut secouée par des guerres et des persécutions religieuses.*

▸ *Le lynx d'Europe a été quasiment éliminé par les chasseurs et les agriculteurs désireux de protéger leur bétail. On ne le trouve plus guère qu'en Scandinavie, en tant qu'espèce protégée.*

**LUTTE** Sport de combat dans lequel chacun des deux adversaires doit tenter de plaquer au sol les épaules de l'autre. Selon les règles particulières de ce sport, on distingue la lutte gréco-romaine, libre, japonaise, turque, etc. Seules les luttes gréco-romaine et libre sont inscrites aux JEUX OLYMPIQUES.

**LUXEMBOURG (GRAND DUCHÉ DE)** État de l'EUROPE occidentale, le Luxembourg compte 365 000 habitants (1982) pour une superficie de 2 600 km². Le français est la langue officielle, mais une forte proportion de la population parle un dialecte germanique. Longtemps fondée sur l'extraction du minerai de fer (abandonnée depuis fin 1981) et la sidérurgie, l'économie luxembourgeoise tend à se diversifier et à se développer dans le secteur bancaire. Forte proportion d'étrangers (26,3 %). Fait partie depuis 1944 du Benelux (association de la Belgique, des Pays-Bas et du Luxembourg). Capitale : Luxembourg. ▷

**LUZERNE** Plante fourragère, à petites fleurs violettes.

**LYCÉE** Établissement public d'enseignement (classique, moderne ou technique), donnant l'enseignement long du second degré.

**LYMPHE** Liquide organique incolore, d'une composition comparable à celle du plasma sanguin.

**LYNX** CHAT sauvage, de 75 cm de long environ, aux oreilles velues et aux joues garnies de longs poils. Le lynx vit dans les forêts et, la nuit, se met en chasse de petits animaux. S'il court peu, le lynx marche, grimpe et nage bien ; il est doté d'une vue perçante. On trouve le lynx en Asie et en Amérique ; autrefois présent en Europe, il en a presque totalement disparu.

**LYON** Chef-lieu du département du Rhône, situé sur le fleuve. Deuxième ville de France pour la population (1 300 000 habitants avec l'agglomération), métropole administrative, intellectuelle et économique de la région Rhône-Alpes. Important centre industriel (industrie chimique, constructions mécaniques, électriques) et commercial.

**LYRE** Instrument de musique très répandu dans la Grèce antique. La lyre se compose d'une caisse de résonance garnie de cordes et d'où émergent deux bras reliés par une pièce de bois sur laquelle vient se fixer la seconde extrémité des cordes. La lyre était également en usage chez les Assyriens et les Égyptiens et, plus tard, dans l'Europe médiévale.

LUXEMBOURG : DONNÉES
Langues officielles : français et luxembourgeois.

Monnaie : franc.

Religion : catholicisme.

Point culminant : Buurgplatz (558 m), dans les Ardennes.

Cours d'eau : Moselle, Sûre, Attert et Alzette.

Climat : la température moyenne est de 17 °C en juillet et de 0 °C en janvier. Le niveau des précipitations varie de 100 cm dans le sud-ouest à 30 cm dans le sud-est.

▾ *Morceau d'un vase grec du Vᵉ siècle, montrant un jeune Athénien apprenant à jouer de la lyre. Originaire d'Asie Mineure, la lyre fut l'ancêtre de la harpe.*

# M

MACAREUX Les macareux sont les cousins des pingouins (famille des *alcidés).* Au moment de la reproduction, ils se regroupent en colonies. Chez les deux sexes, le plumage est noir luisant dessus, noir et blanc dessous. Les pattes, orange vif, sont palmées. La démarche rappelle celle du canard.

MACHINE A COUDRE C'est le Français Barthélemy Thimonnier qui fut le réalisateur de la première machine à coudre, brevetée en 1830. Dans les premières machines à coudre, un seul fil était utilisé pour réaliser un point de chainette qui donnait des coutures lâches et peu résistantes ; de plus, lorsque le fil se rompait, c'est toute la couture qui se décousait. En 1846, l'Américain Elias Howe mit au point la machine à navette, qui utilisait deux fils et non plus un seul. C'est une version améliorée de cette nouvelle machine que fit breveter, en 1851, Isaac Singer.

Les machines à coudre modernes utilisent plus de 2 000 techniques pour réaliser des opérations spécifiques. Certains de ces processus ont été automatisés, de sorte que plusieurs opérations sont maintenant exécutées simultanément.

**MACAO** Petit territoire portugais de l'Asie orientale, en face de Hongkong. D'une superficie de 16 km² seulement, Macao compte 350 000 habitants (1981). Capitale : Macao.

**MACAREUX** Oiseau de mer noir et blanc, piscivore, de 30 cm de long environ. A la saison des amours, le bec — rouge, bleu et jaune — prend des teintes vives. Cet oiseau de l'Arctique passe le plus clair de l'année en mer, ne rejoignant la côte qu'en été, pour se reproduire. ◁

**MACBETH** Roi d'Écosse et personnage principal d'une pièce de SHAKESPEARE. Pour obtenir la couronne, Macbeth assassina le roi Duncan 1er, en 1040. Lui-même périt sur le champ de bataille, de la main de Malcom III, le fils de Duncan.

▾ *Oiseaux essentiellement marins, les macareux n'accostent guère que pour se reproduire. A la saison des amours, le bec grossit et se teinte de couleurs vives. La femelle pond un seul œuf, tacheté, qu'elle dépose dans les cavités du sol.*

▴ *Une rue de Macao qui fut autrefois une importante plate-forme commerciale.*

**MACÉDOINE** Région des BALKANS partagée entre la Bulgarie, la Grèce et la Yougoslavie. Vers 300 av. J.-C., la Macédoine abrita un puissant empire dirigé par ALEXANDRE LE GRAND.

**MACHIAVEL** Homme d'État, écrivain, historien italien (1467-1527). Dans son livre *le Prince,* il affirme qu'en politique, pour le bien de l'État, la fin justifie les moyens. Avec son nom, on a forgé le mot machiavélisme, synonyme d'habileté sans scrupules.

**MACHINE A CALCULER** Voir ORDINATEURS.

**MACHINE A COUDRE** Machine permettant de coudre tissu, cuir et autres matériaux ; elle fut perfectionnée et commercialisée sur une vaste échelle par l'Américain Isaac Singer (1811-1875). Il en existe des versions domestiques et industrielles. Autrefois actionnées à la main ou au pied (par l'intermédiaire d'une pédale et d'une courroie), les machines à coudre sont aujourd'hui équipées de moteurs électriques. ◁

**MACHINE A VAPEUR** Chauffée, l'eau se transforme en vapeur et se dilate jusqu'à occuper environ 1 600 fois son volume originel. Les machines à vapeur utilisent l'expansion de la vapeur pour actionner un piston inséré dans un cylindre. Le mouvement linéaire du piston peut être transformé en mouvement rotatif pour actionner des roues. La vapeur d'eau peut être également utilisée pour faire tourner les pales d'une TURBINE. Ce mouvement rotatif sert par exemple à propulser les bateaux ou à faire tourner l'arbre d'un GÉNÉRATEUR d'électricité.

**MACHINE-OUTIL** Machine reliée à une source d'énergie et destinée à mettre en forme un matériau — bois ou métal — par enlèvement de matière à l'aide d'outils coupants. Le TOUR est l'une des machines-outils les plus répandues, mais il en existe d'autres servant à forer, aléser, fileter, etc.

▼ *Les volcans sont généralement des cônes composites* **(1)** *constitués de couches alternées de cendres, de poussière, de fragments de roche et de lave. La cheminée du volcan* **(2)** *fait communiquer le cratère avec le réservoir souterrain de roche en fusion, ou* magma **(3)**. *Des cheminées secondaires s'ouvrent dans les parois du volcan, amenant la lave à la surface* **(4)**. *Le magma qui ne s'échappe pas par la cheminée centrale se fraie un chemin dans les couches supérieures, s'y solidifie, formant des* veines ou filons **(5)**. *Les filons plus ou moins horizontaux sont appelés* filons-couches **(6)**.

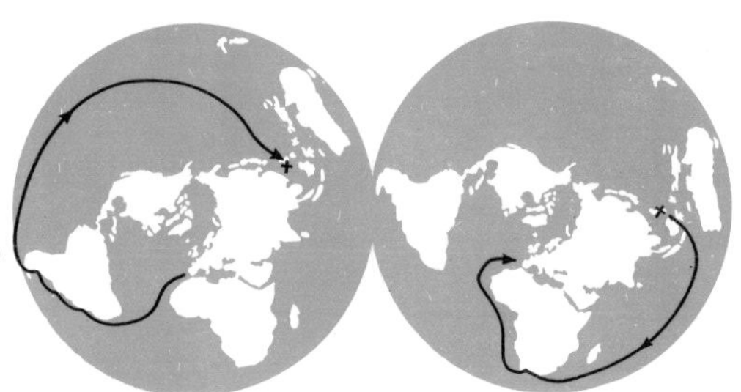

▸ *L'itinéraire suivi par l'expédition de Magellan, 1519-1522. A gauche, l'itinéraire suivi par Magellan jusqu'à ce qu'il soit tué, aux Philippines ; à droite, l'itinéraire de retour suivi par le reste de l'expédition.*

MAGNÉTISME Les particules d'oxyde de fer insérées dans l'argile se conduisent comme des aimants et s'alignent dans la direction nord-sud. Lorsqu'on cuit l'argile, on immobilise les particules dans une direction donnée. Or on sait que les pôles Nord et Sud de la Terre se déplacent selon un rythme connu. Cela permet aux experts de dater les objets anciens en terre cuite, en comparant la configuration des particules de fer qu'ils contiennent à celle de l'argile fraîche. Les archéologues ont donné à cette méthode le nom de datation archéomagnétique.

Les Chinois ont d'abord utilisé les aimants pour prédire l'avenir, mais au XIIe siècle ils s'en servaient déjà sur les bateaux, comme en témoigne ce texte d'un écrivain chinois, daté de 1119 : « De nuit, le capitaine repère la position du bateau d'après les étoiles ; de jour, d'après la position du Soleil et, par temps de brume, en se basant sur l'aiguille qui pointe vers le sud. »

Selon Pline l'Ancien, célèbre naturaliste latin, la roche magnétique fut découverte par un berger nommé Magnes, lequel découvrit que la roche du mont Ida, en Asie Mineure, attirait les clous de ses chaussures et le bout ferré de son bâton. Pour d'autres, le terme « magnétisme » vient de *Magnésie*, une région de Grèce riche en roche magnétique.

**MADAGASCAR** République insulaire de l'océan Indien, à proximité de l'Afrique, Madagascar compte 9,5 millions d'habitants (1982) pour une superficie de 587 000 km² — ce qui la met au quatrième rang des îles pour la superficie. Capitale : Antananarivo (anc. Tananarive).

**MADÈRE** Principale île d'un petit archipel portugais de l'Atlantique, au large du Maroc. Superficie : 817 km² (ensemble de l'archipel) ; population : 251 000 habitants.

**MADRID** Capitale de l'ESPAGNE. Madrid est située quasiment au centre de la péninsule Ibérique. La ville compte 3,2 millions d'habitants. Son musée d'art — le Prado — est parmi les plus beaux du monde.

**MAGELLAN, FERNAND DE** En portugais : Fernao de Magalhaes (1480-1521). Navigateur portugais au service de Charles Quint, Magellan s'embarque en 1519, à la tête de cinq navires, pour trouver la route de l'Asie par l'Ouest. Il sera tué aux PHILIPPINES, mais l'un de ses bateaux rentrera en Espagne en 1522, après avoir effectué le premier tour du monde par la mer.

**MAGIE** Croyance selon laquelle il serait possible, par certaines pratiques, de contrôler la nature et d'influencer les gens de façon surnaturelle. La magie était étroitement associée aux religions primitives. Les rites magiques étaient supposés procurer le succès à la chasse, à la guerre, etc.

**MAGMA** ROCHE en fusion dans la croûte ou le manteau de la TERRE. Lors des éruptions volcaniques, le magma émerge à la surface sous forme de LAVE ou de fragments brûlants.

**MAGNÉSIUM** ÉLÉMENT métallique blanc argenté, de symbole chimique Mg. Il peut brûler à l'air avec une flamme éblouissante, c'est pourquoi on l'utilise dans les fusées de feux d'artifice. L'hydroxyde de magnésium est la fameuse magnésie, un antiacide utilisé contre les maux d'estomac. Le magnésium est obtenu principalement à partir de l'eau de mer.

**MAGNÉTISME** Si la boussole est utilisée en Europe depuis le XIIIe siècle, on pense que les Chinois avaient découvert bien auparavant qu'en suspendant un aimant celui-ci indiquait toujours la même direction. Si l'aimant peut être utilisé comme boussole, c'est parce que la Terre est elle-même un énorme aimant qui attire les extrémités de tout aimant dans une direction nord-sud. L'extrémité de l'aimant qui pointe vers le nord est appelée pôle nord ; l'autre est le pôle sud. La loi fondamentale du magnétisme établit que deux pôles similaires se repoussent, tandis que deux pôles différents s'attirent. Le FER est le métal le plus fortement magnétique ; le NICKEL et le COBALT peuvent être également magnétisés. Pour magnétiser un métal, on le soumet à un champ magnétique — soit en le mettant en contact avec un autre aimant, soit en l'insérant à l'intérieur d'une bobine électrique. Les courants électriques produisent en effet des champs magnétiques. Lorsqu'un fil conducteur est enroulé autour d'un morceau

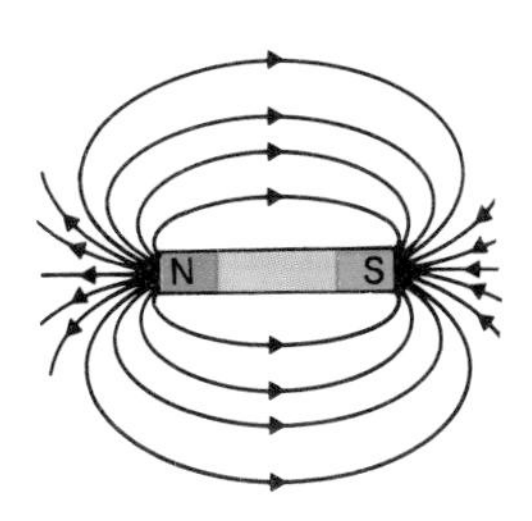


▴ *Les lignes de champ magnétique qui émanent des pôles d'un aimant rectiligne. Ces lignes de forces se rejoignent à mi-distance des deux pôles.*

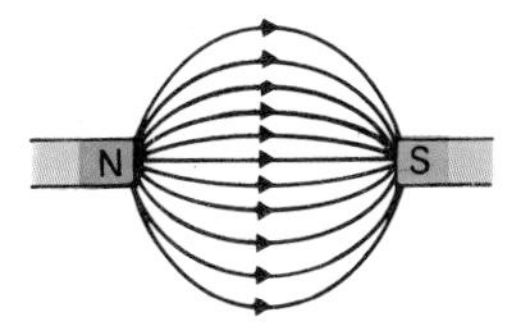


▴ *Les lignes de champ magnétique créées par deux pôles opposés se dirigent du pôle nord d'un aimant vers le pôle sud de l'autre.*

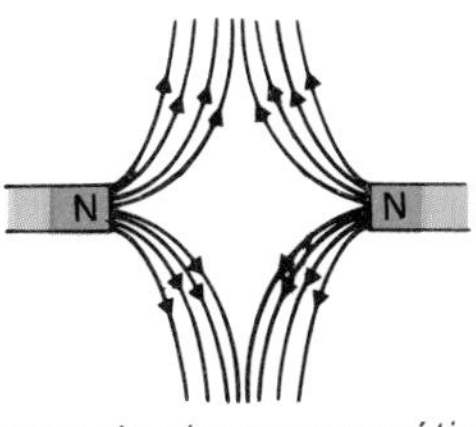


▴ *Les lignes de champ magnétique engendrées par deux pôles identiques s'incurvent de manière à s'éviter.*

de fer et que l'on fait passer un courant électrique dans le fil, l'ensemble se transforme en électro-aimant. Inversement, lorsqu'on place un fil conducteur dans un champ magnétique, un courant électrique est engendré dans le fil. (Voir GÉNÉRATEUR.) ◁

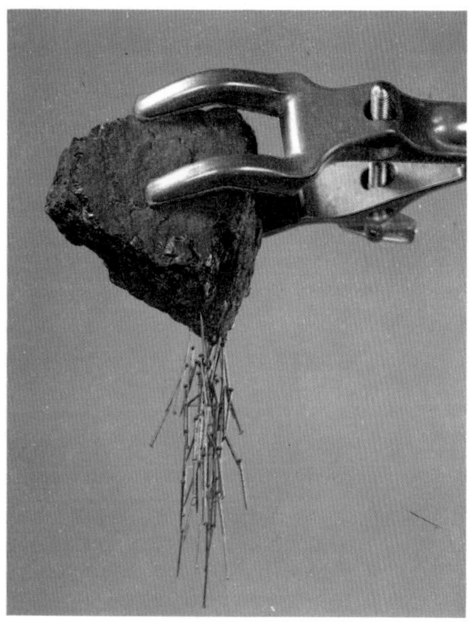

▲ *La magnétite (pierre d'aimant) est un minerai de fer naturellement magnétisé. Ici, un morceau de magnétite attirant des épingles.*

▼ *Lorsqu'on secoue un aimant recouvert de limaille de fer, on voit la limaille se disposer selon les lignes de forces. En haut, expérience réalisée avec un aimant ; en bas, avec deux.*

▲ *Le magnolia des forêts nord-américaines, avec ses luisantes feuilles vert foncé et ses fleurs à l'aspect cireux. Du fait de la structure primitive de leurs fleurs, les magnolias ont été classés par les botanistes parmi les plus anciennes plantes à fleurs. Selon les espèces, les magnolias sont à feuilles persistantes ou caduques.*

**MAGNITUDE** En ASTRONOMIE, mesure de l'éclat d'une ÉTOILE ou autre corps céleste. Plus l'étoile est brillante, plus le nombre représentant la magnitude est petit. Les étoiles les plus brillantes ont des nombres de magnitude négatifs. La très brillante Sirius, par exemple, est de magnitude - 1,45. Les étoiles les plus faibles — celles qui ne sont visibles qu'à travers un puissant télescope — ont des magnitudes dépassant 20.

**MAGNOLIA** Arbre ou arbuste aux belles et grosses fleurs pâles, odorantes, qui apparaissent au tout début du printemps, souvent avant même les luisantes feuilles vert foncé. La plupart des espèces de magnolias sont originaires d'Asie et d'Amérique du Nord.

**MAHOMET** Fondateur de l'ISLAM, né à la MECQUE vers 570, mort à Médine en 632. En 610, au cours de méditations, il entend la voix de l'archange Gabriel qui lui transmet la parole de Dieu, à la suite de quoi il commence sa prédication. En 616, il se proclame « Prophète de Dieu ». Un complot en vue de l'éliminer le conduit, en 622, à émigrer à Médine (*Héjire*, de l'arabe *hijra* : « émigration »). En 630, il reconquiert La Mecque et est reconnu par les Mecquois comme « le Prophète ». ▷

**MAIN** Chez les primates (êtres humains et singes), organe du toucher et de la préhension. La main, qui prolonge le bras, est constituée du poignet, de la paume et des doigts. Les doigts sont actionnés par certains muscles de l'avant-bras. Comme la plante du pied, la

MAHOMET Mahomet a près de 40 ans lorsqu'il se sent investi du rôle de prophète — rôle qui lui a été assigné, affirme-t-il alors, par la voix de l'archange Gabriel. La prédication de Mahomet sera, plus tard, consignée dans le *Coran*, livre sacré qui va constituer le fondement de la religion musulmane.

Mahomet fut l'un des nombreux hommes célèbres à souffrir de crises d'épilepsie. Au nombre de ces hommes fameux figurent Alexandre le Grand, Jules César et Napoléon.

MALAWI : DONNÉES
Langues officielles : anglais, nyan-ja-chews, tumbuka.

Monnaie : kwacha.

Autrefois appelé Nyassaland, le Malawi comprend une partie du lac Malawi, qui prend le nom de lac Nyassa au voisinage de la Tanzanie.

La population du Malawi est presque entièrement constituée de Bantous.

MALAISIE : DONNÉES
Langue officielle : malais.

Monnaie : ringgit.

Point culminant : mt Kinabalu (4 175 m), dans le Sabah. Si 60 % de la superficie de la Malaisie est sur Bornéo, plus de 85 % de la population vit en Malaisie.

Climat : chaud et humide toute l'année ; le niveau des précipitations dépasse 250 cm par an.

Kuala Lumpur, la capitale, compte 938 000 habitants.

MALI : DONNÉES
Langue officielle : français.

Monnaie : franc malien.

Principal fleuve : Niger.

La population vit principalement de culture et d'élevage.

MALTE : DONNÉES
Langues officielles : maltais et anglais.

Monnaie : livre maltaise.

L'île de Malte en elle-même ne mesure que 28 km de long et 13 km de large. Dans la République de Malte sont incluses les îles Gozo et Comino.

MAMMIFÈRES Les scientifiques répartissent les mammifères entre divers *ordres* dont, entre autres : les *marsupiaux* (animaux à poche) ; les *édentés* (tatous, paresseux) ; les *carnivores* (chien, chat, lion, phoque) ; les *cétacés* (baleine, dauphin) ; les *périssodactyles* (cheval, zèbre, rhinocéros) ; les *artiodactyles* (porc, vache, chameau, mouton, chèvre, cerf) ; les *rongeurs* (écureuil, rat) ; les *lagomorphes* (lapin, lièvre) ; les *insectivores* (taupe, hérisson) ; les *primates* (singe, homme).

paume de la main est protégée par une peau très épaisse.

**MALACCA (PRESQU'ILE DE OU PÉNINSULE DE) OU MALAISE (PRESQU'ILE OU PÉNINSULE)** Péninsule du Sud-Est asiatique, Malacca a été pendant longtemps un territoire britannique. Elle a accédé à l'indépendance en 1957 et a été intégrée à la MALAISIE en 1963.

**MALADIE BLEUE** Malformation congénitale du CŒUR, entraînant un mélange, dans les vaisseaux, du sang oxygéné et du sang chargé de gaz carbonique et une coloration bleue de la peau du bébé.

**MALADIE MENTALE** Autrefois rassemblées indifféremment sous le terme de « folie », les maladies mentales sont des altérations des fonctions psychiques, dues à des causes physiologiques ou psychologiques. Au nombre des désordres fonctionnels, on compte les psychoses — telle la dépression nerveuse — et les névroses, dont les diverses phobies. (Voir PSYCHIATRIE.)

**MALADIE VÉNÉRIENNE** Type d'affection contagieuse qui se contracte généralement au cours des relations sexuelles. (Voir SEXE.) Les maladies vénériennes les plus courantes sont la syphilis et la blennorragie.

**MALAISIE** République de l'ASIE du Sud-Est regroupant la Malaisie (sud de la presqu'île de MALACCA) et les territoires du Sabah et du Sarawak, sur la côte nord de BORNÉO. La Malaisie compte 14,4 millions d'habitants (1982) pour une superficie de 330 000 km². Elle est peuplée en grande partie de Malais et de Chinois, et a été créée en 1963. C'est un grand pays agricole (hévéas, palmistes) et minier (étain, cuivre, gaz naturel). Capitale : Kuala Lumpur. ◁

**MALAWI** République d'AFRIQUE australe, le Malawi (dénommé Nyassaland jusqu'à l'indépendance, en 1964) compte 6,1 millions d'habitants pour une superficie de 118 500 km². Le pays produit principalement du tabac et du thé. Capitale : Lilongwe. ◁

**MALI** République d'AFRIQUE occidentale, le Mali compte 7,1 millions d'habitants (1982) pour une superficie de 1 240 000 km². Les Touareg y vivent en nomades dans le Nord, tandis que le Sud est peuplé de cultivateurs de race noire. Capitale : Bamako. ◁

**MALTE** République insulaire de la MÉDITERRANÉE, Malte (indépendante depuis 1964) compte 330 000 habitants pour une superficie de 316 km². Capitale : La Valette. ◁

**MAL DES VOYAGES** Sensation de nausée qu'éprouvent certaines personnes lorsqu'elles se déplacent en voiture, bateau ou avion, et qui résulte des effets du mouvement sur les fluides de l'OREILLE interne. Il existe des médicaments permettant d'éviter cette désagréable sensation.

**MAMMIFÈRES** Du fait qu'ils ont un cerveau plus gros que les autres animaux, les mammifères sont les êtres vivants les plus intelligents. Ce sont des VERTÉBRÉS, caractérisés par la présence de mamelles, qui sécrètent du LAIT, et une peau recouverte de poils — parfois transformés en épines (hérisson) ou laineux (mouton) ; chez certains d'entre eux, les poils sont rares (hippopotame ou homme). Tous les mammifères femelles allaitent leurs petits (« mammifère » vient de *mamma* qui signifie organe sécréteur de lait). Les mammifères se répartissent en trois groupes : les *monotrèmes*, tel l'ornithorynque, sont ovipares ; chez les MARSUPIAUX, comme le KANGOUROU et le KOALA, le développement des petits s'achève à l'intérieur d'une poche ; chez les *placentaires*, le développement du petit, relativement long, s'opère entièrement à l'intérieur du corps de la mère. L'homme est un animal placentaire. Il existe aujourd'hui quelque 5 000 espèces de mammifères, de tailles très variables.

Les mammifères sont les seuls vertébrés dont la mâchoire inférieure soit formée d'un seul os. Les biologistes ont découvert des fossiles présentant cette caractéristique et datant de la période des dinosaures, il y a 200 millions d'années. Si les mammifères ont survécu aux changements qui ont éliminé les grands reptiles, c'est probablement parce qu'ils possédaient déjà fourrure et sang chaud. A partir de ces créatures, ne dépassant pas la taille d'un rat, les mammifères se sont diversifiés en fonction de la variété des conditions, et se sont adaptés jusqu'à occuper la quasi-totalité

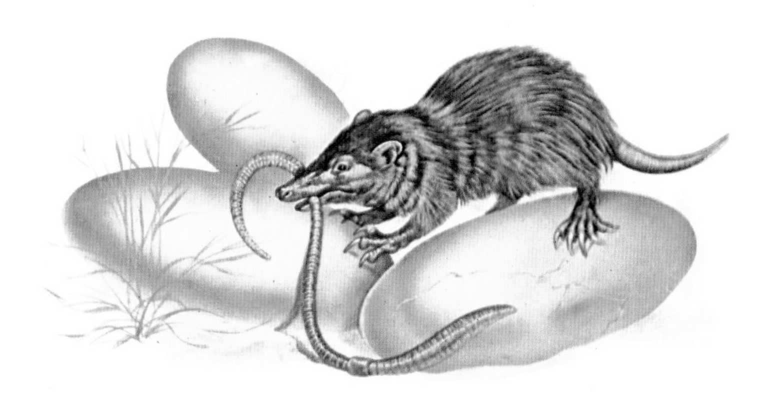

◂ *Les mammifères sont apparus au cours de l'ère secondaire, il y a quelque 225 millions d'années. Comme ce* Morganucodon, *ils n'étaient guère plus gros que les œufs des grands dinosaures de l'époque. Les mammifères ont conservé une taille restreinte jusqu'à la fin de l'ère secondaire. C'est à l'ère tertiaire qu'ils ont commencé à grandir et à se diversifier.*

▲ *Deux types de mammifères modernes. Les souris (ci-dessus),* placentaires *extrêmement bien adaptés, se sont répandues sur tout le globe. Les koalas (en haut) sont des* marsupiaux ; *leurs petits passent six mois dans la poche marsupiale pour achever leur croissance, après quoi la mère les transporte sur son dos.*

**REPTILES ET MAMMIFÈRES**

Les reptiles se reproduisent en pondant des œufs. La plupart des mammifères donnent naissance à des petits vivants qu'ils nourrissent et élèvent.

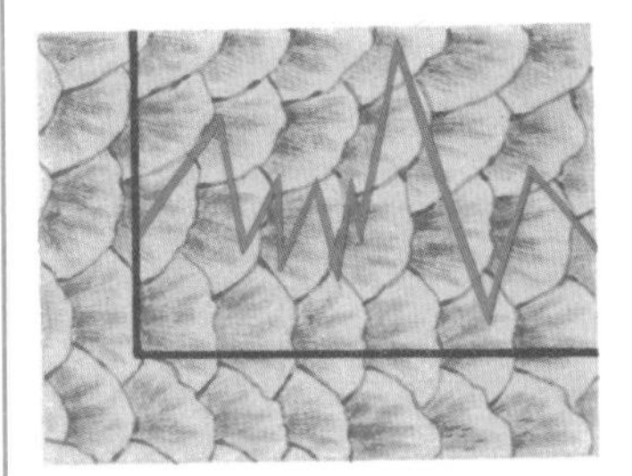

Les poils dont sont recouverts les mammifères participent du maintien d'une température constante de leur corps. Les écailles des reptiles ne jouent pas ce rôle d'isolation.

Lorsqu'un reptile respire, l'air traverse sa bouche, de sorte qu'il ne peut respirer en même temps qu'il se nourrit. Chez les mammifères, l'air se dirige directement vers l'arrière de la bouche. Le cerveau des mammifères (en gris) est plus gros que celui des reptiles.

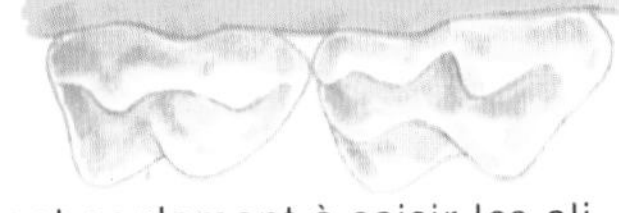

Les dents des reptiles leur servent seulement à saisir les aliments ; les molaires des mammifères leur permettent de mâcher la nourriture.

du globe. Les mammifères actuels constituent le groupe animal qui présente la plus grande diversité. ◁

**MAMMOUTH** Énorme éléphant préhistorique à la toison laineuse, pourvu d'une trompe et de longues défenses courbes pouvant atteindre 4 m. Les mammouths ont fait leur apparition il y a 3 millions d'années, en Europe, en Asie et en Amérique. Ils ont disparu vers 8 000 av. J.-C. ▷

**MANCHE** Bras de mer séparant la FRANCE de l'ANGLETERRE, se resserrant au niveau du pas de Calais et reliant l'Atlantique à la mer du Nord. Les principales îles de la Manche sont l'île de Wight et les îles Anglo-Normandes.

**MANDCHOURIE** Nom ancien de la CHINE du Nord-Est. Avec ses abondantes réserves de charbon et de minerai de fer, la Mandchourie est une région d'industrie lourde. Les hivers y sont très rigoureux, les étés doux.

MAMMOUTH Près de Pavlov, en Tchécoslovaquie, les archéologues ont découvert, réunis en un même lieu, plus de 100 squelettes de mammouths. L'explication avancée est qu'il s'agirait de mammouths pris au piège par les chasseurs de l'Age de Pierre.

MANGANÈSE Ce métal fut découvert en 1774 par Johann Gahn. 95 % de la production totale de manganèse entre dans la fabrication de l'acier. Il faut environ 6 kg de manganèse par tonne d'acier. Le manganèse est introuvable à l'état pur, mais on connaît plus de cent minerais de manganèse, la plupart en Union soviétique. Beaucoup de météorites contiennent une forte proportion de manganèse.

C'est de Mandchourie qu'est originaire la famille des T'sing qui régna sur la Chine du XVII$^{e}$ siècle jusqu'à 1912.

**MANDOLINE** Instrument de musique à quatre ou cinq paires de cordes, que l'on fait vibrer en s'aidant d'un *plectre,* ou *médiator,* petite lamelle de bois, de métal ou de matière plastique.

**MANGANÈSE** Métal très dur et cassant, de symbole Mn, surtout utilisé sous forme d'ALLIAGES tels que l'acier ou le ferromanganèse. Il entre également dans la fabrication des piles sèches, des engrais et sert à blanchir le verre. ◁

**MANGOUSTE** MAMMIFÈRE carnassier d'Afrique et d'Asie, la mangouste a un corps allongé pouvant atteindre un mètre, de courtes pattes, un museau pointu et une queue touffue. Le pelage est généralement brun ou gris et tacheté. La mangouste s'attaque aux serpents et est immunisée contre leur venin.

▼ *Le mammouth laineux* (Mammuthus primigenius) *– animal de la période glaciaire – était bien adapté au froid. Il était recouvert d'une épaisse fourrure et on suppose que la graisse emmagasinée au niveau des épaules était utilisée au cours de l'hiver. Chassé par l'homme jusqu'à extinction, il disparut il y a environ 10 000 ans.*

**MANGUE** Fruit juteux du manguier, un arbre à feuilles persistantes des régions tropicales. A peu près de la taille d'une pomme, la mangue est plus lourde. La pulpe jaune en est molle, juteuse et savoureuse. Elle se consomme mûre, ou verte comme condiment.

**MANUSCRIT ENLUMINÉ** Ouvrage de l'époque médiévale que les moines recopiaient à la main et ornaient de motifs raffinés, en couleur et or. En général, la première lettre de chaque chapitre était agrandie et ornée d'enluminures.

**MAORIS** Peuple polynésien, venu au XIVe siècle des îles du Pacifique s'installer en NOUVELLE-ZÉLANDE. Au XIXe siècle, les Maoris s'opposèrent violemment à l'arrivée des Blancs et sortirent décimés de cette guerre. Aujourd'hui au nombre de 260 000 environ (1976), ils jouissent de l'intégralité des DROITS CIVILS.

**MAO TSO-TONG OU MAO ZEDONG OU MAO TSÉ-TOUNG** Homme d'État chinois, Mao Tsö-tong (1893-1976) organisa le mouvement paysan contre le leader nationaliste Tchang Kaï-chek. En 1949, il fit proclamer la République populaire de Chine, régime d'inspiration communiste dont il devint le président. ▷

**MAPPEMONDE** Carte du monde représentée sur une sphère ; en général, la carte est réalisée par portions, imprimées sur papier puis appliquées sur un globe solide. Ce type de carte permet d'éviter les distorsions des cartes planes. La première mappemonde connue fut fabriquée en 1492 ; la plus grosse — 39 m de diamètre — en 1824, en France.

**MAQUEREAU** Poisson allongé, hydrodynamique, à la queue largement échancrée. Présents dans toutes les mers du globe, les maquereaux se déplacent en énormes bancs, pouvant atteindre 40 km de long ; ils se nourrissent, à la surface, de PLANCTON. Le maquereau est apprécié pour sa chair.

**MARATHON** Course de grand fond, se disputant sur 42,195 km. Le marathon est inscrit aux JEUX OLYMPIQUES depuis 1896. L'épreuve tire son nom de l'histoire de ce soldat qui, en 490 av. J.-C., fit en courant le trajet séparant Marathon d'ATHÈNES pour apporter la nouvelle de la victoire des Grecs sur les Perses.

**MARBRE** ROCHE métamorphique qui se forme lorsqu'un certain CALCAIRE dur est soumis à une température élevée et à une forte pression. Les sculpteurs choisissent souvent le marbre parce qu'il est facile à travailler et prend un beau poli.

**MARCHÉ COMMUN** Voir COMMUNAUTÉ ÉCONOMIQUE EUROPÉENNE.

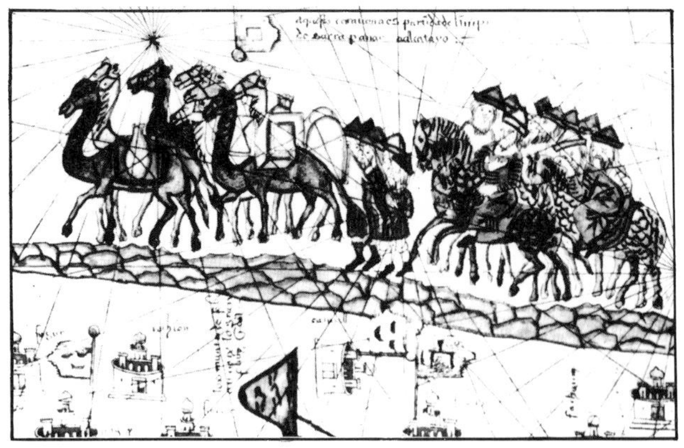

▲ *La caravane de l'explorateur vénitien Marco Polo, gravure extraite d'un manuscrit catalan. Marco, son père, Nicolo Polo, et son oncle, Matteo Polo, se mirent en route en 1271 et parvinrent à Cathay (Chine) en 1275. Ils demeurèrent au service de Kubilay Khan jusqu'en 1292, avant de rentrer chez eux. Ils atteignirent Venise en 1295.*

**MARCO POLO** Marchand vénitien et explorateur, Marco Polo (1254-1324) pénétra dans l'Empire chinois de KUBILAY KHAN. En 1271, il se met en route en compagnie de son père et de son oncle pour un voyage par terre de trois ans et demi qui l'amènera à Pékin. Il y est reçu par Kubilay Khan qui le charge de diverses missions. A son retour à Venise, en 1295, il rédigera le récit de ses voyages.

**MARCONI, GUGLIELMO** Inventeur de la TÉLÉGRAPHIE sans fil (RADIO). En 1895, Marconi (1874-1937) réussit à fabriquer un dispositif de télégraphie sans fil. En 1901, il établit des communications par T.S.F. entre l'Angleterre et le Canada. ▷

◄ *Un « B » enluminé de la Bible de Winchester, datant du XIIe siècle.*

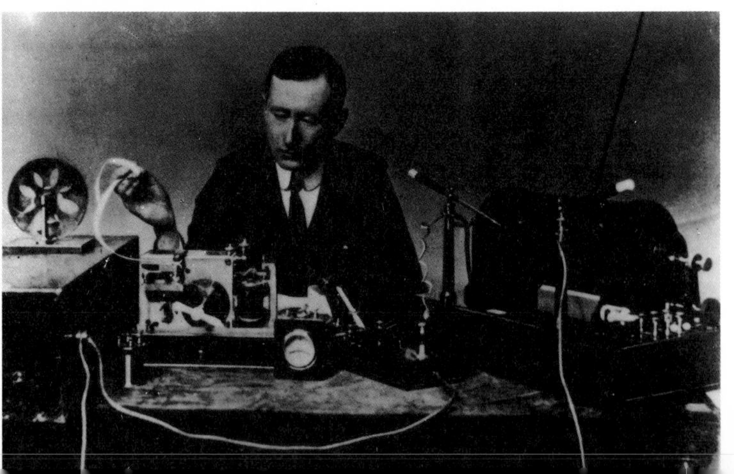

▼ *Guglielmo Marconi, l'inventeur de la radio, devant un montage similaire à celui qu'il utilisa pour émettre, en code morse, par-dessus l'Atlantique (1901), la lettre « S ».*

MAO TSO-TONG En 1934-1935, les 90 000 communistes conduits par Mao Tsö-tong accomplirent, pour échapper aux forces des nationalistes, une marche à travers la Chine qui dura 368 jours (« Longue Marche »). L'armée de Mao traversa 18 chaînes de montagnes, couvrant 9 650 km, ce qui constitue la plus longue marche militaire jamais réalisée. Les quatre cinquièmes des hommes de Mao trouvèrent la mort dans les combats d'arrière-garde.

MARCONI (GUGLIELMO) C'est en 1899 que fut démontrée l'utilité, pour les navires, du système de T.S.F. inventé par Marconi. Cette année-là, le bateau-phare *East Goodwing Sands* fut éperonné dans le brouillard, mais il put réclamer de l'aide par T.S.F.

En 1909, Marconi reçut le prix Nobel de physique ; en 1912, il perdit un œil dans un accident de voiture. En 1929, il fut fait *marchese* (marquis) par le gouvernement italien. Marconi était d'opinion fasciste ; en 1937, il était responsable, sous le régime mussolinien, de la recherche scientifique.

MARIE-ANTOINETTE La petite histoire raconte qu'en 1789 les femmes de Paris marchèrent sur Versailles pour tenter de se faire entendre du roi. Marie-Antoinette, ayant appris que les femmes se plaignaient de la faim et du manque de pain, aurait répondu : « Eh bien, qu'elles mangent de la brioche ! » Même si rien ne prouve qu'elle ait jamais été prononcée, cette phrase, qui se répandit dans la population durant la révolution, est symptomatique de la piètre opinion que les Français avaient alors de leur reine.

MARIJUANA Cette plante prend des noms différents selon les pays. Si, dans les pays occidentaux, on la désigne souvent sous le nom d'« herbe », elle est appelée *bhang* en Inde, *dagga* en Afrique du Sud, *haschisch* en Arabie et *kif* en Afrique du Nord.

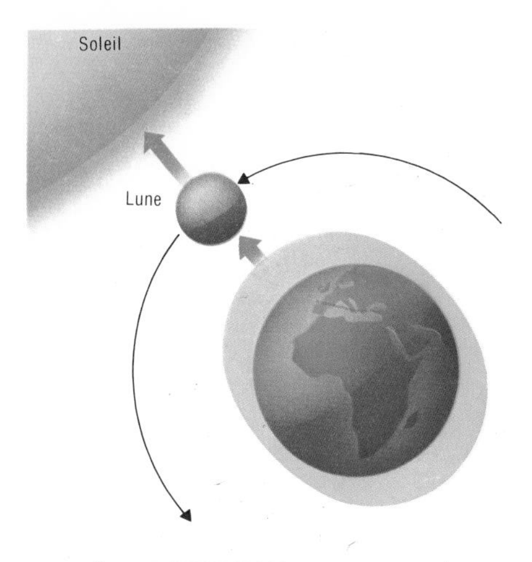


**MARÉE DE VIVE-EAU**

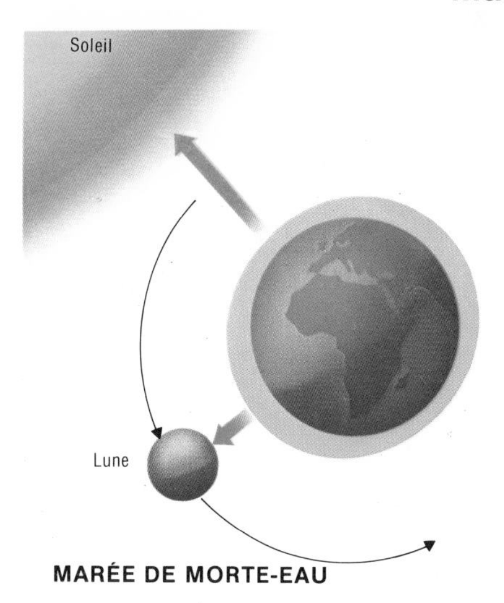


**MARÉE DE MORTE-EAU**

▲ *Les marees de vive-eau sont fortes du fait que l'attraction du Soleil se combine avec celle de la Lune. Les marées de morte-eau sont faibles parce que l'attraction du Soleil et celle de la Lune s'exercent dans des directions perpendiculaires.*

**MARÉE** Mouvement oscillatoire du niveau de la mer, dû à l'attraction exercée sur les océans par la Lune et le Soleil, et se produisant deux fois par durée de 24 heures 50 minutes. Les fortes marées, ou *marées de vive-eau,* se produisent lorsque la Terre, la Lune et le Soleil sont alignés. L'attraction combinée du Soleil et de la Lune produit alors des marées hautes plus hautes et des marées basses plus basses. Les marées *de morte-eau* se produisent lorsque la Lune et le Soleil forment un angle droit avec la Terre. (Voir GRAVITÉ.)

**MARGARINE** Produit de substitution du beurre, la margarine est fabriquée à partir de graisses et d'huiles végétales, auxquelles on ajoute généralement des vitamines A et D.

Ce produit fut inventé par un Français, Hippolyte Miège-Mouriès, en 1870.

**MARIAGE** Union légale entre un homme et une femme. Le mariage est généralement considéré comme un moyen de protéger l'existence des enfants. Les lois régissant le mariage sont variables d'un pays à l'autre, en fonction de la religion et des coutumes. Les musulmans, par exemple, pratiquent la polygamie, c'est-à-dire qu'un homme peut épouser plusieurs femmes. Dans la plupart des sociétés, le mariage civil s'accompagne d'une cérémonie religieuse.

**MARIE Ire STUART** Dernière souveraine catholique d'Écosse, Marie Ire (1542-1587) était également la rivale d'ÉLISABETH Ire, reine protestante de l'Angleterre. S'étant laissé impliquer dans des complots contre la reine d'Angleterre, Marie fut jugée et exécutée.

**MARIE-ANTOINETTE** Fille de François Ier de Lorraine et de l'impératrice MARIE-THÉRÈSE, Marie-Antoinette (1755-1793) épouse, en 1770, le dauphin de France qui va devenir LOUIS XVI. Soupçonnée de défendre les intérêts de l'Autriche et rendue impopulaire par ses extravagances, elle sera incarcérée avec sa famille pendant la RÉVOLUTION FRANÇAISE, jugée et exécutée (16 octobre 1793). ◁

**MARIE-THÉRÈSE** Née à Vienne, Marie-Thérèse (1717-1780) devient en 1740 impératrice d'Autriche, de Hongrie et de Bohême. Habile politique, elle parviendra, en dépit de deux guerres, à maintenir la cohésion de son empire, tout en menant à l'intérieur une politique de réformes.

**MARIJUANA OU MARIHUANA** Drogue obtenue à partir de la sève, des feuilles et des fleurs du chanvre indien *(Cannabis sativa),* et que certains fument, principalement comme euphorisant. L'usage de cette drogue douce est prohibé dans la plupart des pays, en partie parce qu'elle pourrait pousser ses utilisateurs vers l'usage des drogues dures. ◁

**MARINE** La marine française s'est considérablement développée au XVIIe siècle sous l'impulsion de Richelieu et de Colbert, sous les règnes de Louis XIII et LOUIS XIV.

**MARIONNETTE** Figurine en bois ou en carton, représentant un personnage humain ou animal, et qu'un manipulateur, généralement caché, fait mouvoir avec la main ou grâce à des fils. Les marottes sont constituées d'une sorte de gant muni d'une tête et de mains, et dans lequel le montreur glisse la main pour actionner la figurine. Les principaux personnages français de marionnettes sont Guignol et son ami Gnafron. Créés à Lyon à la fin du XVIIIe siècle, ils incarnent la révolte populaire contre l'autorité.

**MARLIN** Gros poisson de mer des eaux tropicales, voisin de l'ESPADON. Certaines espèces de marlins peuvent atteindre 3,50 m de long et peser plus de 500 kg.

**MAROC** Monarchie d'AFRIQUE du Nord, le Maroc compte 20,6 millions d'habitants pour une superficie de 659 970 km². Sont intégrés dans le Maroc la plus grande partie de la chaîne de l'Atlas et une portion du SAHARA. La population est en majorité rurale, le pays exploitant toutefois des gisements de phosphates. Capitale : Rabat. ▷

**MARQUETERIE** En menuiserie, assemblage décoratif de lamelles de bois de couleurs variées, et utilisé comme revêtement de meubles. Les ouvrages en marqueterie peuvent également comporter des incrustations de matériaux différents tels que l'ivoire.

**MARRONNIER** Le marronnier d'Inde ou marronnier est un grand arbre à feuilles composées, palmées, à fleurs blanches panachées de rouge ; les fruits sont des capsules arrondies, à parois épineuses et contenant de très grosses graines (marrons) non comestibles. On désigne également sous le nom de marronnier une variété cultivée de châtaignier à fruits comestibles commercialisés sous le nom de marrons.

**MARS (DIEU)** Fils de JUPITER et de Junon,

▲ *La surface de Mars – la « Planète Rouge » – photographiée le 21 juillet 1976 par la sonde* Viking 1. *Le paysage est parsemé de rochers d'un mètre de diamètre environ, répartis sur une surface poudreuse.*

Mars était le dieu romain de la guerre. Dans le panthéon romain, Mars était placé au second rang, derrière Jupiter. D'après la légende, c'est son fils Romulus qui fonda ROME, ce qui faisait de Mars le père de la ville. Le mois de mars lui était dédié.

**MARS (PLANÈTE)** La quatrième planète du SYSTÈME SOLAIRE. Environ deux fois moins grosse que la Terre, sa période de révolution est de 687 jours. La superficie des calottes polaires s'accroît ou diminue selon les saisons. La mission spatiale *Viking* de 1976 n'a pas permis de savoir si la vie existait sur la planète. La mince atmosphère de Mars est composée principalement de GAZ CARBONIQUE. ▷

**MARSEILLE** Chef-lieu du département des Bouches-du-Rhône, sur la côte méditerranéenne, capitale de la Provence et premier port français.

**MARSOUIN** Petite BALEINE à dents (1,50 m de long) de l'Atlantique nord, voisine du DAUPHIN. Les marsouins ont le dos noir et le ventre blanchâtre ; ils nagent en vastes bancs et se nourrissent de poissons. ▷

MAROC : DONNÉES
Langue officielle : arabe.

Monnaie : dirham.

Population : en majorité berbère, avec une certaine proportion d'Arabes.

Point culminant : djebel Toubkal (4 165 m) dans le Haut-Atlas.

Ville principale : Casablanca (2,3 millions d'habitants), le principal port. Le Maroc fournit 14 % de la production mondiale de phosphates. En 1956, le pays est devenu indépendant de la France.

MARS (PLANÈTE) Sur Mars, la température oscille entre — 70 °C et 30 °C. La période de rotation de la planète est de 24 heures 37 minutes et 30 secondes. Phobos et Deimos, les deux petits satellites de Mars, ont été découverts en 1877. La surface de la planète est creusée de cratères et de gorges et l'atmosphère en est cent fois plus ténue que la nôtre. Comme la Terre, Mars possède probablement un gros noyau constitué de minerai de fer.

MARSOUIN Il est fréquent que l'on confonde marsouins et dauphins. Ce sont tous deux des baleines à dents et des mammifères, mais, alors que les marsouins ont le ventre arrondi, la tête ronde, la nageoire dorsale triangulaire et les nageoires pectorales arrondies, les dauphins ont le museau allongé et une nageoire dorsale recourbée vers l'arrière. Marsouins et dauphins sont célèbres pour la familiarité dont ils témoignent vis-à-vis des humains. Tous deux ont coutume de suivre les bateaux (plus rarement les marsouins). Ils peuvent demeurer immergés jusqu'à 10 minutes d'affilée mais doivent émerger pour respirer.

MARSUPIAL Le marsupial le plus près de s'éteindre est probablement le thylacine, ou loup de Tasmanie. Un spécimen a été aperçu en 1977 (le premier depuis 16 ans). Le plus petit marsupial est probablement *Planigale subtillissima*, un planigale d'Australie occidentale ne dépassant pas 45 mm. Le plus grand marsupial est le kangourou rouge, d'Australie méridionale et orientale, qui peut mesurer plus de 2,60 m de la pointe du museau au bout de la queue.

MARTINET Certains martinets construisent leur nid à l'aide de salive. Ce sont ces nids qui entrent dans la composition du potage chinois dit « aux nids d'hirondelles ».

MASQUE Les masques découverts en Afrique par les Occidentaux au XIXe siècle étaient utilisés au cours des cérémonies religieuses. Nombreux furent les Européens à considérer comme rudimentaires ces masques, mais telle n'était pas l'opinion d'artistes comme Pablo Picasso et Amedeo Modigliani, qui les collectionnèrent. Leur caractère abstrait influença fortement le mouvement cubiste.

MASTODONTE En Amérique du Nord, on a découvert des mastodontes fossiles dans le fond des marais, des tourbières, des lacs et des cours d'eau. En Alaska, on en a découvert des spécimens congelés, et si parfaitement préservés par le froid que la fourrure brun-roux qui protégeait ces animaux de l'ère glaciaire est encore visible.

**MARSUPIAL** MAMMIFÈRE dont la femelle a une poche ventrale *(marsupium)* contenant des mamelles, et dans laquelle s'achève le développement des petits après leur naissance. A sa naissance, le bébé kangourou par exemple, ne mesure que 2 cm et est incapable de se suffire à lui-même. Il rampe jusqu'à la poche de sa mère et y demeure plusieurs mois, nourri par le lait maternel. Les jeunes marsupiaux ne quittent la poche maternelle qu'une fois leur développement achevé. A l'exception des OPOSSUMS d'Amérique, tous les marsupiaux vivent en Australie (KANGOUROUS, wallabies et KOALAS.) ◁

**MARTINET** Le plus rapide des oiseaux de petite taille, le martinet peut atteindre 110 km/h en vol. Il est capable de manger, boire, se baigner et s'accoupler sans rejoindre la terre ferme. ◁

**MARTINIQUE** D.O.-M. Ile située dans la mer des Antilles où se sont développés la culture de la canne à sucre et de la banane, et le tourisme. 326 500 habitants.
Chef-lieu : Fort-de-France.

**MARTIN-PÊCHEUR** Petit oiseau aux couleurs vives, au long bec pointu, présent dans toutes les parties du globe. Les martins-pêcheurs vivent au bord des cours d'eau, plongeant rapidement pour attraper de petits poissons. De la même famille (alcédinidés) que les martins-pêcheurs, les martins-chasseurs, tel le martin-chasseur géant d'Australie, vivent dans les forêts, se nourrissant de reptiles, d'insectes et de petits vertébrés.

**MARX, KARL** Karl Heinrich Marx (1818-1883) est probablement le théoricien politique dont les écrits ont le plus influencé le monde moderne. Militant socialiste allemand, Marx considérait l'histoire comme une succession de luttes de classes qui devait conduire, dans un premier temps, à la « dictature du prolétariat », avant que puisse être franchie la seconde étape, celle de la disparition des classes sociales. *Le Capital*, l'œuvre majeure de Karl Marx, constitue la base de l'idéologie communiste.

**MASQUE** Objet dont on se couvre le visage pour déguiser ses traits ou exprimer quelque chose. Dans la Chine et la Grèce anciennes, les masques portés par les acteurs représentaient un personnage ou exprimaient des émotions. Dans certaines parties du monde, les masques sont associés à la magie et portés au cours de rites et de cérémonies. ◁

**MASQUE A GAZ** Masque destiné à protéger son utilisateur contre les gaz toxiques. Utilisés par les militaires pendant la Première Guerre mondiale, les masques à gaz furent distribués à la population lors de la Seconde Guerre mondiale, mais les gaz de combat ne furent pas employés lors de ce conflit.

▲ *Après être sorti de la poche de sa mère, le petit koala vit accroché à son dos pendant six mois.*

**MASSE** En PHYSIQUE, quantité de MATIÈRE constituant un corps. Des corps de même taille peuvent avoir des masses différentes. Il ne faut pas confondre masse et poids. Le poids est la force avec laquelle un corps est attiré vers la Terre par la gravitation. Deux corps de même taille et de masses différentes sur la Terre auraient toujours des masses différentes dans l'espace mais plus de poids. Le poids varie d'un lieu à un autre, alors que la masse demeure constante.

**MASSIF CENTRAL** Massif montagneux du centre de la France. Le puy de Sancy culmine à 1 886 m.

**MASTODONTE** MAMMIFÈRE préhistorique voisin de l'éléphant, mais aux dents massives et aux pattes courtes. Les mastodontes, plus petits que les éléphants actuels, sont apparus en Afrique du Nord il y a 40 millions d'années, puis leur aire de distribution s'est étendue à d'autres parties du monde. Ils ont disparu il y a quelque 8 000 ans. ◁

**MATIÈRE** On appelle matière la substance constituante de tous les corps — solides, liquides ou gaz. Une caractéristique fondamentale de la matière est d'être dotée d'une MASSE, et toutes les formes de la matière exercent une attraction gravitationnelle. (Voir GRAVITÉ.) On croyait autrefois que la quantité de matière constituant l'univers était constante et que la matière ne pouvait être ni créée ni détruite, puis Albert EINSTEIN a montré que de l'énergie pouvait être changée en matière et inversement. La masse d'un corps en mouvement est supérieure à celle d'un corps immobile. (Voir ATOME.)

**MATIÈRE PLASTIQUE** Il est difficile d'imaginer notre monde moderne sans les matières plastiques. Il existe un grand nombre de matières plastiques, possédant des propriétés diverses. Tous les plastiques sont susceptibles d'être modelés ou moulés à chaud et sous pression ; ils sont constitués de macromolécules — MOLÉCULES formées par l'enchaînement d'unités de base. De telles substances sont appelées *polymères*, et la plupart d'entre elles sont des dérivés du PÉTROLE. Les plastiques sont susceptibles de deux réactions à la chaleur. Certains s'amollissent et fondent, ne reprenant leur état solide qu'en se refroidissant : ce sont les *thermoplastiques*, utilisés pour fabriquer des ustensiles domestiques comme les bols ou les cuvettes. D'autres, une fois modelés, conservent leur rigidité même lorsqu'on les soumet à la chaleur : ils sont alors dits *thermodurcissables* et ne fondent plus parce que leurs chaînes de molécules sont entrecroisées.

Les objets en matière plastique sont obtenus par moulage. Dans le moulage par injection, les lames de thermoplastique sont chauffées jusqu'à fusion, puis le plastique fondu est injecté sous pression dans un moule refroidi par eau. Ce procédé de fabrication est le plus couramment utilisé. Dans le moulage par soufflage, de l'air est insufflé à l'intérieur d'une boulette de plastique en fusion, ce qui le projette contre les parois d'un moule creux. Les thermoplastiques peuvent être également modelés par *extrusion*, procédé par lequel on fait traverser au plastique en fusion les fines perforations d'une plaque ou *filière*. Ce procédé est utilisé pour la fabrication des TEXTILES chimiques.

Les plastiques thermodurcissables peuvent être modelés par compression. La poudre thermodurcissable, dont les molécules n'ont pas encore été entrecroisées, est placée dans une moitié de moule. Le moule est chauffé et les molécules commencent alors à s'entrecroiser. Avant que la réaction ne soit achevée, la seconde moitié du moule est assujettie sur la première, la matière plastique prenant forme entre ces deux moitiés de moule.

**MAURES** Peuple nomade d'Afrique du Nord, les Maures (du latin *Mauri*) se joignirent aux ARABES au VIII^e siècle de notre ère pour se lancer à la conquête de l'Espagne.

**MÉCANIQUE** Branche de la PHYSIQUE qui a pour objet l'étude des forces et de leurs actions sur les corps. Cette science est généralement subdivisée en deux grandes branches : la statique et la DYNAMIQUE. La statique s'attache à l'étude des corps stationnaires, la dynamique à celle des corps et des particules en mouvement.

**MECQUE (LA)** Ville sainte de l'ISLAM. La Mecque, située en Arabie Saoudite, fut le lieu de naissance du prophète MAHOMET. La ville vit essentiellement du pèlerinage des fidèles. Population : 500 000 habitants. ▷

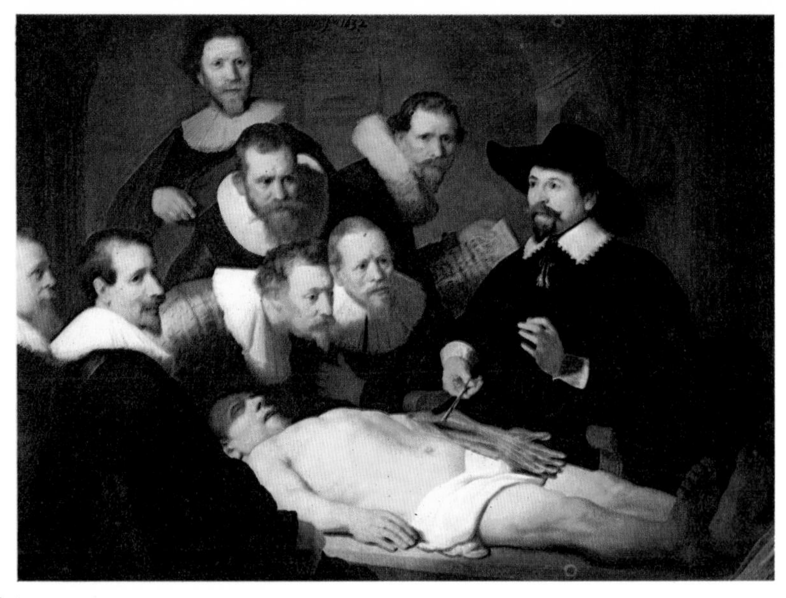

▲ *Du fait de l'opposition de l'Église, les premières dissections anatomiques devaient se pratiquer dans le plus grand secret. Vers le milieu du XVII^e siècle, l'anatomie fut reconnue, comme le montre ce fameux tableau de Rembrandt :* la Leçon d'anatomie *(1632).*

MECQUE (LA) Avant même la naissance de Mahomet, La Mecque était déjà un lieu de pèlerinage. On y venait de toute l'Arabie pour rendre hommage à la *Ka'ba*, sanctuaire cubique abritant la Pierre noire sacrée et où, selon les croyances de l'époque, de nombreux dieux avaient élu domicile. Bien que les musulmans soient monothéistes, la *Ka'ba* est demeurée l'un des hauts lieux de La Mecque.

**MÉDAILLE** Pièce de métal, le plus souvent circulaire et portant un dessin, une inscription en relief, commémorant un événement, ou donnée en récompense d'actes de bravoure en temps de guerre ou de paix. L'usage des médailles fut instauré au XV^e siècle. Au nombre des médailles célèbres figurent la Croix de Guerre (France), la Victoria Cross (Grande-Bretagne), la Croix de Fer (Allemagne), la Médaille d'Honneur (États-Unis) et la médaille des Héros de l'Union soviétique (U.R.S.S.).

**MÉDECINE** Science qui a pour objet la prévention et les soins des maladies ainsi que le soulagement de la DOULEUR. La part la plus importante du travail du médecin est probablement l'établissement du diagnostic — détermination de la maladie à partir des symptômes présentés par le patient. HIPPOCRATE, médecin de la Grèce antique, a largement contribué à faire de la médecine une science, et les écrits de Galien (129-199) — autre médecin grec — ont fait autorité dans le monde médical jusqu'au XVI^e siècle — siècle au cours duquel l'anatomie fit un grand bond en avant et pendant lequel William Harvey, un Anglais, fit de nombreuses découvertes touchant à la circulation du SANG. A la fin du XVIII^e siècle, Edward JENNER mettait au point le vaccin contre la VARIOLE. Le XIX^e siècle fut marqué par l'usage des anesthésiques (voir

MÉDUSE Il existe trois types de méduses : les *scyphoméduses* ou méduses vraies ; les *siphonophores* — colonies flottantes de petits animaux marins suspendus à un sac empli de gaz (la galère portugaise est un siphonophore) ; et les *cténophores* ou *cténaires (Pleurobrachiapileus)*. Une méduse peut atteindre 4 m de diamètre, avec des tentacules de 30 m. Les méduses sont constituées de 95 % d'eau, 4 % de sels minéraux et 1 % de matière organique seulement.

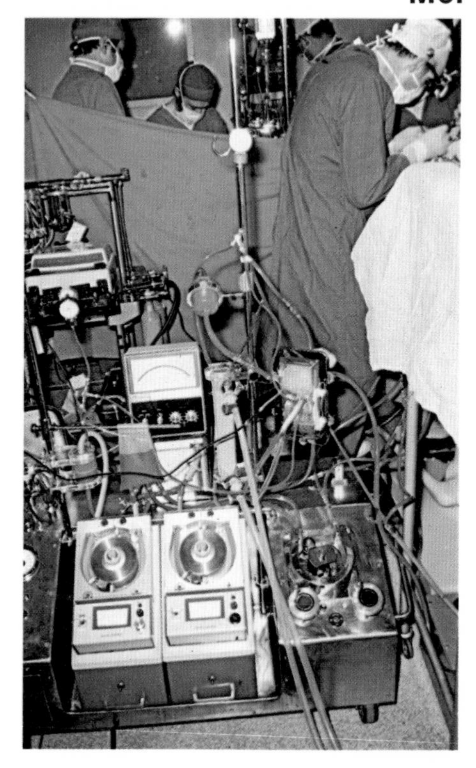

▸ *Avec le progrès de la médecine et de la technologie, on est aujourd'hui en mesure de construire des machines qui suppléent à certains organes du corps : ici, une machine supplée au rôle du cœur et des poumons durant une opération. Sans ce type de machines, les opérations à cœur ouvert seraient impossibles.*

ANESTHÉSIE) et des ANTISEPTIQUES, ainsi que par les découvertes de PASTEUR touchant aux micro-organismes présents dans l'air. Le XXe siècle a déjà vu la mise en service des ANTIBIOTIQUES, des VACCINS, l'usage des transfusions sanguines et, plus récemment, des transplantations d'organes. (Voir CHIRURGIE.)

**MÉDICAMENT** Substance chimique destinée à prévenir ou soigner les maladies. L'opium, la morphine et autres narcotiques servent à soulager la douleur. Les sédatifs sont des calmants, les plus répandus étant les BARBITURIQUES, utilisés contre l'insomnie. Les tranquillisants apaisent l'anxiété sans provoquer de somnolences. Les SULFAMIDES et les ANTIBIOTIQUES, comme la pénicilline, s'attaquent aux bactéries.

**MÉDICIS** Famille de banquiers florentins qui domina puis régna sur Florence du XIVe au XVIIIe siècle. Laurent le Magnifique (1449-1492) s'illustra comme mécène et protecteur des arts. Son fils fut le pape Léon X (1475-1521). Catherine (1519-1589), puis Marie de Médicis (1573-1642) furent des reines de France.

◂ *La galère portugaise est une méduse qui flotte à la surface de la mer. Ses tentacules garnis de cellules urticantes peuvent atteindre 12 m.*

**MÉDITERRANÉE (MER)** Mer comprise entre l'EUROPE méridionale, l'Afrique du Nord et l'Asie occidentale. Elle communique avec l'ATLANTIQUE par le détroit de GIBRALTAR et avec la mer Noire par les détroits du Bosphore et des Dardanelles. Certaines parties de la Méditerranée prennent les noms spécifiques de mers ADRIATIQUE, Égée et Ionienne. La Méditerranée couvre une superficie de près de 3 millions de km². Ses plus grandes îles sont la SICILE, la Sardaigne, CHYPRE, la Corse et la CRÈTE.

**MÉDUSE** Animal marin INVERTÉBRÉ, composé d'un corps rond, mou, semi-transparent, entouré de tentacules urticants. La méduse se sert de ses tentacules pour emprisonner sa proie et la porter à sa bouche située sur la face inférieure du corps. ◁

**MÉLANGE** Lorsqu'on ajoute du sable à du fer en poudre, on constitue un mélange. Il est facile, ensuite, de séparer le fer du sable, à l'aide d'un aimant. Les substances entrant dans la composition d'un mélange ne changent pas ; elles peuvent toujours être séparées. (Voir ÉLÉMENTS et COMPOSÉS.) L'air est un mélange de gaz (AZOTE, OXYGÈNE, etc.). Chacun de ces gaz peut être séparé. Les liquides peuvent aussi être mélangés. C'est pourquoi

certaines bouteilles portent la mention : « agiter avant usage »; en effet, lorsque le mélange est au repos, ses divers constituants ont tendance à se séparer, le plus dense tombant au fond de la bouteille.

**MELON** Plante grimpante ou rampante, cultivée dans les pays chauds pour ses gros fruits juteux. Selon les variétés, la peau et la chair des fruits sont de couleur et de consistance différentes. Le melon est généralement consommé cru ; on en fait également de la confiture ou des confiseries.

**MÉMOIRE** Capacité d'emmagasiner et de se souvenir des expériences passées. L'être humain a tendance à oublier rapidement ce qu'il vient d'apprendre, mais cette tendance s'amenuise avec le temps. Des expériences ont également montré que ceux qui apprennent vite oublient moins que ceux qui assimilent lentement. Selon les psychologues, un réflexe de défense pousse les êtres humains à oublier certains événements pénibles.

▲ *L'imposante vague photographiée ci-dessus donne une idée de la puissance de la mer.*

**MENDEL, JOHANN** Religieux et botaniste autrichien (1822-1884), célèbre pour ses travaux sur l'HÉRÉDITÉ des caractères du pois. Il découvrit que certains de ces caractères étaient dominants, d'autres récessifs. Il publia les résultats de ses travaux en 1866, mais ce n'est que seize ans après sa mort que leur importance fut reconnue.

**MENDELSSOHN-BARTHOLDY, FÉLIX** Compositeur allemand (1809-1847) qui composa des symphonies, des ouvertures, des chants et des oratorios. L'une de ses œuvres très connue est le *Concerto pour violon.*

**MÉNOPAUSE** Familièrement dénommée « retour d'âge », la ménopause désigne la période de la vie d'une femme — généralement entre 40 et 50 ans — au cours de laquelle les organes reproducteurs cessent progressivement leur activité.

MER Certains grands lacs du globe dépassent en superficie les plus petites des mers ; ainsi le lac Supérieur, dont la superficie est de 82 350 km², alors que la mer Morte, l'une des plus petites mers, située à la frontière d'Israël et de la Jordanie, ne mesure que 70 km de long. C'est principalement la salinité de l'eau qui différencie les mers des lacs. La mer Morte est la plus salée des mers du globe ; c'est une mer entièrement fermée et, étant donné son taux d'évaporation — 1 cm par jour —, l'eau douce résultant des précipitations est rapidement éliminée ; son taux de salinité est tel qu'aucun animal ne peut y survivre ; d'où son nom.

**MENTHE** Plante très odorante, à petites feuilles dentelées et fleurs blanches ou roses, utilisée en infusion ou comme aromate.

**MENUISERIE** Construction en bois de maisons, charpentes de toit, escaliers, planchers, haies, portes, fenêtres, devantures de magasins, etc. La menuiserie fine, touchant à la fabrication du mobilier, porte le nom d'ébénisterie. Aujourd'hui, les menuisiers disposent d'un certain nombre de machines-outils, telles que scie à ruban, scie circulaire, dégauchisseuse, raboteuse, toupie, etc., qui accélèrent et facilitent le travail du bois.

**MER** Vaste étendue d'eau salée qui peut, comme la MÉDITERRANÉE, constituer une partie d'un OCÉAN ou être totalement encerclée par les terres comme la CASPIENNE.

*▼ Illustration montrant la surface de Mercure illuminée par le Soleil, telle que pourrait nous la révéler un gros plan photographique. Les fissures résultent des énormes variations de température entre le jour et la nuit ; les cratères ont été creusés par des météorites dans les débuts de l'histoire de la planète.*

Du fait qu'elles se réchauffent et se refroidissent plus lentement que la terre ou l'air, les mers ont une influence adoucissante sur le climat des régions côtières. La présence, dans la mer, de courants chauds ou froids influe également sur le climat des côtes.

L'eau de mer renferme environ 3,5 % d'ÉLÉMENTS en solution — les plus abondants étant le sodium et le chlore qui, réunis, constituent le sel. Du fait que l'eau de mer est salée, il est plus facile d'y nager qu'en eau douce. ◁

**MERCURE (DIEU)** Dans la mythologie romaine, Mercure était le messager des dieux. Il était généralement représenté sous les traits d'un jeune homme revêtu d'un casque et de sandales ailés, et porteur d'un bâton muni de deux ailes et sur lequel s'entrelacent deux serpents.

**MERCURE (MÉTAL)** Seul métal à se présenter à l'état liquide à la température normale, et de symbole chimique Hg. Autrefois appelé « vif-argent », le mercure est utilisé dans les THERMOMÈTRES et les BAROMÈTRES. Avec d'autres métaux, il forme des ALLIAGES appelés amalgames ; les amalgames d'or et d'argent servent à « plomber » les dents. Le mercure est principalement extrait du cinabre.

**MERCURE (PLANÈTE)** La plus petite planète du SYSTÈME SOLAIRE, et la plus proche du Soleil. En 1974, *Mariner 10* est passé à 800 km seulement de Mercure, ce qui a permis d'apprendre que la planète possédait un puissant champ magnétique, une atmosphère ténue, partiellement constituée d'HÉLIUM, et que sa surface était creusée de cratères comme celle de la Lune.

**MÉRIDIEN** A la surface de la Terre, ligne imaginaire passant par les points de même longitude. (Voir LATITUDE ET LONGITUDE.) Le méridien origine, ou premier méridien (0° de longitude), passe par l'ancien observatoire de Greenwich, en Angleterre. A partir de ce méridien, les autres sont mesurés vers l'est ou l'ouest.

**MERMOZ, JEAN** Aviateur français (1901-1936) qui réussit, en 1930, la première liaison France-Amérique du Sud. Il disparut en mer à bord d'un hydravion.

**MÉROVINGIENS** Première lignée royale ayant régné sur la France à partir du Vᵉ siècle, du nom de Mérovée, roi de 448 à 457 environ. Cette dynastie fut évincée par les Carolingiens en 751.

**MÉSOPOTAMIE** Région de l'Asie entre le Tigre et l'Euphrate, aujourd'hui principalement occupée par l'IRAK, et berceau de quelques-unes parmi les plus anciennes civilisations, dont celle des SUMÉRIENS.

**MÉTÉORE** Voir MÉTÉOROIDE.

**MÉTÉOROIDE** Corps solide qui, s'étant détaché d'une COMÈTE, pénètre dans l'atmosphère de la Terre, et est généralement consumé à ce moment-là par le frottement ; il se manifeste alors sous forme d'une traînée brillante appelée *météore* ou *étoile filante*. Les météoroïdes qui atteignent le sol sans être totalement consumés sont appelés *météorites*. En heurtant le sol, les plus grosses météorites y creusent des cratères. ▷

**MÉTÉOROLOGIE** Étude des variations des conditions atmosphériques et des causes de ces variations. L'une des tâches majeures des météorologistes est l'établissement des PRÉVISIONS MÉTÉOROLOGIQUES. La météorologie est née dans la Grèce antique. Au XVII^e siècle, l'invention d'appareils de mesure tels que BAROMÈTRES et THERMOMÈTRES a permis des observations plus précises. Aujourd'hui, des stations météorologiques réparties sur la totalité du globe — sur terre, sur mer, au niveau du sol comme dans la haute atmosphère — recueillent des quantités de données auxquelles viennent s'ajouter celles que collectent les SATELLITES, les stations RADAR, etc. Ces données sont rassemblées et analysées dans les centres de prévisions météorologiques.

**MÉTIER A TISSER** Machine servant à la fabrication des textiles. Dans un métier simple, les fils de *chaîne* (parallèles au sens d'avancement du tissu) sont disposés sur le métier de manière à pouvoir être soulevés pour laisser passer les fils de *trame* (perpendiculaires aux fils de chaîne). Jusqu'à la fin du XVIII^e siècle, les métiers à tisser étaient actionnés à la main, après quoi Edmund Cartwright (1743-1823) inventa un métier mécanique qui permit d'accélérer notablement le processus. ▷

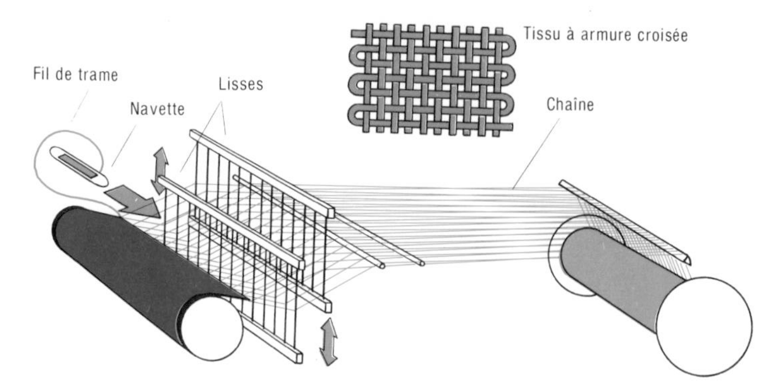


▲ *Un métier à tisser. Dans le tissage à armure croisée, la chaîne passe, à travers des œillets, entre les fils de deux cadres ou lisses qui, par un mouvement de monte et baisse, séparent la chaîne en deux nappes permettant le passage de la navette sur laquelle est enroulé le fil de trame. Selon l'ordre dans lequel les fils de chaîne sont passés dans les lisses, on obtient des tissages différents.*

**MÉTRO** Abréviation de *chemin de fer métropolitain*. C'est à Londres, en 1863, que fut inaugurée la première ligne de chemin de fer métropolitain. Elle ne mesurait que 6 km et les rames étaient tractées par des locomotives à vapeur. En 1879, la mise en service de trains mus par l'électricité permit d'utiliser des TUNNELS plus profonds et moins ventilés. A Paris, les premiers travaux pour l'établissement d'un réseau urbain ont commencé en 1898. Celui-ci compte aujourd'hui 170 km de lignes, auxquelles viennent s'ajouter celles du métro régional (R.E.R.) qui dessert les banlieues. De nos jours, les grandes villes, telles Londres, New York, Tokyo et Moscou, sont équipées d'un métro.

▼ *Passagers sur les quais de* Baker Street Station *(Londres) où fut inaugurée la première ligne de métro.*

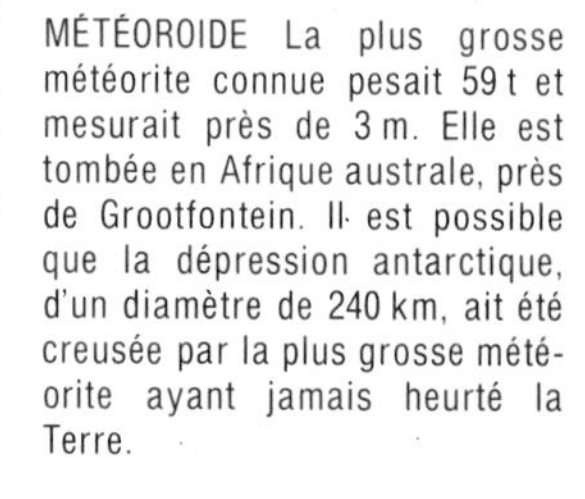

MÉTÉOROIDE La plus grosse météorite connue pesait 59 t et mesurait près de 3 m. Elle est tombée en Afrique australe, près de Grootfontein. Il est possible que la dépression antarctique, d'un diamètre de 240 km, ait été creusée par la plus grosse météorite ayant jamais heurté la Terre.

MÉTIER A TISSER Au XVIII^e siècle, des inventeurs français avaient imaginé un système automatisé pour tisser des motifs. Les fils de chaîne de différentes couleurs étaient fixés à une rangée d'aiguilles qui traversaient une configuration de motifs percés dans un rouleau de papier. Là où il n'y avait pas de trou, l'aiguille ne pouvait passer. Après chaque passage de la trame, le rouleau avançait pour présenter une nouvelle configuration de trous.

▲ *La Pietà de Michel-Ange (basilique Saint-Pierre de Rome), qui représente la Vierge Marie tenant dans ses bras son fils mort. Lorsqu'il a entrepris cette sculpture, l'artiste n'avait que 23 ans.*

MEXIQUE : DONNÉES
Langue officielle : espagnol.
Monnaie : peso.
Point culminant : pico de Orizaba (5 700 m), troisième montagne d'Amérique du Nord pour l'altitude.
Cours d'eau : Rio Grande, Rio de las Balsas Panuco, Grijalva, Santiago et Conchos.
Plus grand lac : lac Chapala (1 080 km²).
Religion : catholicisme.

MICHEL-ANGE Michel-Ange est mondialement célèbre pour la beauté de ses personnages sculptés ou peints. Lui-même, pourtant, avait eu le visage et le nez déformés à la suite d'une bagarre avec un jeune apprenti de ses amis qui avait émis des critiques sur sa peinture.

MICROSCOPE L'un des premiers à avoir utilisé le microscope pour élargir la connaissance humaine fut le Hollandais Anton Van Leeuwenhoek (1632-1723). Leeuwenhoek montra que crevettines et moules naissaient dans des œufs et non spontanément du sable ou de la vase comme on le croyait alors.

**MEXIQUE** République d'Amérique latine, le Mexique compte 71,1 millions d'habitants (1982) pour une superficie de près de 2 millions de km². Les Mexicains sont, en majorité, les descendants des Indiens d'Amérique et des Espagnols qui s'implantèrent en Amérique latine au XVIᵉ siècle. L'agriculture (maïs, café, coton) occupe 35 % de la population. Le sous-sol recèle des gisements de fer, de zinc, de plomb et d'argent (premier producteur mondial). Le nord du pays est principalement industriel et la découverte récente d'importants gisements de pétrole a favorisé l'essor de la pétrochimie. Capitale : Mexico. ◁

**MICA** Minéral transparent ou coloré, formé de silicate (voir SILICIUM) d'aluminium et de potassium. Le mica peut être clivé en minces feuillets ; il servait autrefois à revêtir les portes de poêles et les lanternes du fait de sa transparence et de son excellente résistance à la chaleur.

**MICHEL-ANGE, MICHELANGELO BUONAROTTI, DIT** Sculpteur, peintre et architecte de la RENAISSANCE italienne, Michel-Ange (1475-1564) s'est attaché durant toute sa vie à interpréter le corps humain. Cet intérêt est déjà manifeste dans ses premières œuvres, telle la statue de *David* (aujourd'hui à l'académie de Florence). Dans le domaine de la peinture, il réalisa, entre autres, les FRESQUES de la chapelle Sixtine (VATICAN). Il est également l'auteur des plans du dôme de la basilique Saint-Pierre de Rome. ◁

**MICROFILM** Procédé photographique de miniaturisation permettant de stocker sous un faible volume une importante masse de documents tels que livres, journaux, dossiers, etc. Pour pouvoir être consultés par la suite, ces films doivent passer dans un agrandisseur (Voir PHOTOGRAPHIE.)

**MICROPHONE** Dispositif dans lequel les ondes sonores sont transformées en oscillations électriques de façon à pouvoir être enregistrées ou transmises par l'intermédiaire de conducteurs ou d'ondes RADIO. Le type de microphone utilisé varie selon l'usage que l'on veut en faire. Le plus employé est le microphone à charbon, qui équipe tous les appareils téléphoniques. Le plus simple se compose d'un morceau de fer doux, autour duquel est enroulé un fil métallique. Cet électro-aimant est placé à proximité d'un mince disque de métal appelé *diaphragme*. En frappant cette membrane, les ondes sonores la font vibrer, ce qui provoque des variations de l'intensité du MAGNÉTISME de l'électro-aimant. Il y a alors production d'un courant électrique (signal son) qui est acheminé jusqu'au dispositif d'enregistrement par un fil conducteur. Le dispositif de reproduction du son se compose, lui aussi, d'un électro-aimant et d'un diaphragme. Les variations du courant font vibrer le diaphragme du récepteur qui restitue alors le son. (Voir ÉLECTRICITÉ.)

**MICROSCOPE** Instrument d'optique qui sert à regarder les objets très petits. Dire qu'un microscope a un grossissement de 100 signifie que l'image vue par l'observateur est 100 fois plus grosse que l'objet. La loupe est un microscope très simple, mais les microscopes utilisés dans les laboratoires sont beaucoup plus complexes ; ils comportent plusieurs LENTILLES. Dans un microscope optique utilisant des lentilles de verre et la lumière ordinaire, le plus fort grossissement possible est de 1 600 environ. Dans le microscope électronique, les rayons lumineux sont remplacés par un faisceau d'électrons (voir ATOME) concentré sur l'objet, comme le serait un faisceau de LUMIÈRE. On peut ainsi atteindre des grossissements de l'ordre de 2 000 000. ◁

**MIDAS** Roi de Phrygie, en Asie Mineure. Selon la légende grecque, Midas, avide de richesse, avait obtenu du dieu Dionysos le pouvoir de changer en or tout ce qu'il touchait — se condamnant par là même à mourir de faim puisqu'il ne pouvait plus toucher à la nourriture sans la changer également en or. ◁

**MIEL** Substance sirupeuse et parfumée, élaborée par les ABEILLES à partir de nectar et emmagasinée dans la ruche en vue de l'alimentation des LARVES. Le miel, de blanc à brun doré suivant les végétaux butinés par les abeilles, est pour les humains un aliment énergétique car il contient des sucres simples comme le GLUCOSE, rapidement digestibles.

▼ *Le microphone à charbon utilise de la grenaille de charbon pour transmettre les ondes sonores ; en frappant le microphone, les ondes font varier la résistance électrique de la grenaille par une succession de compressions et d'expansions. Cette variation se répercute sur le courant produit par la pile et, par conséquent, le son reproduit dans les écouteurs.*

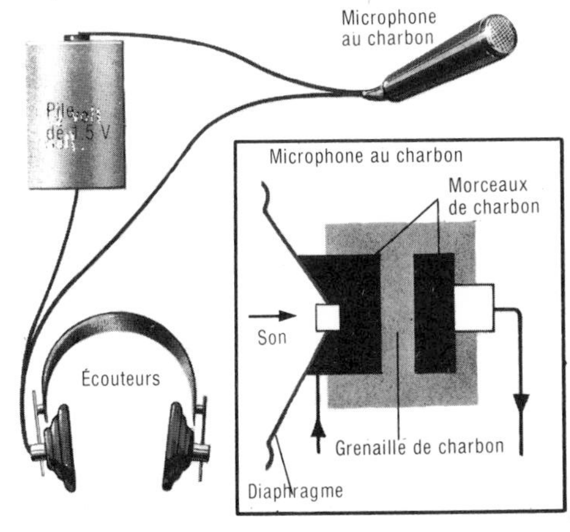

**MIGRAINE** Familièrement baptisée « mal de tête », la migraine est une douleur qui affecte la tête et peut se prolonger pendant des heures, voire des jours, s'accompagnant parfois de nausées ou de troubles de la vision. Elle peut constituer le symptôme d'une maladie telle que la grippe ou le paludisme, ou être provoquée par d'autres facteurs comme la fatigue oculaire, une trop forte chaleur ou encore une fatigue cérébrale. Certains MÉDICAMENTS et RÉGIMES alimentaires permettent dans de nombreux cas de mettre un terme à cette affection.

**MIGRATION** De nombreux mammifères, oiseaux, poissons, insectes et autres animaux effectuent, à une période précise de l'année, des déplacements dans une direction déterminée, pour revenir dans leur région de départ à une autre saison. Ce sont ces déplacements réguliers que l'on appelle migrations ; les migrations sont souvent liées aux mœurs alimentaires ou reproductrices des espèces animales. Le SAUMON, par exemple, vit en mer mais se reproduit en eau douce. En hiver, lorsque la TOUNDRA de l'Arctique est gelée, le CARIBOU émigre vers les forêts du Sud, à la recherche d'abris et de nourriture. Les HIRONDELLES, qui se reproduisent en Europe septentrionale, franchissent 11 000 km pour rejoindre en hiver l'Afrique du Sud et y trouver la chaleur ainsi que les insectes dont elles se nourrissent. Les insectes sont eux-mêmes de grands voyageurs : le monarque — un papillon — effectue des migrations entre le Canada et le Mexique. ▷

**MILAN** Oiseau de proie aux longues ailes, à la queue longue et fourchue et au vol élégant. Il existe de nombreuses espèces de milan, réparties à travers le monde.

**MILLE-PATTES** Nom vulgaire des diplopodes — une sous-classe des myriapodes. Les mille-pattes sont de petits animaux allongés, à corps segmenté équipé d'un squelette externe, à deux paires de pattes sur presque chacun des segments. Ce sont des créatures nocturnes, lentes, qui se nourrissent de végétaux en décomposition. Il en existe quelque 8 000 espèces. Chez la plupart d'entre elles, l'animal se roule en boule lorsqu'il est menacé.

**MILLET OU MIL** Importante plante céréalière, cultivée dans les régions très sèches d'Afrique et d'Asie, surtout en Inde et en Chine, pour l'alimentation humaine. Dans d'autres parties du monde, le millet est utilisé comme plante fourragère.

**MILTON, JOHN** Poète et écrivain politique anglais. Milton (1608-1674) est surtout célèbre pour ses deux grands poèmes : *le Paradis perdu* (1667) et *le Paradis reconquis* (1671). ▷

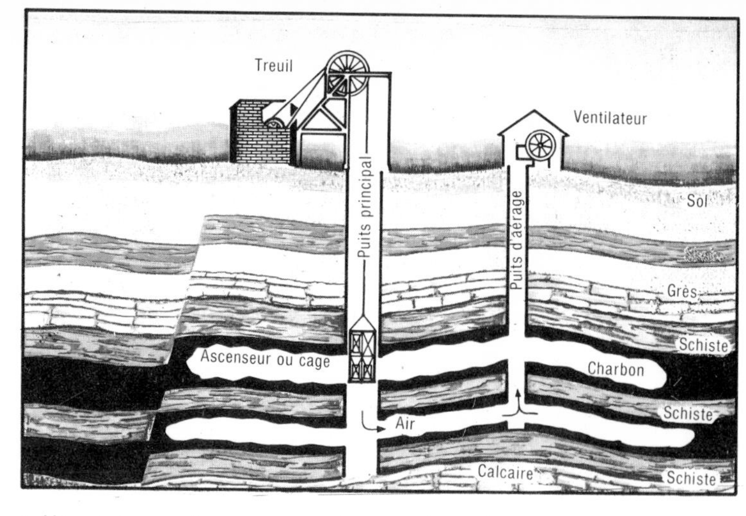


▲ *Vue en coupe d'une mine de charbon. Les hommes et le matériel descendent dans la mine par le puits principal, équipé d'un ascenseur. La mine est alimentée en air frais par un ventilateur installé au sommet du puits d'aérage.*

**MIME** Dans la Rome antique, acteur qui interprétait exclusivement par gestes des pièces bouffonnes. La tradition du mime s'est perpétuée jusqu'à nos jours et compte des acteurs célèbres, tel Marcel Marceau.

**MINAGE (TRAVAUX DE)** Technique consistant à utiliser des EXPLOSIFS pour déblayer de gros volumes de terre ou de roche (creusement de galeries, traçage de routes, opérations militaires, etc.).

**MINARET** Tour d'une mosquée, du haut de laquelle le muezzin appelle les fidèles à la prière. Les minarets sont parmi les caractéristiques les plus marquantes de l'architecture islamique. (Voir ART MUSULMAN.)

**MINE** Ensemble des travaux et installations servant à extraire les substances fossiles et minérales de l'écorce terrestre. Lorsque les couches ou filons de MINÉRAUX ou de HOUILLE sont situés près de la surface, l'exploitation peut se faire en mine (carrière) à *ciel ouvert*. On extrait les dépôts alluviaux par DRAINAGE. L'exploitation d'une mine *souterraine* est coûteuse et peut être dangereuse, mais elle permet d'atteindre des filons enfouis profondément.

**MINERAI** ROCHE ou MINÉRAL dont on peut extraire tel ou tel ÉLÉMENT utile, généralement métallique. Certains métaux, comme l'or, l'argent et le cuivre, peuvent être extraits par simple chauffage du minerai, ce qui provoque la fusion du métal qu'il contient. D'autres métaux se présentent sous forme de composés chimiques, c'est-à-dire combinés à d'autres éléments comme l'oxygène ou le soufre. Le fer, par exemple, se présente sous forme d'oxyde de fer et le cuivre souvent sous forme de sulfure de cuivre. A partir de composés, on obtient des métaux purs par traitement chimique ou par ÉLECTROLYSE.

MIGRATION L'albacore (un poisson) est un grand migrateur. Un spécimen marqué et lâché en Californie a été repêché à proximité du Japon moins d'un an plus tard, après avoir franchi 7 900 km. Mais le champion des migrateurs est, sans conteste, la sterne arctique. L'un de ces oiseaux, bagué dans l'Arctique, a été capturé 10 mois plus tard en Australie : il avait franchi 19 300 km.

MILTON (JOHN) Milton a consacré des années à la rédaction du *Paradis perdu*, l'un des plus grands poèmes de langue anglaise — poème qui lui rapporta 10 £ en tout et pour tout. Après sa mort, sa veuve vendit les droits d'auteur de l'œuvre pour 8 £ seulement.

▸ *Ci-contre, des minéraux qui se présentent sous forme de beaux cristaux colorés, et qui constituent également des minerais intéressants.*

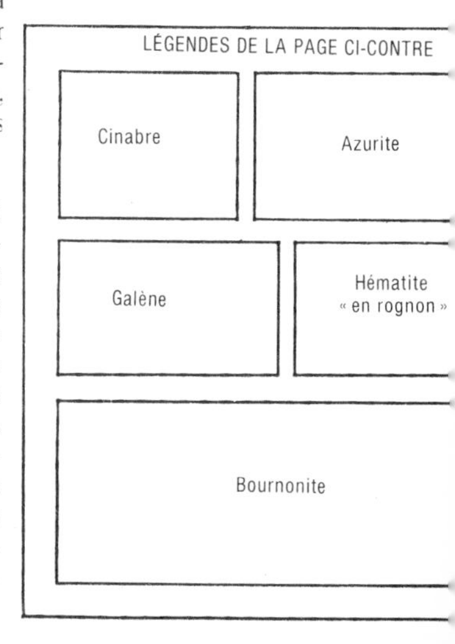

**MINÉRAL** Corps constituant les ROCHES de l'écorce terrestre. Les minéraux se présentent le plus souvent comme des solides constitués de CRISTAUX, mais il existe des exceptions à cette règle : le PÉTROLE, par exemple, considéré par certains comme un minéral, et l'eau qui, à strictement parler, est également un minéral. Certains minéraux sont gazeux. Les minéraux les plus utiles à l'homme sont ceux dont on extrait des métaux : ils portent le nom de MINERAIS.

**MING** Dynastie qui régna sur la Chine de 1368 à 1644. Elle fut fondée par le moine chinois Chou Yuan-chang, qui renversa la dynastie MONGOLE des Yuan. A la dynastie Ming succéda celle des Mandchous. La période Ming est célèbre pour sa littérature et ses objets de porcelaine.

**MINIATURE** Petite PEINTURE finement exécutée, tels les portraits en réduction produits en Europe aux XV^e et XVI^e siècles.

**MINOEN, ENNE (CIVILISATION)** Culture de la CRÈTE de l'AGE DU BRONZE, et qui doit son nom à Minos, le légendaire roi de Crète. Le minoen fut la première grande civilisation européenne. Florissante des années 2500 à 1450 av. J.-C., la civilisation minoenne était fondée sur le commerce du grain, du vin et des olives et sur l'artisanat (poteries, pierre gravée et textiles). On suppose que la civilisation crétoise fut détruite par un RAZ DE MARÉE provoqué par une éruption volcanique.

**MIROIR** Un miroir se compose d'une plaque de VERRE revêtue sur une face d'une fine pellicule d'argent ou d'ALUMINIUM, protégée par une couche de peinture. Lorsque la lumière frappe le métal à travers le verre, elle est réfléchie. Les hommes de l'Age du Fer utilisaient des miroirs de métal poli. Chez les Égyptiens des années 2500 av. J.-C. les miroirs étaient en argent ou en bronze.

**MISSILE RADIOGUIDÉ** Projectile autopropulsé et muni d'une ogive explosive. La trajectoire des missiles radioguidés est contrôlée par radio ou système de guidage automatique. Les premiers missiles de ce type furent mis au point par les Allemands au cours de la Seconde Guerre mondiale (V1 et V2). Les progrès technologiques accomplis depuis, notamment dans le domaine de l'électronique, ont augmenté considérablement la précision de ces armes ; les missiles *Polaris* et *Minuteman* américains, par exemple, sont susceptibles d'atteindre une cible située à des milliers de kilomètres de leur base de lancement.

**MISSISSIPPI** Fleuve des États-Unis, long de 3 780 km, qui prend sa source dans le Minnesota et se jette dans le golfe du Mexique. ▷

▲ *Le quartz est le minéral le plus répandu dans le monde. Les grains de sable sont généralement constitués de quartz. Le quartz pur est translucide ; ce sont les impuretés qui le colorent.*

**MISSOURI** Principal affluent du MISSISSIPPI, aux États-Unis. Le système MISSISSIPPI-MISSOURI, l'un des plus longs du monde, forme une artère fluviale de 5 970 km.

**MITRAILLEUSE** Arme automatique, d'un calibre inférieur à 20 mm, susceptible de tirer en rafales jusqu'à 1 600 coups à la minute. Mise au point à la fin du XIX^e siècle, la mitrailleuse arme les unités d'infanterie, les engins blindés, les avions, etc.

MISSISSIPPI Avec son principal affluent, le Missouri, le Mississippi forme le plus long système fluvial de l'Amérique du Nord et draine un tiers de la superficie des États-Unis. Il rejette chaque année dans la mer 270 millions de mètres cubes de vase, de sable et de gravier ; d'où un agrandissement continu de son delta.

◀ *La mitrailleuse Gatling, inventée durant la guerre de Sécession américaine. Elle comportait de six à dix canons, actionnés par une manivelle et pouvant être déchargés les uns à la suite des autres.*

◂ *Ce secrétaire est un magnifique exemple de meuble ancien. Réalisé en France au XVIIIe siècle, il est décoré de motifs en marqueterie et de moulures en bronze doré.*

**MOBILIER** Toutes les pièces d'ameublement transportables que l'on peut installer dans un local en constituent le mobilier. Sont inclus dans cette dénomination certains meubles fixés aux murs, tels placards ou étagères. En règle générale, le terme de mobilier désigne des meubles d'usage et non exclusivement décoratifs : tables, lits, sièges, mais aussi tapis ou armoires. Certaines pièces de mobilier, finement exécutées, prennent les dimensions d'œuvres d'art.

Le mobilier moderne est généralement plus dépouillé et plus simple que le mobilier ancien. Les pièces peuvent en être réalisées en bois, en acier, en chrome, en matière plastique, en verre ou en matériaux synthétiques.

**MODE** Terme désignant les pratiques qui sont liées à une époque déterminée. Le phénomène de la mode ne s'applique pas exclusivement aux vêtements, mais aussi au mobilier, à la manière de vivre, d'agir ou même de penser. La mode change d'une époque à l'autre, parfois très rapidement. Les styles de vêtements constituent un excellent exemple de ces changements : les robes s'allongent ou se raccourcissent, les jambes des pantalons s'élargissent ou se rétrécissent, etc. La PUBLICITÉ joue un grand rôle dans la mode, mais en définitive c'est le goût du public qui est déterminant. Un certain nombre de changements de tous ordres paraissent n'avoir d'autres causes que le désir de nouveauté.

**MOHAIR** Laine souple et légère de CHÈVRE angora, dont on fait de la laine à tricoter et des étoffes légères et chaudes pour couvertures, draperies, etc.

**MOINEAU** Petit oiseau granivore, présent partout dans le monde. C'est un oiseau bruyant, hardi, au vol rapide. Il existe trois espèces de moineau : le moineau domestique, le moineau domestique hispanique et le moineau friquet.

**MOISE** Dans la Bible, chef, libérateur et législateur du peuple hébreu. Selon l'Ancien Testament, Moïse (v. le XIIIe siècle av. J.-C.) a fait sortir les Hébreux d'Égypte pour les conduire vers la « Terre promise » (PALESTINE). Il a reçu de Dieu les Dix Commandements, à partir desquels il a formalisé la religion juive. (Voir JUDAISME.)

**MOISISSURE** CHAMPIGNON simple, constitué d'une masse de filaments et qui couvre la substance organique morte — tels le pain, le fromage ou le cuir — sur laquelle elle se développe. C'est une espèce de moisissure qui constitue les veines bleues du roquefort ou du gorgonzola. La PÉNICILLINE est une moisissure qui tue certains microbes pathogènes.

**MOLÉCULE** Lorsque des ATOMES s'assemblent pour constituer une structure stable, cette structure est appelée molécule. La molécule est la plus petite partie d'un composé qui puisse exister à l'état libre sans perdre les propriétés du composé. (Voir ÉLÉMENTS ET COMPOSÉS.) L'EAU est un composé d'atomes d'oxygène et d'hydrogène ;

▾ *Groupe de moineaux domestiques au bain. Après le bain, ces oiseaux ont coutume de lisser et lubrifier leur plumage.*

▸ *L'eau est composée de molécules dont chacune est constituée par deux atomes d'hydrogène (en bleu) et un atome d'oxygène (en jaune), réunis par des liaisons covalentes.*

chaque molécule d'eau se compose de deux atomes d'hydrogène et d'un atome d'oxygène. Si l'on élimine l'un de ces trois atomes, on n'est plus en présence d'une molécule d'eau. Avant que les atomes aient été identifiés en tant que tels, on pensait que les molécules étaient les plus petites particules existantes. Certaines molécules organiques peuvent être constituées de milliards d'atomes.

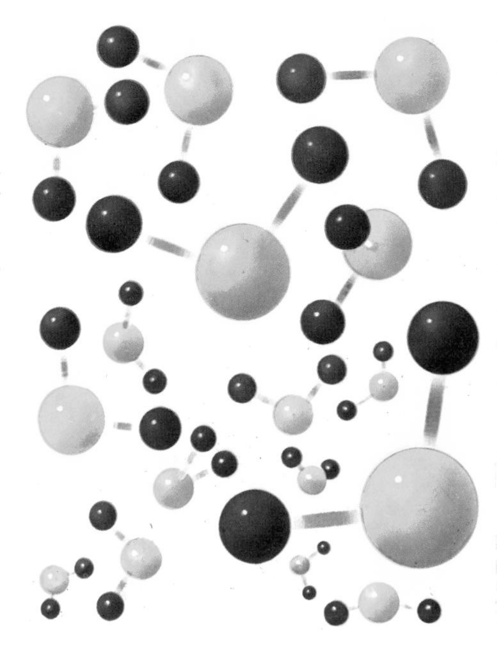

**MOLIÈRE, JEAN-BAPTISTE POQUELIN, DIT** Auteur dramatique français (1622-1673) le plus célèbre. Il fut également comédien et directeur de troupe. Parmi ses œuvres, *les Précieuses ridicules, Tartuffe, Dom Juan, le Misanthrope, l'Avare, le Bourgeois gentilhomme, le Malade imaginaire.* Il mourut au cours de la représentation de cette dernière pièce.

**MOLLUSQUES** Groupe très diversifié d'animaux à corps mou dont certains sont protégés par une COQUILLE. ESCARGOTS, LIMACES, HUITRES, MOULES, CALMARS et PIEUVRES sont des mollusques. Le corps d'un mollusque typique est constitué d'un *pied,* plus ou moins ventral, surmonté d'une masse d'organes mous entourés par le *manteau* qui produit la coquille.

**MONACO** Petite principauté du Midi de la FRANCE, Monaco compte 27 000 habitants pour une superficie de 185 hectares. C'est une station touristique réputée de la MÉDITERRANÉE. ▷

**MONET, CLAUDE** Peintre IMPRESSIONNISTE français, Monet (1840-1926) s'est attaché dans ses paysages à reproduire les effets changeants de la lumière à diverses heures du jour.

**MONGOLIE** République populaire d'ASIE centrale, située entre la CHINE et l'U.R.S.S., la Mongolie compte 1,7 million d'habitants pour une superficie de 1 565 000 km². C'est un pays en majeure partie désertique. Capitale : Oulan-Bator. ▷

**MONGOLS** Peuple nomade d'Asie, les Mongolie compte 1,7 million d'habitants de la CHINE aux frontières de l'Europe orientale. Le premier unificateur des Mongols fut GENGIS KHAN. Après s'être emparé, en 1215, de la Chine septentrionale, il lança ses troupes vers l'ouest, sur la Russie et la Perse. Son petit-fils, KUBILAY KHAN (1216-1294), acheva la conquête de la Chine. Au XIVe siècle, l'empire commença à se désagréger, et en 1368 la dynastie MING s'installa en Chine.

**MONNAIE** Dans une communauté, tout instrument de mesure de la valeur et de moyen d'échange des biens. Les premiers hommes utilisaient comme moyen d'échange du sel, des clous ou des fèves de cacao, et, dans certaines régions du monde, le bétail et les cauris (coquillages) servent encore de monnaie. Ce furent les Chinois qui frappèrent les premières PIÈCES DE MONNAIE ; elles firent leur apparition en Asie Mineure vers 600 av. J.-C. Les premiers billets de banque furent fabriqués en Chine au IXe siècle de notre ère.

**MONNAYAGE** Fabrication de la monnaie. Les PIÈCES sont en métal — cuivre nickel ou argent. Chacune porte sa valeur et la date de sa fabrication. Les pièces sont *frappées* à l'*Hôtel des monnaies.*

**MONORAIL** Dispositif de CHEMIN DE FER n'utilisant qu'un seul rail, généralement surélevé. Les voitures sont suspendues au rail ou roulent dessus. Les roues motrices peuvent être en contact avec les faces latérales du rail. ▷

**MONSTRE GILA** LÉZARD venimeux des déserts américains. Il n'existe au monde que deux espèces de lézards venimeux : le monstre Gila et le lézard perlé (Mexique). Rose, brun et orangé, à corps ramassé, le monstre Gila mesure 60 cm de long ; ses glandes à venin sont situées dans sa mâchoire inférieure.

**MONTAGNE** Masse de terrain de forme irrégulière, caractérisée par son altitude éle-

▸ *La Femme à l'ombrelle* de Monet. *Claude Monet fut le seul impressionniste à avoir été, de son vivant, reconnu par la critique.*

MONACO : DONNÉES
Langue officielle : français.

Monnaie : franc monégasque.

La principauté bénéficie, vis-à-vis de la France, d'une union douanière et d'une monnaie interchangeable. C'est, après le Vatican, le plus petit État souverain du monde.

Monaco tire ses revenus du tourisme, des jeux de casino, du grand prix automobile qui y est disputé chaque année, ainsi que, dans une certaine mesure, de l'émission de timbres-poste.

MONGOLIE : DONNÉES
Langue officielle : mongol.

Monnaie : tugrik.

Religion : bouddhisme.

Principaux cours d'eau : le Selenga, qui se jette dans le lac Baïkal et le Kéroulen, un affluent de l'Amour.

MONORAIL Le premier dispositif monorail fut construit en 1901 à Wuppertal, en Allemagne. Il est toujours en service. Le trajet le plus rapide sur monorail fut effectué en 1959, au Nouveau-Mexique, par un traîneau propulsé par fusée et qui approcha les 5000 km/h.

MONTAGNE Les plus hautes montagnes de chacun des continents sont :

Asie : Everest (8 848 m).

Amérique du Sud : Aconcagua (6 960 m).

Amérique du Nord : McKinley (6 194 m).

Afrique : Kilimandjaro (5 895 m).

Europe : Elbrous (5 633 m).

Antarctique : massif Vinson (5 140 m).

Océanie : Putjak Djaja (5 030 m environ).

▼ *Les morses vivent en grands troupeaux sur les rives des mers arctiques. Leurs défenses leur servent à se déplacer, à creuser le fond à la recherche de mollusques et à se battre. Ils constituent aujourd'hui une espèce protégée.*

▸ *Les montagnes des régions polaires de l'hémisphère Sud ne recèlent que peu de vie.*

vée, plus étroite au sommet qu'à la base. Les *montagnes de plissement*, comme les ALPES, les ANDES et l'HIMALAYA, ont été soulevées par la collision de plaques de l'écorce terrestre. Les *montagnes volcaniques* sont composées de LAVE, de cendres volcaniques ou des deux. Une montagne qui se dresse sur le fond de l'océan et émerge à la surface de l'eau constitue une ILE. ◁

**MONTAIGNE, MICHEL EYQUEM DE** Écrivain et magistrat français (1533-1592). Il nota ses réflexions dans ses *Essais*. Sa pensée humaniste a influencé les philosophes français.

**MONTRÉAL** Ville industrielle et commerciale du CANADA. Montréal, dans la province du Québec, compte une population de 2,9 millions d'habitants (banlieue comprise). C'est un important nœud routier, ferroviaire et aérien.

**MOORE, HENRY** Grand sculpteur britannique, Henry Moore (né en 1898) a travaillé le bois, la pierre et le bronze. Ses sculptures *(Mère et Enfant, Figure au repos)*, exécutées dans un style abstrait ou figuratif, révèlent la complicité de l'homme avec la nature. Il est également l'auteur de dessins et d'aquarelles.

**MOQUEUR** Oiseau chanteur d'Amérique, brun-gris, à longue queue. Le moqueur doit son nom à ce qu'il imite le cri d'autres oiseaux ou mammifères.

**MORMONS** Membres d'une secte religieuse créée aux États-Unis en 1830 par Joseph Smith (1805-1844), et qui fondèrent Salt Lake City. Les livres sacrés des mormons sont la Bible et le *Livre de Mormon.*

**MORPHINE** Drogue obtenue à partir de l'OPIUM, la morphine est utilisée en médecine pour soulager la douleur, mais présente des dangers d'accoutumance ; c'est pourquoi elle n'est pas en vente libre.

**MORSE (ANIMAL)** Gros et massif MAMMIFÈRE marin, cousin du PHOQUE. Le morse a une peau épaisse et plissée ; il mesure plus de 3 m de long et possède deux défenses courbes qu'il utilise pour se battre ou racler les rochers pour en arracher les mollusques qui constituent sa principale nourriture. Les troupeaux de morses habitent les eaux côtières minces du cercle polaire Arctique.

▸ *Le système de télégraphe électrique Morse (1882). Dès les années 1770, plusieurs systèmes télégraphiques avaient été expérimentés, mais Morse eut le mérite d'inventer un code simple permettant de transmettre les messages par fil, de sorte que c'est son système qui fut adopté.*

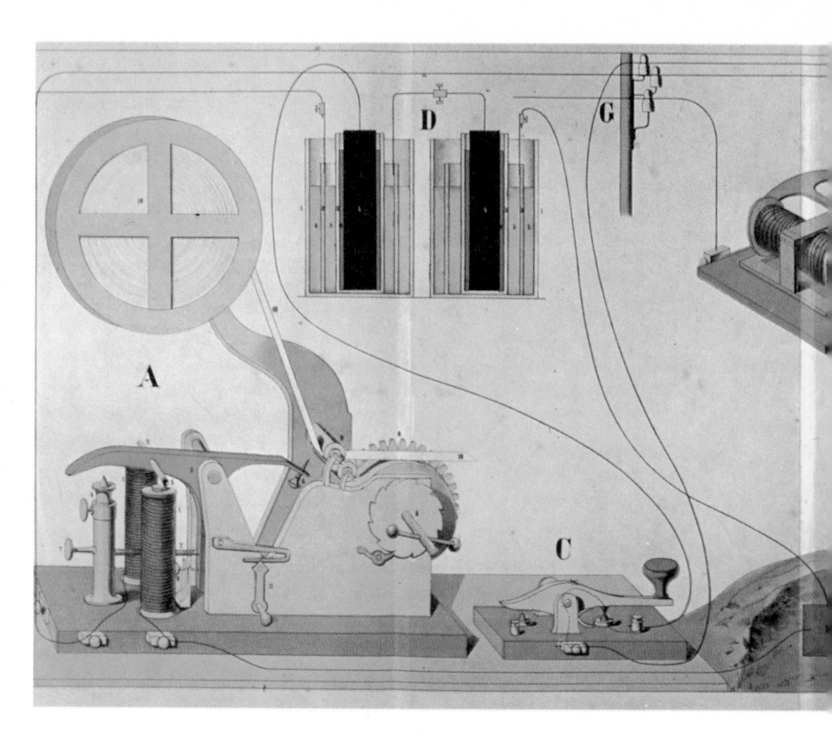


**MORSE** Système de télégraphie, utilisant un alphabet dans lequel chaque lettre est représentée par une configuration de points et de traits. L'alphabet morse doit son nom à son inventeur, Samuel Morse (1791-1872).

**MORT** Les récents progrès de la médecine ont contribué à faire reculer la notion de mort et rendu la définition de ce terme plus délicate. On a vu des gens « mourir » au sens courant du terme — c'est-à-dire leur respiration et leurs battements cardiaques s'interrompre — et être ranimés par les massages cardiaques et la respiration artificielle. C'est pourquoi on tend à définir aujourd'hui la mort plutôt comme la cessation de l'activité cérébrale.

**MORTE (MER)** Lac salé formant frontière entre Israël et la Jordanie. Ses berges sont situées à 393 m au-dessous du niveau de la mer, ce qui en fait le lieu le plus bas du globe. ▷

**MORTE (manuscrits de la mer)** Manuscrits anciens découverts entre 1947 et le début des années 50 dans des grottes proches de la rive nord-ouest de la mer Morte. Rédigés en hébreu et en araméen — deux LANGAGES des anciens Juifs —, ces manuscrits renferment tous les livres de l'Ancien Testament, à l'exception de celui d'Esther ; ils sont conservés au musée de Jérusalem.

**MORTIER (ARME)** Bouche à feu destinée à projeter des obus en hauteur — par-dessus une colline, par exemple. Un mortier se compose d'un tube d'acier, muni à une extrémité d'un percuteur et monté sur une fourche repliable.

**MORUE** Gros poisson de l'Atlantique Nord recherché pour sa chair. La morue (cabillaud) est un poisson vert olive ou brun qui peut atteindre 1,80 m et peser jusqu'à 90 kg. Elle est très prolifique. La femelle peut pondre 8 millions d'œufs par ponte, mais la plupart sont mangés par les prédateurs, de sorte que 6 ou 7 seulement parviennent à maturité.

**MOSAIQUE** Assemblage décoratif de petits cubes multicolores (tessères) de MARBRE, de pierre, de verre et autres matériaux, incrustés dans du ciment. Les civilisations grecque et romaine étaient passées maîtres dans cet art et les églises italiennes et BYZANTINES sont souvent ornées de très belles mosaïques. ▷

**MOSCOU** Capitale de l'U.R.S.S. (voir UNION SOVIÉTIQUE), sur la Moskova. Population : 8,2 millions d'habitants (1982). C'est le centre industriel, culturel et politique du pays. Moscou est devenue capitale nationale en 1547, sous le premier tsar de Russie, IVAN LE TERRIBLE, et l'est restée jusqu'en 1712. Elle est redevenue capitale en 1918, à la suite de la révolution russe. Au nombre des lieux intéressants de la ville figurent le KREMLIN, la place Rouge (tombeau de Lénine et église Saint-Basile le Bienheureux). La ville abrite également un grand théâtre, le Bolchoï, et des musées (Pouchkine, galerie Tretiakov).

MORTE (MER) La mer Morte étant très salée, il est possible, du fait que l'eau salée est plus dense que l'eau douce, de s'allonger sur l'eau de cette mer sans avoir besoin de nager.

MOSAIQUE L'Université nationale de Mexico possède la plus grande mosaïque murale du monde. Elle relate des scènes historiques et s'étend sur quatre murs, dont deux couvrant 1 203 m².

◂ *Parmi les mosaïques murales découvertes dans les ruines de Pompéi figure celle-ci, équivalent du « attention chien méchant » de nos maisons.*

MOTEUR A COMBUSTION INTERNE C'est en 1680 que le physicien néerlandais Christian Huygens émit l'idée d'un moteur tirant son énergie d'une explosion provoquée à l'intérieur d'un cylindre fermé par un piston. En 1826, Samuel Brown, un Londonien, construisit un moteur à combustion interne qui utilisait du gaz atmosphérique pour actionner un véhicule. En 1876, les Allemands Nikolaus Otto et Eugen Langen mirent au point le premier moteur à quatre temps.

▸ *L'action du cylindre dans un moteur à explosion.* Admission : *le piston descend et le mélange essence/air est aspiré dans le cylindre.* Compression : *le piston remonte, comprimant le mélange.* Explosion : *la bougie d'allumage produit l'étincelle qui enflamme le mélange comprimé. L'augmentation de volume du gaz qui accompagne l'explosion fait redescendre le piston.* Échappement : *les gaz brûlés sont expulsés au-dehors par la soupape d'échappement.*

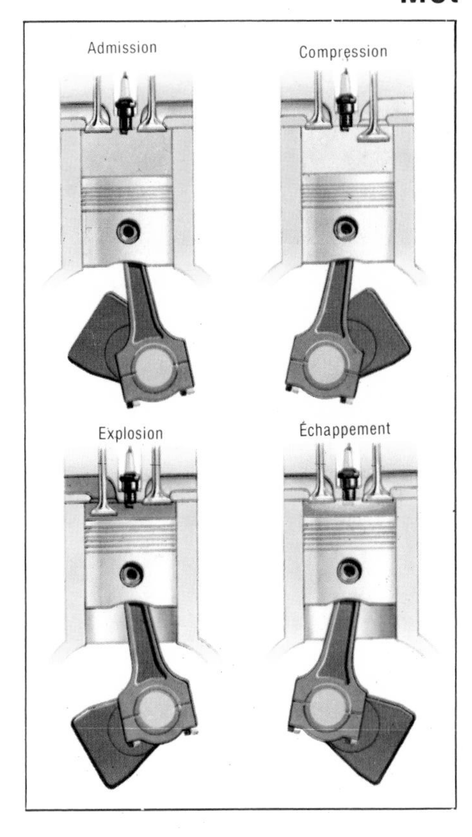


**MOTEUR A COMBUSTION INTERNE** Type de moteur dans lequel l'énergie fournie par la combustion d'un carburant à l'intérieur d'un cylindre est transformée en énergie mécanique. Il existe deux types de moteurs à combustion interne : le moteur à essence (moteur à explosion) et le MOTEUR DIESEL. Dans le moteur à essence, le mélange d'essence et d'air explose au contact d'une étincelle électrique. L'explosion, qui se produit dans la partie supérieure du cylindre, pousse le piston vers le bas. Le piston actionne la bielle qui fait tourner le vilebrequin. Ce type de moteur, qui équipe principalement les automobiles, compte en général quatre, six ou huit cylindres fonctionnant en série. Dans le moteur Diesel, l'air est aspiré dans le cylindre et comprimé par le piston, ce qui a pour conséquence de l'échauffer. Lorsque le gazole est injecté dans le cylindre, il s'enflamme spontanément au contact de l'air chaud. Il n'y a pas d'étincelle. (Voir AUTOMOBILE, MOTOCYCLETTE.) ◁

**MOTEUR DIESEL** Type de MOTEUR A COMBUSTION INTERNE, semblable sur bien des points au moteur à essence, et inventé en 1890 par l'ingénieur allemand Rudolf Diesel. Il équipe largement aujourd'hui autobus, camions, locomotives et, dans une moindre proportion, automobiles.

**MOTEUR ÉLECTRIQUE** Appareil qui transforme l'énergie électrique en énergie mécanique. Le fonctionnement d'un moteur électrique est l'inverse de celui d'un GÉNÉRATEUR. Dans un moteur électrique simple, le courant est transmis à une bobine placée entre les deux pôles d'un aimant, ce qui a pour résultat de produire dans la bobine une force qui la fait tourner ; un *commutateur* inverse le sens du courant à chaque demi-rotation de la bobine. Ce dispositif est indispensable, dans la mesure où sans lui la bobine s'immobiliserait après avoir opéré une demi-rotation. Le changement de sens du courant renvoie la bobine à sa position première, et ainsi de suite (voir schéma). Les moteurs véritables sont constitués de nombreux segments, un par bobine. Les moteurs électriques équipent aussi bien les rasoirs que les énormes machines industrielles ou les trains. Voir schéma p. 244.

▾ *Chaque cylindre contient un piston qui, par son mouvement de va-et-vient, actionne une bielle reliée aux roues par un système de transmission.*

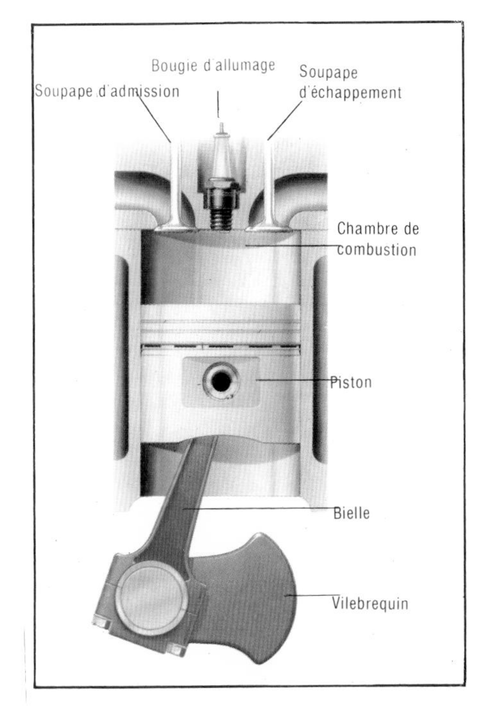

## Mot

▸ *Séquence des opérations correspondant à une rotation du moteur électrique simplifié. Par souci de clarté, la bobine a été représentée par une seule spire de fil. Lorsque le courant traverse la bobine, il engendre un champ magnétique, représenté ici par un aimant transparent.* **1.** *Les champs magnétiques agissent l'un sur l'autre et les forces d'attraction et de répulsion font tourner la bobine.* **2.** *Les pôles de la bobine sont presque dans le prolongement de ceux des aimants.* **3.** *Le commutateur inverse le sens du courant qui traverse la bobine, et donc les pôles magnétiques de la bobine.* **4.** *Les forces d'attraction et de répulsion continuent à faire tourner la bobine.* **5.** *Les pôles sont de nouveau presque alignés : le commutateur inverse à nouveau le sens du courant et la bobine continue à tourner.*

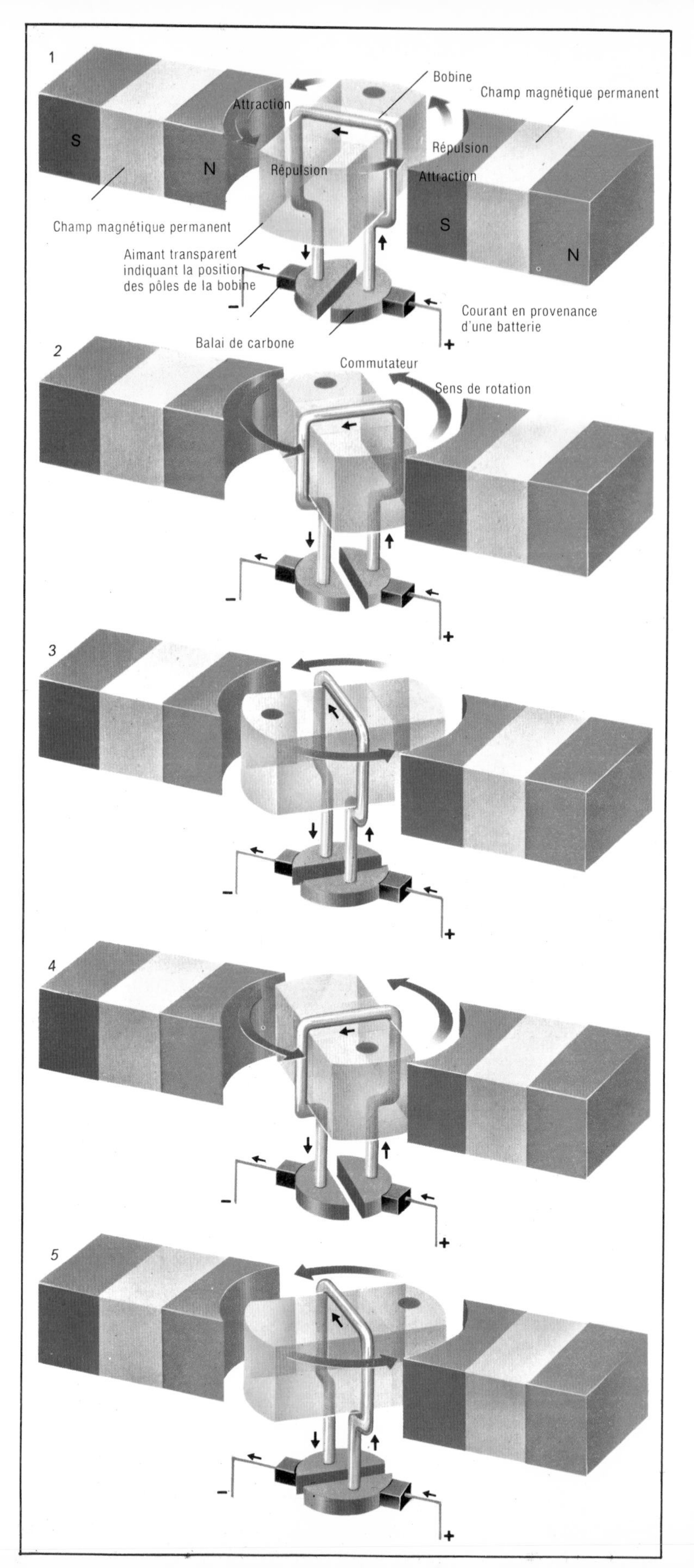


**MOTOCYCLETTE** Véhicule à deux roues, actionné par un moteur à explosion (voir MOTEUR A COMBUSTION INTERNE) de plus de 125 $cm^3$ de cylindrée (volume du ou des cylindres). Le premier véhicule méritant le nom de motocyclette fut l'œuvre de l'ingénieur allemand Gottlieb Daimler (1834-1900). Les motocyclettes constituent aujourd'hui un moyen de transport très prisé et donnent lieu à de nombreuses courses.

**MOUCHE** Nom donné à plusieurs espèces d'insectes appartenant à l'ordre des diptères, c'est-à-dire n'ayant qu'une paire d'ailes. Les mouches ont des pièces buccales suceuses et se nourrissent de nectar et de matière organique en décomposition. La *mouche tsé-tsé* — une espèce brunâtre d'Afrique tropicale — suce le sang humain et animal, transmettant, ce faisant, la maladie du sommeil. La *mouche domestique,* du fait qu'elle vomit en permanence durant sa digestion, transporte également des microbes. Les *mouches vert et bleu* constituent également un danger de contamination parce qu'elles pondent leurs œufs — qui se changent en vers blancs — sur la viande. Les pattes des mouches sont équipées de ventouses, ce qui permet à l'animal de marcher au plafond la tête en bas.

**MOUETTE** Oiseau de mer à longues ailes, pattes palmées. Le plumage est principalement blanc, le cri aigu. Présentes dans la majeure partie du monde, les mouettes sont des oiseaux bons voiliers, bons nageurs, qui se nourrissent de poissons et de détritus flottant à la surface ; elles nichent généralement en colonies sur les falaises côtières ou sur le sol.

**MOUFETTE OU MOUFFETTE OU MOFETTE** MAMMIFÈRE nord-américain, voisin du BLAIREAU, de la taille approximative d'un chat, à queue touffue. Menacée, la moufette attaque en projetant sur l'ennemi un jet de liquide infect, sécrété par ses glandes anales, et qu'elle peut lancer jusqu'à 3,50 m. La moufette est recherchée pour sa fourrure (sconse ou skons).

MOUTON Les moutons sont, et de loin, les animaux les plus nombreux d'Australie. On compte, dans ce pays, 140 millions de têtes, soit à peu près 10 par habitant.

▼ *L'œil composé de la mouche est constitué de nombreux éléments comptant chacun une lentille hexagonale. Ces minuscules « yeux » sont tous orientés dans des directions légèrement différentes. Si la mouche détecte bien le mouvement, elle ne voit les objets que sous la forme d'une configuration brouillée de points.*

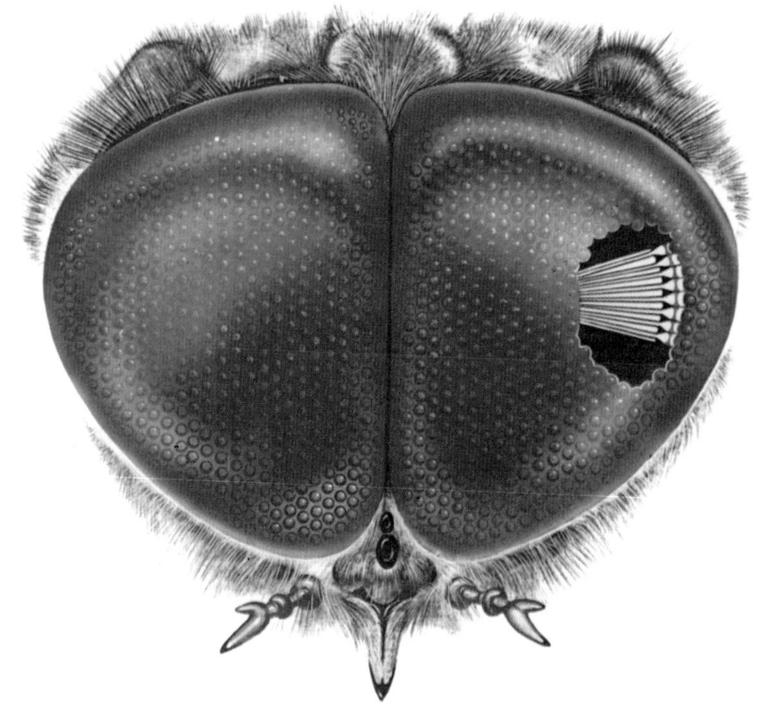

▼ *Inapte à l'ingestion de nourriture solide, la mouche domestique répand sur les aliments une substance qui les liquéfie ; après quoi elle les aspire.*

**MOULE** Petit MOLLUSQUE que l'on trouve principalement dans la mer, bien qu'il en existe quelques espèces d'eau douce. Les moules sont des *bivalves,* c'est-à-dire que leur coquille se compose de deux parties réunies par une charnière. Comme les autres bivalves, les moules se nourrissent par filtrage des particules en suspension dans l'eau de mer. La moule de culture est bleu-noir ; elle vit en groupes denses sur les rochers battus par la mer. Sa culture (mytiliculture) se pratique sur toutes les côtes françaises.

**MOUSQUET** ARME de guerre portative, en usage des années 1540 à 1840 environ. Le mousquet était une arme à âme lisse, se chargeant par le canon. Avec l'amélioration des systèmes de mise à feu, il céda la place aux fusils à mèche, à rouet et à pierre.

**MOUSSE** Plante commune, à très courte tige, non florifère, qui forme des tapis sur les arbres, les rochers, le sol. Les mousses sont des plantes très simples et qui font partie des plus anciens végétaux terrestres. Elles se reproduisent au moyen de spores. Si certaines espèces préfèrent la sécheresse, la plupart des mousses ne se développent que dans un environnement humide.

**MOUSSON** Nom donné à des vents qui soufflent alternativement, selon la saison, vers la terre (été) et vers la mer (hiver). La mousson d'été, ou mousson humide, apporte avec elle des pluies diluviennes. Le climat de l'Inde, par exemple, est soumis à un régime de mousson.

**MOUSTIQUE** Petit INSECTE à deux ailes (ordre des diptères), longues pattes et corps allongé. Les moustiques sont répandus partout dans le monde, mais ils sont particulièrement abondants dans les régions tropicales. Chez de nombreuses espèces, les pièces buccales piqueuses et suceuses des femelles en font les véhicules de maladies telles que le PALUDISME et la fièvre jaune. Les moustiques se reproduisent dans l'eau.

**MOUTARDE** Nom donné à plusieurs espèces de plantes de la famille des crucifères et cultivées pour leurs graines, lesquelles, broyées, traitées au vinaigre et aux aromates, constituent un condiment : la moutarde. La farine de moutarde est également employée en thérapeutique (cataplasmes).

**MOUTON** MAMMIFÈRE ruminant, originaire d'Afrique, d'Amérique et de certaines parties de l'Asie, et que l'on élève pour sa toison bouclée (laine), sa chair et, dans certains cas, son lait (lait de brebis) et son cuir. Le mouton est un animal que l'on peut élever sur des sols pauvres, ou sur des sols riches où se pratique la rotation des cultures. Les grands pays éleveurs de moutons sont l'Australie, l'U.R.S.S. et la Chine. ◁

**MOUVEMENT OUVRIER** Organisation des travailleurs en SYNDICATS, en vue de lutter pour l'amélioration des conditions de travail et de salaire et de prévenir le CHOMAGE. Le mouvement ouvrier a vu le jour avec la RÉVOLUTION INDUSTRIELLE, période à laquelle de nombreux travailleurs se sont trouvés regroupés dans les villes industrielles. De nombreux partis politiques se sont construits avec le soutien du mouvement ouvrier.

**MOUVEMENT PERPÉTUEL** Action d'une machine qui fonctionnerait perpétuellement sans qu'il y ait, à un quelconque moment, apport d'énergie extérieure. Nombreux ont été les hommes à vouloir inventer une machine dotée d'un mouvement perpétuel. En fait, une telle machine ne peut exister car elle serait en contradiction avec les lois de la THERMODYNAMIQUE.

**MOYEN AGE** Terme utilisé par les historiens européens pour désigner la période historique séparant la chute de l'Empire romain (V^e^ siècle) — fin de l'Antiquité — de la RENAISSANCE (XV^e^ siècle), qui marquait le début des Temps modernes. A l'époque médiévale, les États européens étaient organisés selon le système féodal et leur économie basée sur l'AGRICULTURE. L'ÉGLISE CATHOLIQUE, unique autorité religieuse, exerçait une grande influence en maintenant l'unité européenne. (Voir ART ET ARCHITECTURE GOTHIQUE, CATHÉDRALE, CHEVALERIE, CHRISTIANISME.)

**MOYEN-ORIENT** Région du globe qui s'étend sur 16 nations d'ASIE du Sud-Ouest et, en AFRIQUE, sur l'Égypte. La population du Moyen-Orient est en majorité musulmane, mais le CHRISTIANISME occupe une place importante à CHYPRE et au LIBAN. La population d'ISRAEL est presque entièrement juive. La coexistence de populations islamiques et judaïques est à l'origine de violents conflits.

**MOZAMBIQUE** République de la côte orientale de l'AFRIQUE, le Mozambique compte 12,6 millions d'habitants (1982) pour une superficie de 783 000 km². Le pays a acquis son indépendance vis-à-vis du Portugal en 1975. Capitale : Maputo. ▷

**MOZART, WOLFGANG AMADEUS** Grand compositeur autrichien. Mozart (1756-1791) a commencé à composer dès l'âge de cinq ans. Au cours de sa vie, il écrivit 13 opéras, dont *Don Giovanni* (1787) et *la Flûte enchantée* (1791), 15 messes, 41 symphonies, plusieurs concertos ainsi que de nombreuses œuvres de musique de chambre. ▷

**MULET** MAMMIFÈRE robuste, résultant de l'accouplement d'un ANE et d'une jument. Dans certaines parties du monde, les mulets sont encore utilisés comme animaux de bât.

**MULTIPLICATION** Opération arithmétique constituant le moyen rapide d'additionner plusieurs fois un nombre avec lui-même : multiplier le nombre « 4 » par trois (4 x 3) équivaut à additionner trois fois « 4 » (4+4+4).

**MURÈNE** Poisson agressif et carnassier des mers chaudes, à corps allongé comme l'ANGUILLE, particulièrement abondant dans les récifs coralliens ; de nombreuses espèces présentent des couleurs vives. Les murènes restent cachées pendant le jour et chassent la nuit, utilisant leurs dents acérées pour attraper poissons et autres créatures marines.

**MUSC** Substance brune, huileuse, à odeur forte, extraite des glandes de certains mammifères — entre autres, le *porte-musc* mâle — et utilisée dans l'industrie du SAVON et des PARFUMS. Le porte-musc est un petit cervidé des montagnes d'Asie centrale dépouvu de bois.

**MUSCADE** Fruit du muscadier, un arbre à feuilles persistantes originaire d'Indonésie, et dont la graine (noix muscade) est utilisée comme condiment. Le macis, un autre condiment, est obtenu à partir de la partie extérieure de la muscade. ▷

**MUSCLE** Organe formé de fibres et assurant les mouvements des animaux. Le corps humain compte environ 640 muscles. Certains sont *volontaires* (muscles rouges), c'est-à-dire susceptibles d'être actionnés consciemment (lors de la marche, par exemple) ; d'autres, tels les muscles de l'ESTOMAC, sont *involontaires* (muscles blancs). Ils opèrent sans que l'individu ait à produire un effort conscient.

▼ *Wolfgang Amadeus Mozart s'était acquis une renommée internationale en tant que petit prodige du clavier. Bien qu'âgé de 35 ans seulement à sa mort, il laissait derrière lui une œuvre considérable.*

MOZAMBIQUE : DONNÉES
Langue officielle : portugais.

Monnaie : metical.

Population : composée en majorité de Bantous.

Principal fleuve : Zambèze.

MOZART A 3 ans, Mozart s'intéressait déjà aux cordes des clavecins et des clavicordes. A 4 ans, il jouait des menuets ; à 6, il écrivit un concerto et fit le tour des cours royales d'Europe devant lesquelles il chanta, joua du piano, du clavicorde et du violon. Lorsque l'assistance ne lui prêtait pas suffisamment attention, Mozart cessait de jouer et éclatait en sanglots.

Compositeur prolifique s'il en fut, Mozart écrivit quelque 1000 pièces, dont des opéras, des symphonies et des concertos. A sa mort, 70 seulement de ses œuvres avaient été publiées.

MUSCADE Le muscadier peut atteindre 21 m de haut. Il donne ses premiers fruits à 8 ans, est très fructifère pendant les 25 années suivantes et reste productif, quoique moins abondamment, pendant plus de 60 ans.

LES MUSCLES DU CORPS HUMAIN

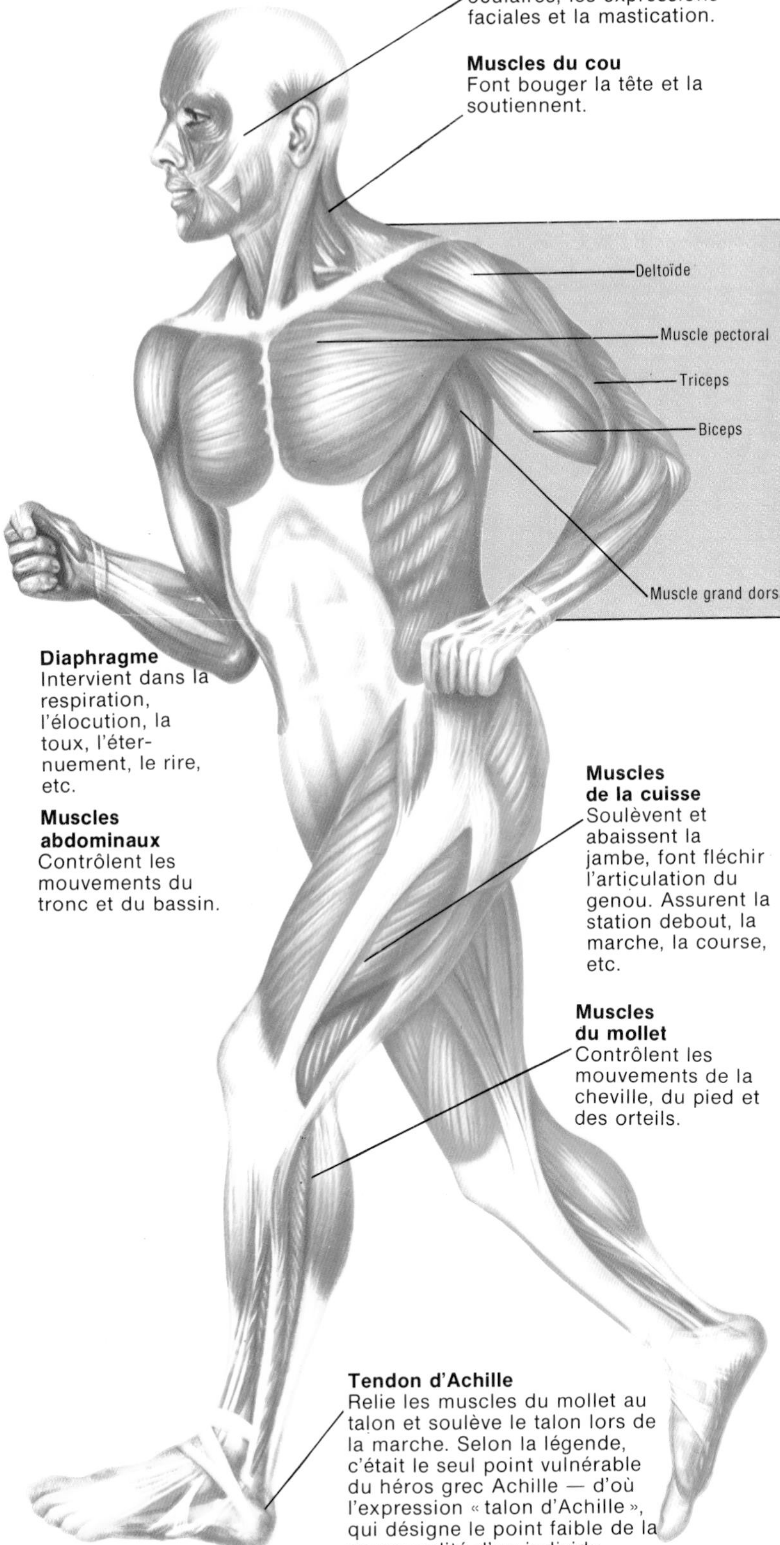

**Muscles de la tête**
Muscles courts, assurant la parole, les mouvements oculaires, les expressions faciales et la mastication.

**Muscles du cou**
Font bouger la tête et la soutiennent.

Deltoïde

Muscle pectoral

Triceps

Biceps

Muscle grand dorsal

**Diaphragme**
Intervient dans la respiration, l'élocution, la toux, l'éternuement, le rire, etc.

**Muscles abdominaux**
Contrôlent les mouvements du tronc et du bassin.

**Muscles de la cuisse**
Soulèvent et abaissent la jambe, font fléchir l'articulation du genou. Assurent la station debout, la marche, la course, etc.

**Muscles du mollet**
Contrôlent les mouvements de la cheville, du pied et des orteils.

**Tendon d'Achille**
Relie les muscles du mollet au talon et soulève le talon lors de la marche. Selon la légende, c'était le seul point vulnérable du héros grec Achille — d'où l'expression « talon d'Achille », qui désigne le point faible de la personnalité d'un individu.

**L'énergie musculaire**

Un muscle est capable de soulever 1000 fois son propre poids. Les scientifiques ont calculé qu'il y avait suffisamment d'énergie dans les muscles d'un homme pour soulever 25 t. En d'autres termes, cela signifie qu'en mobilisant chacun des muscles de son corps un homme pourrait exercer une force égale à 6 chevaux-vapeur.

**Muscles du bras et de l'épaule**

Le biceps assure la flexion du bras ; le deltoïde le soulève. Les muscles petit rond, grand rond et grand dorsal tirent le bras vers le bas et l'arrière. Le muscle pectoral tire le bras vers l'avant et en travers du corps. Les muscles de l'avant-bras assurent la flexion/extension des doigts. Les muscles rotateurs permettent de faire pivoter main et avant-bras. Ainsi, lorsqu'on se saisit d'un objet, les muscles deltoïde et pectoral soulèvent et déplacent le bras vers l'avant, le triceps abaisse l'avant-bras, et les muscles rotateurs font pivoter avant-bras et main ; les muscles fléchisseurs de l'avant-bras font fléchir les doigts (pour saisir l'objet) ; enfin, le biceps soulève le bras.

**Le tonus musculaire**

Les muscles assurant le mouvement sont toujours partiellement contractés pour être immédiatement mobilisables. Même chez un individu immobile debout ou assis, nombre de muscles sont contractés afin d'assurer son équilibre et de maintenir sa posture : par exemple les muscles entourant la colonne vertébrale et la reliant au crâne ; c'est ce que l'on appelle le tonus musculaire.

MUSÉE Lieu où sont rassemblés et exposés des objets originaux. Au nombre des musées figurent les musées d'art, de sciences et techniques, d'histoire naturelle, de traditions populaires.

MUSIQUE Art d'assembler les sons produits par des instruments ou la voix humaine pour exprimer une idée, une émotion, sous une forme organisée. La mélodie, l'harmonie et le rythme constituent trois éléments musicaux primordiaux. En Europe, la musique vocale, comme le plain-chant religieux, est demeurée la principale forme musicale jusqu'à la fin du MOYEN AGE. Le XVI^e^ siècle a vu le développement de la musique instrumentale, le XVII^e^ siècle celui de l'OPÉRA. Le XVIII^e^ siècle fut celui des concertos et symphonies dits classiques, notamment avec des génies musicaux comme J.-S. BACH, Joseph HAYDN et W.-A. MOZART. Ludwig Van BEETHOVEN allait se révéler le maître de la tradition classique et des styles romantiques qui émergèrent au début du XIX^e^ siècle. Le XX^e^ siècle a

déjà vu une grande diversification de la musique et un élargissement de son audience, notamment par la voie de la musique enregistrée. Ce siècle apparaît également comme celui de l'expérimentation, avec le développement de la musique atonale et de la MUSIQUE ÉLECTRONIQUE. (Voir ORCHESTRE.)

**MUSIQUE ÉLECTRONIQUE** Musique pour laquelle des dispositifs électroniques remplacent les instruments mécaniques conventionnels. Au nombre des instruments de musique électronique figurent les orgues, ainsi que les synthétiseurs qui offrent de plus vastes possibilités. ▷

**MUSSOLINI, BENITO** Homme d'État italien (1883-1945). En 1919, il fonde les Faisceaux italiens de combat, futur parti fasciste (voir FASCISME) dont il sera le chef *(duce)*. Nommé Premier ministre en 1922, il se fait donner les pleins pouvoirs et, dès 1925, exerce sur l'Italie une véritable dictature. Il modifie de nombreuses institutions, envahit l'Éthiopie, l'Albanie, et engage l'Italie dans la Seconde GUERRE MONDIALE aux côtés de l'Allemagne. Contraint de démissionner en 1943, il est arrêté sur ordre du roi. Délivré par les Allemands, il tente, sous leur protection, d'organiser dans le nord de l'Italie une « République sociale italienne ». Il est exécuté par les résistants italiens en 1945, alors qu'il tente de fuir le pays.

**MUSTANG** Petit CHEVAL à demi sauvage des plaines d'Amérique centrale et du sud-ouest des États-Unis. Les mustangs sont probablement les descendants des chevaux introduits au Mexique au XVIe siècle par les conquistadores espagnols.

**MYCÉNIENNE (CIVILISATION)** Première civilisation de la GRÈCE ancienne, et qui doit son nom aux grands palais de Mycènes. C'était une société de princes guerriers, vivant de commerce et de piraterie et parlant une forme ancienne du grec. Cette civilisation, liée à celle de la Crète MINOENNE, atteignit son plein développement dans les années 1 600 à 1 200 av. J.-C. Elle fut détruite peu après par des envahisseurs.

**MYRTE** Arbuste ou arbrisseau à feuilles persistantes dont on extrait une huile qui entre dans la composition de PARFUMS.

**MYTHOLOGIE** Les mythes sont des récits mettant en scène des êtres et des événements surnaturels. La mythologie est l'ensemble des mythes propres à un peuple, une civilisation, ainsi que l'étude de ces mythes. Les mythes sont pour les peuples une façon de se raconter, de trouver une interprétation à l'existence du monde. Les anthropologues étudient les mythes des civilisations pour en déduire le mode de vie de ces civilisations. ▷

MUSIQUE ÉLECTRONIQUE C'est l'Américain Thaddeus Cahill qui, le premier, s'essaya à « synthétiser » électroniquement les sons. De 1895 à 1906, il travailla sur une machine qu'il avait baptisée « telharmonium ». Malheureusement pour lui, les dimensions et la complexité de cette machine en rendirent la commercialisation impossible, d'autant plus qu'elle produisait des sons faibles — amplificateurs et haut-parleurs n'ayant pas encore été inventés. De fait, ce n'est qu'en 1934 que Laurens Hammond fit breveter son « Orgue de Hammond » — précurseur de l'orgue électronique moderne.

MYTHOLOGIE Voici quelques personnages mythiques. Lorsqu'il existe un équivalent romain au nom grec, il est noté entre parenthèses.

Ajax : guerrier grec ; privé des armes d'Achille, il se donna la mort.

Artémis (Diane) : sœur jumelle d'Apollon ; déesse de la Lune et célèbre chasseresse.

Athéna (Minerve) : déesse des combats, des arts et de la raison, fille de Zeus et de Métis ; est sortie adulte et tout armée de la tête de son père.

Dionysos (Bacchus) : dieu du vin et des récoltes.

Hector : fils de Priam ; héros des Troyens ; vaincu et tué par Achille.

Hélène de Troie : la plus belle femme du monde ; responsable du déclenchement de la guerre de Troie.

Héraclès (Hercule) : personnification de la force ; il accomplit 12 exploits, « les douze travaux », pour se libérer.

Pan (Faune) : divinité des bois et des champs ; en partie homme, en partie chèvre.

NAIN Si, aujourd'hui, les nains sont tout simplement considérés comme des « gens de petite taille », ils furent, en d'autres temps, regardés comme des « curiosités ». Dans l'Égypte et la Rome anciennes, les familles aisées se les attachaient à demeure, et au Moyen Age les cours italienne, espagnole, russe et germanique les employaient comme amuseurs professionnels. Aux XVIII^e^ et XIX^e^ siècles la cour du tsar de Russie a même connu un véritable engouement pour les « mariages de nains ».

NAPOLÉON 1^er^ Selon ceux qui se plaisent à interpréter les écrits de Nostradamus, l'astrologue né en 1503 aurait prédit l'ascension et la chute de Napoléon et décrit nombre de ses réalisations, voyant en lui l'incarnation des forces du mal et le qualifiant de « premier Antéchrist ».

**NABUCHODONOSOR II** Roi de BABYLONE (a régné de 605 à 562 av. J.-C.). Il écrasa les Égyptiens, ajouta la Palestine et la Syrie à son empire et, à la suite d'une révolte, déporta massivement les Juifs en captivité à Babylone.

**NAIN** Être humain d'une taille inférieure à la moyenne, parfois disproportionné mais dont les capacités mentales sont généralement normales. Le terme qualifie également certaines espèces animales ou végétales de petite taille. ◁

**NAPOLÉON 1er** Empereur (1804-1814 et 1815) des Français (1769-1821). Issu d'une famille nombreuse de Corse, les Bonaparte, Napoléon fait ses études militaires en France. Il se distingue pendant la RÉVOLUTION FRANÇAISE. Un moment rejeté dans l'ombre et même emprisonné pour raisons politiques, il est rappelé par Barras et, au cours de la campagne d'Italie, se révèle un stratège de génie. En 1799, il est nommé Premier consul de la République, à la suite du coup d'État du 18 brumaire (9-10 novembre 1799). Il impose alors au pays la Constitution dite « de l'an VIII », par laquelle il rassemble entre ses mains les pouvoirs législatif et exécutif. Il est couronné empereur en 1804, et tout en procédant à des réformes intérieures, entre autres dans le domaine judiciaire (Code civil, 1804), il engage la France dans une série de guerres de conquête victorieuses — contre les Austro-Russes (Austerlitz, 1805), les Prussiens (Iéna, 1806), qui l'entraîneront toujours plus avant dans l'idée de l'édification d'un Grand Empire. Sa tentative de ruiner l'Angleterre par le Blocus continental (1806) le pousse à prendre des décisions dangereuses (confiscation des États pontificaux, intervention en Espagne). En 1812, la campagne de Russie s'achève en désastre, ce qui incite l'Europe orientale à se réveiller et à former une coalition qui aura finalement raison de la « Grande Armée ». En 1814, Napoléon est contraint d'abdiquer. Après un bref retour au pouvoir (les Cent-Jours), il doit abdiquer définitivement à la suite de la désastreuse défaite de WATERLOO (18 juin 1815). Exilé à l'île de Sainte-Hélène, il s'y éteint six ans plus tard (5 mai 1821). ◁

▸ *Le champion de natation américain Mark Spitz lors des jeux Olympiques de 1972, au cours desquels il remporta quatre médailles d'or individuelles.*

**NAPOLÉON III CHARLES, LOUIS, NAPOLÉON, BONAPARTE** Empereur des Français (1808-1873). Neveu de Napoléon 1er, il fut d'abord président de la IIe République. La défaite de la France dans la guerre contre la Prusse (1870-1871) entraîna la chute de l'empire.

**NARCISSE** Plante à BULBE printanière qui pousse à l'état sauvage dans de nombreux pays et est également cultivé comme plante horticole. Le narcisse des bois est aussi appelé JONQUILLE.

**NARVAL** Petite BALEINE des mers arctiques, de 5 m de long, se déplaçant en troupes nombreuses et se nourrissant principalement de pieuvres et de seiches. Le narval est également appelé *licorne de mer* à cause de la longue dent (3 m) que porte le mâle.

**NATATION** Art de se propulser dans l'eau. Naturelle chez les animaux aquatiques, la natation est, pour les humains, un exercice et un sport. Les principales nages sont la brasse, la nage papillon, la nage libre (crawl) et la nage sur le dos.

**NAUTILE** MOLLUSQUE céphalopode entouré d'une coquille spiralée, dure, tapissée de nacre. Le nautile vit sur le fond, dans le Pacifique sud et l'océan Indien.

**NAVET** Plante potagère (famille des crucifères) cultivée pour sa racine comestible, blanche, plus ou moins arrondie selon les cultivars, et que l'on consomme comme LÉGUME. Espèce qui prospère dans les pays froids, le navet est généralement consommé cuit ; les feuilles peuvent également être consommées comme légume vert.

**NAVETTE SPATIALE** Véhicule pour le transport de techniciens, de laboratoires, de matériel entre la Terre et les stations orbitales, pour la mise en orbite de satellites de communication et d'observation et leur récupération éventuelle. La navette doit se comporter : 1°) au lancement, comme une *fusée ;* 2°) dans l'espace, comme un *vaisseau spatial ;* 3°) à la rentrée dans l'atmosphère, comme une *capsule ;* 4°) dans l'atmosphère, comme un *planeur.*

La première navette spatiale, américaine, nommée *Columbia,* a été lancée le 12 avril 1981 et est revenue le 14, après 36 tours de Terre en orbite à 277 km de notre planète.

**NAVIGATION** Action de diriger un bateau, un avion ou un vaisseau spatial. La navigation maritime s'appuyait autrefois sur l'observation des positions du Soleil, de la Lune et des étoiles. Les systèmes d'aide à la navigation sont nés avec le Moyen Age et n'ont cessé depuis de se multiplier (COMPAS, astrolabe, octant, SEXTANT, loch, CHRONOMÈTRE, CARTES et BOUÉES). De nos jours, les systèmes de guidage par RADIO, RADAR et autres systèmes d'aide électroniques jouent un rôle important, voire décisif, en ce qui concerne la navigation aérienne. La navigation spatiale est basée sur l'observation des étoiles appuyée par l'analyse informatique (ORDINATEURS). (Voir également HORLOGES.)

**NAVIRE** Ce sont probablement les peuples du bassin méditerranéen — Égyptiens, MINOENS et PHÉNICIENS — qui construisirent les premiers navires. A l'époque romaine, les navires étaient de deux types : de longues et étroites GALÈRES de guerre, propulsées principalement à la rame, et de larges navires marchands, à voiles. Plus tard, les VIKINGS mirent au point le drakkar, premier bâtiment construit pour la haute mer. Le Moyen Age améliora les gréements : ce fut l'époque à laquelle apparurent, en Méditerranée, les premières voiles auriques. (Voir VOILE.) La Renaissance vit se développer les premiers navires à plusieurs ponts (voir GALIONS) et les premières FLOTTES de guerre permanentes. Durant les trois siècles qui suivirent, les navires à voiles, en bois, devinrent hautement spécialisés : énormes vaisseaux de guerre de l'époque napoléonienne, schooners, paquebots et, finalement, clippers.

La mise en œuvre, au XIXe siècle des machines à vapeur et des coques métalliques révolutionna la construction navale. 1838 vit la première traversée transatlantique effectuée par un navire entièrement propulsé à la vapeur, et vers 1840 le fer avait largement remplacé le bois. Dès 1850, l'HÉLICE remplaçait les roues à aubes installées sur les premiers vapeurs, ouvrant l'ère des cargos et paquebots de ligne. Inauguré avec la mise au point des MOTEURS DIESEL, qui remplaçaient la vapeur, le XXe siècle est celui des pétroliers géants et des énormes transporteurs. Dans le domaine militaire, les navires et VAISSEAUX de guerre sont en voie de céder la place aux porte-aéronefs et aux SOUS-MARINS nucléaires. ▷

**NÉBULEUSE** Nom donné, à l'origine, à tout ce qui apparaissait dans le ciel sous forme d'objet brumeux. Il fallut attendre la découverte des télescopes pour identifier ces objets. Certains d'entre eux, on le sait aujourd'hui, sont des GALAXIES lointaines ; pour d'autres, il s'agit d'amas d'étoiles et de nuages de poussières et de gaz appartenant à notre Galaxie.

**NECTARINE** Type de PÊCHE à peau lisse et non veloutée, et d'un diamètre inférieur.

**NEIGE** L'eau présente dans l'air peut, à l'état congelé, se changer en flocons blancs qui retombent sur le sol. Les flocons de neige sont des cristaux à six côtés, de forme géométrique mais extrêmement variable dans les détails.

NAVIRE Le premier navire connu fut construit il y a 4 500 ans environ, par les Égyptiens : il mesurait 30 m de long et était capable d'affronter la mer. Le premier bateau à vapeur effectua, en 1783, une traversée de 15 minutes sur la Saône. Le premier paquebot à vapeur fut le *Clermont* de Robert Fulton, mis en service aux États-Unis en 1807. Le premier navire à coque de fer fut probablement le *Vulcan* britannique, un voilier construit en 1818. Le *Aaron-Manby* britannique, mis en service en 1821, était propulsé par une machine à vapeur (les navires en acier ont fait leur apparition 60 ans plus tard). Le *Sirius* fut le premier bateau exclusivement à vapeur à traverser l'Atlantique (1838). Le premier bateau à hélice fut le *Robert-F.-Stockton.* Son hélice était l'œuvre de John Ericsonn, un Suédois installé en Angleterre et qui commercialisa son invention aux États-Unis, en 1839. Le plus grand paquebot de ligne jamais construit est l'ex-*France* (315,50 m), lancé en 1962.

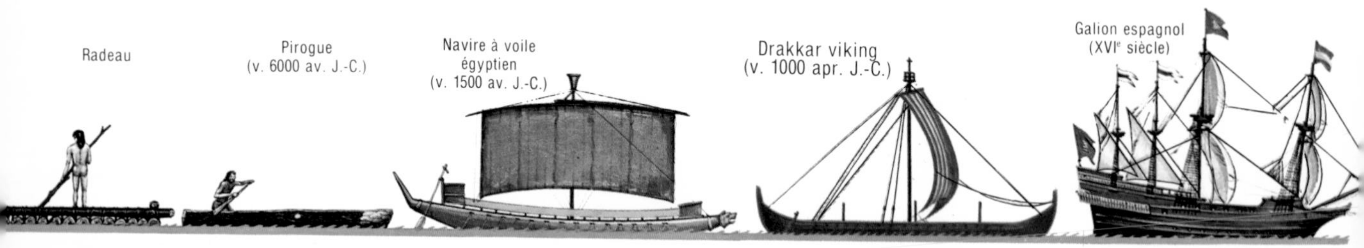


*▼ Radeaux et pirogues furent les premiers bateaux. Les Égyptiens ajoutèrent des voiles à leurs bateaux de roseaux. Les bateaux à voiles se perfectionnèrent au fil des siècles, atteignant un sommet avec les clippers du XIXe siècle avant que la vapeur et les coques métalliques ne prennent le relais.*

NEWTON, ISAAC Le père d'Isaac voulait faire de son fils un fermier comme lui. Mais, pendant qu'il étudiait, le garçon laissait les vaches s'échapper. Déçu, son père l'envoya à l'université. Là — alors qu'il n'avait que 21 ans — il découvrit les coefficients binomiaux (binôme de Newton).

NEW YORK La ville abrite quelques-uns des plus grands édifices de leur type : le plus haut immeuble de bureaux *(World Trade Center)* ; le plus vaste hôtel *(Waldorf Astoria)* ; le plus grand musée *(American Museum of Natural History)* ; la plus grande gare de chemin de fer *(Grand Central Terminal)* ; le plus long pont à une seule arche *(Verrazano-Narrows Bridge)* ; le plus grand port *(New York Harbor)*.

NEZ La forme et la taille du nez varient d'un individu à l'autre, ainsi qu'en fonction des groupes raciaux. Le nez dit romain est droit ; le nez grec est droit et prolonge la ligne du front ; le nez aquilin est convexe, le nez retroussé, concave.

NICARAGUA : DONNÉES
Langue officielle : espagnol.
Monnaie : cordoba.
Religion : catholicisme.

**NÉON** Gaz rare de l'atmosphère, de symbole chimique Ne, employé dans l'éclairage. Les tubes au néon donnent une lumière rouge orangé. Le gaz est obtenu par distillation de l'air liquide.

**NEPTUNE (DIEU)** Dieu romain de la mer. La plupart des légendes concernant ce dieu sont empruntées à la mythologie grecque dans laquelle le dieu de la mer est baptisé Poséidon.

**NEPTUNE (PLANÈTE)** Seconde planète du SYSTÈME SOLAIRE pour l'éloignement par rapport au Soleil. Neptune accomplit une révolution autour du Soleil en 165 ans et n'est jamais visible de la Terre à l'œil nu. La planète possède deux satellites : Triton et Néréide.

**NÉRON** Empereur romain (né en 37, a régné de 54 à 68), tristement célèbre pour ses extravagances et ses cruautés. Renversé par une révolte militaire, il finit par se donner la mort.

**NEWTON, ISAAC** Savant anglais (1642-1727), fondateur de la PHYSIQUE moderne. Il énonça les lois de l'attraction universelle, développa les techniques mathématiques du CALCUL infinitésimal, effectua un travail de défrichage dans les domaines de la MÉCANIQUE, de l'optique et de l'ACOUSTIQUE. Il fallut attendre EINSTEIN pour que sa théorie de l'univers soit remise en cause. ◁

**NEW YORK** La plus grande ville des ÉTATS-UNIS d'Amérique. New York compte, avec son agglomération, 16,1 millions d'habitants. C'est un port important, situé à l'embouchure de l'Hudson, et l'un des plus grands centres financier, commercial et industriel du globe. New York est réputée pour son activité culturelle, ses musées et ses théâtres. La première colonie européenne de peuplement y fut créée par les Hollandais, en 1613. ◁

**NEZ** Partie saillante du visage qui, chez l'homme et de nombreux VERTÉBRÉS, est l'organe de la respiration et de l'odorat. Le nez comporte deux ouvertures : les narines ; l'air est aspiré dans les narines, traverse deux conduits étroits, les *fosses nasales,* qui relient le nez à la gorge. Le siège de l'ODORAT est situé dans la partie supérieure du nez où des terminaisons nerveuses réagissent aux vapeurs et aux senteurs que dégagent la plupart des substances. ◁

**NIAGARA (CHUTES DU)** Importantes chutes d'eau, situées à la frontière des États-Unis et du Canada et composées des *Horseshoe Falls* (48 m) et des *American Falls* (51 m).

**NICARAGUA** République d'AMÉRIQUE CENTRALE, le Nicaragua, pays agricole (café, coton), compte 2,8 millions d'habitants (1982) pour une superficie totale de 130 000 km². Capitale : Managua. ◁

**NICKEL** ÉLÉMENT métallique blanc argenté, dur, résistant, de symbole chimique Ni. Le nickel est beaucoup utilisé en placages et ALLIAGES. On le plaque par galvanoplastie sur des métaux tels que l'acier, afin de les protéger contre la CORROSION. Avec du chrome, on l'ajoute à l'acier pour le rendre inoxydable. Allié au cuivre, il constitue le *cupro-nickel,* utilisé pour la fabrication des pièces « d'argent ».

**NICOLAS II** Dernier tsar de Russie (1868-1918). A la suite de la révolution d'octobre 1917, il dut abdiquer (1917) et fut assassiné avec sa famille par les bolcheviks.

**NICOTINE** Alcaloïde du TABAC qui, à forte dose, se révèle un poison violent. Un grain de nicotine pure peut être fatal à un sujet adulte. La nicotine est utilisée en solution comme insecticide.

**NID** Structure généralement construite par les animaux pour abriter leurs petits. Des FOURMIS aux SINGES, les animaux sont nombreux à construire des nids, mais ce sont les OISEAUX qui construisent les plus élaborés. Selon les espèces, les oiseaux peuvent choisir pour nidifier les falaises, les arbres ou des trous du sol et utiliser toutes sortes de matériaux : brindilles, herbes, feuilles, boue, mousse ou poils. Les nids sont généralement construits en forme de coupe, mais certains possèdent un toit afin de mieux abriter les petits. En général, les oiseaux n'utilisent le nid qu'à l'époque de la reproduction et non comme abri permanent ; pourtant, certaines espèces, comme les cigognes, retournent chaque année vers le même nid.

**NIETZSCHE, FRIEDRICH** Philosophe allemand (1844-1900) qui affirmait que la

Clipper (v. 1850)

Vapeur à aubes (v. 1840)

Paquebot de ligne (1967)

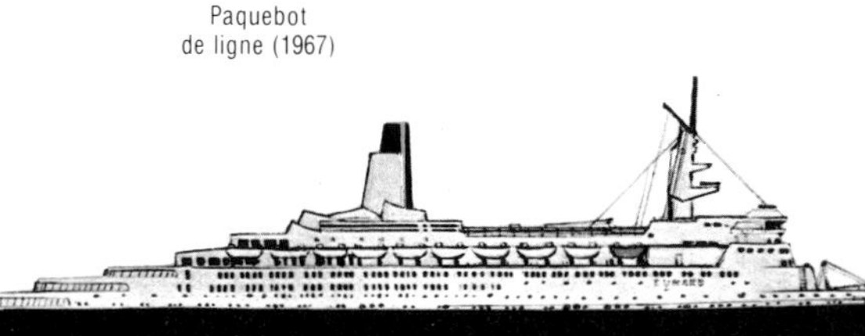

motivation principale de l'homme est son appétit du pouvoir. Il a développé ses idées dans *Ainsi parlait Zarathoustra.*

**NIGERIA** République d'AFRIQUE occidentale, le Nigeria compte 79,6 millions d'habitants (1982) — soit plus que toute autre nation africaine — pour une superficie de 924 000 km$^2$. La population est répartie entre quelque 250 groupes ethniques dont les Peuls et les Haoussas au nord, les Ibos au sud-est et les Yoroubas à l'ouest. De graves conflits raciaux ont conduit au déclenchement d'une guerre civile sanglante (1967-1970). Le calme revenu, le pays a mis en exploitation ses gisements de pétrole pour promouvoir un développement économique rapide. Capitale : Lagos. ▷

**NIGHTINGALE, FLORENCE** Réformatrice anglaise des hôpitaux (1820-1910) qui s'illustra durant la guerre de CRIMÉE par son action humanitaire. Elle instaura la profession d'infirmière.

**NIL** Troisième fleuve mondial, le Nil s'étend sur 6 670 km. Il prend sa source dans les hauts plateaux d'Afrique orientale, traverse successivement plusieurs lacs avant de se jeter dans la MÉDITERRANÉE. Ses eaux jouent un rôle vital dans l'irrigation du SOUDAN et de l'ÉGYPTE. ▷

**NITRIQUE (ACIDE)** ACIDE extrêmement corrosif, capable d'attaquer la plupart des métaux. Il entre principalement dans la composition d'explosifs, d'engrais, de teintures et de médicaments.

**NŒUD** Entrecroisement serré de brins de fil, de ruban ou de corde. Il existe de nombreux types de nœuds, généralement destinés à des usages spécifiques. Les *demi-clés* servent à fixer une corde à un anneau, un poteau, etc. Le *nœud plat* sert à joindre deux cordes. Le *nœud coulant* glisse le long d'un des brins et serre d'autant plus que l'on tire sur l'autre brin. Le *nœud de milieu* sert aux montagnards à s'encorder, le *nœud d'ancre* à amarrer un bateau, le *brelage* à assembler différents éléments d'un échafaudage.

**NŒUD** Unité de mesure de vitesse utilisée en navigation maritime ou aérienne : un nœud équivaut à une vitesse de 1 mille à l'heure. En théorie, le mille nautique correspond à une minute de latitude, de sorte que sa valeur est variable d'un point du globe à un autre. Mais en pratique il est évalué à 1 853 m.

**NOIX** Fruit du noyer. Se dit également de quelques autres fruits à coque ligneuse, contenant une amande : NOIX DE COCO, noix MUSCADE, noix du Brésil.

**NOIX DE COCO** Gros fruit ovale du cocotier, à coque dure. La noix de coco constitue une importante production, particulièrement en Asie du Sud-Est. Le *lait de coco* entre dans la composition de boissons ; l'amande est consommée fraîche ou séchée pour constituer le *coprah* (dont on extrait une huile de table ou qui entre dans la composition de margarine, des bougies, du savon, etc.) ; enfin le *coir* — c'est-à-dire les fibres de la coque — sert à fabriquer des cordages et des nattes.

**NOM** Mot qui sert à désigner une personne, un animal ou une chose. Les noms communs désignent des types d'êtres ou de choses (ex. : homme, femme, chien, lustre) ; les noms propres servent à distinguer les êtres de même espèce (ex. : Henri, Jeanne, Médor).

**NOMADE** Population n'ayant pas de résidence fixe et se déplaçant constamment à la recherche de nourriture et de pâtures pour les troupeaux. De nos jours, c'est en Asie et en Afrique que l'on trouve encore des peuples nomades ; parmi ceux-ci, les Arabes BÉDOUINS sont les plus connus.

**NORD (MER DU)** Mer séparant la Grande-Bretagne du continent européen. La mer du Nord a une superficie de 6 500 km$^2$ environ. C'est une importante zone de pêche. Le sous-sol recèle des gisements de pétrole et de gaz naturel qui ont été mis en exploitation.

**NORMANDS** Nom sous lequel on désignait, dans le monde franc, les VIKINGS (Norvégiens, Suédois, Danois) qui à partir du VIII$^e$ siècle, envahirent l'Europe par vagues successives. Au IX$^e$ siècle, les Danois possèdent la moitié nord-est de l'Angleterre, tandis qu'en territoire franc cinq États normands voient le jour entre 911 et 937. Après une période d'interruption, les conquêtes normandes reprennent : aux XI$^e$ et XII$^e$ siècles, les Normands font la conquête de l'Angleterre, de certaines parties du Pays de Galles et d'Irlande, de l'Italie du Sud, de la Sicile et de Malte. Ils prennent également part aux CROISADES. Peu à peu, ils adoptent la langue et les coutumes locales et se fondent dans la population ; à partir du XIII$^e$ siècle, ils cessent de constituer un peuple distinct.

NIGERIA : DONNÉES
Langue officielle : anglais.
Monnaie : naïra.
Capitale : Lagos (2 600 000 habitants avec l'agglomération). D'ici à 1987, la capitale sera transférée à Abuja.
Point culminant : Dimlang (2 042 m).
Le Nigeria est devenu indépendant de la Grande-Bretagne en 1960.

NIL Le haut barrage d'Assouan, construit sur le Nil, a permis de constituer un lac de retenue dont les eaux peuvent être utilisées pendant la période sèche. Il mesure 109 m de haut et retient près de 170 000 m$^3$ d'eau. Il a été achevé en 1970.

NORVÈGE : DONNÉES
Langue officielle : norvégien.
Monnaie : couronne norvégienne.
Superficie : 324 200 km$^2$.
Population : 4,1 millions d'habitants (1982).
Capitale : Oslo (580 000 habitants avec l'agglomération).
Point culminant : Galdhopiggen (2 468 m).
Religion : luthéranisme.
Une partie du pays, s'étendant au-delà du cercle polaire, est inhabitée.

*▼ Les habitations des nomades du Sahara sont légères, faciles à dresser et à transporter. La natte sert à protéger les habitants du vent et du sable.*

▲ *Le corps enduit de boue et la tête recouverte de masque, les indigènes des hautes terres de Nouvelle-Guinée accomplissent une cérémonie rituelle.*

▼ *La côte de la Norvège est découpée en une succession de fjords, vallées en auge creusées par les glaciers et envahies ensuite par la mer.*

**NORVÈGE** Monarchie d'EUROPE septentrionale. La Norvège est un pays montagneux, aux côtes découpées en une succession de FJORDS. Une partie de la Norvège s'étend au-délà du cercle polaire Arctique, de sorte que la population est rassemblée au sud du pays. Les forêts occupent la plus grande part de la superficie, 3 % seulement étant constitués de terres arables. L'industrie norvégienne est dominée par le bois et ses dérivés (papier journal). Les gisements de gaz naturel et de pétrole de la mer du NORD constituent la principale richesse du pays. La plus grande partie de l'électricité est d'origine hydroélectrique. La Norvège est un État indépendant depuis 1905. ◁

**NOUVELLE-CALÉDONIE** T.O.M. Ile du Pacifique sud. Elle est peuplée principalement d'autochtones, les Canaques, et d'Européens (142 500 habitants). La richesse principale de l'île est le nickel.

**NOUVELLE-GUINÉE** Grande île, répartie entre l'INDONÉSIE (Irian occidental) à l'ouest et la Papouasie-Nouvelle-Guinée, à l'est. Jusqu'à son indépendance (1975), la Papouasie-Nouvelle-Guinée était sous tutelle australienne. Ce pays montagneux a une superficie de 475 000 km² et compte 3,1 millions d'habitants (1982). Font aussi partie de la Papouasie-Nouvelle-Guinée les îles de l'archipel Bismarck et une partie des îles Salomon.

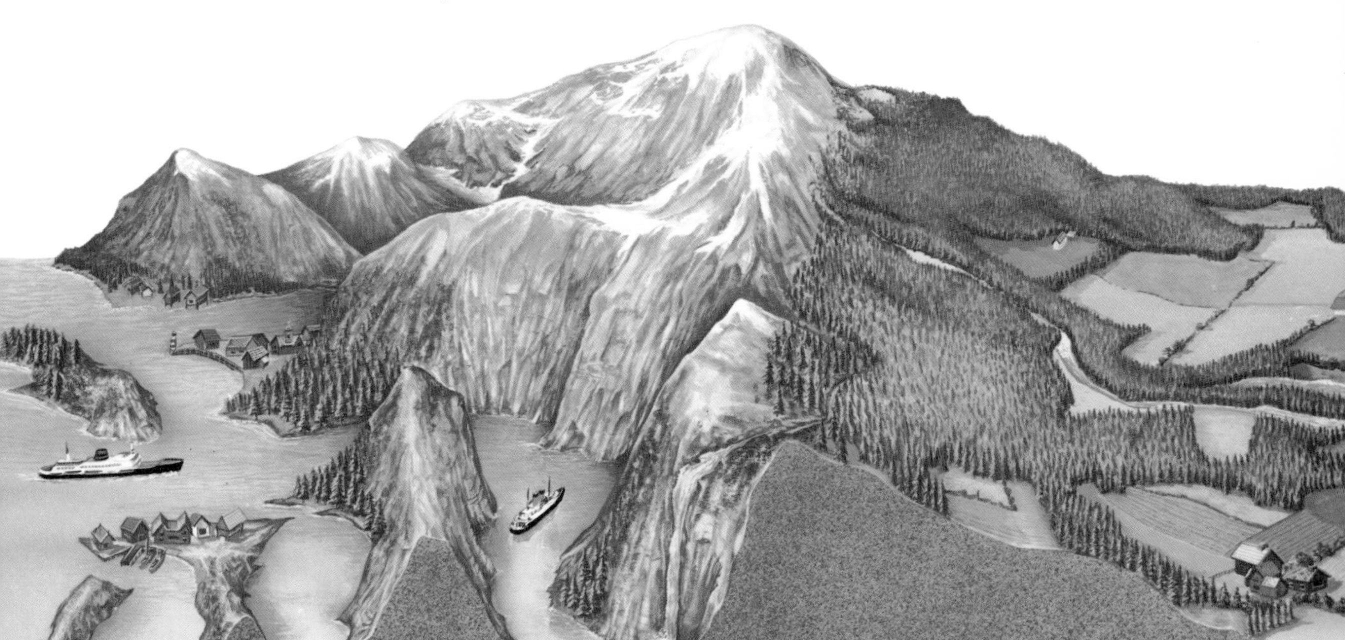

◄ *Le plus grand lac en ébullition du monde est situé en Nouvelle-Zélande, dans la vallée de Waimangu – une région de sources chaudes et de geysers.*

NOUVELLE-ZÉLANDE : DONNÉES
Langue officielle : anglais.
Monnaie : dollar néo-zélandais.
Superficie : 268 700 km$^2$.
Population : 3,2 millions d'habitants (1982).
Capitale : Wellington (350 000 habitants).
Plus grande ville : Auckland (830 000 habitants).
Point culminant : mont Cook (3 764 m).
Principales exportations : viande fraîche et congelée.

**NOUVELLE-ZÉLANDE** Monarchie insulaire du Pacifique sud, membre du Commonwealth, la Nouvelle-Zélande compte aujourd'hui 90 % d'Européens, en majorité d'origine britannique. L'élevage des ovins et bovins constitue la principale ressource du pays qui exporte beurre, fromage, viande et laine. L'industrie se limite à des usines textiles, de construction mécanique et automobile. ▷

**NOVA** ÉTOILE dont l'éclat augmente brusquement (souvent des milliers de fois l'éclat initial). Cet accroissement de luminosité résulte d'une explosion qui se produit en son sein. Lorsqu'il s'agit d'une étoile faible, elle n'est parfois visible que durant la période d'explosion ; d'où le nom de *nova* (littéralement « nouvelle étoile ») donné au phénomène. Après l'explosion, l'étoile retrouve progressivement sa luminosité initiale. ▷

**NOYER** Grand ARBRE à feuilles caduques de l'hémisphère Nord, cultivé pour ses fruits comestibles ou NOIX — drupes composées d'une enveloppe appelée *brou* et d'une amande, ou *cerneau,* enfermée dans une coque ligneuse. Le bois de noyer est estimé en ébénisterie pour son beau poli.

**NUAGE** Masse formée dans l'ATMOSPHÈRE par des particules d'eau et des cristaux de glace, résultant de la condensation de l'humidité atmosphérique. Selon l'altitude et les conditions atmosphériques, la forme des nuages est très variable. *Stratus, nimbostratus* et *cumulus* sont des formations nuageuses de l'étage inférieur (jusqu'à 2 000 m) ; *altostratus* et *altocumulus* appartiennent à l'étage moyen (2 000-6 100 m), *cirro-stratus, cirro-cumulus* et *cirrus,* à l'étage supérieur (plus de 6 100 m). (Voir PRÉVISIONS MÉTÉOROLOGIQUES.)

**L'UTILISATION DE L'ÉNERGIE NUCLÉAIRE**
Au centre de tout système d'énergie nucléaire figure un réacteur. Il peut produire directement du plutonium ou des radio-isotopes par irradiation d'éléments par des neutrons. Autre possibilité : la chaleur du réacteur est utilisée, via un échangeur de chaleur.



**NOVA** Outre les phénomènes de novae, les étoiles peuvent être le siège d'explosions plus violentes encore, et baptisées *supernovae* (*sing.* : supernova). Une explosion de supernova peut être 10 000 fois supérieure à celle d'une nova, mais il s'agit de phénomènes plus rares. Trois supernovae visibles seulement ont été observées dans la Galaxie : l'une en Chine et au Mexique en 1054, une autre observée par l'astronome danois Tycho Brahé, en 1572, et la troisième par l'astronome allemand Kepler, en 1604. La supernova de 1054 était visible en plein jour ; elle a donné naissance à la nébuleuse du Crabe dont les gaz s'éloignent vers les confins de la Galaxie à la vitesse de 1 500 km/s.

▸ *Les cirrus sont constitués de glace. Les floconneux cumulus sont généralement synonymes de beau temps, mais les couches de stratus de l'étage inférieur annoncent la pluie. Les sombres et lourds cumulo-nimbus sont des nuages d'orage.*

**NUCLÉAIRE (ÉNERGIE)** Un ATOME est une particule de matière constituée d'un noyau entouré d'électrons. Le noyau n'est, en lui-même, qu'une très petite partie de l'atome, mais le proton et le neutron qui le constituent sont liés par des forces extrêmement puissantes. En séparant le proton du neutron, on libère une grande quantité d'ÉNERGIE, dite énergie nucléaire. Le noyau de l'atome peut être divisé par bombardement d'autres particules nucléaires — processus qui s'opère dans d'énormes ACCÉLÉRA-

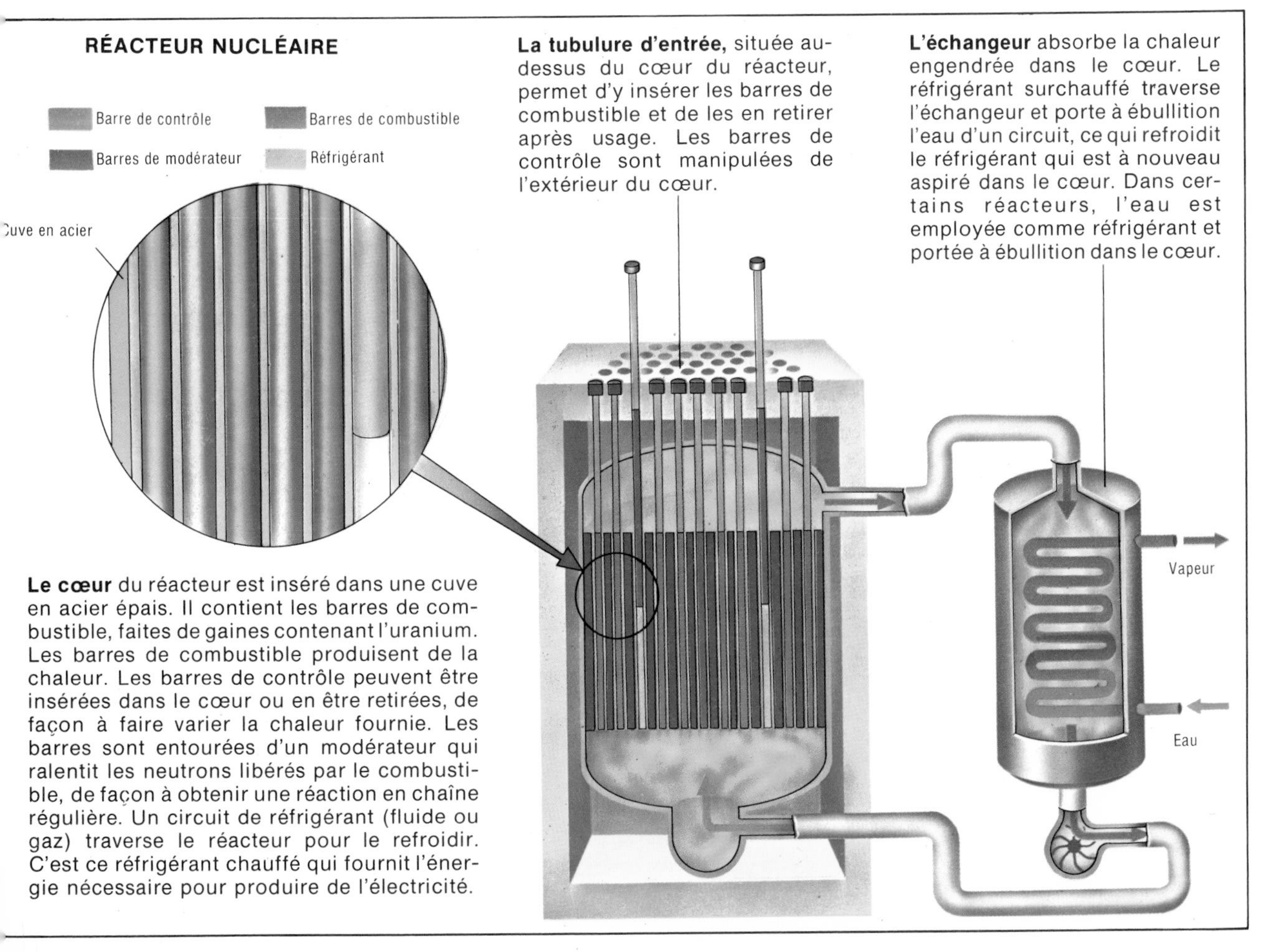


**La tubulure d'entrée,** située au-dessus du cœur du réacteur, permet d'y insérer les barres de combustible et de les en retirer après usage. Les barres de contrôle sont manipulées de l'extérieur du cœur.

**L'échangeur** absorbe la chaleur engendrée dans le cœur. Le réfrigérant surchauffé traverse l'échangeur et porte à ébullition l'eau d'un circuit, ce qui refroidit le réfrigérant qui est à nouveau aspiré dans le cœur. Dans certains réacteurs, l'eau est employée comme réfrigérant et portée à ébullition dans le cœur.

**Le cœur** du réacteur est inséré dans une cuve en acier épais. Il contient les barres de combustible, faites de gaines contenant l'uranium. Les barres de combustible produisent de la chaleur. Les barres de contrôle peuvent être insérées dans le cœur ou en être retirées, de façon à faire varier la chaleur fournie. Les barres sont entourées d'un modérateur qui ralentit les neutrons libérés par le combustible, de façon à obtenir une réaction en chaîne régulière. Un circuit de réfrigérant (fluide ou gaz) traverse le réacteur pour le refroidir. C'est ce réfrigérant chauffé qui fournit l'énergie nécessaire pour produire de l'électricité.

NUTRITION Outre des hydrates de carbone, graisses et protéines, l'organisme a besoin, quoique en très petites quantités, d'une vingtaine de minéraux. Certains, comme le calcium et le fer, sont indispensables à la formation de certains tissus : os et dents ont besoin de calcium et les globules rouges de fer. D'autres jouent un rôle vital dans des processus comme la transmission de l'influx nerveux (sodium et potassium), la contraction des fibres musculaires (calcium), le contrôle de la croissance (iode) et la production d'enzymes (phosphore, cuivre, cobalt, zinc, manganèse et molybdène). En très petites quantités, le fluor prévient la carie dentaire. Le corps assimile également quantité d'autres minéraux dont on ignore, pour certains, le rôle qu'ils jouent.

L'organisme réclame également de l'eau en grande quantité : le corps en est composé en effet à 70 %.

TEURS de particules : les *cyclotrons* et les *synchrotrons*. Les atomes de certains éléments sont susceptibles de se diviser par eux-mêmes ; c'est le cas, par exemple, des atomes d'URANIUM. Lorsqu'un morceau d'Uranium 235 — un ISOTOPE de l'uranium — dépasse une certaine taille, ses atomes se fractionnent d'eux-mêmes en libérant brutalement une grande quantité d'énergie, processus qui s'accompagne d'une explosion. L'uranium 235 est utilisé pour fabriquer les BOMBES ATOMIQUES (bombe A). La RÉACTION EN CHAINE qui s'opère peut, cependant, être contrôlée dans un *réacteur nucléaire*, de manière à fournir de l'énergie utilisable à des fins pacifiques. La partie centrale d'un réacteur nucléaire est appelée *cœur*. Là, le combustible nucléaire est installé à l'intérieur de gaines, autour desquelles est disposé un *modérateur* (graphite ou eau par exemple) qui ralentit les neutrons. Des *barres de contrôle*, également placées dans le cœur du réacteur, évitent que les réactions en chaîne se fassent trop rapidement ; elles sont constituées de cadmium ou de boron, qui absorbent les neutrons et peuvent être insérées ou retirées du cœur selon les besoins. Un circuit réfrigérant absorbe la chaleur des barres d'uranium ; le liquide ou le gaz qu'il contient passe par le cœur, traverse un *échangeur de chaleur* où il abandonne ses calories avant de repasser par le cœur. La chaleur est utilisée pour faire tourner des TURBINES qui, à leur tour, actionnent de gros GÉNÉRATEURS. L'électricité produite dans les générateurs est ensuite distribuée par l'intermédiaire d'un réseau de lignes électriques. (Voir FUSION.)

▲ *Vue du cœur d'un réacteur nucléaire. Les tubulures contiennent les barres de combustible, de contrôle, de modérateur et de réfrigérant.*

**NUTRITION** Chez les êtres vivants, ensemble des fonctions organiques de transformation et d'utilisation des aliments. Pour les êtres humains, un RÉGIME ALIMENTAIRE équilibré doit comporter des PROTÉINES, des HYDRATES DE CARBONE, des GRAISSES, des VITAMINES, des SELS et autres MINÉRAUX et de l'eau. Ce régime alimentaire doit fournir des CALORIES en quantité suffisante. Aujourd'hui, les nutritionnistes s'attachent à établir des régimes alimentaires équilibrés, correspondant à l'âge et à l'activité des diverses catégories d'individus. ▷

**NYLON** Type de MATIÈRE PLASTIQUE à usages multiples, en particulier sous forme de fibre. C'est en 1928 qu'un chimiste américain, le Dr Wallace Carothers, se mit à la recherche de matériaux susceptibles de produire des fibres synthétiques. Dix ans plus tard, il annonçait la découverte de ce que l'on appelle aujourd'hui le nylon. Le nylon est obtenu à partir de benzène (extrait de la houille), d'oxygène, d'azote et d'hydrogène. Très élastique, le nylon est le matériau idéal pour la confection de bas et de collants. Les vêtements de nylon sèchent rapidement et se froissent peu ; les tapis sont résistants, les cordages solides et imputrescibles. Le nylon rigide et moulé est utilisé pour la fabrication des engrenages, car il ne nécessite pas de lubrification.

**OASIS** Région du désert où l'eau affleure à la surface. Certaines oasis comportent des sources. Les plus grandes oasis sont les vallées de cours d'eau, telle celle du NIL, en Égypte.

**OBÉLISQUE** Monument de pierre en forme de colonne élancée, à quatre côtés, pyramidal et terminé en pyramide, tel celui qui orne la place de la Concorde, à Paris.

**OBSERVATOIRE** Bâtiment à partir duquel on procède à des observations météorologiques ou astronomiques. On choisit, pour installer les observatoires, des sites géographiques où les conditions atmosphériques affecteront le moins l'observation : régions montagneuses et sèches, du fait de la rareté des nuages et de la moindre quantité de poussière que présente l'atmosphère en altitude. L'espace constitue, évidemment, le site d'observation idéal, puisque dépourvu d'atmosphère et, depuis quelques années, Américains et Soviétiques se sont attachés à lancer des laboratoires scientifiques : *Salyout* (soviétique), *Skylab* (américain) et, tout récemment, le *Spacelab* européen, emporté dans la soute de la Navette spatiale. Lors d'une prochaine mission, la Navette spatiale américaine emportera le Télescope de l'espace qui va permettre des observations extrêmement poussées. Sur Terre, déjà, les astronomes ne sont plus limités pour leurs observations aux seuls TÉLESCOPES optiques. Depuis les années 40, la RADIOASTRONOMIE a permis de rassembler une moisson d'informations que n'auraient pas permis d'obtenir les moyens visuels.

**OCÉAN** Vaste étendue d'eau salée entourant les continents. Les océans couvrent 71 % de la surface du globe. Bien que les océans soient reliés entre eux, les géographes en distinguent trois principaux : le PACIFIQUE, l'ATLANTIQUE et l'océan INDIEN — les océans glaciaux Arctique et Antarctique constituant des extensions des trois autres. Du fait des courants provoqués en son sein par les vents

*◄ L'observatoire du mont Stromlo, près de Canberra (Australie). Les édifices couronnés d'un dôme argenté abritent les télescopes ; la nuit, les coupoles s'ouvrent pour exposer les télescopes. Plus de 200 observatoires et stations de recherche astronomique importants sont répartis à travers le monde. Ci-dessus : un astronome installé dans la cage d'observation située à l'extrémité du tube du télescope.*

▲ *La surface des océans n'est jamais étale car le vent y soulève des vagues en permanence.*

et les différences de densité, l'eau des océans circule en permanence. (Voir MARÉES.) ▷

**ODORAT** L'un des cinq sens humains. Comme le GOUT, l'odorat est assuré par des terminaisons nerveuses qui réagissent à des substances chimiques ; mais, alors que les terminaisons nerveuses du goût réagissent aux solides et aux liquides, les bourgeons sensitifs spécialisés dans l'odorat réagissent aux gaz et aux vapeurs. Chez les animaux évolués, les récepteurs de l'odorat (nerfs olfactifs) sont situés dans la muqueuse qui tapisse l'intérieur du NEZ. Certains animaux utilisent leur odorat pour trouver leur nourriture, éviter leurs ennemis et reconnaître leur territoire. Les mâles de certains papillons de nuit sont capables de détecter à plusieurs kilomètres de distance les substances chimiques libérées par une femelle. L'odorat humain est beaucoup moins développé, mais il est tout de même capable de détecter d'infimes quantités d'une senteur et d'en identifier plus de dix mille.

▼ *Les grands courants qui balaient les océans y assurent une circulation permanente de l'eau et influent sur le climat des zones côtières.*

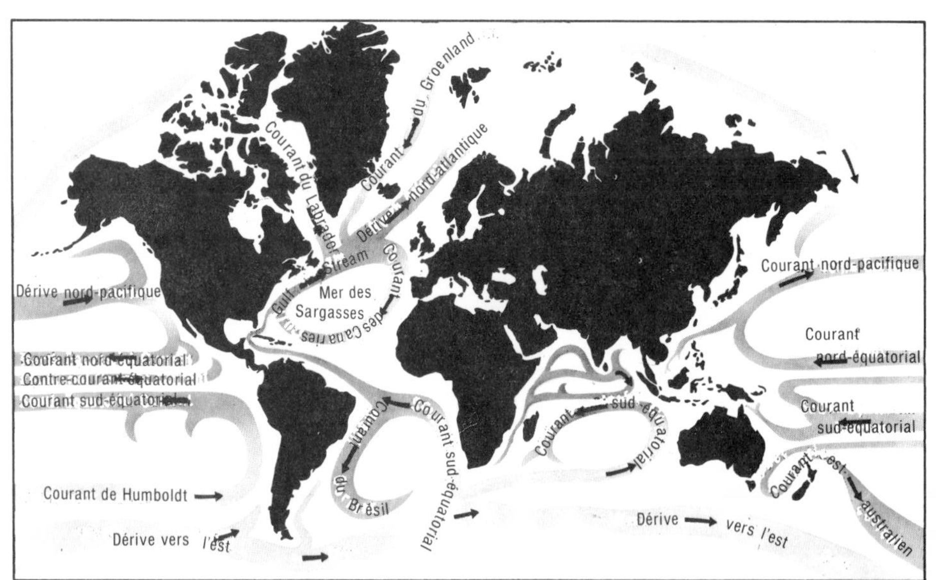


OCÉAN : DONNÉES

*Pacifique*
Superficie : 165,7 millions de km².
Profondeur moyenne : 4 267 m.
Profondeur maximale : 11 033 m (fracture du Challenger, fosse des Mariannes).

*Atlantique*
Superficie : 81,6 millions de km².
Profondeur moyenne : 4 267 m.
Profondeur maximale : 8 381 m, dans la fracture de Milwaukee.

*Océan Indien*
Superficie : 73,4 millions de km².
Profondeur moyenne : 3 960 m.
Profondeur maximale : 7 725 m, au sud de Java.

*Océan glacial Arctique*
Superficie : 14 millions de km².
Profondeur moyenne : 1 280 m.
Profondeur maximale : 5 333 m, au nord du Svalbard.

L'eau des océans contient 3,5 % de sels en solution. Les éléments les plus abondants dans l'eau de mer sont le sodium et le chlore. dix autres éléments entrent pour un millionième dans la composition de l'eau de mer. Ce sont entre autres le soufre, le magnésium, le calcium, le potassium, le brome, le boron et le strontium.

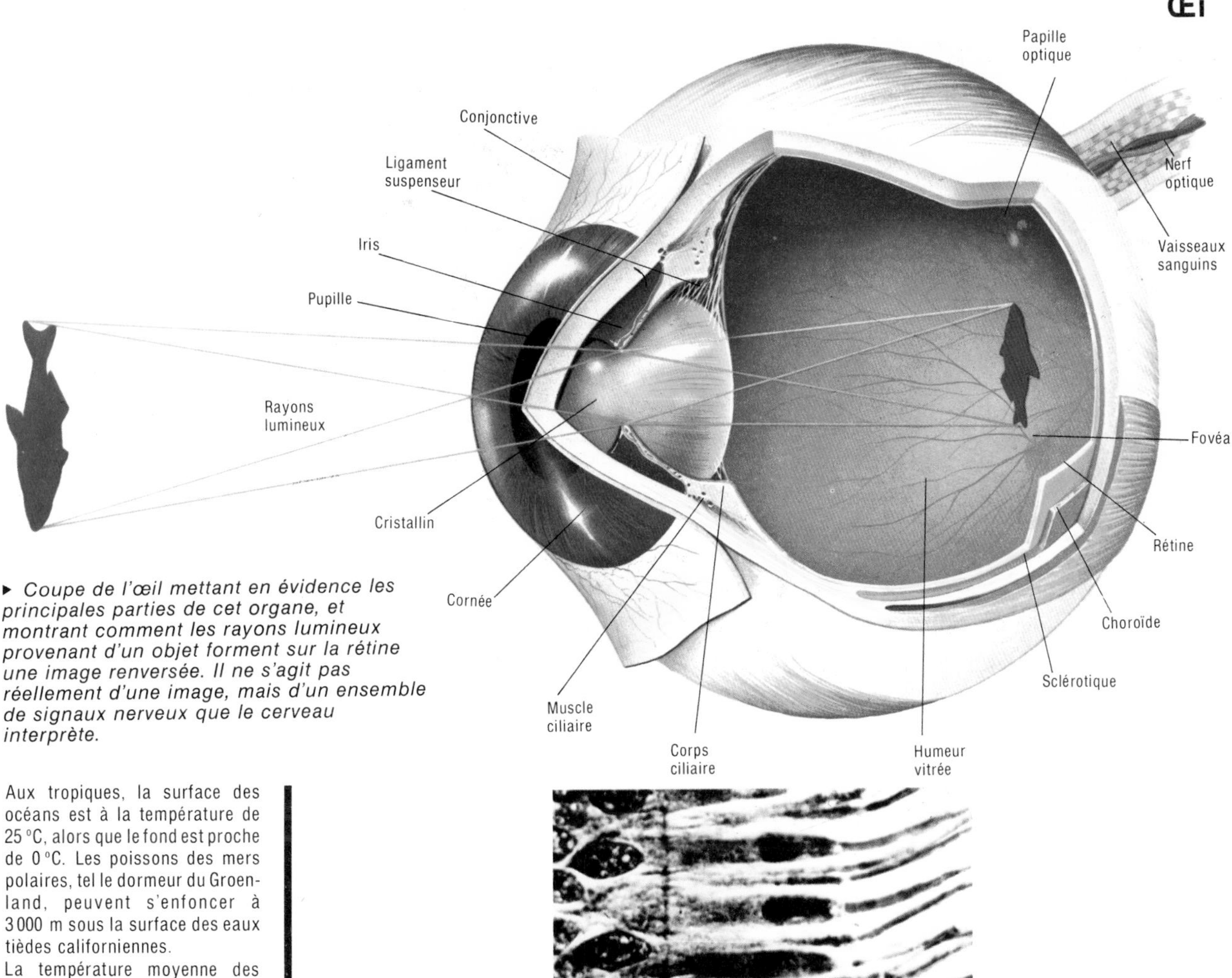


▸ *Coupe de l'œil mettant en évidence les principales parties de cet organe, et montrant comment les rayons lumineux provenant d'un objet forment sur la rétine une image renversée. Il ne s'agit pas réellement d'une image, mais d'un ensemble de signaux nerveux que le cerveau interprète.*

Aux tropiques, la surface des océans est à la température de 25 °C, alors que le fond est proche de 0 °C. Les poissons des mers polaires, tel le dormeur du Groenland, peuvent s'enfoncer à 3 000 m sous la surface des eaux tièdes californiennes.
La température moyenne des océans est de 3,8 °C seulement, à cause du froid qui règne dans les abysses. Jusqu'à 50 m de profondeur, la température moyenne est de 27 °C ; à 400 m, elle n'est plus que de 10 °C ; à 900 m, de 5 °C, et à 5 000 m elle tombe à 1 °C.

Œil Certains types de poissons possèdent « quatre yeux ». Lorsqu'ils nagent en surface, les deux moitiés supérieures des yeux voient ce qui se trouve au-dessus, les deux moitiés inférieures, ce qui est dans l'eau.
Un œil d'insecte peut être constitué de quelque 30 000 lentilles hexagonales.
L'œil de l'homme est revêtu de deux paupières : une supérieure et une inférieure. Le repli de peau rose situé au coin interne de l'œil est ce qui reste d'une troisième paupière qui existe toujours chez de nombreux animaux : en passant sur l'œil, cette paupière le nettoie.

▴ *La rétine de l'œil est constituée de millions de récepteurs photosensibles – les* cônes *et les* bâtonnets *–, représentés ici sous un fort grossissement.*

**ODYSSÉE** Poème épique attribué au poète grec HOMÈRE, et qui narre les aventures du héros grec Ulysse, de retour de la guerre de Troie et cherchant à rejoindre son royaume d'Ithaque. Employé comme nom commun, ce terme désigne un long voyage ou le récit d'un tel voyage.

**ŒDIPE** Légendaire roi de Thèbes, en Grèce, qui, sans le savoir, tua son père et épousa sa mère, comme le lui avait prédit un oracle. Le dramaturge grec Sophocle est l'auteur de deux tragédies célèbres sur ce sujet.

**ŒIL** Organe de la vue. Chez les animaux inférieurs, tels que vers et méduses, la vision se limite à une réaction à la lumière : l'œil est un nerf unique à terminaison photosensible. Chez les animaux supérieurs, l'œil est plus développé et comporte une LENTILLE (le cristallin), de sorte que la vision implique la formation d'une image. Certains oiseaux et mammifères — dont l'homme — possèdent une structure oculaire complexe et très efficace. L'œil humain est recouvert d'une paupière qui protège le globe oculaire, contrôle le passage de la lumière et le globe oculaire lui-même. Les rayons lumineux pénètrent dans l'œil à travers la CORNÉE — pellicule transparente qui en couvre la face antérieure —, traversent la *pupille* pour atteindre le *cristallin.* La pupille est un trou ouvert dans l'*iris* — membrane qui donne à l'œil sa couleur bleue,

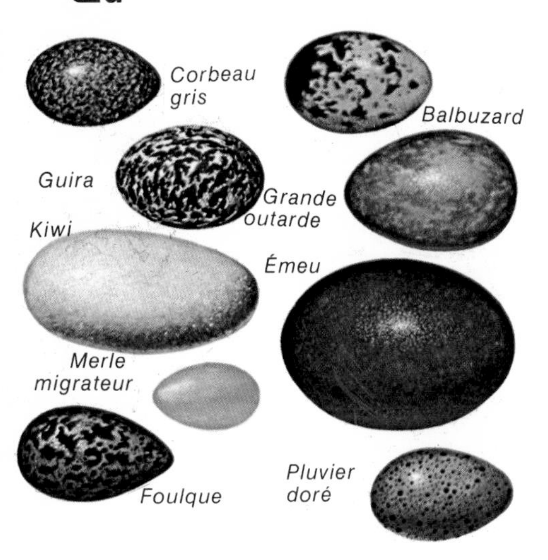


▲ *D'une espèce d'oiseau à une autre, la taille et la coloration des œufs est très variable. Le kiwi pond des œufs énormes par rapport à sa taille (1/7 du poids de l'oiseau). Les œufs de guillemot sont pointus à une extrémité, de sorte qu'ils tournent sur eux-mêmes au lieu de chuter du haut des falaises où ils sont pondus. Les œufs d'oiseaux offrent une grande diversité de colorations protectrices ; ceux d'oiseaux des champs sont souvent tachetés, de façon à se confondre avec le sol.*

verte, marron ou grise et qui commande la dimension de la pupille de façon qu'elle laisse passer la quantité de lumière voulue. Le cristallin fait converger le rayon lumineux sur la *rétine,* membrane photosensible reliée au CERVEAU par le nerf optique qui véhicule les messages de la rétine à la zone du cerveau spécialisée dans la vision. (Voir LUNETTES.) ◁

**ŒUF** CELLULE reproductrice femelle. La plupart des animaux ont une reproduction sexuée, ce qui implique la réunion — fécondation — d'une cellule femelle spécialisée, l'ovule (œuf), et d'une cellule mâle également spécialisée : le spermatozoïde. Une fois fécondé, l'œuf se développe pour donner un nouvel animal. Chez certains animaux, tels qu'oiseaux et poissons, ce développement s'opère hors du corps de la femelle : dans ce cas, l'œuf est protégé par une coquille et contient une substance nutritive (le vitellus ou jaune). Chez d'autres animaux, entre autres les MAMMIFÈRES, l'œuf se développe à l'intérieur du corps de la mère où il est nourri et protégé. (Voir REPRODUCTION.)

**OHM** Unité de RÉSISTANCE électrique (symbole : Ω). La résistance électrique entre deux points d'un conducteur est de 1 ohm lorsqu'une différence de potentiel constante de 1 VOLT, appliquée entre ces deux points, y produit un courant de 1 AMPÈRE.

▲ *L'eider fait son nid parmi les pierres et pond des œufs dont la coloration se confond avec le milieu, camouflage qui est leur protection.*

**OHM (LOI D')** Loi fondamentale des courants électriques, énoncée par le physicien allemand Georg Simon Ohm, en 1827, et qui établit que la résistance *(R)* entre deux points d'un conducteur est égale au rapport entre la différence de potentiel *(V)* appliquée entre ces deux points et l'intensité du courant qui traverse le conducteur *(I)*. Ce qui s'exprime sous la forme : R = V/I. ▷

**OIE** Gros oiseau palmipède voisin du CANARD et du CYGNE. Les oies vivent généralement en troupeaux et passent la majeure partie de leur temps au sol, se nourrissant d'herbes et autres végétaux. Il existe deux principaux groupes d'oies : les oies du genre *Anser,* gris-brun, et celles du genre *Branta,* noir et blanc — toutes de l'hémisphère Nord. L'oie domestique est issue de l'oie cendrée *(Anser anser).*

**OIGNON** BULBE comestible, de saveur forte, d'une plante potagère. Les oignons possèdent une peau brune et papyracée, entourant une masse de feuilles blanches et charnues. Cultivés dans le monde entier, les oignons sont consommés crus, cuits ou conservés dans du vinaigre.

**OISEAU** Animal VERTÉBRÉ, doté de plumes et de membres antérieurs adaptés au vol. Il existe quelque 9 000 espèces d'oiseaux réparties dans le monde entier, de taille, forme, couleurs et mœurs très divers. Si tous les oiseaux ont des ailes, certains sont incapables de voler. C'est le cas, par exemple, de l'AUTRUCHE, le plus gros oiseau du monde, mais qui est capable de battre une antilope à la course. Également inapte au vol, le PINGOUIN se sert de ses ailes comme d'avirons lorsqu'il nage. En règle générale, pourtant, les oiseaux sont des créatures volantes dont le corps est adapté à cet usage. Leur squelette, bien que très léger, est très résistant. Ainsi, les minuscules COLIBRIS, qui pèsent moins de

OHM (LOI D') Georg Ohm eut l'idée d'opérer un rapprochement entre un courant électrique et de l'eau dans une conduite. Pour que l'eau circule, il fallait qu'une pompe fournisse un certain travail. Pour qu'un courant électrique circule dans un conducteur, il fallait qu'il existât une différence de potentiel, ou tension, entre les deux extrémités du conducteur. Cette différence est mesurée en *volts.* Ohm parvint également à mesurer la quantité d'électricité qui traversait le conducteur en fonction du temps de passage. Cette intensité est mesurée en *ampères.* Ohm découvrit qu'il existait un rapport entre la tension et l'intensité. Lorsqu'on doublait la tension, l'intensité doublait également. En revanche, pour une même tension, l'intensité diminuait de moitié lorsqu'on utilisait un conducteur de résistance deux fois moindre. En d'autres termes, l'intensité d'un courant électrique, mesurée en ampères, est égale à la tension, exprimée en volts, divisée par la résistance, mesurée en ohms.

OISEAU Les énormes moas de Nouvelle-Zélande, oiseaux inaptes au vol, étaient les plus gros oiseaux ayant jamais existé. Certains atteignaient 4 m ; ils étaient puissants et excellents coureurs. C'est un fait établi que les moas existaient encore vers l'an 1000 — époque à laquelle les premiers colons polynésiens (Maoris) atteignirent la Nouvelle-Zélande. Ils s'éteignirent ou furent éliminés par l'homme peu après, et l'on ne possède d'eux que des squelettes découverts dans les marais.

Un œuf d'autruche — le plus gros oiseau vivant — mesure environ 17 cm sur 13, soit l'équivalent de 25 œufs de poule. L'oiseau-mouche, en revanche, pond des œufs de 8 mm.

**LES AILES DES OISEAUX**

Grâce à ses larges ailes, l'aigle prend suffisamment appui sur l'air pour monter dans le ciel en utilisant les courants ascendants.

Le martinet a des ailes étroites, amincies à l'extrémité, qui lui permettent de voler très vite, tout en pouvant pivoter facilement.

Avec ses longues ailes étroites, l'albatros peut planer sans effort au-dessus de la mer pendant des jours.

Les ailes courtes, larges et puissantes du canard assurent parfaitement sa sustentation.

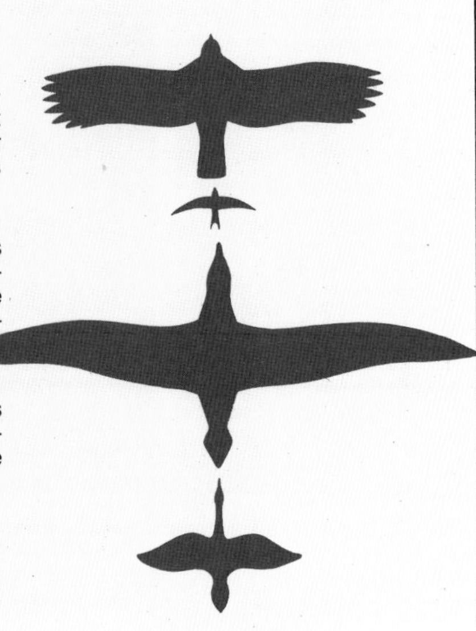

30 g, sont capables de parcourir huit cents kilomètres sans se poser.

Voler implique une grande dépense d'énergie, aussi les oiseaux consacrent-ils le plus clair de leur temps à s'alimenter : les VAUTOURS se nourrissent de charognes, les HIRONDELLES d'insectes, les HIBOUX de petits animaux, les MACAREUX de poissons, les paradisiers de nectar et les PIGEONS de graines. Étant dépourvus de dents, les oiseaux saisissent et, si nécessaire, découpent leur nourriture à l'aide de leur bec. La forme du bec d'un oiseau varie en fonction de son régime alimentaire. L'AIGLE, un carnivore, possède un puissant bec recourbé qui lui sert à déchirer la chair, tandis que le MARTIN-PÊCHEUR utilise le bord denté de son bec pour saisir les poissons glissants. Les oiseaux ont une vue et une ouïe excellentes, qui leur permettent de repérer la nourriture, mais un odorat peu développé. Le merle peut entendre un ver progresser sous terre et un faucon crécerelle voir, du haut des cieux, une souris se faufiler dans l'herbe.

Les oiseaux sont les seuls représentants du règne animal à posséder des plumes. Ces plumes sont de deux sortes : les *tectrices* recouvrent et protègent tout le corps de l'oiseau, les *pennes (rémiges* des ailes et *rectrices* de la queue) servent au vol. Ces deux types de plumes sont régulièrement renouvelés lors de la mue — processus par lequel les anciennes plumes tombent pour être remplacées par des nouvelles. Le plumage des oiseaux est souvent très décoratif : il est jaune vif chez le canari, rose chez le FLAMANT, vert vif et rouge cramoisi chez le quetzal du Mexique.

Les oiseaux pondent généralement leurs œufs dans un nid, très différent d'une espèce à l'autre. Certains utilisent les corniches des falaises ou des dépressions naturelles du sol, d'autres construisent des structures très élaborées. Le manchot empereur ne fait pas de nid du tout, mais transporte son œuf dans un repli de peau situé à l'avant de son corps ; totalement à l'opposé, la fauvette couturière assemble des feuilles à l'aide de fibres et de toiles d'araignées pour former une poche douillettement tapissée d'herbe. Le nombre d'œufs varie également en fonction des espèces, certaines en pondant un seul par an, d'autres plus de quinze.

De nombreux oiseaux sont migrateurs, c'est-à-dire qu'ils passent dans une certaine région la saison de reproduction puis s'envolent pour passer le reste de l'année dans des contrées plus chaudes. La sterne arctique est l'une des plus étonnantes voyageuses ; elle se reproduit l'hiver dans le Grand Nord, puis quitte l'hémisphère boréal pour passer l'été dans l'Antarctique, après avoir franchi environ 20 000 km. (Voir MIGRATION.) ◁

**OISEAU-CLOCHE** Nom donné à trois espèces d'oiseaux : *Oreoica gutteralis* et *Manorina melanophrys* (méliphage à sourcils noirs) d'Australie, et *Anthornis melanura* de Nouvelle-Zélande.

**OISEAU-JARDINIER** Nom donné à dix-huit espèces d'oiseaux d'Australie et de Nouvelle-Guinée, appartenant à la famille des *Ptilonorhynchidés,* et dont les mâles édifient des tonnelles de forme variant selon les espèces, parfois ornées de fleurs, de coquillages et de petits os, et devant lesquelles ils paradent pour attirer la femelle.

**OISEAU-LYRE** Autre nom du ménure, passereau des forêts du sud de l'Australie, de la taille d'un faisan, et qui doit son nom aux magnifiques plumes de la queue du mâle qui affectent la forme d'une LYRE.

**OLIVE** Petit fruit ovale, à noyau dur et pulpe huileuse. Les olives se consomment mûres et noires, après avoir mariné un certain temps dans la saumure — ce qui a pour effet de supprimer l'âpreté de l'olive fraîche —, ou vertes et conservées dans la saumure. On extrait des olives une huile d'excellente qualité, utilisée pour l'assaisonnement ou la cuisine. Les oliviers sont des arbres des régions méditerranéennes, à feuilles persistantes vert argent et tronc tourmenté.

**ONDE ÉLECTROMAGNÉTIQUE** Les ondes RADIO ne constituent qu'une catégorie d'ondes (ou de rayonnement) électromagnétiques. Ces ondes sont engendrées par le mouvement d'électrons ou d'autres particules chargées électriquement. Les ondes électromagnétiques voyagent dans l'espace ; c'est pourquoi des signaux radio peuvent être émis en direction d'une autre planète (ou émis d'une autre planète vers la Terre). C'est également la raison pour laquelle il nous est possible de voir les étoiles et les planètes. La LUMIÈRE est en effet une forme de rayonnement électromagnétique. La seule différence consiste en ce que les ondes lumineuses sont beaucoup plus courtes que les ondes radio, c'est-à-dire que leur *fréquence* est plus élevée. Les autres formes de rayonnement électromagnétique sont : les rayons cosmiques, les RAYONS GAMMA, les RAYONS X, les rayons ultraviolets et INFRAROUGES (chaleur).

**ONGLE** Partie dure qui recouvre le bout des doigts et des orteils de l'homme et d'autres animaux, comme l'éléphant et le singe, et constituée par de la CORNE. Les griffes, serres et sabots sont de même nature que les ongles.

**O.N.U.** Voir ORGANISATION DES NATIONS UNIES.

**ONYX** Forme de la *silice* (voir SILICIUM), caractérisée par des raies parallèles de plusieurs couleurs (principalement blanc laiteux, noires et rouges). L'onyx est souvent choisi pour la confection des CAMÉES.

**OPALE** Variété de *silice* (voir SILICIUM) que l'on trouve sous forme de STALACTITES dans les roches volcaniques. L'opale est une pierre fine, généralement opaque, parcourue de minuscules veinures d'une autre substance qui lui donne des reflets changeants.

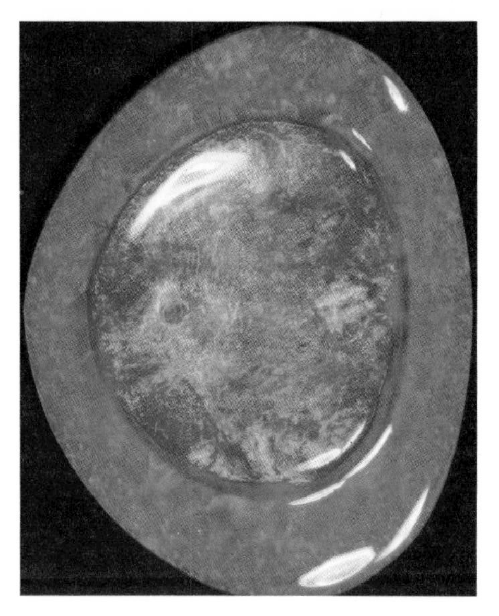

▲ *Une très belle variété d'opale, dite opale de feu à cause de la teinte caractéristique rouge orangé de son centre. L'aspect laiteux de certaines opales est dû à de minuscules bulles de gaz. Polies, les opales fines présentent des couleurs précieuses.*

**OPÉRA** Œuvre dramatique (voir ART DRAMATIQUE) ne comportant pas de dialogues parlés, et dans laquelle la musique est généralement considérée comme plus importante que le texte, qui est chanté. Certains opéras comportent également des parties dansées et des effets scéniques spectaculaires. Né en Italie à la fin du XVI^e siècle, l'opéra a connu un élargissement rapide de son audience. Par la suite, les compositeurs de divers pays se sont essayés avec bonheur à ce genre : MOZART en Autriche, Wagner en Allemagne ou Verdi en Italie. L'opéra bouffe est un type d'opéra dont l'action est comique. L'opérette est un genre léger, dérivé de l'opéra, comportant des dialogues parlés et des couplets chantés. ▷

▼ *Le spectre électromagnétique est formé d'énergie se propageant selon un mouvement ondulatoire, à une vitesse constante — celle de la lumière. La seule différence entre les divers types de rayonnement est leur longueur d'onde. La lumière visible, seul rayonnement que nous puissions voir, est située au centre du spectre.*

OPÉRA C'est à Florence, en 1597, qu'eut lieu la première représentation d'un opéra. Il s'agissait de *Dafne*, de Jacopo Peri. Néanmoins, des tentatives avaient déjà été réalisées antérieurement dans le domaine de l'opéra par Vincenzo Galilei, le père du célèbre astronome Galilée.

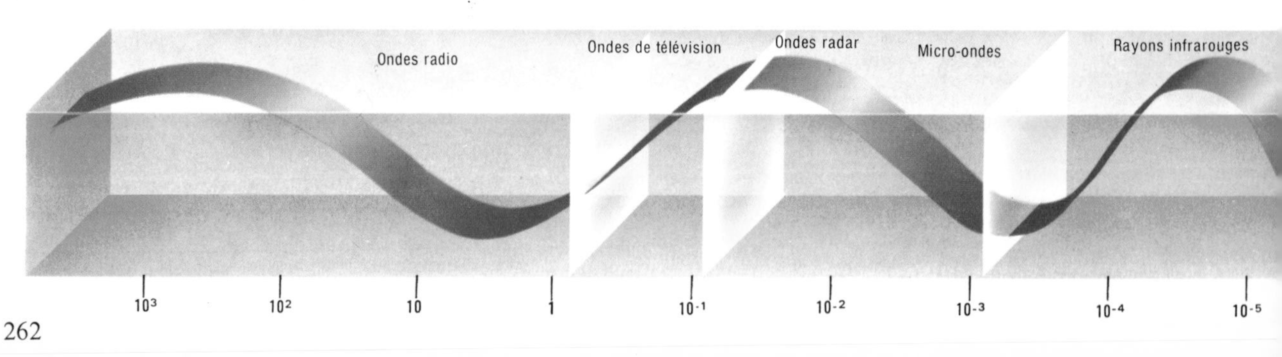

OR La plus grosse pépite d'or jamais trouvée était la *pépite Holtermann*. Elle pesait 286 kg et avait été extraite en Nouvelle-Galles du Sud (Australie). La pépite la plus pure venait de Victoria, en Australie. Baptisée *Welcome Stranger*, elle pesait 73 kg et était composée à 98,7 % d'or fin.

Le plus gros objet en or massif connu à ce jour est le cercueil du pharaon égyptien Toutankhamon. Il pèse 1 110 kg.

L'or ne se ternit pas et ne se détériore pas avec le temps. Il existe peu de susbstances qui l'attaquent et l'air comme l'eau n'ont aucune action sur lui.

Avec 30 g d'or, un orfèvre peut confectionner une chaîne de près de 60 km de long.

ORANGE Six nations se partagent les deux tiers de la production mondiale d'oranges. Ce sont : le Brésil (27 %), les États-Unis (19 %), l'Espagne et le Mexique (5 %), l'Italie (4 %) l'Inde (3,5 %).

▲ *Le « lavage » de l'or. Le chercheur recueille du sable aurifère dans sa batée. L'eau emporte le sable et les matériaux légers, ne laissant au fond de la batée que les grains d'or.*

**OPIUM** Substance obtenue à partir des capsules mûres de certaines variétés de pavot, et dont on extrait la MORPHINE et l'HÉROINE. L'opium est utilisé en médecine pour soulager la douleur. Son usage comme euphorisant est très répandu en Extrême-Orient (fumeries d'opium). Il crée néanmoins une accoutumance et, à long terme, un abrutissement, ce qui le fait classer dans la catégorie des drogues dangereuses.

**OPOSSUM** MARSUPIAL d'Amérique. Les opossums ressemblent à de gros rats. Ils dorment le jour et sont actifs la nuit. La plupart des espèces sont arboricoles.

**OPTIQUE** Voir LENTILLE, MICROSCOPE, MIROIR, PRISME, TÉLESCOPE.

**OR** Métal jaune, très lourd, considéré traditionnellement comme le plus précieux. Aujourd'hui, c'est en Afrique du Sud que sont situées les principales mines d'or. La pureté de l'or traité est évaluée en CARATS. De l'or à 24 carats est pur. En général on allie à l'or un autre métal pour le rendre plus dur. ◁

▲ *Orang-outan mâle montrant ses mains préhensiles, grâce auxquelles il se déplace avec aisance dans les arbres de sa jungle natale.*

**OR (ÉTALON)** On appelle étalon or le système par lequel un pays garantit l'achat et la vente de l'OR à un prix fixé, ainsi que l'échange de son papier-monnaie contre des pièces d'or. L'étalon or, qui a joué un rôle fondamental dans le commerce international du XIXe siècle, a été remplacé aujourd'hui dans le système monétaire international par le dollar.

**ORANGE** Fruit de l'oranger, l'un des agrumes les plus cultivés dans les régions subtropicales. Le fruit rond est entouré d'une peau épaisse, jaune rougeâtre, contenant la pulpe divisée en quartiers et plus ou moins acidulée selon la variété. Il existe deux principaux types d'oranger : l'oranger doux *(Citrus sinensis),* dont le fruit est consommé cru ou que l'on presse pour en extraire le jus, et l'oranger amer ou bigaradier *(Citrus aurantium),* dont les fruits servent à confectionner de la marmelade et dont feuilles et fleurs sont employés dans la distillerie (essence de néroli, eau de fleur d'oranger). L'oranger est un arbre à feuilles persistantes, à fleurs blanches odorantes. ◁

**ORANG-OUTAN OU ORANG-OUTANG** SINGE anthropoïde des forêts marécageuses d'Indonésie. En malais, son nom signifie « homme de la jungle ». L'orang-outan a des membres inférieurs courts et faibles, mais des membres supérieurs longs et puissants ; il vit dans les arbres, se balançant lentement de branche en branche. Il se nourrit principalement de fruits et de feuilles.

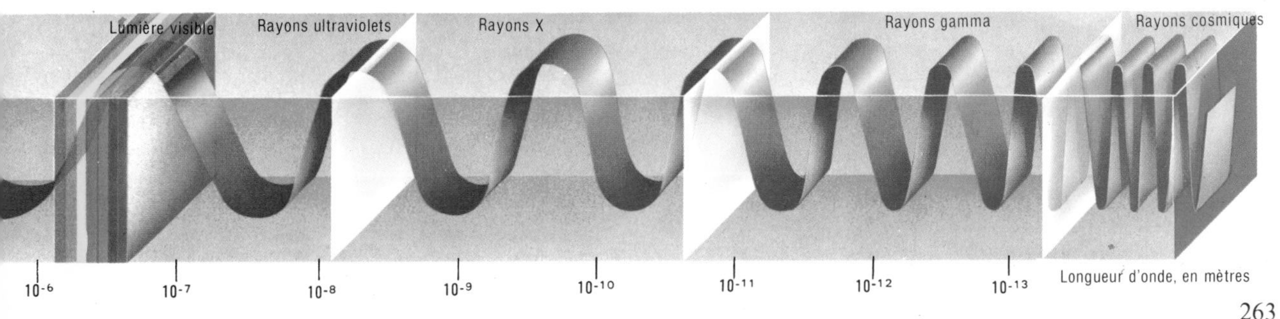

**ORBITE** Trajectoire suivie par un corps se déplaçant en circuit fermé autour d'un autre. Les planètes décrivent une orbite autour du Soleil ; la Lune et de nombreux satellites artificiels tournent de la même manière autour de la Terre. L'orbite de ces corps célestes est elliptique, c'est-à-dire en forme de cercle légèrement aplati. Un corps est dit au *périgée* lorsqu'il se trouve le plus près possible du corps autour duquel il tourne ; il est à l'*apogée* lorsqu'il en est le plus éloigné possible. Dans un ATOME, un ou plusieurs électrons décrivent une orbite autour du noyau.

**ORCHESTRE** Groupe d'instrumentistes dirigés par un chef d'orchestre. Les orchestres modernes comptent en général 90 instruments environ, répartis en quatre sections : les *cordes* (violons, altos, violoncelles, contrebasses), les *bois* (flûtes, hautbois, clarinettes, bassons, saxophones), les *cuivres* (cors, trompettes, trombones et tuba) et les *percussions* (tambour, grosse caisse, timbales, cymbales et triangle).

**ORCHIDÉE** L'une des plus étonnantes fleurs du monde. Une inflorescence d'orchidée se compose de six divisions pétaloïdes dont l'une, l'inférieure *(labelle)*, diffère des autres par sa taille et sa grandeur. Les orchidées sont principalement des fleurs tropicales, aux riches couleurs, qui croissent au sommet des arbres de la jungle. On les cultive aussi en serre.

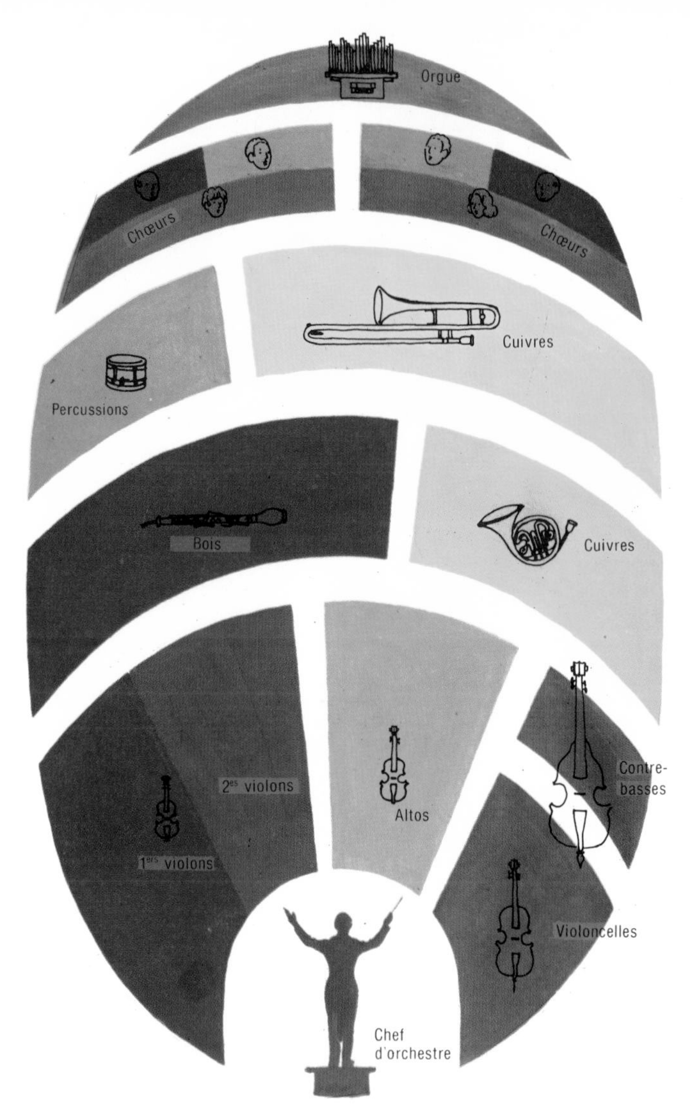


▲ *Les instruments de l'orchestre et l'une des dispositions qu'ils peuvent adopter. A la gauche du chef d'orchestre, un large espace est réservé aux premiers et seconds violons, qui exécutent des partitions distinctes. Violoncelles et contrebasses ont un son plus grave ; ils n'ont donc pas besoin d'être nombreux pour établir un bon équilibre sonore. Il y a généralement de deux à quatre exemplaires de chaque instrument à vent. Selon le type d'orchestre – de l'orchestre à cordes à l'orchestre de chambre –, le nombre d'instrumentistes varie d'une vingtaine à plus de cent.*

▼ *Une caisse enregistreuse est un calculateur mécanique. Il comporte des roues qui tournent jusqu'à des positions données pour représenter les nombres. L'addition s'effectue par comptage des tours effectués par les roues. Les caisses enregistreuses modernes sont actionnées électriquement.*

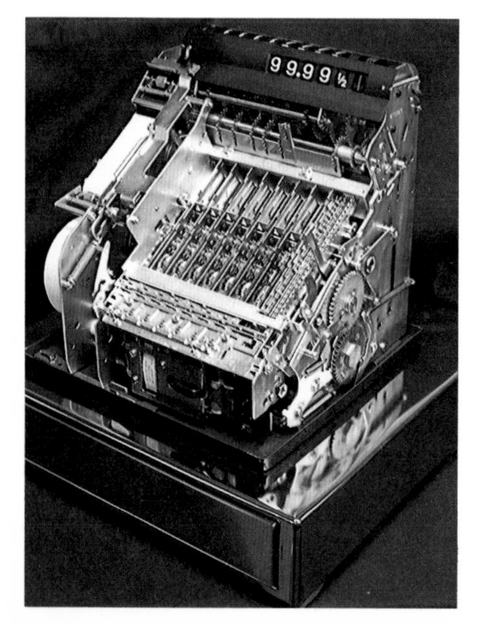


**ORDINATEUR** Machine électronique programmable, capable d'effectuer des calculs à très grande vitesse. Pour compter ses bêtes, l'homme préhistorique utilisait des cailloux, ce qui conduisit à l'invention du BOULIER — un cadre comportant des tiges sur lesquelles glissent des perles. En 1642, Blaise Pascal inventa un calculateur mécanique, comportant des engrenages et des cadrans, ce qui constituait déjà un progrès considérable. Mais un ordinateur est plus qu'un calculateur, car, en fonction du programme qu'on lui a défini, il peut analyser, trier et transférer des données. C'est Charles Babbage qui, en 1832, énonça le premier l'idée d'une machine programmable. Malheureusement, la technologie de l'époque n'était pas à la hauteur des

ORDINATEUR Un ordinateur, quel qu'il soit, se compose de quatre parties fondamentales. L'unité de lecture « lit » l'information introduite dans la machine ; la mémoire emmagasine l'information ; l'unité arithmétique va chercher l'information requise et exécute les calculs ; l'unité de contrôle prend en compte l'ensemble de ces opérations et l'unité de sortie fournit les résultats.

On utilise aujourd'hui des ordinateurs pour créer des dessins, jouer aux échecs, effectuer certains types de traductions, voire composer de la musique.

Les ordinateurs modernes ont conduit à la mise au point de dispositifs stupéfiants, parmi lesquels des « lecteurs optiques », capables de lire plus de 1 500 caractères par seconde et d'alimenter avec cette information la mémoire de l'ordinateur. Avec le développement des « puces », emmagasiner 155 millions de caractères d'information au mètre carré est en train de dévenir une réalité. Aux États-Unis, des chercheurs ont découvert les « mémoires à bulles » qui utilisent les lignes de champ magnétique traversant certains cristaux (les grenats par exemple), et offrent la possibilité d'emmagasiner plus de 100 milliards de caractères au mètre carré. Grâce à ce procédé, les plus sophistiqués des ordinateurs pourraient être réduits à la taille d'une valise.

▲ *Dans un ordinateur, ce sont des circuits électroniques imprimés qui exécutent les calculs. Un ordinateur se compose de nombreux éléments comme celui-ci, aisément remplaçables, ce qui facilite la détection des pannes.*

ambitions de Babbage qui ne put mettre en pratique son idée. En 1944, Howard Aiken construisait un calculateur élaboré actionné par des moteurs électriques, et en 1946 J. Presper Eckert et John W. Mauchly réalisaient le premier ordinateur. Depuis l'introduction des TRANSISTORS et des CIRCUITS INTÉGRÉS a beaucoup réduit la taille des ordinateurs et amélioré leurs performances, de même qu'elle en a diminué le coût. ◁

**OREILLE** Organe de l'ouïe et de l'équilibre. Chez les animaux inférieurs, l'oreille n'est souvent qu'un conduit tapissé de poils sensitifs, mais chez les animaux développés, et chez l'homme, l'oreille est un organe complexe, composé de trois parties : l'oreille externe, moyenne et interne. L'oreille externe est formée du *pavillon,* lame cartilagineuse située sur le côté de la tête et où s'ouvre le *conduit auditif.* Les ondes sonores sont captées par le pavillon et transmises au conduit auditif fermé par une membrane : le *tympan,* qu'elles font vibrer. Trois osselets de l'oreille moyenne amplifient les vibrations du tympan et les transmettent à l'oreille interne. Là, les vibrations sont reçues par le *limaçon* — cavité en spirale emplie de fluide — et transmises par les nerfs au cerveau qui les interprète sous forme de sons. L'oreille interne contient également trois canaux semi-circulaires, emplis de fluide, qui assurent l'équilibre de l'individu. (Voir SURDITÉ.)

▼ *Coupe de l'oreille, mettant en évidence ses trois parties : l'oreille externe, l'oreille moyenne et l'oreille interne. Les ondes sonores, ou vibrations, sont canalisées vers le tympan qu'elles font vibrer.*

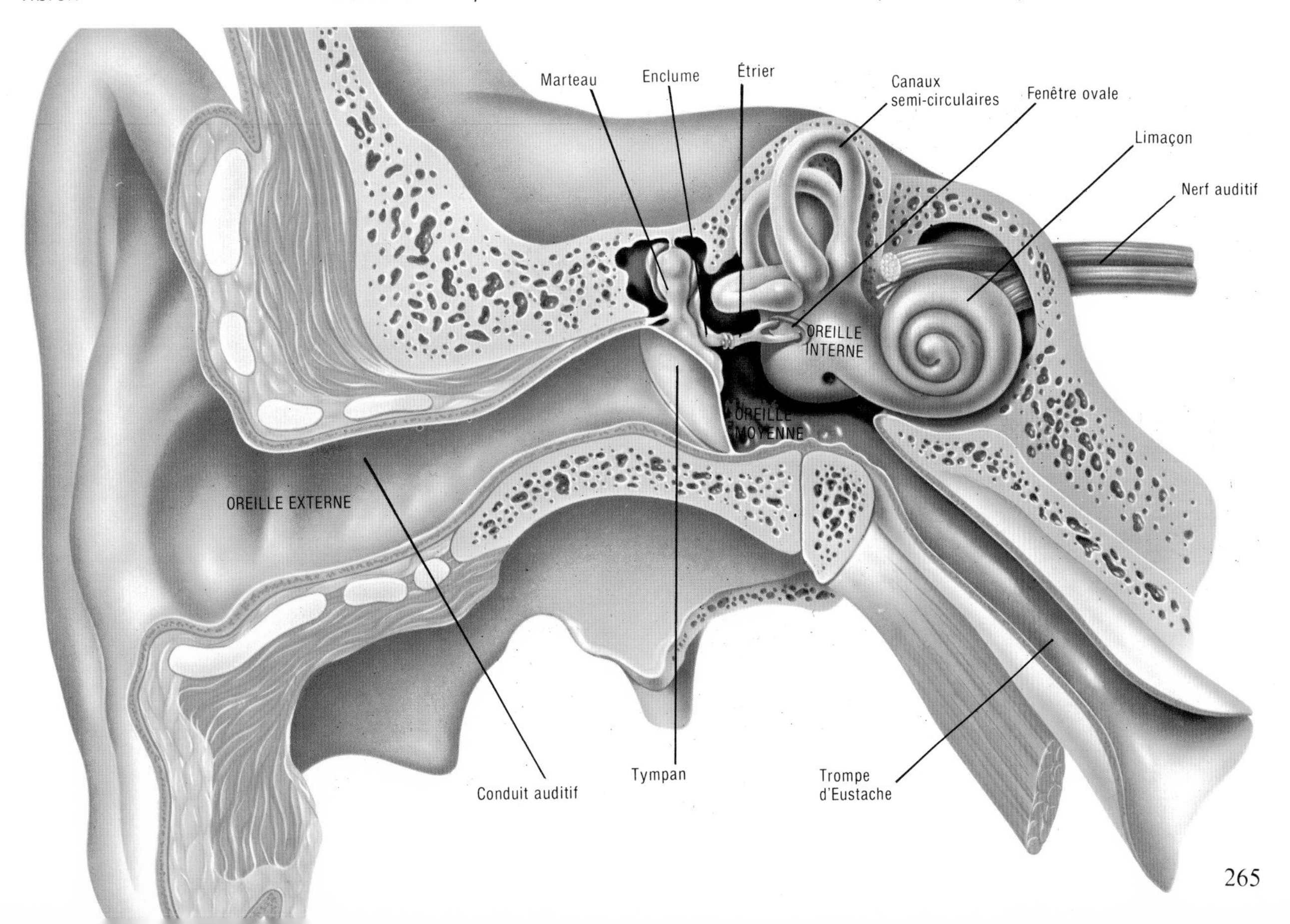

**OREILLONS** Maladie contagieuse qui atteint surtout les enfants. Les oreillons sont provoqués par un VIRUS qui crée une inflammation des GLANDES SALIVAIRES. Le fait d'avoir contracté la maladie immunise en général définitivement contre elle.

**ORGANISATION DES NATIONS UNIES (O.N.U.)** Organisation internationale ayant pour vocation le maintien de la paix et la sécurité à travers le monde. L'O.N.U. possède un certain nombre d'agences spécialisées dans des problèmes spécifiques comme l'agriculture, l'alimentation, la santé, le travail, etc. Créée en 1945 par 51 nations, l'O.N.U. comptait, en 1982, 154 pays membres.

Les principaux organes de l'O.N.U., dont le siège est à New York, sont l'Assemblée générale, le Conseil de sécurité et le Secrétariat. L'Assemblée générale comprend tous les membres de l'Organisation, chacun y disposant d'une voix ; son rôle consiste à discuter des problèmes internationaux. Le Conseil de sécurité est composé de 15 membres et traite des problèmes de la paix. Le Secrétariat assure le fonctionnement de l'Organisation ; il a à sa tête le secrétaire général qui exerce une activité diplomatique importante, peut prendre un certain nombre de décisions sans se référer aux autres organes de l'O.N.U. et attirer l'attention du Conseil de sécurité sur toute affaire touchant, selon lui, à la paix et à la sécurité mondiales. ▷

**ORGANISATION DU TRAITÉ DE L'ATLANTIQUE NORD** Signé en 1949, le traité de l'Atlantique nord engage les États-Unis et l'Europe occidentale dans un pacte de défense mutuelle : attaquer l'un des pays signataires équivaudrait à les attaquer tous. Le siège de l'Organisation est installé à Bruxelles, mais ce sont les États-unis qui fournissent la plus forte contribution en matière de forces armées. Tout en restant membre de l'alliance, la France s'est retirée de l'Organisation en 1966.

**ORGE** CÉRÉALE rustique, caractérisée par les longues barbes qui ornent ses épis. L'orge est cultivée comme plante fourragère, les meilleurs grains étant destinés à la fabrication du malt qui entre dans la composition de la bière.

**ORGUE** Instrument de musique de grande taille, à vent et tuyaux, commandé par des claviers, des poussoirs et des pédales, et que l'on trouve principalement dans les églises. Il existe aujourd'hui des « orgues » électriques et électroniques, de dimensions réduites.

**ORIGNAL OU ORIGNAC** Grand cervidé des forêts du Canada et de l'Alaska, à la robe foncée. Le mâle arbore d'énormes bois aplatis, pouvant atteindre 2 m. L'orignal est similaire à l'ÉLAN d'Europe. Il consomme au cours de l'hiver quelque 5 t de pousses et d'écorce.

▲ *Un observateur des forces de sécurité de l'O.N.U. aux abords du canal de Suez.*

**ORME** Grand arbre à feuilles caduques, présent surtout dans l'hémisphère nord. Il préfère les terrains découverts aux forêts, résiste bien à la putréfaction, ce qui en fait un bois intéressant pour la construction de bateaux et de ponts. ▷

**ORNITHORYNQUE** Curieux animal à fourrure foncée, limité à l'Australie et à la Tasmanie. Long de 45 cm environ, l'ornithorynque a de courtes pattes palmées et un gros bec aplati. C'est le plus primitif des MAMMIFÈRES. Il possède un cerveau extrêmement simple et, contrairement aux autres mammifères — exception faite de l'échidné —, il pond des œufs ; il n'en demeure pas moins un mammifère puisque la femelle allaite ses petits. L'ornithorynque vit dans des terriers creusés dans les berges des cours d'eau et se nourrit de petits animaux aquatiques. ▷

**ORYCTÉROPE** Gros animal fouisseur d'Afrique, gris, qui se nourrit principalement de TERMITES. Il mesure 2 m environ ; sa tête est terminée par un museau allongé. L'oryctéropé-

▼ *L'ornithorynque fouille la vase à l'aide de son bec souple, extrêmement sensible, à la recherche de sa nourriture.*

ORGANISATION DES NATIONS UNIES

*Organisations internationales dépendant de l'O.N.U. (le 2e sigle est identique au 1er mais en anglais).*

Organisation des Nations Unies pour l'alimentation et l'agriculture (F.A.O.). Accord général sur les tarifs douaniers et le commerce (A.G.I.C., G.A.T.T.). Organisation intergouvernementale consultative de la navigation maritime (O.I.C.N.M., I.M.C.O.). Agence internationale de l'énergie atomique (A.I.E.A., I.A.E.A.). Banque internationale pour la reconstruction et le développement (Banque mondiale ; B.I.R.D., I.B.R.D.). Organisation de l'aviation civile internationale (O.A.C.I., I.C.A.O.). Association internationale pour le développement (A.I.D., I.D.A.). Société financière internationale (S.F.I., I.F.C.). Fonds monétaire international (F.M.I., I.M.F.). Organisation internationale du travail (O.I.T., I.L.O.). Union internationale des télécommunications (U.I.T., I.T.U.). Organisation des Nations unies pour l'éducation, la science et la culture (U.N.E.S.C.O.). Union postale universelle (U.P.U.). Organisation mondiale de la santé (O.M.S., W.H.O.). Organisation mondiale de la propriété intellectuelle (W.I.P.O.). Organisation météorologique mondiale (O.M.M., W.M.O.).

ORME Dans les années 1970, les ormes d'Europe ont été décimés par la maladie de l'orme subéreux — mycélium véhiculé par le scolyte de l'orme qui pond ses œufs sous l'écorce de ces arbres. Un arbre infesté est irrémédiablement condamné. L'abattage ou brûlage des arbres infestés n'a pu enrayer l'épidémie. La maladie ne s'attaquant qu'aux arbres de plus de dix ans, on est en droit d'espérer que le champignon sera éliminé par la disparition de tous les vieux arbres infestés, pour laisser place à une nouvelle génération d'ormes sains.

ORNITHORYNQUE Les ornithorynques sont difficiles à élever en captivité. Un spécimen installé dans un zoo de New York a consommé en une journée une grenouille, deux œufs, une poignée de vers de farine, 24 écrevisses et 200 vers de terre. Une seule ville, Healesville (Victoria), est parvenue à conserver un ornithorynque en vie jusqu'à l'âge de 17 ans.

▲ *L'oryctérope est un animal très timoré. Surpris hors de son terrier, il s'empresse de creuser, à l'aide de ses puissantes griffes, un trou pour s'y cacher.*

rope, ou « cochon de terre », creuse de profonds terriers dont il ne sort qu'à la nuit pour attaquer les termitières et recueillir les insectes sur sa longue langue gluante.

**OS** Tissu constituant la charpente des VERTÉBRÉS. Le SQUELETTE humain compte 206 os qui soutiennent le corps, protègent les organes et tissus délicats et permettent au corps de se mouvoir, en jouant le rôle de leviers commandés par les MUSCLES. Les os sont constitués de matière organique et de substances inorganiques comme le CALCIUM. Ils sont sujets à de nombreuses affections, dont le rachitisme, un ramollissement du tissu osseux provoqué par une carence en vitamine D.

▼ *Coupe d'un morceau de périoste (couche externe de l'os), vue au microscope. Le périoste est la partie dure et lourde de l'os. Les marques sombres sont des cellules osseuses vivantes qui puisent les minéraux dans les minuscules vaisseaux sanguins parcourant l'os et assurent la croissance du tissu osseux.*

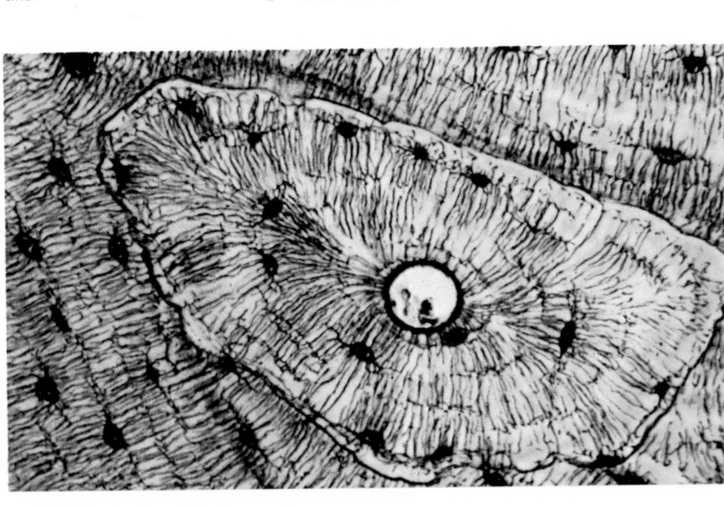

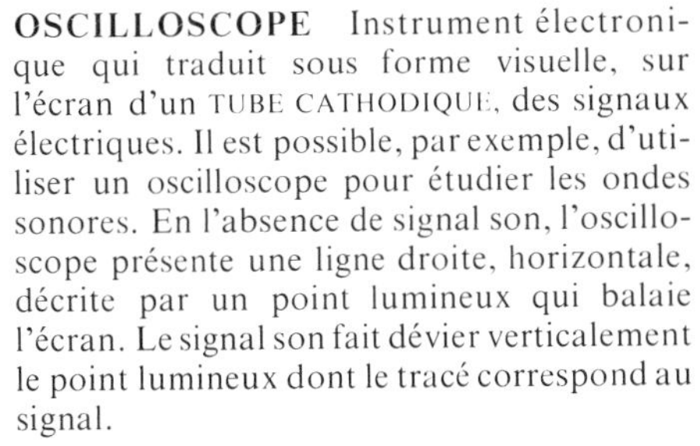

**OSCILLOSCOPE** Instrument électronique qui traduit sous forme visuelle, sur l'écran d'un TUBE CATHODIQUE, des signaux électriques. Il est possible, par exemple, d'utiliser un oscilloscope pour étudier les ondes sonores. En l'absence de signal son, l'oscilloscope présente une ligne droite, horizontale, décrite par un point lumineux qui balaie l'écran. Le signal son fait dévier verticalement le point lumineux dont le tracé correspond au signal.

**OSMOSE** Processus dans lequel deux liquides de concentration différente, séparés par une *membrane* perméable, diffusent à travers la membrane. C'est de cette manière que les racines des VÉGÉTAUX absorbent l'eau et que les substances nutritives passent du système digestif dans le SANG.

**O.T.A.N.** Voir ORGANISATION DU TRAITÉ DE L'ATLANTIQUE NORD.

**OTARIE** Mammifère marin très semblable au PHOQUE, si ce n'est que de la fourrure recouvre son corps et qu'il possède des oreilles. Les otaries sont chassées pour leur peau et font également le succès des zoos et des cirques.

▼ *Otaries (lions de mer) des îles Galapagos. Ces créatures joueuses possèdent, sur le côté de la tête, des oreilles, absentes chez le phoque.*

**OUGANDA** République d'AFRIQUE orientale, l'Ouganda compte 13,6 millions d'habitants (1982) pour une superficie de 236 000 km². L'économie du pays est basée principalement sur l'agriculture, qui occupe 80 % de la population active. L'Ouganda produit du thé, du coton et surtout du café.

**OUR OU UR** Ancienne ville de MÉSOPOTAMIE. La Bible la désigne comme le lieu de naissance d'ABRAHAM, sous le nom de « Our des Chaldéens ». Découvert au XIXe siècle par Sir Leonard Woolley, le site a livré des vestiges permettant de faire remonter la fondation de l'agglomération à 3500 av. J.-C. Il semblerait qu'à un moment donné elle ait été victime d'une grave inondation, ce qui expliquerait l'épisode de la Bible concernant le Déluge.

**OURAGAN** Système de basses pressions atmosphériques, également appelé *cyclone*. Les ouragans se forment au-dessus de l'océan, au nord et au sud de l'ÉQUATEUR. Un ouragan est constitué de vents tourbillonnant autour d'une zone de calme : « l'œil » du cyclone. Ces vents, qui soufflent à plus de 120 km/h, causent d'importants dommages lorsqu'ils traversent les terres.

▲ *Après le passage d'un ouragan. En 1963, l'ouragan « Flora » (on attribue aux cyclones des prénoms féminins) a fait 6 000 morts en Amérique.*

**OURS** MAMMIFÈRE massif, aux membres puissants, yeux et oreilles de petite taille, et recouvert d'une épaisse fourrure ; bien que carnivore, l'ours consomme également beaucoup de fruits et de légumes. L'espèce la plus connue est l'ours brun d'Amérique du Nord, d'Europe orientale et de l'Himalaya. L'Amérique compte deux types d'ours brun, de très grande taille : l'ours de l'Alaska et le grizzly ; ces animaux peuvent atteindre 3 m et peser plus de 750 kg. L'ours polaire (ours blanc), couleur crème, vit dans l'Arctique ; les poils sous la plante de ses pattes le protègent du froid et lui assurent une bonne adhérence sur la neige ; l'adulte peut mesurer jusqu'à 2,70 m et peser plus de 700 kg ; sa tête est plus petite, plus allongée que celle des autres espèces, et son cou plus long. Ses pattes antérieures, en partie palmées, lui permettent de nager. L'Amérique du Nord et l'Asie abritent également plusieurs espèces d'ours noirs, plus petits, et souvent excellents grimpeurs. L'ours à lunettes, la seule espèce d'Amérique du Sud, doit son nom aux cernes de fourrure blanche qui entourent ses yeux. ▷

OURS Durant la dernière période glaciaire, qui s'est achevée il y a 20 000 ans, des ours polaires vivaient à la latitude de la France. Il en reste encore dans les Pyrénées.

▼ *Certaines tribus indiennes d'Amérique avaient fait un dieu de l'ours de l'Alaska.*

▼ *Spectacle montrant un simulacre de lutte entre l'homme et l'ours, en Turquie.*

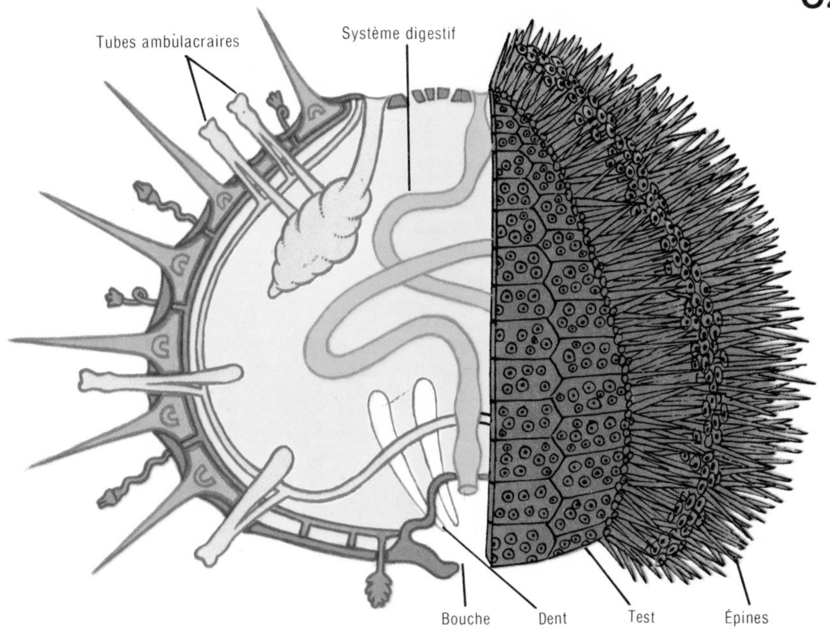


▲ *Vue en coupe d'un oursin, montrant le « test » qui enveloppe le corps, les épines insérées dans le test et la bouche équipée de puissantes dents qui s'ouvre dans la partie inférieure du corps. Les tubes ambulacraires émergent de petits trous creusés dans le test.*

**OURSIN** Classe de petits INVERTÉBRÉS marins à squelette externe, fragile. Les oursins sont globuleux ou cordiformes, couverts d'épines plus ou moins rigides selon les espèces, qui leur servent à se déplacer et à se défendre. Ils vivent généralement à la surface des rochers. Certains sont comestibles.

**OXYDATION ET RÉDUCTION** On appelle oxydation une RÉACTION chimique dans laquelle la substance se combine à de l'oxygène ou perd de l'hydrogène. Dans une réduction, la substance perd de l'oxygène et gagne de l'hydrogène. Ces termes sont parfois employés dans une acception plus générale pour désigner une réaction dans laquelle un atome perd des électrons (oxydation) ou en gagne (réduction).

**OXYDE DE CARBONE** Gaz toxique, incolore et inodore, de formule chimique CO, présent, entre autres, dans les gaz d'échappement des voitures. Il y a également production d'oxyde de carbone lors d'une combustion avec insuffisance d'oxygène.

**OXYGÈNE** Gaz nécessaire à la RESPIRATION, et constituant environ un cinquième de l'AIR. La respiration des animaux terrestres s'opère par aspiration d'air atmosphérique ; les poissons absorbent l'oxygène dissout dans l'eau. L'oxygène est un ÉLÉMENT chimique, obtenu industriellement par distillation de l'air liquide. Les substances brûlent en se combinant à l'oxygène. Il est possible d'obtenir des flammes extrêmement chaudes — dans les chalumeaux, par exemple (voir SOUDAGE) — en brûlant d'autres gaz avec de l'oxygène pur. (Voir OXYDATION ET RÉDUCTION ; OZONE.)

▲ *Cet oursin a une structure similaire à celle d'une étoile de mer, avec des épines, une bouche située sur la face inférieure du corps et des tubes ambulacraires.*

**OZONE** Forme de l'OXYGÈNE dans laquelle chaque MOLÉCULE est formée de trois atomes au lieu de deux. L'ozone est formé à partir d'oxygène par une décharge électrique. C'est lui qui est responsable de l'odeur particulière que l'on respire aux abords des moteurs électriques. L'ozone est utilisé pour la stérilisation et le blanchiment. La couche d'ozone de l'ATMOSPHÈRE absorbe la plus grande part des rayons ultraviolets nocifs en provenance du Soleil.

**PACIFIQUE (OCÉAN)** Le plus vaste et le plus profond des océans. Le Pacifique couvre 165 723 000 km². Il doit son nom au navigateur portugais Fernand de MAGELLAN.

**PAIN** Aliment préparé à partir de farine, de blé, mais aussi de maïs, d'avoine, d'orge et de seigle, à laquelle on ajoute de l'eau, du sel et de la levure (ou levain), de manière à obtenir une pâte fermentée que l'on cuit. Le pain est l'un des plus anciens aliments de l'homme qui le fabriquait déjà 2 000 ans av. J.-C.

**PAKISTAN** Nation musulmane de l'ASIE du Sud-Est, le Pakistan compte 85 millions d'habitants (1982) pour une superficie de 804 000 km². Le nord et l'ouest du pays sont des régions montagneuses. La population, en majeure partie rurale, vit dans les vallées, telle celle de l'Indus. De 1947, date de son indépendance, à 1971, le Pakistan étendait également ses frontières sur le BANGLADESH (alors Pakistan oriental), mais, à la suite d'une terrible guerre civile, les deux États furent conduits à se séparer. Capitale : Islamabad. ▷

PAKISTAN : DONNÉES
Langue officielle : urdu (ou ourdou), qui n'est pourtant parlé que par 1/10 de la population. Le punjabi est plus largement employé.
Monnaie : roupie du Pakistan.
Religion : islam.
Principaux cours d'eau : Indus, Sutlej, Chenab et Ravi.
Grandes villes : Karachi (5 millions d'habitants), Lahore (2,3 millions d'habitants), Faisalabad (1 009 000 habitants) et Hyderabad (795 000 habitants).

**PALESTINE** Terre sainte de la Bible, la Palestine est aujourd'hui en majeure partie occupée par l'État d'ISRAEL. Après s'être emparés de la Palestine en 63 av. J.-C., les Romains y réprimèrent, en 70 ap. J.-C., une insurrection des Hébreux à la suite de laquelle les JUIFS furent contraints de quitter le pays en masse. Au VII<sup>e</sup> siècle, la contrée passa sous domination arabe. En 1882, un groupe de pionniers sionistes s'établit en Palestine, et en 1948 était créé l'État d'Israël. A la suite des guerres israélo-arabes, des portions de nations arabes voisines furent annexées par Israël.

**PALÉTUVIER OU MANGLIER** Arbre ou buisson tropical des côtes envasées (mangroves) et des estuaires d'Afrique, d'Asie et d'Amérique du Sud. A marée haute, les palétuviers ne laissent apparaître qu'une masse flottante de feuilles vert-gris, révélant à marée basse les troncs portés par des racines en échasses.

**PALMIER** Arbre tropical au tronc rectiligne, couronné par un bouquet de feuilles plumeuses ou en éventail. Il existe quelque 1 500 espèces de palmiers, utiles à l'homme pour la plupart : dattes, noix de coco et raphia, par exemple, sont fournis par les palmiers.

**PALUDISME** Maladie contagieuse des pays tropicaux et subtropicaux, produite par un PROTOZOAIRE que véhicule l'*anophèle*, un MOUSTIQUE des régions chaudes et marécageuses. Le paludisme (ou malaria) provoque de violents accès de fièvre qui s'accompagnent d'un grand affaiblissement.

**PAMPLEMOUSSE** Fruit comestible du pamplemoussier — un agrume — à peau jaune, pulpe juteuse et acidulée, riche en vitamine C et poussant en grappes.

**PANAMA** République d'AMÉRIQUE CENTRALE, Panama compte 2 millions d'habitants (1982) pour une superficie de 75 650 km². Cette nation tropicale, d'économie rurale, est divisée en deux parties par la *zone du canal de Panama*. Capitale : PANAMA. ▷

PANAMA : DONNÉES
Langue officielle : espagnol.
Monnaie : balboa.
Religion : catholicisme.
Grandes villes : Panama (500 000 habitants), San Miguelito (157 000 habitants).

**PANAMA (CANAL DE)** Importante voie d'eau reliant l'Atlantique au Pacifique, le canal mesure 82 km de long pour une largeur minimale de 91 m. Il fut creusé par les États-Unis et ouvert en 1914. La zone du canal est toujours administrée par les États-Unis, mais une rétrocession au Panama est engagée depuis 1977, qui sera totale en 2000.

**PANCRÉAS** Grosse GLANDE, longue de 18 cm environ, située chez l'homme au-dessous et en arrière de l'estomac. Le pancréas déverse dans l'intestin grêle des sucs digestifs et produit également une HORMONE — l'insuline — qui joue un rôle important dans la transformation du sucre par l'organisme. (Voir DIABÈTE.)

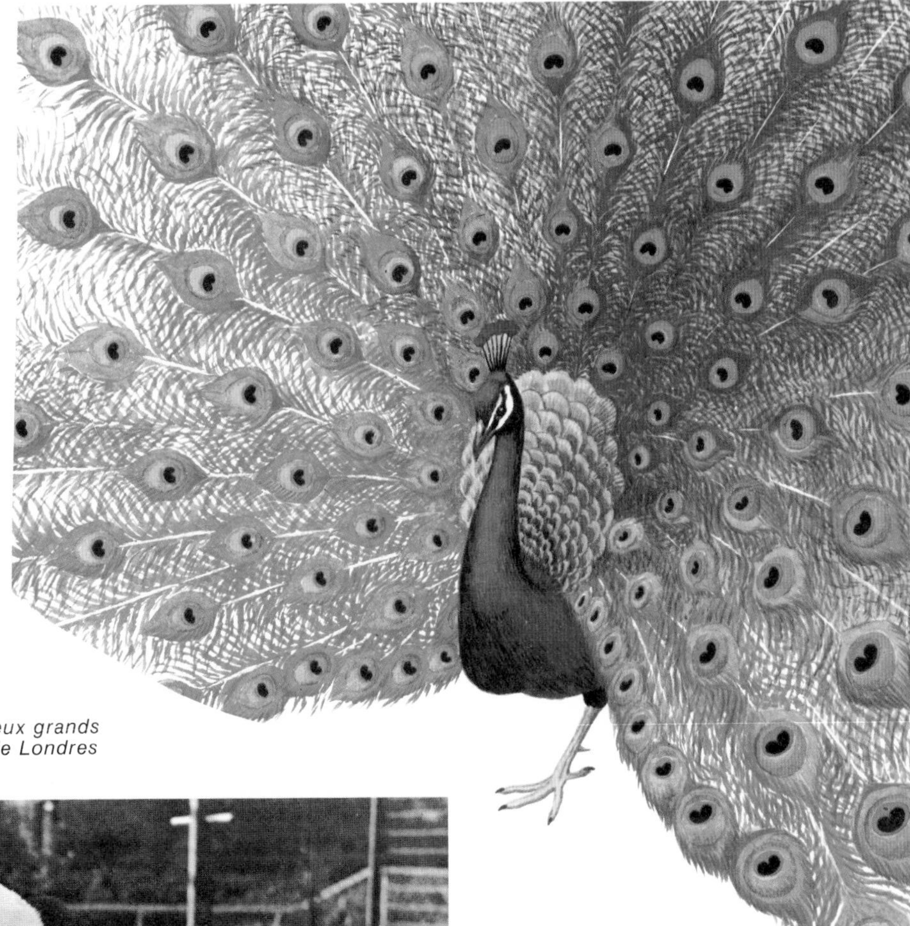

▸ *Paon faisant la roue. Le ramage de cet oiseau n'est pas à la hauteur de son plumage. Il pousse, pour appeler la femelle, un cri strident et discordant.*

▾ *Chia-Chia et Ching-Ching, deux grands pandas prêtés en 1974 au zoo de Londres par le gouvernement chinois.*

**PANDA** MAMMIFÈRE d'Asie, de la même famille que le raton laveur (procyonidés). Le grand et le petit panda habitent les contreforts de l'Himalaya ; le grand panda se rencontre également en Chine. De la taille d'un gros chat, le petit panda est revêtu d'une fourrure noir et rouge ; il passe la majeure partie de son temps dans les arbres ; de mœurs nocturnes, il se nourrit de bambous, de fruits et de noix. Le grand panda a la taille et l'allure d'un ourson. Il est blanc de fourrure, à pattes, épaules, oreilles et cernes oculaires noirs. Ce n'est pas un animal rapide ; de mœurs nocturnes, il se nourrit de pousses de bambou, de petits mammifères et de poissons.

**PANTHÈRE** Voir LÉOPARD.

**PAON** Oiseau gallinacé que l'on rencontre à l'état sauvage dans la jungle, de l'Inde à l'Indonésie, aux abords de l'eau. Le plumage du corps est d'un bleu magnifique. Chez le mâle, les longues plumes de la queue, marquées d'ocelles, peuvent s'étaler en roue. Domestiqué depuis des siècles, et autrefois élevé pour sa chair, le paon est aujourd'hui un oiseau décoratif des parcs et des jardins publics.

**PAPE** Chef de l'ÉGLISE CATHOLIQUE romaine et évêque de Rome, le pape est reconnu par tous les catholiques comme le représentant de JÉSUS-CHRIST sur la Terre. Il est également le chef de l'État du VATICAN, petite nation insérée dans la ville de Rome. Depuis saint Pierre, premier évêque de Rome, de nombreux papes se sont succédé à la tête de l'Église catholique.

**PAPIER** Matériau utilisé pour écrire, imprimer, envelopper des objets, etc. Inventé en Chine en 105 apr. J.-C., le papier a été introduit en Europe par les Arabes. Il est constitué de fibres végétales (de bois généralement), mélangées à de l'eau et réduites en une pâte qui est ensuite tamisée, pressée et séchée de manière à former des feuilles. Les machines à papier modernes peuvent produire 250 t de papier par jour.

**PAPILLON** Papillons de jour et de nuit constituent l'ordre des *lépidoptères* (ailes écailleuses), un groupe très vaste comptant quelque 10 000 papillons de jour et 100 000 papillons de nuit. Les lépidoptères ont les ailes recouvertes de minuscules écailles imbriquées et utilisent pour se nourrir un tube enroulable, ou trompe, situé sous la tête, et grâce auquel ils aspirent le nectar des fleurs et le jus des fruits blets. Diurnes ou nocturnes, les papillons ont un cycle de vie comportant quatre phases : l'œuf, la CHENILLE (ou larve), la chrysalide (nymphe) et l'adulte (ou imago). A la fin du stade nymphal qui dure de dix jours à cinq ans, voire plus, selon les espèces, la chrysalide se fend et libère un insecte adulte, le papillon, dont la longévité varie de quelques semaines à six mois et plus. On distingue les papillons diurnes des nocturnes à deux choses : les premiers ont des antennes en massue, non les seconds, et, au repos, ils replient généralement leurs ailes à la verticale du corps ; mais ce n'est pas une règle absolue. En règle générale également, les papillons de jour sont, comme leur nom l'indique, diurnes (mais certains « nocturnes » aussi) et ont des ailes aux vives couleurs, les nocturnes étant plus ternes. ▷

▲ *Certains papillons de nuit sont munis d'antennes qui se déploient de chaque côté de la tête comme des palmes ou des plumes. Chaque antenne compte quelque quarante mille récepteurs olfactifs et tactiles.*

PAPILLON Les îles Salomon, dans le Pacifique sud, abritent le papillon à la fois le plus grand et le plus rare du monde. La femelle de *Troides victoriae* peut, en effet, peser plus de 5 g et l'envergure de ses ailes dépasser 30 cm.

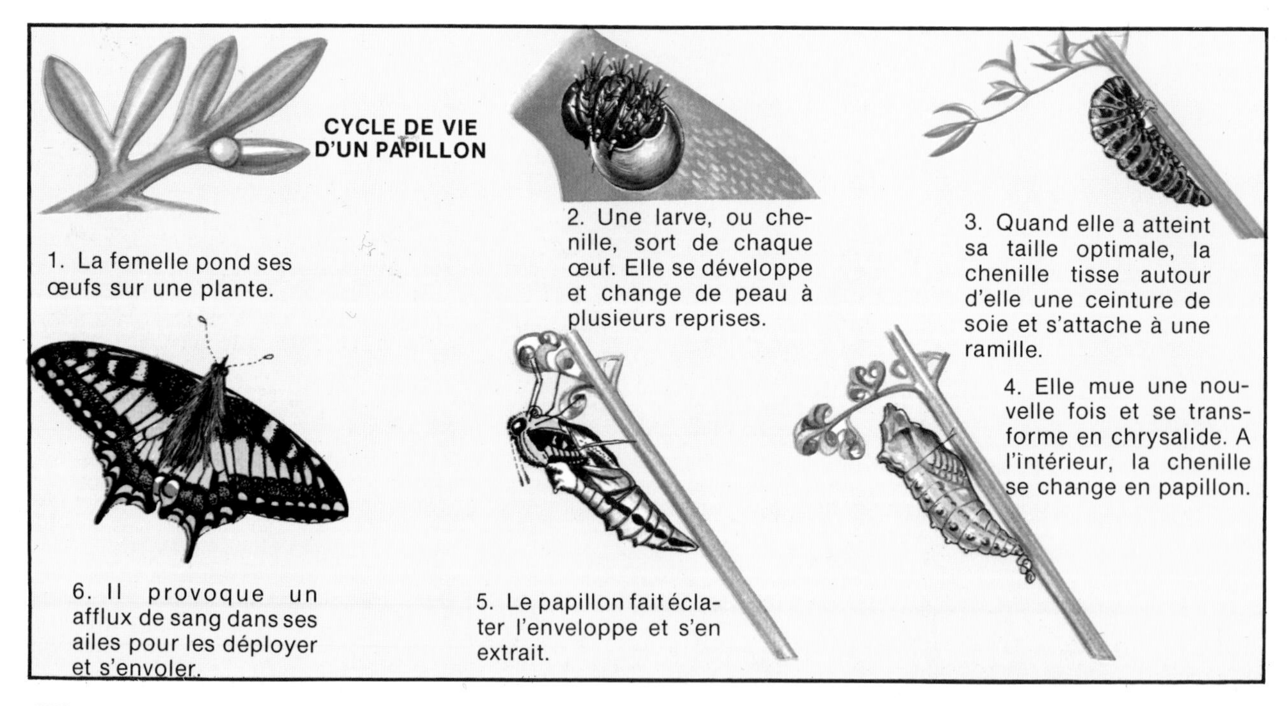

PARAGUAY : DONNÉES
Langue officielle : espagnol.
Monnaie : guarani.
Religion : catholicisme.
Principaux cours d'eau : Paraguay et Pilcomayo.
Grandes villes : Asuncion (456 000 habitants), Concepcion (63 000 habitants).
La population est constituée à 95 % de métis d'Indiens et d'Espagnols.
Le rio Paraguay sépare deux régions très différentes. La partie orientale du pays est une région de plateaux où les forêts alternent avec les herbages. A l'ouest, le Chaco est une vaste plaine alluviale couverte de marais et de denses forêts de buissons.

PARFUM Un parfum n'est jamais constitué d'une seule substance et peut contenir jusqu'à seize composants — dont certains sont parfois d'origine synthétique. Par exemple, les senteurs d'œillet, de jasmin et de lis de la vallée peuvent provenir respectivement d'essence de trèfle, d'essence de citronnelle et de goudron de houille. D'autres substances peuvent être naturelles : ainsi le mimosa, le santal, le styrax et le vétiver qui proviennent respectivement de fleurs, de bois, de résine et de racines.

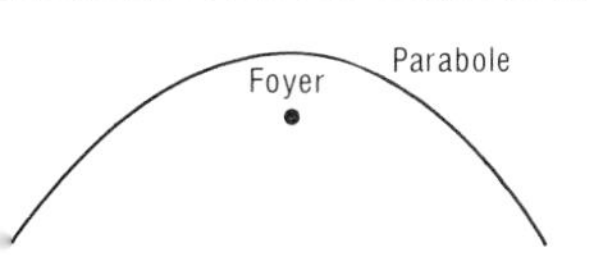


**PAPYRUS** Matériau fabriqué à partir d'une sorte de roseau et utilisé dans l'Égypte ancienne comme support de l'écriture. Les tiges de roseau étaient découpées en fines lamelles et pressées, de manière à obtenir des feuilles qui étaient enroulées sur des bâtons.

**PÂQUE** Fête annuelle juive, dont la célébration a lieu au printemps et dure huit jours, et qui commémore la sortie d'Égypte du peuple hébreu, sous la conduite de MOISE. La Pâque s'ouvre par un repas rituel, pris en famille. (Voir JUDAISME.)

**PÂQUERETTE** Petite fleur sauvage d'Europe. Le capitule floral est constitué de nombreuses fleurs : celles du centre sont jaunes et tubulées, celles de la circonférence ligulées et blanches, disposées sur un seul rang. La fleur se ferme la nuit.

**PÂQUES** Fête annuelle chrétienne, commémorant la résurrection de JÉSUS-CHRIST. Du fait qu'elle est établie en fonction de la pleine lune, la date de cette fête se situe entre le 22 mars et le 25 avril. (Voir CHRISTIANISME.)

**PARABOLE** Courbe décrite par un point, de telle manière qu'il soit toujours équidistant d'un point fixe, appelé *foyer,* et d'une droite fixe, ou *directrice.* Les BALLES et autres projectiles d'armes à feu décrivent une trajectoire qui ressemble à une parabole et qui en serait une s'il n'y avait la résistance de l'air. (Voir BALISTIQUE.)

**PARAFFINE** Groupe d'hydrocarbures inflammables, également appelés alcanes. Les carbures paraffiniques tels que le méthane, l'éthane, le propane et le butane sont gazeux dans des conditions normales. Les paraffines liquides sont appelées huiles de pétrole. Le liquide communément désigné sous le nom de kérosène est un mélange de ces huiles. Les paraffines solides sont appelées cires de paraffine.

**PARAGUAY** République d'AMÉRIQUE DU SUD insérée dans les terres, le Paraguay compte 3,3 millions d'habitants (1982) pour une superficie de 406 750 km². C'est principalement un pays d'élevage, dont la viande constitue la première denrée d'exportation, et qui exploite également ses forêts. Capitale : Asuncion. ◁

**PARASITE** Animal ou végétal qui prélève sa nourriture sur ou dans un autre être vivant. En général, les parasites affaiblissent et parfois tuent leur *hôte.* Certains animaux parasites vivent à l'intérieur du corps de leur hôte : ainsi le ténia, qui se fixe à l'intérieur de l'intestin et se nourrit sur les aliments digérés. D'autres, comme la PUCE, s'accrochent à la peau et aspirent le sang de leur hôte. Il existe deux types de parasites végétaux. Certains, comme le GUI, ont des feuilles mais pas de racines ; ils se contentent de puiser sur l'hôte l'eau qu'ils utilisent pour élaborer leur nourriture. D'autres plantes parasites n'ont ni racines ni feuilles, mais uniquement des fleurs, et dépendent entièrement de leur hôte pour leur alimentation.

**PARCHEMIN** Matériau préparé pour l'écriture, à partir de peau d'animaux tels que moutons ou chèvres. Le parchemin était utilisé pour la rédaction des livres et documents avant l'introduction du PAPIER.

**PARESSEUX** MAMMIFÈRE arboricole de l'Amérique tropicale. Lents et peu actifs, ce qui leur a valu leur nom, les paresseux dorment tout le jour, souvent suspendus la tête en bas.

**PARFUM** Substance utilisée par certains pour donner à leur corps une odeur agréable. Les anciens Égyptiens fabriquaient des parfums en faisant tremper dans de l'huile du bois odorant imprégné d'eau. Aujourd'hui, les parfums de qualité sont toujours élaborés à partir d'essences naturelles de végétaux et d'huiles animales, mais leur coût élevé a poussé l'industrie de la parfumerie à mettre au point des parfums de synthèse et principalement de produits dérivés du goudron de houille. ◁

**PARI** Jeu d'argent où le gain dépend de l'issue d'une épreuve. Selon la réglementation en vigueur dans les différents pays, il est possible de parier sur les courses de chevaux (P.M.U. et paris sur les champs de courses), sur les rencontres de football (Italie), les courses de lévriers (Grande-Bretagne), etc. Les jeux

◂ *La posture typique du paresseux à trois doigts, ou aï. Cet animal se déplace à peine et passe ses journées suspendu à une branche.*

de casino constituent également un type de pari sur le hasard. (Voir ROULETTE.)

**PARIS** Capitale de la FRANCE et de la région Ile-de-France, Paris constitue en soi un département (75) qui compte 2,2 millions d'habitants. Avec les départements limitrophes, dits « de la petite couronne » (Hauts-de-Seine, Seine-Saint-Denis et Val-de-Marne), les communes de la « grande couronne » (Essonne, Val d'Oise et Yvelines) et une partie de la Seine-et-Marne, la population de l'agglomération parisienne s'élève à 9,3 millions d'habitants. Du fait du système centralisé de la France, Paris demeure encore aujourd'hui le premier centre politique, financier, universitaire, culturel et artistique du pays et, pour les étrangers, la « vitrine » de la France. 1,5 million de Parisiens travaillent dans l'industrie (métallurgie de transformation, bâtiment et travaux publics, notamment), le secteur tertiaire employant plus de 3 millions de personnes. Paris compte également une industrie traditionnelle de luxe (parfums et grands couturiers). ▷

▸ *L'avenue des Champs-Élysées, à Paris, l'une des plus belles perspectives du monde. Elle débouche sur l'arc de triomphe de l'Étoile qui abrite la tombe du Soldat inconnu.*

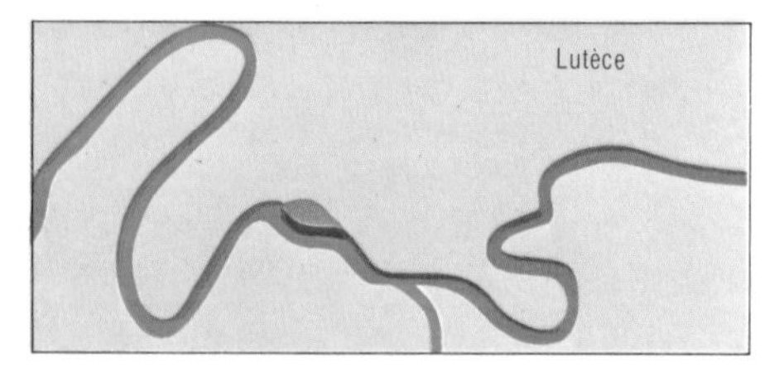


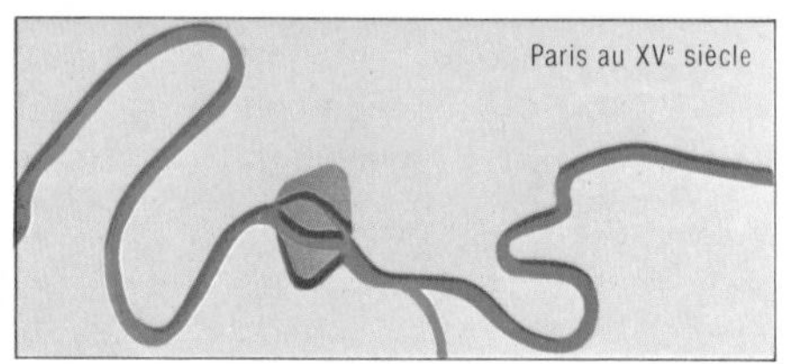


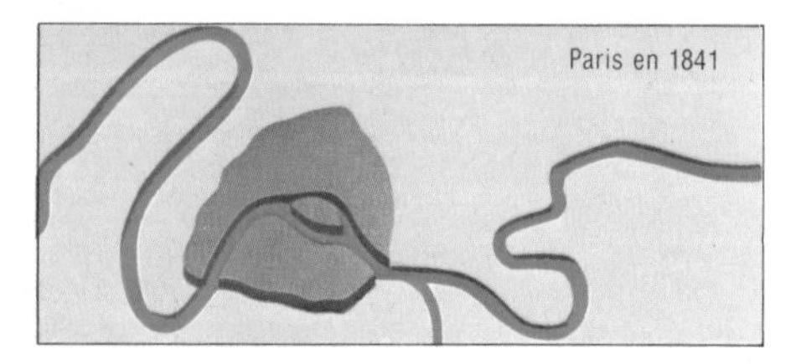


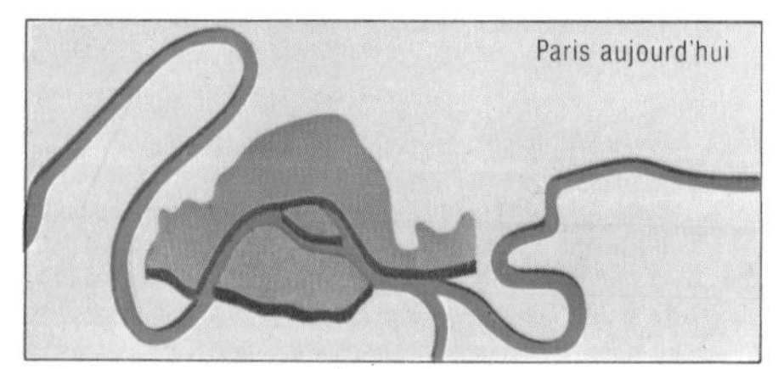


◂ *Paris (alors Lutèce) était à l'origine limité à l'île de la Cité – un point de traversée facile de la Seine. La ville commence à se développer avec l'occupation romaine (52 av. J.-C.) et au VIe siècle Clovis, le roi des Francs, en fait sa capitale. Vers la fin du XVe siècle, Paris s'est étendu au nord et au sud, et vers 1841 le développement industriel a décuplé la superficie de la ville qui compte plus de 900 000 habitants.*

**PARLEMENT** Dans les régimes parlementaires, c'est l'ensemble des chambres qui exercent le pouvoir législatif (selon les pays, le Parlement se compose d'une ou de deux chambres). Dans la France de l'Ancien Régime, les attributions du Parlement étaient avant tout judiciaires. Sous la Ve République, le Parlement français se compose de deux chambres, l'Assemblée nationale et le Sénat, assistées d'un certain nombre de commissions qui préparent les projets de loi ou procèdent à des enquêtes consistant principalement à contrôler le pouvoir exécutif.

**PARTHÉNON** Célèbre temple d'ATHÈNES, construit entre 447 et 438 av. J.-C., ainsi nommé parce qu'il était dédié à la déesse Athéna Parthénos (« la Vierge »). Le temple a été terriblement endommagé en 1687, au cours des bombardements de la ville — alors territoire turc — par les Vénitiens. Une partie de la monumentale frise du Parthénon a été transférée en Angleterre par Lord Elgin et se trouve aujourd'hui au British Museum de Londres.

PARIS Construit sur la Seine, à 177 km du Havre, Paris est aujourd'hui la première ville d'Europe pour la densité de population. La ville est le siège du gouvernement et le lieu de résidence du président de la République (palais de l'Élysée, autrefois résidence de Mme de Pompadour). Le Parlement français est composé de deux chambres dont l'une siège à l'Assemblée nationale, l'autre au palais du Luxembourg (Sénat).
La première université parisienne, la Sorbonne, fut fondée en 1253, pour seize étudiants en théologie de condition modeste.
La Bibliothèque nationale, fondée en 1386, est la plus ancienne bibliothèque européenne de ce type ; elle contient plus de dix millions d'ouvrages.
La cathédrale Notre-Dame, située dans l'île de la Cité, est l'une des plus belles réalisations gothiques d'Europe. La tour Eiffel (320 m de haut) est l'une des constructions les plus visitées de la capitale (3 600 000 visiteurs en 1980).

PASTEUR, LOUIS A 17 ans, Pasteur obtint un poste de surveillant d'internat. L'un des élèves étant en possession d'un microscope, il le lui emprunta pour étudier les insectes, ce qui marqua le début de sa passion pour les micro-organismes — passion qui allait le mener loin.

**PARTICULE ALPHA** Nom donné au noyau de l'ATOME d'hélium. Il est constitué de deux protons et de deux neutrons ; c'est une particule chargée électriquement. De nombreuses substances radioactives émettent des rayons alpha, c'est-à-dire un flux de particules alpha. (Voir RADIOACTIVITÉ.)

**PARTICULE BÊTA** Électron ou POSITRON émis par les noyaux d'ATOMES radioactifs. Les rayons bêta sont des flux de particules bêta. Il y a création de particules bêta lorsqu'un neutron se transforme en proton, et vice versa.

**PASCAL, BLAISE** Savant, philosophe et écrivain français (1623-1662). Auteur des lois de la pression atmosphérique, il a laissé son nom à l'unité de pression et de contrainte, le pascal. A 18 ans, il inventa une machine à calculer. Il est l'auteur des *Lettres provinciales,* défense des jansénistes contre les jésuites.

**PASSAGE DU NORD-EST** Plusieurs explorateurs avaient imaginé qu'il devait être possible de rejoindre l'Asie à partir de l'Europe en passant par l'océan Glacial Arctique, et ce fut finalement le Suédois Nils Nordenskjöld (1832-1901) qui, le premier, en 1878-1879, accomplit le voyage.

*▼ Entre autres recherches, Pasteur entreprit des études sur la rage. En 1885, il expérimenta avec succès son sérum sur un garçon mordu par un chien enragé. On le voit représenté ici (au centre) dans sa clinique.*

*▲ Le baron Nils Nordenskjöld, géologue et explorateur, accomplit la traversée par le passage du nord-est, en 1878-1879, à bord du* Vega.

**PASTÈQUE** Plante tropicale, rampante, cultivée pour ses très gros fruits. Les pastèques ont une peau vert et rouge, une pulpe juteuse parsemée de graines. Constituée d'eau à 90 %, la pastèque est un fruit rafraîchissant.

**PASTEUR, LOUIS** Chimiste et biologiste français, Pasteur (1822-1895) s'attacha à l'étude des fonctions des micro-organismes (minuscules organismes vivants). Ayant élucidé de quelle manière les minuscules cellules de LEVURE pouvaient faire fermenter le sucre et le transformer en alcool, il découvrit qu'un processus similaire provoquait la transformation du vin en vinaigre et la fermentation du lait. Pour éviter ces fermentations, il mit au point la PASTEURISATION. Pasteur est également l'inventeur du vaccin contre la rage. ◁

**PASTEURISATION** Procédé consistant à chauffer un aliment liquide pour le débarrasser de ses BACTÉRIES et autres micro-organismes pathogènes ou susceptibles de détériorer l'aliment. Ce procédé doit son nom à son inventeur, Louis PASTEUR, qui le mit au point à la fin du XIXe siècle.

**PATATE DOUCE** Plante tropicale de la famille des convolvulacées, cultivée pour ses tubercules comestibles. Au Japon, on utilise la patate douce pour fabriquer une boisson alcoolisée ; on en extrait aussi de l'amidon.

**PATHOLOGIE** Étude des maladies et des anormalités du corps. Les pathologistes prélèvent des échantillons de cellules de l'organisme et les observent au microscope, de manière à détecter une éventuelle affection et à déterminer le traitement correspondant. Ils pratiquent également des autopsies (examens de morts) pour découvrir les causes du décès.

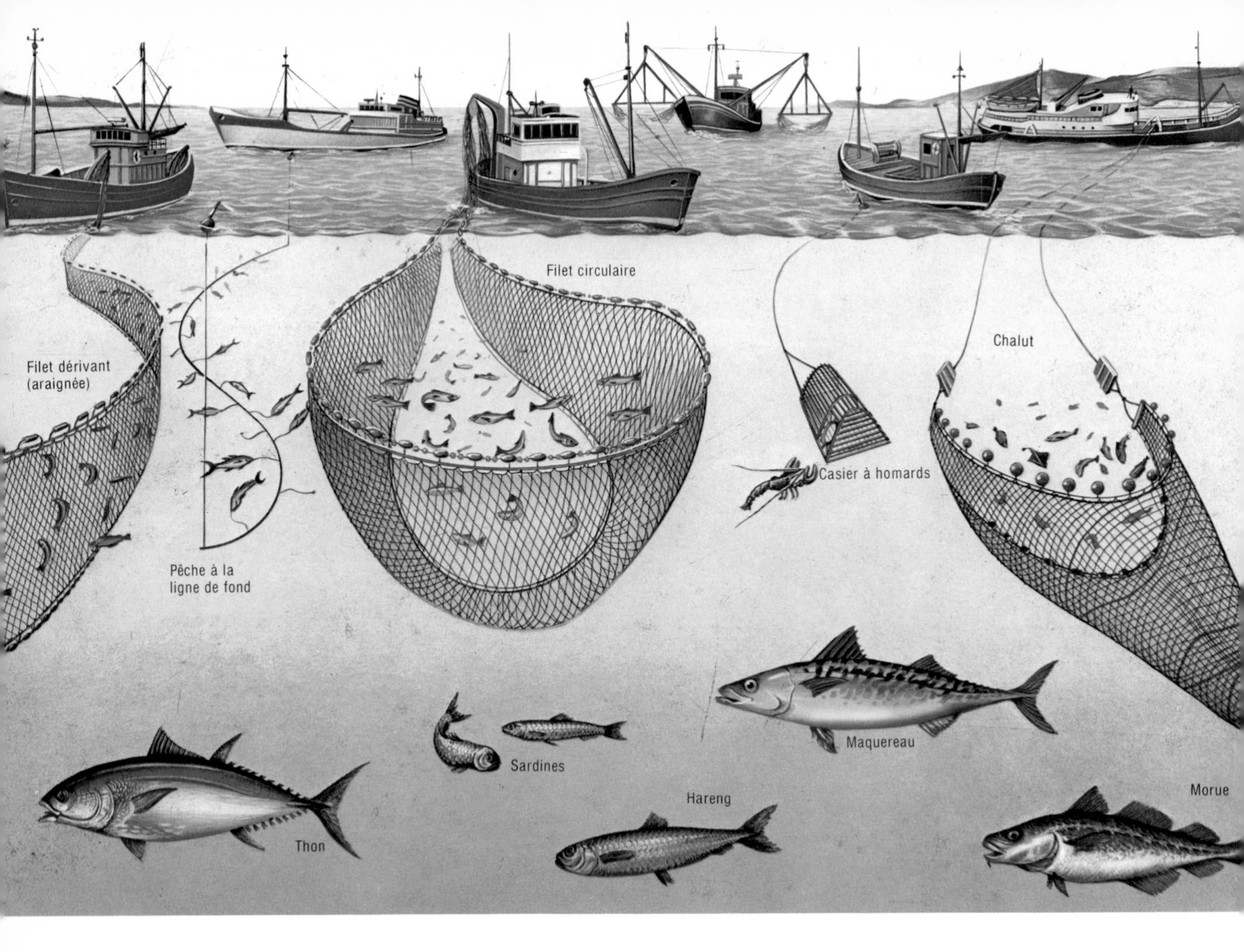


**PATINAGE** A l'origine, le patinage était pratiqué comme un délassement hivernal sur les étendues d'eau gelée ; il s'agit aujourd'hui d'une discipline sportive pour laquelle il existe des compétitions internationales comportant des figures libres et imposées, et qui est inscrite aux jeux Olympiques.

**PAVLOV, IVAN PETROVICH** Chercheur soviétique en PHYSIOLOGIE et en psychologie (1849-1936). En 1904, Pavlov a obtenu le PRIX NOBEL pour ses travaux sur la digestion, mais il est surtout connu pour ses recherches sur le processus inconscient d'« apprentissage par associations ». Pavlov a profondément influencé la PSYCHOLOGIE moderne.

**PAVOT** Plante à feuilles vert-gris et grosses fleurs blanches, orange ou violacées. Les deux espèces de pavot les plus connues sont le coquelicot qui, en été, parsème les champs de rouge, et le pavot, somnifère dont les capsules fournissent l'OPIUM.

**PAYS-BAS** Monarchie d'EUROPE occidentale à forte densité de population, les Pays-Bas ont été en grande partie gagnés sur la mer. Près de la moitié du pays est constituée de ces *polders* arrachés à la mer et situés au-dessous de son niveau ; ce sont des terres fertiles sur lesquelles on pratique une culture extensive, ainsi que l'élevage de volaille et de vaches laitières. L'industrie constitue néanmoins la principale ressource économique de ce pays, bien qu'il importe en grande partie ses matières premières. Les Pays-Bas sont membres de la COMMUNAUTÉ ÉCONOMIQUE EUROPÉENNE. ▷

**PEAU** La peau joue le rôle de barrière contre les infections et limite les déperditions d'eau et de chaleur. Elle se compose de deux couches : la couche externe, ou *épiderme,* est composée de cellules mortes ; elle s'exfolie en permanence tout en étant renouvelée de l'intérieur. La sous-couche, ou *derme,* contient des vaisseaux sanguins et lymphatiques, des terminaisons nerveuses, les bulbes des poils, les glandes sébacées et sudoripares. Endommagée, la peau se régénère d'elle-même, mais le processus peut être freiné par l'infection ou les ALLERGIES.

**PÊCHE** Gros fruit arrondi du pêcher, à noyau dur entouré d'une pulpe juteuse et d'une mince peau duveteuse jaune-rouge. Les pêches sont des fruits des climats chauds, qui mûrissent à la fin du printemps. Difficiles à conserver, elles sont souvent commercialisées en conserve.

PAYS-BAS : DONNÉES
Langue officielle : hollandais.
Monnaie : florin (gulden).
Religions : protestantisme et catholicisme.
Point culminant : Vaalserberg (322 m).
Superficie : 40 850 km².
Population : 14,2 millions d'habitants (1982).
Capitale : Amsterdam (950 000 habitants).
Principal port : Rotterdam (1 million d'habitants), premier port mondial pour le volume du trafic.

Au cours des sept derniers siècles, les Pays-Bas ont subi quelque 140 inondations, dont la dernière en 1953. Une terrible tempête en mer du Nord, coïncidant avec les grandes marées, a provoqué la rupture des digues, inondant plus de 4 % du pays et noyant 1 800 personnes. Plus de 30 000 maisons furent détruites.

◂ *Les principales techniques de pêche. De gauche à droite : des poissons comme la morue se pêchent au filet dérivant. Dans la pêche à la ligne de fond, une série d'hameçons appâtés sont disposés le long de la ligne ; le filet circulaire enferme les bancs de poissons ; les homards se pêchent aux casiers et le chalut recueille les poissons sur le fond.*

**PÊCHE** Si la pêche est, fondamentalement, une activité économique importante dans de nombreuses parties du monde, elle peut aussi être pratiquée comme un délassement et les pêcheurs « du dimanche » se comptent par millions. L'équipement du pêcheur à la ligne se compose principalement d'une canne (en roseau ou en métal), de fil à pêche (en nylon), d'hameçons et d'appâts. L'équipement varie, toutefois, selon le type de pêche pratiquée : pêche à la mouche, au lancer, à la cuillère, grande pêche, pêche sous la glace, etc. Le pêcheur doit bien connaître les mœurs des poissons qu'il veut pêcher : la profondeur à laquelle ils se tiennent, quand ils sont susceptibles d'avoir faim, etc., et savoir également quel type d'appât convient à une espèce donnée de poisson.

**PECTINE** Mélange d'HYDRATES DE CARBONE présent dans la membrane cellulaire de nombreux fruits mûrs et qui permet de fabriquer confitures et gelées.

▸ *Ces bisons ont été peints, il y a 20 000 ans environ, sur les parois des grottes de Lascaux, en France. Les hommes de l'âge de pierre utilisaient des pigments constitués principalement d'oxydes mélangés à de la graisse animale, de l'eau et du sang.*

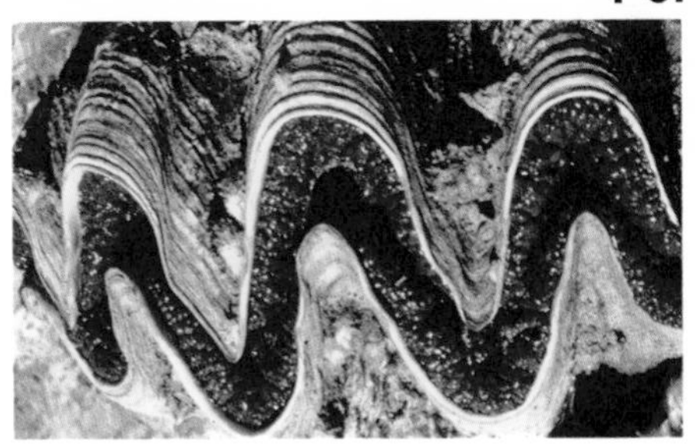

▴ *Le bénitier est le plus gros des mollusques bivalves. Sa coquille peut dépasser un mètre de diamètre.*

**PEIGNE** Genre de MOLLUSQUES bivalves (coquille composée de deux parties) des eaux minces de la mer dont plusieurs espèces sont comestibles. Le bénitier des mers chaudes peut atteindre 1 m de diamètre. ◁

**PEINTURE** Matière utilisée pour revêtir, protéger et décorer les surfaces de bois, de métal, de plâtre... Les peintures sont formées de PIGMENTS de couleur intégrés dans un *liant,* tel que latex, huile ou résine, qui sèche au contact de l'air ; un *solvant* (eau ou alcool) assure la fluidité de la matière.

**PEINTURE** Art dont les origines remontent aux peintures rupestres de l'époque préhistorique. Certaines œuvres picturales sont, aujourd'hui encore, exécutées directement sur les murs (voir PEINTURE MURALE et FRESQUE), mais le plus souvent les peintres travaillent sur une toile tendue sur un châssis de bois, d'où le nom de « toiles » souvent attribué aux réalisations picturales. Le type de peinture le plus couramment employé est la peinture à l'huile, développée en Hollande au XV$^{e}$ siècle. Les AQUARELLES sont exécutées à

▾ Ulysse et Polyphème, *par Turner (1829). Turner était fasciné par les nuages, le ciel et l'eau, utilisant parfois ces éléments pour produire des effets hallucinants.*

PEIGNE Il existe plus de 12 000 espèces de peignes, dont quelque 500 d'eau douce. La taille varie de 0,1 mm pour le *Condylocardia* à près d'1 m de diamètre pour le bénitier *(Tridacna gigas)* du Pacifique et de l'océan Indien.

PEINTURE Les plus anciennes peintures connues sont des silhouettes d'animaux exécutées sur les parois des grottes par les peuples chasseurs d'Europe à l'âge de pierre. On estime à 25 000 ans l'âge d'une tête de bison découverte à Altamira, en Espagne. Le plus ancien paysage remonte à 8 200 ans. Il représente l'ancienne ville de Çatal Höyük, située dans ce qui est aujourd'hui la Turquie.

l'aide de peinture délayée dans de l'eau et les lavis avec de l'encre. Aujourd'hui, les peintres utilisent également des peintures acryliques. Les sujets choisis pour des réalisations picturales sont infinis, parfois empruntés à l'histoire, à la religion ou à la MYTHOLOGIE ; il peut s'agir de paysages, de portraits, de natures mortes (fleurs, coupes de fruits, etc.), ou encore de configurations abstraites de formes et de couleurs. (Voir ART ABSTRAIT.) L'œuvre peut se construire graduellement, par couches successives — ce qui constitue la technique classique —, mais le peintre peut choisir une technique plus directe de « dessin » au pinceau. Dans chaque cas, le but de l'artiste est de créer un effet artistique à partir de couleurs, de formes et de textures. ◁

**PEINTURE MURALE** Œuvre picturale réalisée sur les murs intérieurs et parfois extérieurs d'un bâtiment. Il peut s'agir de FRESQUES ou de peintures à l'huile. Les premières peintures murales furent celles des grottes préhistoriques. (Voir ART.) La RENAISSANCE fut la grande époque des peintures murales, avec des artistes comme MICHEL-ANGE.

**PÉKIN** Capitale de la CHINE, Pékin compte 9,2 millions d'habitants (1982). C'est le centre culturel de la Chine. La Cité Interdite, qui occupe le cœur de la ville, était autrefois le domaine réservé de la maison impériale. C'est aujourd'hui un musée. ▷

**PÉLICAN** Grand oiseau aquatique blanc et brun, que l'on rencontre dans les estuaires et les marais des régions chaudes. Les pélicans ont une petite tête, de courtes pattes, un corps massif, un long cou et un énorme bec pourvu d'une poche que l'animal utilise comme filet. Maladroits sur la terre ferme, les pélicans sont des voiliers et des nageurs remarquables.

**PENDULE** Masse suspendue à un point fixe (par une corde, une chaîne ou une tige) et

▲ Guernica, *une grande toile de Picasso, inspirée par le bombardement de la ville basque en 1937. Réalisée en noir, gris et blanc, elle est composée de formes démantelées qui expriment à la perfection l'horreur de l'événement.*

pouvant osciller librement. La fréquence (nombre d'oscillations par minute) du pendule est déterminée par la distance séparant le corps du point fixe. Utilisés dans les anciennes HORLOGES (appelées pour cela pendules), les pendules en commandaient le mouvement.

**PÉNICILLINE** Substance médicinale (antibiotique) destinée à tuer les BACTÉRIES. La pénicilline peut être administrée sous forme de comprimés ou d'injections intramusculaires. Il s'agit d'une substance naturelle, extraite de certaines moisissures (CHAMPIGNON) et découverte en 1928 par Sir Alexander Fleming.

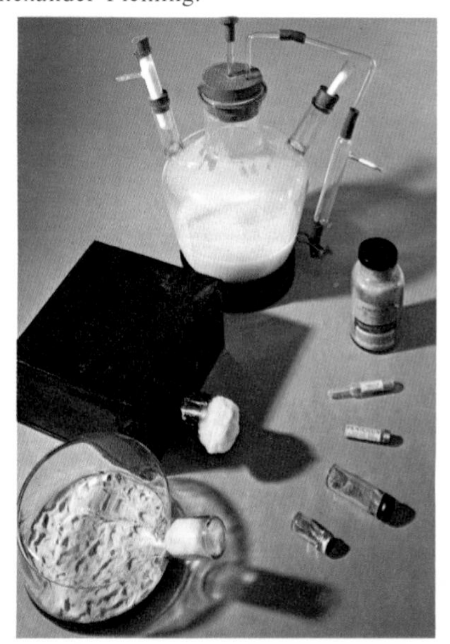

◄ *L'un des premiers matériels ayant servi à la préparation de la pénicilline. Du fait de la guerre et de la pénurie, il s'agissait de matériel « bricolé » ; au centre, par exemple, on voit une boîte de biscuits transformée.*

▲ *Rembrandt par lui-même. Comme la toile de Turner (page précédente), cette œuvre témoigne de l'intérêt de l'artiste pour les jeux d'ombre et de lumière qui hanteront les impressionnistes du XIXe siècle.*

▲ *Un lac africain avec, au premier plan, des pélicans et derrière des flamants roses. Les pélicans bruns plongent dans l'eau pour capturer leur proie, alors que les pélicans blancs nagent souvent en groupe pour repousser les poissons vers les eaux peu profondes.*

PÉKIN La région de Pékin était déjà habitée il y a un demi-million d'années, comme l'a prouvé la découverte à Chowkowtien, à 48 km de la ville, des restes d'*Homo erectus pekinensi* (sinanthrope). Pékin a connu une période de splendeur dans la seconde moitié du XIIIe siècle. En 1267, la ville est devenue capitale de l'Empire mongol de Kubilay Khan et ses rues ont d'ailleurs conservé la configuration d'un camp mongol.

**PENTATHLON** Ensemble de cinq épreuves féminines d'athlétisme, inscrit aux JEUX OLYMPIQUES : 200 m course, 80 m haies, sauts en hauteur et en longueur, lancer du poids. La concurrente ayant totalisé le plus grand nombre de points à l'ensemble des épreuves remporte le concours.

**PEPSINE** L'une des ENZYMES qui entrent dans la composition des sucs digestifs. (Voir DIGESTION.) Sécrétée par la paroi stomacale, la pepsine joue un rôle dans l'assimilation des PROTÉINES.

**PÉRAMÈLE OU BANDICOOT** Famille de mammifères MARSUPIAUX d'Australie et de Nouvelle-Guinée comptant sept genres. Les bandicoots à long museau se nourrissent d'insectes, de lombrics et de graines ; les bandicoots lapins, remarquables pour leur fourrure gris-bleu argenté, se nourrissent d'insectes, de souris, etc. ; les bandicoots à pied de cochon, qui ne dépassent pas 20 cm (queue non comprise), sont insectivores.

**PERCEPTION EXTRASENSORIELLE** Un individu doté de perception extrasensorielle est supposé avoir connaissance d'événements que ne peuvent appréhender les sens ordinaires. Au nombre des phénomènes de perception extrasensorielle figurent la télépathie et la voyance.

**PERCHE** Poisson d'eau douce commun d'Europe, à dos brun olive ou jaunâtre, barré de noir, et ventre blanc. Les perches se déplacent généralement en bancs ; gloutonnes, elles se laissent facilement tenter par l'appât du pêcheur.

▼ *Les péramèles se servent de leur museau et de leurs griffes pour fouiller le sol à la recherche de racines et d'insectes. Ils vivent dans des nids faits d'herbe et de brindilles.*

**PERDRIX** Oiseau gallinacé proche du FAISAN, que l'on rencontre en Europe, en Afrique et en Asie. La plupart des espèces de perdrix sont brunes ou grises et nichent dans les cavités du sol.

**PÉRISCOPE** Appareil optique utilisé dans les SOUS-MARINS. Il se compose d'un long tube équipé intérieurement de miroirs, ce qui permet aux occupants du bâtiment d'observer ce qui se passe au-dessus de l'eau sans que le sous-marin ait à faire surface. ▷

**PERLE** La seule GEMME qui ne soit pas une pierre. Les perles se créent autour de corps étrangers, à l'intérieur de certains mollusques bivalves, entre autres des HUITRES, à partir d'une substance calcaire appelée *nacre*. ▷

**PÉROU** République montagneuse d'AMÉRIQUE DU SUD, le Pérou compte 18,3 millions d'habitants (1982) pour une superficie de 1 285 000 km². La civilisation INCA a dominé cette région jusqu'à sa destruction par les Espagnols vers 1530. Les ressources actuelles du pays sont l'agriculture, la pêche et l'exploitation minière. Capitale : Lima. ▷

**PERROQUET** Oiseau tropical à bec fortement crochu, que l'on rencontre principalement en Asie du Sud-Est, en Australie et en Amérique du Sud. Il en existe environ 500 espèces, dont la plupart ont un plumage de couleurs vives et sont capables de répéter des sons, en particulier des sons humains. Généralement arboricoles, les perroquets se nourrissent de fruits et de noix ; ils peuvent vivre une cinquantaine d'années.

**PERSE** Aujourd'hui connue sous le nom d'IRAN, la Perse fut autrefois à la tête d'un vaste empire qui, du VIᵉ au IVᵉ siècle av. J.-C., s'étendait d'ouest en est d'Asie Mineure et d'Égypte jusqu'aux frontières de l'Inde. Au IVᵉ siècle, ALEXANDRE LE GRAND s'empara de la Perse, et l'empire fut divisé après sa mort entre ses généraux. La Perse proprement dite changea de main à plusieurs reprises pour être intégrée au monde islamique au VIIᵉ siècle.

PÉRISCOPE En Italie, les archéologues ont fait usage de périscopes pour explorer des centaines de tombeaux étrusques. A partir d'un trou pratiqué dans le sommet du tombeau, ils descendaient un périscope équipé d'une caméra, de manière à découvrir rapidement si la tombe contenait des peintures murales ou des objets justifiant des fouilles.

◂ *L'exploitation des gisements de pétrole en mer est rendue possible aujourd'hui par la mise au point de plates-formes « off shore » comme celle qui est représentée à gauche.*

PERLE Les Romains de l'Antiquité estimaient les perles au point que seules les personnes d'un certain rang étaient autorisées à en porter. Le commerce des perles était le domaine réservé d'un groupe de marchands connus sous le nom de *margaritii* — du nom latin de la perle : *margarita*.

Les Japonais sont les maîtres de la production des perles de culture, qui se pratique par introduction à l'intérieur de l'huître d'une boule de nacre qui se recouvre progressivement de couches perlières sécrétées par le mollusque.

PÉROU : DONNÉES
Langues officielles : espagnol et quechua.
Monnaie : sol
Religion : catholicisme.
Principal fleuve : Amazone.
Grandes villes : Lima (3,6 millions d'habitants), Arequipa (561 000 habitants), Callao (350 000 habitants).
Troisième nation latino-américaine pour la superficie, le Pérou est dominé par la cordillère des Andes.
Un quart de la population ne parle que des dialectes indiens.

PHARE Le phare le plus célèbre fut celui d'Alexandrie en Égypte. Construit dans les années 300 av. J.-C., il mesurait 120 m de haut et comptait parmi les Sept Merveilles du monde.

**PERSIL** Plante potagère cultivée dans les pays tempérés et dont les feuilles finement découpées sont utilisées, fraîches ou séchées, comme aromates.

**PESTE** Maladie contagieuse et mortelle, véhiculée du rat à l'homme par un certain type de puce. Si, au Moyen Age, la peste a provoqué des millions de morts, elle a quasiment disparu de l'Occident d'aujourd'hui et ne se manifeste plus que dans les pays tropicaux.

**PÉTROLE** Huile minérale naturelle, combustible, reconnaissable à son odeur caractéristique. Les scientifiques classent le pétrole dans la catégorie des combustibles fossiles, parce que formé à partir de restes de minuscules animaux et végétaux marins qui vivaient il y a des millions d'années. Du fait des mouvements de l'écorce terrestre, de nombreuses régions pétrolifères ont été par la suite transformées en masses terrestres. Pour extraire le pétrole enfoui à des kilomètres au-dessous du sol, on procède à des forages. Baptisé « or noir » du fait de son importance industrielle, le pétrole brut est un mélange noir. Par raffinage, on en extrait principalement des essences, des kérosènes, des gasoils, des fuels, des lubrifiants, des paraffines et des bitumes. La pétrochimie (science et industrie des produits chimiques dérivés du pétrole) étend son domaine d'activité à la fabrication de nombreux produits dont les matières plastiques, les produits pharmaceutiques, les antiseptiques, les anesthésiques, les cosmétiques, les engrais et les détergents.

**PEUPLIER** Grand arbre à feuilles caduques de l'hémisphère Nord. Les peupliers poussent, pour la plupart, sur terrains très humides ; ils ont de grandes feuilles qui frémissent au moindre souffle de vent. Ce sont des arbres à croissance rapide, souvent plantés comme ornementaux ou comme coupe-vent. Avec le bois, on fabrique des allumettes, des boîtes et de la pâte à PAPIER.

**PHARAON** Titre donné aux souverains de l'ÉGYPTE ancienne. Ce terme, qui signifie « la grande maison », désignait originellement l'ensemble de la Maison du roi. A partir des années 950 av. J.-C., le titre fut réservé au seul souverain. Pour les Égyptiens, le pharaon était à la fois dieu (Horus, symbolisé par un homme à tête de faucon) et fils de dieu (Rê, le dieu solaire). En théorie, le pharaon possédait de plein droit la terre et le peuple, mais en réalité ses pouvoirs étaient limités par les prêtres et les nobles.

**PHARE** Tour élevée équipée d'une source lumineuse qui sert de repère aux bateaux. De section circulaire, ou octogonale, les phares sont généralement construits sur des élévations de terrain, le long des côtes ou sur des îles, de manière à être vus de loin. Ils doivent être solidement bâtis pour résister aux tempêtes. La plupart sont équipés de signaux de brume et de balises radio. ◁

▴ *Une équipe de gardiens de phare se compose généralement de trois personnes qui occupent le poste à tour de rôle. Aujourd'hui, les phares les plus isolés sont automatisés.*

**PHÉNICIENS** Peuple qui, vers 3000 av. J.-C., s'installa sur le littoral du Liban. Les Phéniciens étaient organisés en cités-États, telles Tyr et Sidon ; c'étaient d'excellents marins qui, au XIIe siècle av. J.-C., commencèrent à organiser le commerce, tout autour du bassin méditerranéen et au-delà, fondant des colonies, dont CARTHAGE. Ils sont également à l'origine du premier ALPHABET.

▸ *Statues colossales du pharaon Ramsès II, devant le temple de Louxor en Égypte.*

**PHÉNIX** Oiseau de la mythologie égyptienne, supposé se consumer tous les cinq siècles et renaître ensuite de ses cendres.

**PHILIPPE II AUGUSTE** Roi de France (1165-1223), il lutta contre le roi d'Angleterre Henri II Plantagenêt, annexa la Normandie, l'Auvergne et la Champagne. Ce fut aussi un grand administrateur et il fonda l'université de Paris.

**PHILIPPINES** République insulaire d'ASIE du Sud-Est, les Philippines comptent 49,5 millions d'habitants (1982) pour une superficie de 300 000 km$^2$. C'est un pays à l'économie essentiellement rurale (riz, noix de coco, bananes). Capitale : Quezon City. ▷

**PHILOSOPHIE** Étude de la connaissance, la philosophie s'efforce de répondre à des questions telles que : « Qu'est-ce que la réalité ? » ou « Qu'est-ce que le bien et le mal ? ». La philosophie s'attache à donner de la vie une image cohérente et à affiner la pensée humaine en s'appuyant sur la logique, l'observation et la théorisation.Les philosophies européennes trouvent leurs origines dans la GRÈCE antique qui a joué un rôle important dans l'élaboration de la pensée scientifique, politique, religieuse et éducative.

**PHONÉTIQUE** Branche de l'étude des langages qui a trait à la prononciation. Pour traduire les sons articulés des différentes langues, la phonétique a recours à des *alphabets phonétiques.*

**PHOQUE** Les phoques constituent une famille de mammifères marins vivant surtout dans les eaux côtières des régions polaires. Ils sont munis de nageoires, se nourrissent de poissons, vivent en troupeaux et communiquent par l'intermédiaire de « barrissements » aigus. Leur taille varie de 1,40 m à 6,50 m pour l'éléphant de mer. Autrefois principal élément de survie des ESQUIMAUX, les phoques sont encore chassés pour leur viande, leur peau, leur graisse et leurs os. ▷

**PHOSPHORE** ÉLÉMENT non métallique qui existe dans divers *allotropes* (formes physiques). Blanc ou ambré, le phosphore est un solide cireux, toxique, inflammable. Il s'enflamme spontanément au contact de l'air et est en général conservé immergé dans de l'eau. Chauffé, il se transforme en phosphore rouge, une forme non toxique qui ne s'embrase pas spontanément. Sous une très forte pression, le phosphore blanc se change en phosphore noir. Essentiel à la vie, le phosphore est présent dans les os sous forme de phosphate de calcium. Autrefois utilisé dans la fabrication des allumettes, il entre aujourd'hui, sous forme de composés, dans la composition d'engrais et de détergents. ▷

▲ *Au printemps, la femelle du phoque met au monde un seul petit qu'elle retrouve sans erreur, même au milieu de centaines d'autres bébés phoques.*

**PHOTOGRAPHIE** Lorsqu'on réalise une prise de vue photographique, la lumière pénètre dans l'appareil à travers une LENTILLE (objectif) et atteint la surface de la pellicule, recouverte d'une couche de produits chimiques sensibles à la lumière, de sorte qu'une image se forme sur la pellicule. Dans un second temps, le film est *développé*, c'est-à-dire immergé successivement dans plusieurs bains de substances chimiques qui révèlent et fixent l'image : on obtient ainsi un *négatif,* à partir duquel il est possible, par *tirage*, d'obtenir des photographies sur papier, calque ou film, en couleurs ou en noir et blanc.

Nicéphore Niepce, physicien français, inventa la photographie. Avec Daguerre, il perfectionna ensuite son invention.

PHILIPPINES : DONNÉES
Langue officielle : philippin.
Monnaie : peso.
Religion : catholicisme.
Les Philippines occupent un archipel de 7 107 îles qui bordent le Sud-Est asiatique sur 1 770 km. La population est concentrée à 94 % sur onze de ces îles qui représentent à peu près le même pourcentage de la superficie. Les plus grandes îles sont Luçon et Mindanao. Les Philippines sont la seule nation chrétienne d'Asie. Autrefois sous contrôle des États-Unis, les Philippines ont accédé à l'indépendance en 1946.

PHOQUE Phoques et otaries sont des *pinnipèdes* — animaux aux membres transformés en nageoires — qui passent la quasi-totalité de leur temps dans l'eau. Ils hantent les eaux côtières et se reproduisent sur les plages, en colonies nombreuses appelées roukeries. L'ordre des pinnipèdes, qui compte 32 espèces, est réparti entre trois groupes. Les *otaridés,* lions de mer et otaries à fourrure, sont toujours chassés pour leur pelage. Les phoques *(phocidés)* ne possèdent pas d'oreilles externes. Leurs nageoires postérieures sont inutilisables sur terre et ces animaux rampent en s'aidant de leurs nageoires antérieures. Font partie de cette famille le phoque barbu, le phoque gris, le veau marin, le phoque crabier, le phoque moine et l'éléphant de mer. Les morses *(odobénidés)* n'ont pas d'oreilles externes, mais possèdent des membres postérieurs permettant la locomotion terrestre. Le mâle distingue cette famille par les deux longues défenses blanches qui ornent sa tête.
Le phoque de l'Alaska *(Callorhinus ursinus)* est le mammifère qui effectue la plus longue migration : un voyage de 9 600 km.

◂ *Le réglage de l'objectif est une importante opération préalable à la prise de vue. Dans les exemples représentés à gauche, la mise au point est imparfaite dans la photographie du haut, alors que dans celle du bas les contours sont parfaitement nets. Certains appareils photographiques sont équipés de systèmes permettant de s'assurer une bonne mise au point.*

PHOSPHORE Le phosphore blanc — toxique — est une substance cristalline molle, rappelant la cire, à odeur aliacée. Il fond à 44 °C et bout à 280 °C. Exposé à l'air à 35-40 °C, il s'enflamme spontanément en produisant une épaisse fumée blanche ; le même phénomène peut être obtenu par frottement. Le phosphore rouge est obtenu à partir du phosphore blanc, chauffé à 250 °C environ, sous vide d'air. Il est parfaitement stable et non toxique ; il fond à 600 °C environ.
Le phosphore servait autrefois à fabriquer les allumettes, mais sa toxicité en a fait abandonner l'usage.

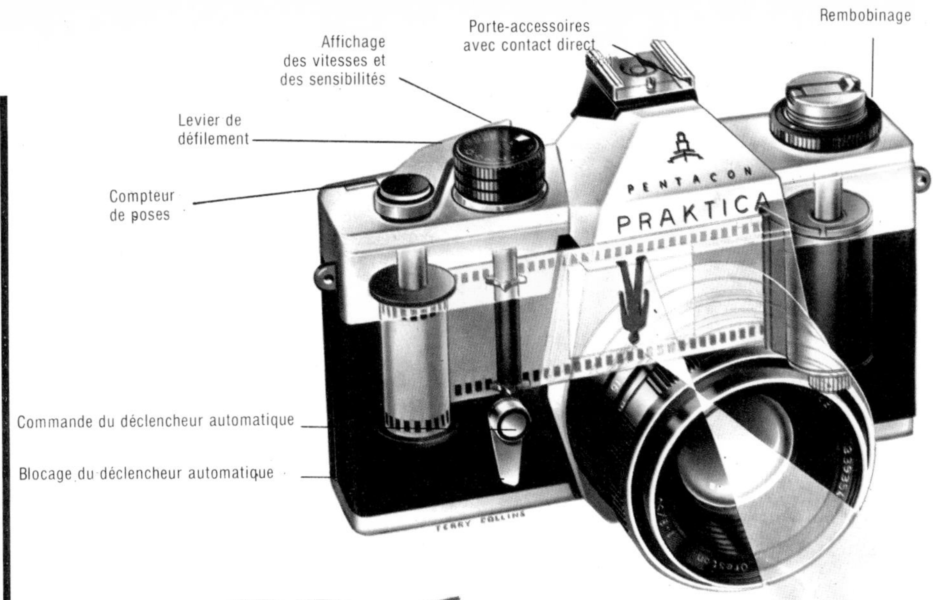

Appareil photographique allemand, équipé de film 35 mm. L'affichage des vitesses est assuré par la molette de gauche. L'appareil est équipé d'une cellule photoélectrique intégrée, mais les spécialistes préfèrent souvent régler l'ouverture du diaphragme en fonction des indications d'une cellule autonome, alimentée par piles. Il est possible de faire varier le temps d'exposition de 1 à 1/1 000 de seconde. L'objectif est amovible, de manière à pouvoir être remplacé éventuellement par un objectif zoom, dont on peut faire varier la distance focale.

▼ *William Fox-Talbot (1800-1877) est l'auteur du procédé calotype grâce auquel on obtenait un négatif dont il était possible de tirer plusieurs copies. Ici, il présente son procédé avec ses assistants.*

**PHOTON** L'énergie rayonnante n'existe que sous forme d'ensemble d'unités appelées *quanta.* L'unité d'énergie produite par les ONDES ÉLECTROMAGNÉTIQUES, ou *quantum,* est le photon. (Voir théorie des QUANTA.)

**PHOTOSYNTHÈSE** Procédé par lequel les plantes vertes transforment l'eau et le GAZ CARBONIQUE en sucre. Le gaz carbonique est absorbé par les FEUILLES et l'eau par les racines. La photosynthèse, ou « fabrication mettant en œuvre la lumière », exige la lumière solaire et une matière colorante : la CHLOROPHYLLE. La chlorophylle absorbe l'énergie lumineuse qu'elle utilise pour alimenter diverses réactions chimiques qui convertissent le gaz carbonique en eau et en sucre. Le processus s'accompagne d'une libération d'oxygène. La photosynthèse a principalement son siège dans les feuilles. (Voir CYCLE DU CARBONE.) ▷

**PHYSIOLOGIE** Étude des processus qui assurent le maintien de la vie des êtres humains, des animaux et des plantes : par exemple, la RESPIRATION, la DIGESTION et la PHOTOSYNTHÈSE des végétaux. Les travaux de William Harvey (1578-1657) sur la circulation du sang ont ouvert la voie à la physiologie moderne, mais il fallut attendre le XIXe siècle pour que soit pleinement franchi le stade de l'expérimentation en ce domaine. La physiologie actuelle met en œuvre plusieurs disciplines scientifiques dont la biophysique, la BIOCHIMIE et la neurologie.

**PHYSIQUE** Science de la MATIÈRE et de l'ÉNERGIE. La physique est divisée en diverses branches : la MÉCANIQUE s'attache à l'étude des forces et des objets — immobiles (statique) ou en mouvement (dynamique). D'autres branches de la physique étudient la CHALEUR, la LUMIÈRE, le SON, l'ÉLECTRICITÉ et le MAGNÉTISME. La physique nucléaire est l'étude des propriétés physiques des ATOMES et des particules qui les constituent.

▸ *Dans le processus de photosynthèse, le gaz carbonique pénètre dans la feuille par des pores, s'y dissout dans l'eau et est intégré dans les cellules. La chlorophylle « capte » l'énergie solaire qu'elle utilise pour fractionner les molécules d'eau et de gaz carbonique et fabriquer des molécules de glucose et d'oxygène.*

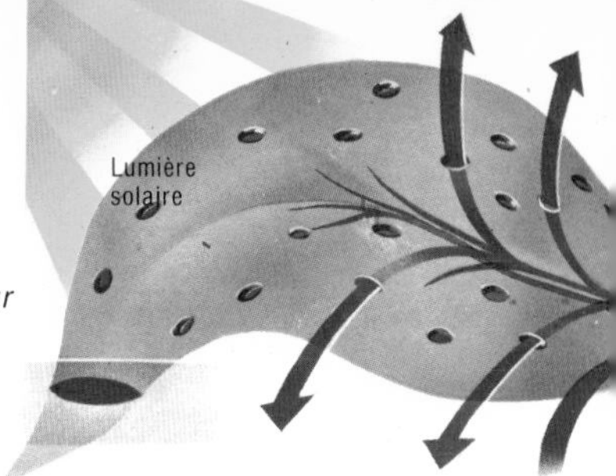


**PIANO** Instrument de musique à cordes et à clavier. Chaque touche est reliée à un marteau muni d'un feutre et qui frappe la corde. Le premier piano date de 1709. Précédés par l'épinette et le clavicorde, les pianos modernes sont de deux types : les pianos droits, à cordes verticales, et les pianos de concert, ou pianos à queue, à cordes horizontales.

**PICASSO, PABLO RUIZ** Peintre, dessinateur et sculpteur espagnol (1881-1974), Picasso expose pour la première fois ses œuvres à l'âge de 16 ans. Installé à Paris, il participe à la création d'un style révolutionnaire — le CUBISME — et devient rapidement l'artiste le plus célèbre et le plus complet de son époque. Outre des centaines de toiles, Picasso a réalisé des collages, des pièces de CÉRAMIQUE, des décors de ballets, des sculptures et des PEINTURES MURALES.

**PICCARD, AUGUSTE** Physicien suisse (1884-1962) qui mit au point des BALLONS et des BATHYSCAPHES. En 1931-1932, lors d'une ascension en ballon, Piccard atteint l'altitude de 16 764 m, ce qui lui permet de faire d'importantes découvertes touchant aux rayons cosmiques. En 1960, son fils, à bord d'un bathyscaphe dessiné par Auguste Piccard, s'enfonce à 11 521 m au-dessous du niveau de la mer.

**PIÈCE DE MONNAIE** Petit disque de métal, utilisé comme MONNAIE. Dans une nation, toutes les pièces ayant même valeur sont de constitution et de taille identiques et sont frappées du même motif. Les pièces de monnaie peuvent être fabriquées en or, argent, laiton, bronze, aluminium ou nickel ; elles ont fait leur apparition en Asie Mineure vers 600 av. J.-C. Les Grecs et les Romains utilisaient des pièces d'argent et d'or. Aujourd'hui, les gouvernements contrôlent l'émission des pièces comme celle du papier-monnaie. L'or et l'argent sont plus rarement utilisés qu'autrefois pour la fabrication des pièces, et ont été remplacés par des métaux moins coûteux. (Voir MONNAYAGE.)

**PIERRE Ier LE GRAND** Tsar de Russie né en 1672 et qui a régné de 1682 à 1725. Pierre le Grand tenta de réorganiser la Russie sur le

◂ *Le tsar de Russie Pierre Ier le Grand. Il entreprit de moderniser et d'occidentaliser son vaste empire. Par des méthodes très répressives, il en fit une importante puissance européenne.*

PHOTOSYNTHÈSE Le pigment rouge contenu dans les feuilles d'érable et de hêtre absorbe la lumière, mais ne peut utiliser son énergie pour fabriquer de la nourriture. En revanche, la lumière solaire produisant de la chaleur, les feuilles à pigmentation rouge sont plus facilement brûlées par le soleil que les feuilles vertes. La photosynthèse est rendue possible du fait que les feuilles présentent à l'air de nombreuses cellules d'humidité, qui absorbent le gaz carbonique. Cela implique également que les feuilles perdent de l'eau par évaporation. Par une journée d'été, un hêtre peut perdre près de cinq fois le poids de ses feuilles en eau.

PIERRE DE ROSETTE Avant 1799 et la découverte de la pierre de Rosette, personne n'était capable de déchiffrer l'écriture hiéroglyphique des Égyptiens. Ayant remarqué que la stèle portait un texte trilingue, un jeune Français, Jean-François Champollion, supposa qu'il s'agissait du même texte gravé en grec, en démotique et en hiéroglyphes (le décret de couronnement de Ptolémée V, en 196 av. J.-C.). Il procéda en associant un son à chacun des hiéroglyphes et trouva la clé de la grammaire de la langue égyptienne dans sa connaissance du copte, une langue écrite de l'Égypte ancienne qui n'avait survécu que dans la liturgie de l'Église copte. En 1822, Champollion avait décodé l'égyptien ancien — une victoire d'autant plus éclatante qu'il avait travaillé sur une langue ne possédant aucune relation avec un alphabet moderne quel qu'il fût.

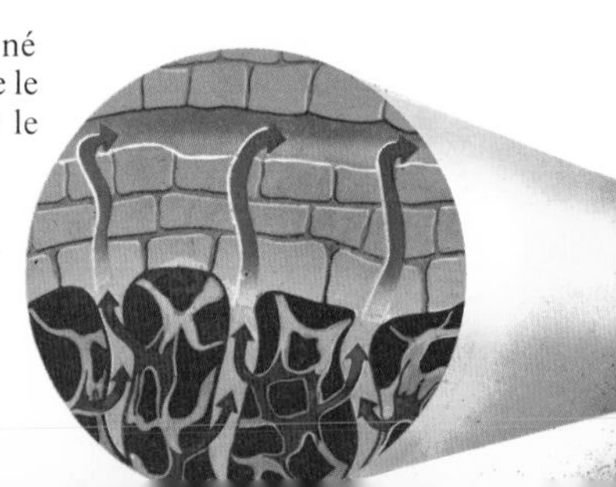

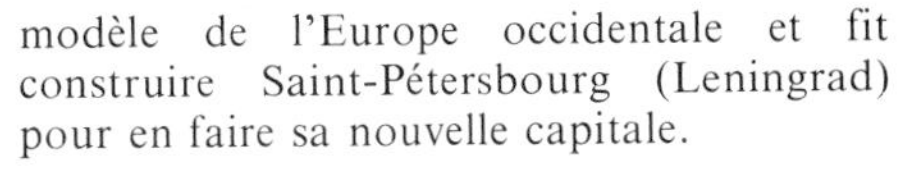

modèle de l'Europe occidentale et fit construire Saint-Pétersbourg (Leningrad) pour en faire sa nouvelle capitale.

**PIERRE DE ROSETTE** Fragment d'une ancienne stèle égyptienne gravée d'un message en trois langues, ce qui permit à Champollion de déchiffrer les HIÉROGLYPHES. Cette pierre fut découverte en 1799 à Rosette, en Égypte, par un soldat de l'armée napoléonienne. Elle est aujourd'hui conservée au British Museum de Londres. ◁

**PIEUVRE** Créature marine présente dans toutes les mers du monde, à la tête prolongée par huit longs bras. La pieuvre utilise ses bras pour se déplacer sur le fond et attraper ses proies, principalement des mollusques et des crabes. La pieuvre se cache de ses ennemis en changeant de forme et de couleur. Découverte, elle laisse échapper un liquide couleur d'encre qui forme écran et masque sa fuite.

**PIGEON** Oiseau de taille moyenne présent dans le monde entier. Il existe de nombreuses espèces de pigeons, au plumage généralement nuancé de gris, de brun ou de rose. Ce sont des oiseaux des bois qui se nourrissent surtout de noix, de graines, de bourgeons et de feuilles, causant des dommages aux cultures. Les pigeons se sont également établis dans les villes et constituent parfois de véritables fléaux.

**PIGMENT** Substance colorante des peintures, matières plastiques, etc. La peau contient un pigment appelé *mélanine.* Plus la proportion de mélanine est forte, plus la peau est foncée.

**PIMENT** Fruit de plusieurs espèces de *Capsicum* des tropiques. Les piments sont des baies plus ou moins ovoïdes ou allongées, que l'on consomme comme condiment pour leur saveur brûlante.

**PIN** CONIFÈRE à feuilles en aiguilles, persistantes. Il existe quelque 200 espèces de pins, tous des régions les plus froides de l'hémisphère Nord. Le pin est largement cultivé pour son bois clair, utilisé en menuiserie, pour la construction et la fabrication de la pâte à papier. De la résine de certains pins, on extrait de la TÉRÉBENTHINE.

**PINGOUIN** Gros oiseau de mer de l'hémisphère Sud (Antarctique), piscivore et inapte au vol. Il existe 17 espèces de pingouins, dont la taille varie de 50 cm pour le petit manchot bleu d'Australie à plus d'un mètre pour le manchot empereur. Chez toutes les espèces, le dos est gris ou noir, le ventre blanc. Les pingouins se servent de leurs ailes pour nager ; sur terre, ils se déplacent dressés sur leurs pattes. C'est le mâle du manchot empereur qui couve l'œuf placé entre ses pattes. La femelle le remplace peu avant l'éclosion.

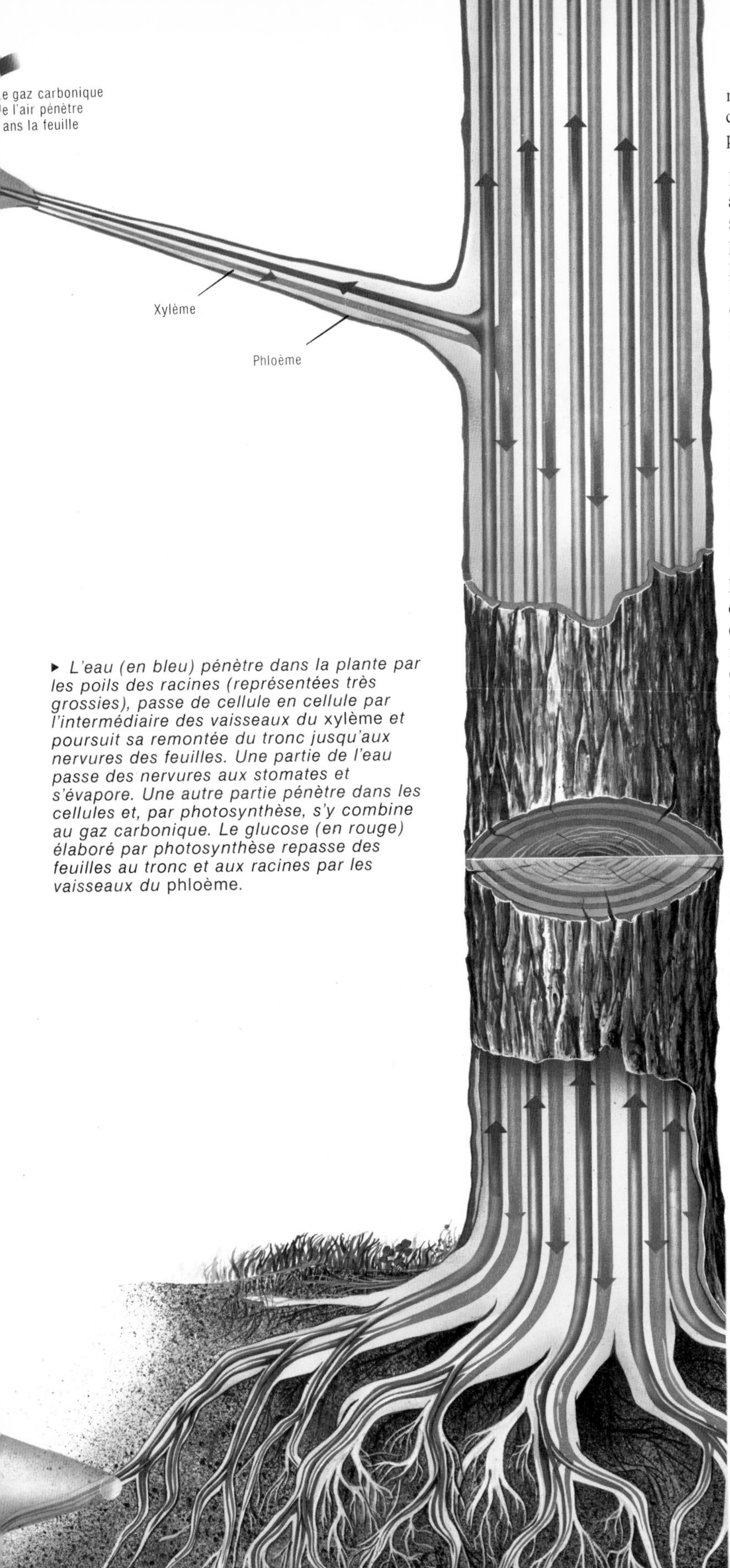


▸ *L'eau (en bleu) pénètre dans la plante par les poils des racines (représentées très grossies), passe de cellule en cellule par l'intermédiaire des vaisseaux du xylème et poursuit sa remontée du tronc jusqu'aux nervures des feuilles. Une partie de l'eau passe des nervures aux stomates et s'évapore. Une autre partie pénètre dans les cellules et, par photosynthèse, s'y combine au gaz carbonique. Le glucose (en rouge) élaboré par photosynthèse repasse des feuilles au tronc et aux racines par les vaisseaux du phloème.*

**PIRANHA** Féroce poisson d'eau douce de la zone tropicale sud-américaine, pouvant atteindre 50 cm. Grégaires, les piranhas ont les fortes mâchoires et les dents aiguës des carnassiers et s'attaquent aux poissons, aux mammifères, voire à l'homme.

**PIRATE** Aventurier des mers qui, jusqu'au XIXe siècle (et aujourd'hui encore en mer de Chine), s'attaquait aux navires pour en piller la cargaison. Les XVIIe et XVIIIe siècles ont été la grande époque de la piraterie. En Méditerranée et dans l'Atlantique est, les pirates arabes d'Afrique du Nord écumaient la mer, tandis que dans les Antilles les navires marchands espagnols devaient affronter les boucaniers anglais.

**PISTOLET** ARME A FEU de petit calibre, qui se tient d'une seule main. Le revolver est un pistolet à répétition, dont le magasin est un barillet pouvant contenir six balles et qui tourne sous l'action de la détente pour présenter une nouvelle balle dès que la précédente a été tirée. Le pistolet automatique compte un chargeur inséré dans la crosse ; le réarmement se fait par compression de gaz ou par recul.

**PIVERT OU PIC-VERT** Oiseau qui passe le plus clair de son temps à picorer troncs et branches d'arbres. Les piverts sont présents dans le monde entier, à l'exception de l'Australie. Il en existe plus de 200 espèces, à bec dur et pointu, à plumage de couleurs généralement vives. Le bec du pivert lui sert à saisir les insectes enfouis dans l'écorce et à creuser son nid dans le tronc des arbres.

**PLANCTON** Nom donné aux animaux et végétaux microscopiques en suspension à la surface des océans, des mers et des réservoirs d'eau douce. Le plancton sert de nourriture à de nombreux poissons et autres créatures aquatiques.

**PLANÉTARIUM** Installation permettant de mettre en évidence le mouvement des planètes et des autres corps célestes. Les premiers planétariums, ou *planétaires,* étaient des machines constituant des modèles réduits de SYSTÈME SOLAIRE. Un planétarium moderne est un bâtiment couronné d'une coupole hémisphérique et comportant un assemblage complexe de projecteurs optiques. Ce dispositif projette les images des étoiles et des planètes sur la face interne du dôme figurant le ciel.

**PLANÈTE** Notre SYSTÈME SOLAIRE comporte neuf planètes principales tournant autour du Soleil. Les caractéristiques de chacune de ces planètes figurent dans le texte annexe ci-contre. Outre ces planètes, notre système solaire compte de nombreuses planètes mineures ou ASTÉROIDES. ▷

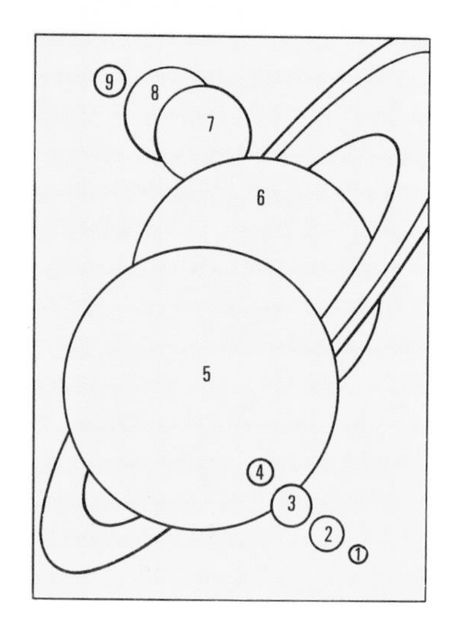


▲ *Dans le schéma ci-dessus, reproduisant l'illustration de la page ci-contre, les numéros désignent respectivement les planètes suivantes (représentées à l'échelle) : 1. Mercure ; 2. Vénus ; 3. la Terre ; 4. Mars ; 5. Jupiter ; 6. Saturne ; 7. Uranus ; 8. Neptune ; 9. Pluton.*

PLANÈTES : DONNÉES

*Mercure :* distance moyenne du Soleil, 57,7 millions de km ; diamètre équatorial, 4 878 km ; période de révolution : 87,9 jours.
*Vénus :* distance moyenne du Soleil, 107,8 millions de km ; diamètre équatorial, 12 391 km ; période de révolution : 224,7 jours.
*La Terre :* distance moyenne du Soleil, 149,58 millions de km ; diamètre équatorial, 12 757 km ; période de révolution : 365,26 jours.
*Mars :* distance moyenne du Soleil, 227,9 millions de km ; diamètre équatorial, 6 790 km ; période de révolution, 687 jours.
*Jupiter :* distance moyenne du Soleil, 779,1 millions de km ; diamètre équatorial, 142 745 km ; période de révolution, 11,86 ans.
*Saturne :* distance moyenne du Soleil, 1 426 millions de km ; diamètre équatorial, 120 858 km ; période de révolution, 29,46 ans.
*Uranus :* distance moyenne du Soleil, 2 870 millions de km ; diamètre équatorial, 47 152 km ; période de révolution, 84,01 ans.
*Neptune :* distance moyenne du Soleil, 4 493 millions de km ; diamètre équatorial, 50 210 km ; période de révolution, 164,79 ans.
*Pluton :* distance moyenne du Soleil, 5 898 millions de km ; diamètre équatorial approx., 6 400 km ; période de révolution, 247,70 ans.

▼ *Pic épeiche.*

▸ *Un* Bryophyllum *(Kalanchoe), plante d'appartement très appréciée, au mode de reproduction original. De minuscules plantules naissent le long de la marge dentée des épaisses feuilles charnues, puis tombent sur le sol et s'y développent.*

**PLANTE D'APPARTEMENT** Plante cultivée en pot pour la décoration intérieure. On choisit des espèces végétales capables de s'adapter aux conditions atmosphériques des appartements (en général, chaleur et sécheresse), telles que philodendrons, bégonias ou CACTUS, d'autres plantes comme les azalées étant réservées à la décoration temporaire.

**PLANTE GRIMPANTE** Plante à tige mince, qui utilise un support pour se hisser en direction de la lumière. Certaines plantes grimpent en s'enroulant autour d'une plante voisine — dans le sens des aiguilles d'une montre comme le HOUBLON, ou dans le sens contraire comme le HARICOT. D'autres, comme le POIS, enroulent autour d'un support voisin des organes filiformes appelés vrilles. D'autres enfin, tel le LIERRE, s'agrippent aux arbres et aux murs au moyen de minuscules racines garnissant la tige.

**PLATE-FORME CONTINENTALE** En bordure des continents, le sol s'enfonce d'abord progressivement dans la mer, formant une plate-forme continentale recouverte d'une faible épaisseur d'eau. Plus au large, la plate-forme cède la place à un talus continental à pente plus forte qui rejoint les plaines abyssales. (Voir ABYSSES.) Les plates-formes continentales font partie intégrante des continents. La plate-forme continentale de la bordure nord-ouest de l'Europe est particulièrement large : elle s'étend jusqu'à 320 km des côtes ; d'autres sont beaucoup plus étroites. Les plates-formes continentales sont des zones poissonneuses.

**PLATINE** Précieux ÉLÉMENT métallique, de couleur argentée. Sa grande résistance à la CORROSION fait du platine le constituant privilégié des contacts électriques d'appareillage scientifique. Le platine est parfois utilisé comme *catalyseur* pour accélérer certaines réactions chimiques. ▷

**PLATON** Philosophe grec (v. 428-v. 348 av. J.-C.). D'abord disciple de SOCRATE, Platon développa par la suite sa propre philosophie. Parmi les vingt-huit dialogues authentifiés de Platon, on peut citer *le Banquet* (De l'amour), *Phèdre* (De l'immortalité de l'âme) et *la République* (De la politique). Platon fonda également une école de philosophie à Athènes.

**PLATRE** Matériau servant au revêtement et à la décoration des murs et plafonds, ou à la reproduction de sculptures. On l'obtient par chauffage, puis mouture d'un certain type de CIMENT. On l'utilise mélangé à de l'eau et parfois à du sable.

**PLOMB** ÉLÉMENT métallique mou, de symbole chimique Pb. Le plomb est le plus lourd des métaux courants. On l'extrait principalement de la galène ; il entre dans la composition de peintures, de gaines de câbles et de plaques de batteries de voitures.

▾ *Les plates-formes continentales constituent les véritables limites des continents. Sur cette carte, on voit que, s'il était possible de rapprocher les continents baignés par l'Atlantique, leurs plates-formes continentales s'adapteraient les unes aux autres.*

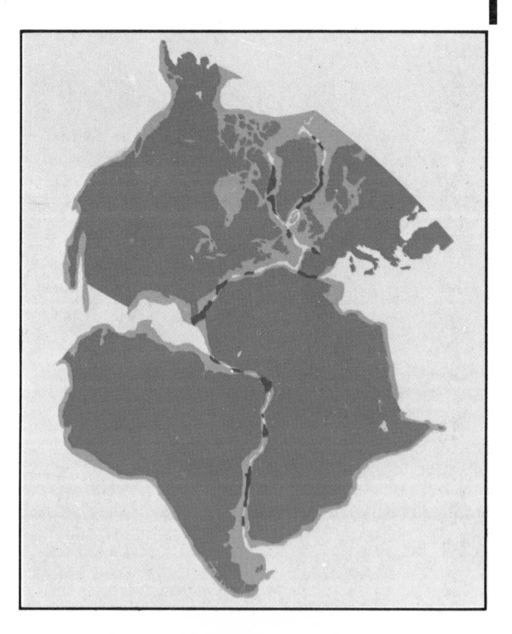

PLATINE Découvert en 1735 dans un gisement aurifère de Colombie par Antonio de Ulloa, ce métal fut baptisé « platina » — du terme espagnol *plata* qui désigne l'argent — à cause de sa couleur. La valeur commerciale du platine est aujourd'hui évaluée à trois fois celle de l'or.

Le platine est presque deux fois plus lourd que l'argent. Il fond à 1 769 °C et bout à 3 800 °C environ. La haute résistance du platine à la corrosion en fait le métal idéal de tout appareillage chimique ou électrique. En bijouterie, en alliage avec de l'or, il prend le nom d'« or blanc ».

▲ *Plongeur travaillant à hisser l'ancre d'un navire coulé. Les plongeurs assument de multiples tâches - du renflouement des bateaux à l'installation et à l'entretien des plates-formes de forage en mer.*

PLUIE Le volume des précipitations varie énormément d'un lieu géographique à un autre. Le désert d'Atacama, au nord du Chili, n'a vu tomber en l'espace de vingt ans que 25 mm de pluie. En revanche, en Inde orientale, région soumise au régime de mousson, ce sont 10 800 mm d'eau que le ciel déverse chaque année. Certaines tempêtes peuvent être plus spectaculaires encore. A la Jamaïque en 1909, on a enregistré dans une région montagneuse 3 430 mm d'eau en une semaine.

**PLOMBERIE** Terme désignant l'ensemble des canalisations d'eau et de gaz, domestiques ou industrielles. Les immeubles modernes sont équipés de trois circuits d'alimentation : un circuit d'eau froide, un circuit d'eau chaude et un circuit de chauffage central.

**PLONGÉE** Plonger sous l'eau peut constituer une activité professionnelle lorsqu'il s'agit d'inspecter ou de réparer bateaux et ports, de mettre en place des plates-formes de forage en mer, voire de pêcher huîtres et éponges sur le fond. Ce type d'activité, qui implique un séjour souvent prolongé en profondeur, nécessite le port d'un équipement spécifique, destiné à alimenter le plongeur en oxygène et à le protéger des fortes pressions. (Voir SCAPHANDRE AUTONOME.) La plongée pratiquée comme un divertissement et pour un temps très court ne nécessite pas un tel équipement. La plongée dite *en apnée* se pratique avec un masque, des palmes et un *tuba* qui permet au plongeur de venir régulièrement respirer à la surface. Les passionnés de fonds marins pratiquent la plongée revêtus d'une tenue de caoutchouc qui les isole du froid, et transportent sur leur dos des bouteilles d'air comprimé reliées à un embout respiratoire.

**PLUIE** La pluie est la conséquence de la condensation en gouttelettes de la vapeur d'eau dans les couches froides de l'atmosphère. La pluie est l'un des chaînons du cycle de l'eau : l'eau des lacs, des mers et des cours d'eau s'évapore (voir ÉVAPORATION), forme des nuages puis retombe en pluie sur la Terre. ◁

**PLUME** Les OISEAUX sont les seuls animaux à posséder des plumes. Celles-ci les isolent du froid, et leur servent à voler, et à flotter s'il s'agit d'oiseaux aquatiques. On distingue plusieurs sortes de plumes. Les plus grandes, ou *rémiges,* servent au vol. Une plume se compose principalement d'une hampe centrale sur laquelle sont insérées les barbes constituant la partie plane, ou *vexille.* La base de la plume, ou *calamus,* est plantée dans la peau de l'oiseau.

**PLUMES**

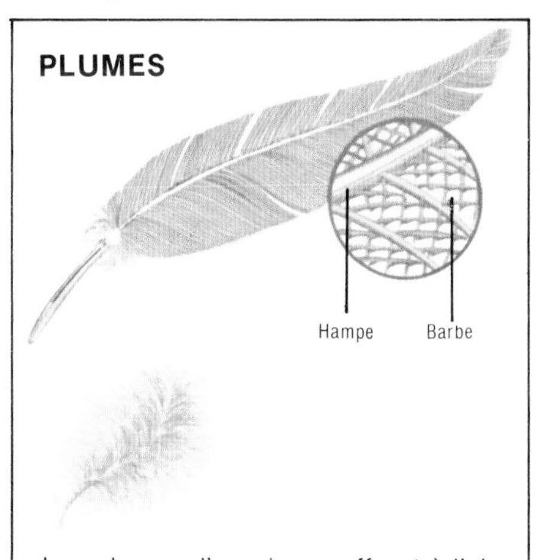


Les plumes d'un oiseau offrent à l'air une surface plane qui assure la portance et permet le vol. Il existe trois types principaux de plumes : les rémiges servent au vol, les tectrices protègent le corps de l'oiseau, le duvet, très court, assure l'isolation thermique.

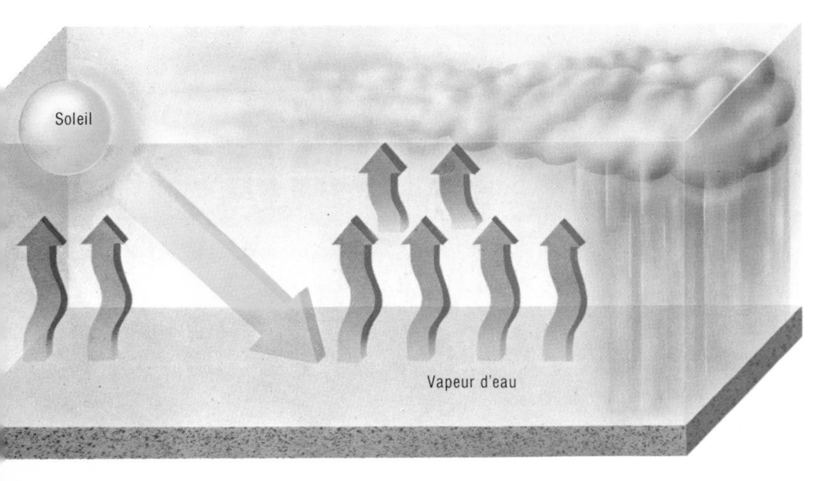


◂ *La pluie est l'un des éléments de cet échange d'eau continu qui s'opère entre la Terre et l'atmosphère et que l'on appelle le cycle de l'eau. La chaleur du Soleil produit l'évaporation de l'eau. Dans les couches froides de l'atmosphère, la vapeur se condense en nuages et retombe sous forme de neige ou de pluie.*

**PLUTON (DIEU)** Dans la mythologie romaine, frère de Neptune et de Jupiter et dieu des Enfers. La majeure partie de l'histoire de Pluton est empruntée à celle de la divinité grecque Hadès.

**PLUTON (PLANÈTE)** Petite planète de 6 400 km de diamètre, généralement la plus éloignée du soleil, mais qui, périodiquement, pénètre à l'intérieur de l'orbite de Neptune (ce qui est le cas depuis 1968), qui devient alors la planète la plus éloignée du Soleil.

**PLUTONIUM** ÉLÉMENT métallique radioactif, argenté. L'un de ses isotopes, le plutonium 239 (voir ATOME), est utilisé comme combustible nucléaire pour produire de l'ÉNERGIE ATOMIQUE par fission. Certains minerais d'uranium contiennent du plutonium en faible proportion, mais ce métal est généralement obtenu dans les réacteurs nucléaires à uranium. (Voir NUCLÉAIRE)

**PNEUMATIQUE OU PNEU** Bandage de caoutchouc que l'on fixe sur la jante des roues de certains véhicules et qui entoure une chambre à air. Les premiers pneus de caoutchouc, en 1846, étaient des pneus pleins. A l'époque, pourtant, un BREVET de pneus emplis d'air avait déjà été pris, mais l'invention fut ignorée et dut être « redécouverte » par John Boyd Dunlop en 1888-1890. Rapidement, les BICYCLETTES furent équipées de ces pneus qui apparurent sur les AUTOMOBILES en 1895.

**PNEUMONIE** Inflammation pulmonaire résultant d'une infection. Le tissu spongieux qui tapisse intérieurement les poumons se gonfle, bloquant le passage de l'air dans les alvéoles pulmonaires. Les ANTIBIOTIQUES constituent aujourd'hui un traitement efficace des pneumonies.

**POÉSIE** Genre littéraire (voir LITTÉRATURE) dans lequel diverses techniques d'emploi de la langue sont utilisées pour exprimer des sensations et des émotions. Les poèmes sont généralement composés en vers *métriques* (rythmés d'après la quantité des syllabes), rythmiques (rythmés d'après leur accentuation) ou syllabiques (d'après le nombre des syllabes). La poésie moderne emploie souvent les vers *libres,* c'est-à-dire dégagés de toute contrainte de construction. Parmi les techniques poétiques, on compte également les *allitérations* (répétition d'un même son à la syllabe d'un mot) et les *assonances* (répétition à la fin de plusieurs vers de la même voyelle accentuée). Les principaux types de poésie sont la poésie lyrique (qui exprime une émotion personnelle), dramatique (pièce de théâtre) et narrative (ballades et poèmes épiques).

QUELQUES POÈTES CÉLÈBRES

**Homère,** Grec (v. IXe siècle av. J.-C.) — l'*Iliade* et l'*Odyssée*
**Virgile,** Romain (v. 70-19 av. J.-C.) — l'*Énéide*
**Dante Alighieri,** Italien (1265-1321) — *la Divine Comédie*
**Geoffrey Chaucer,** Anglais (v. 1340-1400) - *les Contes de Canterbury*
**Pierre de Ronsard,** Français (1524-1585) — *Odes*
**William Shakespeare,** Anglais (1564-1616) — *Sonnets*
**John Milton,** Anglais (1608-1674) — *le Paradis perdu*
**Jean de La Fontaine,** Français (1621-1695) — *Fables*
**Johann von Goethe,** Allemand (1749-1832) — *Faust*
**Friedrich von Schiller,** Allemand (1759-1805) — *Wallenstein*
**William Wordsworth,** Anglais (1770-1850) — *Ballades lyriques,* le *Prélude*
**Samuel Taylor Coleridge,** Anglais (1772-1834) — l'*Ancien Marinier*
**George Byron,** Anglais (1788-1824) — *Don Juan*
**Alphonse de Lamartine,** Français (1790-1869) — *Méditations poétiques*
**Percy Bysshe Shelley,** Anglais (1792-1822) — *Ode à l'alouette, Adonaïs*
**John Keats,** Anglais (1795-1821) — *Odes*
**Alfred de Vigny,** Français (1797-1863) — *la Mort du loup*
**Victor Hugo,** Français (1802-1885) — *Odes*
**Alfred de Musset,** Français (1810-1857) — *Lorenzaccio, les Nuits*
**Paul Verlaine,** Français (1844-1896) — *les Fêtes galantes, Jadis et naguère*
**Lautréamont,** Français (1846-1870) — *les Chants de Maldoror*
**Arthur Rimbaud,** Français (1854-1891) — *le Bateau ivre*
**W. B. Yeats,** Irlandais (1865-1939) — *Poèmes, 1895*
**Paul Valéry,** Français (1871-1945) — *la Jeune Parque*
**Robert Lee Frost,** Américain (1874-1963) — *Recueil de poèmes, 1930*
**Rainer Maria Rilke,** Autrichien (1875-1926) — *Poèmes lyriques*
**Saint-John Perse,** Français (1887-1975) — *Exils*
**T. S. Eliot,** Américain (1888-1965) — *la Terre Gaste*
**Federico Garcia Lorca,** Espagnol (1899-1936) — *Romancero gitano*
**Dylan Thomas,** Gallois (1914-1953) — *Recueil de poèmes, 1934-52*
**Robert Lowell,** Américain (né en 1917) — *le Château de lord Weary*

**POIDS SPÉCIFIQUE** Poids d'un corps par unité de volume, dans des conditions normales de température et de pression. Dans le système international d'unités (SI), l'unité de poids spécifique est le NEWTON par MÈTRE CUBE (N/m³). ▷

**POIL** Production filiforme de l'épiderme des MAMMIFÈRES qui leur assure chaleur et protection. Les poils peuvent être courts ou longs, raides ou frisés. Ils prennent des dénominations spécifiques, telles que cheveux, fourrure ou toison. Avec les poils de certains animaux on fabrique des pinceaux, blaireaux ou tapis.

**POINTILLISME** Mouvement artistique français des années 1880. Le peintre procède par juxtaposition de points et de touches de couleurs pures que l'œil mélange lorsqu'il observe l'œuvre d'une certaine distance. Les principaux représentants du mouvement pointilliste ont été Georges Seurat et Paul Signac.

**POIRE** Fruit du poirier, de forme oblongue, juteux. Comme la pomme, la poire est une drupe. C'est un fruit des climats tempérés, que l'on consomme cru, cuit ou en conserves. ▷

POIDS SPÉCIFIQUE A la température normale, le mercure est le corps qui possède le plus grand poids spécifique, 13,6 g/cm³. Le plomb peut donc flotter sur du mercure comme un bouchon de liège sur de l'eau.

POIRE Dans les années de production moyenne, sept nations se partagent les deux tiers du marché de la poire, dans les proportions suivantes (production de 1982) : Chine 19 % ; Italie 12 % ; États-Unis 9 % ; U.R.S.S. 8 % ; R.F.A. 6,5 % ; Japon, 5,5 % ; Espagne, 5 %.

POISON Certains des poisons les plus violents sont d'origine animale. Ainsi le venin d'une espèce de serpent d'Australie capable de tuer 300 moutons, ou le poison exsudé par une espèce de grenouille sud-américaine dont un gramme suffirait à tuer 100 000 personnes.

POISSON-SCIE Le poisson-scie est membre de la famille des raies. Son rostre, qui atteint parfois 2 m, est garni latéralement de vingt-cinq paires de longues dents acérées. La femelle donne naissance à une vingtaine de petits. Avec son rostre, qu'il actionne latéralement, le poisson s'attaque aux bancs de petites créatures, mais il est rare qu'il affronte un ennemi de sa taille.

**POIREAU** Plante potagère à épaisse base blanche et grosses feuilles plates. Le poireau est un cousin de l'oignon, mais sa saveur est plus douce. On le consomme cuit.

**POIS** Plante grimpante cultivée pour ses fruits en gousses contenant des graines. Selon les cultivars, on consomme les graines vertes, avant maturité, ou les gousses entières (mange-tout).

**POISON** Toute substance pouvant provoquer des troubles, voire la mort, lorsqu'elle est absorbée par voie buccale ou, parfois, par simple contact avec la peau. Les poisons sont de trois types : corrosifs, comme les acides ; irritants pour l'estomac et l'intestin, comme l'arsenic ; enfin narcotiques et s'attaquant au système nerveux comme le cyanure. ◁

**POISSON** Animal VERTÉBRÉ, entièrement aquatique. Les poissons sont divisés en deux groupes : les poissons *cartilagineux,* dont le squelette est constitué entièrement de cartilage ; ce sont tous des poissons marins. Font partie de cette catégorie les REQUINS et les raies. La plupart des espèces vivantes sont cependant à classer dans le groupe des poissons osseux, dont la plus grande partie du squelette est composée d'os et dont le corps est souvent couvert d'ÉCAILLES. Certains, comme la carpe ou la PERCHE, sont des poissons d'eau douce ; d'autres, tels le MAQUEREAU et la MORUE, sont des espèces marines. La majorité des poissons de ces deux groupes sont pourvus de nageoires qui assurent la nage, et respirent par des branchies. En tant qu'animaux aquatiques, les poissons tirent leur oxygène de l'eau ; celle-ci pénètre par la bouche et traverse les branchies dans lesquelles est extrait l'oxygène dissout. Généralement ovipares, les poissons déposent leurs œufs à la surface de l'eau ou sur le fond. Certains, comme la morue, pondent des millions d'œufs, en grande partie dévorés par les prédateurs ; d'autres ne pondent que quelques œufs qu'ils protègent jusqu'à l'éclosion ; quelques espèces, enfin, comme l'épinoche, construisent un nid.

*▼ L'une des méthodes de pollinisation. Lorsque l'abeille aspire le nectar de la fleur, le pollen situé sur les anthères - extrémités des étamines - se colle à son corps. Quand l'abeille se pose sur la fleur suivante, des grains de pollen se détachent et adhèrent à la surface gluante des stigmates.*

**POISSON ROUGE** Nom usuel du carassin doré, une variété de poisson ornemental obtenue artificiellement par des éleveurs chinois et japonais, grâce à une sélection soigneuse, à partir d'une espèce de carpe. La forme originelle, sauvage, du poisson rouge a les flancs et le ventre blanc argenté, le péritoine noir, tandis que les espèces sélectionnées sont rouge doré.

**POISSON-SCIE** Grand poisson des eaux minces des mers tropicales. La tête est prolongée à l'avant par un rostre en forme de lame, garni latéralement d'une double rangée de fortes dents pointues qui sert à l'animal à fouiller la vase pour y découvrir sa nourriture. Certains poissons-scies peuvent dépasser sept mètres. ◁

**POIVRE** ÉPICE à saveur brûlante, obtenue à partir des baies (poivre noir) ou des graines (poivre blanc) du poivrier. Le poivre est utilisé en grains ou en poudre.

**POLICE** Force publique qui veille à l'observation des lois et au maintien de l'ordre. En France, il convient de distinguer la *police administrative,* qui a pour but de prévenir les désordres, de la *police judiciaire* dont le but est de rechercher et de présenter à la justice les auteurs des infractions à la loi. Dans les départements, la police administrative (police de la circulation, polices spéciales...) est placée sous l'autorité du préfet de police. Dans les communes, la police municipale est sous l'autorité du maire (à l'exception de Paris).

**POLIOMYÉLITE** Infection provoquée par un VIRUS qui peut s'attaquer au SYSTÈME NERVEUX et provoquer des paralysies. Il existe aujourd'hui des VACCINS efficaces contre la poliomyélite.

**POLLEN** Poudre jaune produite par les étamines des fleurs (organes mâles de la REPRODUCTION des végétaux). Le pollen contient les cellules reproductrices mâles ; pour qu'une fleur puisse produire des graines, ces cellules mâles doivent s'unir aux cellules femelles situées dans le carpelle (organe femelle de la fleur), ce qui s'opère par la dissémination du pollen. Transporté par le vent ou les insectes, le pollen passe de l'étamine au stigmate — extrémité gluante du carpelle. Ce processus est appelé pollinisation. (Voir BIOLOGIE)

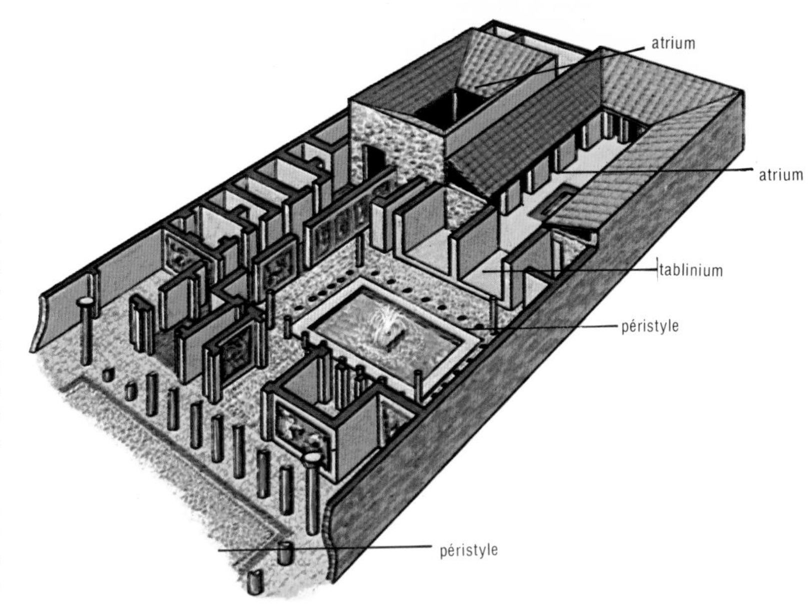


▸ *La Maison du Faune, à Pompéi, magnifique demeure comportant deux halls d'entrée (l'atrium), deux salles à manger et deux jardins (péristyle). Faisant suite à l'atrium, le tablinium, pièce servant de chambre à coucher, de salle d'étude et de réception.*

**POLLUTION ATMOSPHÉRIQUE** Contamination de l'air par des substances dangereuses, généralement manufacturées. La pollution résulte en grande partie de la dissémination des déchets de combustion de combustibles comme la houille et le pétrole. Industries chimiques et cimenteries rejettent également des fumées et des poussières dangereuses. La plupart des pays industrialisés s'efforcent aujourd'hui de lutter contre la pollution. ▷

**POLOGNE** Démocratie populaire d'EUROPE orientale, la Pologne compte 35 900 000 habitants (1982) pour une superficie de 312 700 km². Si le sud demeure une région agricole, la Pologne est aujourd'hui une nation industrialisée. En dépit du régime d'obédience communiste, la population polonaise est toujours largement catholique. Capitale : VARSOVIE. ▷

**POLYNÉSIE FRANÇAISE** T.O.M. (148 000 habitants) composé d'un ensemble d'îles du Pacifique sud (Société, Marquises, Australes, Tuamotu). Papeete, situé à Tahiti (île de la Société), est le chef-lieu de ce territoire.

**POMME** Fruit comestible du pommier, un arbre des pays tempérés. La pomme est une drupe ronde, à chair juteuse, à peau verte et rouge, et à saveur plus ou moins acide selon les variétés (plus de mille).

**POMME DE TERRE** Plante originaire d'Amérique du Sud, cultivée pour ses tubercules comestibles (tiges souterraines renflées), ovales, à chair dure et pâle, à peau brune ou rougeâtre, qui se consomment généralement cuits. Découverte par les conquérants espagnols, la pomme de terre fut introduite en Europe dès 1550, mais ne se répandit en France qu'au XVIII<sup>e</sup> siècle, sous l'influence de Parmentier. Aujourd'hui, la pomme de terre est avec le blé, le riz et le maïs l'un des plus importants aliments végétaux du globe. ▷

**POMPÉI** Ancienne ville romaine, située à 23 km au sud-est de Naples, et qui fut ensevelie en 79, lors d'une éruption du VÉSUVE. Durant près de dix-sept siècles, la ville est restée enfouie sous une épaisse couche de cendres. Les fouilles, entreprises en 1748, continuent encore de livrer aux archéologues un inestimable matériel d'étude de la vie quotidienne sous la Rome antique. ▷

**POMPE** Machine servant à aspirer, refouler ou comprimer les fluides (liquides et gaz).

▲ *Les fouilles ont montré que les demeures des riches Pompéiens étaient bâties autour d'une cour intérieure, d'où des pièces claires et aérées.*

▸ *Les maisons de Pompéi étaient chauffées par des poêles à charbon à trois pieds.*

POLLUTION ATMOSPHÉRIQUE Les moteurs à essence constituent l'une des principales sources de pollution atmosphérique. La combustion incomplète de l'essence s'accompagne d'un dégagement d'oxyde de carbone et d'autres gaz. L'oxyde de carbone est un gaz dangereux qui, dans une proportion de 2 ‰ peut tuer. Le plomb est un autre polluant rejeté par les moteurs à essence. La solution pour réduire la pollution par les moteurs à essence se trouve peut-être dans la mise au point de nouveaux types de moteurs (à vapeur, à hydrogène ou électriques).

POMPÉI On doit à Pline le Jeune le récit de l'éruption du Vésuve qui détruisit Pompéi. Pline a vu le sol trembler, la mer refluer brusquement puis se ruer en avant, de grandes flammes jaillir du nuage noir qui coiffait le volcan, une pluie de cendres s'abattre sur la ville, faire la nuit, et engloutir les bâtiments sous un épais manteau gris.

Les premiers témoins de l'existence d'un site archéologique furent exhumés dès le XVI<sup>e</sup> siècle. Des hommes qui creusaient un canal d'irrigation dans le tertre masquant la ville découvrirent des morceaux de marbre gravé et une pièce de monnaie romaine. Mais c'est l'appât de l'or, de l'argent et des statues qui justifia les fouilles entreprises en 1748. Il fallut un certain temps pour que Pompéi soit enfin reconnue comme un témoin inestimable de la vie aux temps des Romains.

POLOGNE : DONNÉES
Langue officielle : polonais.
Monnaie : zloty.
Religion : catholicisme.
Principaux cours d'eau : Oder, Boug, Vistule.
Grandes villes : Varsovie (1,6 million d'hab.), Lodz (832 000 hab.), Cracovie (711 000 hab.) et Wroclaw (613 000 hab.).

POMME DE TERRE Six nations se partagent les deux tiers de la production mondiale de pommes de terre. Ce sont (pour 1982) respectivement : l'Union soviétique, 31 % ; la Pologne, 12,5 % ; la Chine, les États-Unis, 6 % ; l'Inde, 4 % ; la République démocratique allemande, 3,5 % ; la République fédérale allemande, 3 %.

*▸ En s'étendant sur Pompéi, la couche de cendres a englouti les corps de ses victimes. Les corps se sont décomposés, laissant leur forme dans la cendre durcie. Par des injections de plâtre, les archéologues sont parvenus à reconstituer des scènes comme celle-ci.*

Les pompes *aspirantes et refoulantes* possèdent un piston qui, en se déplaçant dans un cylindre, aspire le fluide puis le refoule dans un conduit latéral, tandis qu'un système de soupapes empêche le fluide de redescendre. Dans les *pompes rotatives,* le liquide est véhiculé par les pales d'une hélice animée d'un mouvement de rotation. Les *pompes centrifuges* sont des pompes rotatives dont le principe est fondé sur l'action de la FORCE CENTRIFUGE.

**PONT** Structure qui enjambe un cours d'eau, une vallée, une route ou tout autre obstacle. Les ponts peuvent être fabriqués en bois, en brique, en béton, en fer, en acier ou en aluminium. Parmi les différents types de ponts, on peut citer : les ponts métalliques cantilever, suspendus, en arc à tablier inférieur, en maçonnerie, en béton précontraint, à haubans ou tournants. Les ponts suspendus sont les plus légers et peuvent franchir de grandes portées.

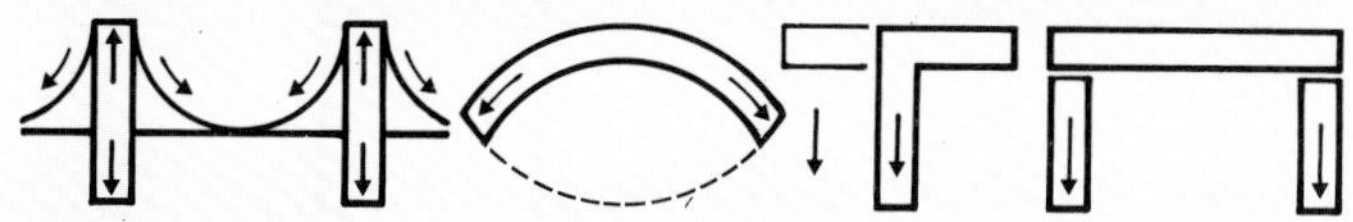

*◂ Le « Golden Gate », pont suspendu situé à l'entrée de la baie de San Francisco (Californie). Ouvert en 1937, il mesure 1 280 m. Dessous, différents types de ponts. De gauche à droite : pont suspendu, en arc, cantilever, en béton armé. Les flèches indiquent où s'exercent les efforts.*

**POP ART** Forme abrégée anglo-américaine de « art populaire ». Le pop art est un mouvement artistique né vers 1960. L'artiste pop introduit dans ses œuvres des objets de la vie quotidienne tels que boîtes de conserve ou images publicitaires.

**POP MUSIC** Abréviation anglo-américaine de « musique populaire ». La pop music est une forme musicale dérivée du rock and roll et du blues noir, avec de nombreux emprunts à des musiques folkloriques nationales.

**PORC OU COCHON** Réputé pour être entièrement utilisable, le porc est un important animal d'élevage à travers le monde. Il possède un corps trapu, massif, couvert de poils raides (soies). Il y a 5 000 ans, l'homme élevait déjà des porcs. On consomme la chair du porc fraîche, fumée ou conservée dans la saumure et sa graisse (lard et saindoux) ; sa peau sert à fabriquer du cuir et ses soies des brosses.

**PORCELAINE** Type de POTERIE raffinée. Les Chinois sont à l'origine de la fabrication de la porcelaine à partir de *kaolin* — argile très pure qui, cuite, demeure blanche — et de *pétunsé* qui contribue au durcissement et à la vitrification de l'argile à basse température. La porcelaine est dure et n'absorbe pas l'eau comme le faisaient les pots de terre cuite. Elle n'a été introduite en Europe qu'à la fin du XVIIe siècle.

*Voir illustration page suivante.*

**POSITRON OU POSITON** Particule ayant la même MASSE qu'un électron (voir ATOME) et une charge égale et de signe contraire (positive).

**POSSUM** Nom donné à un groupe de MARSUPIAUX d'Australie, de la famille des phalangéridés qui inclut également le fameux KOALA. Leur nom commun de possums leur vient de ce qu'ils ressemblent aux OPOSSUMS d'Amérique. Ce sont des animaux arboricoles, à épaisse fourrure et longue queue, qui se nourrissent d'insectes, de nectar ou de végétaux.

◂ *Cette magnifique pièce en porcelaine de Sèvres est sortie de la fameuse manufacture aux alentours de 1785. Ouverte en 1768, la manufacture de Sèvres était, à l'époque, la première d'Europe. Le motif, représentant Jupiter et Callisto, est adapté d'une toile de Boucher. La porcelaine de Sèvres classique est identifiable à la richesse de ses coloris et de ses ors.*

PORTUGAL : DONNÉES
Langue officielle : portugais.
Monnaie : escudo.
Religion : catholicisme.
Principaux cours d'eau : Tage et Douro.
Grandes villes (avec agglomérations) : Lisbonne (1,6 million d'hab.), Porto (1,3 million d'hab.).
Le Tage divise le pays en deux régions distinctes. Le Nord est montagneux, tandis que le Sud est une région de plaines.
Les archipels de Madère et des Açores, dans l'Atlantique, sont des territoires portugais.
De 1926 à 1974, le Portugal demeura successivement sous la dictature d'Antonio Salazar, puis de Marcello Caetano. En 1974, une junte militaire a renversé le régime et ouvert la porte à une démocratie parlementaire. 1975 a vu, au Portugal, les premières élections libres.

▴ *En cas de danger, les porcs-épics redressent leurs épines. Ils n'ont que peu d'ennemis ; certains animaux parviennent cependant à les renverser sur le dos, les réduisant ainsi à l'impuissance.*

**PORC-ÉPIC** Gros rongeur au corps couvert de longues épines noires et blanches. Les espèces d'Europe, d'Asie et d'Afrique sont essentiellement terrestres, tandis que les porcs-épics du Nouveau Monde sont arboricoles.

**PORT** Abri naturel ou artificiel pour les bateaux, généralement équipé d'installations servant au trafic des passagers et du fret, ainsi qu'aux réparations des navires. (Voir DOCK)

**PORTUGAL** République d'EUROPE méridionale, ayant une façade sur l'Atlantique. Le Portugal compte 9,9 millions d'habitants pour une superficie de 92 000 km$^2$. Le climat agréable fait de ce pays un important centre touristique qui tient une place de premier ordre dans l'économie. Au XIVe siècle, époque des grandes explorations, le Portugal a occupé un rang important parmi les nations mondiales et a été, pendant plusieurs siècles, à la tête d'un vaste empire. Aujourd'hui, ce pays à vocation agricole exporte du liège, des sardines, du vin et de la pâte à papier. Capitale : LISBONNE. ▷

▾ *Bateaux rentrant de la pêche aux abords d'un petit village portugais. La pêche à la sardine joue un rôle important dans l'économie portugaise.*

▲ *La poterie constitue l'une des plus anciennes techniques artisanales. Ci-dessus, scène en terre cuite représentant la fabrication du pain par les femmes de Thèbes, une ville de la Grèce antique.*

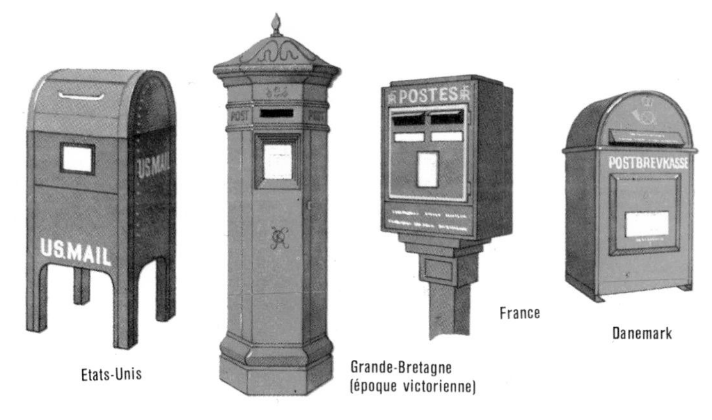


▲ *Quelques modèles de boîtes aux lettres. La toute première fut installée dans l'île de Jersey (îles Anglo-Normandes).*

▼ *Les centres modernes de tri postal sont équipés de machines, tel ce « glacis » qui sépare les lettres des paquets.*

POTERIE On a retrouvé un grand nombre de poteries grecques — entières ou, le plus souvent, par fragments. Les potiers grecs fabriquaient des pots, des plats, des lampes à huile, des cruches, des tuiles, des jarres, etc. La plupart de ces objets étaient de facture très simple; certains pourtant, comme les coupes et les pichets à vin, étaient finement décorés.

**POSTE (BUREAU DE)** Lieu où s'effectuent le ramassage, le tri et la distribution du courrier, ainsi que les différentes opérations postales (dépôt et retrait du courrier, émission ou paiement de mandats, etc.) L'usage des timbres-poste remonte à 1840 et c'est en 1922 que fut mise en service la première machine à affranchir qui imprime sur la lettre ou le paquet un symbole témoignant que la redevance a été acquittée. Dans la plupart des pays, la poste est une administration publique. C'est le roi Darius de Perse (v. 558-486 av. J.-C.) qui fut à l'origine du premier système postal.

**POTASSIUM** ÉLÉMENT métallique très oxydable, et qui décompose l'eau à froid, en enflammant l'hydrogène libéré, c'est pourquoi il est conservé sous couche d'huile. Les composés de potassium sont utilisés en médecine et photographie; ils entrent également dans la fabrication d'explosifs, de savons, de teintures et d'engrais.

**POTERIE** Objet en argile cuite et technique de fabrication de tels objets. Il peut s'agir d'objets usuels, comme la vaisselle, de pièces ornementales (vases ou statues) ou de produits industriels telles briques ou tuiles. Le travail de l'argile remonte à la préhistoire, époque à laquelle l'homme mettait l'argile en forme puis la laissait sécher au soleil avant de la durcir au feu. (Voir CÉRAMIQUE; PORCELAINE; TERRE CUITE) ◁

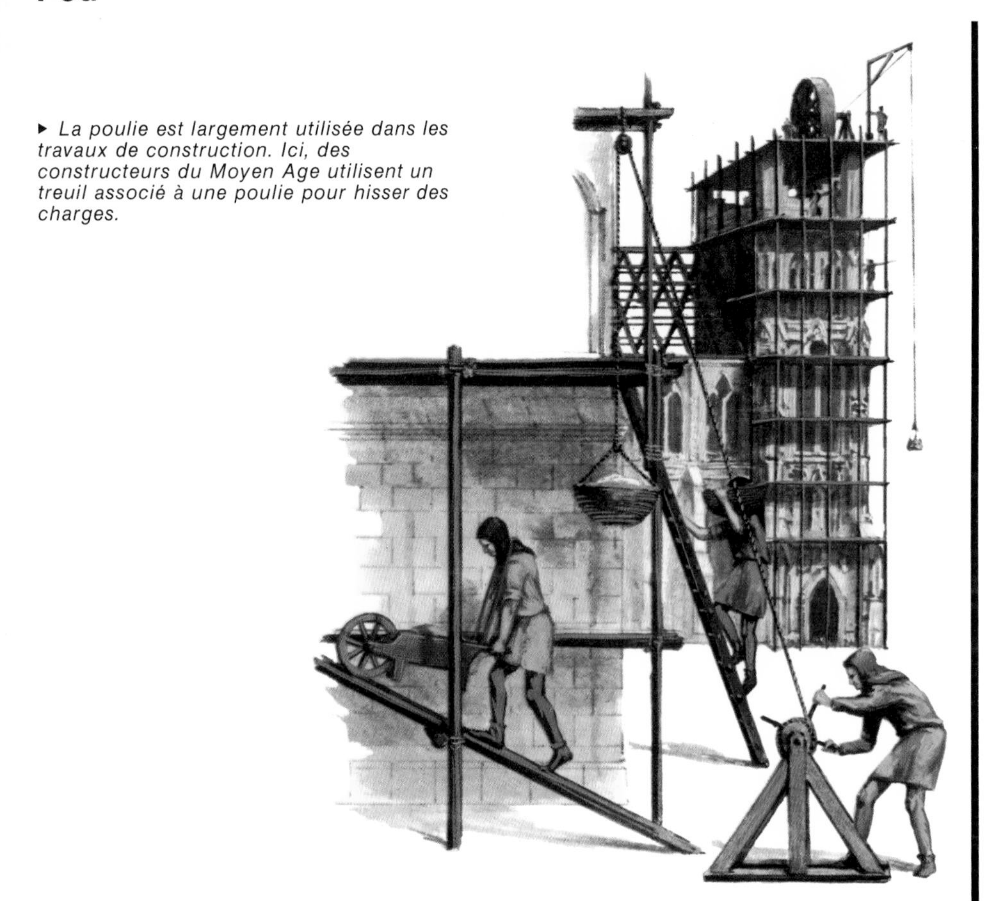

▸ *La poulie est largement utilisée dans les travaux de construction. Ici, des constructeurs du Moyen Age utilisent un treuil associé à une poulie pour hisser des charges.*

POU En 1528, le minuscule pou de corps décida de l'issue d'une guerre. Véhiculé par ce pou, le typhus se déclara parmi les troupes françaises en train d'assiéger à Naples l'armée espagnole. En l'espace de trente jours, la moitié de l'armée française avait péri et la défaite devenait inévitable. Le pou venait de faire de l'Espagne le maître de l'Europe.

**POU** Insecte sans ailes, qui suce le sang des oiseaux ou des mammifères (dont l'homme) sur lesquels certaines espèces vivent en PARASITES. Il existe quelque trois mille espèces de poux. La plupart véhiculent des maladies, dont le typhus. ▷

**POUDRE A CANON OU POUDRE NOIRE** EXPLOSIF obtenu par mélange de salpêtre, de soufre et de charbon de bois. Présumée avoir été inventée par les Chinois aux alentours du IXe siècle, la poudre n'atteignit l'Europe qu'au XIVe siècle. A l'époque, cette découverte révolutionna l'art militaire, mais aujourd'hui la poudre noire n'est plus guère utilisée que dans les fusées de feu d'artifice.

**POULIE** Roue montée sur un axe et dont la jante, généralement à gorge, est destinée à recevoir une corde ou un câble. La poulie est une machine simple, qui sert à hisser des charges plus aisément que ne le pourrait la seule énergie musculaire de l'homme. Les appareils de levage, tel le palan, utilisent des assemblages de plusieurs poulies.

**POULS** Battement rythmique des ARTÈRES à l'unisson des pulsations cardiaques. Il est possible de « prendre le pouls » de quelqu'un au poignet, au cou, à la tempe, à l'aisselle et à la cheville. Les pulsations se propagent à la vitesse de 6 à 9 m par seconde.

**POUMON** Organe principal de la respiration chez l'homme et beaucoup d'autres animaux. Les VERTÉBRÉS qui respirent de l'air possèdent deux poumons. L'air pénètre par le nez ou la bouche, traverse la trachée et pénètre dans les poumons par les *bronches* (conduits pairs, reliant la trachée aux poumons). Dans les poumons, les bronches se subdivisent en millions de conduits minuscules, *les bronchioles,* chacune terminée par un petit sac à air, ou *alvéole.* Les parois des alvéoles sont parcourues de vaisseaux sanguins filiformes — les *capillaires* — qui véhiculent le sang. C'est dans les alvéoles que s'opèrent les échanges gazeux de la respiration. Par diffusion à travers les parois respectives des capillaires et des alvéoles, l'oxygène passe dans les capillaires, et le gaz carbonique passe du sang dans les poumons. (Voir RESPIRATION)

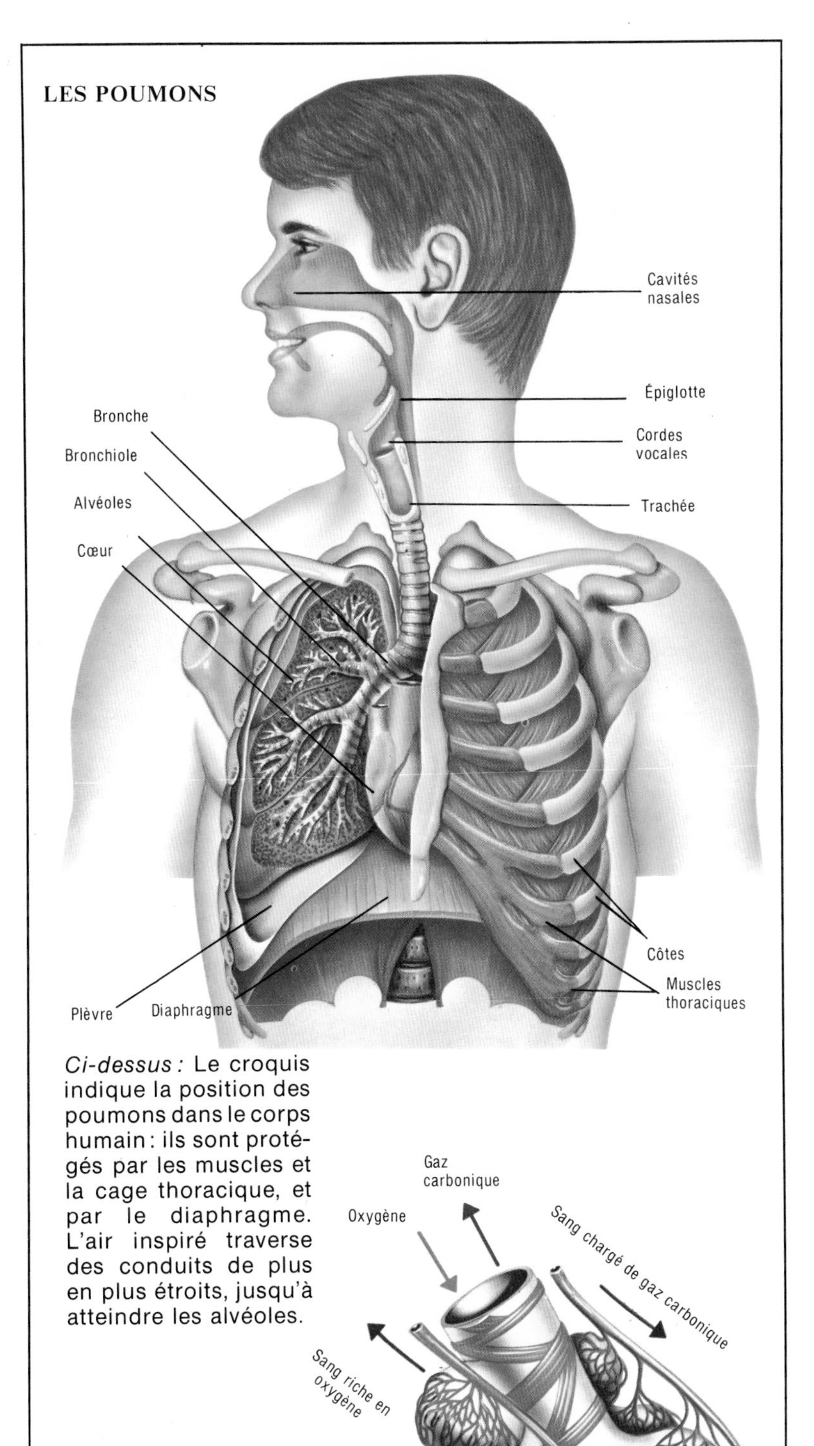


*Ci-dessus :* Le croquis indique la position des poumons dans le corps humain : ils sont protégés par les muscles et la cage thoracique, et par le diaphragme. L'air inspiré traverse des conduits de plus en plus étroits, jusqu'à atteindre les alvéoles.

*A droite :* Groupe d'alvéoles, tapissés du réseau des capillaires. L'oxygène traverse les minces parois des alvéoles et des capillaires pour rejoindre le flux sanguin (en rouge). Le gaz carbonique passe du sang (en bleu) dans les poumons, et est ensuite expulsé.

▲ *Le respirateur mis au point en 1876 – un précurseur du poumon d'acier – dans lequel le pompage était manuel.*

**POUMON D'ACIER OU POUMON ARTIFICIEL** Machine d'assistance respiratoire. On utilise un poumon d'acier dans les cas de paralysie des muscles de la poitrine, comme peut parfois en provoquer la POLIOMYÉLITE. Exception faite de la tête, le corps du malade repose à l'intérieur d'un coffre métallique hermétiquement clos où l'on provoque les mouvements de sa cage thoracique au moyen d'un appareil pneumatique.

**POURRITURE SÈCHE** Les parties boisées des bâtiments sont souvent attaquées par un CHAMPIGNON qui provoque une décomposition du bois connue sous le nom de pourriture sèche. Le champignon commence par se développer dans les bois humides, mais, une fois installé, il est capable de survivre, y compris dans les boiseries sèches.

**PRÉHISTOIRE** Période précédant l'apparition de l'écriture.

**PRESBYTÉRIANISME** Forme d'organisation de certaines Églises réformées, fondée par CALVIN, et qui rejette le gouvernement de l'Église par les évêques. Les Églises réformées de France et d'Écosse, par exemple, sont organisées de cette façon.

**PRESTIDIGITATION** Art de créer des illusions et des effets « magiques », comme l'escamotage ou la lévitation, par l'adresse des mains ou par des moyens optiques ou mécaniques. (Voir MAGIE)

**PRÉVISIONS MÉTÉOROLOGIQUES** Dans les nombreuses stations réparties à travers le monde, les météorologues recueillent un certain nombre de données concernant l'état de l'atmosphère, tels la pression atmosphérique, la température, l'ensoleillement, la vitesse du vent et la pluie. (Voir MÉTÉOROLOGIE.) Ces informations sont transmises à des centres spécialisés dans lesquels sont établies des cartes météorologiques. Sur ces cartes sont tracées des lignes appelées *isobares,* qui joignent les points de même pression atmosphérique. A partir de

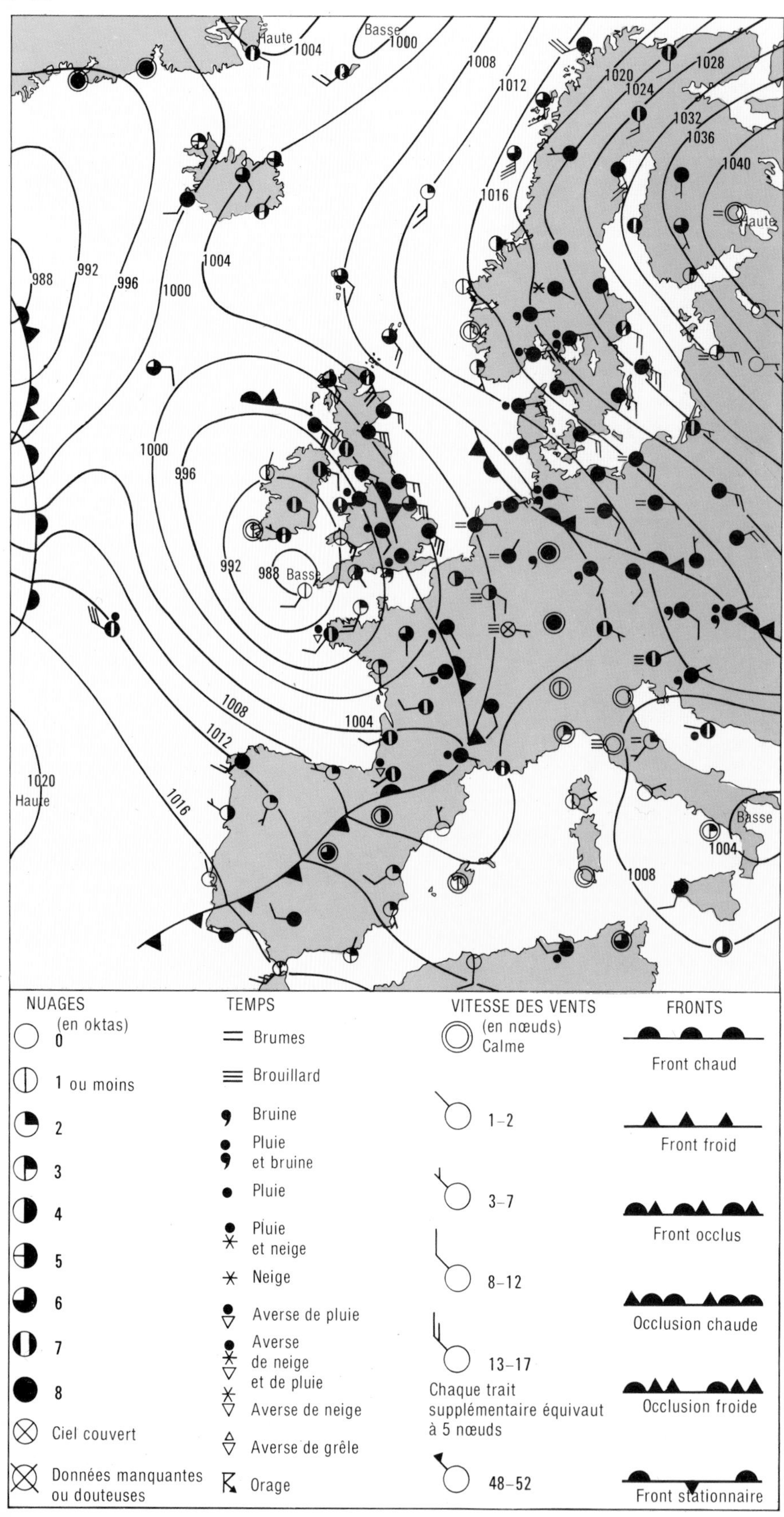


PRÉVISIONS MÉTÉOROLOGIQUES Les premières expérimentations sérieuses en matière de prévision du temps remontent à 1860. Les méthodes prévisionnelles modernes sont issues des travaux de scientifiques norvégiens conduits à la fin de la Première Guerre mondiale. Ces travaux ont montré qu'il se formait des dépressions là où l'air froid d'origine polaire rencontrait l'air chaud venu des tropiques. Les symboles météorologiques élaborés par ces scientifiques figurent sur la carte ci-contre.

Termes utilisés en matière de prévision du temps.

*Front* Surface de séparation entre deux masses d'air.

*Front chaud* Zone de séparation entre une masse d'air froid et la masse d'air chaud suivante.

*Front froid* Limite séparant une masse d'air chaud de la masse d'air froid suivante.

*Dépression* Zone de basses pressions, caractérisée par des vents qui tourbillonnent sur des centaines de kilomètres. Les dépressions annoncent un temps perturbé.

*Front occlus (ou d'occlusion)* Lorsqu'un front chaud rattrape un front froid, l'air chaud de la zone qui les sépare est aspiré vers le haut.

*Anticyclone* Zone de hautes pressions. Dans l'hémisphère nord, les vents tournent dans le sens des aiguilles d'une montre autour des anticyclones.

*Cyclone* Zone de très basse pression. Dans l'hémisphère nord, les vents des cyclones tourbillonnent dans le sens inverse des aiguilles d'une montre.

*Humidité* Quantité de vapeur d'eau présente dans l'air.

*Précipitation* Gouttes d'eau ou cristaux de glace qui tombent sous forme de pluie, de neige ou de grêle.

*Isobare* Ligne joignant les points d'égale pression atmosphérique.

*Isotherme* Ligne joignant les points ayant même température.

◂ *Sur les cartes météorologiques, des symboles équivalant à ceux de la carte ci-contre résument les conditions atmosphériques en un lieu et à un moment donnés. Des lignes appelées* isobares *joignent les points d'égale pression.*

▾ *Quand elle traverse un prisme, la lumière blanche est réfractée (déviée) et décomposée en ses diverses couleurs : rouge, orange, jaune, vert, bleu, indigo et violet.*

PRISON Le plus vaste système carcéral de tous les temps fut celui de l'Union soviétique, sous Joseph Staline, entre 1929 et 1953. On a évalué à douze millions le nombre des prisonniers internés, au cours de cette période, dans les centaines de prisons et de camps d'U.R.S.S. — soit plus que la population actuelle de la Belgique, de la Suède ou de la Grèce. Dans leur majeure partie, ces condamnés n'étaient pas des criminels de droit commun mais des prisonniers politiques dont les idées apparaissaient comme dangereuses aux yeux du régime stalinien.

PROTÉINE Certains aliments sont riches en protéines mais contiennent peu des acides aminés indispensables à l'organisme humain. A poids égal, les farines de soja et d'arachide contiennent plus de protéines que le fromage, le poisson, le bœuf, le lait ou les œufs ; ces derniers, en revanche, contiennent un plus fort pourcentage d'acides aminés utiles.

PROTOZOAIRE Certains protozoaires parasites peuvent être, pour leur hôte, la cause de troubles sérieux. Ainsi l'amibe dysentérique — créature microscopique évoquant une goutte de gelée — qui provoque la dysenterie amibienne. Certaines amibes, pourtant, sont inoffensives pour l'homme, telles celles qui peuplent la bouche de trois personnes sur quatre.

ces cartes, les spécialistes sont à même de prévoir les variations du temps, mais, dans l'état actuel des connaissances, ces prévisions ne peuvent aller au-delà de 24 à 48 h. Les « photos-SATELLITES » transmises aux stations au sol permettent aux météorologues d'observer la configuration nuageuse de la région concernée. ◁

**PRISME** Solide transparent intégré à divers instruments d'optique, et qui sert à dévier, à réfléchir ou à décomposer la LUMIÈRE. Les instruments comme les jumelles prismatiques utilisent des prismes de verre. Pour traiter des rayons ultraviolets (voir ONDES ÉLECTROMAGNÉTIQUES), qui sont en grande partie absorbés par le verre, on utilise des prismes en quartz.

**PRISON** Lieu où sont détenues les personnes en instance de jugement (prison préventive) ou condamnées à une peine de privation de liberté. Les prisonniers sont généralement placés sous la surveillance de gardiens et les prisons équipées de dispositifs destinés à éviter les évasions. ◁

**PRIX NOBEL** Chimiste et millionnaire suédois, Alfred Nobel (1833-1896) fonda par testament cinq prix annuels qui portent son nom. Ce sont les prix Nobel de chimie, de physique, de médecine, de littérature et de la paix (en 1968 fut rajouté un prix des sciences économiques). Depuis 1901, les prix Nobel sont décernés, le 10 décembre de chaque année, à des personnalités de toutes nationalités pour leurs travaux dans l'un de ces domaines, où le prix Nobel est considéré comme la plus haute récompense.

**PRONOM** Mot utilisé principalement pour remplacer un NOM et éviter sa répétition. La langue française utilise des pronoms personnels, démonstratifs, possessifs, relatifs, indéfinis et interrogatifs.

**PROPANE** Gaz incolore, de formule chimique $C_3H_8$, appartenant à un groupe d'hydrocarbures saturés appelés PARAFFINES. Le propane est inflammable et très utilisé comme combustible, pur ou mélangé à du gaz butane.

**PROTÉINE** Composé chimique constituant la partie essentielle des CELLULES animales ou végétales. Les protéines assument un large éventail de fonctions. Ainsi la plupart des HORMONES et tous les ENZYMES sont-elles des protéines qui contrôlent les processus vitaux des organismes vivants. Lorsque les protéines d'un organisme étranger pénètrent dans le corps d'un animal, elles peuvent y provoquer des troubles, mais ces protéines étrangères, ou antigènes, stimulent la formation d'autres protéines, appelées ANTICORPS, qui se combinent chimiquement avec les antigènes, les rendant inoffensifs. Le corps humain tire ses protéines des aliments tels que viande, lait, poisson, noix. Au cours de la DIGESTION, les protéines des aliments sont décomposées en substances nommées ACIDES AMINÉS, à partir desquelles l'organisme humain reconstruit d'autres protéines. ◁

**PROTON** Voir ATOME.

**PROTOPLASME OU PROTOPLASMA** Substance gélifiée qui constitue la base de tout être vivant. Animaux et végétaux sont constitués de CELLULES, elles-mêmes constituées de protoplasme. Le protoplasme du noyau cellulaire est appelé *nucléoplasme,* celui qui entoure le noyau, *cytoplasme.* Le protoplasme est constitué d'eau, de PROTÉINES, de GRAISSES, d'HYDRATES DE CARBONE et de MINÉRAUX.

**PROTOZOAIRE** Animal unicellulaire constituant l'embranchement inférieur du règne animal. Les protozoaires sont des animaux microscopiques qui vivent dans l'eau ou à l'intérieur du corps d'autres animaux. ◁

**PROUST, MARCEL** Écrivain français (1871-1922), considéré comme l'un des plus importants de la première partie du XXe siècle. Son œuvre, *A la recherche du temps perdu,* parut de 1913 à 1927.

**PRUNE** Petit fruit arrondi du prunier, un arbre des pays tempérés. La prune contient un noyau dur entouré d'une chair juteuse, verte, jaune ou violacée selon l'espèce. Parmi les nombreuses variétés de prunes (mirabelle, reine-claude, quetsche, prune d'Agen, etc.), certaines se consomment crues, d'autres cuites ou séchées (PRUNEAU). A partir des prunes, on fabrique aussi une eau-de-vie.

**PRUNEAU** Variété de PRUNE séchée. On fait généralement tremper les pruneaux dans l'eau avant de les consommer cuits.

**PRUSSE** Ancien royaume que bordait la côte sud-est de la Baltique et dont Berlin constituait la capitale et la plus grande ville. Jusqu'à l'unification de l'ALLEMAGNE, en 1871, la Prusse est demeurée le plus puissant des États germaniques. (Voir guerre FRANCO-ALLEMANDE ; guerre de SEPT ANS)

**PSYCHANALYSE** Méthode d'investigation visant à élucider la signification des comportements humains, et dont les fondements furent posés par Sigmund FREUD à partir de 1896. Lors d'une analyse, l'individu s'efforce, guidé par le psychanalyste, de faire resurgir de son inconscient les désirs refoulés qui sont à la source des troubles de sa personnalité. S'il existe plusieurs écoles de psychanalyse, il n'y a pas aujourd'hui, en France, de réglementation de la profession. (Voir PSYCHIATRIE, PSYCHOLOGIE)

**PSYCHIATRIE** Branche de la médecine qui s'attache à la thérapie des troubles et désordres mentaux. La psychiatrie s'efforce de soulager ceux qui souffrent d'anxiété, de névroses ou de dépression, au point de ne plus être capables de continuer à mener leur vie habituelle. La psychiatrie moderne s'attaque aux symptômes par l'administration aux malades de médicaments appelés neuroleptiques et fait également une place aux méthodes de la PSYCHANALYSE. (Voir PSYCHOLOGIE)

**PSYCHOLOGIE** Du grec *psyché* qui désigne l'esprit ou l'âme, la psychologie est la science du fonctionnement de l'esprit. Elle étudie de quelle manière humains et animaux acquièrent les connaissances, comment ils réfléchissent ou réagissent à ce que leur communiquent leurs sens. Elle analyse nos manières de penser et de décider. Les psychologues peuvent se consacrer à la recherche ou exercer leur art dans diverses structures (enseignement, entreprises, cliniques) ; d'autres s'attachent à l'étude des réactions et des facultés de groupes de sujets et s'efforcent d'en tirer des conclusions statistiques. Enfin, une branche de la psychologie s'intéresse au comportement des animaux.

**PTOLÉMÉE, CLAUDE** Scientifique gréco-égyptien (v. 100-170) qui vécut à Alexandrie. A partir de ses travaux sur l'astronomie, Ptolémée énonça l'idée d'un univers centré sur la Terre — celle-ci étant entourée d'une sphère céleste englobant le Soleil, la Lune, les étoiles et les planètes. (Voir ASTRONOMIE)

**PUBLICITÉ** Caractéristique des pays à économie capitaliste, la publicité est un secteur d'activité qui s'attache à promouvoir pour les faire vendre des produits, des services ou des idées. Les premières affiches furent les annonces de spectacles, tandis que les premiers journaux réservaient quelques-unes de leurs colonnes aux « petites annonces » (domesticité, objets perdus, etc.). Aujourd'hui, avec un budget annuel global de l'ordre de 100 milliards de francs, dont les deux tiers environ pour les seuls États-Unis, la publicité est un secteur économique florissant ; pour toucher le public, elle fait appel aux principaux médias (journaux, magazines, radio, télévision), à l'affiche, ou aux prospectus.

▲ *L'univers de Ptolémée, tel qu'il est représenté dans* Harmonia Macrocosmica *(1708) d'Andreas Cellarius. Autour de la Terre - au centre - tournent la Lune, le Soleil et les planètes. La large bande porte les constellations du zodiaque. La théorie de Ptolémée ne fut remise en cause qu'au XVI$^{e}$ siècle par Copernic.*

**PUCE** Petit insecte sauteur qui vit en parasite sur les humains et les autres animaux dont il suce le sang. La puce parasite de l'homme est réputée pour ses qualités de sauteuse : elle peut exécuter des bonds de 20 cm de haut. ▷

**PUDDLAGE** Procédé métallurgique qui, à l'époque de la RÉVOLUTION INDUSTRIELLE et avant la mise au point de l'ACIER, permettait d'obtenir du fer à faible teneur en carbone.

**PUISSANCE** TRAVAIL effectué par une machine (ou ÉNERGIE dépensée dans un système) par unité de temps. Dans le système international d'unités (SI), l'unité de mesure de puissance est le WATT (W). Un cheval-vapeur équivaut environ à 736 watts.

PUCE Un humain doté (proportionnellement) des talents de sauteur de la puce serait capable de franchir d'un bond un immeuble de quatre étages. De fait, lors d'un bond moyen, une puce saute 130 fois sa propre hauteur, et elle est soumise à une force égale à 200 fois son poids.

PULSAR Les astronomes voient dans les pulsars radio de denses étoiles à neutrons — particules du noyau des atomes — animées d'un mouvement de rotation très rapide. La forte densité d'un pulsar résulte de ce que sa masse est de 1,4 à 3 fois celle du Soleil, alors que son diamètre n'est que de 24 km, contre 1 392 000 km pour celui du Soleil.

PUNIQUES (GUERRES) C'est seulement dans les années 1970 que furent découverts les premiers vaisseaux de l'époque des guerres puniques. Lors de fouilles en Sicile, l'archéologue britannique Honor Frost exhuma deux de ces navires — bâtiments étroits de 37 m de long, armés de longs éperons. Grâce à des marques de charpentier, il a été possible de déterminer leur origine punique. Les chercheurs ont également découvert que ces navires étaient fabriqués en série et qu'ils avaient été coulés en 225 av. J.-C., au cours de la première guerre punique.

PYRAMIDES Monuments funéraires de l'Égypte pharaonique (voir PHARAONS) en forme de pyramide. Les pyramides étaient faites de blocs de pierre pouvant atteindre 2,5 t ; ces pierres, extraites à des centaines de kilomètres, étaient ensuite remorquées jusqu'au Nil. Les tombes des pharaons étaient percées d'un réseau complexe de galeries et de chambres abritant la dépouille momifiée du pharaon, ainsi que les sépultures des membres de sa famille et de nombreuses offrandes.

PYRAMIDES : DONNÉES
La plus ancienne : pyramide à degrés de Saqqarah, en Égypte — construite vers 2650 av. J.-C.
La plus haute : grande pyramide de Gizeh (pyramide de Kheops), en Égypte (146,60 m à l'origine).
La plus grande : Quetzalcoatl, à Cholula (Mexique) — formée de quelque 3,3 millions de m³ de matériaux.

PYGMÉES Les Pygmées sont l'une des ethnies négroïdes de petite taille dont il existe d'autres groupes dans les forêts reculées d'Asie du Sud-Est. On voyait autrefois dans ces peuples les survivants d'une population dispersée par les immigrants, mais des tests sanguins ont montré que les Pygmées d'Asie étaient différents des Pygmées d'Afrique.

▼ *Européens de taille moyenne à côté de Pygmées, eux aussi de taille moyenne. On voit aujourd'hui dans les Pygmées les descendants des premiers Africains.*

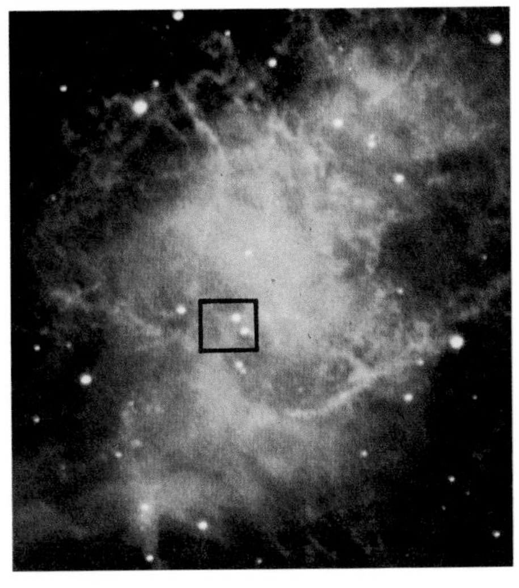

▲ *Le pulsar découvert dans la nébuleuse du Crabe, située dans la constellation du Taureau.*

**PULSAR** Étoile qui, à intervalles réguliers, émet un rayonnement radioélectrique, lumineux, X ou gamma. Le premier pulsar fut découvert en 1967 par des astronomes de l'observatoire de Cambridge (Angleterre) dont le radiotélescope avait capté des signaux radio intermittents ; l'émission de ces signaux durait 1/30 de seconde et se répétait toutes les 1,34 seconde. On considère aujourd'hui les pulsars comme des astres de très petites tailles (24 km de diamètre environ). Un seul d'entre eux a pu être observé grâce à un télescope optique. Situé dans la NÉBULEUSE du Crabe, il émet non seulement des ondes radio, mais également de la lumière et des rayons X. ◁

**PUMA** Voir COUGOUAR.

▲ *Les pyramides de Gizeh, en Égypte. Les pyramides étaient toujours érigées dans le désert, les terres fertiles étant réservées à la culture. La pyramide était destinée à abriter la dépouille momifiée de son possesseur, ainsi que ses richesses, à la préserver et à faciliter son passage dans l'au-delà.*

**PUNIQUES (GUERRES)** Guerres qui, de 264 av. J.-C. à 146 av. J.-C., opposèrent CARTHAGE à ROME pour le contrôle de la Méditerranée occidentale. C'est au prix de lourdes pertes que Rome s'assura la victoire ; elle décida, par mesure de représailles, de raser totalement Carthage. ◁

**PYGMÉES** Peuple noir des forêts équatoriales d'Afrique, les Pygmées se caractérisent par leur petite taille : les hommes mesurent 1,50 m au maximum et les femmes sont plus petites encore. Les Pygmées sont organisés en petites tribus qui vivent de chasse et de cueillette. ◁

**PYRAMIDE** Forme géométrique à trois dimensions, ayant pour base un carré ou un polygone et dont les autres faces sont des triangles ayant pour base les côtés du polygone et un sommet commun. On calcule le volume d'une pyramide en multipliant la surface de base par la hauteur, puis en divisant par trois. Pyramides des pharaons : voir annexe. ◁

**PYRÉNÉES** Chaîne de montagnes du sud-ouest de l'EUROPE, formant frontière entre la France et l'Espagne. Les Pyrénées culminent à 3 404 m, au pic d'Aneto en Espagne. Elles abritent la petite république d'Andorre. Le point culminant en France est le Vignemale (3 298 m).

**PYTHAGORE** Mathématicien grec du VIe siècle av. J.-C. qui posa les bases de la GÉOMÉTRIE moderne. Pythagore fut l'un des premiers à imaginer la Terre comme une sphère.

**PYTHON** Grand serpent non venimeux, pouvant atteindre 9 m. On rencontre le python en Afrique, en Asie et en Australie. Très puissants, les pythons tuent leur proie en se lovant autour d'elle et en l'étouffant.

**QUANTUM, A** La théorie des quanta a été bâtie en 1900 par le scientifique allemand Max Planck pour expliquer les lois du rayonnement. A l'origine, Planck élabora cette théorie afin d'expliquer pourquoi le rayonnement ultraviolet ne se confondait pas aux seules lois de la théorie ondulatoire. La théorie des quanta suppose que l'émission se fait non de manière continue, mais par petits paquets d'énergie appelés *quanta ;* elle s'exprime par la formule : $\mathbf{E} = \mathbf{h}\,\gamma$, dans laquelle **E** représente l'énergie d'un quantum, **h** la constante de Planck (6,6256 x $10^{-34}$JOULE-seconde) et $\gamma$ (nu) la fréquence du rayonnement. On sait aujourd'hui que cette théorie s'applique à toutes les formes de rayonnement et que le quantum d'énergie est le PHOTON. La théorie des quanta est à la base de la mécanique quantique, un domaine de la microphysique qui étudie, par exemple, les électrons et les noyaux des ATOMES.

**QUARKS** Particules fondamentales hypothétiques qui, pour certains scientifiques, seraient les constituants de toutes les autres particules atomiques. Il est possible que protons et neutrons soient constitués de quarks, mais de telles particules n'ont jamais encore été mises en évidence. (Voir ATOME)

**QUARTZ** MINÉRAL commun, constitué de silice (oxyde de silicium) cristallisée, de formule $SiO_2$. La variété la plus pure, le cristal de roche, est incolore et transparente, mais la plupart des autres variétés sont blanches et opaques. Parmi les variétés colorées figurent le quartz rose, le quartz fumé, la citrine (jaune) et l'améthyste (violet). Elles sont, ainsi que d'autres, utilisées en joaillerie. Plus dur que l'acier, le quartz est utilisé comme abrasif. Du fait qu'ils vibrent selon des fréquences fixes lorsqu'on leur applique un signal électrique, les cristaux de quartz servent de régulateurs dans les montres et HORLOGES électroniques. Soumis à des contraintes mécaniques, le quartz produit de l'électricité. Cette propriété, connue sous le nom d'*effet piézo-électrique,* est utilisée dans certains électrophones.

**QUASAR** Abréviation de *quasi-stellaire* (objet), les quasars sont des astres à apparence d'étoile qui, durant des siècles, ont figuré sur les photographies du ciel sans éveiller d'intérêt particulier dans la mesure où ils étaient pris pour des étoiles ordinaires. On sait aujourd'hui qu'il s'agit de corps célestes originaux, très lointains, et qui émettent un puissant rayonnement radio, libérant une énergie des centaines de fois plus importante que celle émise par la GALAXIE tout entière, pour une taille un million de fois inférieure. Le premier quasar a été découvert en 1960 et l'on connaît aujourd'hui près d'un millier de ces objets ; certains sont visibles au télescope optique, d'autres ne peuvent être détectés que par radiotélescope. Selon certains astronomes, les quasars seraient des galaxies naissantes.

**QUÉBEC** Province francophone de l'État canadien appelée autrefois Nouvelle-France, quand elle était placée sous autorité française (1524-1763). La ville principale est Montréal. Des Français, Jacques Cartier, Cavelier de la Salle, ont contribué à la découverte de cette région, qui passa sous contrôle anglais en 1763.

**QUININE** Substance de saveur amère, extraite de l'écorce de quinquina et utilisée en médecine pour traiter le PALUDISME.

▾ *Cristaux d'améthyste, une variété colorée de quartz.*

**RACE** Groupe naturel d'individus présentant un certain nombre de caractères physiques communs. La population du globe est répartie en trois races principales : blanche, négroïde et mongoloïde. Les Blancs ont la peau claire, les cheveux raides ou ondulés, le nez étroit et le menton proéminent. Le type négroïde se caractérise par une peau foncée et épaisse, des cheveux frisés, un nez épaté et des lèvres épaisses. Les individus de type mongoloïde ont des cheveux foncés et raides, des pommettes hautes, une peau teintée de jaune, un petit repli de peau de la paupière supérieure leur étire les yeux en amande.

**RACHITISME** Maladie provoquée par une carence en vitamine D, qui affecte la croissance et l'ossification, en particulier chez les enfants. L'huile de foie de morue est très riche en vitamine D et l'organisme fabrique cette substance à partir de la lumière solaire.

**RACINE, JEAN** Poète dramatique français (1639-1699), auteur notamment de *Phèdre, Iphigénie, Esther, Athalie.*

▸ *Les Chinois appartiennent au groupe racial mongoloïde, les Noirs africains (en bas, à gauche) au type négroïde. En bas, à droite, une représentante européenne de la race blanche.*

**RADAR** Forme anglaise abrégée de *Radio Detection And Ranging* (détection et télémétrie par radio), le radar est un dispositif permettant de déterminer la position d'un objet éloigné par émission de signaux RADIO et détection des ondes réfléchies par la surface de l'obstacle. Les signaux réfléchis s'inscrivent sous forme d'images sur l'écran d'un TUBE CATHODIQUE. La navigation maritime et aérienne utilise le radar pour surveiller l'environnement dans de mauvaises conditions

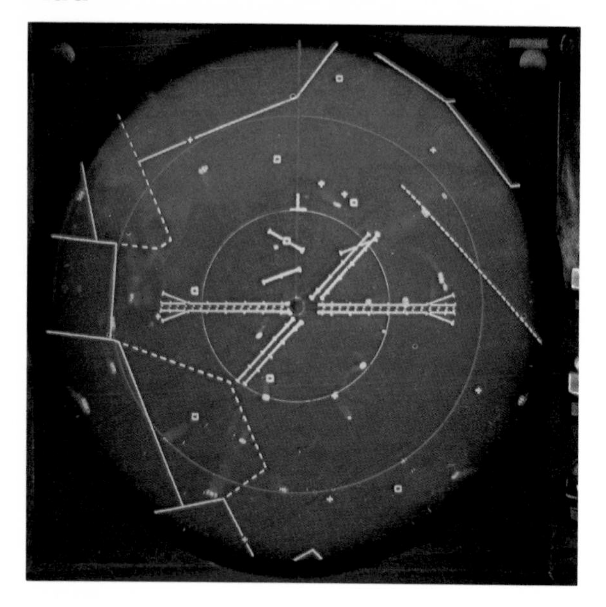

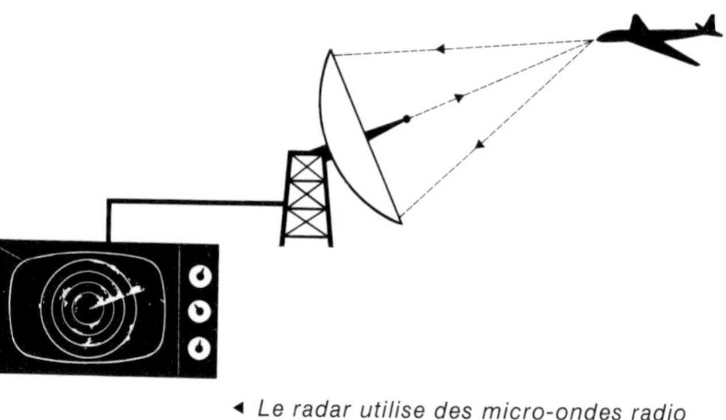

◂ *Le radar utilise des micro-ondes radio pour « observer » les objets éloignés. Lorsqu'un faisceau d'ondes radioélectriques heurte un obstacle, les ondes sont réfléchies en direction de l'antenne émettrice, captées par cette même antenne et apparaissent sur l'écran fluorescent d'un oscilloscope cathodique sous forme de déviations d'un spot lumineux (à gauche). Sur les aéroports modernes, le trafic est contrôlé par radar.*

de visibilité ; il sert aux contrôleurs aériens à guider le décollage et l'atterrissage des appareils sur les aéroports. Certains avions sont équipés d'altimètres à radar pour mesurer l'altitude de l'appareil par rapport au sol. Le radar a également une utilisation militaire dans les systèmes de détection des missiles et avions ennemis. ▷

**RADIATION** Toute forme d'émission de rayons ou de particules. (Voir PARTICULES ALPHA ; PARTICULES BÊTA ; ONDES ÉLECTROMAGNÉTIQUES ; RAYONS GAMMA ; SON)

**RADIO OU RADIOPHONIE** Ensemble des techniques utilisant un certain type d'ONDES ÉLECTROMAGNÉTIQUES (ondes hertziennes) pour transmettre de l'information (parole, musique, MORSE...). Les systèmes de RADAR emploient également les ondes radio pour détecter des objets éloignés, et la TÉLÉVISION pour transmettre des signaux image et son.

En 1887, le scientifique Heinrich Hertz est le premier à démontrer que l'on peut produire des ondes radio. Son dispositif se compose de deux sphères métalliques, très proches l'une de l'autre et, à l'autre extrémité du laboratoire, d'une bande métallique. Lorsqu'il fait jaillir une étincelle entre les deux sphères, une autre étincelle apparaît entre les extrémités ouvertes de la bande : il a créé une onde radio qui s'est propagée des sphères à la bande.

Au nombre de ceux qui ont connaissance de l'expérience de Hertz figure un jeune étudiant italien : Guglielmo MARCONI. A partir des travaux de Hertz et d'autres, il construit un émetteur et un récepteur radio simples. En 1894, le rayon d'action de son dispositif n'est que de 4 m ; il est de 3 km deux ans plus tard, et en 1901 Marconi réalise la première liaison radio Angleterre-Canada.

A l'époque, la télégraphie sans fil (radiotélégraphie) — utilisation de la radio pour transmettre des signaux en morse — commence à rivaliser avec le télégraphe électrique et, bientôt, la téléphonie sans fil (radiotéléphonie) complète les utilisations du TÉLÉPHONE. La mise au point de ces techniques est rendue possible grâce à l'invention, par l'Américain Lee De Forest, du *tube triode* (1906) qui permet d'associer des signaux sons à des ondes radio. A l'époque, la gamme des récepteurs radio va du simple dispositif à cristal équipé d'écouteurs aux récepteurs plus élaborés et comportant de nombreuses lampes.

Rapidement, la radio va élargir son champ

RADAR L'opérateur radar évalue la distance à l'obstacle réfléchissant — un avion, par exemple — en mesurant le temps qui sépare l'émission du signal radio de la réception de l'écho radio ; il peut également déterminer la direction et l'altitude de l'appareil, et donc sa position. Le radar détecte dans l'atmosphère la présence de masses de particules de glace ou de gouttes de pluie, voire un front séparant deux masses d'air, et peut être utilisé pour établir des prévisions météorologiques.

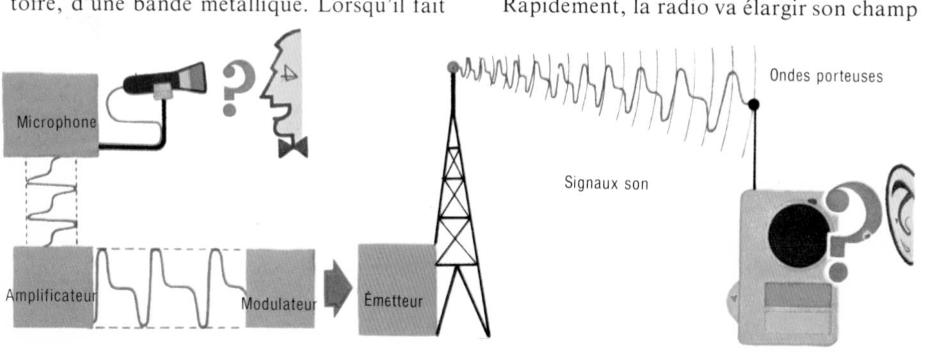


◂ *La transmission du son par radio. Dans le microphone, le son de la voix est transformé en signaux électriques (signaux son). Ceux-ci sont amplifiés, puis associés à des ondes radio (ondes porteuses) par un modulateur et diffusés par un émetteur. Le récepteur radio sépare les signaux son des ondes radio et le haut-parleur retransforme les signaux en son.*

RADIOACTIVITÉ Les particules alpha émises par les substances radioactives ne constituent pas un grand risque pour la vie humaine car elles sont arrêtées par l'épiderme. Les particules bêta, en revanche, peuvent pénétrer à l'intérieur de la peau. Le rayonnement gamma est constitué par des ondes électromagnétiques qui sont des rayons X extrêmement durs et pénètrent aisément la matière ; elles traversent le corps humain dont elles peuvent endommager les atomes.

d'action et se révéler un moyen de communication avec le public. Les années 1920 voient naître les premières stations et émissions de radio qui ne cessent de se développer. Les années 1940 sont celles de l'invention des TRANSISTORS qui, en réduisant les dimensions et le coût de l'équipement radio et en augmentant sa fiabilité, vont en faire un matériel accessible à tous.

La radio débuta en France en 1921, depuis l'émetteur de la tour Eiffel à Paris. Les premières émissions régulières de télévision furent diffusées en 1937, et la couleur en 1966.

**RADIOACTIVITÉ** Les noyaux de certains ISOTOPES (voir ATOME) sont instables et susceptibles de se désintégrer pour former des noyaux différents. Ce processus de formation d'un nouvel élément s'accompagne d'une émission de PARTICULES ALPHA, BÊTA et gamma. Les substances susceptibles de telles transformations sont dites radioactives. La radioactivité décroît avec le temps. On évalue, pour chaque substance radioactive, sa *période,* qui est le temps nécessaire pour que sa radioactivité diminue de moitié. Cette période peut être de moins d'une demi-seconde dans certains cas, contre 1 620 ans pour le RADIUM, par exemple. Les substances subissent cette décroissance de leur radioactivité jusqu'à former un élément stable. Ainsi le thorium finit par se transformer en plomb. Les rayonnements émis par les substances radioactives peuvent provoquer chez l'homme des effets biologiques ou génétiques, mais à faibles doses elles sont utilisées dans certaines formes de traitements thérapeutiques. ◁

**RADIOASTRONOMIE** Branche de l'astronomie qui s'attache à l'étude du rayonnement radioélectrique des corps célestes. Un radiotélescope (voir TÉLESCOPE) se compose essentiellement d'un miroir parabolique, au foyer duquel est placée une antenne, ou dipôle, réunie à un récepteur enregistreur. Si les télescopes optiques suffisent pour étudier certains astres, d'autres, dont les PULSARS dans leur grande majorité, ne peuvent être détectés qu'à l'aide d'un radiotélescope.

▼ *Les substances radioactives ne sont manipulées qu'à l'aide de bras télécommandés, l'opérateur étant protégé par un écran qui absorbe les radiations.*

**RADIODIFFUSION** Émission, par ondes hertziennes, de programmes musicaux, littéraires, artistiques, d'information, etc. Les deux médias utilisant la radiodiffusion sont la TÉLÉVISION et la RADIO. En France, la création de la première société privée de radiodiffusion en grandes ondes remonte à 1922. Aujourd'hui, la Râdiodiffusion Télévision française est devenue un service public national, organisé depuis 1974 comme suit : l'établissement public de diffusion, Télédiffusion de France (T.D.F.), assure sur le plan commercial la diffusion des programmes de radio et de télévision ; les sociétés nationales de programme conçoivent et programment les émissions de radio et de télévision ; la Société française de production (S.F.P.) réalise des productions en films et vidéos pour les sociétés de programme.

**RADIS** Petite plante potagère à racine tuberculeuse, arrondie ou oblongue, généralement rose et blanc, que l'on consomme crue. Les feuilles sont parfois consommées cuites.

**RADIUM** Métal rare, radioactif (voir RADIOACTIVITÉ), isolé pour la première fois par Marie CURIE en 1910. Le radium constitue l'un des stades de la désintégration radioactive de l'URANIUM ; il est présent dans la pechblende et autres minerais d'uranium. Le rayonnement du radium est utilisé dans le traitement du CANCER. ▷

**RAGE** Maladie due à un VIRUS, souvent fatale, et qui s'attaque au SYSTÈME NERVEUX central. La rage est transmise à l'homme par morsure de certains animaux, dont le chien —le virus étant présent dans la salive.

**RAISIN** Fruit charnu de la VIGNE, vert pâle (raisin blanc) ou violacé (raisin noir), qui pousse en grappes. Selon les variétés, le raisin est cultivé pour la consommation (raisin de table) ou pour la fabrication du vin. Certaines variétés des îles Ioniennes sont séchées (raisins de Corinthe) et servent à aromatiser les pâtisseries. Le raisin est un fruit des climats tempérés chauds, tels le bassin méditerranéen, la Californie, l'Afrique du Sud et l'Australie.

**RAMSÈS** Nom porté par onze pharaons d'Égypte. Le plus connu est Ramsès II (XIIIe siècle av. J.-C.), qui élargit son royaume grâce à des conquêtes et fit construire le temple d'Abou-Simbel dans la vallée du Nil.

**RAT** MAMMIFÈRE rongeur présent en grand nombre dans toutes les parties du globe. Se nourrissant des déchets rejetés par les humains, le rat prolifère partout où se trouve l'homme. Il peut véhiculer des maladies, dont la PESTE bubonique qui ravagea l'Europe au XIVe siècle.

**RATE** Principal organe de filtrage du sang, la rate est située dans la partie gauche de la cavité abdominale, immédiatement sous le diaphragme. Elle a à peu près la taille d'un poing humain. (Voir croquis de la DIGESTION)

**RATON LAVEUR** MAMMIFÈRE commun d'Amérique, long de 90 cm environ, à fourrure gris fauve. Arboricoles, les ratons laveurs vivent dans les forêts, souvent à proximité des cours d'eau. Ils chassent la nuit, se nourrissant d'animaux terrestres, de poissons et de végétaux. Il leur arrive de s'aventurer dans les villes pour fouiller poubelles et décharges. ▷

**RAYONNE** Nom donné à diverses fibres TEXTILES manufacturées et contenant de la CELLULOSE — substance présente dans la membrane cellulaire des végétaux. On distingue deux types de rayonne, obtenus respectivement à partir de fibres de cellulose proprement dite (viscose) ou d'acétate de cellulose.

**RAYONS COSMIQUES** Voir ONDES ÉLECTROMAGNÉTIQUES.

**RAYONS DELTA** Électrons émis par les ATOMES lorsqu'ils sont heurtés par des rayons cosmiques. (Voir ONDES ÉLECTROMAGNÉTIQUES)

**RAYONS GAMMA** Radiations électromagnétiques à haute fréquence, analogues aux RAYONS X mais plus pénétrantes. Les rayons gamma peuvent traverser une épaisseur de fer de 30 cm ; ils sont utilisées dans la thérapie du CANCER.

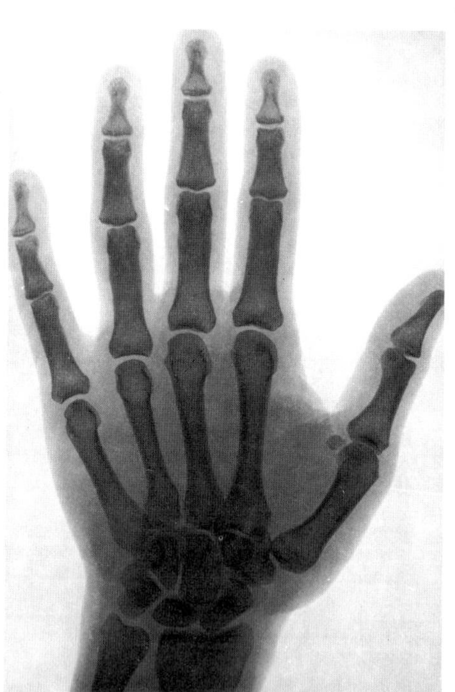

RADIUM Cet élément métallique est extrêmement rare. On ne le trouve que dans les minerais d'uranium. Les gisements les plus riches ne fournissent qu'un gramme de radium pour quatre tonnes de minerai. La production annuelle mondiale de radium est évaluée à 60 g seulement.

RATON LAVEUR Le raton est un bon nageur. Il avait autrefois la réputation de laver sa nourriture avant de la consommer. De fait, cette fausse réputation est due au mouvement instinctif des pattes antérieures que l'animal exécute en pénétrant dans l'eau, avec ou sans nourriture.

RAZ DE MARÉE Bien que les raz de marée soient capables de traverser les océans à très grande vitesse, la hauteur des vagues en haute mer n'est pas très importante. La distance séparant deux crêtes de vagues consécutives peut atteindre 150 km, de sorte qu'un bateau peut traverser un raz de marée sans détecter sa présence.

## LES RÉACTEURS

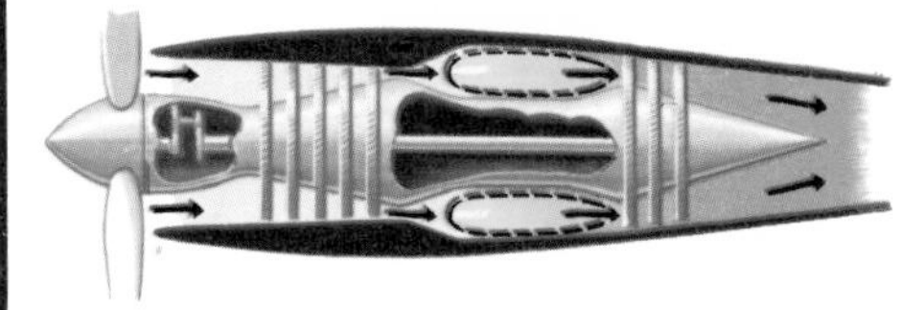

▲ *Le turbopropulseur est un turboréacteur dans lequel la turbine entraîne, outre le compresseur, une hélice propulsive. Dans ce cas, la réaction directe par gaz rejetés n'apporte qu'un appoint de propulsion à la poussée fournie par l'hélice.*

▲ *Dans un turboréacteur, l'air est aspiré par l'avant, comprimé, puis injecté dans la chambre de combustion pour y brûler le combustible. L'éjection par l'arrière des gaz brûlés propulse le moteur vers l'avant.*

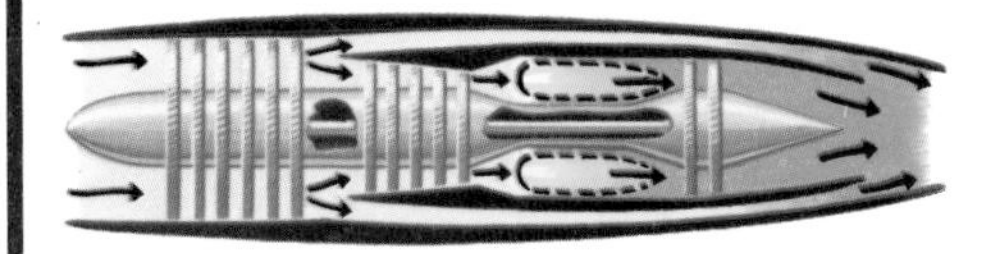

▲ *Le turboréacteur double flux est plus silencieux et d'un meilleur rendement que les autres réacteurs. Il est équipé d'une soufflante (ventilateur) qui augmente la proportion d'air dans la chambre de combustion.*

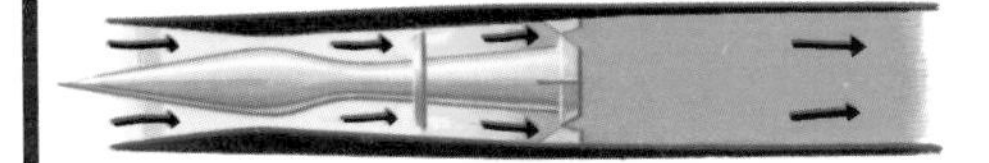

▲ *Le statoréacteur, le plus simple des réacteurs, ne comporte pas de compresseur et ne fonctionne bien qu'à très grande vitesse.*

**RAYONS X** Radiations électromagnétiques découvertes en 1895 par Wilhelm Röntgen. Röntgen produisit fortuitement des rayons X en faisant passer un courant électrique dans un gaz à très faible pression ; il découvrit que ces ondes étaient absorbées à des degrés divers par les tissus humains, propriété qui, sur une plaque photographique, se traduisait par une image des os. Cette propriété est aujourd'hui utilisée en radiologie.

◂ *Main humaine vue aux rayons X. Les rayons X sont des radiations électromagnétiques de très petite longueur d'onde, produites lorsque la matière est bombardée par un faisceau d'électrons fortement énergétisés. Du fait qu'ils ne sont pas absorbés de la même façon par les os et la peau, ils impressionnent différemment une plaque photographique après avoir traversé l'un ou l'autre de ces tissus, ce qui permet de détecter les fractures osseuses.*

**RAZ DE MARÉE** Énorme vague provoquée par un SÉISME ou une éruption volcanique sous-marine. La vitesse de la vague peut atteindre 800 km/h. Les raz de marée n'ont rien à voir avec les marées. Dans le Pacifique occidental, ils prennent le nom de *tsunamis.* ◁

**RÉACTION (PROPULSION PAR)** Les AVIONS à réaction sont dépourvus d'hélice ; ils sont propulsés par des réacteurs qui fonctionnent par réaction directe à l'éjection d'un gaz, de même qu'un ballon de baudruche gonflé que l'on lâche projette par son embouchure un jet d'air et, par réaction, est propulsé dans le sens opposé à celui du jet. Dans les réacteurs, le jet de gaz est produit par la combustion dans l'air de carburants comme le kérosène. Le plus simple des réacteurs est le statoréacteur, qui ne comporte aucun organe mobile. La plupart des avions à réaction modernes sont équipés de turboréacteurs ou de turboréacteurs double flux (turbosoufflantes) dans lesquels un compresseur permet d'augmenter la quantité d'air admise dans la chambre de combustion ; d'où un rendement supérieur. (Voir TURBINE A GAZ)

**RÉACTION EN CHAINE** Réaction chimique ou nucléaire qui, en se déclenchant, produit les corps ou l'énergie nécessaires à sa propagation. Dans le processus de fission nucléaire, les noyaux d'ATOMES bombardés par des neutrons éclatent en deux ou plusieurs fragments, libérant de l'ÉNERGIE ATOMIQUE et des neutrons qui, à leur tour, font éclater d'autres noyaux d'atomes, et ainsi de suite. (Voir BOMBE ATOMIQUE)

**RÉACTION CHIMIQUE** Phénomène qui se produit lorsque des corps chimiques mis en contact donnent naissance à une ou plusieurs substances chimiques nouvelles. Dans le processus de *décomposition,* par exemple, le corps se fractionne pour former deux (ou plus) substances plus simples. Dans d'autres types de réactions, des ÉLÉMENTS se combinent pour donner naissance à des substances plus complexes appelées composés chimiques. Deux composés peuvent parfois réagir entre eux pour former de nouveaux composés. Des réactions de ce type sont appelées *doubles décompositions.* Une réaction est dite *réversible* lorsqu'un changement dans les conditions physiques peut reconvertir les produits de la réaction en leurs constituants originels.

**RECENSEMENT** Dénombrement de la population d'un pays, effectué régulièrement par l'administration. C'est dans la Rome antique et pour des motifs de levée d'impôts que fut organisé le premier recensement.

**RÉFÉRENDUM** Vote des électeurs, non pas pour élire des représentants, mais pour donner leur avis sur un projet de loi important ou l'adoption d'une Constitution.

*▸ Les réfrigérateurs transfèrent en permanence la chaleur de l'intérieur à l'extérieur du compartiment, et ce par le passage d'un liquide* volatil *- qui s'évapore facilement - d'un évaporateur situé à l'intérieur du compartiment à un condenseur installé à l'extérieur. Le liquide absorbe de la chaleur par évaporation et en rejette par condensation. Les réfrigérateurs électriques (en haut) comportent un moteur qui aspire la vapeur de l'évaporateur dans le condenseur. Dans un réfrigérateur à gaz (en bas), l'ammoniac liquide se combine à l'hydrogène pour former de la vapeur qui est dissoute dans de l'eau, puis passe par un réchauffeur où la solution entre en ébullition, libérant de la vapeur d'ammoniac - séparée de l'eau dans le séparateur - qui passe dans le condenseur, tandis que l'eau s'écoule dans l'absorbeur.*

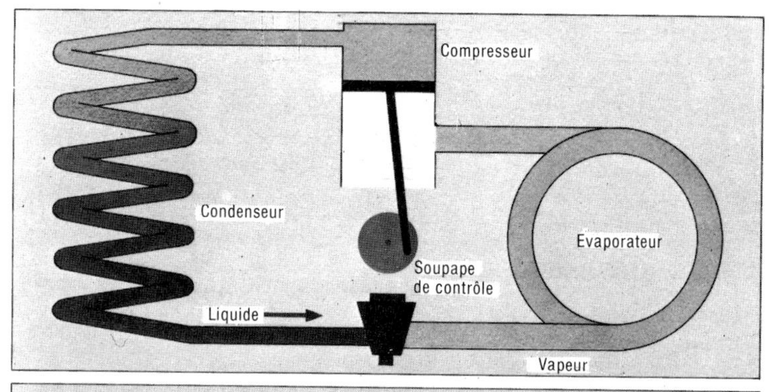


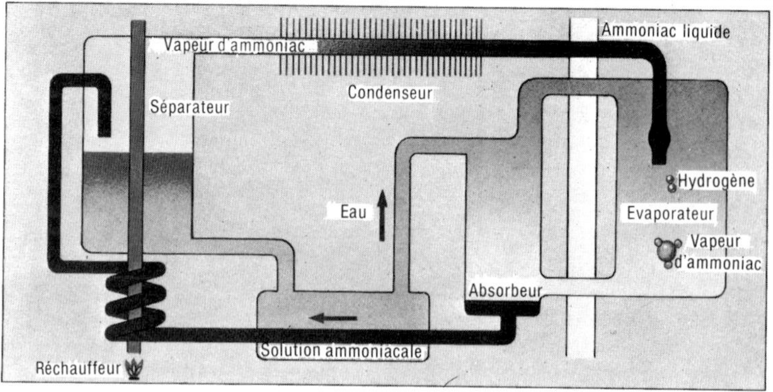


**RÉFORME** Grand mouvement religieux qui, au XVIe siècle, a soulevé une partie de l'Europe contre l'autorité de l'ÉGLISE CATHOLIQUE et donné naissance aux Églises protestantes. A l'époque, il s'agissait pour les protestants, déçus par les pratiques et les fastes de l'Église romaine, de revenir à une forme plus pure et plus dépouillée de christianisme. Rapidement, cette lutte contre l'autorité du PAPE prit, dans plusieurs nations, une direction plus politique de révolte contre les souverains en place, ce qui donna lieu à une répression sanglante contre les protestants. (Voir LUTHER)

**RÉFRACTION** Déviation subie par la LUMIÈRE lorsqu'elle passe d'un milieu à un autre. La lumière est réfractée, par exemple, lorsqu'elle passe de l'air dans l'eau, ou vice versa. Un rayon lumineux passant dans un milieu optiquement plus dense (plus réfringent) est dévié vers la normale — ligne perpendiculaire à la surface de séparation entre les deux milieux. LENTILLES et PRISMES font dévier la lumière par réfraction.

**RÉFRIGÉRATEUR** Appareil permettant de conserver au froid aliments et autres substances. Un réfrigérateur agit comme une pompe à chaleur ; il maintient l'intérieur du compartiment à basse température et rejette la chaleur à l'extérieur. Cette fonction est assumée par un liquide à basse température d'ébullition : le réfrigérant. Le liquide circule dans des tubes, passe dans un évaporateur où il absorbe de la chaleur et s'évapore. La vapeur est ensuite comprimée et passe dans un condenseur situé au dos de l'appareil ; là, il retourne à l'état liquide et libère la chaleur absorbée à l'intérieur de l'appareil. Le processus se répète, ce qui abaisse progressivement la température à l'intérieur du compartiment. Ce principe trouve son application dans les réfrigérateurs domestiques, ainsi que dans les chambres froides, camions et wagons frigorifiques. ▷

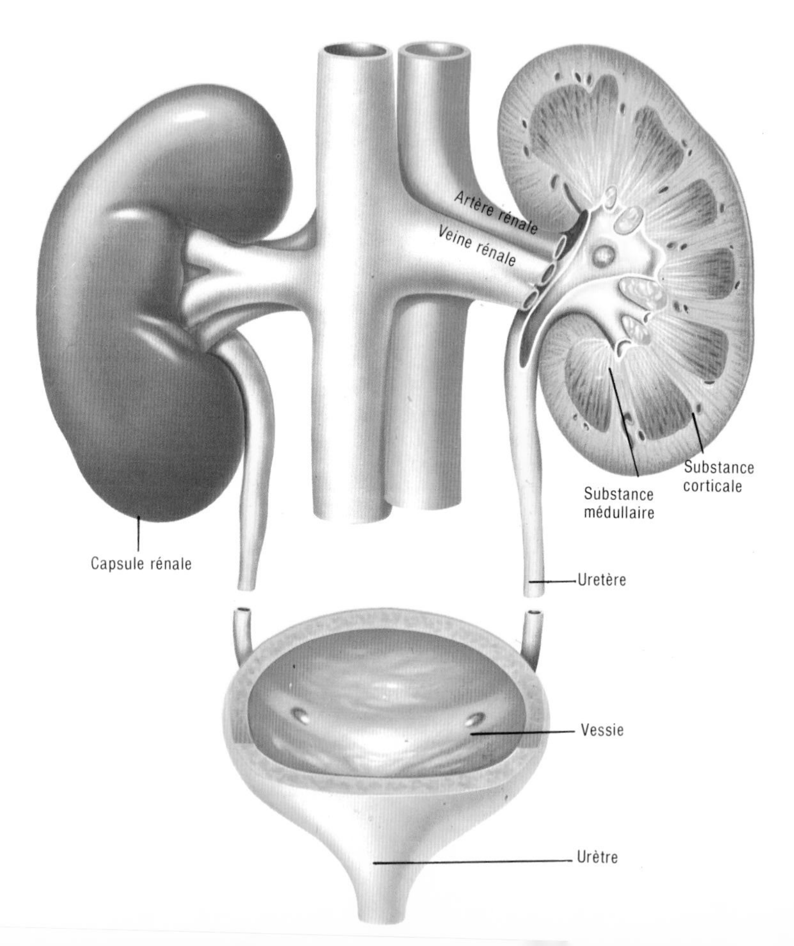

RÉFRIGÉRATEUR Si l'on ignore à quelle époque l'homme a découvert qu'un liquide contenu dans un récipient poreux installé dans un courant d'air se conservait frais, ce phénomène a une explication physique simple. Le liquide suinte à travers les pores du matériau, s'évapore, et le courant d'air absorbe la vapeur chaude, de sorte que la chaleur du contenu est éliminée en permanence.

◂ *Par sécrétion de l'urine, les reins éliminent les déchets organiques et l'excédent d'eau. L'urine s'écoule dans la vessie, par l'intermédiaire de l'uretère, et de là dans l'urètre. Sur le croquis ci-contre, le rein gauche est représenté en coupe, de manière à mettre en évidence les tubes qui composent cet organe.*

RELIGION Parmi les grandes religions modernes — christianisme, islam, judaïsme, hindouisme et bouddhisme —, la plus « jeune », l'islam, remonte cependant à 1 300 ans.

**RÉGIME ALIMENTAIRE** Expression qui désigne l'ensemble des aliments solides ou liquides nécessaires au fonctionnement de l'organisme. La ration quotidienne idéale d'un individu est fonction de son âge, de son état de santé, de sa taille, de son poids et de son type d'activité, mais tout régime alimentaire équilibré doit comporter des PROTÉINES, des GRAISSES, des HYDRATES DE CARBONE, des sels minéraux et des VITAMINES, outre une forte quantité d'eau, sous quelque forme que ce soit. Le corps humain est en effet constitué à 70 % d'eau.

**REIN** Organe complexe de purification du SANG. Les VERTÉBRÉS possèdent deux reins, constitués chacun de milliers de petits tubes qui filtrent le sang. Les substances utiles sont réinjectées dans le flux sanguin et les déchets — y compris l'excédent d'eau — éliminés par les reins sous forme d'*urine*. Par un gros conduit, l'*uretère,* l'urine rejoint la *vessie,* avant d'être rejetée à l'extérieur du corps. Les reins d'un être humain filtrent quelque 190 l de sang par jour. Outre qu'ils produisent l'urine, les reins sécrètent une hormone qui contrôle la production dans le sang des globules rouges et assurent la stabilité de la pression sanguine.

**RELATIVITÉ** En 1905, Albert EINSTEIN publiait sa *Théorie de la relativité restreinte,* qui semblait montrer que les lois physiques élaborées par Isaac NEWTON ne s'appliquaient pas à des corps se déplaçant à une vitesse voisine de celle de la lumière. En effet, selon Einstein, la longueur, la masse et le temps varient en fonction de la VITESSE d'un corps ; de fait, à la vitesse de la lumière, considérée comme vitesse limite, un corps n'aurait aucune longueur et une masse infinie ; pour ce corps, le temps serait immobile. Depuis, les savants atomistes ont pu vérifier l'existence de ces effets de la relativité dans les accélérateurs de particules. En 1916, Einstein publia sa *Théorie de la relativité généralisée,* qui a trait à l'accélération des corps dans les champs gravitationnels et conduit à l'idée d'un espace incurvé, expliquant que la lumière des étoiles est affectée par les champs gravitationnels. (Voir ÉNERGIE ATOMIQUE)

**RELIGION** Terme désignant l'ensemble des croyances et des pratiques ayant pour objet les rapports de l'homme avec Dieu.

Il existe différents types de religions. Dans les religions primitives, dites animistes, l'homme adorait les forces de la nature : l'eau, les rochers, les arbres, les animaux, etc. Plus ◁

**JUDAISME**

Environ 15 millions de croyants, dont 6 millions aux Etats-Unis.

◂ *Le chandelier à sept branches (menorah), symbole de la foi judaïque.*

◂ *Une croix, symbole de la foi chrétienne.*

**CHRISTIANISME**

Environ un milliard de croyants dont un bon nombre de non-pratiquants. Près de 600 millions de chrétiens sont catholiques. Le nombre de protestants anglicans et épiscopaliens dépasse 300 millions. L'Eglise orthodoxe revendique 80 millions de fidèles.

◂ *Pope de l'Eglise orthodoxe.*

**ISLAM**

Près de 600 millions de croyants. Deux branches principales : le sunnisme, qui s'appuie sur le *Coran* et les traditions héritées de Mahomet, et le chi'isme, qui ne reconnaît que le *Coran.*

◂ *Le croissant, symbole de la religion musulmane.*

**BOUDDHISME**

255 millions, principalement en Chine et dans d'autres parties de l'Asie.

◂ *Statue du Bouddha.*

**HINDOUISME**

500 millions de croyants, principalement en Inde.

◂ *Sculpture hindoue.*

**ASIE ORIENTALE**

Le shintoïsme est une ancienne religion du Japon. Le taoïsme fut fondé en Chine vers 500 av. J.-C.

◂ *Pagode japonaise.*

▲ Les Ambassadeurs, *par le peintre Hans Holbein le Jeune (1533). L'artiste a fait de ce double portrait un condensé des idées de la Renaissance. Entre les ambassadeurs, qui représentent la puissance de l'Église et de l'État (un courtisan et un évêque), on aperçoit une collection d'objets du monde des arts et des sciences : l'homme de la Renaissance n'est pas un spécialiste ; il s'intéresse à des sujets divers. La sérénité de la scène est rompue par le crâne extrêmement déformé disposé au premier plan et qui évoque l'inéluctabilité de la mort.*

tard, les hommes entreprirent de bâtir des temples et des autels à leurs dieux, élisant des objets comme symboles de la puissance de ces dieux ; des sages, ou prêtres, célébraient le culte et veillaient à l'observation des règles de leur religion. Les principales religions actuelles sont le CHRISTIANISME, l'ISLAM, le JUDAISME, le BOUDDHISME, l'HINDOUISME et le confucianisme (voir CONFUCIUS) ; dans ces religions, les rapports avec la divinité empruntent les voies élaborées de temples, églises, prêtres, lieux et textes sacrés.

**RELIGION (GUERRES DE)** Nom des huit conflits civils d'origine religieuse qui ensanglantèrent la France de 1562 à 1598. C'est au cours de la quatrième qu'eut lieu le massacre de la Saint-Barthélemy.

**REMBRANDT, HARMENSZOON VAN RIJN, DIT** L'un des plus fameux peintres hollandais (1606-1669). Sa production colossale comprend environ 700 toiles, plusieurs milliers de dessins et de nombreuses eaux-fortes. A Amsterdam, il fut le portraitiste favori de son temps et, bien qu'atteint de cécité à la fin de sa vie, il continua à peindre jusqu'à sa mort. ▷

REMBRANDT Rembrandt a peint plus de 700 toiles, dont 60 autoportraits. Quelques-unes des œuvres les plus célèbres de Rembrandt : *la Ronde de nuit* (Amsterdam), *la Leçon d'anatomie du professeur Tulp* (La Haye), *Autoportrait à quarante-six ans* (Vienne), *le Fils prodigue* (Leningrad), *les Syndics des drapiers* (Amsterdam), *Saint Paul en prison* (Stuttgart), *Bethsabée* (Paris), *les Pèlerins d'Emmaüs* (Paris), *la Visitation* (Detroit), *Aristote contemplant le buste d'Homère* (New York).

**RENAISSANCE** Grand mouvement de

◄ *Le dôme de Santa Maria del Fiore (Florence), dessiné par Brunelleschi, est une magnifique réalisation architecturale de la Renaissance. Brunelleschi (1377-1446) fut l'un des pionniers de l'architecture Renaissance et le premier à construire un dôme couvrant une aussi vaste portée. Le sculpteur Donatello et le peintre Masaccio ont travaillé avec Brunelleschi à cette cathédrale.*

▲ *Le fennec du Sahara possède de très grandes oreilles qui, outre leur rôle dans l'audition, font fonction de radiateurs : c'est par elles que l'animal élimine la chaleur, et sa température reste relativement fraîche.*

rénovation des ARTS, de la LITTÉRATURE, de l'ARCHITECTURE et de la science qui souleva l'Europe du XIV$^{e}$ au XVI$^{e}$ siècle. Cette période fut également celle des explorations, du développement du commerce et de la navigation (découverte de l'Amérique par Christophe Colomb).

Née en Italie, la Renaissance se répandit rapidement à travers l'Europe. Ce mouvement, très influencé par l'Antiquité grecque et romaine, cherchait dans le passé la réponse aux questions que soulevaient découvertes et idées neuves.

**RENARD** MAMMIFÈRE carnassier de la famille des canidés, à museau pointu et longue queue touffue, réputé pour sa ruse. Présents dans la plupart des régions du globe, les renards sont des animaux solitaires, qui passent le jour dans leur terrier et chassent la nuit des proies telles que lapins et perdrix. L'espèce la plus commune est le renard d'Europe qui peuple l'hémisphère nord.

**RENNE** Grand cervidé qui vit dans l'extrême nord de l'Europe, de l'Asie et de l'Amérique. Mâle et femelle portent tous deux des bois. Du fait de la chasse, le nombre de rennes a fortement diminué.

**RENOIR, PIERRE AUGUSTE** Peintre français (1841-1919) de l'école impressionniste. Fils d'un petit tailleur, Renoir commença par être décorateur sur porcelaine pour payer les cours de son école de beaux-arts. Ses œuvres sont appréciées pour la gaieté et la vitalité sensuelle qui en émanent. (Voir IMPRESSIONNISME)

**REPRODUCTION** Capacité que possèdent les êtres vivants — animaux ou végétaux — de perpétuer l'espèce. Les humains donnent naissance à des bébés, les poules pondent des ŒUFS, les fleurs produisent des GRAINES et du POLLEN. Chez les animaux évolués, la forme de reproduction la plus courante s'opère par la rencontre d'une cellule mâle (spermatozoïde) et d'une cellule femelle (ovule). (Voir CELLULE GERMINALE ; SEXE)

**REPRODUCTION DU SON** Dans les récepteurs radio, les électrophones et les

◄ *Ce studio d'enregistrement moderne est équipé d'un matériel sophistiqué qui permet de modifier les sons des instruments ou de mélanger plusieurs sons (mixage).*

▲ *Lors d'une séance d'enregistrement, la musique est enregistrée sur bande; le mixage, le réglage de la tonalité et du volume sont effectués à partir d'une console électronique.*

magnétophones, le son est reproduit par l'intermédiaire de haut-parleurs. Ceux-ci convertissent en vibrations physiques des signaux électriques correspondant à des ondes sonores. Ces vibrations sont des reproductions plus ou moins fidèles de celles qui ont été produites à l'origine par une voix ou des instruments de musique. Les appareils « haute fidélité » sont capables, comme leur nom l'indique, de reproduire très fidèlement les sons originaux.

**REPTILES** Groupe d'animaux à sang froid qui se reproduisent sur la terre ferme en pondant des œufs ou, parfois, en donnant naissance à des petits vivants. Les principaux reptiles sont les ALLIGATORS et les CROCODILES, les TORTUES, les SERPENTS et les LÉZARDS. Il y a des millions d'années, les reptiles, représentés par les DINOSAURES, constituaient la forme de vie animale la plus importante. Aujourd'hui, ils ont été supplantés par les oiseaux et les mammifères. ▷

**RÉPUBLIQUE (Ire)** Régime politique sous lequel vécut la France de septembre 1792 à mai 1804, de l'abolition de la royauté de Louis XVI à l'instauration de l'Empire de Napoléon Ier.

**RÉPUBLIQUE (IIe) (1848-1852)** Période qui débute avec l'abdication du roi Louis-Philippe Ier des Français et se termine par la proclamation officielle du Second Empire.

**RÉPUBLIQUE (IIIe)** Régime politique de la France de la fin 1870 à 1940. Sa proclamation est une conséquence de la défaite de la France du Second Empire devant la Prusse. La IIIe République ne survécut pas, à son tour, à l'envahissement de la France par l'Allemagne, en juin 1940, au cours de la Seconde Guerre mondiale.

**RÉPUBLIQUE (IVe)** Régime politique de la France de la Libération (1944) à 1958. La guerre d'Algérie fut une des causes de la chute du régime.

**RÉPUBLIQUE (Ve)** Régime politique de la France depuis 1958, caractérisé par une Constitution de type présidentiel (approuvée en 1958 par référendum). Le premier président de la Ve République sera le général de Gaulle, qui a inspiré sa Constitution.

**RÉPUBLIQUE MALGACHE** (Voir MADAGASCAR)

**REQUIN** Poisson cartilagineux dont la taille varie de 1,50 m pour la roussette

▼ *Il arrive aux requins de transporter involontairement des passagers. Les rémoras ont la tête pourvue d'une ventouse grâce à laquelle ils se fixent sur le corps des requins; ils se laissent ainsi véhiculer et se nourrissent des restes laissés par leur hôte.*

REPTILES Le globe compte quelque 6 000 espèces de reptiles, réparties en quatre ordres : les *chéloniens* (tortues), les *squamates* (lézards et serpents), les *crocodiliens* (crocodiles et alligators) et les *rynchocéphales* (hattéria).

REQUIN Les requins avalent à peu près n'importe quoi. L'estomac d'un grand requin blanc capturé en Australie contenait rien de moins qu'un quartier de viande de cheval, une truelle, un sac, l'avant-train d'un chien, l'arrière-train d'un porc, la moitié d'un jambon et huit pattes de mouton.

RÉSISTANCE Lorsqu'un courant électrique traverse un conducteur fortement résistant, celui-ci s'échauffe — d'autant plus que la résistance est plus élevée. Cette propriété a donné lieu à l'invention de la lampe à incandescence et des radiateurs électriques. La résistance d'un radiateur électrique est chauffée au rouge et dégage de la chaleur, celle d'une lampe, chauffée à blanc, dispense de la lumière.

RESPIRATION Une personne au repos effectue treize respirations par minute ; à chaque inspiration, environ un demi-litre d'air est aspiré dans les poumons.

(requin-chien) à 15 m pour le requin-baleine. Si certains requins se nourrissent de PLANCTON, la plupart sont CARNIVORES et quelques-uns (tel le grand requin blanc) s'attaquent à l'homme. Présents dans toutes les mers du globe, les requins sont surtout nombreux dans les eaux tropicales. ◁

**RÉSERVOIR** Grande quantité d'eau emmagasinée. Certains réservoirs sont des lacs artificiels, ou lacs de BARRAGE, d'autres sont naturels.

**RÉSINE** La résine naturelle est une substance visqueuse qui s'écoule des arbres. La résine de pin, la plus utilisée, entre dans la composition de peinture, papier, savon et ADHÉSIFS.

**RÉSISTANCE** Propriété que possède un conducteur électrique (voir CONDUCTION) de s'opposer au passage du COURANT électrique. L'argent et le cuivre — bons conducteurs — ont une résistance relativement faible. Dans le système international d'unités (SI), l'unité de mesure de résistance est l'OHM ($\Omega$). La résistance *(R)* d'un conducteur traversé par un courant d'intensité *I* est donnée par l'équation $R = V/I$ (*V* étant la différence de potentiel aux bornes du conducteur). ◁

**RESPIRATION** Processus d'oxydation des substances organiques par les cellules vivantes, et qui se traduit par l'absorption d'OXYGÈNE et le rejet de GAZ CARBONIQUE. L'oxygène est puisé dans l'air par les POUMONS et absorbé par le SANG qui le dispense à toutes les parties du corps. Le gaz carbonique est rejeté lors de l'expiration. ◁

**RESSORT** Dispositif mécanique, généralement en métal, qui emmagasine de l'énergie lorsqu'il est déformé. Les HORLOGES et les montres classiques contiennent un ressort enroulé en spirale qui, lorsqu'on le « remonte », emmagasine de l'énergie qu'il restitue pour faire fonctionner le mécanisme en se détendant progressivement. Dans certains véhicules, des ressorts séparent le corps des roues. Lorsque les roues passent sur un obstacle, l'énergie qui devrait provoquer un sérieux cahot est absorbée par les ressorts (amortisseurs).

**RESTAURATION** Première Restauration : période pendant laquelle Louis XVIII rétablit une première fois la royauté (avril 1814-mars 1815). Seconde Restauration : période pendant laquelle eurent lieu le second règne effectif de Louis XVIII et le règne de Charles X.

**RÉUNION.** D.O.M. Ile située dans l'océan Indien, où sont cultivées la vanille et la canne à sucre. Chef-lieu : Saint-Denis.

▲ *A la tête des forces parlementaires, Olivier Cromwell mena la lutte contre le roi d'Angleterre Charles Ier. Après l'exécution du roi, Cromwell institua une dictature militaire, le* Commonwealth, *dont il devint le lord-protecteur.*

**RÊVE** Série de pensées et d'images plus ou moins cohérentes qui défilent dans l'esprit durant le sommeil. Lorsque ces images sont effrayantes ou déplaisantes, les rêves prennent le nom de cauchemars. Il arrive que l'on se souvienne de ses rêves. Les scientifiques parviennent à déterminer qu'un sujet est en train de rêver au moyen d'un encéphalographe — machine qui enregistre les « ondes cérébrales » du dormeur. On a également observé que certains rêves provoquaient de rapides mouvements oculaires.

Un dormeur rêve de quatre à six fois par nuit, chaque rêve durant de 15 à 20 minutes.

**RÉVOLUTION D'ANGLETERRE (PREMIÈRE)** Nom donné au conflit qui, de 1642 à 1649, opposa le PARLEMENT anglais au roi Charles Ier, et qui s'acheva par l'exécution du roi, l'écrasement des royalistes et la prise du pouvoir par Olivier Cromwell. Pour l'Angleterre, cette guerre civile marqua la fin des monarques de « droit divin ».

**RÉVOLUTION FRANÇAISE** Violent soulèvement (1789-1799) qui, en France, mit fin à l'Ancien Régime. L'État français sous Louis XVI est au bord de la banqueroute. Le 9 juillet 1789, les états généraux réunis à Versailles se transforment en Assemblée nationale constituante. Après la prise de la Bastille (14 juillet) et la Grande Peur, une révolution paysanne conduit l'Assemblée à décréter l'abolition des privilèges féodaux (4 août). Le

26 août, l'Assemblée vote la Déclaration des droits de l'homme.

1791 est l'année de la montée de la contre-révolution. La fuite manquée du roi (Varennes, 21-25 juin) et la menace de la contre-révolution conduisent l'Assemblée législative, qui siège à partir du 1er octobre, à voter un train de mesures à l'encontre des nobles émigrés et des prêtres réfractaires — mesures qui provoquent la guerre avec l'Autriche (rejointe par la Prusse). Au moment où s'amorce la défaite française, le sursaut de la commune de Paris emporte la royauté qui est abolie le 10 août 1792. Le roi et sa famille sont emprisonnés et la Convention proclame la République (22 septembre). Louis XVI est condamné à mort et exécuté (21 janvier 1793), ce qui rassemble contre la France une coalition, conduite par l'Angleterre, et provoque dans l'Ouest une insurrection royaliste et religieuse. Devant le danger, la Convention prend un certain nombre de mesures d'urgence et constitue un Comité de salut public (6 avril 1793) qui, après l'assassinat de Marat (13 juillet), la révolte de Lyon (16 juillet) et la prise de Valenciennes par les Autrichiens (28 juillet), est amené, en particulier sous l'influence de Robespierre, à renforcer le régime de terreur (réquisition générale, emprunt forcé sur les riches, lois des suspects...).

Sur le plan militaire, les victoires se multiplient, à l'extérieur comme contre les Vendéens. Pour lutter contre la vague de déchristianisation qui ravage l'Eglise, Robespierre crée le culte de la Raison ; en 1794, il est le chef de la Révolution et se débarrasse des extrémistes de gauche, puis des modérés.

La chute et la mort de Robespierre (juillet 1794) provoquent une nouvelle vague contre-révolutionnaire et, au cours de l'hiver 1794-1795, la misère populaire donne lieu aux « émeutes de la faim ». Le débarquement des émigrés à Quiberon amène la Convention à réagir et, le 5 octobre 1795, BONAPARTE écrase les royalistes à Paris.

Le 26 octobre, la Convention fait place au Directoire, régime fragile auquel mettra fin le coup d'État des 18 et 19 Brumaire an VIII (9-10 novembre 1799), qui marque le début de la prise de pouvoir par Bonaparte, futur NAPOLÉON Ier.

**RÉVOLUTION INDUSTRIELLE** Nom donné au développement rapide de la technique et de l'usage des MACHINES-OUTILS que connut l'EUROPE (et particulièrement l'Angleterre) entre 1750 et 1850. Au nombre des grandes INVENTIONS de l'époque figurent la MACHINE A VAPEUR (voir James WATT), les machines TEXTILES, ainsi que divers procédés métallurgiques. La création du CHEMIN DE FER et des usines fut à l'origine du développement des grandes villes industrielles et, par conséquent, des institutions financières (banques) et du commerce international. Sur le plan social, la révolution industrielle a marqué la division de la population des villes en deux classes distinctes : celle des ouvriers et celle des possédants.

▲ *La révolution industrielle introduisit l'usage d'énormes machines, souvent dangereuses et causes, pour les ouvriers, de blessures fréquentes. Ci-dessus, une manufacture de textiles de l'époque.*

**RÉVOLUTION D'OCTOBRE (1917)** Ensemble des événements qui ont amené la prise du pouvoir en Russie, après l'abdication de Nicolas II, par les bolcheviks, et la fondation de l'U.R.S.S.

**RHÉSUS** Petit singe des forêts d'Asie du Sud-Est, appartenant au genre macaque, souvent utilisé pour des expériences scientifiques.

**RHÉSUS OU FACTEUR RHÉSUS** Protéine contenue dans le SANG du macaque *Macacus rhesus* et de certains humains. Les personnes possédant cette protéine sont dites avoir un rhésus (Rh) positif, tandis que celles qui en sont dépourvues ont un rhésus négatif. Lorsqu'un enfant naît d'un couple dans lequel la femme appartient au groupe rhésus négatif et l'homme au groupe rhésus positif, il convient de prendre un certain nombre de précautions pour l'accouchement.

**RHIN** Fleuve d'Europe occidentale, de 1 300 km de long, qui constitue pour la République fédérale allemande une importante voie de trafic commercial. Le Rhin prend sa source dans les Alpes SUISSES, traverse l'ALLE- ▷

RHIN Parmi les légendes qui courent au sujet du Rhin, on cite celle de cette belle sirène aux longs cheveux d'or qui, assise sur un rocher émergeant du fleuve tumultueux, attirait par son chant mélodieux les malheureux marins et les poussait au naufrage. La merveilleuse sirène de légende a donné son nom — la Lorelei — à un gros rocher qui émerge de l'eau.

▸ *Le Rhin (ci-contre) prend sa source en Suisse et se jette dans la mer du Nord. Navigable, il dessert la région industrielle de la Ruhr. Les rives escarpées de la partie méridionale du Rhin sont une région fertile où l'on cultive céréales, houblon, betterave à sucre, tabac et vigne.*

Brême
Berlin
Hanovre
Duisburg
RUHR
Düsseldorf
Cologne
Aix-la-Ch.
Bonn
Linz
RÉPUBLIQUE FÉDÉRALE D'ALLEMAGNE
Andernach
Marksburg
MOSELLE
Coblence
Braubach
Cochem
Beilstein
Schönburg
Francfort
Wiesbaden
Würzburg
MAIN
Mayence
Mannheim
Heidelberg
Nuremberg
Bingen
Worms
Stuttgart
Strasbourg
Karslsurhe
Baden-Baden
Munich
RHIN
Fribourg
FRANCE
L. de Constance
Colmar
Zürich
SUISSE
Bâle
Berne

▲ *L'Afrique compte deux espèces de rhinocéros – le noir et le blanc –, tous deux gris en réalité. Ci-dessus, deux rhinocéros blancs.*

MAGNE de l'Ouest et les PAYS-BAS avant de se jeter dans la mer du Nord. Le fleuve borde la France de l'Est et forme la frontière avec l'Allemagne.

**RHINOCÉROS** L'un des animaux terrestres les plus lourds (le mâle peut atteindre 3,5 t). Le rhinocéros, qui vit dans les plaines d'Afrique, est souvent chassé pour sa corne à laquelle certains attribuent des pouvoirs magiques.

**RHODÉSIE** Voir ZIMBABWE.

**RHONE** Fleuve qui prend sa source en Suisse et coule ensuite en France. Long de 812 km (dont 522 en France), son cours a dû être aménagé pour faciliter la navigation et de nombreux aménagements hydroélectriques ont été créés. Le Rhône se jette dans la Méditerranée.

**RHUM** Eau-de-vie obtenue par fermentation et distillation du jus de canne à sucre ou de mélasses, originaire des Antilles (vers 1650).

**RHUMATISME** Affection caractérisée par une inflammation douloureuse d'une ou plusieurs articulations et pour laquelle on ne connaît pas de thérapeutique simple. Le *rhumatisme articulaire aigu,* dû à l'action des toxines d'un streptocoque, se manifeste par de la fièvre et des douleurs dans la gorge. Autrefois fréquente chez les enfants, c'est une affection dangereuse dans la mesure où elle peut provoquer une maladie cardiaque. Le *rhumatisme infectieux* est dû à l'action sur les articulations de germes divers.

**RHUME** Infection de l'appareil respiratoire, caractérisée par des symptômes comme la toux, les maux de gorge, les écoulements nasaux, etc., probablement due à un groupe de VIRUS. Le *rhume des foins,* qui se manifeste par une irritation de la muqueuse du nez et des yeux, est d'origine allergique (POLLEN, poussière, etc.). (Voir ALLERGIE) ▷

**RICHARD Ier CŒUR DE LION** Roi d'Angleterre (1157-1199) qui succéda à son père Henri II en 1189 et fut couronné une nouvelle fois à son retour de la Troisième CROISADE en 1194. Après quoi il fit la guerre en France contre Philippe-Auguste et fit montre d'une écrasante supériorité militaire.

**RICHELIEU, ARMAND JEAN DU PLESSIS, CARDINAL DE** Homme d'État français, principal ministre de Louis XIII (1585-1642). Il fonda l'Académie française.

**RIDEAU DE FER** Terme utilisé en Europe occidentale pour désigner les barrières qui limitaient naguère (et aujourd'hui encore, dans une moindre mesure) les communications et le commerce entre les républiques socialistes d'Europe orientale et les démocraties d'Europe occidentale. L'expression fut inventée par Winston CHURCHILL en 1946, lors d'un discours célèbre.

**RIZ** GRAMINÉE dont le grain farineux constitue un aliment important pour la moitié environ des habitants du globe. Le rendement au mètre carré de cette CÉRÉALE est supérieur à celui de toutes les autres ; on la cultive dans les terrains humides (rizières) et chauds. L'ASIE fournit les neuf dixièmes environ de la production mondiale.

RHUME Contrairement à l'opinion couramment répandue, ce n'est pas parce que l'on s'expose au froid que l'on risque particulièrement de s'enrhumer. De fait, il est probable que cette affection d'origine virale s'attaque aux individus dont la résistance est amoindrie, pour quelque raison que ce soit. Cette théorie s'appuie sur le fait que, fréquemment, un individu transmet le virus sans se trouver pour autant enrhumé.

▲ *Le Japon est aujourd'hui le pays par excellence de la robotique. Ci-dessus, des machines à souder, commandées par ordinateur, opérant sur une chaîne.*

ROCHE Au fil du temps, les sédiments peuvent s'accumuler sur des milliers de mètres d'épaisseur. Dans le Grand Canyon, en Arizona, le Colorado a creusé son lit à travers les roches sédimentaires jusqu'à une profondeur de plus de 1,6 km, mettant à nu des roches formées à partir de sédiments déposés il y a plus de 600 millions d'années.

**ROBESPIERRE, MAXIMILIEN DE** Homme politique et révolutionnaire français (1758-1794) qui instaura un régime de terreur et mourut lui-même sur l'échafaud.

**ROBIN HOOD (ROBIN DES BOIS)** Héros légendaire du Moyen Age anglais — hors-la-loi audacieux et galant, volant les riches pour donner aux pauvres. De fait, Robin des Bois symbolisait la lutte des Saxons contre les envahisseurs normands.

**ROBOT** Le mot robot est une création récente, issue d'un terme tchèque qui signifie « corvée ». Les robots sont des machines susceptibles de remplacer l'homme dans certaines tâches dangereuses ou répétitives. Les techniciens scientifiques, par exemple, utilisent des robots pour manipuler des substances radioactives (voir RADIOACTIVITÉ) ou très chaudes ; il s'agit, dans ce cas-là, de bras articulés, équipés de pinces, qu'un manipulateur peut actionner à distance. Les robots industriels sont programmés pour exécuter des opérations telles que le soudage des voitures sur les chaînes de montage ; ces robots industriels sont de plusieurs types, selon leur degré de sophistication (manipulateurs, robots séquentiels, robots à apprentissage, etc.). Les films et romans de SCIENCE-FICTION nous ont accoutumés à l'image de robots à apparence humaine, capables de parler et de réfléchir, mais de tels robots relèvent, du moins aujourd'hui, du domaine de la pure fiction.

**ROCHE** Matériau constitutif de l'écorce terrestre, formé d'un mélange de MINÉRAUX. On distingue trois types de roches : les roches éruptives, sédimentaires et métamorphiques. Les *roches éruptives* se forment par solidification de la larve rejetée par un volcan. Granit, obsidienne, basalte et pierre ponce sont des roches éruptives. Les *roches sédimentaires* sont formées à partir de particules de roches éruptives, désagrégées par le vent, le ruissellement de l'eau, la pluie, etc. Ces particules se déposent, sur le fond de la mer par exemple, se compriment au fil du temps pour devenir, après quelques millions d'années, des roches sédimentaires. Aux fragments de roches s'ajoutent parfois des particules de coquilles d'animaux (comme dans la CRAIE). Généralement, l'agrégat des roches sédimentaires s'opère par tassement, mais parfois un matériau fait fonction de ciment. Les roches sédimentaires recouvrent aujourd'hui la plus grande partie de la surface terrestre. Enfin, les ◁

◀ *En Asie, les rizières en terrasses ont été découpées à flanc de montagne ; elles sont alimentées en eau par un système complexe de digues et de pompes. Des charrues tirées par des bœufs préparent les sillons dans lesquels les jeunes pousses sont plantées à la main.*

*roches métamorphiques* résultent de l'action de la pression ou de la chaleur sur des roches éruptives ou sédimentaires. Le marbre est une roche métamorphique formée à partir de calcaire.

**ROENTGEN, WILHELM CONRAD** Physicien allemand (1845-1923), prix Nobel 1901, à qui l'on doit la découverte des RAYONS X.

**ROMAN** Récit en prose d'une certaine longueur, mettant en scène des personnages et des événements. Un roman est généralement centré sur un personnage principal : le héros. Outre les romans traitant de personnages et de situations de la vie quotidienne, on distingue des catégories spécifiques : roman d'aventure, de science-fiction, roman policier, historique, etc. (Voir LITTÉRATURE)

**ROMANOV** Nom de la dynastie qui régna sur la Russie de 1613 à 1917.

**ROMANTISME** Important mouvement culturel né à la fin du XVIII$^{e}$ siècle en Europe et qui se dresse contre le classicisme. Il exalte les sentiments et l'émotion.

**ROME** Aujourd'hui capitale de l'ITALIE, Rome fut autrefois le centre d'un vaste empire. Fondée, à ce que l'on croit, en 733 av. J.-C. sur la rive orientale du Tibre, Rome est d'abord une république dirigée par des consuls élus. Au fil du temps, la ville étend sa puissance sur l'ensemble du bassin méditerranéen, la consolide encore sous Jules CÉSAR. A la mort de celui-ci (44 av. J.-C.), son fils adoptif, Octave, réorganise l'État en un empire dont il devient le premier empereur.

S'ouvre alors pour Rome la période dite du *Haut-Empire,* l'âge d'or de la ville. Les richesses du monde romain affluent et c'est l'époque des grandes constructions dont on peut aujourd'hui admirer les ruines. L'effondrement de l'Empire, en 476, marque pour la ville le signal du déclin. Mise à sac lors des invasions des Germains et des troupes byzantines, elle retrouve néanmoins sa grandeur à la fin du V$^{e}$ siècle en tant que foyer de la chrétienté. (Voir EMPIRE BYZANTIN ; guerres PUNIQUES ; VATICAN) ▷

**ROMULUS** Fondateur de Rome. Il fut nourri, ainsi que son frère jumeau Rémus, par une louve.

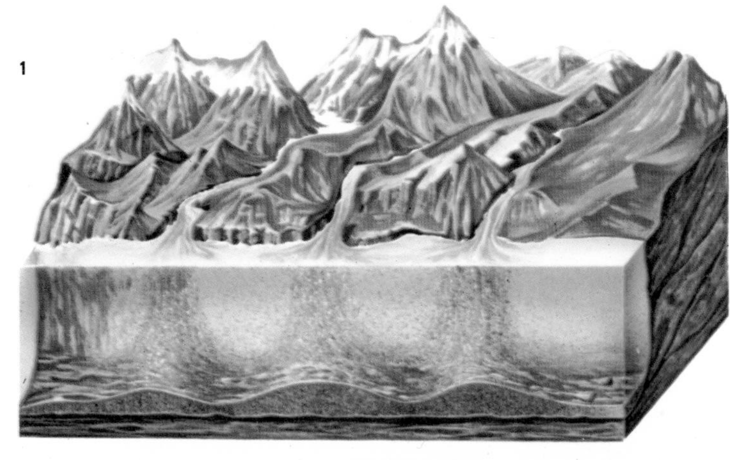


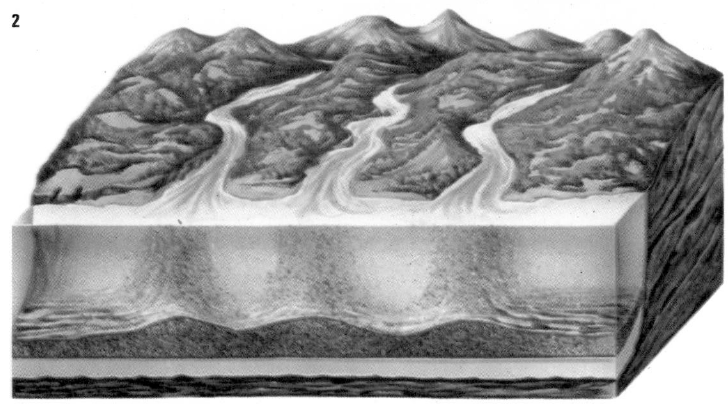

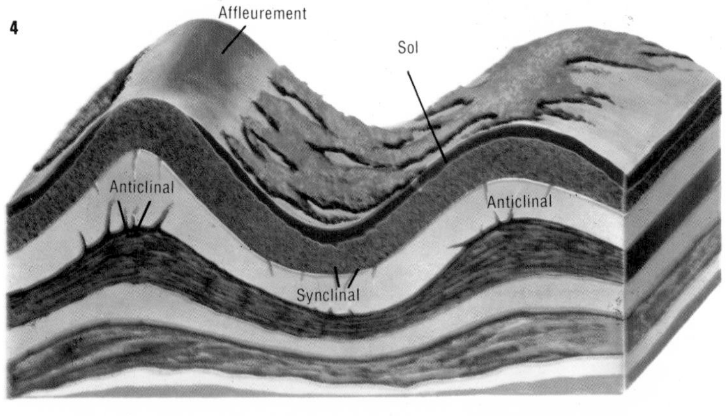


▸ *Les étapes de la formation des roches sédimentaires : 1 Les cours d'eau érodent les roches, emportant les sédiments vers la mer. 2 et 3 Le relief s'aplanit, les cours d'eau s'élargissent, l'érosion se poursuit. Les couches de sédiments s'accumulent dans la mer. 4 Des mouvements géologiques plissent l'écorce terrestre dans laquelle les sédiments se sont agrégés en roches sédimentaires.*

ROME Au IIIe siècle de notre ère (apogée de l'Empire romain), Rome comptait un million d'habitants, ce qui en faisait la plus grande ville du monde ; un millier d'années plus tard, ce nombre s'était réduit à 35 000. Aujourd'hui, avec plus de 2,9 millions d'habitants, Rome est à nouveau une ville florissante.

Saint-Pierre de Rome est la plus grande église du monde ; la basilique couvre 2,5 ha, mesure plus de 200 m sur 140 m au niveau du transept. Elle est bâtie sur l'emplacement d'une ancienne église. Les travaux de construction, entrepris en 1506, n'ont été achevés qu'en 1626. Le dôme est l'œuvre de Michel-Ange.

Rome est quasiment à la latitude de New York, mais ne connaît guère gelées ou chutes de neige. La température annuelle moyenne est de 16 °C, avec 25 °C en moyenne pour le mois le plus chaud et 7 °C pour le plus froid. A Rome, il pleut principalement en hiver.

▲ *Maisons et entrepôts de l'époque romaine à Ostie, ancienne cité portuaire située à l'embouchure du Tibre.*

**ROOSEVELT, FRANKLIN DELANO** Homme d'État américain (1882-1945). Élu à quatre reprises à la présidence des États-Unis, il eut la charge d'affronter la grande crise économique des années 1930 et, plus tard, les années difficiles de la Seconde Guerre mondiale.

**ROSEAU** Nom donné à diverses plantes vivant au bord des eaux et dans les terrains marécageux. Présents dans toutes les prairies du globe, les roseaux servent à fabriquer haies, couvertures de toit et mobilier léger.

**ROSSIGNOL** Petit oiseau brun, connu pour le chant mélodieux qu'il lance généralement au lever et au coucher du soleil. Les rossignols affectionnent les terrains boisés humides et ombreux. Ils se nourrissent d'insectes, se reproduisent en Europe, mais passent l'hiver en Afrique.

▼ *Vue en coupe d'un établissement romain de bains publics. L'eau était chauffée dans une chaudière souterraine appelée* hypocaust. *Chaque salle était à une température différente – la plus chaude étant le bain de vapeur.*

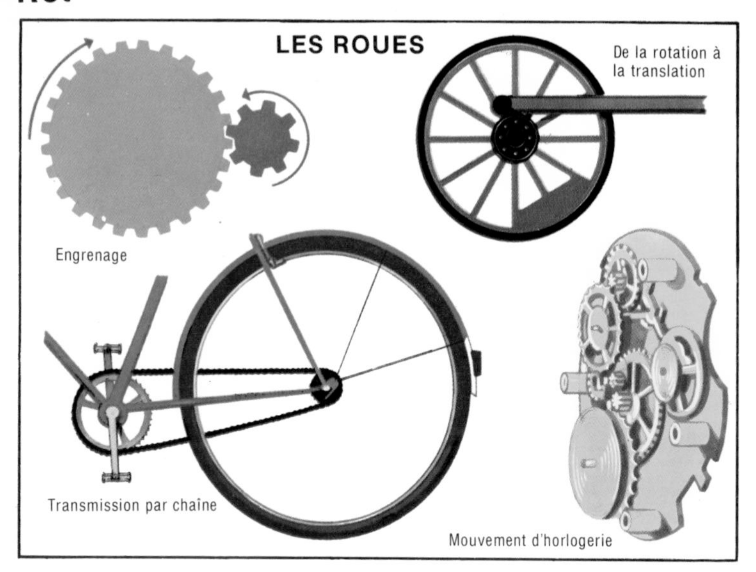


ROUE Une tablette gravée de l'époque sumérienne — datant donc d'environ 5 500 ans — montre un traîneau équipé de quatre roues pleines. Cette tablette constitue la plus ancienne représentation connue de la roue. Si les premières roues étaient probablement pleines, les plus anciennes que l'on ait effectivement retrouvées sont constituées de trois planches disposées en cercle et maintenues par deux pièces de bois assemblées en croix. Des chars à bœufs équipés de roues de ce type sont encore utilisés en Inde.

ROUGE (MER) Un épisode fameux de la Bible raconte comment la mer Rouge s'entrouvrit pour laisser passer les Hébreux fuyant la terre d'Égypte. Aujourd'hui, les archéologues pensent qu'une telle traversée a peut-être été possible, mais plutôt à proximité du Grand Lac Amer, situé au nord de Suez et de la mer Rouge.

ROUMANIE : DONNÉES
Langue officielle : roumain.
Monnaie : leu.
Principal fleuve : Danube.
Religion : Église orthodoxe roumaine et minorité catholique.
Grandes villes : Bucarest (1,9 million d'hab.), Constantza (300 000 hab.).
Les Alpes de Transylvanie et les Carpates forment, au centre du pays, un demi-cercle qui sépare les plaines de l'Est et du Sud du plateau de Transylvanie au nord-ouest.

ROUTE Avec quelque 80 000 km de voies s'étendant jusqu'aux confins de leur vaste empire, les Romains ont été les plus grands constructeurs de routes de l'Antiquité. Ces routes constituaient, pour l'époque, un chef-d'œuvre d'ingénierie. Elles étaient revêtues sur plus d'un mètre d'épaisseur de couches superposées de sable, de gravier, de pierre et de dalles.
La plus longue route moderne est le système autoroutier *Pan-American*, qui s'étend de la frontière États-Unis/Mexique jusqu'au sud du Chili. Un projet prévoit son extension jusqu'à l'extrême-nord de l'Alaska et à la limite méridionale du Chili.

**ROTTERDAM** Premier port d'Europe pour le volume du trafic et importante ville industrielle des PAYS-BAS. Rotterdam compte plus d'un million d'habitants (banlieue comprise). La ville est reliée par un canal à la mer du NORD.

**ROUE** Pour se déplacer et transporter des denrées sur la terre ferme, l'homme a d'abord inventé le traîneau. Pour faire franchir les obstacles à ces traîneaux, il arrivait que l'on place sous les patins des billots de bois. Plus tard, on fixa sur les côtés du véhicule des disques découpés dans des troncs. C'est probablement ainsi que la roue a vu le jour, il y a de cela quelque 5 500 ans. ▷

**ROUGE (MER)** Golfe du nord-ouest de l'océan INDIEN, séparant l'Afrique de l'Arabie et communiquant avec la MÉDITERRANÉE par le canal de SUEZ. La mer Rouge couvre une superficie de 440 300 km². ▷

**ROUGE-GORGE** Petit oiseau de la même famille que la grive et le merle, à gorge et poitrine rouge-orange, qui niche souvent dans les trous d'arbre et les murs.

**ROUGEOLE** Maladie infectieuse, très contagieuse, due à un VIRUS, qui se manifeste par de la fièvre, des accès de toux et l'éruption de taches rouges sur la peau. Cette maladie atteint surtout les jeunes enfants.

**ROUILLE** Couche brun rougeâtre qui se forme à la surface du fer ou de l'acier exposés à l'humidité. La rouille résulte d'un processus chimique d'OXYDATION qui se produit lorsque le métal est en contact avec l'air humide. Pour prévenir la formation de rouille, on enduit le métal d'une couche d'huile, de graisse ou de peinture.

**ROULEMENT** Dispositif utilisé dans les machines comportant un arbre en rotation. Les roulements sont destinés à diminuer le FROTTEMENT lors de la rotation de l'arbre et, par conséquent, la déperdition d'énergie. Les roulements à billes et à rouleaux sont les plus couramment employés ; ils constituent un coussinet dans lequel l'arbre tourne à l'intérieur d'un anneau formé de billes ou de rouleaux d'acier.

**ROULETTE** Jeu de hasard, qui se pratique principalement dans les casinos, et où le gagnant est désigné par l'arrêt d'une boule sur un plateau tournant, divisé en 37 compartiments numérotés.

**ROUMANIE** République socialiste d'EUROPE orientale, la Roumanie compte 22,5 millions d'habitants (1982) pour une superficie de 237 500 km². Céréales, betterave à sucre et tournesol constituent les principales productions agricoles de ce pays qui exporte surtout des produits manufacturés, en particulier vers l'U.R.S.S., son principal client. La Roumanie a été fondée en 1861 par la réunion de la Moldavie et de la Valachie ; elle s'est déclarée République populaire après la Seconde Guerre mondiale (puis République socialiste en 1965) ; elle pratique vis-à-vis de l'Union soviétique une politique indépendante, fondée sur la coexistence pacifique. Capitale : Bucarest. ▷

**ROUSSEAU, JEAN-JACQUES** Écrivain et philosophe (1712-1778), auteur de *l'Émile, les Confessions* et *les Rêveries du promeneur solitaire.* Il pose comme principe que l'homme est naturellement bon mais est corrompu par la société.

**ROUTE** Les pistes et sentiers que les hommes de la préhistoire arpentaient à pied s'élargirent en routes avec l'invention des

▸ *Un échangeur routier en Allemagne - pays qui est à l'origine des voies rapides de grandes communications.*

chars et des charrettes. Les Romains construisirent un vaste réseau de superbes routes de pierre, bombées au centre pour permettre l'écoulement de l'eau. L'une des plus fameuses routes du monde antique fut la Voie Royale de Perse, longue de 2 857 km, qui joignait Suse à Smyrne. Les routes revêtues d'ASPHALTE remontent au début du XIXe siècle, avec la mise au point par John McAdam d'un revêtement (macadam) constitué d'un mélange de goudron, de pierre concassée et de sable. ◁

**RUBENS, PIERRE PAUL** Peintre flamand (1577-1640), auteur de toiles de très grandes dimensions dans lesquelles il laisse libre cours à un style expressif, violent et coloré. Après des débuts en Italie, Rubens exécute un certain nombre de commandes pour les cours d'Espagne et de France. Son métier de diplomate l'amène à visiter de nombreux pays ; à Londres, il est fait chevalier en reconnaissance de son talent.

**RUBÉOLE** Maladie contagieuse, bénigne chez l'enfant mais grave chez la femme enceinte dans la mesure où elle peut provoquer des malformations du fœtus. Les symptômes sont voisins de ceux de la rougeole : maux de gorge, fièvre et éruption de taches rouges sur la peau.

**RUÉE VERS L'OR** Au XIXe siècle, la découverte de gisements d'OR dans les territoires vierges de l'Amérique du Nord provoqua dans ces régions un afflux brutal de prospecteurs, en particulier en Californie (1849) et dans le Yukon (1897); des villes surgirent comme des champignons, pour être parfois abandonnées aussi vite une fois les gisements épuisés.

**RUGBY** Sport qui se joue à la main ou au pied avec un ballon ovale, entre deux équipes de 15 ou de 13 joueurs (jeu à treize). Né en 1823 au collège de Rugby (Angleterre), le rugby n'a vu ses règles codifiées qu'en 1871, avec la fondation de la *Rugby Football Union.* Si le rugby à quinze est demeuré, en théorie du moins, un sport exclusivement amateur, le jeu à treize autorise le professionnalisme. Le rugby se pratique sur un terrain de 69 m de large au maximum, la distance séparant les buts étant de 95 à 100 m. La partie, jouée en deux mi-temps, dure quatre-vingts minutes. Les points s'obtiennent par l'essai (dépôt du ballon derrière les buts adverses) ou en faisant passer, d'un coup de pied, le ballon au-dessus de la barre transversale reliant les poteaux du but — soit par un coup de pied de pénalité (sanctionnant une faute adverse), soit par un drop (coup de pied tombé, donné dans le cours du jeu, après que le ballon a touché le sol) ; un essai peut être « transformé » ; en rugby à quinze, la transformation ajoute deux points aux quatre points de l'essai.

Le rugby se pratique principalement en Grande-Bretagne, France, Nouvelle-Zélande, Roumanie, Australie et Afrique du Sud. En Europe, la principale compétition annuelle est le Tournoi des Cinq Nations (Angleterre, Écosse, Pays de Galles, Irlande et France).

**RUHR** Principale région industrielle de l'ALLEMAGNE fédérale, qui doit son nom à la rivière Ruhr, un affluent du RHIN. La Ruhr compte de grandes villes industrielles comme Essen, Dortmund et Duisburg. Cette région minière a pris de l'importance au milieu du XIXe siècle, avec la RÉVOLUTION INDUSTRIELLE.

**RUTHERFORD OF NELSON, ERNEST, LORD** Fameux physicien néo-zélandais (1871-1937) qui participa à la fondation de la physique nucléaire moderne. Il élabora une théorie dans laquelle il mettait en évidence l'existence dans les ATOMES d'un noyau autour duquel tournaient des particules appelées électrons. Ses recherches lui valurent de se voir décerner, en 1908, le PRIX NOBEL de chimie. (Voir énergie NUCLÉAIRE)

**SABLE** ROCHE sédimentaire meuble, formée de grains de MINÉRAUX, généralement de QUARTZ. Transportés par l'eau, le vent ou la glace, les grains se déposent dans les eaux peu profondes ou les terrains situés à basse altitude. Le sable est un important matériau de construction, utilisé en mélange avec du CIMENT ou du PLATRE.

**SACCHARINE** Substance cristalline blanche, de saveur très sucrée (300 fois plus que le sucre), découverte en 1879. De valeur alimentaire nulle, la saccharine est utilisée comme succédané du sucre dans les régimes amaigrissants ou pour diabétiques.

**SAFRAN** Crocus cultivé pour ses fleurs dont les *stigmates* séchés fournissent une poudre jaune (safran) utilisée comme teinture et assaisonnement. Il faut 100 000 fleurs pour obtenir 1 kg de poudre.

**SAHARA** Le plus vaste DÉSERT chaud du monde. Situé en AFRIQUE du Nord, le Sahara occupe une superficie de 8,4 millions de km$^2$. La population est regroupée autour des OASIS, à l'exception des nomades qui traversent le désert avec leurs troupeaux de chameaux. Le sous-sol saharien recèle des gisements de pétrole et de gaz naturel. ▷

**SAINT-EMPIRE ROMAIN GERMANIQUE** Nom donné à partir du XV$^e$ siècle à l'empire fondé par Otton I$^{er}$ en 962 (considéré comme la renaissance de l'Empire romain). A son apogée, le Saint-Empire réunit la Germanie et la majeure partie de l'Italie. Dissous en 1 806, cet empire se trouvait déjà amputé de l'Italie depuis 1300, tandis qu'en Germanie les princes électeurs devenaient les véritables arbitres du pouvoir impérial qui, à partir de 1438, demeura entre les mains des HABSBOURG.

**SAISON** Période de l'année, caractérisée par des conditions climatiques particulières. Le phénomène des saisons résulte du fait que l'axe de la Terre est incliné de 23°30' par rapport au plan de son orbite. Cet axe pointant toujours dans la même direction, il en résulte que chaque hémisphère se trouve alternativement plus proche ou plus éloigné du Soleil. Par exemple, le 21 juin, le pôle Nord est incliné au maximum en direction du Soleil qui se trouve à ce moment au-dessus du tropique du Cancer *(solstice d'été),* alors qu'au

SAHARA La superficie du Sahara est comparable à celle des États-Unis. D'est en ouest, sa longueur est supérieure à la distance New York-San Francisco et, du nord au sud, sa largeur varie entre 1 300 et 2 200 km. L'altitude moyenne du Sahara est comprise entre 300 et 760 m. Au cours des périodes glaciaires, le Sahara était une prairie fertile où l'homme chassait l'éléphant, le buffle et l'hippopotame. On a retrouvé sur les parois de grottes et de falaises abritées des gravures et des outils de pierre qui en témoignent. Le Sahara s'est désertifié vers 2 000 av. J.-C.

▸ *Une oasis du Sahara algérien. Les oasis résultent d'un affleurement d'eau. Le fait que là où il y a de l'eau le désert se transforme en une oasis à la végétation luxuriante montre que le sol du Sahara est potentiellement fertile.*

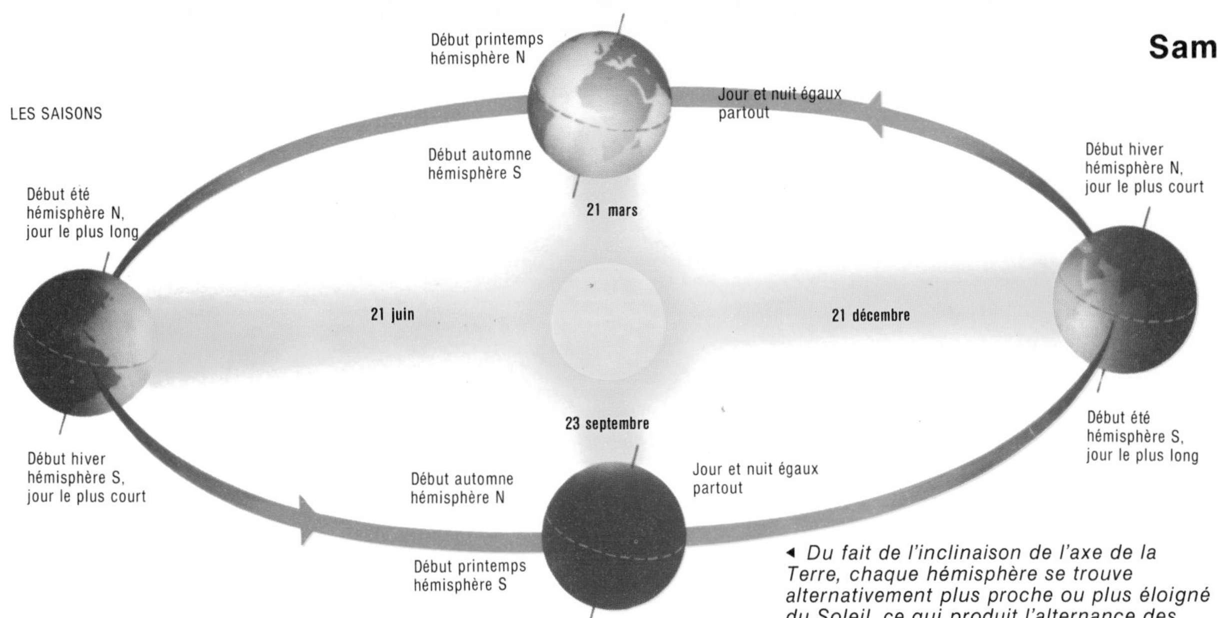


◂ *Du fait de l'inclinaison de l'axe de la Terre, chaque hémisphère se trouve alternativement plus proche ou plus éloigné du Soleil, ce qui produit l'alternance des saisons.*

point opposé de l'orbite de la Terre — c'est-à-dire le 21 décembre — ce même pôle se trouve dans la position la plus éloignée du Soleil *(solstice d'hiver)* : il en résulte que le 21 juin est le jour le plus long de l'année dans l'hémisphère Nord et le 21 décembre le plus court ; dans l'hémisphère Sud, les dates des solstices sont inversées.

SALVADOR : DONNÉES
Langue officielle : espagnol.
Monnaie : colon.
Point culminant : le volcan Santa Ana (2 383 m).
La population est constituée de 90 % de métis de Blancs et d'Indiens.
Principal fleuve : Lempa.
Le café représente la moitié du volume des exportations du Salvador.
Avec 232 habitants au km², le Salvador est un pays à forte densité de population ; il s'est constitué en république indépendante en 1839.

**SALAMANDRE** Nom donné à plusieurs espèces d'AMPHIBIENS de petite taille, ressemblant aux lézards. La peau des salamandres réclamant une humidité permanente, ces animaux vivent dans ou à proximité de l'eau — les formes spécifiquement terrestres affectionnant les régions humides.

**SALUBRITÉ (MESURES DE)** Dispositions prises par l'administration en matière d'assainissement et d'HYGIÈNE publique : contrôle et traitement des eaux, installations de TOUT-A-L'ÉGOUT, enlèvement des ordures ménagères, campagnes d'élimination des insectes et des rongeurs, etc.

**SALVADOR** République montagneuse d'AMÉRIQUE CENTRALE, le Salvador compte 4,9 millions d'habitants (1982) pour une superficie de 21 000 km². Capitale : San Salvador. ◁

**SAMOURAI OU SAMURAI** Dans le JAPON des XIIe au XIXe siècle, membre de la caste des guerriers. Les samouraïs obéissaient à un code d'honneur très strict appelé *bushido*.

▾ *La salamandre commune (ou tachetée, ou terrestre) vit dans l'ouest, le centre et le sud de l'Europe ; on la rencontre aussi au nord-ouest de l'Afrique et en Asie du Sud-Ouest.*

▾ *Les samouraïs revêtaient des armures très ornementées, destinées à la fois à les protéger et à leur conférer une apparence plus féroce.*

▲ *L'un des fameux tramways qui escaladent les collines sur lesquelles est bâtie San Francisco.*

**SAN FRANCISCO** Belle ville et port maritime situé sur la côte Pacifique des États-Unis, San Francisco compte 3,3 millions d'habitants (banlieue comprise). Construite sur une zone de séismes, la ville a dû être rebâtie en grande partie après le grand tremblement de terre de 1906.

**SANG** Fluide (le plasma) contenant plusieurs types de CELLULES en suspension et qui circule à travers le corps humain par l'intermédiaire des vaisseaux sanguins. Aspiré et refoulé par le CŒUR, le sang transporte les éléments nutritifs dans les diverses parties du corps et se charge des déchets.

Le corps humain contient environ 6 litres de sang, constitué de 60 % de plasma et 40 % de globules rouges (hématies), globules blancs (leucocytes) et plaquettes sanguines. Les globules rouges contiennent de l'*hémoglobine* qui donne au sang sa coloration rouge ; ils transportent l'oxygène des POUMONS vers les autres parties du corps. Les globules blancs ont pour fonction primordiale de lutter contre les infections en détruisant les BACTÉRIES qui pénètrent dans l'organisme. Les plaquettes jouent un rôle important dans la coagulation du sang.

Le sang d'un individu peut se classer dans l'un des groupes sanguins A, B, AB ou O, lettre à laquelle on accole un signe + ou — selon que le sang est de rhésus positif ou négatif. (Voir ARTÈRES ; RHÉSUS ; VEINES)

**SANGSUE** Genre de ver qui vit généralement dans l'eau. Le corps est terminé à chaque extrémité par une ventouse que les sangsues utilisent pour aspirer le sang des vertébrés après avoir incisé la peau, grâce aux trois mâchoires qui entourent la bouche. Dans le passé, les médecins employaient les sangsues pour pratiquer sur les patients des saignées, auxquelles ils attribuaient des vertus curatives.

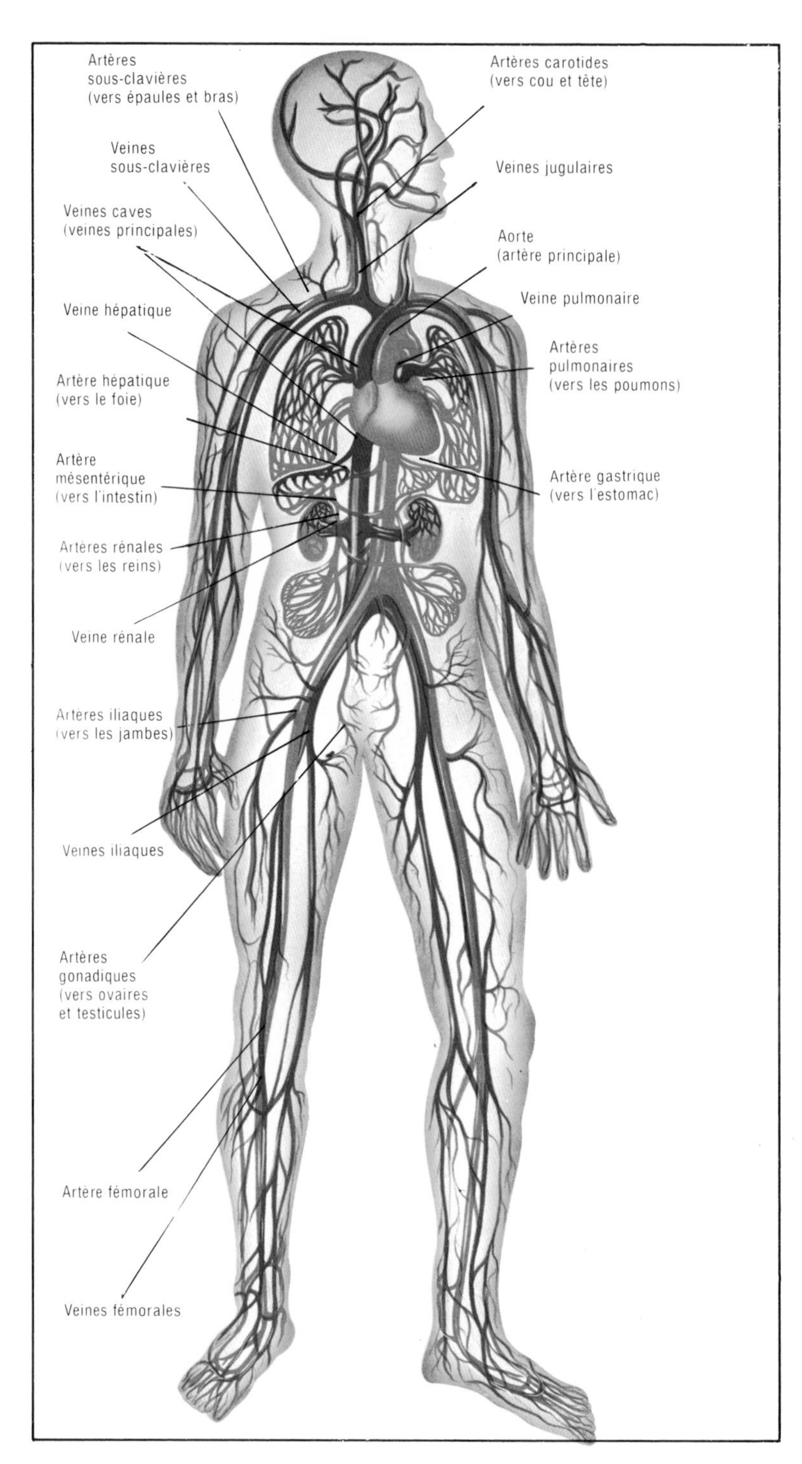


▲ *Schéma simplifié de l'appareil circulatoire. Les artères (en rouge) transportent le sang chargé d'oxygène du cœur vers les organes et les membres. Les veines (en bleu) ramènent le sang noir vers le cœur pour puiser à nouveau de l'oxygène.*

**SANSKRIT OU SANSCRIT** Ancienne langue littéraire de l'INDE, utilisée à partir de 1 500 av. J.-C. pour la rédaction de textes sacrés et liturgiques de l'HINDOUISME, ainsi que d'ouvrages de poésie, de philosophie, de législation, de grammaire et de médecine. Plusieurs langues indiennes modernes, dont l'hindi et l'urdu, puisent leurs origines dans le sanskrit.

SATELLITE La navette spatiale américaine, qui effectua sa première mission en 1981, peut emporter 150 t de charge utile et jusqu'à sept passagers. Après avoir été lancé par les fusées à poudre (munies de parachutes et récupérées par la suite), l'*Orbiter* se place en orbite. Il peut alors exécuter sa mission (travaux de laboratoire, d'observation à l'aide du télescope de l'espace ou, bientôt peut-être, « livraison » de sa cargaison à une station spatiale), après quoi il rejoint le sol en vol plané. Seul le réservoir de la navette spatiale n'est pas récupérable. 560 missions sont programmées pour la navette spatiale.

Isaac Newton, dans ses *Principes mathématiques de philosophie naturelle* publiés en 1687, énonçait déjà les lois de l'attraction universelle qui rendent possible la mise sur orbite de satellites artificiels, mais il fallut attendre 1957 pour voir la théorie mise en pratique avec le satellite soviétique *Spoutnik 1*. Aujourd'hui, quelque cinq mille engins divers gravitent autour de la Terre.

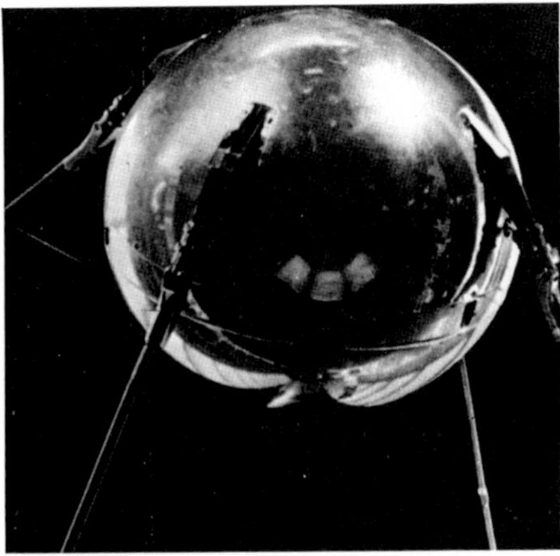

▲ *L'ère spatiale s'est ouverte le 4 octobre 1957, avec le lancement du satellite soviétique* Spoutnik I, *qui mesurait 58 cm de diamètre et pesait 84 kg.*

► *Un satellite météorologique* Nimbus, *l'un des satellites scientifiques destinés à transmettre sur une vaste échelle des renseignements concernant les conditions météorologiques.*

▼ *La station* Skylab, *lancée aux États-Unis en 1974 et dans laquelle se relayèrent trois équipages.*

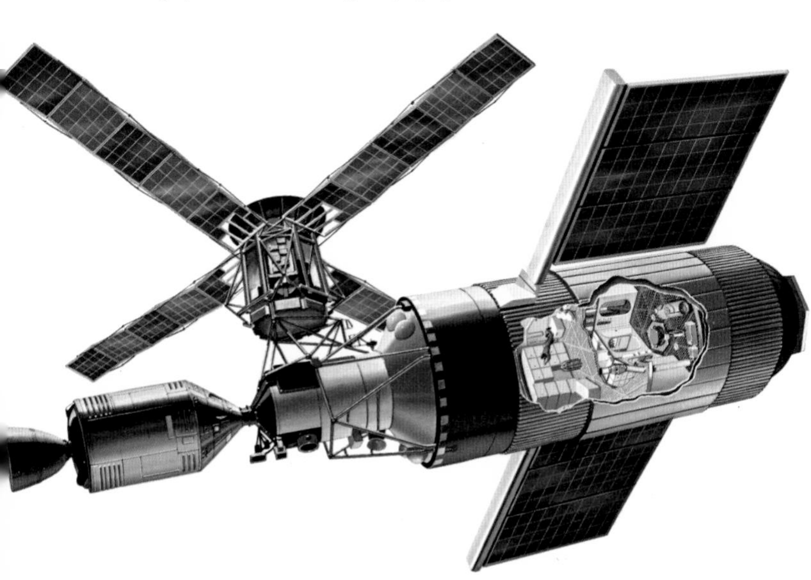

**SAPHIR** Pierre précieuse bleue et transparente, d'une grande valeur. Le saphir est un oxyde d'aluminium, qui se classe juste après le diamant pour la dureté. Les plus beaux saphirs sont extraits au Sri Lanka et en Birmanie. L'industrie utilise couramment des saphirs synthétiques.

**SAPIN** Conifère à feuilles en aiguilles, persistantes. Il existe quelque vingt-cinq espèces de sapins, principalement des régions septentrionales ou montagneuses du globe, et qui fournissent un bois apprécié. Avec 100 m de haut, le sapin de Douglas est l'un des plus grands arbres du monde.

**SARCOPHILE** Petit MARSUPIAL carnivore, présent exclusivement en Tasmanie, ce qui lui vaut son autre nom de *diable de Tasmanie.* Il est noir, marqué d'une bande blanche sur la poitrine ; le corps est court (70 cm), à grosse tête et fortes dents. Il chasse la nuit.

**SARDINE** Petit poisson de la famille du HARENG, commercialisé sur une vaste échelle, frais ou en conserve. A la belle saison, les sardines se déplacent en bancs en surface, ce qui permet de les pêcher facilement. Les principaux sites de pêche sont situés autour de l'Espagne et de la Bretagne.

**SARGASSES (MER DES)** Zone de l'océan Atlantique située entre les ANTILLES et les AÇORES et dont la surface est recouverte d'algues, d'où son nom (la sargasse est une algue brune flottante).

**SARRASIN** A l'origine, nom attribué par les Grecs et les Romains aux peuples du nord-ouest de l'Arabie. Ce terme fut repris par les Occidentaux de l'époque médiévale pour désigner les MUSULMANS d'Europe et d'Afrique : Arabes, Maures et Turcs.

**SATELLITE** On appelle satellite tout corps qui gravite dans l'espace autour d'un autre corps. La Lune, par exemple, est un satellite de la Terre. Les *satellites artificiels* sont des engins placés par une FUSÉE sur une ORBITE autour de la Terre ou d'un astre. Aujourd'hui, outre les nombreux satellites automatisés, les chercheurs sont capables de placer sur orbite des vaisseaux habités (navette spatiale) permettant de conduire de nombreuses expériences scientifiques, voire de placer sur orbite d'autres satellites. Les satellites artificiels sont de plusieurs types : les satellites de communication permettent de relayer des signaux de radio, de télévision et de téléphone sans que la courbure de la Terre soit gênante. Les satellites météorologiques transmettent à la Terre des informations concernant l'état de l'atmosphère, les satellites scientifiques transportent des instruments destinés à l'étude des astres ; il existe aussi des satellites de navigation militaires. ◁

▲ *D'un diamètre 9,5 fois supérieur à celui de la Terre, Saturne est presque entièrement composée d'hydrogène liquide. Sa température de surface est de −180 °C.*

▶ *Jusqu'à la découverte, en 1655, des anneaux de Saturne, la planète constitua un véritable casse-tête pour les premiers observateurs et leurs télescopes rudimentaires. Ci-contre, quelques-unes des premières représentations de Saturne.*

▼ *Les anneaux de Saturne tels qu'ils se présenteraient pour un observateur installé à la verticale du pôle de la planète.*

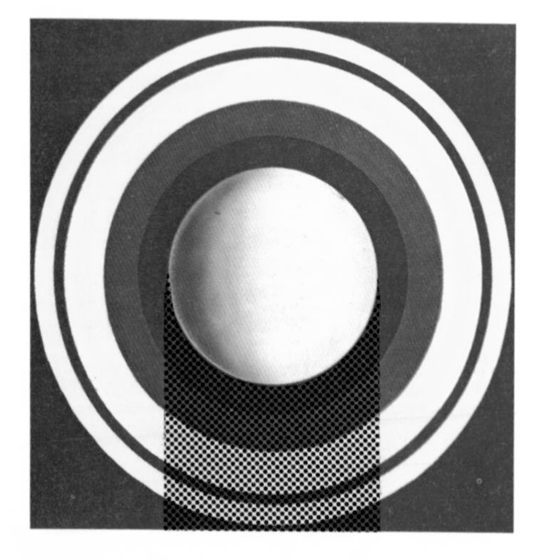

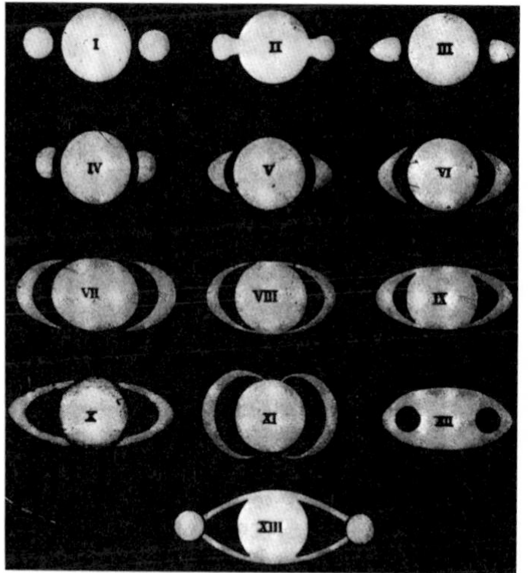


**SATIRE** Forme d'écriture, de discours ou de dessin qui s'attache à tourner en ridicule une personne, un groupe d'individus ou une société en dénonçant les attitudes et les croyances jugées stupides, dépassées ou hypocrites. La pratique de la satire remonte à la Grèce antique.

**SATURNE** Planète géante du SYSTÈME SOLAIRE, identifiable aux anneaux concentriques qui l'entourent et que l'on suppose constitués de blocs rocheux, de poussière et de gaz gelés. Outre ces particules, Saturne possède quinze satellites connus. Constituée d'hydrogène et d'hélium, la planète est entourée de bandes nuageuses à base de méthane et d'ammoniac. ▷

SATURNE Titan, le plus gros satellite de Saturne, a à peu près la taille de Mercure. C'est le seul satellite de la planète à posséder une atmosphère décelable.

Lorsque, en novembre 1980, *Voyageur 1* est passé à proximité de Saturne, il a découvert que l'anneau comportait plus de bandes qu'on ne l'avait supposé, à savoir des centaines, alors que l'on croyait à cinq ou six. La sonde spatiale renvoya également des indications précieuses concernant le système de l'anneau extérieur. Les scientifiques avancent aujourd'hui que les particules constituant les anneaux pourraient provenir de la désintégration d'une planète satellite qui serait passée trop près de Saturne.

La densité de Saturne pourrait être inférieure à celle de l'eau.

Phébé, le neuvième satellite de Saturne, est le plus petit; il est original en ce qu'il gravite autour de la planète selon un mouvement rétrograde (d'est en ouest).

**SAUGE** Plante herbacée, vivace, de la même famille que la menthe (labiées). La sauge officinale est utilisée en cuisine et en pharmacie.

**SAULE** ARBRE à feuilles caduques que l'on rencontre dans de nombreuses parties du globe, généralement à proximité de l'eau. Le bois de saule sert à fabriquer des battes, des paniers (osier) et du fusain (charbon de bois à dessiner).

**SAUMON** Poisson apprécié pour sa chair. Les jeunes saumons nés en eau douce émigrent ensuite vers la mer où ils demeurent trois ans environ avant de rejoindre leur rivière de naissance pour y frayer, parcourant jusqu'à 5 000 km et ne se laissant arrêter par aucun obstacle.

**SAUT** Nom donné à plusieurs épreuves d'athlétisme inscrites aux JEUX OLYMPIQUES. L'épreuve de *saut en hauteur* consiste à franchir une barre sans la faire tomber. Le *saut à la perche* est une forme de saut en hauteur qui se pratique à l'aide d'une perche en fibre de verre, de 4-5 m de long. L'épreuve de *saut en longueur* consiste à franchir la plus grande longueur possible d'un seul bond; dans l'épreuve de *triple saut,* le concurrent doit franchir la plus longue distance possible en trois bonds enchaînés.

**SAUVEGARDE (MESURES DE)** Ensemble de dispositions prises par les autorités ou des organismes en vue de préserver des ressources naturelles (les forêts, par exemple, importantes pour l'environnement et la production de bois), des espèces animales ou végétales en voie d'extinction, des monuments historiques, etc.

▴ *L'un des moyens de sauvegarder les espèces menacées, tels ces pingouins, consiste à les élever et à les faire se reproduire dans des parcs protégés.*

▾ *Une savonnerie au XIXe siècle. Le suif, l'huile végétale et la soude caustique étaient mis à bouillir dans d'énormes bacs. Le savon liquide était recueilli à la surface, séché et découpé en pains.*

**SAVANE** Nom donné à un type de végétation tropicale caractérisé par une étendue herbeuse, plus ou moins parsemée d'arbres et d'arbustes (savane arborée, savane herbeuse), et qui, en AFRIQUE, couvre de vastes territoires.

**SAVON ET DÉTERGENT** Composés organiques utilisés pour éliminer la poussière et la graisse. Dissous dans l'eau, le savon et les détergents forment des chaînes d'ATOMES: l'une des extrémités de chaque chaîne se fixe sur la poussière et la graisse, les rendant relativement aisées à éliminer. En solution dans l'eau dure, le savon forme une écume grise insoluble. Ce problème a été en grande partie résolu avec les détergents modernes.

**SAXONS** Anciennes tribus du nord de la Germanie. Leur nom est issu du terme *seax,* qui désignait leur arme nationale. Voisins gênants pour l'Empire franc, les Saxons provoquèrent les expéditions punitives de Charles Martel et de Pépin le Bref et furent soumis par CHARLEMAGNE.

**SAXOPHONE** Instrument de musique à vent inventé par Adolphe Sax (1814-1894) et couramment intégré aux orchestres. Fabriqué en cuivre ou en laiton, c'est un instrument à anche simple, muni d'un bec et d'un mécanisme de clés. Dans l'orchestre, il fait partie des bois.

▸ *Le générateur de Van de Graff – une réalisation scientifique spectaculaire. Il fournit du courant électrique à haute tension destiné au bombardement des atomes dans les accélérateurs de particules. Les charges électriques produites par le générateur sont transmises à une coupole (hors cadre) qui porte la charge à plusieurs millions de volts. Ici, la coupole a été reliée à un anneau d'acier. Une poutrelle d'acier placée à proximité provoque la décharge du générateur – décharge qui fait naître des éclairs entre l'anneau et la poutre.*

SCAPHANDRE AUTONOME Appareil individuel qui permet au plongeur de respirer sous l'eau. Le nageur, équipé de lunettes et d'un masque respiratoire, une ou deux bouteilles d'air comprimé fixées sur le dos et les pieds chaussés de palmes, peut évoluer jusqu'à une quarantaine de mètres de profondeur.

SCARABÉE Nom donné à plusieurs insectes COLÉOPTÈRES voisins du hanneton. Le *scarabée sacré*, par exemple, en dépit du culte que les Égyptiens lui rendaient, n'est qu'un vulgaire *bousier* — à savoir qu'il confectionne, avec les déjections des herbivores, des boules qu'il enterre et sur lesquelles il pond.

SCHILLER, FRIEDRICH VON Poète et dramaturge allemand (1759-1805), auteur de *Wallenstein, Marie Stuart, les Brigands, Don Carlos.*

SCHIZOPHRÉNIE Maladie mentale qui peut se traduire par une totale apathie, des manifestations émotives violentes, la manie de la persécution, voire des hallucinations. La schizophrénie correspond à une rupture de contact avec le monde extérieur.

SCIE Instrument tranchant, utilisé dans le travail du bois, des métaux et des matières plastiques. Une scie est constituée par une lame, un ruban (scie à ruban) ou un disque d'acier (scie circulaire), portant sur un côté (ou sur la périphérie) des dents aiguisées. Outre les scies à main, il existe des scies actionnées par un moteur — électrique ou à essence.

SCIENCE Ensemble de connaissances acquises à travers l'observation, l'expérimentation et le raisonnement systématiques. La science est divisée en diverses branches : l'ASTRONOMIE, la BIOLOGIE, la CHIMIE, la GÉOLOGIE, la PHYSIQUE et les mathématiques. Les scientifiques s'attachent à trouver une explication possible à des phénomènes observés et conduisent des expériences destinées à tester la théorie ainsi élaborée. Les résultats de ces expériences amènent soit à rejeter la théorie, soit à l'établir comme loi de la science. C'est ce que l'on appelle la *méthode scientifique*. Par la suite, la découverte d'un phénomène

SCOLOPENDRE L'existence sur Terre des scolopendres remonte à quelque 400 millions d'années ; on a retrouvé des fossiles de scolopendres pris dans des morceaux d'ambre.
Une espèce géante de scolopendre d'Amérique du Sud mesure 30 cm de long.
Les scolopendres sont des arthropodes appartenant au groupe des *chilopodes*, l'une des quatre sous-classes de myriapodes.

SCORPION Les scorpions sont probablement parmi les plus anciens animaux terrestres : on a retrouvé des fossiles datant de la période silurienne. En général les scorpions mettent au monde sept petits — créatures minuscules qui s'empressent d'escalader le dos de leur mère sur lequel ils passent leur première semaine de vie. On croit généralement qu'un scorpion pris au piège — par le feu, par exemple — se suicide en se piquant lui-même.

SÉCESSION (GUERRE DE) La guerre de Sécession est souvent considérée comme la première des guerres modernes. Du point de vue de l'armement, elle mit en œuvre des mitrailleuses, des vaisseaux à coque blindée, des installations télégraphiques, des voies de chemin de fer, et même un sous-marin capable de couler les navires, ce qui explique l'énormité des pertes en vies humaines : 275 000 blessés et 360 000 tués sur 1 560 000 soldats de l'Union, plus de 220 000 blessés et 260 000 tués sur quelque 800 000 soldats confédérés. Le coût économique de cette guerre civile a été évalué à plus de 15 milliards de dollars.

▲ *Le scorpion est un arachnide venimeux des déserts chauds. Menacé, il prend une posture agressive, la queue dressée.*

contradictoire peut conduire à la remise en cause d'une loi scientifique. Ainsi la *Théorie de la relativité restreinte d'*EINSTEIN (1905) a-t-elle montré que les lois du mouvement établies par NEWTON ne s'appliquaient pas dans le cas de corps se déplaçant à des vitesses proches de celle de la lumière. (Voir RELATIVITÉ.) Aussi les lois scientifiques ne doivent-elles pas être considérées comme une vérité absolue, mais comme des interprétations de phénomènes correspondant à l'état de la connaissance humaine à une période donnée.

**SCIENCE-FICTION** LITTÉRATURE d'imagination, ayant généralement pour thème des aspects du futur de l'humanité tels que voyage dans l'espace ou le temps, visite d'extraterrestres, organisation d'un type nouveau de société, etc. La science-fiction moderne puise ses sources dans l'œuvre d'écrivains comme Jules Verne (1828-1905) et H.G. WELLS. Ce genre littéraire, devenu également cinématographique, a connu un développement rapide depuis la Seconde Guerre mondiale.

**SCOLOPENDRE** Petit animal allongé, à corps segmenté, portant une paire de pattes par segment, appartenant à la classe des myriapodes. Les scolopendres affectionnent les endroits humides et se cachent généralement sous les troncs et les pierres ; elles se nourrissent d'insectes et autres créatures de petite taille qu'elles tuent à l'aide d'une paire de crochets à venin entourant la tête. ◁

**SCORPION** Petit animal des pays chauds, voisin des araignées. De 1,2 à 15 cm de long, les scorpions portent à l'avant une paire de pinces ; l'abdomen se termine par un aiguillon venimeux. La piqûre de certaines espèces est parfois mortelle pour l'homme. ◁

**SCOTT, SIR WALTER** Poète et romancier écossais (1771-1832), principalement connu par ses romans historiques *Ivanhoé* et *Quentin Durward,* qui lui valurent une renommée universelle.

▶ Half Figure, *un buste dû au sculpteur anglais Henry Moore (Tate Gallery, Londres).*

**SCULPTURE** Œuvre d'ART en trois dimensions. Traditionnellement, les artistes ont sculpté la pierre et, surtout dans les sociétés tribales, le bois, choisissant pour sujets êtres humains, dieux ou animaux. Presque toutes les sociétés anciennes ont produit des œuvres de ce type. En Europe, la sculpture est née avec la civilisation grecque, s'est poursuivie à Rome et a connu un regain avec la RENAISSANCE. La sculpture du XX^e^ siècle, outre qu'elle a diversifié ses styles, a innové dans les matériaux — métal, verre, matières plastiques, voire matériaux de récupération (pièces de voitures, par exemple). Certains sculpteurs choisissent de réaliser des compositions abstraites (voir ART ABSTRAIT), tels les *mobiles* — assemblages d'éléments qui entrent en mouvement sous l'action du vent. Parmi les représentants de la sculpture du XX^e^ siècle, on peut citer Pablo PICASSO (Espagnol), Alexander Calder (Américain), César (Français), Alberto Giacometti (Suisse) ou Henry MOORE (Anglais).

**SÉCESSION (GUERRE DE)** Guerre civile qui, de 1861 à 1865, opposa aux États-Unis les États du Sud aux États du Nord à propos, entre autres, de la suppression de l'ESCLAVAGE des Noirs. L'élection, en 1860, de l'anti-esclavagiste Abraham LINCOLN entraîna la « sécession » de onze États du Sud qui formèrent une confédération. Pendant quatre ans, les Sudistes — ou armée confédérée —, conduits par le général Robert Lee, affrontèrent les Nordistes (armée de l'Union) dont les principaux chefs furent les généraux Grant et ◁

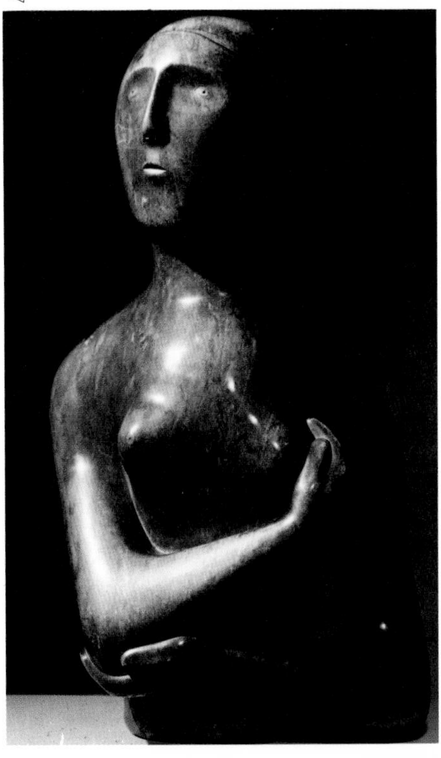

Sherman. Des combats sanglants se déroulèrent, notamment à Fredericksburg (1862), Gettysburg et Vicksburg (1863), Atlanta et Savannah (1864). Les forces confédérées furent finalement contraintes de capituler le 9 avril 1865, à Appomattox en Virginie. Cette guerre meurtrière, qui coûta aux États-Unis plus de 600 000 morts, marqua pour ce pays la fin de l'esclavage. (Voir ÉTATS-UNIS)

**SECOURISME** Méthode de premiers secours et de sauvetage à pratiquer sur les victimes d'accident, noyade ou indisposition brutale. La règle primordiale en matière de secourisme est, pour le sauveteur, de s'assurer que la victime ne court pas de danger immédiat (risque d'étouffement, par exemple) durant le laps de temps qui la sépare de l'intervention médicale professionnelle.

Il existe un certain nombre de techniques de secourisme, d'un apprentissage et d'un usage faciles, dans les cas de brûlures, coupures, fractures, morsures ou piqûres d'animaux, chocs électriques ou empoisonnements. Il existe dans le commerce des trousses contenant le matériel de premiers secours (bandes, pansements, pommades, ciseaux, etc.).

**SEIGLE** CÉRÉALE très rustique, comme l'orge, le seigle est moulu en farine ou distillé en vue de la fabrication de whisky, de gin, de la vodka et du kwas.

**SEINE** Fleuve né sur le plateau de Langres et qui se jette dans la Manche. Il est long de 776 km. Sur ses rives se sont développés de grandes villes, des ports et d'importantes zones industrielles (Paris, Rouen).

**SÉISME** Secousse qui prend naissance dans l'écorce terrestre, appelée également tremblement de terre. Les séismes se produisent lors des mouvements brutaux qui animent les FAILLES de l'écorce. C'est en bordure des plaques mouvantes qui constituent l'enveloppe externe de la Terre que les tremblements de terre sont les plus fréquents ; ils provoquent souvent d'énormes dégâts et des pertes en vies humaines. En Chine, un tremblement de terre a tué 800 000 personnes en 1556. ▷

**SEL** Nom du *chlorure de sodium,* substance qui entre dans le régime alimentaire de l'homme et sert également à conserver les aliments. Le sel est abondant à l'état naturel sous forme de roche (sel gemme) ou en solution dans l'eau de mer (sel marin). (Voir SELS)

**SELS** Substances chimiques résultant de l'action d'un ACIDE sur une base. Ainsi l'action de l'acide chlorhydrique sur la soude caustique produit-elle du chlorure de sodium (le SEL commun) et de l'eau. Les sels obtenus à partir de l'acide chlorhydrique sont appelés chlorates ; les sels d'acide sulfurique sont des sulfates, les sels d'acide nitrique, des nitrates, etc. L'écorce terrestre contient de nombreux sels à l'état naturel. Largement utilisés dans l'industrie et l'agriculture, les sels sont parmi les plus importants composés chimiques.

▲ *Un quartier de San Francisco après le terrible tremblement de terre de 1906. La ville est construite le long de la faille de San Andreas qui coupe la côte ouest de l'Amérique.*

**SÉLECTION** Choix d'animaux ou de végétaux en vue de la reproduction. Il existe plusieurs méthodes de sélection. L'une consiste à croiser deux espèces de façon à obtenir une espèce totalement nouvelle, ou *hybride ;* une autre à choisir deux parents exceptionnels qui produiront la meilleure descendance possible. En matière d'agriculture, la sélection est essentielle et permet de développer des espèces capables de s'adapter à des conditions climatiques spécifiques, de résister à certaines maladies et de fournir un meilleur rendement. En élevage, le bétail est sélectionné de manière à produire plus de viande, de lait, etc. (Voir REPRODUCTION)

SÉISME En 132, les Égyptiens avaient déjà inventé un sismographe, constitué d'un pendule de 2,50 m de long, dont les oscillations étaient déclenchées par les tremblements de terre. La direction et l'amplitude des oscillations indiquaient l'intensité et la direction du séisme.

▶ *Les marais salants sont des étendues côtières aménagées de manière à être recouvertes d'eau de mer sur une faible épaisseur. On y recueille le sel marin par évaporation.*

▲ *Les Sept Merveilles du monde antique (de gauche à droite). En haut : les Pyramides d'Égypte (la seule « Merveille » à avoir survécu) ; le phare d'Alexandrie, en Égypte ; le Mausolée (tombe du roi Mausole), en Asie Mineure (300 av. J.-C) ; les jardins suspendus de Babylone. En bas : le colosse de Rhodes ; le temple de Diane à Ephèse ; la statue de Zeus.*

SERPENT Les serpents sont sourds. Ils n'ont pas de système auditif comparable à celui des humains. En revanche, leur sens gustatif est original : en agitant leur langue, ils captent les minuscules particules en suspension dans l'air, identifiées par les cellules sensorielles qui tapissent le haut de leur bouche.

**SÉNAT** Seconde assemblée du Parlement français chargée de l'examen des textes de loi après l'Assemblée nationale. Les sénateurs sont élus pour neuf ans au suffrage indirect.

**SEPT ANS (GUERRE DE)** Guerre qui, de 1756 à 1763, opposa l'Angleterre et la PRUSSE à la France, l'Autriche et la Russie. A l'origine de ce conflit, on trouve une rivalité coloniale franco-anglaise à propos de l'Inde et une rivalité territoriale entre la Prusse et l'Autriche. La victoire anglaise sur mer et dans les colonies (prise de Québec, après la bataille des plaines d'Abraham, 1760 ; prise de Pondichéry, 1761) se traduit par l'annexion du Canada et la fondation de l'Empire des Indes. En Europe, Frédéric II reconquiert la Silésie, faisant de la Prusse la puissance dominante de l'Europe centrale.

**SEPT MERVEILLES DU MONDE (LES)** Sept monuments et statues choisis à l'époque classique comme étant les plus beaux du monde. Ce sont : les PYRAMIDES d'Égypte, les jardins suspendus de BABYLONE, le temple de Diane à Ephèse, la statue de Zeus à Olympie, le Mausolée d'Halicarnasse, le colosse de Rhodes et le phare d'Alexandrie.

**SÉQUOIA** Groupe de CONIFÈRES originaires d'Amérique du Nord. Il en existe deux types. Le séquoia toujours vert de Californie est le plus grand arbre du monde ; il peut atteindre plus de 110 m. Le séquoia géant, à feuilles caduques, est le plus gros : son tronc peut dépasser 10 m de diamètre ; certains spécimens sont vieux de 4000 ans.

**SERPENT** REPTILE dépourvu de pattes et de paupières. Le corps allongé est recouvert d'une peau écailleuse qui se renouvelle plusieurs fois par an, grâce à la mue. Les serpents se déplacent sur le sol par des mouvements de reptation. Ils avalent leurs proies — petits mammifères, lézards, oiseaux, œufs, insectes et poissons — entières. Certains disposent de glandes à VENIN. Le poison est libéré dans des crochets creusés d'un conduit ou d'un sillon, et injecté dans le corps de la victime par morsure. Les plus grands serpents peuvent atteindre 10 m. Les serpents sont répandus dans le monde entier, à l'exception des régions polaires, de la Nouvelle-Zélande, d'Hawaï et de l'Irlande (dont, selon la légende, ils ont été chassés par saint Patrick). ◁

**SERRE** Construction légère revêtue de verre (ou d'un autre matériau translucide) dans laquelle on cultive des plantes toute l'année. Le verre isole les végétaux du froid, mais laisse passer la lumière solaire indispensable au processus de PHOTOSYNTHÈSE.

**SERRES** Griffes ou ongles recourbés et acérés des oiseaux de proie. Ces oiseaux utilisent leurs serres pour déchiqueter et saisir leur nourriture.

**SERRURE** Appareil de fermeture destiné à protéger la propriété privée. Les premières serrures, inventées par les Égyptiens, étaient en bois. Aujourd'hui, il existe plusieurs types de serrures perfectionnées. Les serrures Yale, par exemple, comportent une série de broches et de chasse-clés qui ne se soulèvent que lorsqu'on insère dans la serrure la clé correspondante. Les serrures à combinaison comportent un cadran que l'on fait tourner selon une séquence donnée pour libérer les *gorges* retenant le pêne.

**SÉRUM** Liquide jaunâtre et translucide qui se sépare du caillot lors de la coagulation du SANG. Le sérum est également le liquide qui emplit les cloques apparaissant sur la peau à la suite d'une brûlure par exemple. Ce fluide contient des PROTÉINES, des sucres, des graisses et des ANTICORPS. Le sérum prélevé sur des sujets vaccinés contre une maladie permet de lutter contre l'affection correspondante chez d'autres sujets. On utilise ainsi des sérums antidiphtérique, antitétanique, antipesteux et antivenimeux.

**SEXE** Certaines créatures très simples se reproduisent par division (l'AMIBE, par exemple) ou par bourgeonnement, mais la plupart des êtres vivants ont une reproduction sexuée, c'est-à-dire résultant de l'union d'une CELLULE mâle et d'une cellule femelle. Il arrive que le même individu adulte soit porteur des deux types de cellules ; c'est le cas de nombreuses plantes (voir BIOLOGIE) ; mais, plus généralement, les cellules sont produites par des individus distincts, comme chez l'homme. A partir de l'ADOLESCENCE, l'humain de sexe mâle produit dans ses *testicules* des cellules mâles (spermatozoïdes) et les femmes des cellules femelles *(ovules)*, élaborées par les *ovaires*. Lors de l'accouplement, les spermatozoïdes contenus dans le *sperme* s'écoulent du pénis de l'homme dans le corps de la femme. Dans le cas où un ovule est fécondé, il se développe pour donner un nouvel être humain. La femme est alors dite *enceinte* et, lorsque sa *grossesse* se déroule sans incidents, elle donne naissance neuf mois plus tard à un bébé. (Voir REPRODUCTION.)

**SEXTANT** Instrument d'optique qui permet de mesurer des hauteurs d'astres à partir d'un bateau ou d'un aéronef. A partir de la hauteur du Soleil au-dessus de l'horizon, les navigateurs déterminent la LATITUDE du point où se trouve leur navire.

**SHAKESPEARE, WILLIAM** Poète dramatique anglais (1564-1616). Né à Stratford-on-Avon, Shakespeare épouse à dix-huit ans Anne Hathaway, de huit ans son aînée. Par la suite, il se joint, suppose-t-on, à un groupe d'acteurs et, à partir de 1589, il est un dramaturge reconnu à Londres. L'œuvre dramatique de Shakespeare est mieux connue que sa vie privée. On lui attribue 37 ou 38 pièces, dont des comédies *(la Mégère apprivoisée, Comme il vous plaira)*, des tragédies *(Macbeth, Hamlet, le Roi Lear)*, des pièces historiques *(Henri IV, Richard III)*, classiques *(Antoine et Cléopâtre)*, et enfin des œuvres romanesques *(la Tempête, Conte d'hiver)*. Shakespeare a également écrit des poèmes dont *Vénus et Adonis* et les *Sonnets*.

**SIBÉRIE** Vaste étendue couvrant le nord-est de l'UNION SOVIÉTIQUE sur 13,5 millions de km². Du fait de la rigueur du climat, la Sibérie est une région à maigre végétation, faiblement peuplée, mais qui a été fortement industrialisée au cours des dernières décennies.

**SICILE** Grande île italienne de la MÉDITERRANÉE, au relief accidenté. La Sicile compte plus de 5 millions d'habitants pour une superficie de 25 700 km². Capitale : Palerme. ▷

**SILEX** Variété de QUARTZ présente dans certaines roches calcaires. La cassure du silex, à arêtes tranchantes, l'a fait choisir par les hommes préhistoriques comme outil et comme arme. Ce fut aussi l'un des premiers briquets. Frappé contre du fer, il produit en effet une étincelle. Le silex est employé aujourd'hui comme ABRASIF, pour la fabrication du béton et pour l'empierrement.

**SILICIUM** Le silicium est l'ÉLÉMENT chimique le plus abondant sur la Terre après l'oxygène. On le trouve dans le QUARTZ sous forme d'un composé, la silice (oxyde de silicium). Il forme également un certain nombre d'autres composés appelés *silicates*. Le silicium est utilisé dans la métallurgie de l'acier et de divers alliages. A l'état cristallisé, il sert à fabriquer des TRANSISTORS et des microcircuits électroniques.

**SINGAPOUR** République prospère d'ASIE du Sud-Est, Singapour compte 2,5 millions d'habitants (1982) pour une superficie de 580 km². Capitale : Singapour. ▷

**SINGE** MAMMIFÈRE de l'ordre des primates — groupe animal apparu sur Terre il y a quelque 70 millions d'années et qui, au cours de l'évolution, s'est divisé en deux grands groupes : les *singes platyrhiniens*, ou singes du Nouveau Monde, et les *singes catarhiniens*, ou singes de l'Ancien Monde, au sein desquels sont regroupés les *anthropoïdes*.

Les singes platyrhiniens qui peuplent l'Amérique tropicale forment un groupe bien distinct. Ce sont des arboricoles, presque tous de petite taille, à tête arrondie, museau très court. Il en existe quelque soixante espèces, parmi lesquelles les douroucoulis, les sakis,

SICILE Dans la partie orientale de la Sicile — la plus grande île de la Méditerranée — s'élève l'un des rares volcans actifs d'Europe : l'Etna, qui culmine à 3 222 m. Sa dernière éruption remonte à 1950.

SINGAPOUR DONNÉES
Langues officielles : malais, chinois, tamil (ou tamoul) et anglais.
Monnaie : dollar.
Population : composée d'environ 77 % de Chinois, 15 % de Malais, 7 % d'Indiens et 3 % d'origines diverses.
Religions : les Chinois sont majoritairement bouddhistes, les Malais et Pakistanais sont musulmans et les Indiens hindous.
La ville de Singapour compte 2,3 millions d'habitants.
Ancienne colonie britannique, Singapour est devenu, en 1963, l'un des quatorze États de la Fédération de Malaisie ; il en est sorti en 1965.

SINGE Les onze espèces d'anthropoïdes habitent les régions tropicales d'Afrique et d'Extrême-Orient. Le seul grand singe non africain est l'orang-outan, qui vit en solitaire à Sumatra et Bornéo. Le nombre d'orangs-outans est en diminution ; on estime qu'il n'en reste plus que 5 000 à l'état sauvage.
Les plus bruyants des singes sont les hurleurs d'Amérique du Sud. Chez les mâles, un os hypertrophié de la trachée fait office de caisse de résonance. Les hurlements de ces singes sont essentiellement des manifestations de défense territoriale ; ils sont audibles à plusieurs kilomètres.
Les singes ont coutume de s'assister mutuellement dans leur toilette. Cette pratique est à la fois une mesure hygiénique et un moyen de préserver l'harmonie du groupe.

▸ *Le gorille est le plus grand des anthropoïdes. Un mâle peut atteindre 1,80 m de haut et peser 200 kg.*

les hurleurs, les capucins, les singes-écureuils et les SINGES-ARAIGNÉES.

Les singes de l'Ancien Monde sont en général de taille moyenne ou grande et ont les narines rapprochées. Essentiellement arboricoles et quadrupèdes, ils sont capables d'adaptation à la vie terrestre et à la locomotion bipède. Outre les anthropoïdes, font partie de ce groupe les macaques d'Asie, les mangabeys, les babouins et les mandrills d'Afrique, les langurs et les colobes.

Apparu il y a 12 millions d'années, le groupe des anthropoïdes comptait cinq espèces, dont l'une, *Ramapithecus*, fut l'ancêtre de l'homme ; des quatre autres sont issus les anthropoïdes actuels : le CHIMPANZÉ, le GORILLE, l' ORANG-OUTAN et le GIBBON. Si les anthropoïdes présentent un certain nombre de similarités avec l'homme, ils en diffèrent par plusieurs aspects : ils possèdent des pieds préhensiles, ont des membres inférieurs plus courts et des membres supérieurs plus longs que l'homme (du fait de leur vie arboricole) et, bien que leur cerveau soit plus gros que chez n'importe quelle espèce animale, il est deux fois plus petit que celui de l'homme. ◁

**SINGE-ARAIGNÉE OU ATÈLE** Genre de singes de grande taille (55-60 cm sans les pattes), comptant une quinzaine d'espèces répandues au Mexique et au Brésil. Très agiles, les singes-araignées ont des membres antérieurs démesurés, ce qui leur vaut leur nom, et une longue queue préhensile dont ils se servent comme d'une cinquième main. On les rencontre en petites bandes. Ils se nourrissent principalement de fruits, accessoirement d'oiseaux et d'insectes.

**SINUS** Nom donné à quatre cavités du squelette crânien situées, l'une, dans le front, une seconde immédiatement en dessous et en arrière de la première, une troisième dans le maxillaire et une dernière en arrière du NEZ. Les sinus sont reliés à la cavité nasale (l'intérieur du nez) ; ils servent à réchauffer, humidifier et filtrer l'air inspiré. Les infections des sinus (sinusites) sont fréquentes par temps froid.

**SIPHON** Tube en forme de U renversé utilisé pour transvaser un liquide à un niveau plus bas. Lorsque le siphon est empli par le liquide, la différence de pression aux deux extrémités du tube assure l'écoulement continu.

**SIRÈNE** Divinité de la mer, mi-femme mi-oiseau, réputée pour attirer irrésistiblement les marins par son chant et les conduire à leur perte. Le Moyen Age a transformé la représentation des sirènes en créatures à buste de femme et queue de poisson.

**SISMOGRAPHE** Instrument servant à enregistrer l'heure, la durée et l'intensité des SÉISMES. Les secousses se traduisent par les déviations d'une ligne tracée par un stylet sur une bande de papier. L'appareil est prévu pour fournir deux graphiques, correspondant aux mouvements verticaux et horizontaux.

**SKI** Sport pratiqué sur la neige, à l'aide de longs patins de bois, de matière plastique ou de métal fixés aux pieds : les skis. Les skis sont recourbés à l'avant pour permettre la glisse, et le skieur s'aide généralement de deux bâtons. Le *ski alpin* se pratique sur des pentes accentuées ; cette discipline, divisée en diverses épreuves (descente, slalom spécial, slalom géant...), est inscrite aux jeux Olympiques d'hiver depuis 1936. Le *ski de fond* est pratiqué sur des parcours de faible dénivellation et le *ski de randonnée* hors des pistes balisées. Le *ski nordique,* discipline sportive inscrite, elle aussi, aux jeux Olympiques d'hiver, comporte une épreuve de ski de fond et un saut à partir d'un tremplin.

**SKI NAUTIQUE** Sport dans lequel on glisse sur l'eau en se maintenant sur un ou deux skis, tiré par un bateau à moteur. Les compétitions de ski nautique comportent des épreuves de slalom, de saut à partir d'un tremplin et des figures libres ou imposées.

**SLAVES** Groupe ethnique et linguistique numériquement prédominant en Europe. A l'origine, les Slaves étaient une tribu venue d'Asie aux IIIe et IIe siècles av. J.-C. Aujourd'hui, ils peuplent principalement l'est ou le

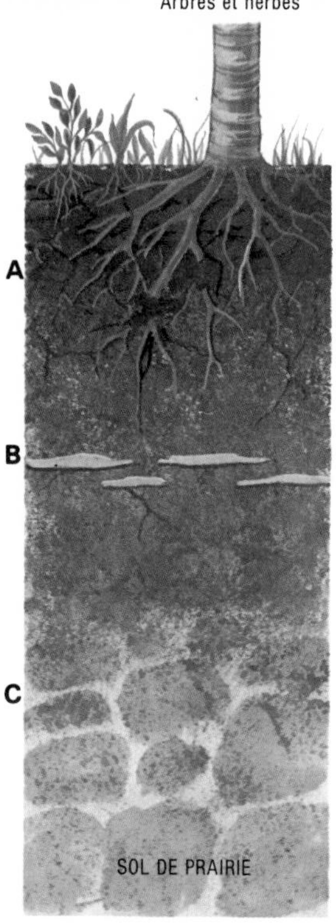


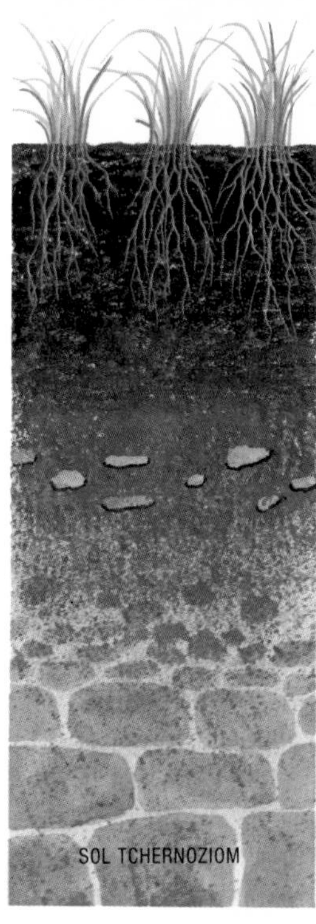

◂ *Trois types de sols, par ordre croissant de sécheresse du climat. Le sol est généralement constitué de trois couches, ou* horizons ; *l'horizon* **A** *est composé d'humus résultant de la décomposition de la matière végétale ; dans l'horizon* **B** *se concentrent les produits lessivés dans l'horizon* **A** *; l'horizon* **C,** *faiblement altéré, recouvre la roche mère.*

sud-est de l'Europe. Bien qu'elles se soient différenciées, les langues slaves présentent de grandes ressemblances. Appartiennent au groupe slave les Russes, les Ukrainiens, les Polonais, les Tchèques, les Slovaques, les Serbes, les Bulgares, les Macédoniens et les Croates.

**SMOG** Terme d'origine anglaise (de *smoke,* fumée, et *fog,* brouillard) désignant le mélange de brouillard et de fumée qui s'étend parfois au-dessus des agglomérations et des régions industrielles. (Voir POLLUTION ATMOSPHÉRIQUE.)

**SOCIÉTÉ** Dans le domaine commercial, regroupement de plusieurs personnes en vue de partager les bénéfices qui résulteront d'une entreprise pour laquelle elles ont mis quelque chose en commun. Les sociétés commerciales sont de divers types : société anonyme, société de capitaux, société de personnes, société à responsabilité limitée (S.A.R.L.) et même société nationale — chaque catégorie étant soumise à un régime législatif spécifique.

**SOCRATE** Philosophe grec (v. 470-399 av. J.-C) qui posa en grande partie les fondements de la pensée moderne. Sa méthode consistait à ne jamais rien tenir pour acquis, mais au contraire à remettre les choses en question en permanence afin de progresser en direction de la vérité. Son enseignement jugé inacceptable par les Athéniens de son époque, il fut condamné à mourir empoisonné par de la ciguë.

**SODIUM** Métal gris argenté, de symbole Na, mou au point de pouvoir être découpé au couteau. Placé au sixième rang des ÉLÉMENTS de l'écorce terrestre sur le plan de l'abondance, le sodium est très répandu dans la nature à l'état de chlorure (sel marin et sel gemme NaCl). Le sodium se classe parmi les métaux alcalins, ainsi nommés parce qu'ils s'unissent à l'eau pour former des hydroxydes qui sont de puissants alcalis. Le bicarbonate de soude est utilisé en médecine et entre dans la composition de la levure chimique ; l'hydroxyde de sodium (soude caustique) est utilisé dans les industries du savon, des détergents, de l'aluminium et des textiles.

**SOIE** Fibre naturelle obtenue à partir du cocon de la chenille du bombyx du mûrier, ou ver à soie. Chaque cocon fournit de 600 à 900 m de fil de soie. Pour le tissage, on utilise du fil constitué de quatre brins. La larve du bombyx se nourrit exclusivement de feuilles de mûrier blanc et tisse son cocon un mois après sa métamorphose. La Chine fournit près des deux tiers de la production mondiale de la soie, suivie par le Japon (20 %). Autrefois importante productrice de soie, la France (soieries de Lyon) a vu cette industrie fortement baisser avec l'apparition des fibres synthétiques. ▷

**SOJA OU SOYA** Plante grimpante, voisine du haricot, originaire d'Asie mais aujourd'hui cultivée dans le monde entier. Des graines, riches en PROTÉINES, on fait de la farine et l'on extrait de l'huile qui entre dans la composition de margarine, savon, émaux et vernis ; le résidu solide (tourteau) est utilisé comme aliment pour les animaux. Les pousses sont consommées comme légume. ▷

SOIE Les premières tentatives de fabrication de soie remontent à 2 600 av. J.-C, lorsque l'épouse de l'empereur de Chine avait entrepris de savoir s'il était possible de tisser les fibres du ver à soie.
Il faut 6 000 cocons pour obtenir 1 kg de fil de soie.

SOJA La majeure partie de la production de soja est transformée en huile. Les graines fournissent un cinquième de leur poids en huile. 90 % de l'huile de soja sont consommés sous forme d'huile de cuisine ou de produits dérivés comme la margarine.

SOLEIL Le Soleil rayonne une puissance colossale : soit 6,7 kW par cm$^2$ (4 x $10^{23}$ kW pour la superficie totale). La Terre reçoit 0,13 W par centimètre carré ; le reste se répand dans l'espace.

SON La vitesse de propagation du son varie en fonction du milieu. Elle augmente avec la température. Elle est plus grande dans les liquides (1 600 m/s environ dans l'eau) et dans les solides (4 800 m/s environ dans un rail de chemin de fer).

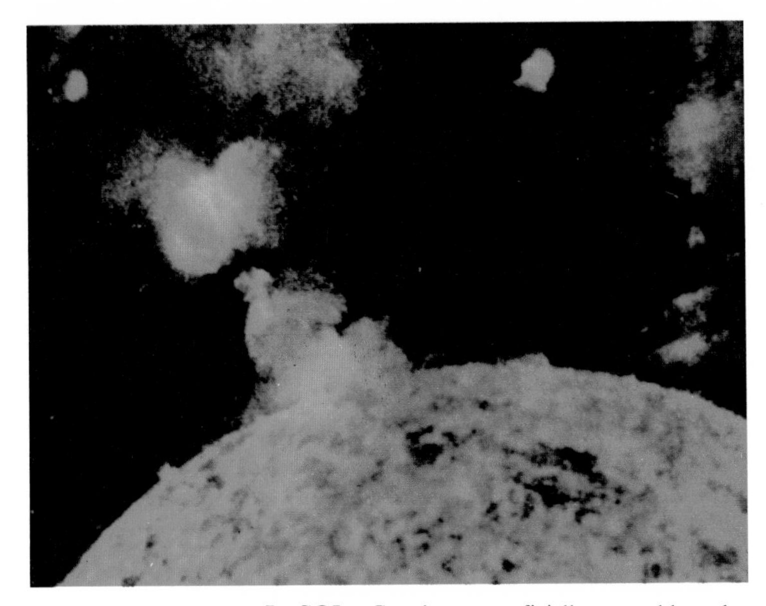

◂ *Spectaculaire éruption, ou protubérance, à la surface du Soleil, photographiée à partir du laboratoire spatial américain* Skylab.

**SOL** Couche superficielle, meuble, de l'écorce terrestre, sur laquelle pousse la végétation. Le sol, de 15 à 25 cm d'épaisseur en général, recouvre le sous-sol et la roche. Le sol joue le rôle de réservoir d'eau et de substances nutritives. Il absorbe et décompose les déchets que les végétaux accumulent autour de leurs racines.

**SOLE** Poisson plat des mers tropicales et tempérées, rarement d'eau douce, apprécié pour sa chair. La sole repose sur le fond, sur la face droite, les deux yeux étant situés sur la face gauche.

**SOLEIL** ÉTOILE autour de laquelle gravitent la Terre et les autres planètes du SYSTÈME SOLAIRE. Par rapport à d'autres étoiles, le Soleil n'est ni très grand ni très brillant. Les astronomes le classent dans la catégorie moyenne des naines jaunes. En fait, il ne nous paraît plus gros et plus brillant que les autres étoiles que parce qu'il est beaucoup plus proche de la Terre — 150 millions de km contre 40 milliards pour la plus proche des autres étoiles. Pour les physiciens, le Soleil est un gigantesque réacteur thermonucléaire qui émet de la chaleur, de la lumière, ainsi que d'autres formes d'ONDES ÉLECTROMAGNÉTIQUES. Une petite partie de cette énergie atteint la Terre, y rendant la vie possible. Au sein du Soleil règne une température de l'ordre de 15 millions de degrés, et de 6 000 °C à la surface. De forme arrondie, il a un diamètre de 1 390 000 km. Il est composé de gaz, principalement d'hydrogène (90 %) et d'hélium (8 %). ◁

SOLUTION Il n'existe pas de limite aux proportions dans lesquelles deux liquides, ou deux solides, peuvent être mélangés, mais un liquide donné ne peut dissoudre qu'une proportion limitée d'un solide donné. Quand cette proportion est atteinte, on dit que la solution est « saturée ». Dans certaines conditions, un solvant peut dissoudre une plus forte proportion de solide : on obtient alors une solution « sursaturée ». Ce type de solution est cependant instable : une infime vibration ou l'addition d'une impureté provoque en général le dépôt du supplément de corps dissous.

**SOLEIL DE MINUIT** Du fait de l'inclinaison de l'axe de la Terre, au moins une fois par an le Soleil brille à minuit dans les régions situées au nord du cercle polaire arctique et au sud du cercle polaire antarctique.

**SOLUTION** Mélange d'un liquide (le solvant) et d'un corps dissous. Les solutions solides, en particulier les ALLIAGES, sont des mélanges homogènes de deux substances ou plus. ◁

**SOMMEIL** Période d'inconscience temporaire pendant laquelle le corps et l'esprit se régénèrent. L'énergie dépensée durant la période d'activité est reconstituée pendant le sommeil. La respiration et les pulsions cardiaques se ralentissent, la température du corps s'abaisse. Un nouveau-né dort presque vingt-quatre heures par jour. Un adulte n'a besoin que de sept à huit heures de sommeil en moyenne. (Voir RÊVE.)

**SON** Effet produit sur l'OREILLE par un certain type de vibrations. Les sons sont produits par des objets qui vibrent, comme les cordes de guitare, une colonne d'air de tuyau d'orgue, une cloche ou un bris de verre. En vibrant, le corps fait varier la pression de l'air. Ces variations de pression se transmettent dans l'air sous forme d'ondes, à la manière des vibrations qui traversent un ressort à boudin, et l'onde se propage de proche en proche. On appelle fréquence d'un son (exprimée en hertz, Hz) le nombre d'ondes émises par unité de temps (seconde). Les fréquences sonores varient entre 20 et 20 000 Hz environ. La longueur d'onde d'un son est la distance séparant deux crêtes d'onde consécutives. Dans l'air à 0 °C, le son se propage à la vitesse de 332 m/s. La relation entre la fréquence ($f$), la longueur d'onde ($\lambda$) et la vitesse ($V$) d'un son se traduit par l'équation $V = f\lambda$. ◁

▾ *Le son se propage dans toutes les directions. Il est possible de représenter une onde sonore à l'aide d'un oscilloscope, un écran fluorescent similaire à celui d'un téléviseur. Plus la longueur d'onde est faible plus le son est haut.*

**SONAR** Sigle de l'anglais *SOund NAvigation and Ranging.* Le sonar est un appareil de détection sous-marine utilisant des ondes sonores. Un faisceau d'ondes est émis par un sondeur installé au fond d'un bateau ; ces ondes sont réfléchies par les obstacles sous-marins ; les échos sont captés et s'affichent sur l'écran d'un TUBE CATHODIQUE. Les images obtenues permettent de déterminer le temps mis par l'écho pour rejoindre le bateau, et par conséquent la profondeur à laquelle se trouve l'obstacle (ou encore le fond).

**SORCELLERIE** Capacité que l'on attribue à certaines personnes de nuire ou de guérir avec l'aide supposée d'esprits ou de démons. Jusqu'au Moyen Age, le pouvoir de guérir en utilisant les plantes était dévolu dans les communautés à certaines femmes. Mais la peur de ces « sorcières », vraisemblablement entretenue sinon insufflée par l'Église catholique et les seigneurs pour lesquels elles constituaient un contre-pouvoir, conduisit l'Europe du XV^e^ au XVII^e^ siècle à voir dans leurs talents la manifestation du démon ; c'est pourquoi bon nombre d'entre elles furent torturées et brûlées.

**SOUCI** Plante appartenant à la même famille que la PAQUERETTE (composées), et dont quelques espèces sont cultivées pour leurs fleurs jaunes ou orange. Nombre d'espèces sont originaires du Mexique.

**SOUCOUPE VOLANTE** En juin 1947, aux États-Unis, plusieurs habitants affirmèrent avoir aperçu un Objet Volant Non Identifié (OVNI) en forme de disque aplati, d'où le terme de « soucoupe volante ». Jusqu'ici, aucun OVNI n'a pu être véritablement identifié. ▷

**SOUDAGE** Opération consistant à assembler deux pièces de métal par fusion. Les pièces sont chauffées dans la zone de contact. Souvent le volume de matière en fusion est grossi par l'appoint d'un *métal d'apport* (il peut s'agir d'un alliage). La chaleur nécessaire à la fusion peut être fournie par la combustion d'un gaz *(soudage au chalumeau)*, un arc électrique *(soudage à l'arc)* ou le passage de l'électricité dans le métal *(soudage par résistance)*.

**SOUDAN** La république du Soudan est la plus vaste nation d'AFRIQUE. Elle compte 19 millions d'habitants pour une superficie de 2,5 millions de km$^2$. Le nord et le centre du pays sont désertiques, mais le Soudan pratique la culture du coton sur les terres irriguées. Capitale : Khartoum. ▷

**SOUFRE** ÉLÉMENT non métallique existant à l'état naturel sous forme de roche cristallisée, jaune. Le soufre abonde dans les régions volcaniques ou près des sources chaudes. Le soufre mou est un solide pâteux qui se forme quand on verse dans l'eau froide du soufre fondu à sa température d'ébullition. La fleur de soufre est une poudre fine, obtenue par condensation des vapeurs de soufre. Le soufre entre dans la composition de médicaments, de la poudre, l'acide SULFURIQUE, ainsi que de nombreux produits chimiques.

**SOURIS** Petit MAMMIFÈRE rongeur à museau allongé, yeux vifs, dents pointues, pelage gris ou brun et longue queue nue. La souris est principalement végétarienne. La femelle a quatre à six portées par an, de quatre à huit souriceaux. Les jeunes peuvent se reproduire dès l'âge de douze semaines.

▲ *Le* Holland *américain de 1898. Utilisé par les marines américaine et britannique, ce sous-marin était propulsé en surface par des moteurs à essence et en plongée par un moteur électrique.*

▼ *Vue en coupe d'un sous-marin nucléaire. Le bâtiment a une forme hydrodynamique qui lui assure un maximum de vitesse et de stabilité. Les missiles sont entreposés au centre du sous-marin.*

SOUCOUPE VOLANTE Si çà et là, à intervalles réguliers, des gens affirment avoir aperçu une soucoupe volante ou autre OVNI, les autorités parviennent, en général, à classer ces étranges apparitions dans l'une ou l'autre des catégories suivantes : avion non conventionnel, avion volant dans des conditions atmosphériques inhabituelles, ballon de haute altitude, satellite artificiel, réflexion sur les nuages d'un faisceau lumineux, vol d'oiseaux, créatures luminescentes comme les lucioles, mirage, étoile ou planète exceptionnellement brillante et enfin aurore boréale.

SOUDAN : DONNÉES
Langue officielle : arabe.
Monnaie : livre soudanaise.
Religion : islam.
Grandes villes : Khartoum/Omdurman (2 millions d'hab.), Port-Soudan (400 000 hab.).
Principaux fleuves : le Nil Bleu et le Nil Blanc qui se rejoignent à Khartoum.
Le Soudan est une république indépendante depuis 1956.

SOUS-MARIN Le premier sous-marin opérationnel était un petit bâtiment recouvert de cuir renforcé de plaques de fer pour supporter la pression et propulsé par douze avirons. Il pouvait plonger jusqu'à 5-6 m de profondeur, durant plusieurs heures. Une démonstration fut organisée sur la Tamise en 1620.

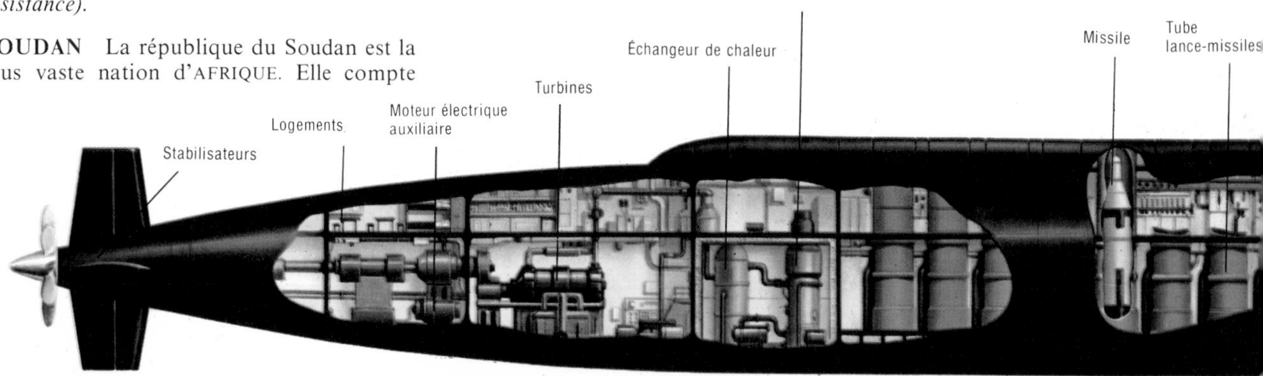

SPARTE Les citoyens de Sparte étaient renommés pour l'importance qu'ils accordaient aux talents guerriers et à la discipline. C'étaient de superbes guerriers professionnels qui s'entraînaient tout au long de leur vie. En 480 av. J.-C., le roi Léonidas, à la tête de trois cents hommes seulement, parvint à tenir en échec au défilé des Thermopyles une armée perse de 180 000 hommes, et ce durant trois jours ; mais, pris à revers, les Spartiates furent écrasés.

◂ *Statue représentant (on le suppose) une jeune Spartiate en train de courir. A Sparte, les jeunes filles pratiquaient l'athlétisme pour se préparer à être des mères de soldats.*

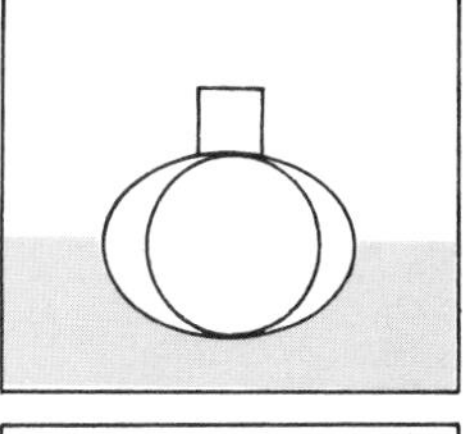
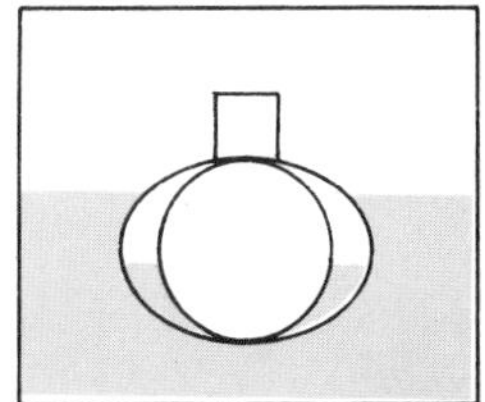
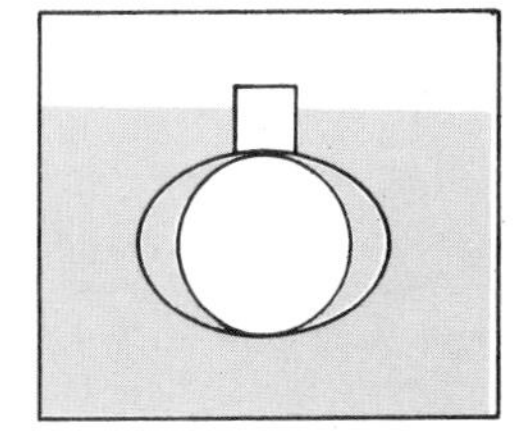

▸ *Selon que l'on veut faire plonger le sous-marin ou le faire émerger, on remplit plus ou moins d'eau des réservoirs étanches appelés* ballasts.

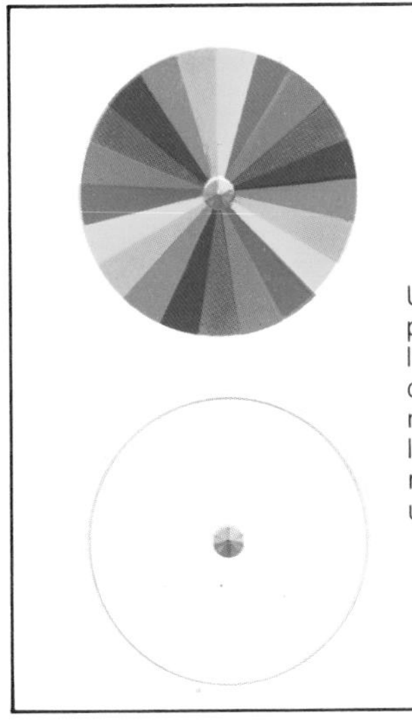

### LE SPECTRE DES COULEURS

Un spectre de lumière blanche est constitué par les diverses couleurs de l'arc-en-ciel. Si l'on peint un disque de carton de bandes de ces couleurs (en haut) et que l'on fait tourner le disque à grande vitesse, l'œil mélange les couleurs et voit du blanc (en bas). Ceci montre que la lumière « blanche » est bien un mélange de couleurs.

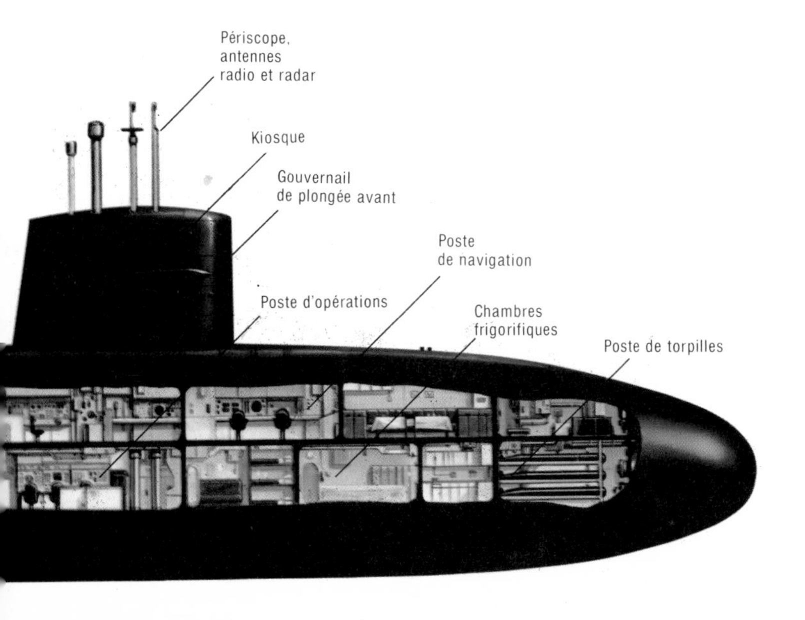


**SOUS-MARIN** NAVIRE capable de naviguer en surface ou sous l'eau. Les sous-marins sont propulsés par des batteries, des moteurs DIESEL ou des réacteurs nucléaires. Armés de lance-TORPILLES, les sous-marins jouèrent un rôle essentiel pendant les deux guerres mondiales, notamment dans la marine allemande. De petits sous-marins sont également utilisés pour des missions de recherche et d'exploration, ainsi que pour effectuer des travaux sous-marins sur les bateaux, les câbles ou les plates-formes de forage en mer. ◁

**SPARTE** Dans la GRÈCE antique, capitale de la Laconie. Fondée au IXe siècle av. J.-C., Sparte était une cité entièrement consacrée aux arts militaires. Sa classe dirigeante en fit un État puissant, rival d'Athènes. La puissance de Sparte déclina avec la conquête de toute la Grèce par ALEXANDRE LE GRAND. ◁

**SPECTRE** L'ensemble des divers types d'ONDES ÉLECTROMAGNÉTIQUES est connu sous le nom de spectre électromagnétique. Tout mélange d'ondes électromagnétiques peut être réparti en un spectre en fonction des fréquences de ses composantes. La lumière blanche, par exemple, peut être décomposée par un PRISME en une série de raies de couleurs. Lorsque les gouttes de pluie décomposent la lumière solaire, on assiste à un ARC-EN-CIEL.

**SPECTROSCOPE** Instrument utilisé pour décomposer la lumière et produire le SPECTRE de ses composantes. Les astronomes emploient le spectroscope pour analyser la lumière des ÉTOILES et en déduire la composition de l'astre ; à chaque élément correspond une disposition spécifique des raies du spectre.

**SPERMOPHILE** Rongeur d'Amérique du Nord. Le plus connu est le rat à bourse (saccophore), long de 20 cm, qui doit son nom aux poches qui gonflent ses joues et lui servent à transporter sa nourriture jusqu'au terrier qu'il a creusé.

**SPHÈRE** Surface fermée, délimitée dans l'espace par tous les points situés à égale distance (rayon) d'un point intérieur appelé « centre », et solide délimité par cette surface. Le volume d'une sphère de rayon *R* est égal à $4/3\ \pi\ R^3$, sa surface est $4\ \pi\ R^2$.

**SPHINX** Dans la MYTHOLOGIE antique, monstre fabuleux à corps de lion, tête humaine ou animale, parfois muni d'ailes de griffon. Des statues de sphinx ont été découvertes en Égypte, en Grèce, en Crète et en Turquie. Chez les Égyptiens, les têtes de sphinx étaient sculptées à l'image des dieux ou des rois ; en Grèce, elles représentaient des jeunes femmes. Selon la légende grecque, le sphinx, installé au bord du chemin, posait des énigmes au voyageur, qu'il dévorait si celui-ci ne fournissait pas la réponse correcte. ▷

**SPORE** Élément de la reproduction chez les VÉGÉTAUX non florifères. Les spores sont disséminées par le vent. Elles peuvent survivre plusieurs années à des conditions défavorables pour germer ensuite et donner une nouvelle plante.

**SQUASH** Jeu pratiqué entre deux joueurs, avec des raquettes et une petite balle de caoutchouc, sur un terrain de taille réduite fermé par quatre murs. Proche du tennis et de la pelote basque, le squash est issu d'un jeu anglais du XIXe siècle appelé *rackets.*

**SQUELETTE** Ensemble des os du corps. Certains INVERTÉBRÉS comme le crabe possèdent un squelette externe. Chez les VERTÉBRÉS, le squelette est interne. Le squelette humain comporte plus de deux cents os qui constituent le crâne, la COLONNE VERTÉBRALE, la cage thoracique, le bassin et les membres. Les os servent de charpente à la chair, de points d'insertion aux MUSCLES et assurent la protection des organes internes. Les os du squelette fabriquent en permanence de nouvelles cellules osseuses et stockent le calcium et le phosphore. (Voir OS.)

**SRI LANKA** République insulaire de l'Asie méridionale, au sud-est de l'Inde, Sri Lanka (anciennement Ceylan) compte 15,2 millions d'habitants (1982) pour une superficie de 65 600 km². Cette île en forme de poire produit essentiellement du thé et du caoutchouc. Capitale : Colombo. ▷

**STALACTITE ET STALAGMITE** Les stalactites sont des colonnes ressemblant à des aiguilles de glace et qui descendent de la voûte

▼ *Les 206 os qui constituent le squelette humain servent de charpente au corps et protègent les organes vitaux.*

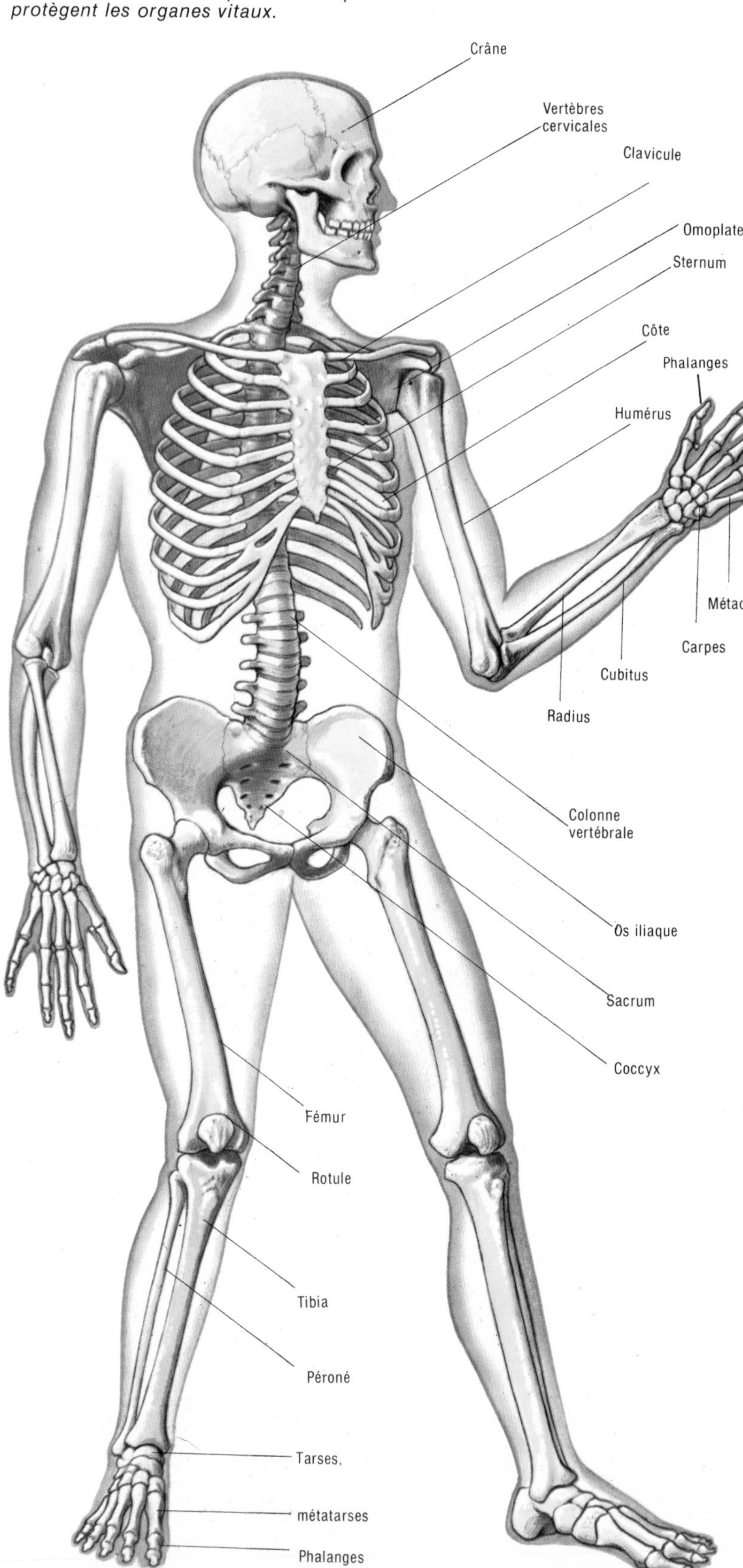

◂ *Femmes cueillant le thé à Sri Lanka. L'agriculture en plantations a été introduite par les Européens lors de la colonisation. Aujourd'hui, les plantations sont en grande partie exploitées par les habitants de l'île.*

SPHINX La fameuse énigme du sphinx grec était la suivante : « Qu'est-ce qui avance sur quatre pattes le matin, sur deux pattes à midi et sur trois le soir ? » Seul Œdipe découvrit la solution : il s'agissait de l'homme, qui, bébé, rampe à quatre pattes, marche debout à l'âge adulte et s'appuie sur un bâton lorsqu'il est vieux.

SRI LANKA : DONNÉES
Langue officielle : cinghalais. L'anglais est la seconde langue.
Monnaie : roupie.
Grandes villes : Colombo (586 000 hab.), Dehiwala-Mt-Lavinia (174 000 hab.).
Sri Lanka a acquis son indépendance vis-à-vis de la Grande-Bretagne en 1948, avec un statut de dominion à l'intérieur du Commonwealth. En 1972, Ceylan est devenue la république de Sri Lanka. Elle fait partie du Commonwealth.

STEEPLE-CHASE On fait remonter les origines du steeple à l'année 1803, au cours de laquelle, lors d'une chasse au renard en Irlande, les chasseurs décidèrent de faire la course droit vers le clocher d'une église.

des grottes CALCAIRES. Ces concrétions calcaires sont déposées par l'eau qui coule goutte à goutte. Les stalagmites sont formées de la même manière, mais leurs colonnes se dressent sur le sol des grottes.

**STALINE, JOSEPH VISSARIONOVITCH DJOUGACHVILI, DIT** Chef de l'État et secrétaire général du parti communiste de l'U.R.S.S. durant cinquante années, jusqu'à sa mort (1879-1953). Tristement célèbre aujourd'hui pour les procédés dont son régime usa pour éliminer les opposants politiques (procès truqués, déportations), Staline organisa pourtant efficacement la lutte de son pays contre l'Allemagne au cours de la Seconde Guerre mondiale et contribua à faire de l'Union soviétique l'une des plus grandes puissances mondiales. (Voir COMMUNISME.)

**STATISTIQUE** Science dont l'objet est de récolter des données quantitatives et de les analyser pour en déduire des significations et des prévisions pour l'avenir. Une compagnie de transport, par exemple, peut dénombrer les voyageurs ayant emprunté ses véhicules au cours d'une période donnée et se servir de ces informations pour décider des types de véhicules à mettre en service et de la fréquence des passages.

▸ *Les stalactites qui descendent de la voûte des grottes calcaires composent des décors féeriques. Assez fragiles, elles se brisent souvent avant d'avoir atteint une longueur très importante.*

**STEEPLE-CHASE OU STEEPLE** Course à cheval ou à pied, comportant le franchissement d'obstacles tels que haies ou fossés. Ce type de course doit son nom anglais (« course vers le clocher ») au fait qu'autrefois un clocher d'église était choisi comme but de la course. ◁

**STEPPE** Herbages tempérés d'Europe de l'Est et d'Asie, analogues aux prairies.

**STÉROIDES** Groupe de composés chimiques (voir ÉLÉMENTS ET COMPOSÉS) présents dans l'organisme et qui jouent un rôle dans la croissance et le développement. Les athlètes, par exemple, absorbent parfois des stéroïdes synthétiques pour améliorer leurs performances.

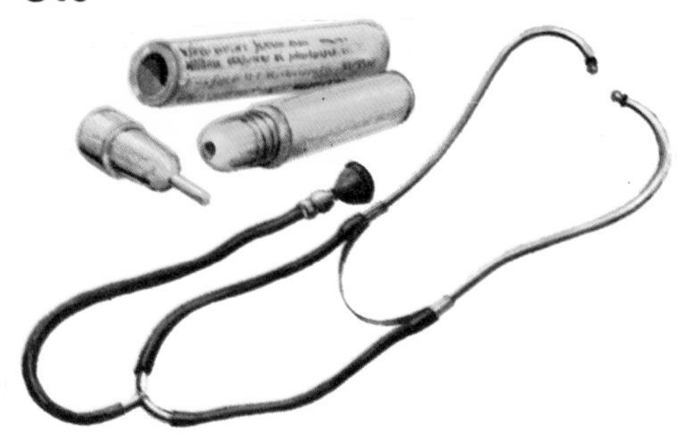

▲ *Ci-dessus, le stéthoscope de Laennec (en haut), à côté d'une version moderne de cet instrument.*

**STÉTHOSCOPE** Instrument utilisé par les médecins pour pratiquer l'auscultation, c'est-à-dire écouter les bruits des poumons et du cœur. Inventé en 1816, le stéthoscope ne fut d'abord qu'un cylindre de bois percé de trous. ▷

**STOCKHOLM** Capitale de la SUÈDE, Stockholm est construite sur un groupe d'îles côtières de la Baltique. Cette agréable ville industrielle compte 1,5 million d'habitants avec son agglomération.

**STONEHENGE** Site archéologique de Grande-Bretagne (plaine de Salisbury, Wiltshire). Grand monument de pierres dressées (monolithes), Stonehenge fut probablement érigé entre 1800 et 1400 av. J.-C. comme lieu de culte consacré à la Lune et au Soleil. ▷

**STRAVINSKI, IGOR** Compositeur américain d'origine russe (1882-1971). Sa musique, très moderne, fit d'abord scandale, puis influença les autres compositeurs. Il composa *l'Oiseau de feu, le Sacre du printemps, Histoire du soldat.*

▲ *Le site mégalithique de Stonehenge aurait été un lieu de culte, mais aussi un observatoire astronomique destiné à la prévision des éclipses de Lune et de Soleil et à l'établissement d'un calendrier.*

**STRONTIUM** ÉLÉMENT métallique que l'on rencontre sous forme de composés tels que carbonate ou sulfate de strontium. Le métal est extrait par ÉLECTROLYSE. Très oxydable, il est conservé sous une couche d'huile. Le strontium 90, ISOTOPE radioactif présent dans les retombées d'explosions nucléaires, présente des dangers pour l'organisme dans la mesure où il est instantanément absorbé. Le nitrate de strontium est utilisé en pyrotechnie pour colorer les flammes en rouge.

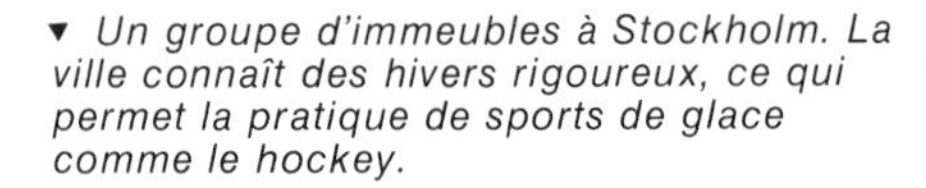

▼ *Un groupe d'immeubles à Stockholm. La ville connaît des hivers rigoureux, ce qui permet la pratique de sports de glace comme le hockey.*

STÉTHOSCOPE Le mot stéthoscope vient de deux mots grecs signifiant « poitrine » et « examiner ». Avant cette invention, les médecins collaient l'oreille contre la poitrine du patient pour écouter le cœur et les poumons. Mais chez les personnes enveloppées de graisse, ces bruits sont plus difficilement perceptibles. Le docteur René Laennec résolut le problème en utilisant, dans un premier temps, un rouleau de papier dont il collait une extrémité contre la poitrine du patient, l'autre contre son oreille. Par la suite, il se servit d'un tube de bois. Le stéthoscope était né.

STONEHENGE Le plus gros monolithe de Stonehenge pèse près de 50 t. Selon les archéologues, les pierres furent transportées sur 32 km puis dressées en quatre cercles concentriques, les monolithes du cercle extérieur étant reliés par d'énormes linteaux de pierre, pesant environ 7 t chacun, fixés aux pierres verticales par des tenons et des mortaises. On suppose que la construction du cercle extérieur remonte au XV$^{e}$ siècle av. J.-C.

▸ *Une fromagerie en Suisse, pays réputé pour l'excellence de ses produits.*

SUÈDE : DONNÉES
Superficie : 450 000 km$^2$.
Population : 8,3 millions d'habitants (1982).
Capitale : Stockholm.
Langue officielle : suédois.
Monnaie : couronne suédoise.
Religion : luthéranisme.
Grandes villes : Stockholm (1,5 million d'hab.), Göteborg (690 000 hab.). La moitié du pays est boisée ; les lacs couvrent 9 % de la superficie.

SUISSE : DONNÉES
Superficie : 41 300 km$^2$.
Population : 6,5 millions d'habitants (1982).
Capitale : Berne.
Langues officielles : français, allemand, italien et romanche (1938).
Monnaie : franc suisse.
Religions : catholicisme (50 %) et protestantisme (50 %).
Principaux fleuves : Rhin et Rhône.
Grandes villes : Zurich (707 000 hab.), Bâle (364 000 hab.), Genève (327 000 hab.), avec leur agglomération.
Le statut de neutralité perpétuelle de la Suisse a été garanti par le congrès de Vienne de 1815. La Suisse a maintenu ce statut durant les deux guerres mondiales.

**STUART** Illustre famille d'Écosse qui régna sur l'Écosse à partir de 1371, sur l'Angleterre de 1603 à 1714.

**SUCRE** HYDRATE DE CARBONE à saveur douce, extrait de la canne à sucre et de la betterave à sucre. Le sucre est produit dans les végétaux par PHOTOSYNTHÈSE ; c'est un aliment vital pour les humains, facilement assimilable et converti très rapidement en énergie. (Voir GLUCOSE.) Le sucre est commercialisé en poudre (sucre semoule, sucre glace), en morceaux ou en fins cristaux (sucre cristallisé).

**SUÈDE** Monarchie de l'EUROPE du Nord, la Suède est un État montagneux, à faible densité de population, et dont les habitants jouissent de l'un des plus hauts niveaux de vie d'Europe.

La Suède s'étend jusqu'au-delà du cercle polaire et couvre une partie de la LAPONIE. Au nord, la région entourant les villes de Gällivare et Kiruna exploite de riches gisements de fer. L'industrie minière et les industries du bois constituent des ressources primordiales, tandis que la sidérurgie alimente des constructions mécaniques (automobiles, navales, électriques). Les principaux centres industriels sont STOCKHOLM, Göteborg, Malmö et Norrköping. La Suède manque de charbon, mais possède de nombreuses centrales hydroélectriques. L'agriculture est limitée à la partie méridionale du pays et occupe moins du dixième de la population active.

La Suède a fourni au monde nombre de scientifiques et d'inventeurs dont Alfred Nobel (1833-1896), le fondateur des PRIX NOBEL. Demeurée neutre depuis plus de cent cinquante ans, la Suède jouit d'une stabilité politique qui a permis aux gouvernements successifs de promouvoir une législation sociale très avancée. Du fait de sa neutralité, la Suède joue un rôle important dans les affaires internationales. ◁

**SUEZ (CANAL DE)** Voie d'eau internationale reliant la MÉDITERRANÉE à la mer ROUGE, le canal de Suez a été ouvert en 1869. Il mesure 162 km. A la suite de la guerre israélo-arabe de 1967, il a été fermé à la navigation jusqu'en 1975, pour y effectuer des travaux de déblaiement.

**SUISSE** République fédérative d'EUROPE, la Suisse est divisée en vingt-cinq petits cantons (États). Les pouvoirs sont répartis entre le gouvernement central et les cantons. Les ALPES et le Jura, qui couvrent à peu près les deux tiers de la superficie, construisent un magnifique paysage de crêtes, de vallées, de chutes d'eau et de lacs (un cinquième de la superficie). L'agriculture est limitée par les accidents du relief et ne couvre pas les besoins alimentaires de la population, mais la Suisse produit du beurre, du fromage et de la viande. Elle manque de minerais et doit importer la plus grande partie de ses matières premières. En revanche, le pays a développé une industrie de transformation de qualité (industries alimentaire, textile, pharmaceutique, chimique, horlogerie, travail du bois).

La population est répartie en plusieurs groupes linguistiques : 69 % des habitants parlent allemand, 18 % parlent français et 12 % italien. Le romanche, langue issue du latin classique, est utilisé par 1 % de la population. Si dans le passé la Suisse à dû guerroyer pour sauvegarder son indépendance, elle est neutre depuis plus d'un siècle et demi. Elle ne fait pas partie de l'O.N.U., mais est membre de certains de ses organismes spécialisés. ◁

**SULFAMIDE** Nom des composés organiques soufrés et azotés découverts en 1935 et utilisés pour leurs propriétés bactéricides. (Voir BACTÉRIES.) Les sulfamides furent les premiers « médicaments miracles », ainsi baptisés pour la diversité de leur action. Aujourd'hui, ils ont été en grande partie remplacés par les ANTIBIOTIQUES.

**SULFURIQUE (ACIDE)** L'acide sulfurique est un corrosif violent, incolore, de consistance épaisse, très employé dans l'industrie chimique. Il réagit avec divers métaux et composés pour former des sels appelés sulfates. Le sulfate d'ammonium est utilisé comme engrais. L'acide sulfurique dilué est utilisé dans les batteries de voitures.

**SULLY, MAXIMILIEN DE BÉTHUNE, DUC DE** Conseiller et ministre de Henri IV (1560-1641), il gère habilement la France dans les domaines financier et économique. C'est à lui qu'on doit la phrase fameuse : « Labourage et pâturage sont les deux mamelles de la France, ses vrais mines et trésors du Pérou. »

**SUMÉRIENS** Civilisation qui se développa dans la partie méridionale de BABYLONE à partir du IVe millénaire av. J.-C. De 3000 à 1900 av. J.-C., les Sumériens formèrent la plus importante nation du Moyen-Orient ; ils furent les inventeurs de la première écriture *cunéiforme*. Leurs textes étaient gravés sur des tablettes d'argile, séchées puis conservées dans des « bibliothèques ».

**SURDITÉ** La surdité est rarement totale et généralement sélective, en fonction de la hauteur des sons. Les personnes ne percevant que les sons graves déchiffrent mal la parole. Les sourds de naissance sont également muets. Dans le passé, ils demeuraient « sourds-muets » à vie, mais des techniques modernes d'amplification des sons et de phonétique permettent à ces enfants d'apprendre à parler. ▷

**SURRÉALISME** Mouvement littéraire et artistique qui prit naissance en Europe au lendemain de la Première Guerre mondiale. Le surréalisme rejetait toutes les conventions sociales et logiques, en faveur des valeurs du rêve, de l'instinct, du désir et de la révolte. Le mouvement surréaliste a compté des écrivains (Louis Aragon, André Breton, Raymond Queneau), des peintres (Salvador DALI) et des cinéastes (Luis BUNUEL).

**SURRÉNALES (GLANDES OU CAPSULES)** Glandes paires situées chez les mammifères au-dessus des reins. Chaque surrénale est formée de deux parties : la *médullosurrénale* (intérieur) sécrète principalement l'adrénaline — HORMONE qui accélère le rythme cardiaque en cas d'émotion forte —, et la *corticosurrénale* (extérieur) qui produit d'importants STÉROIDES, dont la CORTISONE, qui jouent un rôle dans le contrôle de l'équilibre de l'organisme en sucre et en sel.

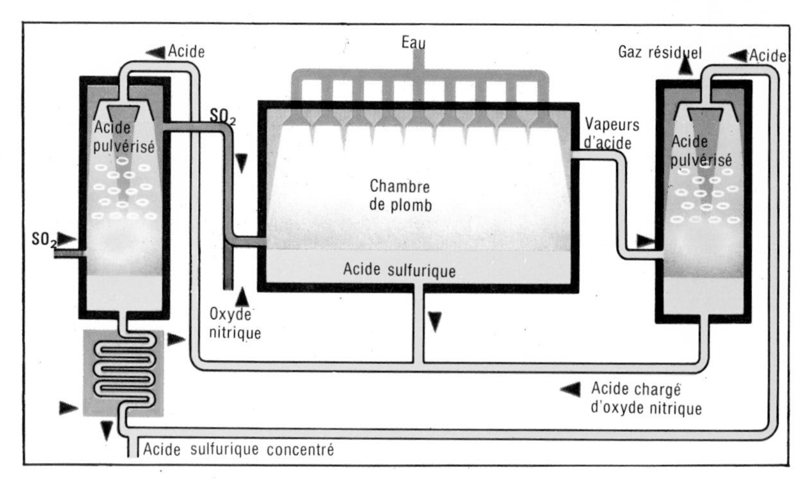


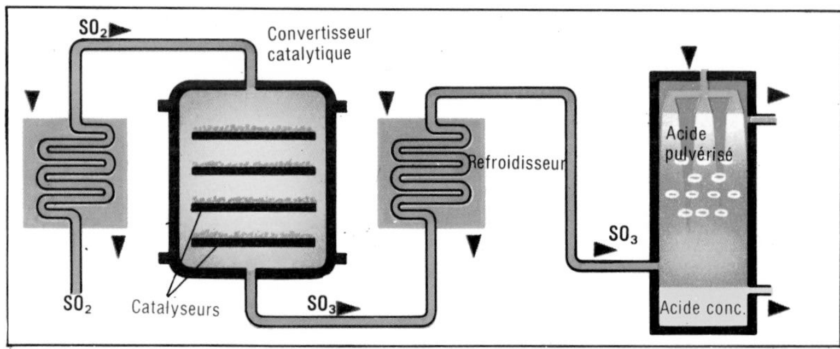


▲ *Les deux principaux procédés de préparation industrielle de l'acide sulfurique : le procédé des chambres de plomb et le procédé de contact. Dans le procédé des chambres de plomb (en haut), l'acide se forme dans des chambres revêtues de feuilles de plomb, par oxydation dans l'air de gaz sulfureux ($SO_2$) en présence d'humidité, avec catalyse par les oxydes de l'azote.*

*Dans le procédé de contact (en bas), on réalise l'oxydation de l'anhydride sulfureux gazeux au contact d'anhydride vanadique à 400 °C, qui sert de catalyseur ; l'anhydride sulfureux est alors transformé en anhydride sulfurique ($SO_3$), qui est refroidi avant de traverser une solution d'acide pulvérisée qui dissout les vapeurs d'anhydride sulfurique et produit une solution concentrée recueillie au fond de la tour.*

SURDITÉ Il existe trois principaux types de surdité. Les surdités de transmission sont provoquées par l'obstruction du conduit auditif (sérumen, par exemple) qui empêche les sons d'atteindre les cellules nerveuses de l'oreille interne. Les surdités de perception sont provoquées par des lésions de l'appareil de perception dues à des infections ou à des nuisances sonores. Les surdités « fonctionnelles » relèvent de blocages mentaux.

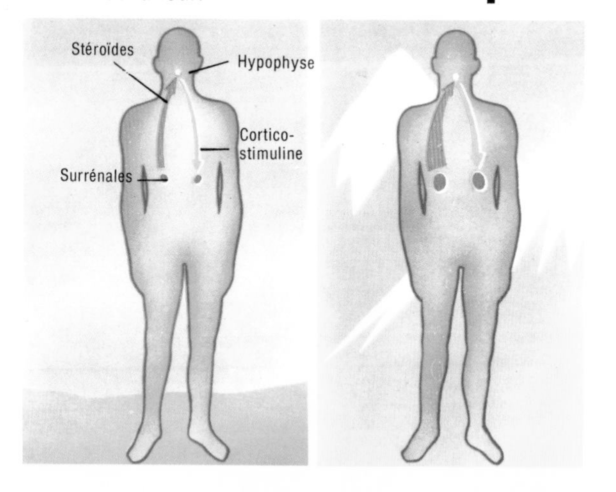


▸ *Les surrénales permettent au corps de s'adapter à des conditions atmosphériques extrêmes. En cas de grand froid, par exemple, notre corps doit consommer plus de sucre et de stéroïdes pour produire de la chaleur. En ce cas, l'hypophyse sécrète une hormone qui provoque dans les surrénales une production supplémentaire de stéroïdes. Ces stéroïdes libèrent un supplément de sucre qui est transformé en énergie.*

▲ *L'Opéra de Sydney, œuvre architecturale audacieuse dont on doit les plans à l'architecte danois Utzon.*

**SWIFT, JONATHAN** Écrivain, poète, homme d'Église et journaliste irlandais (1667-1745), auteur des *Voyages de Gulliver* (1726), satire dans laquelle il stigmatisait les travers de la société de son époque.

**SYDNEY** Ville d'Australie, capitale de la Nouvelle-Galles du Sud, Sydney compte 3,2 millions d'habitants (banlieue comprise). C'est la plus ancienne ville d'Australie. Sydney est une ville portuaire en même temps qu'un centre culturel et industriel.

▸ *Vue aérienne de Sydney, la plus grande ville d'Australie, colonie pénitenciaire britannique à sa fondation, en 1788.*

**SYLVICULTURE** Entretien et exploitation des FORÊTS. Les forêts sont en général entretenues en vue de la production du BOIS, mais aussi pour prévenir l'ÉROSION des sols et équilibrer les ressources en eau.

▸ *En Amérique du Nord, l'exploitation forestière constitue une industrie traditionnelle. L'abattage est un travail dangereux, à fort taux de mortalité.*

**SYMBIOSE** Association entre deux ou plusieurs espèces animales ou végétales, et qui présente des avantages pour chacune d'entre elles. Les LICHENS, par exemple, résultent d'une symbiose entre algues et champignons. Autre exemple de symbiose : le crocodile du Nil et le pluvian d'Égypte : le pluvian se nourrit des sangsues qui se fixent sur le crocodile ; il se procure ainsi sa nourriture, tandis que le crocodile est débarrassé de ses PARASITES. ◁

▲ *Dans la relation symbiotique entre le crabe-ermite et l'anémone de mer, celle-ci se nourrit des restes abandonnés par le crabe ; en retour, elle le protège de ses tentacules urticants. En bas, une autre forme de symbiose : l'anémone de mer abrite le poisson-clown qui, lui, attire les poissons à portée de l'anémone de mer.*

SYMBIOSE Un exemple étonnant de symbiose : celle qui lie les mouettes aux lézards des îles situées au large de la Yougoslavie. Plusieurs espèces de lézards s'abritent sous les ailes des jeunes mouettes encore inaptes au vol ; en retour, les lézards débarrassent les mouettes de leurs parasites.

**SYMPHONIE** Composition musicale pour ORCHESTRE, née au XVIIIe siècle, entre autres avec Joseph HAYDN, et enrichie par des compositeurs comme MOZART et BEETHOVEN. Une symphonie se compose en général de quatre parties ou mouvements.

**SYNAGOGUE** Dans la religion juive, lieu de prière, de culte et d'enseignement religieux. Les synagogues sont généralement orientées en direction de Jérusalem. (Voir JUDAISME.)

**SYNDICAT** Organisation constituée en vue de la défense d'intérêts professionnels communs (syndicat ouvrier, syndicat patronal). Le syndicalisme ouvrier est né avec la RÉVOLUTION INDUSTRIELLE dans une semi-illégalité, puis s'est développé au cours de luttes parfois violentes, passant peu à peu d'une lutte exclusivement corporative (maintien du pouvoir d'achat, lutte contre le chômage) à une conception plus globale, variable selon les pays et les époques. En France, les principaux syndicats sont : la C.G.T., la C.F.D.T., la C.G.C. et F.O.

**SYRIE** République arabe du MOYEN-ORIENT, la Syrie compte 9,3 millions d'habitants (1982) pour une superficie de 185 200 km$^2$. Les vallées sont des régions de culture du coton, mais la Syrie est en majeure partie semi-désertique. Capitale : Damas. ▷

**SYSTÈME INTERNATIONAL D'UNITÉS (SI)** Système de mesure métrique à sept unités de base : mètre, kilogramme, seconde, ampère, kelvin, mole, candela.

▼ *Le système solaire (échelle non respectée). Le schéma de gauche montre les planètes extérieures - Neptune, Pluton, Uranus, Saturne et Jupiter. A droite, Jupiter, Mars, la Terre, Vénus et Mercure. L'orbite notée en jaune est celle d'une comète typique.*

**SYSTÈME MÉTRIQUE** Système décimal de poids et mesures dans lequel le mètre est l'unité de longueur, le gramme l'unité de poids et le litre l'unité de capacité. Dans le système métrique, chaque unité immédiatement inférieure ou supérieure à une autre vaut dix fois plus ou moins que celle-ci. Ce système utilise des préfixes pour nommer les multiples ou sous-multiples de l'unité : *méga* (un million de fois plus), *kilo* (mille), *hecto* (cent), *déca* (dix), *déci* (un dixième), *centi* (un centième), *milli* (un millième). Aujourd'hui, la plupart des pays utilisent le système métrique. ▷

**SYSTÈME NERVEUX** Ensemble des nerfs, ganglions et centres nerveux. Chez l'être humain, on distingue deux systèmes nerveux. Le *système nerveux cérébro-spinal*, composé du CERVEAU, du cervelet et de la moelle épinière (voir COLONNE VERTÉBRALE), est le centre de la sensibilité, de la motricité volontaire et des fonctions supérieures de l'esprit (certaines actions instinctives appelées *réflexes* prennent naissance dans la moelle épinière et non dans le cerveau). Le *système nerveux neurovégétatif* contrôle les fonctions automatiques des viscères, par exemple les battements cardiaques, qui ne sont pas sous contrôle conscient.

**SYSTÈME SOLAIRE** Ensemble du SOLEIL, des PLANÈTES et autres astres qui gravitent autour de lui, dont les COMÈTES et les ASTÉROIDES. La masse du Soleil lui-même est 750 fois plus grande que celle de tout le reste du système solaire réuni. Après le Soleil, les éléments les plus importants du système solaire sont les neuf planètes. Le système solaire est une petite partie de la galaxie de la VOIE LACTÉE. Tous les astres du système solaire gravitent approximativement dans le même plan. C'est la raison pour laquelle le Soleil, la Lune et les planètes paraissent, vus de la Terre, se déplacer dans la même partie du ciel. Cette zone, appelée *zodiaque*, est divisée en douze régions qui constituent les CONSTELLATIONS.

SYRIE : DONNÉES

Langue officielle : arabe.
Monnaie : livre syrienne.
Religion : islam sunnite (en majorité).
Principaux fleuves : Euphrate et Oronte.
Grandes villes : Damas (1 200 000 hab.), Alep (970 000 hab.).
Après avoir été sous mandat français, la Syrie s'est instituée république indépendante en 1944.

SYSTÈME MÉTRIQUE C'est en 1790 que l'Assemblée constituante chargea l'Académie des sciences de déterminer une unité de mesure convenant à tous les temps et tous les peuples. Il fut décidé de baptiser *mètre* la quarante millionième partie de la longueur du méridien passant par Paris. En 1798, trois mètres-étalons furent fabriqués en platine, pour être remplacés par la suite par un unique prototype en platine iridié, déposé au pavillon de Breteuil à Sèvres — le mètre étant alors défini comme la distance séparant deux repères gravés sur le barreau de métal reposant sur deux rouleaux distants de 0,571 m et conservé à la température de la glace fondante. Aujourd'hui, le mètre est défini plus précisément encore comme valant 1 650 763,73 fois la longueur d'onde de la lumière rouge émise par le krypton 86, un gaz rare de l'atmosphère.

**TABAC** Plante cultivée pour ses grandes feuilles qui, séchées et diversement préparées, se fument (cigarettes, cigares, tabac pour pipe), se mâchent (tabac à chiquer) ou se prisent (tabac à priser). Le tabac est une plante des pays chauds et humides. Les îles Caraïbes fournissent quelques-uns des meilleurs tabacs à cigares du monde.

**TABLEAU PÉRIODIQUE DES ÉLÉMENTS CHIMIQUES** Voir ÉLÉMENTS ET COMPOSÉS.

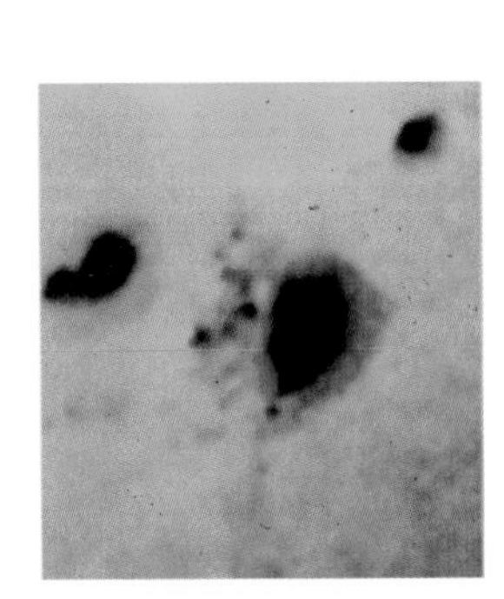

▲ *Les taches solaires ont une température de 2 000 °C inférieure à leur environnement, c'est pourquoi elles apparaissent en noir sur les clichés.*

**TACHES SOLAIRES** Marques sombres qui apparaissent par intermittence à la surface du Soleil. Elles peuvent persister pendant des mois ou disparaître en quelques heures. Si l'on ignore la cause de ce phénomène, on a constaté que le nombre des taches variait d'une année à l'autre selon un cycle moyen de onze ans et que leur apparition était associée aux éruptions chromosphériques du Soleil : les illuminations et les protubérances.

**TADJ MAHALL** Classé parmi les plus beaux monuments du monde, le Tàdj Mahall est un mausolée érigé à la mémoire de son épouse favorite par l'empereur Chàh Djahàn, à Agrà, dans le nord de l'Inde. Sa réalisation a demandé dix-huit ans (1630-1648) et nécessité le travail de vingt mille ouvriers.

▲ *Comme de nombreux autres monuments historiques, le Tàdj Mahall est victime de dégradations dues au climat et à la pollution.*

**T'AI-WAN OU TAIWAN** République insulaire, au large de la CHINE. Taiwan compte 18,2 millions d'habitants et couvre 36 000 km². Taiwan, anciennement Formose, régie par un régime nationaliste, est demeurée indépendante en dépit des tentatives de la Chine communiste pour faire reconnaître ses droits sur l'île. Capitale : T'ai-pei.

**TAMBOUR** Instrument de musique, constitué d'un cylindre dont les deux fonds sont fermés par des peaux tendues (lorsqu'un seul fond est fermé, il s'agit d'un *tambourin*). On frappe l'un des fonds, généralement à l'aide de baguettes, pour en tirer des sons.

**TANK OU CHAR** Véhicule militaire de combat blindé qui se déplace sur des *chenilles*. Selon le type d'engin, il peut être armé de canons, de mitrailleuses, de missiles, etc., montés sur une tourelle pivotante. Les tanks ont fait leur apparition au cours de la Première Guerre mondiale (1916) ; ils ont joué un rôle prépondérant dans l'invasion de la France par les troupes allemandes au début de la Seconde Guerre mondiale.

◂ *Le tank a été introduit par les Britanniques en 1916, au cours de la Première Guerre mondiale. Ce nouvel engin de guerre tout terrain et blindé offrait un avantage certain contre les mitrailleuses ennemies.*

**TANZANIE** République d'AFRIQUE orientale, la Tanzanie compte 18,5 millions d'habitants (1982) pour une superficie de 945 000 km². Pays d'économie essentiellement rurale, la Tanzanie possède le plus haut sommet d'Afrique, le Kilimandjaro, et certains des plus fameux parcs nationaux. Capitale : Dar es-Salaam.

**TAPIS** Ouvrage textile épais destiné à être étendu sur un sol, et fabriqué à la main (tapis à points noués) ou mécaniquement. La technique du tapis est née au Moyen-Orient — en Turquie, en Perse et en Égypte. Aujourd'hui, les plus beaux tapis proviennent encore de cette région du monde, ainsi que d'Inde et de Chine. Outre les techniques traditionnelles (tissage et points noués), l'industrie moderne utilise deux autres méthodes : le tuftage et le nappage. ▷

**TAPISSERIE** Pièce TEXTILE décorative, traditionnellement réalisée en laine, selon une technique manuelle particulière, sur un métier à deux nappes de fils de *chaîne* (voir TISSAGE), les motifs étant formés par les fils teintés de *trame.* Connue depuis des temps reculés, la tapisserie fut très prisée dans l'Occident médiéval comme matériau de tentures et d'ameublement.

**TAPISSERIE DE BAYEUX** Dite également « tapisserie de la reine Mathilde » cette broderie de 70 m de long, réalisée au XIe siècle (de 1067 à 1077), relate en cinquante-huit épisodes l'invasion de l'Angleterre par GUILLAUME LE CONQUÉRANT. (Voir illustr. de la bataille d'HASTINGS.)

**TARENTULE** Grosse ARAIGNÉE noire d'Europe méridionale, commune dans la région de Tarente en Italie, d'où son nom. Si, en réalité, elle produit seulement une inflammation douloureuse, la morsure de tarentule était considérée comme très dangereuse au Moyen Age et les victimes étaient supposées périr de mélancolie à moins d'être sauvées par la musique. C'est de cette croyance que sont nées les tarentelles, pièces de musique entraînante composées pour pousser les victimes de la tarentule à danser afin d'éliminer le venin.

**TASMAN, ABEL JANSZOON** Navigateur néerlandais (v. 1603-1659). Lors de son expédition maritime (1642-1643), il découvre la Tasmanie, la NOUVELLE-ZÉLANDE, puis les archipels des Tonga et des Fidji. D'abord appelée terre de Van Diemen, la Tasmanie sera rebaptisée en l'honneur de Tasman en 1853.

**TATOU** Seuls MAMMIFÈRES à posséder une carapace, les tatous constituent une famille d'une vingtaine d'espèces, répandues du sud des États-Unis à l'Argentine. L'armure des tatous se compose de bandes et de plaques osseuses et articulées. Animaux n'excédant pas un mètre, les tatous se nourrissent principalement d'insectes et surtout de fourmis. ▷

**TAUPE** Petit MAMMIFÈRE fouineur à fourrure veloutée gris-noir. Les taupes utilisent leurs pattes antérieures larges et robustes, armées de griffes, pour creuser des galeries dans le sol ; la terre rejetée forme de petits monticules : les taupinières. Si la taupe est presque aveugle, son odorat et son ouïe bien développés lui permettent de trouver sa nourriture, constituée principalement de vers et de larves. ▷

**TAUROMACHIE** Art de combattre le taureau dans l'arène. Traditionnellement populaire en Espagne, la tauromachie donne lieu à des manifestations publiques, les *corridas,* au cours desquelles les *toreros* font montre de leur audace par une série de *passes* conventionnelles et de poses de *banderilles* destinées à exciter l'animal, après quoi le taureau est mis à mort à l'épée par le *matador* (en France, les mises à mort sont illégales).

**TCHAD** République d'AFRIQUE centrale. Ancienne colonie française, le Tchad a acquis son indépendance en 1960. Le pays, très pauvre, vit presque uniquement de l'agriculture. Population : 4,6 millions d'habitants. Capitale : N'Djamena. ▷

**TCHAIKOVSKI, PIOTR ILITCH** Compositeur russe (1840-1893) le plus connu du monde occidental. Il composa en particulier des opéras *(Eugène Onéguine, la Dame de Pique),* des ballets *(le Lac des cygnes, Casse-Noisette).*

**TCHÉCOSLOVAQUIE** République fédérale d'Europe centrale, insérée dans les terres, la Tchécoslovaquie compte 15,4 millions d'habitants (1982) pour une superficie de 128 000 km². Elle est peuplée de 65 % de Tchèques, qui vivent dans l'Ouest et le Centre, et de 30 % de Slovaques peuplant la région orientale. L'agriculture, presque entièrement collectivisée, constitue un secteur économique important, mais le pays tire principalement ses ressources de l'industrie. Autrefois intégrée à l'Empire austro-hongrois, la Tchécoslovaquie est née en tant qu'État en 1918. Devenue protectorat allemand de 1939 à 1945, cette République au régime de démocratie populaire est intégrée au bloc soviétique depuis 1948.

**TCHEKHOV, ANTON PAVLOVITCH** Écrivain russe (1860-1904), auteur de nouvelles et de pièces de théâtre dont *Oncle Vania, les Trois Sœurs, la Mouette* et *la Cerisaie.*

**TECK OU TEK** Arbre tropical à feuilles persistantes d'Inde, de Birmanie et de Thaïlande, le teck peut atteindre plus de 45 m de

TAPIS Le premier balai mécanique — appareil utilisé pour dépoussiérer les tapis — fut inventé comme thérapeutique aux migraines. Un Américain nommé Bissell, vendeur de porcelaine de Chine, l'inventa pour éliminer la poussière de la paille d'emballage qu'il rendait responsable de ses maux de tête. Si les migraines de M. Bissell persistèrent, son invention, brevetée à la fin du XIXe siècle, obtint un rapide succès commercial.

TATOU La peau des parties supérieures des tatous est transformée en une carapace articulée, constituée de bandes dont le nombre varie de trois à douze selon les espèces.

Le tatou à neuf bandes et les tatous du même genre *(Dasypus)* sont originaux en ce qu'ils mettent au monde de quatre à huit petits issus d'un même œuf, donc identiques et de même sexe.

Le tatou nain de Bolivie et d'Argentine ne mesure que 15 cm. Il est rose vif, à face entièrement recouverte de longs poils blancs.

Dans certaines régions, le tatou est chassé comme gibier. Le tatou commun est parfois baptisé « le cochon du pauvre », la saveur de sa chair rappelant celle du porc.

TAUPE Les taupes forment la famille des *talpidés.* Ce sont, parmi les insectivores, les meilleures fouisseuses. Une taupe peut creuser 14 m de galeries en une heure ; à la saison des amours, elle creuse des galeries atteignant plus de 30 m de long. Les yeux des taupes ne distinguent que l'intensité lumineuse.

TCHAD : DONNÉES
Principaux fleuves : Chari et Logone (tous deux se jettent dans le lac Tchad).
Pays enserré dans les terres, le Tchad a une superficie équivalente à deux fois celle de la France.
Langue officielle : français.
Monnaie : franc C.F.A.
Le pays doit son nom au lac Tchad, un lac peu profond dont la superficie peut varier de 10 400 km² en saison sèche à 26 000 km².

▲ *Pièces de tissu teintes en train de sécher dans un village africain. Les motifs sont obtenus par un procédé de nouage du tissu à l'aide de liens avant trempage.*

TÉLÉPHONE En 1975, il y avait 149 millions de postes téléphoniques aux États-Unis, 21 millions au Royaume-Uni, 20 millions en Allemagne de l'Ouest, 14 millions en France.

haut. Il fournit un bois dur et résistant, imputrescible, utilisé pour fabriquer meubles et parquets ainsi que dans la construction navale.

**TEINTURE** Procédé de coloration des tissus ou autres matériaux par trempage dans des solutions colorées. Depuis des milliers d'années, l'homme sait utiliser des teintures végétales ou animales ; la teinture jaune safran, par exemple, est fournie par la fleur d'une espèce de crocus : le SAFRAN. L'usage des teintures synthétiques remonte à 1856, avec la production de la *mauvéine,* une teinture mauve comme son nom l'indique.

**TÉLÉGRAPHIE** Système de télécommunication permettant de transmettre des messages en code. Avant le XIXe siècle, on utilisait des procédés visuels (le sémaphore, par exemple) ou auditifs qui furent ensuite remplacés par des dispositifs électriques. Dans le code MORSE, qui doit son nom à son inventeur, chaque lettre de l'alphabet est représentée par un groupe d'impulsions électriques spécifiques courtes et longues. La radiotélégraphie est un système de transmission de signaux télégraphiques par RADIO.

**TÉLÉPHONE** Système de télécommunication permettant la transmission de la parole et dans lequel les sons sont transformés en impulsions électriques avant d'être acheminés par l'intermédiaire d'un réseau de fils conducteurs. C'est Graham BELL qui, en 1876, réalisa la première transmission de la voix au moyen d'un appareil à membrane de fer. Si l'appareil de Bell ne transmettait qu'un signal faible, difficilement audible sur de longues distances, un an plus tard le microphone était inventé par un autre Américain, puis perfectionné, et bientôt le téléphone connaissait un très grand succès commercial en Europe et aux États-Unis. Le réseau téléphonique fut d'abord manuel — les communications entre deux abonnés passant par l'intermédiaire d'un opérateur —, mais l'augmentation du volume des communications conduisit à rechercher un système automatisé. Dans le système inventé par Almon Strowger en 1889, l'abonné disposait de trois touches pour appeler ses correspondants. Le cadran fut introduit en 1896. Depuis, le réseau téléphonique s'est étendu à la planète entière, par l'intermédiaire de câbles et de SATELLITES de communications. (Voir MICROPHONE.) ◁

▼ *Un combiné téléphonique comporte d'un côté le microphone, organe d'émission, de l'autre l'écouteur (haut-parleur), organe de réception. Lorsque quelqu'un parle dans le microphone, la voix fait vibrer un diaphragme. Les vibrations sont transmises à la grenaille de charbon qui les transforme en courant électrique. Lorsqu'il parvient à l'écouteur, ce courant traverse la bobine d'un électroaimant, ce qui provoque les vibrations d'un diaphragme placé devant l'électroaimant qui reproduit la voix.*

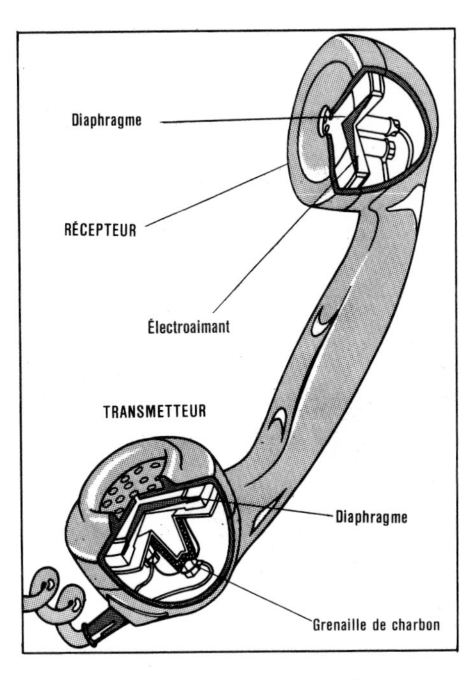


▼ *Le récepteur téléphonique que Graham Bell fit breveter en 1876.*

**TÉLESCOPE** C'est le Hollandais Hans Lippershey qui, en 1608, construisit le premier télescope. Un an plus tard, l'Italien GALILÉE utilisait un télescope de son invention pour observer les cieux et en particulier les montagnes lunaires. Le télescope de Galilée était un *réfracteur*, c'est-à-dire un instrument utilisant des LENTILLES pour recueillir la lumière. Ce type de télescope présentait l'inconvénient de produire des *aberrations chromatiques*, c'est-à-dire de décomposer la lumière en rayons lumineux de couleurs différentes convergeant vers des foyers différents, d'où une image brouillée d'un halo coloré — phénomène qui s'accentue avec l'augmentation du grossissement. Pour pallier cet

▲ *Le télescope Hale de l'observatoire du mont Palomar. Les grands réflecteurs sont plus faciles à fabriquer que les réfracteurs et donnent une image plus lumineuse.*

▲ *Une reproduction du télescope à réflexion que Newton inventa en 1672, à moins de 30 ans.*

▼ *L'amas ouvert des Hyades, photographié à travers un télescope équipé d'un objectif prismatique. L'appareil a enregistré les étoiles sous forme de spectres - l'étude de ces spectres permettant aux astronomes de déduire certaines caractéristiques des étoiles.*

TÉLESCOPE Les plus grands réflecteurs du monde sont le télescope de Zelentchouk en U.R.S.S. : 6,02 m, en service depuis 1976, et le télescope Hale du mont Palomar en Californie (États-Unis) : 5,08 m, en service depuis 1948. Le plus grand réfracteur est la lunette de Yerkes, dans le Wisconsin (États-Unis) : 102 cm de diamètre, en service depuis 1897.

TÉLÉVISION En 1974, les États-Unis comptaient 3 850 émetteurs et 121 millions de récepteurs, le Royaume-Uni 600 émetteurs et 18 millions de récepteurs, l'Allemagne de l'Ouest 1 150 émetteurs et 19 millions de récepteurs, la France 3 000 émetteurs et 14 millions de récepteurs.

inconvénient, Isaac NEWTON mit au point le télescope à réflexion, dans lequel un miroir concave remplace la lentille de l'objectif. Aujourd'hui, dans les réfracteurs (lunettes astronomiques), les aberrations sont corrigées par l'association de différents types de verre. Cependant, on ne construit pas de réfracteurs de grande taille, car plus leur taille augmente, plus les lentilles absorbent la lumière. De plus, comme elles ne peuvent être fixées que par leur circonférence, les lentilles deviennent rapidement trop lourdes. Par conséquent, les lunettes astronomiques sont réservées aux observations visuelles. (Voir RADIOASTRONOMIE) ◁

**TÉLÉVISION** Si le principe fondamental de la transmission d'images était déjà connu auparavant, il fallut attendre 1880 pour assister à la première tentative de mise en pratique. Deux scientifiques anglais, Ayrton et Perry, proposèrent cette année-là d'utiliser un certain nombre de cellules photoélectriques

▸ *L'un des premiers récepteurs de télévision. L'écran est installé dans le couvercle. Les premières émissions de la télévision française remontent à 1935.*

▾ *Une caméra de TV couleur contient des miroirs teintés qui décomposent la lumière de la scène en ses trois couleurs fondamentales : bleu, vert et rouge. Chacune de ces trois images est balayée par un tube analyseur, ce qui donne trois signaux image, qui sont rassemblés puis émis.*

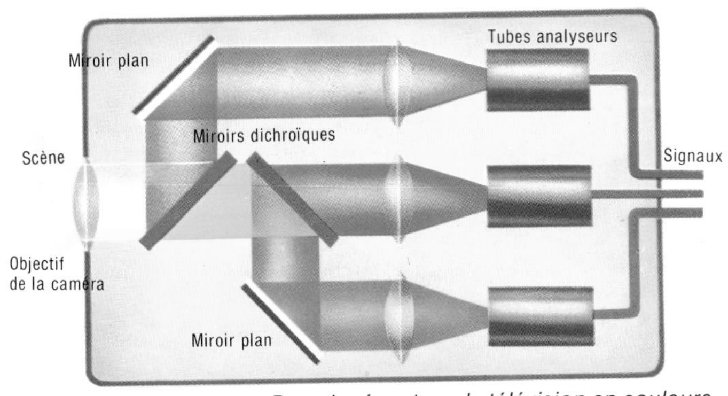


▾ *Dans le récepteur de télévision en couleurs, les signaux correspondant aux trois couleurs sont à nouveau séparés et chacun fait varier la densité d'un faisceau d'électrons. Les faisceaux balaient l'écran revêtu de points ou de traits luminophores rouges, bleus et verts qui brillent dès qu'ils sont touchés par un faisceau. L'œil mélange ces taches lumineuses, restituant l'image filmée.*

Écran recouvert de points luminophores

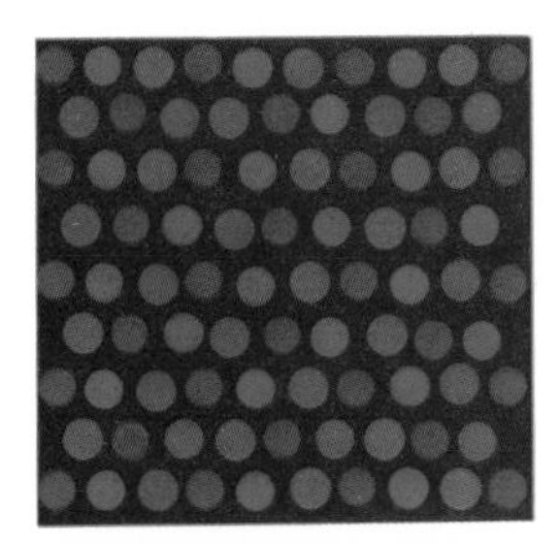

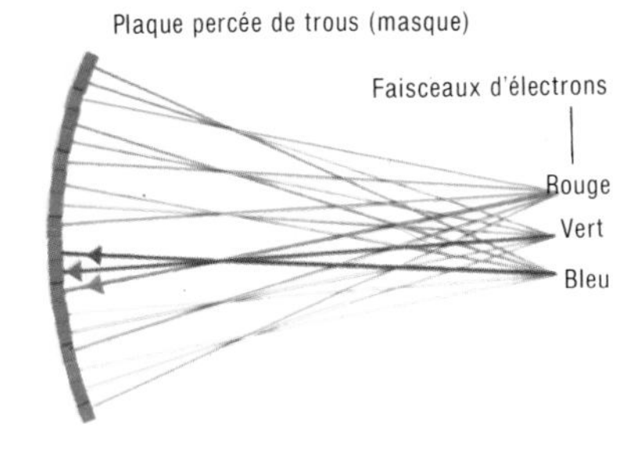


pour convertir en signaux électriques une image décomposée en éléments ; les signaux seraient ensuite transmis par des conducteurs jusqu'à une série de minuscules lampes, de manière à reproduire les variations de luminosité de l'image originelle. L'un des problèmes que posait ce système résidait dans le nombre de fils conducteurs à intercaler entre les systèmes émetteur et récepteur. L'Allemand Paul Nipkow surmonta la difficulté par la mise au point d'un système de balayage mécanique. Grâce à un disque rotatif perforé, chaque élément d'image fait réagir à tour de rôle une unique cellule photoélectrique, ce qui réduisait à deux le nombre de fils conducteurs. Un autre problème demeurait pourtant : le signal produit par la cellule était trop faible pour éclairer une lampe. En 1907 était découverte la triode, qui permettait l'amplification des signaux, et en 1925 l'Écossais John Logie Baird mettait au point une caméra à balayage mécanique. 1928 vit la première transmission d'images au-dessus de l'Atlantique, et en 1929 la B.B.C. transmettait des émissions de quinze minutes selon le procédé Baird. Ce procédé fut rapidement abandonné au profit d'une technique de balayage électronique utilisant des TUBES CATHODIQUES.

Les systèmes modernes de télévision utilisent des dispositifs électroniques pour analyser et reconstituer l'image. Dans une caméra de TV, l'objectif concentre les rayons lumineux réfléchis par la scène sur l'écran métallique (photocathode) d'un tube analyseur d'image ; cette photocathode réagit à l'intensité lumineuse de l'image en laissant passer des quantités variables de particules électriques. Un faisceau d'électrons émis par un canon à électrons (voir ATOME) balaie la plaque photosensible ; les parties de la photocathode correspondant aux zones claires de ◁

l'image laisseront passer plus d'électrons que celles correspondant aux zones foncées. Le flux d'électrons produit est appelé le signal image. Les signaux son et image sont associés à des ondes porteuses et acheminés par des émetteurs. Dans un récepteur, un faisceau d'électrons balaie l'écran du tube cathodique par lignes successives ; le canon à électrons est doté d'une électrode supplémentaire qui a pour rôle de modifier la richesse du faisceau en électrons, de façon que ne passent que ceux qui vont reproduire sur l'écran les parties les plus brillantes de l'image et que soient plus ou moins arrêtés ceux qui correspondent à ses parties plus ou moins sombres. Etant donné la rapidité du balayage, le spectateur a l'illusion de voir une image complète alors que celle-ci est reconstituée point par point (ou trait par trait). Dans le procédé de télévision en couleurs, la caméra comporte trois tubes analyseurs qui produisent chacun un signal image correspondant à l'une des trois couleurs fondamentales (bleu, vert, rouge). Une fois mélangées, ces couleurs reproduisent les diverses couleurs de l'image sur l'écran d'un tube cathodique étudié à cet effet.

**TEMPÉRATURE** Mesure de la chaleur d'un corps. Les échelles de température Celsius et FAHRENHEIT sont les plus employées.

**TEMPS** Notre système d'évaluation du temps est basé sur les mouvements de la Terre et de la Lune. La période de rotation de la Terre détermine la durée du jour. La révolution de la Lune autour de la Terre détermine les phases de la Lune qui se reproduisent tous les 29 jours et demi (mois synodique). Enfin la période de révolution de la Terre autour du Soleil est la durée de l'année. Pour des raisons de simplification, nous avons modifié notre CALENDRIER de manière que chaque année ait une durée de 365 jours, ou 366 jours pour les années BISSEXTILES, et soit divisée en 12 mois.

Très tôt dans son histoire, l'homme a inventé des dispositifs de mesure du temps tels que cadran solaire, clepsydre ou sablier. Le XIVe siècle a vu l'apparition des HORLOGES mécaniques ; celles-ci n'indiquaient que les heures, et ce fut le XVIIe siècle qui imagina l'aiguille des minutes. Quant à l'époque moderne, elle a vu la mise au point de montres extrêmement précises, fonctionnant grâce aux vibrations de minuscules cristaux et à la seconde près pendant plusieurs semaines.

Dans le système international d'unités, l'unité de mesure du temps est la seconde, de symbole s. Les scientifiques définissent aujourd'hui la seconde comme équivalant à la durée de 9 192 631 770 vibrations de l'atome de caesium 133.

**TENDON** Tissu fibreux par lequel un MUSCLE s'insère sur un OS. Les tendons peuvent être circulaires ou plats, étroits ou larges, courts et épais ou longs et minces.

▲ *La Française Suzanne Lenglen fut la première grande championne féminine de tennis. Elle domina ce sport de 1919 à 1926.*

**TENNIS** Jeu de balle qui se pratique entre deux ou quatre joueurs munis d'une raquette, sur un *court* séparé en deux par un filet. Né sous sa forme actuelle en Angleterre, en 1873, le tennis est issu d'un ancien jeu qui se pratiquait en France et en Angleterre au XIVe siècle. ▷

**TENTE** Abri portatif, généralement en toile, que l'on tend sur une structure de piquets métalliques. Faites à l'origine de peaux ou d'écorce, les tentes ont constitué les habitations des tribus nomades depuis les temps les plus reculés. Aujourd'hui, elles sont surtout utilisées par les campeurs et munies de perfectionnements tels que hublots de matière plastique, tapis de sol intégré et fermetures à glissière.

**TÉRÉBENTHINE** Nom donné à plusieurs RÉSINES tirées de divers conifères. L'essence de térébenthine, obtenue par distillation de ces résines, est un solvant (voir SOLUTION) utilisé dans les vernis et peintures.

**TERMITE** INSECTE des régions chaudes du globe. Les termites, comme les fourmis, sont

▸ *Dans les régions tropicales, les termites bâtissent d'énormes nids, dépassant souvent largement la taille humaine, faits d'une boue séchée extrêmement dure et difficiles à détruire. Une reine de termites peut vivre jusqu'à cinquante ans.*

TENNIS Les dimensions d'un court de simple : longueur 23,8 m, hauteur du filet, 0,91 m au centre et 1 m au niveau des poteaux, largeur 27 m. Pour l'utilisation en double, sont prises en compte dans la largeur du court deux bandes latérales de 1,40 m chacune. La ligne de service est à 5,485 m de la ligne de fond. Les balles ont un diamètre de 6,35 à 6,54 cm, un poids de 56,70 à 58,47 g et un rebond (balle tombant sur une base de ciment d'une hauteur de 2,54 m) de 1,34 à 1,47 m.

TERMITE Les termites constituent l'ordre des isoptères. Ils vivent en majorité dans les régions tropicales. On en rencontre 56 espèces en Amérique du Nord et 3 en Europe. Une fois installés dans le bois, les termites y creusent des galeries sans jamais apparaître en surface, de sorte que l'on ne détecte généralement leur présence qu'au moment de l'écroulement de la charpente ou du meuble infesté.

TEXTILE Les textiles font partie des plus anciens produits manufacturés. On a retrouvé sur des sites lacustres datant de l'âge de pierre des pièces d'étoffe en lin et des restes de métiers à tisser. Dans les tombes égyptiennes, on a découvert des pièces de fine toile de lin dont certaines, qui entouraient les momies, mesuraient jusqu'à 20 m de long et 1,50 m de large. Les artisans égyptiens peignaient souvent leurs tissus.

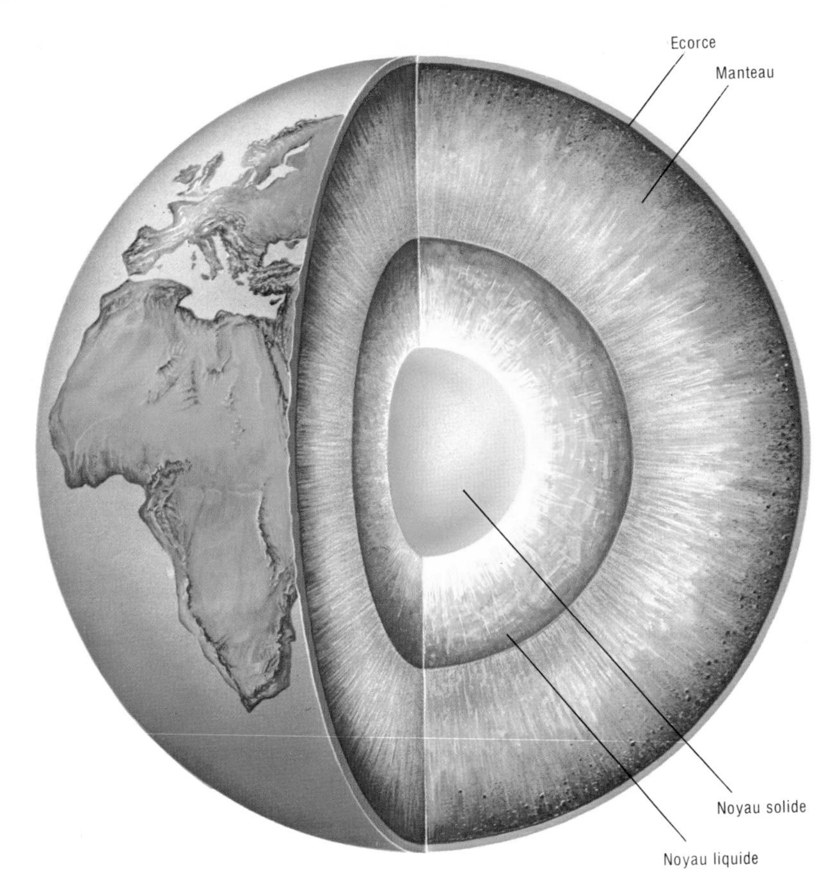


▲ *La Terre est constituée de trois zones principales : l'écorce, le manteau et le noyau. L'écorce s'enfonce de 60-70 km sous les montagnes des continents. Le manteau (2 900 km d'épaisseur) contient des roches extrêmement denses. Le noyau mesure environ 6 920 km de diamètre.*

▼ *Le mâle du tétras-lyre (coq des bouleaux) exhibe une étonnante touffe de plumes blanches pour attirer la femelle. A la saison des amours, il choisit une aire de parade qu'il garnit de branches servant de perchoirs.*

des insectes sociaux qui vivent en grandes colonies. Il existe deux mille espèces de termites qui se nourrissent principalement de bois et peuvent constituer un véritable fléau pour les arbres et les habitations. Certaines espèces habitent les vieux troncs d'arbre, d'autres bâtissent d'énormes monticules de terre agglomérée à l'aide de salive — les *termitières* — qui peuvent atteindre 6 m de haut. ◁

**TERRE** Planète du SYSTÈME SOLAIRE habitée par l'homme. La Terre se classe au troisième rang par sa distance au SOLEIL et au cinquième par la taille. Elle accomplit une révolution autour du Soleil en 365 jours 1/4. Il semble qu'elle soit constituée d'un noyau de fer et de nickel entouré d'une couche de roche en fusion que recouvre une couche de roche solide : le *manteau.* L'écorce externe n'a que quelques kilomètres d'épaisseur. (Voir ROCHES.)

**TERRE CUITE OU TERRA COTTA** Argile, généralement rouge, façonnée et cuite au four. Connue depuis des temps immémoriaux, la technique de la terre cuite est utilisée dans la fabrication de statues, ustensiles, carreaux de revêtement de sol, tuiles, etc.

**TERRIER ÉCOSSAIS** Variété de terrier *(scottish-terrier)* râblé, créée au XIXe siècle, de 23 à 30 cm, bas sur pattes et robuste, à poil dense et court, excellent chasseur de renard.

**TÉTRAS** Grand oiseau gibier de l'hémisphère Nord. Les tétras (grand coq de bruyère, coq des bouleaux, poule des prairies...) nichent généralement au sol et se nourrissent de bourgeons, de graines et d'insectes. Il en existe une trentaine d'espèces, à plumage généralement gris, brun ou noir.

**TEXTILE** Autrefois synonyme de tissu (voir TISSAGE), ce terme désigne également aujourd'hui des matières comme le TRICOT, les « non-tissés » ou la dentelle. Aux fibres textiles traditionnelles — LAINE, LIN, SOIE, et COTON — viennent s'ajouter des fibres artificielles à base de cellulose et de coton (RAYONNE et acétate), et surtout des fibres chimiques, obtenues à partir de la houille et du pétrole (NYLON, polyester...). Fibres naturelles et fibres artificielles sont parfois mélangées pour produire une matière alliant les avantages de ces diverses composantes. Le volume de la production, la qualité et la variété des textiles se sont énormément accrus avec la mécanisation du filage et du tissage. L'industrie textile a également mis au point des traitements destinés à faciliter l'entretien des matières et à les rendre plus résistantes. Si une grande part de la production textile est affectée à l'habillement, cette industrie produit également des voiles de bateaux, des revêtements pour tapis roulants, des rubans pour machines à écrire, etc. ◁

**THAILANDE** Monarchie d'ASIE du Sud-Est, la Thaïlande (anciennement Siam) compte 48,2 millions d'habitants pour une superficie de 514 000 km$^2$. Le pays produit essentiellement du riz, du manioc (2$^e$ producteur mondial), du caoutchouc et de l'étain (3$^e$ producteur mondial). Capitale : Bangkok. ▷

**THANKSGIVING DAY (JOUR D'ACTIONS DE GRACES)** Aux ÉTATS-UNIS, fête célébrée le dernier jeudi de novembre, instaurée à l'origine par les « *Pilgrim Fathers* » (colons anglais qui fondèrent New Plymouth) pour commémorer leur première récolte fructueuse. Plus tard, George WASHINGTON fit de ce jour une fête chômée.

**THÉ** Boisson élaborée à partir des feuilles, des bourgeons et des pousses du théier, un arbrisseau principalement cultivé en Chine, Inde septentrionale, Sri Lanka et Japon. Les feuilles sont torréfiées (thé vert) ou subissent une légère fermentation (thé noir). La boisson est obtenue par infusion des feuilles dans de l'eau bouillante. Introduit en Europe en 1610, le thé est la boisson la plus répandue au monde. ▷

**THÉOLOGIE** Étude de la RELIGION. La théologie s'interroge sur la nature de Dieu et les relations de l'homme avec lui. La théologie chrétienne médite sur les textes de la BIBLE, les doctrines de l'Église, la nature du « bien » et du « mal », les voies menant à Dieu, les diverses formes de culte et forge les arguments de la défense de la foi chrétienne face à la critique. Il existe une *théologie comparative* qui étudie et compare les religions.

**THERMODYNAMIQUE** Partie de la PHYSIQUE qui étudie les relations entre phénomènes mécaniques et calorifiques. Ces processus sont régis par trois lois fondamentales. La première est la loi de la CONSERVATION de l'énergie, qui établit que l'énergie ne peut être ni créée ni détruite : lorsqu'il y a consommation d'une certaine quantité d'énergie mécanique, il y a production de la même quantité de chaleur ou d'un autre type d'énergie. La seconde loi établit que l'énergie calorifique ne peut se transmettre naturellement d'un corps à un autre corps plus chaud que lui. La troisième loi traite des propriétés des corps à la température du zéro absolu (— 273,15 °C).

**THERMOMÈTRE** Instrument qui sert à mesurer la température. La plupart des thermomètres sont constitués d'un tube de verre hermétiquement clos, terminé par un réservoir contenant du MERCURE ou de l'alcool coloré. Le liquide se dilate ou se contracte en fonction des variations de température, de sorte que son niveau s'élève ou s'abaisse dans le tube. Une échelle graduée sur le tube ou son support indique la température correspondant au niveau atteint par le liquide.

**THERMOSTAT** Dispositif de contrôle de la température que l'on installe sur de nombreux appareils électriques tels que couverture chauffante ou fer à repasser. Un thermostat se compose d'une manette de réglage reliée à un *bilame* — bande métallique formée de deux lames minces de métaux inégalement dilatables, soudées.

L'augmentation de la température au-delà du seuil choisi provoque une incurvation du bilame qui interrompt le circuit électrique. En se refroidissant, le bilame reprend sa forme originelle, rétablit le contact, et ainsi de suite.

THAILANDE : DONNÉES
Langue officielle : thaï.
Monnaie : baht.
Principaux fleuves : Chao Phya, Mékong.
Grandes villes : Bangkok (5 millions d'hab.) et Nakhon Ratchasima (1,8 million d'hab.).
Religion : bouddhisme hinayàna (95 % de la population).
Le mot « *thaï* » signifie « libre ». La Thaïlande est la seule nation d'Asie du Sud-Est à n'avoir jamais été colonisée.

THÉ A l'état naturel, le théier atteint 6 à 9 m de haut. Le meilleur thé est cultivé en altitude, entre 900 et 2 000 m. La multiplication se pratique généralement par semis. Les jeunes plans sont repiqués à 1,20 m d'intervalle et taillés régulièrement dès qu'ils atteignent 1 m, de façon à faciliter la tâche des cueilleurs. L'exploitation débute de trois à cinq ans après la plantation ; seules les jeunes feuilles sont récoltées.

THORIUM Le thorium est trois fois plus abondant dans la nature que l'uranium et presque autant que le plomb. Il possède treize isotopes, tous radioactifs. De densité et de masse atomique légèrement supérieures à celles du plomb, le thorium fond vers 1 700 °C. Chauffé, il brûle dans l'air avec une éclatante flamme blanche, comme le magnésium.

▾ *Les marchés flottants des « klongs » ou canaux de Bangkok, en Thaïlande, constituent l'une des grandes attractions touristiques de la ville.*

▲ *Le tigre de Sibérie est plus grand et plus clair que le tigre du Bengale et sa peau est plus appréciée. Des mesures ont été prises pour en limiter la chasse.*

TIBET Longtemps, le Tibet s'est fermé à la pénétration occidentale et tout spécialement Lhassa, la capitale, baptisée alors la « Cité interdite ». Le Tibet a souvent été désigné comme le « Toit du monde », du fait de l'altitude élevée de l'ensemble de cette région.

TIGRE La tigresse met au monde des portées de deux à cinq petits, mais en élève rarement plus de deux. La gestation dure de 98 à 110 jours, après quoi le jeune demeure deux ans auprès de sa mère. Le plus grand tigre est le tigre de Sibérie, dont le mâle peut mesurer 4 m, queue comprise. Les tigres appartiennent tous à l'espèce *Panthera tigris*; ils peuvent se croiser avec les lions.

TIMBRE La philatélie constitue pour certains un délassement, pour d'autres une véritable passion, voire une activité rémunératrice lorsqu'il s'agit de timbres rares. Ainsi un timbre de un *cent* de Guinée britannique émis en 1856 a été vendu en 1970 pour la somme de 280 000 dollars.

TIR A L'ARC Le record de distance au tir à l'arc appartient à l'Américain Harry Drake de Californie, qui, en 1971, a réalisé 1 854,40 m avec un arc au pied (le tireur est couché sur le dos et maintient l'arc entre ses pieds, de sorte qu'il dispose de ses deux mains pour bander l'arc). Le record de distance de tir à l'arc à la main (1 065 m) a été réalisé en 1977 par l'Américain Don Brown.

**THON** Gros poisson de la famille du MAQUEREAU, et qui peut atteindre 3 m. Les thons peuplent les régions chaudes de l'Atlantique, du Pacifique et de la Méditerranée. Apprécié pour sa chair, le thon alimente une industrie très développée dans de nombreuses parties du globe.

**THORIUM** ÉLÉMENT métallique radioactif (voir RADIOACTIVITÉ) gris foncé, présent dans deux minerais : la monazite et la thorite. Le thorium est employé dans les réacteurs nucléaires pour produire l'uranium 233. (Voir NUCLÉAIRE) ◁

**THROMBOSE** Formation dans un vaisseau sanguin ou le cœur de caillots de sang qui gênent la circulation sanguine. Une thrombose peut être provoquée par une infection ou une défectuosité du système circulatoire. La présence d'un caillot *(thrombus)* dans le cœur peut provoquer une crise cardiaque, dans le cerveau une congestion cérébrale et par conséquent une paralysie.

**THYROIDE (GLANDE OU CORPS)** GLANDE importante située à l'intérieur du cou, la thyroïde sécrète une HORMONE qui stimule la croissance et le *métabolisme* du corps humain. Une activité trop intense de la thyroïde peut provoquer le grossissement de la glande et par suite un gonflement du cou (goitre). A l'inverse, une insuffisance de l'activité thyroïdienne peut être responsable d'un certain type de débilité mentale (crétinisme).

◂ *Le tigre à dents de sabre fut l'un des premiers félins. Il vivait au pléistocène, il y a 2 millions d'années. Le nom de ce tigre lui vient des deux canines recourbées qui ornent sa mâchoire.*

**TIBET** Région de plateaux dominés par de hautes chaînes de montagnes de l'ASIE centrale. Le Tibet, intégré à la CHINE aux XVIII$^{e}$ et XIX$^{e}$ siècles, devient virtuellement indépendant au début du XX$^{e}$. En 1950, la Chine occupe le Tibet et, après avoir réprimé une révolte (1959), fait du Tibet une région autonome. ◁

**TIGRE** Les tigres sont, avec les LIONS, les plus grands représentants de la famille des CHATS (félidés). Animal exclusivement asiatique, le tigre a un pelage fauve rayé de noir. Il se repose durant les heures chaudes du jour et chasse la nuit, le plus souvent en solitaire. Ce carnassier se nourrit de toutes sortes d'animaux — du singe au buffle — et attaque parfois l'homme. Bon nageur et piètre grimpeur, le tigre peut faire des bonds de 6 m de haut. ◁

**TIGRE A DENTS DE SABRE** Mammifère préhistorique carnivore dépassant parfois la taille d'un lion actuel, à la mâchoire supérieure garnie de deux immenses canines (20 cm de long) qui lui servaient à déchirer ses proies.

**TIMBRE OU TIMBRE-POSTE** Vignette adhésive que l'on applique sur une enveloppe ou un paquet destiné à être acheminé par un service postal (voir POSTE) — en France, par les P.T.T. — et qui atteste l'acquittement de la redevance. Il existe des timbres de diverses valeurs conventionnelles — la redevance étant fonction du poids et de la nature de l'objet (lettre ou paquet), de sa vitesse d'acheminement et de sa destination (France ou étranger). L'activité consistant à collectionner les timbres est appelée *philatélie.* ◁

**TIR A L'ARC** Utilisé autrefois comme arme de guerre ou de chasse, l'ARC est tombé progressivement en désuétude avec l'invention de la poudre, et le tir à l'arc n'est plus pratiqué aujourd'hui que comme sport d'adresse. ◁

**TISSAGE** Art d'entrecroiser des fils pour en faire des tissus. L'ensemble des opérations de tissage est exécuté sur un MÉTIER A TISSER. Les fils parallèles au sens d'avancement du tissu sont appelés *fils de chaîne* — ceux-ci sont disposés les premiers —, les autres sont perpendiculaires à la chaîne et appelés *fils de trame.* Une *navette* ou un dispositif *passe-trame* assure le passage du fil de trame. Il est possible de produire des motifs en utilisant des fils de plusieurs couleurs. Inventé en 1780, le métier à tisser a subi depuis de nombreux perfectionnements, les machines modernes fabriquant des TEXTILES à très grande vitesse.

**TITANE** ÉLÉMENT métallique argenté présent dans de nombreux minerais. Quoique abondant, le titane est coûteux à extraire du fait de la complexité du procédé. Ce métal est surtout utilisé sous forme d'ALLIAGE. ▷

**TITIEN, TIZIANO VECELLIO, DIT EN FRANÇAIS** Peintre italien (v. 1487-1576), célèbre pour les portraits qu'il exécuta des HABSBOURG, Charles Quint et Philippe II d'Espagne, pour ses toiles religieuses comme *la Mise au tombeau* ou d'inspiration mythologique comme *Vénus et Adonis.* Titien fut un novateur en matière de composition et d'utilisation des couleurs.

**TOBOGGAN** Traîneau reposant sur deux patins recourbés à l'avant et utilisé pour glisser sur la neige et la glace. Le toboggan est pratiqué comme jeu par les enfants et est une discipline olympique. (Voir BOBSLEIGH)

**TOILE** Tissu à armure croisée la plus simple, traditionnellement réalisée en LIN, mais aujourd'hui également en COTON, et qui sert à confectionner vêtements, draps, etc. Les anciens Égyptiens enveloppaient leurs morts dans une pièce de toile de lin avant de les ensevelir.

**TOISON D'OR** Dans la mythologie grecque, merveilleuse toison dorée d'un bélier ailé gardée par un dragon et que Jason déroba après avoir « semé » les dents du dragon et battu les guerriers qui avaient germé de ces dents.

**TOKYO** Capitale du JAPON, Tokyo compte près de 12 millions d'habitants (1982), ce qui en fait la plus grande ville du monde. Ce centre industriel et commercial est situé sur la baie de Tokyo, sur l'île de Honshù. La ville a été fortement endommagée par le tremblement de terre de 1923 et les attaques aériennes de la Seconde Guerre mondiale.

**TOLSTOI, LEV NICOLAIEVITCH, COMTE** Écrivain et philosophe russe (1828-1910). En 1890, il distribua sa fortune et ses terres aux paysans. Il a écrit *Guerre et paix, Anna Karénine, Résurrection.*

**TOMATE** Plante cultivée pour ses gros fruits ronds, rouges ou orangés que l'on consomme comme légumes. Originaire d'Amérique centrale, la tomate est aujourd'hui cultivée dans le monde entier — en pleine terre dans les régions chaudes ou tempérées et en serre dans les contrées plus froides. ▷

**TOPAZE** Pierre fine (voir GEMME) transparente, jaune, bleue, blanche ou rose, que l'on trouve principalement au Brésil, au Pérou, au Sri Lanka et en Sibérie.

**TOPOGRAPHIE** Technique de représentation sur un plan des formes de relief afin d'établir des CARTES. Les relevés topographiques servent à localiser les cours d'eau, les lacs et les montagnes, voire à délimiter les bornes d'une propriété.

**TORNADE** Coup de vent très violent et tourbillonnant ; par exemple, les trombes, relativement fréquentes dans le sud-est des États-Unis. Si ces tornades ne couvrent

TITANE Le titane est un métal dur, blanc, environ deux fois moins dense que le cuivre, qui fond à 1675 °C et bout à 3260 °C. Du fait de la grande résistance de ce métal à la chaleur par rapport à son poids, il sera probablement utilisé pour habiller les avions du futur.
Le titane est présent dans le Soleil et de nombreuses autres étoiles, dans le corps humain et dans les végétaux. C'est le neuvième élément de la Terre par l'abondance.

▲ *Tokyo est une ville moderne. Elle a été reconstruite à deux reprises : après le séisme de 1923, puis à nouveau après les bombardements subis au cours de la Seconde Guerre mondiale.*

▼ *Une trombe passant sur une ville du Texas.*

TOMATE Cultivée par les Indiens d'Amérique centrale depuis les temps préhistoriques, la tomate n'a été introduite en Europe qu'au XVIe siècle, par les Espagnols. La tomate appartient à la famille de la belladone. C'est un fruit riche en vitamines A et C.

TORTUE Les tortues du genre *Testudo* — dont la tortue grecque d'Europe méridionale et les tortues géantes — sont réputées pour leur longévité. Le zoo du jardin des Plantes abrite actuellement l'une de ces tortues à laquelle on attribue au moins 170 ans. Une *Testudo gigantea* peut peser jusqu'à 225 kg et sa carapace mesurer 1,80 m de long. Les tortues terrestres sont les plus lents des reptiles; elles ne peuvent franchir que 4,50 m par minute.
Une tortue-luth *(Dermochelys coriacea)* peut mesurer 3,60 m d'envergure, d'une palette natatoire à l'autre, peser plus de 725 kg et sa carapace mesurer 1,80 m de long.

qu'une petite superficie, les vents peuvent y atteindre 650 km/h et causer de graves dommages.

**TORPILLE** Projectile sous-marin utilisé à des fins militaires et pouvant être lancé à partir d'un SOUS-MARIN, d'un navire ou d'un avion. Les torpilles sont des engins automoteurs, chargés d'explosif.

**TORTUE** Type de REPTILE aisément reconnaissable à sa carapace, dans laquelle il peut rentrer membres et tête, et à la lenteur de ses déplacements. Apparues sur Terre il y a quelque 200 millions d'années, les tortues ont peu évolué. On les divise en plusieurs grands groupes. Les *tortues terrestres* (testudinidés) ont une carapace fortement bombée; elles sont végétariennes et d'une exceptionnelle longévité (tortues géantes, tortue grecque). Les *tortues boueuses* forment une riche famille (25 genres et 76 espèces): les émylidés. Ce sont des tortues répandues dans l'hémisphère Nord, à carapace ovale, dossière peu bombée. La majorité ont des mœurs aquatiques, ou plus exactement amphibies; elles se nourrissent de proies animales vivantes. Les *tortues happantes* (chélydridés) vivent dans les fleuves et les marécages nord-américains. Leur tête et leur cou ne peuvent être rentrés entièrement sous la carapace. L'espèce la plus répandue, très agressive, se nourrit de proies vivantes et de charognes. Les *tortues de mer* (chélonidés) sont des animaux souvent de grande taille qui ne viennent à terre que pour y pondre. Elles habitent les mers chaudes ou tempérées, se nourrissant, selon les espèces, d'algues, de poissons ou d'autres animaux marins. La plus grande des tortues, la tortue-luth, est l'unique représentante de sa famille. Sa carapace a la forme d'un cœur aplati, son épiderme ne forme pas d'écailles et présente l'aspect du cuir. C'est l'unique tortue dont la colonne vertébrale ne se soude pas à la carapace. Elle vit dans toutes les mers tropicales et se nourrit de poissons. ◁

▲ *Une tortue du genre* Terrapene, *qui rassemble des petites espèces d'eau douce d'Amérique du Nord. Elles se nourrissent de plantes et d'animaux et viennent pondre à terre.*

▼ *Il arrive que la tortue-luth des mers tropicales (ci-dessous) s'aventure en Méditerranée.*

**TOUCAN** Gros oiseau grimpeur à l'énorme bec orange et au plumage de couleurs vives, variables selon les espèces — noir mêlé de jaune, d'orange, de rouge, de bleu, de vert ou de blanc. Les toucans habitent les forêts tropicales d'Amérique; ils vivent en groupes et se nourrissent généralement de fruits. ◁

**TOUNDRA** Zone de maigre végétation située entre le cercle polaire arctique et la zone des conifères. La végétation de la toundra se compose de MOUSSES, de LICHENS, de quelques arbres nains (bouleaux), et de quelques plantes fleurissant durant le bref été.

TOUCAN On rencontre les toucans du nord de l'Argentine au Mexique. Il en existe de 50 à 60 espèces. Le bec, long de 20 cm, est très solide mais léger; sa face externe est très mince et renforcée d'alvéoles osseux. La queue du toucan est reliée au corps par une sorte de joint à rotule, ce qui permet à l'oiseau de la dresser brusquement à la perpendiculaire du dos.

◄ *Le toucan utilise son bec pour fouiller parmi les branches à la recherche de fruits. Cet oiseau habite les forêts tropicales d'Amérique.*

▲ *Ce tour fut inventé en 1810 par l'ingénieur britannique Henry Maudslay pour produire des vis de calibre précis. Le modèle était usiné à la main puis reproduit à l'aide du tour.*

**TOUR** MACHINE-OUTIL utilisée pour découper, meuler, polir, etc., des pièces de métal, de bois ou de matière plastique par enlèvement de matière sur une pièce animée d'un mouvement de rotation.

**TOURNESOL** Plante pouvant atteindre 3,50 m de haut, cultivée pour ses énormes fleurs jaunes dont les graines fournissent une huile utilisée en cuisine et dans la production de margarine, savon et peintures.

**TOUT-A-L'ÉGOUT** Système de canalisations permettant d'évacuer les eaux usées et les matières fécales des habitations. Si autrefois les égouts débouchaient simplement dans les cours d'eau ou la mer, des efforts ont été réalisés pour traiter les déchets — dans des stations d'épuration, par exemple — et les transformer en engrais. Dans certains pays comme la Chine, les déchets sont conservés et épandus ensuite sur les champs.

**TOUTANKHAMON** PHARAON égyptien (v. 1361-v. 1352 av. J.-C) qui régna huit années et mourut très jeune. Il était le gendre d'Akhenaton, souverain qui avait tenté d'introduire en Égypte une religion monothéiste. Toutankhamon restaura l'ancienne religion

▲ *Le tournesol a des fleurs composées d'un certain nombre de fleurons dont chacun est une fleur complète munie d'organes reproducteurs.*

▼ *Une châsse en or trouvée en 1922 dans le tombeau de Toutankhamon et représentant le roi en compagnie de la reine.*

TOUTANKHAMON Lorsque l'archéologue anglais Howard Carter força la porte intérieure d'un ancien tombeau égyptien, il découvrit le plus fabuleux trésor archéologique de l'histoire. Les quatre salles du tombeau recelaient un trône d'or, des cercueils, des pierres précieuses, des meubles et des vêtements. La chambre funéraire proprement dite contenait quatre châsses en or, emboîtées les unes dans les autres, et un sarcophage contenant trois cercueils. Dans le cercueil intérieur, en or massif, on découvrit la momie de Toutankhamon, revêtue d'un masque funéraire en or. C'est la découverte de son tombeau qui a fait du jeune pharaon au règne mal connu le plus célèbre des souverains égyptiens.

▲ *Le masque mortuaire de Toutankhamon. Il est en or poli incrusté de lapis-lazuli et de bandes de verre bleu. A sa mort, Toutankhamon n'avait régné que huit ans.*

et refit de Thèbes la capitale de l'empire. Il mourut vers 19 ans. Sa tombe, découverte en 1922 par l'archéologue anglais H. Carter, révéla un véritable trésor, dont un cercueil en or massif. ◁

**TRAGÉDIE** Œuvre dramatique dans

▼ *Toutankhamon semant la déroute parmi ses ennemis, les Syriens. Cette scène peinte sur un meuble trouvé dans la tombe du pharaon témoigne de l'introduction du char de guerre dans la civilisation égyptienne.*

▸ *Ce petit pêcheur en or provient également du tombeau de Toutankhamon, seul monument funéraire de la Vallée des Rois à ne pas avoir été pillé. Sa découverte a fourni aux archéologues nombre de renseignements sur la civilisation égyptienne.*

laquelle le héros (ou l'héroïne) est prisonnier d'une situation à laquelle il n'existe pas d'issue honorable. Une tragédie s'achève généralement par la mort du héros. A Athènes, au Vᵉ siècle av. J.-C., ESCHYLE, Sophocle et Euripide écrivirent de grandes tragédies. SHAKESPEARE fut le tragédien de la Renaissance anglaise, Corneille et Racine ceux du XVIIᵉ siècle français.

**TRANSFORMATEUR** Appareil qui sert à changer la tension du courant électrique appliqué aux bornes d'un conducteur. Un transformateur se compose de deux bobines de fil conducteur enroulées autour d'un même noyau de fer doux. L'électricité est alors transférée d'un enroulement (le primaire) à l'autre (le secondaire) suivant un

▸ *Un courant électrique qui doit être transmis sur de longues distances passe par un transformateur élévateur de tension. Au moment d'être distribué, le courant repasse par un transformateur qui abaisse sa tension de manière à supprimer les risques pour les utilisateurs. Dans l'enroulement primaire, le courant alternatif fait varier constamment le champ magnétique du noyau, ce qui induit un courant alternatif dans le secondaire. La tension de sortie est fonction du rapport des nombres de spires du primaire et du secondaire.*

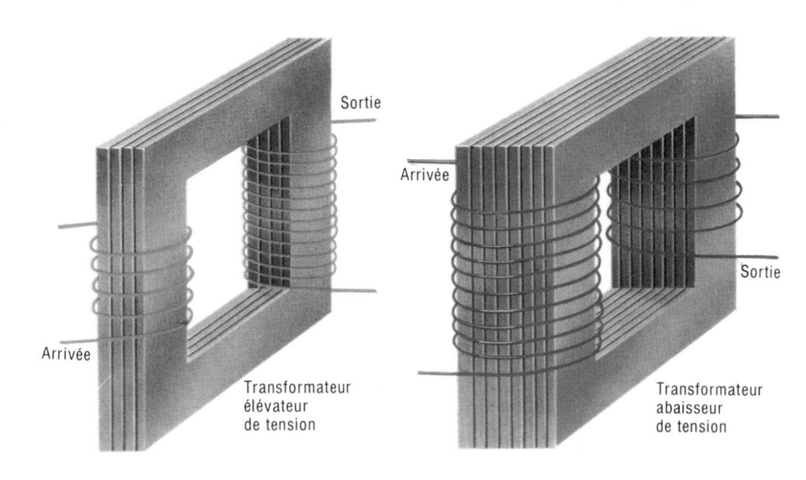


processus appelé induction électromagnétique. Le rapport de transformation est égal au rapport des nombres de spires des deux bobines : si le secondaire comporte deux fois plus de spires que le primaire, la tension sera doublée, et inversement. Les transformateurs ne sont utilisables que sur des systèmes de courants variables.

**TRANSISTOR** Dispositif qui sert à amplifier (renforcer) les signaux électriques dans des appareils électroniques tels que récepteurs de radio et de télévision. Les transistors furent mis au point par les Américains William Shockley, Walter Brattain et John Bardeen à la fin des années 1940. Quand il fut devenu possible de les produire en série, ils remplacèrent les lampes dans le matériel électronique. Les transistors sont moins coûteux, plus fiables et d'un volume plus réduit que les lampes. Dans un transistor, deux jonctions séparent trois zones de semi-conducteurs (germanium ou silicium) contenant des impuretés de type opposé. Ces trois zones sont appelées respectivement émetteur, base et collecteur. Des signaux électriques passant entre l'émetteur et la base provoquent le passage de courants correspondants, mais plus intenses, de l'émetteur au collecteur. Aujourd'hui, il est possible de produire à bas prix des circuits de milliers de transistors sur une pastille de silicium de quelques millimètres carrés.

**TRAVAIL** En mécanique, on dit qu'il y a production de travail lorsqu'une force provoque le déplacement d'un corps. Dans le système international d'unités (SI), l'unité de mesure de travail est le JOULE. Le joule est équivalent au travail produit par une force de 1 newton dont le point d'application se déplace de 1 mètre dans la direction de la force. Il y a production de travail chaque fois qu'une forme d'énergie est dépensée. La PUISSANCE est le travail accompli par unité de temps ; elle se mesure en WATTS.

**TRÈFLE** Petite plante herbacée qui pousse à l'état sauvage dans les régions tempérées, à feuilles composées de trois folioles (les trèfles à quatre « feuilles » sont considérés comme des porte-bonheur), à fleurs généralement rouges ou blanches. Le trèfle est cultivé comme fourrage.

**TRENTE ANS (GUERRE DE)** Conflit religieux et politique qui, de 1618 à 1648, opposa dans le SAINT-EMPIRE la famille impériale des HABSBOURG, catholiques, aux princes protestants qui bénéficièrent successivement de l'aide du Danemark, de la Suède et de la France. A l'issue de cette guerre, la dynastie des Habsbourg avait perdu toute autorité effective sur les princes électeurs et le conflit laissait un pays dévasté par les combats et les pillages commis par les armées de mercenaires.

**TRICOT** Tissu constitué de mailles entrelacées avec un fil textile et des aiguilles spéciales (longues tiges de section circulaire, pointues à une extrémité, en métal ou en matière plastique) ou une machine à tricoter. Outre la laine, on tricote du coton, de la soie, des textiles mélangés ou synthétiques. Le tricot est un matériau souple, utilisé pour la confection de vêtements tels que pull-overs, vestes, jupes, etc.

**TRIGONOMÉTRIE** Branche des mathématiques qui étudie les relations entre les côtés et les angles des triangles. A l'origine, la trigonométrie servait aux ASTRONOMES et aux NAVIGATEURS à déterminer des positions. Aujourd'hui, scientifiques et ingénieurs utilisent la trigonométrie pour résoudre des problèmes de mouvements ondulatoires comme les vibrations.

**TRILOBITE** Classe de petits animaux FOSSILES qui vivaient sur le fond marin il y a quelque 600 à 400 millions d'années. Les trilobites étaient de lointains cousins des CRABES, au corps rappelant celui des cloportes, divisé en trois parties (tête, centre et queue) et portant plusieurs paires de pattes.

**TRITON** Petit AMPHIBIEN au corps rappelant celui du lézard, au cycle de vie proche de celui des GRENOUILLES. Les tritons naissent dans les mares et les étangs et passent leur vie adulte sur la terre ferme. Ils se reproduisent

TROU NOIR L'effondrement (ou implosion) d'une étoile dix fois plus grosse que notre Soleil produirait un trou noir de moins de 65 km de diamètre.

TSIGANES Les populations sédentaires entretiennent une certaine méfiance vis-à-vis des nomades que sont les Tsiganes. Au fil des siècles, ils ont été chassés et persécutés à plusieurs reprises; 400 000 d'entre eux ont été tués par le régime nazi au cours de la Seconde Guerre mondiale.

TUBERCULOSE Connue dans le passé sous le nom de « consomption », la tuberculose faisait de véritables ravages, principalement parmi les personnes de 15 à 40 ans. Aujourd'hui, grâce à des médicaments comme la streptomycine, l'izoniazide ou la rifampicine, à la vaccination systématique (B.C.G.) et à l'amélioration des conditions d'hygiène et d'alimentation, le mal a beaucoup régressé.

TUDORS La dynastie des Tudors vit se succéder Henri VII (1485-1509), Henri VIII (1509-1547), Édouard VI (1547-1553), Jane Grey (6-19 juillet 1553), Marie Tudor (1553-1558) et Élisabeth 1re (1558-1603).

dans l'eau. La plupart des espèces sont brun marqué de noir, à ventre orange taché de noir.

**TROIE OU ILION** Cité antique située sur la côte de l'actuelle Turquie. L'*Iliade,* poème épique d'HOMÈRE, raconte comment, au cours de la légendaire *guerre de Troie,* la ville fut assiégée pendant dix années par les Grecs et tomba à la suite d'une ruse : les Grecs offrirent aux Troyens un énorme cheval de bois qui, une fois transporté à l'intérieur des murs, se révéla empli de soldats en armes. Longtemps on a porté au compte de la légende l'existence même de la cité, jusqu'au jour où un archéologue amateur, l'Allemand Schliemann, découvrit le site de la ville (1871-1894).

**TROMBONE** Instrument à vent et à embouchure, de la famille des cuivres, dont on obtient des sons en modifiant la longueur du corps grâce à une coulisse. En fonction de la hauteur des sons, on distingue quatre catégories de trombone : alto, ténor, basse et contrebasse. (Voir HAUTEUR.)

**TROMPETTE** Instrument de musique à vent et à embouchure, de la famille des cuivres, comprenant un tube replié sur lui-même et terminé par un pavillon. Le son est modulé par l'action des pistons, des lèvres et du souffle. La trompette servait autrefois dans les armées à sonner divers ordres.

**TROU NOIR** En ASTRONOMIE, région de l'espace dans laquelle la gravité est si forte qu'elle ne laisse échapper aucune radiation, même lumineuse. Les scientifiques voient dans les trous noirs le stade final de la désintégration d'une ÉTOILE géante. Il est possible qu'au cœur des GALAXIES existent des trous noirs géants constituant des sources d'énergie pour des objets comme les QUASARS. ◁

**TRUFFE** CHAMPIGNON souterrain, comestible, recherché pour sa saveur délicate. Les truffes sont enfouies dans le sol, c'est pourquoi on utilise des porcs ou des chiens truffiers spécialement dressés qui les repèrent à l'odorat.

**TRUITE** Poisson d'eau douce, proche du SAUMON, à corps argenté, plus ou moins tacheté ou zoné selon les espèces, très apprécié pour sa chair. On rencontre les truites dans les rivières et les lacs de l'hémisphère Nord.

**TSIGANES** Peuple essentiellement nomade, peut-être issu de l'EMPIRE BYZANTIN et ayant pénétré en Europe au XIVe siècle. Les Tsiganes vivent principalement en Europe centrale, en Allemagne, en France, en Espagne et au Portugal. Leur nom est traditionnellement lié à la musique et à la cartomancie. Les Tsiganes ont leur propre langue : le *romani.* ◁

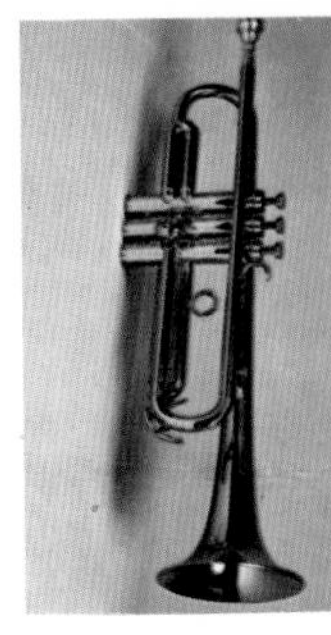

▲ *Le tuba (à gauche) est le plus gros des cuivres à être tenu verticalement. La trompette (à droite) est un instrument tubulaire. Le monde ancien fabriquait déjà des trompettes en corne, en ivoire ou en bois.*

**TUBA** Instrument de musique à vent. Le tuba est l'instrument le plus volumineux et le plus grave de la famille des cuivres. Il est souvent dans les fanfares, parfois dans les ORCHESTRES.

**TUBE CAPILLAIRE** Tube, en général fabriqué en verre, de diamètre extrêmement réduit. Lorsqu'on plonge dans un récipient contenant de l'eau l'extrémité d'un tube capillaire, l'eau s'élève dans le tube au-dessus du niveau du liquide du récipient, par l'attraction qui s'exerce entre le verre et les molécules d'eau.

**TUBE CATHODIQUE** Tube à vide en forme d'ampoule, dans lequel sont produits des rayons cathodiques (faisceaux d'ÉLECTRONS). Ce type de tube électronique est utilisé dans les récepteurs de TÉLÉVISION, les OSCILLOSCOPES et le matériel de RADAR. L'étroit faisceau d'électrons produit à une extrémité du tube est reçu par un écran installé à l'autre extrémité. Cet écran est recouvert de points — les *luminophores* — constitués d'une substance chimique qui, excitée par les électrons, devient fluorescente. Lorsqu'on fait balayer l'écran par le faisceau d'électrons, on obtient une image.

**TUBERCULOSE** Maladie infectieuse, contagieuse, due au bacille de Koch, et qui peut s'attaquer aux poumons, aux vertèbres, aux reins, à la peau, aux méninges et aux intestins. Aujourd'hui traitée à l'aide d'antibiotiques, la tuberculose a pratiquement disparu des pays développés. ◁

**TUDORS** Ancienne famille galloise d'où est issue la dynastie qui régna sur l'Angleterre de 1485 à 1603. La période des Tudors a été pour l'Angleterre celle de la naissance d'un État moderne, de la montée du pouvoir parlementaire et de la création d'une puissante flotte. ◁

**TULIPE** Plante à BULBE, à floraison printanière. Les grosses fleurs campanulées sont portées par une forte tige très droite. Il existe des milliers de variétés de tulipes, de toutes couleurs. On trouve les tulipes à l'état sauvage dans la région méditerranéenne. Ce sont des plantes horticoles appréciées, dont la culture constitue l'une des importantes ressources de la Hollande.

**TUMEUR** Augmentation de volume d'une partie d'un tissu ou d'un organe résultant de la prolifération anormale de cellules. On distingue les *tumeurs bénignes,* qui ne se généralisent pas, des *tumeurs malignes,* ou CANCERS, qui envahissent les tissus voisins et constituent un grand danger pour l'organisme.

**TUNGSTÈNE** Parfois appelé wolfram, le tungstène est un ÉLÉMENT métallique dur de couleur grise, très résistant à la CORROSION et d'une température de fusion très élevée. On le trouve dans deux minerais, le wolfram et la scheelite. Ce métal sert à fabriquer des filaments de lampe et entre dans la composition de divers ALLIAGES. ▷

**TUNISIE** République de l'AFRIQUE du Nord, la Tunisie compte 6,5 millions d'habitants (1982) pour une superficie de 163 600 km². C'est un pays d'économie essentiellement rurale pour lequel le tourisme constitue une importante source de revenus. L'exploitation, assez récente, du pétrole devrait favoriser le développement du pays.
Capitale : Tunis. ▷

**TUNNEL** Galerie souterraine creusée dans la terre où le roc, le plus souvent pour franchir un cours d'eau ou une montagne. Beaucoup de villes modernes possèdent un réseau de tunnels permettant la circulation de véhicules de transports publics. (Voir MÉTRO)

▲ *En haut, à gauche, une tulipe simple. Les trois autres tulipes représentées sont des variétés obtenues par croisements.*

▼ *La méthode du cheminement au bouclier a été mise au point en 1843 par M.I. Brunel pour protéger les ouvriers d'éventuels éboulements pendant le percement d'un tunnel.*

TUNGSTÈNE Ce métal a une température de fusion de 3 420 °C, supérieure à celle de tous les éléments excepté le carbone. De densité presque double de celle du plomb, le tungstène a une ductilité supérieure à celle de toute autre substance. Son symbole chimique est W.

TUNISIE : DONNÉES
Langue officielle : arabe (le français est couramment parlé).
Monnaie : dinar tunisien.
Religion : islam.
Principal fleuve : Medjerda.
Grandes villes (avec agglomérations) : Tunis (945 000 hab.), Sfax (425 000 hab.).
Placée sous protectorat français en 1881, la Tunisie a acquis son indépendance en 1956.

TURQUIE : DONNÉES
Superficie : 780 600 km².
Population : 45,4 millions d'habitants (1982).
Capitale : Ankara.
Langue officielle : turc.
Monnaie : livre turque.
Grandes villes : Istanbul (3,1 millions d'hab.), Ankara (1,2 million d'hab.).

▲ *Le niveau de vie de la population turque est aujourd'hui relativement bas. Malgré l'industrialisation croissante du pays, le taux de chômage est important.*

**TURBINE** Moteur composé d'une roue mobile sur laquelle est appliquée l'énergie d'un fluide moteur : eau, vapeur, gaz, etc. La *turbine hydraulique* utilise l'énergie d'une chute d'eau pour produire de la puissance. Les premières turbines hydrauliques furent les moulins à eau. Aujourd'hui, les centrales hydroélectriques possèdent d'énormes turbines actionnant des générateurs qui produisent du courant électrique. (Voir ÉNERGIE HYDRAULIQUE.)

Perfectionnées dans les années 1930, les *turbines à gaz* équipent aujourd'hui la plupart des AVIONS. L'installation se compose d'un arbre porteur de deux groupes de pales : celles du compresseur et celles de la turbine proprement dite. L'air est aspiré par les pales du compresseur, comprimé, puis mélangé au combustible. Le mélange est mis à feu — la dilatation des GAZ entraînant le compresseur par l'intermédiaire de la turbine qu'ils traversent avant de s'échapper. Dans un réacteur d'avion, le jet des gaz d'échappement sert à propulser l'appareil. Compactes et d'un bon rendement, les turbines à gaz sont de plus en plus utilisées dans l'industrie. (Voir RÉACTION.)

**TURNER, JOSEPH MALLORD WILLIAM** Peintre anglais (1775-1851), connu pour les œuvres presque abstraites qu'il exécuta à la fin de sa vie. Turner s'intéressa principalement à la lumière et à l'eau desquelles il tira des effets hallucinants, par exemple dans *Pluie, vapeur, vitesse*. Les travaux de Turner ont fortement influencé le mouvement impressionniste. (Voir IMPRESSIONNISME.)

**TURQUIE** République territorialement à cheval sur l'EUROPE et l'ASIE, la Turquie d'Asie (également appelée Asie Mineure) constituant 97 % de la superficie. La Turquie est une nation de plateaux et de montagnes, bordée par de larges plaines côtières. Istanbul, la ville la plus importante, est construite sur le Bosphore et la mer de Marmara qui, avec le détroit des Dardanelles, relient la MÉDITERRANÉE à la mer Noire et séparent la Turquie d'Europe de la Turquie d'Asie.

Les Turcs ont longtemps été à la tête de l'Empire ottoman, mais la Turquie au sens propre du terme n'est née qu'après la Première Guerre mondiale, lors du démantèlement de cet empire. La nation s'est modernisée sous l'impulsion de son premier président, Kemal Attaturk (1881-1938). C'est un pays d'économie rurale, mais qui exploite également des gisements (de chrome, de lignite) et possède une industrie en voie de développement. ◁

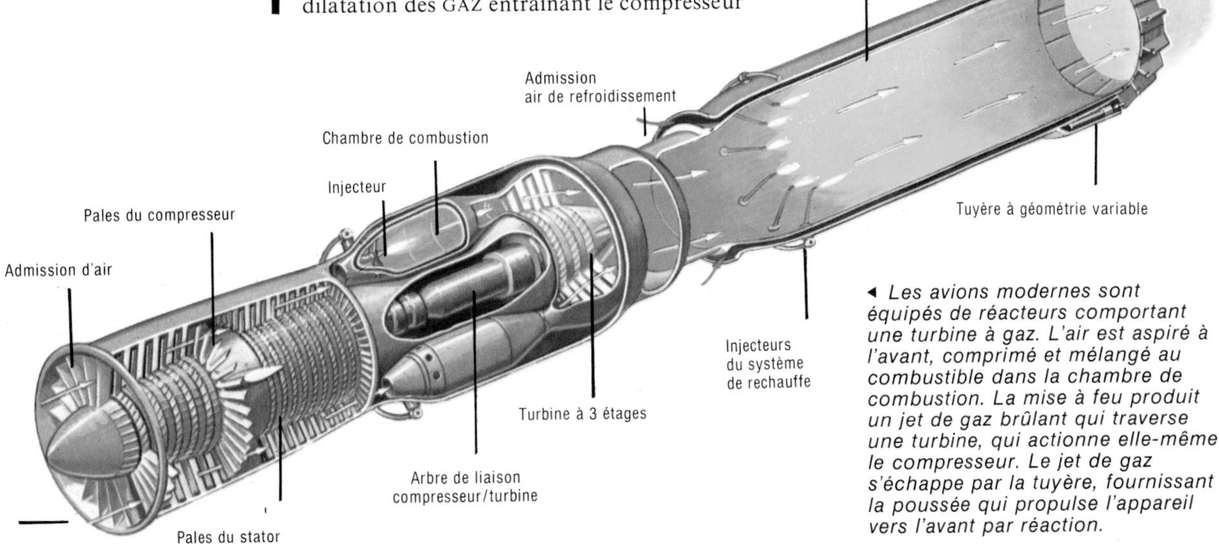


◄ *Les avions modernes sont équipés de réacteurs comportant une turbine à gaz. L'air est aspiré à l'avant, comprimé et mélangé au combustible dans la chambre de combustion. La mise à feu produit un jet de gaz brûlant qui traverse une turbine, qui actionne elle-même le compresseur. Le jet de gaz s'échappe par la tuyère, fournissant la poussée qui propulse l'appareil vers l'avant par réaction.*

**TURQUOISE** Pierre semi-précieuse, opaque, de couleur bleu ciel à bleu-vert, que l'on trouve principalement en Iran, au Mexique et au Nouveau-Mexique. La turquoise était déjà utilisée comme décoration en Égypte vers 4 000 av. J.-C.

**TYPHOIDE OU FIÈVRE TYPHOIDE** Maladie infectieuse et contagieuse qui s'attaque au système digestif (voir DIGESTION), provoquant des hémorragies internes qui peuvent être mortelles. Le bacille responsable est contenu dans l'URINE, les aliments et l'eau contaminée et peut être véhiculé par les mouches.

**TYPHON** En Asie orientale, cyclone ou OURAGAN tropical très puissant. Les typhons frappent principalement les PHILIPPINES et les côtes méridionales de la Chine, provoquant d'énormes dommages.

**TYRANNOSAURE** Très grand DINOSAURE fossile, carnivore, ayant vécu il y a 70 millions d'années. Le tyrannosaure fut le plus grand carnivore de tous les temps. Il mesurait 15 m de long et 6 m de haut, se déplaçait sur ses pattes postérieures et possédait de longues dents acérées. ▷

▾ *Le tyrannosaure était l'animal le plus gros et le plus féroce qui ait jamais existé. Les dents qui ornaient ses immenses mâchoires mesuraient jusqu'à 15 cm de long.*

TYRANNOSAURE Cet énorme animal avait une allure impressionnante. Chacune de ses puissantes pattes postérieures supportait près de quatre tonnes, soit plus que le poids d'un rhinocéros. Les griffes de ses doigts avaient la longueur d'un couteau à découper. Le crâne mesurait plus d'un mètre et chaque orbite aurait pu abriter une tête humaine. Sa mâchoire était ornée de dents en forme de sabre.

UNION SOVIÉTIQUE : DONNÉES
Langue officielle : le russe est la langue maternelle de 60 % de la population ; il est parlé comme seconde langue par le reste.
Monnaie : rouble.
Religion : officiellement, la religion n'est pas encouragée par l'État et l'on estime à 70 % la proportion de la population qui ne pratique aucune religion. Environ 18 % des Soviétiques sont de religion orthodoxe et il existe de petits groupes de musulmans, de catholiques et de juifs.
Principaux fleuves : Volga, Dniepr, Dniestr, Don, Ob, Ienisseï, Lena et Amour.
Grandes villes : Moscou (8,2 millions d'hab.), Leningrad (4,7 millions d'hab.), Kiev (2,2 millions d'hab.), Tachkent (1,9 million d'hab.).
Point culminant : pic Communisme (anc. pic Staline), dans la R.S.S. de Tadjikie (7 495 m).
Capitale : Moscou.
Superficie : 22 400 000 km$^2$.
Population : 271 000 000 d'habitants (1982).

**UKRAINE** République fédérée de l'U.R.S.S., l'Ukraine est la principale région agricole de l'UNION SOVIÉTIQUE. Son sous-sol recèle d'importants gisements de houille et de métaux qui ont permis le développement d'une industrie de transformation (métallurgie, alimentation et chimie). L'Ukraine compte 50,3 millions d'habitants (1982) pour une superficie de 603 000 km$^2$. Capitale : Kiev.

**ULCÈRE** Lésion de la peau ou du système digestif d'où suinte du pus (fluide infecté). Un ulcère est généralement dû à une infection ou une irritation. Les ulcères gastriques (de l'estomac), dus à une irritation provoquée par les sucs digestifs, nécessitent un régime alimentaire dont sont absentes toutes substances irritantes (épices, excitants, etc.).

**ULYSSE** Nom latin d'un personnage de la tradition grecque : Odysseus, héros de l'ODYSSÉE. Au cours de son voyage de retour de la guerre de TROIE, Ulysse connaît de multiples aventures. Il est, entre autres, capturé par un géant mangeur d'hommes à un seul œil, le cyclope Polyphème, doit résister au chant fatal des sirènes et voir ses hommes changés en pourceaux par la magicienne Circé.

**UNION SOVIÉTIQUE** Abréviation courante de Union des Républiques socialistes soviétiques (U.R.S.S.), le plus vaste État du monde. L'Union soviétique couvre le sixième des terres émergées et s'étend de l'Europe orientale à l'extrême est de l'Asie. Plus de 60 langues sont parlées à l'intérieur de ses frontières. Du fait de la diversité de sa population, l'U.R.S.S. est divisée en 15 républiques, dont la plus vaste est la République socialiste fédérative soviétique de Russie.

La partie européenne de l'U.R.S.S., limitée à l'est par la chaîne de l'Oural et la mer Caspienne, ne représente que le quart de la superficie du pays mais regroupe 70 % de la population. C'est là que se trouvent les terres les plus fertiles, et principalement les plaines de l'UKRAINE. C'est là aussi que sont situés les grands centres industriels et miniers, et par conséquent les plus grandes villes, telles MOSCOU et Leningrad. La partie asiatique est moins développée du fait des conditions climatiques qui freinent l'implantation humaine.

L'U.R.S.S. possède d'énormes réserves de ressources naturelles. Elle se situe au premier rang dans le monde pour la production du pétrole, du gaz naturel, du chrome, du fer, du plomb et du manganèse et au second rang, derrière les États-Unis, pour le charbon.

L'U.R.S.S. est née en 1917 d'une révolution socialiste (la *révolution russe*) conduite par le parti bolchevique, avec sa figure la plus marquante, Lénine (1870-1924) — révolution qui renversa le régime tsariste en place depuis le XVI$^e$ siècle. En dépit des destructions et de la désorganisation causées dans le pays par la Première Guerre mondiale, la guerre civile qui suivit la révolution, puis la Seconde Guerre mondiale, l'Union soviétique est parvenue à rejoindre économiquement les États-Unis au rang de superpuissance mondiale. Elle a accompli des progrès remarquables dans les domaines de l'industrie et de la technologie. C'est l'U.R.S.S. qui a ouvert l'ère spatiale avec le lancement, le 4 octobre 1957, du premier satellite artificiel *Spoutnik 1*. En revanche, la politique agricole a remporté moins de succès. (Voir COMMUNISME.) ◁

Voir illustrations p. 364.

**UNIVERS** Nom par lequel nous désignons le monde entier, tout ce qui existe (énergie, matière et espace). Les plus puissants télescopes modernes ont révélé la présence dans l'univers de plus de 10 milliards de systèmes d'étoiles, ou GALAXIES. La majorité des scientifiques s'accorde aujourd'hui à penser que l'univers s'est créé au cours d'une gigantesque explosion appelée le *big-bang ;* d'autres pensent qu'il y a en permanence création de matière. Tous s'accordent sur l'idée d'un univers en expansion, dans la mesure où les observations astronomiques montrent claire-

▲ *Une représentation de* la Belle au bois dormant *de Tchaïkovski. Le ballet est une forme artistique très prisée en U.R.S.S. En haut, à droite : Des moissonneuses faisant la récolte du blé sur une vaste exploitation. Au centre : Enfants se concentrant sur un problème d'échecs ; les échecs sont très pratiqués en U.R.S.S.*

▲ *L'église Saint-Basile-le-Bienheureux, sur la place Rouge, à Moscou.*

▶ *Le traditionnel défilé militaire du 1er Mai sur la place Rouge. Le 1er Mai est l'une des grandes fêtes chômées de l'U.R.S.S.*

◂ *Une grande partie de la population de l'Uruguay vit dans les villes. Les paysans sont souvent pauvres. Presque tous les Uruguayens sont de descendance européenne.*

URUGUAY : DONNÉES
Langue officielle : espagnol.
Monnaie : peso uruguayen.
Religion : catholicisme, principalement.
Principaux fleuves : rio Uruguay, rio Negro, rio de la Plata.
Capitale : Montevideo (1,3 million d'hab.), qui regroupe près de la moitié de la population du pays.

ment que les galaxies s'éloignent continuellement les unes des autres. Il est possible que cette expansion soit suivie d'une phase de contraction qui ramènerait l'univers à son stade originel, après quoi le processus se répéterait. Cette théorie est dite des *oscillations*.

**UNIVERSITÉ** Ensemble d'établissements d'études supérieures qui délivrent des diplômes. La première université européenne fut fondée à Salerne, en Italie, au IXe siècle, puis au XIIe siècle, celles de Bologne, Paris et Oxford. En France, les premiers diplômes universitaires — le D.E.U.G. (diplôme d'études universitaires générales) ou le D.U.T. (diplôme universitaire de technologie) — se préparent en deux ans en moyenne, le D.E.U.G. ouvrant la porte à la préparation d'une licence, d'une maîtrise, voire d'un doctorat (doctorat de troisième cycle et doctorat d'État). Le corps enseignant effectue, outre sa tâche d'enseignement, des travaux de recherche.

**URANIUM** ÉLÉMENT métallique dur, de couleur argentée, radioactif (Voir RADIOACTIVITÉ), présent sous forme de composés dans la pechblende et de nombreux autres minerais. L'uranium naturel est un mélange de trois ISOTOPES dont l'uranium 238 (99,28 %) et l'uranium 235 (0,71 %). L'uranium 238 peut être converti en plutonium 239 afin de subir la fission nucléaire. (Voir ÉNERGIE ATOMIQUE.) L'uranium 235 est en lui-même un combustible nucléaire.

**URANUS** PLANÈTE du SYSTÈME SOLAIRE dont l'orbite est située entre celles de Saturne et de Neptune. Uranus est une planète froide à atmosphère de méthane et d'HYDROGÈNE. Elle est dotée de cinq SATELLITES, et possède aussi neuf minces anneaux, plus sombres que ceux de Saturne.

**URINE** Liquide de couleur ambrée évacué par les MAMMIFÈRES. L'urine est fabriquée par les REINS à partir des déchets extraits du sang et d'eau. Un être humain évacue environ un litre d'urine par jour.

**U.R.S.S.** Voir UNION SOVIÉTIQUE.

**URUGUAY (RÉPUBLIQUE ORIENTALE DE L')** État du sud-est de l'AMÉRIQUE DU SUD, au bord de l'Atlantique, l'Uruguay compte 2,9 millions d'habitants (1982) pour une superficie de 176 000 km². C'est un pays dont l'économie est essentiellement fondée sur l'élevage des bovins et des ovins et qui est totalement démuni de ressources minières. L'Uruguay exporte de la viande, de la laine et des textiles. Capitale : Montevideo. ◁

▴ *L'astronome anglais William Herschel (1738-1822). Il découvrit Uranus en 1781, étendant ainsi la connaissance du système solaire. En 1787 il découvrit aussi les deux premiers satellites d'Uranus et, deux ans plus tard, deux nouveaux satellites de Saturne.*

▾ *Les cinq satellites d'Uranus sont visibles sur cette photographie. Le plus faible, Miranda, apparaît immédiatement à gauche de la planète. Très éloignée du Soleil, Uranus est une planète très froide (−170 °C). Elle a été découverte en 1781.*

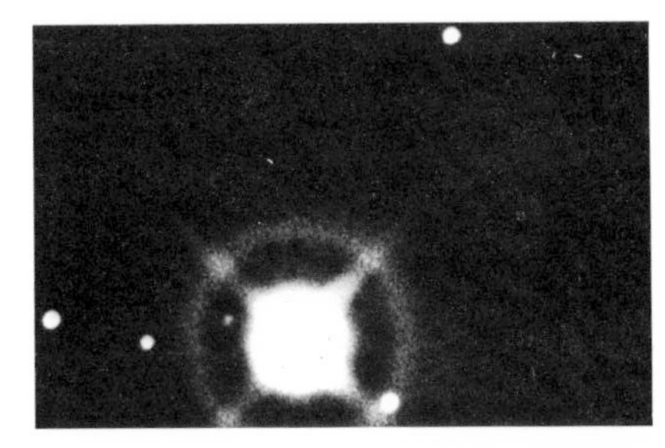

**VACCIN** Substance qui, inoculée à un être humain ou à un animal, l'immunise contre une maladie microbienne spécifique. Le vaccin est inoculé sous forme d'injection ou par voie buccale. Il agit en provoquant la formation par l'organisme d'ANTICORPS. Les vaccinations sont pratiquées le plus souvent sur les enfants, pour les immuniser contre la TUBERCULOSE (B.C.G.) la DIPHTÉRIE, la POLIOMYÉLITE, la TYPHOIDE, le TÉTANOS, la VARIOLE et la COQUELUCHE (la plupart de ces vaccinations sont obligatoires en France). Les vaccinations contre la rubéole et la rougeole sont plus récentes. (Voir JENNER; VIRUS.)

**VAGUE** Ondulation de la surface de l'eau, généralement provoquée par le vent. La hauteur des vagues est fonction de l'intensité du vent. Les vagues ne déplacent pas de particules d'eau. Un bouchon de liège posé à la surface de la mer s'élève et s'abaisse avec les vagues, mais sa position ne change que s'il est poussé par les vents ou les courants. ▷

**VAISSEAU** Dans la marine militaire, bâtiment de guerre de fort tonnage, cuirassé et armé de batteries de canons. Le premier cuirassé fut lancé en 1860. Après la Seconde Guerre mondiale, les vaisseaux furent progressivement abandonnés au profit de bâtiments plus rapides et plus manœuvrables. (Voir NAVIRES.)

**VALENCE** En chimie, on appelle valence d'un élément le nombre de LIAISONS chimiques qu'un atome ou un radical (groupe de plusieurs atomes) peut avoir avec d'autres atomes. La valence du chlore, par exemple, est de 1 alors que celle du zinc est de 2. C'est la raison pour laquelle chaque molécule de chlorure de zinc contient un atome de zinc combiné par ses liaisons avec deux atomes de chlore, comme l'indique la formule de ce composé : $ZnCl_2$. Le fer et quelques autres éléments possèdent plusieurs valences, aussi les atomes de ces éléments peuvent-ils se combiner avec un nombre variable d'atomes d'autres éléments.

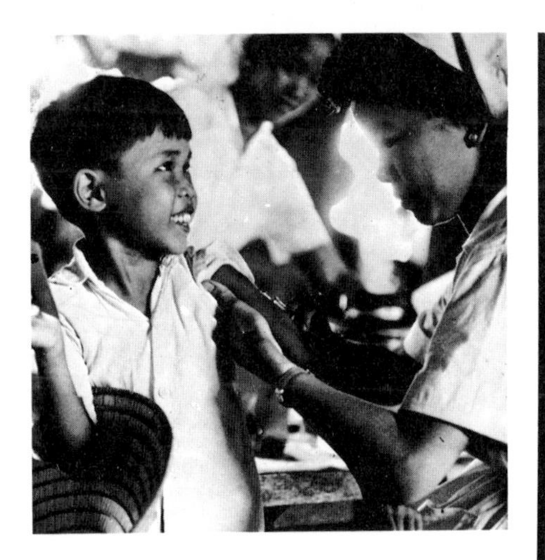

▲ *Ce garçon est en train de subir la vaccination antituberculeuse (B.C.G.). Les campagnes massives de vaccination ont beaucoup fait reculer les maladies microbiennes.*

**VALLÉE** Dépression allongée de la surface de la Terre. Les vallées sont creusées par les cours d'eau et parfois approfondies ou élargies par les GLACIERS.

**VALVE** Dispositif électronique ne laissant passer le courant que dans une seule direction. Une *diode* (type de valve ou tube électronique) se compose d'un tube à vide contenant deux électrodes : une cathode chauffée électriquement et une anode. La charge positive de l'anode fait qu'elle attire les électrons chargés négativement émis par la cathode lorsqu'elle est chauffée. (Voir ATOME.) Dans une *triode*, une troisième électrode, ou grille, placée entre l'anode et la cathode commande l'amorçage de la décharge.

Les diodes sont utilisées comme redresseurs de courant alternatif qu'elles ne laissent

VAGUE L'énergie libérée par le déferlement des vagues peut déplacer des masses considérables. Ainsi, en Amérique du Nord, sur la côte de l'Oregon, les vagues soulèvent des rochers de 50 kg à la hauteur de la lanterne d'un phare, pourtant à 42 m de haut, et qui a dû être protégée par des barreaux d'acier. Autre illustration de la puissance des vagues : lors d'une tempête, à Cherbourg, les vagues ont projeté à 18 m un bloc de béton de 65 t.

VANILLE Le vanillier produit des gousses cylindriques contenant de nombreuses petites graines noires noyées dans une pulpe noire, huileuse. Les gousses sont récoltées avant maturité et séchées au four où elles rétrécissent et virent au brun, exhalant alors l'odeur spécifique de la vanille. On obtient l'extrait en hachant ces gousses et en les mélangeant à de l'alcool qui s'imprègne du parfum.

VARSOVIE Au cours de la Seconde Guerre mondiale, Varsovie fut presque totalement détruite par les bombardements allemands. Sur les quelque 500 000 Juifs que comptait en 1939 le ghetto de Varsovie, 200 seulement étaient encore en vie lorsque les troupes soviétiques libérèrent la ville en 1945. Lors de la reconstruction, la quasi-totalité de la vieille ville fut rebâtie selon les plans initiaux.

VATICAN : DONNÉES
Langues : l'italien est la langue officielle de l'État, le latin la langue officielle du Saint-Siège.
Monnaie : lire italienne.

passer que dans une seule direction. Les triodes servent à amplifier (renforcer) les signaux. Une légère variation de la tension appliquée à la grille provoque des variations importantes du flux d'électrons qui traverse le tube. Les valves sont généralement dotées d'électrodes supplémentaires destinées à améliorer leurs performances ou pour des usages plus complexes. Aujourd'hui, les TRANSISTORS ont en grande partie remplacé les valves dans l'équipement électronique.

**VAMPIRE** Petite CHAUVE-SOURIS des forêts du centre et du sud de l'Amérique. Contrairement à ce que suggère le nom donné à ces animaux, une seule espèce de vampire se nourrit exclusivement de sang. Elle attaque ses victimes la nuit, pendant leur sommeil, incise la peau à l'aide de ses dents pointues et aspire le sang. Les autres espèces se nourrissent d'insectes et de fruits.

**VAN GOGH, VINCENT** Peintre néerlandais (1853-1890), ami de GAUGUIN et artiste postimpressionniste de premier plan. (Voir IMPRESSIONNISME.) Van Gogh peignait rapidement, par larges touches de couleurs pures, pour créer un effet immédiat. Artiste tourmenté, il se suicida à la suite d'un séjour dans un asile. Parmi ses œuvres les plus connues, on peut citer *les Tournesols, l'Homme à l'oreille coupée, le Champ de blé au cyprès.*

**VANILLE** Fruit du vanillier, une ORCHIDÉE grimpante cultivée dans les pays tropicaux et particulièrement à Madagascar. Le fruit est une gousse de 10 cm de long, contenant de nombreuses petites graines. La vanille est utilisée comme parfum en pâtisserie ; on emploie les gousses ou l'extrait de vanille. ◁

**VARICE** Dilatation permanente d'une VEINE qui forme un renflement de la peau. Les varices apparaissent fréquemment sur les veines des jambes et peuvent nécessiter une intervention chirurgicale. Les personnes ayant un excédent de poids ou dont le travail implique une station debout prolongée sont plus souvent sujettes aux varices.

**VARICELLE** Maladie infectieuse, contagieuse et épidémique, relativement bénigne, provoquée par un VIRUS et qui atteint surtout les enfants. Elle se manifeste par une éruption de petites ampoules sur la peau.

**VARIOLE** Maladie infectieuse, contagieuse et épidémique, mortelle dans 15 % des cas. Elle se manifeste par l'apparition sur la peau de pustules qui, en se desséchant, laissent des cicatrices définitives. La vaccination antivariolique systématique (voir VACCIN) a presque totalement fait disparaître cette maladie.

**VARSOVIE** Capitale de la POLOGNE, Varsovie compte 1,6 million d'habitants (1982). Construite sur la Vistule, c'est un important centre industriel, commercial et culturel. La ville a dû être reconstruite en grande partie après la Seconde Guerre mondiale. ◁

**VATICAN (ÉTAT DE LA CITÉ DU)** État qui abrite le gouvernement de l'ÉGLISE CATHOLIQUE. A Rome, la cité du Vatican compte 738 habitants et couvre une superficie de 44 hectares. Ce petit État comprend essentiellement la basilique Saint-Pierre — la plus vaste église chrétienne — et le palais pontifical. ◁

**VAUTOUR** Grand oiseau de proie à cou et tête nus, vivant dans les régions chaudes d'Asie, d'Afrique et d'Europe. Les vautours sont des charognards, c'est-à-dire qu'ils se nourrissent de carcasses d'animaux morts. Empêchant la putréfaction de la viande, ils évitent le développement d'épidémies.

▾ *Vautours et corbeaux en train de « nettoyer » une carcasse d'animal dont ils ne laissent que la peau et les os. Les nécrophores prennent ensuite le relais et éliminent totalement les restes.*

▲ *Le pétrole constitue la principale ressource du Venezuela. Les principaux puits sont situés sur le lac de Maracaïbo.*

**VÉGÉTAL (ou PLANTE)** Les êtres vivants sont divisés en deux règnes : animal et végétal. Les animaux possèdent une plus grande autonomie que les végétaux : dans leur ensemble ils voient, se déplacent, entendent ; en revanche, ils sont incapables de fabriquer leur nourriture comme le font les plantes vertes (par PHOTOSYNTHÈSE, les plantes à chlorophylle utilisent l'énergie solaire pour transformer le gaz carbonique et l'eau en sucre). Pour survivre, les animaux ont besoin des végétaux ; ils s'en nourrissent directement ou mangent les animaux végétariens. C'est pourquoi les végétaux tiennent une place importante dans le cycle de la vie.

Il existe plus de 350 000 espèces de végétaux, répartis en deux groupes principaux : ceux qui produisent des graines et ceux qui n'en produisent pas. Le groupe des plantes à graines est le plus vaste ; il comprend essentiellement les CONIFÈRES et les plantes à fleurs. Les plantes à graines ont des racines bien développées, une tige, des FEUILLES, et produisent des FRUITS contenant les graines. Les végétaux sans graines sont plus simples. Certains, comme les CHAMPIGNONS, n'ont ni racines, ni tige, ni feuilles ; d'autres, comme les MOUSSES, possèdent des tiges et des feuilles mais pas de racines véritables. (Voir BIOLOGIE.) ▷

**VEINE** Vaisseau qui ramène le SANG des membres vers le cœur. La plupart des veines véhiculent du sang appauvri en oxygène, exception faite de celles qui relient les POUMONS au cœur et dont le sang est, au contraire, riche en oxygène. Les veines possèdent des parois minces et des valvules qui permettent au sang de contrebalancer l'effet de la gravité. La remontée du sang vers le cœur est facilitée par la contraction des muscles.

**VÉLASQUEZ, DIEGO RODRIGUEZ DE SILVA Y** Peintre espagnol (1599-1660). En 1623, Vélasquez est nommé peintre attitré de la Cour du roi d'Espagne Philippe IV pour lequel il exécute un certain nombre de portraits de la famille royale et des membres de la Cour. Parmi les œuvres les plus connues de Vélasquez figurent *les Ménines (las Meninas)* et *les Fileuses*. TITIEN, RUBENS et le Tintoret ont influencé le style de Vélasquez.

**VÉLOMOTEUR** Motocyclette légère dont la cylindrée est inférieure à 125 cm$^3$.

**VELOURS** Étoffe rase d'un côté et couverte de l'autre de poils dressés et très serrés, formant une surface unie ou dessinant des côtes (velours côtelé). Le velours est utilisé pour la confection de vêtements ou comme tissu d'ameublement. Il peut être fabriqué à partir de fibres de soie, de rayonne, de coton ou de laine ou d'un mélange de ces textiles avec des fibres synthétiques.

**VENEZUELA** République de la partie septentrionale de l'AMÉRIQUE DU SUD, le Venezuela compte 14,3 millions d'habitants (1982) pour une superficie de 910 000 km$^2$. Ce pays tropical est le cinquième producteur mondial de pétrole dont il utilise les revenus pour le développement de son économie. Capitale : Caracas. ▷

**VENIN** Liquide toxique sécrété par les MÉDUSES, certains SERPENTS et quelques autres animaux. Le venin est généralement injecté dans le corps de la victime par morsure ou piqûre. La plupart des bêtes venimeuses vivent dans les régions tropicales.

VÉGÉTAL Les premiers végétaux terrestres sont apparus il y a quelque 400 millions d'années. A l'inverse des algues aquatiques dont elles étaient issues, ces plantes possédaient des tubes servant à aspirer l'eau et une tige leur permettant de se dresser au-dessus du sol, mais elles étaient dépourvues de feuilles, de racines et de fleurs.

VENEZUELA : DONNÉES
Langue officielle : espagnol.
Religion : catholicisme.
Grandes villes : Caracas (3,5 millions d'habitants), Maracaïbo (800 000 habitants).
Principal fleuve : Orénoque.
La population est composée de 70 % de métis d'Indiens et d'Européens.
Le Venezuela a acquis son indépendance vis-à-vis de l'Espagne en 1811.

▾ *Le schéma ci-dessous montre les sept divisions principales du règne végétal (indiquées par les lignes horizontales). Les pavés de couleur disposés transversalement indiquent les divers modes de regroupement de ces divisions.*

**VENISE** Ville du nord-est de l'ITALIE, construite sur un archipel de petites îles au milieu d'une lagune, Venise compte 360 000 habitants (1982). Fondée en 452, Venise fut durant tout le Moyen Age une grande puissance maritime. C'est aujourd'hui un site touristique unique, mais également un port pétrolier et un centre industriel.

**VENTRILOQUE** Personne capable de parler comme si le son venait d'ailleurs que de sa bouche, ou de quelqu'un d'autre. C'est un art qui réclame un long entraînement ; les bons ventriloques parviennent à parler sans que l'on voie remuer leurs lèvres.

**VÉNUS (DÉESSE)** Dans la mythologie romaine, déesse de l'Amour et de la Beauté, assimilée à l'Aphrodite des Grecs, censée être sortie adulte de l'écume des flots. Vénus était la mère d'Éros (Cupidon) et d'Enée (l'un des fondateurs légendaires de Rome).

**VÉNUS (PLANÈTE)** L'une des PLANÈTES du SYSTÈME SOLAIRE et la plus proche voisine de la Terre. Entourée d'une épaisse couche nuageuse claire, Vénus apparaît de la Terre comme une étoile très brillante, visible un peu avant et un peu après les autres. Pour cette raison, Vénus est souvent baptisée l'Étoile du matin ou l'Étoile du soir. ▷

**VER** Nom donné aux animaux à corps mou, allongé, répartis en trois embranchements : les vers annelés, les vers plats et les vers ronds. Les vers plats et ronds, très primitifs, vivent généralement en PARASITES d'animaux ou de végétaux. Plus complexes, les vers annelés *(annélides)* ont le corps divisé en segments. Le ver de terre (lombric) est une annélide.

**VERBE** Mot qui, dans une phrase, exprime une action *(il mange)* un état *(il sait)* du sujet. Un verbe peut se composer d'un seul mot ou de plusieurs (il a mangé) et sa terminaison varie en fonction de la personne (tu manges, il mange), du temps (il mangeait, il mangea) et du mode (il mange, il mangerait). Certains verbes ont des conjugaisons irrégulières.

**VERCINGÉTORIX** Général gaulois (v. 72-46 av. J.-C.) qui mena au combat la coalition des peuples gaulois contre Rome. Vaincu par Jules César au siège d'Alésia et fait prisonnier, il fut emmené à Rome et exécuté.

**VERGE D'OR** Plante à mince tige dressée couronnée par une grappe de petites fleurs jaunes, qu'on rencontre dans les hautes montagnes de France (Jura, Alpes, Pyrénées).

VÉNUS (PLANÈTE) : DONNÉES
Période de révolution : 224 jours.
Période de rotation : 243 jours.
Température de surface : 480 °C.
Composition de l'atmosphère : gaz carbonique principalement.
Satellites : aucun.
Huit sondes, toutes soviétiques, ont atterri à la surface de Vénus : les capsules des sondes ont traversé l'atmosphère de Vénus soutenues par un parachute. *Vénéra 9* et *10* ont transmis les premiers clichés de la surface d'une planète étrangère. Les États-Unis ont lancé trois sondes en mission de vol rapproché *(Mariner 2, 5* et *10). Mariner 2* n'a découvert ni champ magnétique ni ceintures de radiations appréciables ; *Mariner 5* a apporté des données atmosphériques supplémentaires et *Mariner 10* a transmis les premières images télévisées de Vénus, montrant les turbulences de son atmosphère.

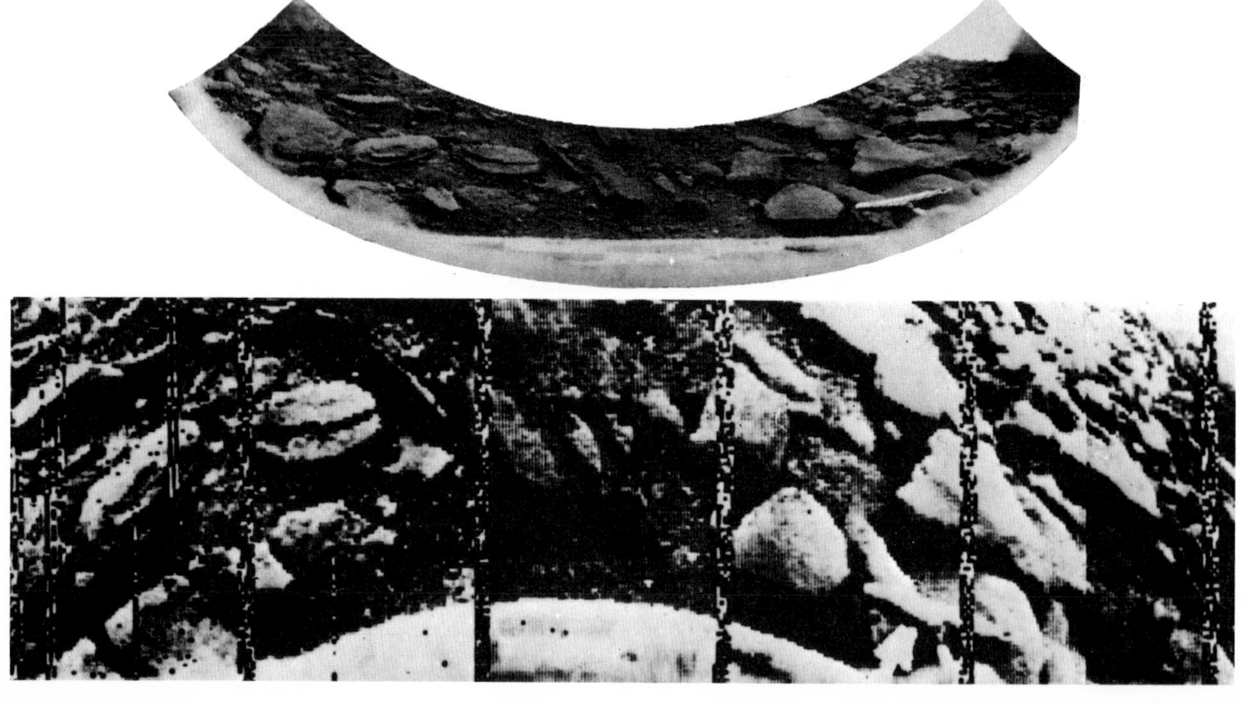

▼ *En bas : Une photographie de la surface de Vénus prise par le module de descente de la sonde spatiale soviétique* Vénéra 9, *en 1975. En haut : La même vue traitée par ordinateur restitue les détails et la perspective. La zone claire que l'on aperçoit au centre est un morceau de* Vénéra 9.

VERRE Il y a 6 000 ans, les Égyptiens fabriquaient des perles de stéatite qu'ils vitrifiaient. 1 500 ans plus tard, ces mêmes Égyptiens savaient fabriquer de petits objets en verre plein. Les premiers récipients sont apparus il y a 3 500 ans et les vitrages il y a 2 000 ans.

VERRE DE CONTACT Les premières lentilles cornéennes, fabriquées en 1887 par A.E. Fick, étaient en verre. A partir de 1938, le verre fut abandonné au profit du plastique rigide. Aujourd'hui, il existe également des lentilles souples. De 1938 à 1950, la technique de fabrication des verres de contact consistait à prendre l'empreinte de l'œil et à effectuer ensuite un moulage de plastique. Ce type de lentilles recouvrait toute la partie antérieure du globe oculaire ; aujourd'hui, des lentilles de petite taille ne recouvrant que la cornée ont pris le relais.

VICTORIA Ire Parmi les souverains britanniques la reine Victoria détient deux records : ceux de la durée du règne et de la longévité ; elle mourut à l'âge de 81 ans et 243 jours.

**VERLAINE, PAUL** Poète français (1844-1896), auteur des *Romances sans paroles, Jadis et naguère.*

**VERNIS** Produit de revêtement transparent élaboré à partir de RÉSINES. Les vernis servent à protéger le bois, le métal, le papier et d'autres matériaux. Certains vernis sont utilisés comme isolants électriques.

**VERRE** Matériau à usages multiples, le verre sert à fabriquer vitrages, miroirs et récipients, mais aussi LUNETTES et LENTILLES optiques, objets décoratifs et, sous forme de fibres, un matériau solide dont on fait des coques de bateau. Le verre est fait d'un mélange de sable, de soude et de chaux porté à la température de fusion ; il est ensuite mis en forme par pressage, soufflage, étirage ou laminage. Il est possible d'accroître la résistance du verre grâce à des procédés spécifiques (verre trempé, verre armé, verre feuilleté, etc.). Le verre peut également être filé, gravé ou coloré dans un but décoratif. Les techniques de coloration du verre étaient déjà connues des Romains. En Europe, aux XIVe et XVe siècles, les vitraux étaient fabriqués en verre, coloré par adjonction d'oxydes au verre en fusion. ◁

**VERRE DE CONTACT OU LENTILLE CORNÉENNE** Lentille correctrice de la vue qui s'applique directement sur la cornée. Il existe aujourd'hui des verres de contact colorés permettant de modifier la couleur des yeux. ◁

**VERSAILLES** Ville située à 14 km au sud-ouest de Paris, dans le département des Yvelines, et fameuse pour son château construit sous LOUIS XIV pour abriter le roi et la Cour. Il a fallu plus d'un siècle pour achever ce château de 800 m de long, comportant des centaines de pièces, dont la fameuse galerie des Glaces, et des jardins somptueux. C'est à Versailles que fut signé le traité qui mit fin à la Première Guerre mondiale.

**VERTÉBRÉ** Animal pourvu d'une COLONNE VERTÉBRALE. Les vertébrés constituent l'un des 21 embranchements du règne animal (voir CLASSIFICATION DES ÊTRES VIVANTS) et réunissent les animaux les plus évolués. On peut distinguer cinq classes principales de vertébrés : POISSONS, REPTILES, AMPHIBIENS, OISEAUX et MAMMIFÈRES. Les animaux vertébrés possèdent un SQUELETTE osseux, interne *(endosquelette)* ; ils sont apparus à la surface de la Terre il y a 450 millions d'années environ. Les premières créatures vertébrées ont été les poissons, puis les amphibiens, les reptiles, les mammifères et, finalement, les oiseaux (il y a 150 millions d'années).

Voir illustrations p. 372.

▲ *Le 24 août 79, une éruption du Vésuve ensevelit les milliers d'habitants de Pompéi.*

**VÉSICULE BILIAIRE** Réservoir logé contre le FOIE et destiné à emmagasiner la bile. La bile est un fluide vert-jaune, de goût amer, qui contribue à la DIGESTION : sécrétée par le foie, elle s'accumule dans la vésicule biliaire entre les digestions. Lorsque les aliments sont ingérés, la vésicule biliaire se contracte et déverse la bile dans l'INTESTIN grêle.

**VÉSUVE** VOLCAN actif d'Italie dominant la baie de Naples, dont l'éruption en 79 apr. J.-C. ensevelit les villes d'Herculanum et POMPÉI. La dernière éruption du Vésuve remonte à 1944.

**VICTORIA (CHUTES)** Chutes du Zambèze, dans le sud de l'Afrique, hautes de 102 m. Les chutes Victoria furent découvertes par David LIVINGSTONE en 1855.

**VICTORIA Ire** Reine de Grande-Bretagne et d'Irlande (née en 1819, a régné de 1837 à 1901) et impératrice des Indes à partir de 1876. L'« ère victorienne » correspond au zénith de la puissance de l'EMPIRE BRITANNIQUE. ◁

▼ *Toile exécutée au début du règne de la reine Victoria – un règne de soixante-quatre ans. De son mariage avec le prince Albert, la reine Victoria eut neuf enfants.*

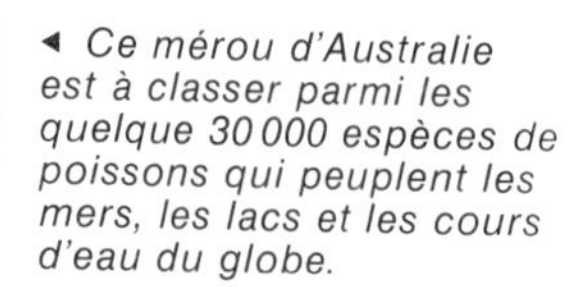

◂ *Ce mérou d'Australie est à classer parmi les quelque 30 000 espèces de poissons qui peuplent les mers, les lacs et les cours d'eau du globe.*

▸ *Grenouille peinte lançant son appel. Il existe plus de 3 000 espèces de grenouilles, crapauds et autres amphibiens.*

▾ *Ce cacatoès australien est un membre de la famille des perroquets. Le globe compte 9 000 espèces d'oiseaux.*

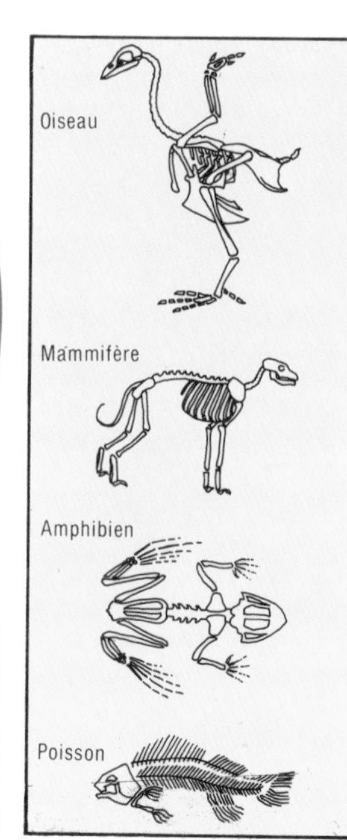


◂ *Ci-contre : Quatre squelettes de vertébrés adaptés à un mode de locomotion spécifique : l'oiseau au vol, le chien à la marche quadrupède, la grenouille au saut, le poisson à la nage. Dans chaque cas, le corps est construit autour d'une structure osseuse souple.*

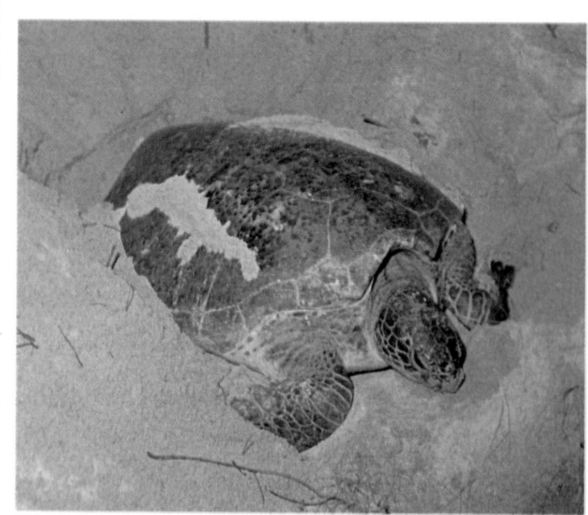

▾ *Une chélonée franche s'apprêtant à pondre sur la plage. Il existe plus de 5 200 espèces de tortues, lézards et autres reptiles.*

◂ *L'orang-outan (à gauche) est un singe anthropoïde et donc un mammifère.*
*Les mammifères sont des animaux à sang chaud qui allaitent leurs petits ; il en existe plus de 4 000 espèces.*

◂ *Certaines parties du corps humain commencent à vieillir pratiquement dès la naissance, mais ce n'est qu'après l'adolescence que l'on situe le début réel du vieillissement. Au fil des ans, la peau perd de son élasticité et se ride, la vue, l'ouïe, le toucher et l'odorat perdent de leur acuité, le corps s'affaiblit et résiste moins bien à la maladie. Si l'on peut constater les effets du vieillissement, on est, aujourd'hui encore, incapable d'en déterminer les causes avec précision.*

**VIEILLISSEMENT** La durée de tous les êtres vivants est limitée. Établie d'après des moyennes statistiques, elle comporte donc des exceptions.

Dans les régions qui jouissent de conditions sanitaires et alimentaires satisfaisantes, la durée de vie moyenne d'un être humain est de 70 à 80 ans ; les femmes vivent un peu plus longtemps que les hommes. En Europe, l'espérance de vie est de cent ans pour un nouveau-né sur mille environ. ◁

VIEILLISSEMENT Un bébé d'un an est en possession de la totalité de ses cellules cérébrales (neurones), après quoi ces cellules commencent à s'éliminer année après année sans être remplacées. C'est la raison supposée de l'abaissement des facultés mentales qui frappe les personnes âgées et que l'on appelle sénilité. L'espérance de vie des femmes est supérieure à celle des hommes : elle est aujourd'hui de 67 ans pour un nouveau-né de sexe masculin, de 74 ans pour un bébé de sexe féminin. Une fois atteinte la vingtième année, un homme peut espérer atteindre 70 ans et une femme, 76 ans. Bien que de temps à autre des bruits courent sur des individus qui auraient atteint des âges dépassant 120 ans, il n'existe pas de cas vérifiés de personnes ayant dépassé leur cent quatorzième anniversaire. On cite le cas d'une certaine Mme D. Filkins, de New York, décédée 150 jours seulement avant la date de ses 114 ans et la doyenne des Français, décédée en janvier 1984, devait fêter son 113e anniversaire quatre jours plus tard.

**VIDE** Espace ne contenant aucun objet. En pratique, il est impossible d'éliminer toute matière et le terme de vide désigne en fait un espace où la pression de l'air est extrêmement faible. Même l'espace intersidéral contient de la matière, sous forme d'atomes extrêmement dispersés.

**VIENNE** Capitale de l'AUTRICHE, Vienne compte 1,6 million d'habitants. Construite sur le DANUBE, la ville est un important centre culturel auquel sont associés les noms de compositeurs tels MOZART, BEETHOVEN, Schubert et Strauss.

**VIÊT-NAM (RÉPUBLIQUE SOCIALISTE DU)** État d'ASIE du Sud-Est, le Viêt-nam compte 55 millions d'habitants (1982) pour une superficie de 333 000 km². Colonie française à partir de 1888 sous le nom d'Indo-

▾ *L'armée française à Diên Biên Phu (1954) – désastre français qui mit fin à la guerre d'Indochine et préluda au partage du pays entre la République démocratique du Nord Viêt-nam, la République du Sud Viêt-nam, le Laos et le Cambodge.*

chine, le pays est divisé en 1954 entre la République démocratique du Viêt-nam (Nord) et la République du Viêt-nam (Sud). A la suite d'une guerre entre le Nord, soutenu par l'U.R.S.S., et le Sud, soutenu par les Américains, le pays est réunifié en 1975. (Voir CAMBODGE.) Capitale : Hanoï. ▷

**VIGNE** Arbrisseau à tige ligneuse (cep) et rameaux grimpants (pampres), cultivé pour ses baies vertes ou noires : le RAISIN. Les terrains plantés en vigne, ou vignobles, constituent un paysage familier des régions méditerranéennes ou tempérées chaudes. La *vigne vierge* est une espèce de liane décorative de la même famille que la vigne.

**VIKINGS** Guerriers et navigateurs des pays scandinaves. Du VIII^e au X^e siècle de notre ère, les Vikings entreprirent des expéditions maritimes qui les conduisirent vers les côtes d'Europe occidentale (ils colonisèrent les Shetland, le nord de l'Écosse, le Yorkshire et la région de Dublin), Constantinople, l'Afrique, le Groenland et jusqu'en Amérique. ▷

**VIN** Boisson alcoolisée obtenue par fermentation du jus de RAISIN sous l'action de LEVURES (le nom de « vin » désigne également d'autres boissons fermentées : vin de riz, vin de palme). Selon les traitements opérés et les cépages (variétés de raisin) utilisés, on obtient du vin blanc, rosé ou rouge, doux ou sec. La France demeure encore aujourd'hui le pays le plus réputé pour la qualité de ses vins ; elle se partage avec l'Italie le cinquième de la production mondiale.

**VINAIGRE** Solution aqueuse d'acide acétique, obtenue par fermentation du vin (vinaigre de vin), de la bière (vinaigre de malt), du cidre (vinaigre de cidre). Le vinaigre de qualité inférieure est obtenu chimiquement. Le vinaigre est utilisé comme condiment ou comme conservateur (cornichons, oignons).

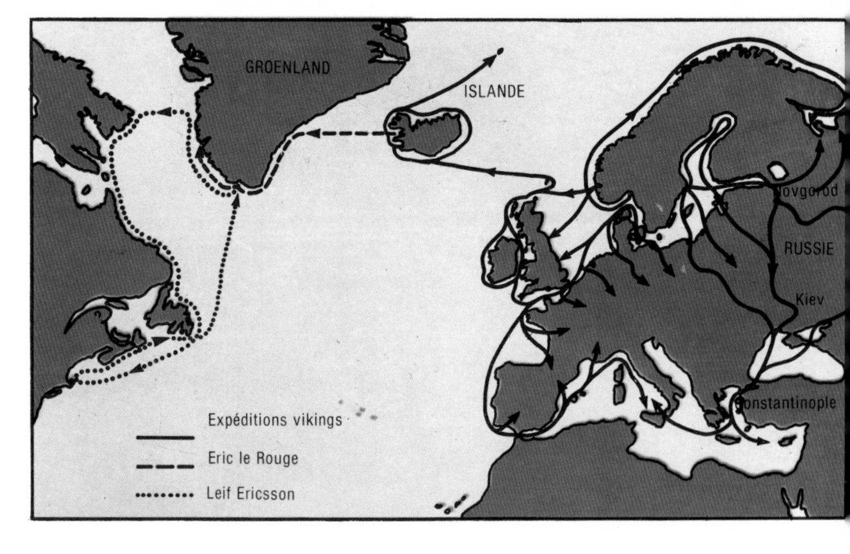


▲ *Vers 870 apr. J.-C. les Vikings découvrirent l'Islande et y fondèrent des communautés rurales. Eric le Rouge découvrit le Groenland en 982.*

**VINCI LEONARDO DA VINCI, dit LÉONARD DE** Voir LÉONARD DE VINCI.

**VIOLETTE** Petite plante des bois et des haies, présente dans de nombreuses parties du monde, à feuilles cordiformes et fleurs généralement violettes ou blanches, parfois très odorantes.

VIÊT-NAM : DONNÉES
Langue officielle : vietnamien.
Monnaie : dông.
Religion : bouddhisme et animisme pour la majorité de la population.
Grandes villes : Hô Chi Minh-Ville (anc. Saigon ; 3,4 millions d'habitants) et Hanoi (2 500 000 habitants).

▼ *Excellents marins, les Vikings s'aventurèrent jusqu'en Amérique du Nord.*

VIKINGS Race de guerriers, les Vikings ne pouvaient imaginer un au-delà pacifique ; aussi leurs morts partaient-ils pour le *Valhalla* pourvus de toutes leurs armes.

VIOLON Le célèbre luthier italien Antonio Stradivari (1644-1737) signait ses violons de la transcription latine de son nom : « Stradiuarius » ou « Stradivarius », ce qui explique qu'il soit plus connu sous ce nom. Il fabriqua un millier d'instruments — dont 600 existent encore — jusqu'à sa mort survenue dans sa ville natale de Crémone à l'âge de 93 ans. Selon les spécialistes, les derniers étaient parmi les meilleurs des instruments sortis de ses mains. Il fabriqua également des altos et des violoncelles. D'après les experts, le secret de la qualité des « Stradivarius » résidait dans le vernis qu'utilisait le maître luthier, un vernis dont la composition s'est perdue avec la mort du célèbre artisan.

**VIOLON** Instrument de musique à cordes que l'on fait vibrer avec un archet. L'instrument se compose principalement d'une caisse de résonance et d'un manche portant les cordes sur lequel les doigts de l'interprète se déplacent pour former les notes. Le violon est né au XVIIe siècle de la viole. C'est aujourd'hui l'un des principaux instruments d'ORCHESTRE. ◁

**VIPÈRE** Serpent venimeux, au corps généralement marqué d'une bande en zigzag bordée de taches sombres. La morsure de vipère est douloureuse et parfois mortelle. La France abrite deux espèces de vipère : l'aspic et la péliade.

**VIRGILE** Le plus grand poète latin (v. 70-19 av. J.-C.), auteur des *Bucoliques*, des *Géorgiques*, de *l'Enéide*.

**VIRUS** Organisme microscopique — beaucoup plus petit qu'une BACTÉRIE — qui n'est perceptible qu'au microscope électronique. Les virus ne se développent et ne se reproduisent qu'à l'intérieur des CELLULES vivantes. Certains utilisent les cellules animales, d'autres les cellules végétales. Certains virus détruisent les cellules vivantes, d'autres provoquent une multiplication anormale de ces cellules et sont à l'origine de tumeurs. De nombreuses maladies de l'homme telles que la variole, la rougeole et le rhume sont provoquées par des virus. La médecine s'efforce d'immuniser contre les maladies virales à l'aide de VACCINS spécifiques, préparés à partir de cultures de virus à virulence atténuée.

**VITAMINES** Substances indispensables, en infimes quantités, au bon fonctionnement de l'organisme. La vitamine A, par exemple, intervient dans la croissance. Certaines, comme la vitamine D, peuvent être synthétisées par l'organisme à partir d'autres substances, mais la plupart doivent être fournies par les aliments. Les apports de vitamines sous forme de produits médicamenteux sont inutiles si le RÉGIME ALIMENTAIRE de l'individu est équilibré.

**VITESSE** La vitesse d'un corps en mouvement est la distance parcourue par ce mobile pendant l'unité de temps. Dans le système international d'unités (SI), l'unité de mesure de vitesse est le mètre par seconde (m/s).

**VODKA** Boisson fortement alcoolisée, incolore, de saveur peu prononcée, fabriquée en U.R.S.S. et en Pologne. La vodka de qualité est une eau-de-vie de SEIGLE, la vodka de qualité inférieure est obtenue à partir de la pomme de terre.

**VOIE LACTÉE** Le Soleil n'est qu'une des innombrables ÉTOILES qui constituent notre GALAXIE. La Galaxie est parfois appelée Voie Lactée à cause de la faible bande lumineuse qui traverse le ciel lorsqu'on l'observe par une nuit sans Lune. Cette bande de lumière est

▼ *Certaines régions de la Voie Lactée où la densité des nuages est particulièrement élevée se présentent sous la forme d'une masse nuageuse. La raie brillante qui barre la photographie ci-dessous est la trace laissée par un satellite artificiel.*

▲ *Un navire marchand de la Compagnie des Indes orientales. Ce type de voilier solide et presque aussi bien armé qu'un navire de guerre présentait l'inconvénient de la lenteur (9-10 nœuds de vitesse maximale). Il fut remplacé par les clippers, beaucoup plus rapides.*

constituée par le regroupement de nombreuses étoiles dans une même région du ciel. La Galaxie a la forme d'une spirale. L'Univers compte des milliards d'autres galaxies, dont certaines de même forme que la nôtre.

**VOILE (NAVIGATION A)** Utilisation du vent pour propulser un certain type de bateaux appelés pour cette raison voiliers. Autrefois bateaux de commerce ou de guerre, les voiliers sont réservés aujourd'hui à la navigation de plaisance. Les *voiles Marconi* sont les plus couramment utilisées ; elles ont la forme d'un triangle rectangle dont le grand côté est fixé sur le mât, le petit sur la bôme, perpendiculaire au mât. Les voiles d'avant sont des *focs*. Ce type de voilure a remplacé les voiles carrées des grands voiliers des siècles passés. Les voiliers prennent divers noms en fonction du nombre de mâts et de voiles dont ils sont équipés. Par exemple, un voilier à un seul mât est un *sloop* s'il possède une grand-voile et un foc, un *cotre* si en plus du foc il possède une trinquette. Ce type de gréement moderne permet, en naviguant au largue (lorsque la direction du vent est sensiblement perpendiculaire à celle du bateau), d'obtenir des vitesses supérieures à celles qu'atteindrait le bateau par vent arrière ; il permet aussi de remonter dans le vent en prenant l'allure dite du *près*. (Voir CANOTS.)

**VOITURE** Véhicule servant au transport des personnes et des choses. Avant l'invention des voitures AUTOMOBILES, celles-ci étaient dites hippomobiles, c'est-à-dire tirées par des chevaux. L'origine des voitures remonte à la plus haute Antiquité. Outre les chars, utilisés dans les combats et les courses, les Grecs et les Romains possédaient un grand nombre de voitures. Au Moyen Age, l'usage des voitures s'était fort restreint. Il ne se généralisa en Europe qu'à partir du XVIIe siècle. Certaines voitures possédaient deux roues seulement (fardier, charrette anglaise, cabriolet, tilbury...), d'autres quatre (mail-coach, char à bancs, phaéton, calèche, coupé...).

**VOIX** Ensemble des SONS émis par l'être humain lorsque l'air traverse ses cordes vocales (deux replis de membranes muqueux situés dans le LARYNX). Les mouvements de la LANGUE et des lèvres articulent en syllabes et en mots ces sons amplifiés par résonance dans les SINUS du crâne. La voix est contrôlée par le cerveau, ce qui explique que certaines lésions du cerveau affectent l'usage de la parole.

**VOLAILLE** Ensemble des oiseaux de basse-cour, dont la poule (le poulet et le coq), le CANARD, l'OIE et la dinde. ▷

**VOLANT** En mécanique, ROUE massive installée sur l'axe rotatif d'une machine ou d'un moteur. Le grand moment d'inertie de la roue par rapport à l'axe tend à régulariser la marche de la machine.

**VOLCAN** Cavité du sol d'où, lors des éruptions, jaillissent du MAGMA des gaz et de la vapeur, ou montagne formée de magma

VOLAILLE Les races de poules domestiques sont issues de nombreux croisements opérés entre quatre espèces d'oiseaux sauvages du genre *Gallus*. Alors qu'une poule sauvage ne pond qu'une fois par an, la production annuelle d'une bonne pondeuse est de 200 œufs environ (on a enregistré des productions de plus de 350 œufs par oiseau). Les méthodes modernes d'élevage permettent d'obtenir des poulets de 1,5 kg en 7 semaines, avec 1 kg de nourriture par livre de viande. Les dindes sont généralement commercialisées vers 5-6 mois. A cet âge, la dinde pèse de 5 à 7 kg et le dindon de 7 à 11 kg.

aériens. Les planeurs sont généralement remorqués en altitude par un avion, puis largués à 600-900 m. Ils s'élèvent alors et se maintiennent en l'air en utilisant les courants ascendants d'origine thermique ou les courants de pente créés par le relief. Le record d'altitude de vol à voile est de 14 103 m, la distance de 1 460 km. Des durées de vol de plus de 70 heures ont été enregistrées.

VOLCAN La plus importante éruption volcanique connue fut celle du Krakatoa, en 1883. Le volcan projetait des cendres à une hauteur de 80 m et le bruit de l'explosion était audible à près de 5 000 km.
90 % des volcans sont situés dans les zones de fissures ou « rifts » qui séparent les plaques de l'écorce terrestre. Le rift du Pacifique est le plus long, suivi par ceux de l'Atlantique et de la Méditerranée.

▲ *Dans les volcans actifs comme celui-ci, les gaz prisonniers de la roche en fusion se dilatent sous l'effet de la chaleur et explosent, produisant l'éruption d'un nuage de vapeur, de gaz, de cendres, de roches et de lave.*

durci. Il existe 535 volcans actifs dans le monde : 455 sur les continents et 80 dans les océans. Les volcans éteints sont plus nombreux encore. (Voir VÉSUVE.) ◁

**VOLGA** Le plus long fleuve d'Europe (3 690 km). La Volga traverse la partie européenne de l'U.R.S.S. et débouche dans la mer CASPIENNE par un large delta de plus de deux cents petits cours d'eau.

**VOL PLANÉ** Déplacement dans l'air d'un AVION sans moteur. Un type particulier de vol plané — le *vol à voile* — utilise les courants

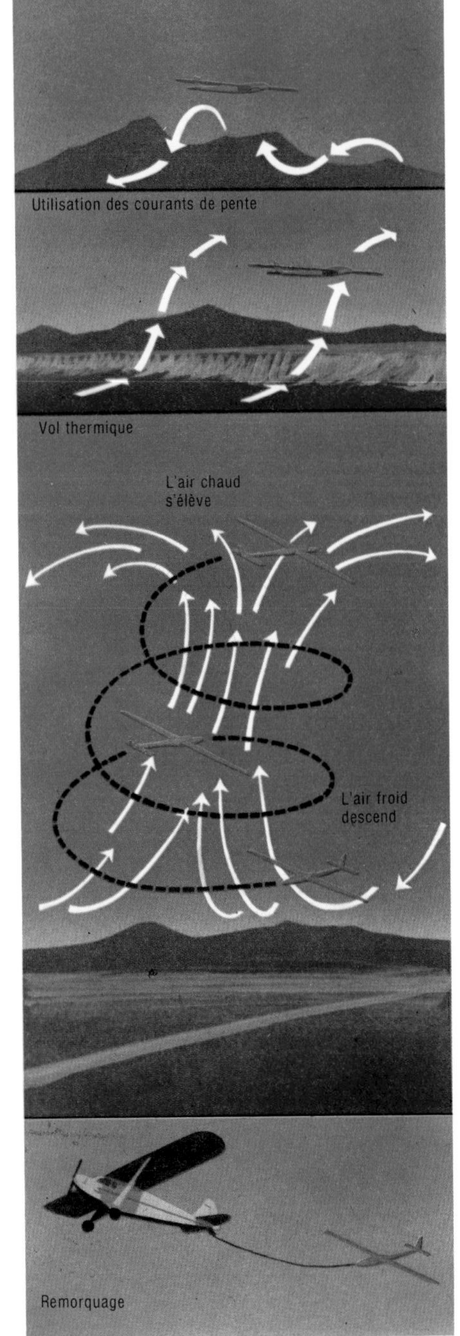


▶ *Un planeur se maintient en l'air en utilisant les courants. Il peut s'élever en spirale (vol thermique) en utilisant les courants ascendants d'origine thermique ou suivre les courants de pente ou les courants d'onde créés par le relief. En bas : Le remorquage d'un planeur par un avion léger. Un planeur passe d'un courant aérien à un autre en utilisant l'altitude acquise.*

▲ *Le nez de l'avion de ligne supersonique* Concorde *est très effilé, de manière à offrir le moins de résistance possible à l'air.*

**VOL SUPERSONIQUE** Vol dont la vitesse est supérieure à celle du SON qui est de 1 220 km/environ au niveau de la mer. Plus l'altitude augmente, plus l'air est ténu, et la vitesse du son décroît en proportion. Les vitesses supersoniques sont souvent exprimées en nombre de mach, qui désignent le rapport de la vitesse du mobile à celle du son. Une fusée se déplaçant à Mach 3, par exemple, va trois fois plus vite que le son. Un appareil se déplaçant à une vitesse supersonique fait naître une onde de choc qui, au point de rencontre avec le sol, se traduit par un « bang » (un bruit d'explosion) capable de briser les vitres des immeubles. Pour réduire les nuisances causées par les ondes de choc, les ingénieurs dessinent des avions supersoniques à nez allongé et à ailes inclinées vers l'arrière (ailes delta). ▷

**VOLT** Dans le système international d'unités (SI), unité de mesure de force électromotrice et de différence de potentiel ou tension électrique (symbole :V). Le volt est défini comme la différence de potentiel entre deux points d'un conducteur parcouru par un courant constant de 1 AMPÈRE lorsque la puissance produite entre ces deux points est de 1 WATT.

Le mot volt est tiré du nom du physicien italien Volta qui inventa la première pile électrique.

**VOLTAIRE, FRANÇOIS MARIE AROUET, DIT** Écrivain français, philosophe et critique mordant (1694-1778). Il est l'auteur, entre autres, de *Zadig, Candide* et d'un *Dictionnaire philosophique.*

**VOSGES** Massif montagneux du nord-est de la France situé entre le plateau lorrain à l'ouest et la plaine d'Alsace à l'est.

Le point culminant est le ballon de Guebwiller : 1 424 m. Cette région recouvre les départements des Vosges, du Haut-Rhin et du Bas-Rhin.

Les principales activités de cette région sont l'élevage et l'exploitation forestière ainsi que l'industrie textile (Saint-Dié, Épinal). Le tourisme s'est beaucoup développé en relation avec les stations thermales : Vittel, Contrexéville.

VOL SUPERSONIQUE Aux vitesses supersoniques, les gouttes d'eau heurtant un avion peuvent abîmer le métal et pénétrer par les jointures des vitrages du cockpit. C'est la raison pour laquelle les avions supersoniques volent à très haute altitude (environ 17 000 m), de manière à survoler les nuages.

WASHINGTON, GEORGE A l'époque de l'élection de George Washington au poste de président, les États-Unis étaient composés seulement de 13 États, contre 50 aujourd'hui. L'Union s'étendait sur 1 000 km, 4 500 km aujourd'hui. Quant à la population, elle n'atteignait pas 4 millions, soit moins d'un cinquantième de ce qu'elle est actuellement.

WATERLOO (BATAILLE DE) Wellington disposait de 49 600 fantassins, soit 650 de plus que Napoléon qui, en revanche, alignait 15 760 cavaliers et 7 230 artilleurs, contre seulement 12 400 cavaliers et 5 650 artilleurs pour la coalition. Napoléon avait 246 canons, soit 90 de plus que Wellington. La garde prussienne de Blücher s'élevait à 30 000 hommes. La bataille de Waterloo fit 15 100 tués ou blessés parmi les troupes de Wellington, 7 000 parmi celles de Blücher et 25 000 parmi les troupes françaises.

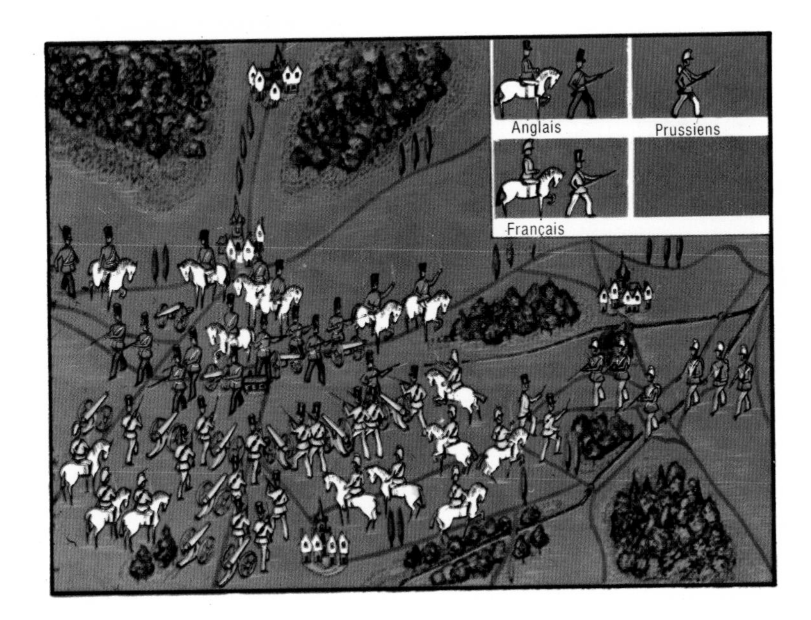


▲ *Les positions respectives des troupes anglaises, françaises et prussiennes à la bataille de Waterloo.*

**WAGNER, RICHARD** Compositeur et chef d'orchestre allemand (1813-1883). Il fit construire l'Opéra de Bayreuth pour y faire représenter ses propres œuvres *(le Vaisseau fantôme, Tannhäuser, Lohengrin...).*

**WASHINGTON, GEORGE** Premier président des États-Unis (1732-1799). Riche planteur virginien, Washington prend la tête de l'opposition montante contre le contrôle britannique. Au moment où éclate la guerre d'INDÉPENDANCE AMÉRICAINE, il est fait commandant en chef des forces rebelles. Retiré, puis appelé en 1787 par la Convention constitutionnelle (qui dote l'Union d'une Constitution), il est élu président de l'Union en 1789, puis réélu en 1793, et mène une politique de stabilité et d'ordre. ◁

**WASHINGTON** Capitale des ÉTATS-UNIS, WASHINGTON (district de Columbia) couvre 160 km² et compte 630 000 habitants, 3 millions avec son agglomération (1982). Construite selon un plan d'urbanisation global, elle est le siège du gouvernement des États-Unis.

**WATERLOO (BATAILLE DE)** Défaite française qui mit fin aux campagnes napoléoniennes (18 juin 1815). Le retour de NAPOLÉON de l'île d'Elbe avait provoqué la reconstitution contre la France d'une coalition. A Waterloo, les troupes napoléoniennes eurent à affronter les armées anglaise, autrichienne, néerlandaise et belge, conduites par le duc de WELLINGTON. L'arrivée des Prussiens dirigés par Blücher emporta la décision et la défaite française aboutit à la signature du second traité de Paris. ◁

**WATER-POLO** Jeu de ballon qui se joue dans une piscine entre deux équipes de sept joueurs (plus quatre nageurs en réserve pour chaque équipe) et qui consiste à faire pénétrer le ballon dans les buts adverses. Le water-polo est inscrit aux JEUX OLYMPIQUES. ▷

**WATT** Dans le système international d'unités (SI), unité de mesure de PUISSANCE équivalant à la puissance d'un système énergétique dans lequel est transférée une énergie de 1 JOULE pendant 1 seconde. Le watt équivaut également à la puissance transportée par un courant électrique de 1 AMPÈRE traversant un conducteur aux bornes duquel est appliquée une différence de potentiel de 1 VOLT. Un cheval-vapeur équivaut à environ 736 watts.

**WATT, JAMES** Ingénieur écossais (1736-1819) qui améliora notablement la MACHINE A VAPEUR et la rendit utilisable par l'industrie. Grâce à ses travaux, les machines à vapeur prirent le relais des machines hydrauliques dans les usines en plein essor des années 1780. ▷

**WELLINGTON** Capitale de la NOUVELLE-ZÉLANDE, située sur la côte méridionale de l'île du Nord, Wellington compte 345 000 habitants (1982). C'est l'un des principaux ports de commerce néo-zélandais. Les MAORIS vivaient autrefois autour de la zone portuaire. L'installation des premières colonies de peuplement européennes remonte à 1839.

**WELLINGTON, ARTHUR WELLESLEY, Ier DUC DE** Général britannique et homme d'État (1769-1852). Après s'être bâti une solide réputation en Inde, Wellington est nommé à la tête des troupes britanniques en Espagne et au Portugal (1808-1814). En 1815, il remporte sur Napoléon la bataille de WATERLOO. Il sera Premier ministre de 1828 à 1830, puis commandant en chef des troupes britanniques à partir de 1842.

**WELLS, HERBERT GEORGE** Écrivain anglais (1866-1946). De formation scientifique, Wells se rendit fameux par ses romans de SCIENCE-FICTION *(la Machine à explorer le temps, la Guerre des mondes).* Par la suite, il se tourna vers le réalisme comique *(Kipps, l'Histoire de M. Polly)* et s'attaqua aux conventions religieuses et sociales *(Une utopie moderne).*

**WHISKY** Eau-de-vie de grain, essentiellement produite en Écosse, en Irlande et aux États-Unis. De couleur ambrée, le whisky est obtenu à partir de l'orge ou, en Amérique, du maïs et du seigle par fermentation alcoolique du grain malté (germé et séché).

**WOMBAT** MARSUPIAL fouisseur voisin du KOALA et présent dans le sud-est de l'Australie et en Tasmanie. Les wombats sont des créatures de 1,20 m de long environ, aux pattes courtes et recouverts de fourrure. De mœurs nocturnes, ils se nourrissent d'herbe et de racines. Ils ressemblent aux rongeurs.

**WRIGHT, LES FRÈRES** Pionniers américains de l'aéronautique, Orville (1871-1948) et Wilbur (1867-1912). Tout en tenant leur commerce de cycles, les frères Wright imaginèrent une soufflerie et firent des recherches aéronautiques. Ils construisirent un avion à deux hélices, le *Wright Flyer* à bord duquel Orville vola le 17 décembre 1903. C'était le premier vol contrôlé d'un « plus lourd que l'air ». ▷

▲ *Arthur Wellesley, duc de Wellington, qui remporta sur les armées napoléoniennes la bataille de Waterloo.*

▼ *Le wombat est un marsupial des régions sèches du sud et de l'est de l'Australie. Il ressemble à un rongeur.*

WATER-POLO En 1859, ce sport existait en Angleterre sous le nom de « aquatic handball ». La compétition dure vingt minutes et se déroule dans un grand bassin. Le combat est assisté par deux juges de touche et un chronométreur.

WATT (JAMES) James Watt imagina le *condenseur* pour améliorer le rendement des machines à vapeur, le *parallélogramme déformable* qui transformait le mouvement rectiligne du piston en un mouvement rotatif du balancier, le *régulateur à boules*, pour pallier les inégalités de la production de vapeur et le *volant* (d'inertie) pour régulariser le mouvement de la machine.

WRIGHT (LES FRÈRES) En 1908, Wilbur fit en France, au camp d'Auvours, une démonstration qui fut un événement considérable dans l'histoire de l'aviation.

**XANTHIPPE** Femme du sage Socrate. On dit qu'elle fut une femme peu aimable qui rendait la vie impossible à son mari. Aujourd'hui, si on parle d'une femme en la nommant « Xanthippe » c'est une allusion à son caractère difficile.

**XÉNOPHOBIE** Haine systématique manifestée à l'égard des étrangers.

**XÉRÈS OU JEREZ** Vin blanc sec renforcé avec de l'eau-de-vie et titrant entre 16 et 22 °GL. Le véritable xérès est produit dans la province de Cadix en Espagne, mais il existe des imitations fabriquées en Afrique du Sud, à Chypre et dans d'autres pays. Dans les pays anglo-saxons, le xérès porte le nom de *sherry*.

**XÉROGRAPHIE** Procédé courant de reproduction de documents. Une plaque métallique est revêtue de sélénium, substance conductrice de l'électricité lorsqu'elle est exposée à la lumière. Le document original est projeté sur la plaque couverte de poudre noire qui, par un phénomène électrostatique, adhère à l'image. La poudre étant chargée négativement, elle est attirée par la charge positive d'une feuille de papier que l'on applique sur la plaque. Le papier est ensuite chauffé de manière que la poudre fonde et fixe sur la feuille une image définitive.

**XERXÈS Ier** Roi achéménide de Perse (486-465 av. J.C.), fils de Darios Ier. Il châtia Babylone qui s'était révoltée deux fois. Il fit construire de somptueux édifices à Persépolis.

▲ *Ci-dessus, un xylophone à lames de bois.*

**XYLOCOPE** Grosse abeille noire aux ailes légèrement violettes. Elle vit seule et fait son nid dans le bois mort ou abîmé et en fait des cellules. De là vient son nom d'abeille charpentière.

**XYLOGRAPHIE** Impression à l'aide de caractères en bois ou de planchettes en bois portant l'empreinte de mots ou de figures. Gravure primitive sur bois, parfois coloriée à la main pour contrefaire la miniature.

**XYLOPHONE** Instrument de musique à percussion constitué d'une série de lames de bois ou de métal de différentes longueurs, sur lesquelles on frappe avec deux mailloches pour produire des notes.

▸ *Malgré leur taille imposante, les yacks escaladent aisément les pentes des montagnes d'Asie centrale. Ils sont capables de porter de lourdes charges.*

**YACK OU YAK** Gros animal d'environ 2 m de haut, de la famille des bovidés, à long pelage noir et longues cornes. Les yacks habitent les hauts plateaux de l'Asie centrale au climat rigoureux. Ils ont été domestiqués depuis longtemps comme animaux de bât. On les élève également pour leur lait, leur viande et leur peau.

**YALTA (ACCORDS DE)** Accords entre l'URSS, les États-Unis et la Grande-Bretagne qui organisèrent en 1945 le partage de l'Europe et du monde entre les grandes puissances.

**YANG-TSEU-KIANG** Le plus long fleuve de CHINE et d'ASIE. Le Yang-Tseu-Kiang s'écoule sur 5 470 km, du TIBET à la mer de Chine orientale. Son cours est jalonné par des villes importantes, dont Nankin, CHANG-HAI et Wou-han.

**YAOURT OU YOGOURT** Mot d'origine bulgare qui signifie lait fermenté. Le yaourt est un aliment de consistance plus ou moins crémeuse et de saveur acidulée, préparé à partir de lait auquel on incorpore des bactéries spécifiques (ferments lactiques). Le yaourt est l'aliment favori des régimes à basses calories.

**YÉMEN** Nom commun à deux États de l'Arabie : la République arabe du Yémen, sur la mer Rouge (capitale : Sanaa), et la République démocratique et populaire du Yémen, dans le sud de l'Arabie sur le golfe d'Aden (capitale : Aden). Tous deux sont des nations pauvres.

**YIDDISH** Langue parlée par les communautés juives (voir JUIFS) d'Europe centrale et orientale. Né à l'époque médiévale, le yiddish est une langue germanique, avec des apports de l'hébreu, du russe et du polonais. Des chansons populaires et des fables, la littérature yiddish s'est élargie à la poésie, au roman et, plus récemment, au journalisme.

**YOGA** Discipline spirituelle hindoue qui cherche à développer l'esprit en vue de l'accomplissement du cycle de la réincarnation. (Voir HINDOUISME.) Le yoga pratiqué en Occident est le yoga *hatha* (physique), qui use de postures et de mouvements respiratoires particuliers pour parvenir à une bonne maîtrise du corps et de l'esprit.

**YOUGOSLAVIE (RÉPUBLIQUE SOCIALISTE FÉDÉRATIVE DE)** État du bassin méditerranéen, la Yougoslavie compte 22,5 millions d'habitants (1982) pour une superficie de 256 000 km². Le littoral est une zone touristique ; l'intérieur comporte des montagnes arides mais aussi des plaines fertiles dans la partie nord-est. Cet État a été créé en 1918. L'organisation économique de ce pays, devenu république fédérative en 1945, s'inspire du modèle soviétique, mais la Yougoslavie a toujours conservé son indépendance, vis-à-vis de l'U.R.S.S. comme de la Chine. La population est pour un tiers de religion orthodoxe, pour un quart catholique. La Yougoslavie est principalement baignée par le DANUBE et ses affluents. Outre Belgrade, la capitale (1,4 million d'hab.), les grandes villes sont Zagreb (760 000 hab.), Skopje (503 000 hab.) et Sarajevo (447 000 hab.). ▷

YOUGOSLAVIE : DONNÉES
Langues : croate, macédonien, serbe, slovène.
Monnaie : dynar yougoslave.
Grandes villes : Belgrade, Zagreb, Sarajevo, Skopje, Ljubljana, Novi-Sad.

ZAMBIE : DONNÉES
Langue officielle : anglais.
Monnaie : kwacha.
Grandes villes : Lusaka (640 000 hab.), Kitwe-Nkana (340 000 hab.).

**ZAIRE (RÉPUBLIQUE DU)** État d'AFRIQUE équatoriale, le Zaïre (anc. Congo) compte 29 millions d'habitants (1982) pour une superficie de 2 350 000 km². Le pays s'étend sur la majeure partie du bassin du Zaïre (CONGO). Les diamants, le cuivre et d'autres minerais constituent les principales ressources du pays. Capitale : Kinshasa.

**ZAMBÈZE** Quatrième fleuve d'Afrique par la longueur (2 575 km), le Zambèze baigne la partie méridionale de l'Afrique avant de rejoindre l'océan INDIEN. Aux gorges de Kariba, le Zambèze est barré par un important aménagement hydroélectrique qui crée un immense lac de retenue. Les chutes VICTORIA sont également situées sur ce fleuve.

**ZAMBIE** République d'AFRIQUE australe, la Zambie compte 5,9 millions d'habitants (1982) pour une superficie de 750 000 km². Protectorat britannique jusqu'en 1964, sous le nom de Rhodésie du Nord, la Zambie tire sa principale ressource de l'exportation du cuivre, mais la population est essentiellement rurale. Capitale : Lusaka. ◁

**ZÈBRE** Animal très proche du CHEVAL, au corps marqué de rayures alternées noires et blanches. La configuration des rayures diffère chez chaque individu. Les zèbres vivent en Afrique, au sud du Sahara, se nourrissant d'herbe. Ils sont très rapides à la course.

▾ *Zèbres venant boire à un point d'eau. Les zèbres vivent en hardes dans la savane africaine. Ils dépassent 60 km/h à la course. Les lions sont leurs principaux prédateurs.*

▲ *La toilette d'un éléphanteau dans un jardin zoologique.*

**ZEPPELIN** Industriel allemand (1838-1917) qui conçut les grands dirigeables auxquels il donna son nom.

**ZEUS** Le dieu suprême de la mythologie grecque. Après avoir tué leur père Kronos, ses frères et lui se partagèrent son royaume. Zeus s'attribua le monde supérieur, Hadès le monde inférieur et Poséidon la mer. Époux de la déesse Héra, il eut néanmoins de nombreux enfants de mortelles.

**ZIBELINE** Espèce de martre de Russie et de Sibérie. La somptueuse fourrure de ce petit mammifère carnassier a fait que, beaucoup chassé, il est devenu rare à l'état sauvage. La zibeline adulte mesure environ 50 cm de long, queue comprise.

**ZIGGOURAT** Dans la civilisation sumérienne (voir SUMÉRIENS), type de PYRAMIDE à étages de taille décroissante. Les ziggourats étaient utilisées comme temple et servaient à observer les étoiles.

**ZIMBABWE (RUINES DU)** Site archéologique découvert en 1868 près de Fort Victoria au Zimbabwe. L'ensemble des constructions monumentales comprend une acropole fortifiée, un temple et deux tours dont l'édification semble remonter au Xe siècle de notre ère. Il est possible qu'il s'agisse des restes de la capitale d'un État noir qui, à l'époque médiévale, dirigeait le commerce de l'or en Afrique orientale.

**ZIMBABWE** État d'Afrique australe (anc. Rhodésie). En 1923, cette nation est devenue colonie britannique autonome. En 1965, les Européens (4,5 % de la population), qui contrôlaient le pays, décrétèrent l'indépendance — une indépendance dénoncée comme illégale par la Grande-Bretagne. Les années 1970 ont marqué le déclenchement dans la population noire d'une guerre de guérilla qui, à la suite de négociations et d'élections, aboutit en 1979 à la création d'un Parlement à majorité noire — la nation étant alors rebaptisée Zimbabwe. Le Zimbabwe compte 7,6 millions d'habitants (1982) pour une superficie de 390 000 km$^2$. Capitale : Hararé. ▷

ZIMBABWE : DONNÉES.
Langue officielle : anglais.
Monnaie : dollar zimbabwé.
Religion : christianisme et animisme.
Principaux fleuves : Zambèze et Limpopo.
Grandes villes : Salisbury (650 000 habitants), Bulawayo (370 000 habitants).
La population est composée de 95 % de Bantous et 4 % de descendants d'Européens.

**ZINC** ÉLÉMENT métallique dur, d'un blanc bleuâtre, présent dans le sous-sol sous forme de divers composés. Ce métal sert à fabriquer les boîtiers des piles électriques ; il est également utilisé pour la protection de l'acier, par GALVANISATION, et entre dans la composition de divers alliages, notamment le LAITON.

**ZODIAQUE** Nom donné par les anciens astrologues à une bande de ciel dans les limites de laquelle le Soleil, la Lune et les cinq planètes connues à l'époque semblent se déplacer. Le zodiaque est divisé en douze parties égales dont chacune porte le nom de la constellation qui s'y trouve. Ce sont : les Poissons, le Verseau, le Capricorne, le Sagittaire, la Balance, le Scorpion, la Vierge, le Lion, le Cancer, les Gémeaux, le Taureau et le Bélier.

**ZOO** Abréviation de « jardin zoologique » : un lieu où des animaux sauvages sont élevés en captivité. L'Égypte, vers 1500 av.

J.-C., possédait déjà un zoo. Les zoos sont des lieux où chacun peut satisfaire sa curiosité ou s'instruire sur les espèces animales, mais qui servent également à la recherche scientifique et à la sauvegarde des espèces rares. Ils abritent généralement des mammifères, des oiseaux, des reptiles et des amphibiens, plus rarement des poissons et des insectes. La tendance actuelle est au remplacement des zoos par de vastes parcs à l'intérieur desquels les animaux vivent en semi-liberté.

Le plus ancien zoo de Paris est la ménagerie du jardin des Plantes, créée en 1793. Mais le plus important est le Jardin zoologique de Paris, dit zoo de Vincennes, qui reçoit chaque année près d'un million et demi de visiteurs.

▲ *Fournir aux oiseaux leur régime alimentaire naturel réclame beaucoup de temps et de soins.*

▼ *Femmes zoulous portant la traditionnelle coiffure de fête ornée de perles. Les Zoulous constituent l'ethnie noire numériquement la plus importante d'Afrique du Sud.*

**ZOULOUS** Ethnie noire de la famille des BANTOUS, caractérisée par les traits accusés du visage. A l'origine peuple de pasteurs, les Zoulous furent organisés en une nation guerrière sous l'impulsion de leur grand roi Chaka (v. 1820). Ils se lancèrent à la conquête d'un vaste territoire, mais furent battus à la fin du XIXe siècle par les Boers et les Anglais. Les quelque 3 millions d'individus qui constituent aujourd'hui cette ethnie sont regroupés en Afrique du Sud.

# Autres États : données

ANDORRE (PRINCIPAUTÉ D')
Superficie : 464 km².
Population : 38 000 habitants (1982).
Capitale : Andorre-la-Vieille (Andorra la Vella).
Gouvernement : principauté.
Langue officielle : catalan.
Monnaies : franc français, peseta espagnole.
Le pays est placé sous la double suzeraineté de l'évêque d'Urgel et du chef de l'État français. Néanmoins, le pouvoir est exercé par un conseil élu. Andorre est située à la frontière franco-espagnole.

BÉNIN
Superficie : 113 000 km².
Population : 3,4 millions d'habitants (1982).
Capitale : Porto Novo.
Gouvernement : république.
Langue officielle : français.
Monnaie : franc C.F.A.
Date d'indépendance : 1960.
République d'Afrique occidentale, le Bénin correspond à l'ancien Dahomey.
La population est répartie en une cinquantaine de groupes linguistiques.

BHOUTAN OU BHUTAN
Superficie : 47 000 km².
Population : 1,3 million d'habitants (1982).
Capitale : Thimbu (ou Thimphu).
Gouvernement : monarchie.
Langue officielle : dzongkha.
Monnaie : ngultrum.
Le Bhoutan est un petit royaume d'Asie, en bordure de l'Himalaya. Sa politique étrangère est sous le contrôle de l'Inde.

BURUNDI
Superficie : 28 000 km².
Population : 4,3 millions d'habitants (1982).
Capitale : Bujumbura.
Langues officielles : kirundi, français.
Monnaie : franc.
Date d'indépendance : 1962.
Le Burundi, en Afrique orientale, est une petite nation fortement peuplée. Le niveau de vie de la population est faible ; le pays produit principalement du café.

CAMEROUN
Superficie : 475 000 km².
Population : 8,7 millions d'habitants (1982).
Capitale : Yaoundé.
Gouvernement : république.
Langues officielles : français, anglais.
Monnaie : franc C.F.A.
Date d'indépendance : 1960.
Le Cameroun, en Afrique centrale, est une mosaïque de plus de 200 ethnies possédant chacune sa langue et ses traditions.

CENTRAFRICAINE (RÉPUBLIQUE)
Superficie : 623 000 km².
Population : 2,4 millions d'habitants (1982).
Capitale : Bangui.
Gouvernement : république.
Langues officielles : shango, français.
Monnaie : franc C.F.A.
Pays pauvre et peu peuplé, la République centrafricaine vit surtout de l'agriculture (manioc, café, coton), de l'exploitation de la forêt, et aussi de la production de diamants.

COLOMBIE
Superficie : 1 140 000 km².
Population : 27,8 millions d'habitants (1982).
Capitale : Bogota.
Gouvernement : république.
Langue officielle : espagnol.
Monnaie : peso colombien.
La Colombie, en Amérique du Sud, est demeurée sous domination espagnole de 1536 à 1819. Plus des deux tiers de la population sont des métis (Indiens et descendants d'Européens). Le café constitue la principale production.

COMORES
Superficie : 2 170 km².
Population : 370 000 habitants (1982).
Capitale : Moroni.
Monnaie : franc C.F.A.
Gouvernement : république fédérale.
Date d'indépendance : 1975.
Langues officielles : français et arabe.
La République fédérale et islamique des Comores est une nation insulaire de l'océan Indien, au nord-ouest de Madagascar, d'économie rurale. L'archipel est composé de quatre îles (dont Mayotte, demeurée dépendance française).

DJIBOUTI
Superficie : 23 000 km².
Population : 335 000 habitants (1982).
Capitale : Djibouti.
Monnaie : franc de Djibouti.
Gouvernement : république.
Langues officielles : français et arabe.
Date d'indépendance : 1977.
Djibouti, dans le nord-est de l'Afrique au bord de la mer Rouge, est demeuré territoire français d'outre-mer jusqu'en 1977 (de 1967 à 1977 : Territoire des Afars et des Issas). La moitié de la population vit des activités portuaires de Djibouti.

DOMINICAINE (RÉPUBLIQUE)
Superficie : 48 700 km².
Population : 5,6 millions d'habitants (1982).
Capitale : Saint-Domingue.
Gouvernement : république.
Langue officielle : espagnol.
Monnaie : peso dominicain.
La République Dominicaine occupe la partie orientale de l'île d'Haïti dans les Antilles. La population est constituée de descendants de Noirs d'Afrique et d'Européens. L'activité économique est essentiellement rurale.

GABON
Superficie : 268 000 km².
Population : 560 000 habitants (1982).
Capitale : Libreville.
Gouvernement : république.
Langue officielle : français.
Monnaie : franc C.F.A.
Date d'indépendance : 1960.
État de l'Afrique équatoriale, le Gabon est un pays chaud et humide, couvert en majeure partie par la forêt. Il produit du pétrole, du manganèse, de l'uranium et du bois. Le niveau de vie est assez élevé par rapport à celui des autres pays africains.

GAMBIE
Superficie : 11 300 km².
Population : 620 000 habitants (1982).
Capitale : Banjul.
Gouvernement : république.
Langue officielle : anglais.
Monnaie : dalasi.
Date d'indépendance : 1965.
La Gambie, en Afrique occidentale, est un petit pays, pauvre, qui exporte presque exclusivement de l'arachide. Enclavé dans le Sénégal, il fait partie depuis 1982 de la confédération de Sénégambie.

GRENADE
Superficie : 344 km².
Population : 110 000 habitants (1982).
Capitale : Saint George's.
Monnaie : dollar des Caraïbes.
Langue officielle : anglais.
Date d'indépendance : 1974.
Grenade, au sud des Petites Antilles, comprend l'île de Grenade et l'archipel des Grenadines méridionales. L'île de Grenade, montagneuse, est d'origine volcanique. Elle produit des noix de muscade, du cacao, des bananes et de la cannelle.

GUINÉE-BISSAU
Superficie : 36 000 km².
Population : 580 000 habitants (1982).
Capitale : Bissau.
Gouvernement : république.
Langue officielle : portugais.
Monnaie : escudo.
Date d'indépendance : 1974.
La Guinée-Bissau, en Afrique occidentale, est l'ancienne Guinée portugaise. L'activité économique y est principalement rurale.

GUINÉE ÉQUATORIALE
Superficie : 28 000 km².
Population : 370 000 habitants (1982).
Capitale : Malabo.
Gouvernement : république.
Langue officielle : espagnol.
Monnaie : ekuele.
Date d'indépendance : 1968.
Ancienne Guinée espagnole, en Afrique centrale, la Guinée équatoriale s'étend sur le territoire continental du Mbini (ancien Rio Muni) et diverses îles, dont surtout Bioko (Fernando Po), une île fertile d'origine volcanique.

HAITI (RÉPUBLIQUE D')
Superficie : 28 000 km².
Population : 5 100 000 habitants (1982).
Capitale : Port-au-Prince.
Gouvernement : république.
Langue officielle : français.
Monnaie : gourde.
La République d'Haïti occupe la partie occidentale de l'île d'Haïti, l'une des Grandes Antilles. La population est en majorité noire. Le café et la bauxite (minerai d'aluminium) constituent les principales productions du pays.

HAUTE-VOLTA
Superficie : 274 000 km².
Population : 7,1 millions d'habitants (1982).
Capitale : Ouagadougou.
Gouvernement : république.
Langue officielle : français.
Monnaie : franc C.F.A.
Date d'indépendance : 1960.
La Haute-Volta, en Afrique occidentale, est l'un des pays les plus pauvres du globe. Le sol est stérile dans la majeure partie du pays qui est soumis à de fréquentes périodes de sécheresse.

LIECHTENSTEIN
Superficie : 157 km².
Population : 27 000 habitants (1982).
Capitale : Vaduz.
Gouvernement : principauté.
Langue officielle : allemand.
Monnaie : franc suisse.
La petite principauté du Liechtenstein est étroitement liée à la Suisse.

MALDIVES (ILES)
Superficie : 298 km².
Population : 160 000 habitants (1982).
Capitale : Malé.
Gouvernement : république.
Langue officielle : dihevi.
Monnaie : roupie.
Date d'indépendance : 1965.
Archipel proche de l'équateur, au sud-ouest de l'Inde, les îles Maldives poduisent principalement de la noix de coco.

MAURICE (ILE)
Superficie : 2 045 km².
Population : 980 000 habitants (1982).
Capitale : Port-Louis.
Langue officielle : anglais (le français est également parlé).
Gouvernement : monarchie, membre du Commonwealth.
Monnaie : roupie mauritienne.
Date d'indépendance : 1968.
État insulaire de l'océan Indien, à l'est de Madagascar, Maurice est peuplée en majorité d'Indiens, mais également d'Africains, de Chinois, d'Européens et de métis. Les principales religions pratiquées sont l'hindouisme, le christianisme et l'islam. Le sucre de canne constitue la principale production.

MAURITANIE
Superficie : 1 million de km².
Population : 1,7 million d'habitants.
Capitale : Nouakchott.
Gouvernement : république.
Langues officielles : arabe, français.
Monnaie : ouguiya.
Date d'indépendance : 1960.
La république islamique de Mauritanie est une nation chaude et sèche du nord-ouest de l'Afrique. Elle est peuplée en majeure partie d'Arabes et de Berbères, musulmans ; dans l'extrême Sud, la population est composée de Noirs.

NAURU
Superficie : 21 km².
Population : 8 000 habitants (1982).
Capitale : Yaren.
Gouvernement : république.
Langue officielle : nauruan.
Monnaie : dollar australien.
Date d'indépendance : 1968.
Petit atoll de la Polynésie, Nauru vit principalement de ses exportations de phosphates vers l'Australie, la Nouvelle-Zélande et le Japon et doit importer des produits alimentaires.

NÉPAL
Superficie : 141 000 km².
Population : 15 millions d'habitants (1982).
Capitale : Katmandou.
Gouvernement : monarchie.
Langue officielle : népalais.
Monnaie : roupie népalaise.
État inséré entre l'Inde et la Chine, ce petit royaume culmine au nord au mt Everest. C'est le pays natal du Bouddha (Sakyamuni).

NIGER
Superficie : 1 270 000 km².
Population : 6 millions d'habitants (1982).
Capitale : Niamey.
Gouvernement : république.
Langue officielle : français.
Monnaie : franc C.F.A.
Date d'indépendance : 1960.
Le Niger, en Afrique du Nord, ne possède pas d'ouverture sur la mer. La population nomade du Nord (Berbères, Touareg) vit d'élevage extensif, les cultures étant limitées à l'extrême sud du pays, de population noire. Le Niger exporte principalement de l'arachide.

OMAN
Superficie : 212 000 km².
Population : 1,5 million d'habitants (1982).
Capitale : Mascate.
Gouvernement : monarchie.
Langue officielle : arabe.
Monnaie : rial.
Le sultanat d'Oman est situé à l'extrême sud-est de la péninsule Arabique ; il est bordé par le golfe d'Oman et l'océan Indien. Le pétrole constitue la principale ressource de ce pays en majeure partie désertique.

PAPOUASIE-NOUVELLE-GUINÉE
Superficie : 462 000 km².
Population : 3 millions d'habitants (1982).
Capitale : Port Moresby.
Gouvernement : monarchie.
Langue officielle : anglais.
Monnaie : kina.
Date d'indépendance : 1975.
La Papouasie-Nouvelle-Guinée comprend la partie orientale de l'île de Nouvelle-Guinée, autrefois territoire australien, ainsi que l'archipel Bismarck et Bougainville, dans les îles Salomon. La population est composée en majeure partie de Mélanésiens.

QATAR
Superficie : 11 000 km².
Population : 250 000 habitants (1982).
Capitale : Ad-Dawhah (Doha).
Gouvernement : monarchie.
Langue officielle : arabe.
Monnaie : riyal.
Émirat de l'Asie occidentale, sur le golfe Persique, le Qatar tire sa richesse de l'exploitation de gisements de pétrole.

RUANDA OU RWANDA
Superficie : 26 000 km².
Population : 5,1 millions d'habitants (1982).
Capitale : Kigali.
Gouvernement : république.
Langue officielle : kinyarwanda, français.
Monnaie : franc ruandais.

Date d'indépendance : 1962.
Le Ruanda est une petite nation d'Afrique orientale, à forte densité de population. Comme le Burundi, il regroupe trois groupes de populations : Hutus, Tutsus et Pygmées.

SAINT-MARIN
Superficie : 60 km².
Population : 21 000 habitants (1981).
Capitale : San Marino (Saint-Marin).
Langue officielle : italien.
Monnaie : lire italienne.
Saint-Marin, en Italie, a été fondée comme cité-État en 301 et bénéficie d'une union douanière avec l'Italie depuis 1862. L'État est gouverné par deux capitaines-régents élus pour six mois.

SAMOA OU SAMOA OCCIDENTALES
Superficie : 2 800 km².
Population : 160 000 habitants (1982).
Capitale : Apia.
Gouvernement : monarchie.
Langues officielles : anglais, samsan.
Monnaie : tala.
Date d'indépendance : 1962.
L'État des Samoa occidentales, en Polynésie, fut gouverné par la Nouvelle-Zélande de 1920 à 1961. Il est constitué d'îles volcaniques, montagneuses, bordées de récifs coralliens. Les deux principales îles de cet archipel sont Savaii et Upolu. Le coprah, le cacao et les bananes constituent les principales productions.

SÉNÉGAL
Superficie : 196 000 km².
Population : 5,8 millions d'habitants (1982).
Capitale : Dakar.
Gouvernement : république.
Langue officielle : français.
Monnaie : franc C.F.A.
Date d'indépendance : 1960.
Le Sénégal, en Afrique occidentale, est un pays à vocation agricole. L'arachide est une culture principalement exportatrice. La seule richesse minière est le phosphate.

SEYCHELLES
Superficie : 278 km².
Population : 64 000 habitants (1982).
Capitale : Victoria.
Langues officielles : anglais, créole.
Monnaie : roupie.
Date d'indépendance : 1976.
Nation de l'océan Indien, les Seychelles comptent 90 îles, dont Mahé sur laquelle est bâtie la capitale. Les Seychelles produisent du coprah et de la cannelle.

SIERRA LEONE
Superficie : 72 000 km².
Population : 3,5 millions d'habitants (1982).
Capitale : Freetown.
Gouvernement : république.
Monnaie : leone.
Date d'indépendance : 1961.
Freetown, la capitale de l'État, a été fondée pour abriter les esclaves libérés. Les premiers furent installés par les Britanniques en 1787. Le Sierra Leone tire ses principales ressources du minerai de fer et des diamants.

SOMALIE
Superficie : 640 000 km².
Population : 4,9 millions d'habitants (1982).
Capitale : Mogadiscio.
Gouvernement : république.
Langues officielles : somali et arabe.
Monnaie : shilling somalien.
La République démocratique de Somalie occupe la « corne de l'Afrique ». Des populations de langue somalie vivent également à Djibouti, en Éthiopie et au Kenya. Nombreux sont les Somalis à réclamer, pour leur groupe linguistique, une réunification territoriale.

SURINAME OU SURINAM
Superficie : 163 000 km².
Population : 390 000 habitants (1982).
Capitale : Paramaribo.
Gouvernement : république.
Langue officielle : néerlandais.
Monnaie : florin.
Indépendant des Pays-Bas depuis 1975, le Suriname est peuplé pour moitié de descendants d'Africains, avec des minorités d'Indiens d'Amérique, d'Indonésiens, d'Indiens, de Chinois et d'Européens.

SWAZILAND
Superficie : 17 000 km².
Population : 570 000 habitants (1982)
Capitale : Mbabane.
Gouvernement : monarchie.
Monnaie : lilangeni.
Langues officielles : anglais et swazi.
Date d'indépendance : 1968.
Situé entre l'Afrique du Sud et le Mozambique, ce petit État est en train de connaître un développement économique rapide. Il produit du sucre, du bois, de la viande et des minéraux.

TOGO
Superficie : 56 000 km².
Population : 2,7 millions d'habitants (1982).
Capitale : Lomé.
Gouvernement : république.
Langue officielle : français.
Monnaie : franc C.F.A.
Date d'indépendance : 1960.
Le Togo, en Afrique occidentale, est un pays pauvre dont les ressources alimentaires sont insuffisantes. Le Togo produit principalement des phosphates, du cacao et du café. La population est composée de 30 ethnies.

TONGA
Superficie : 700 km².
Population : 100 000 habitants (1981).
Capitale : Nuku'alofa.
Gouvernement : monarchie.
Langues officielles : tongan, anglais.
Monnaie : pa'anga.
Date d'indépendance : 1970.
État insulaire de Polynésie, le Tonga (anc. île des Amis) est constitué d'îles d'origine volcanique ou corallienne. Le pays produit principalement du coprah et des bananes.

TRINITÉ ET TOBAGO
Superficie : 5 130 km².
Population : 1,1 million d'habitants (1981).
Capitale : Port of Spain.
Gouvernement : république.
Langue officielle : anglais.
Monnaie : dollar.
Date d'indépendance : 1962.
État des Petites Antilles, Trinité et Tobago est le principal producteur mondial d'asphalte naturel et tire également des revenus de produits pétroliers. Le tourisme et l'agriculture occupent aussi une place importante dans l'économie.

# Inventions

4000-3000 av. J.-C. La brique en Égypte et en Assyrie
v. 3000 av. J.-C. La roue en Asie
v. 3000 av. J.-C. La charrue en Égypte et Mésopotamie
v. 500 av. J.-C. Le boulier en Chine
v. 300 av. J.-C. La géométrie Euclide (Grec)
IIIe s. av. J.-C. La vis sans fin Archimède (Grec)
105 La pâte à papier - Ts'ai Lun (Chin.)
250 L'algèbre - Diophante (Grec)
v. 1000 La poudre à canon - en Chine
v. 1100 La boussole - en Chine
v. 1100 La fusée - en Chine
v. 1440 La typographie - Johannes Gutenberg (All.)
1520 La carabine - Joseph Kotter (All.)
1589 La machine à tricoter - William Lee (Angl.)
v. 1590 Le microscope composé - Zacharias Janssen (Néerl.)
1593 Le thermomètre - Galilée (It.)
1608 Le télescope - Hans Lippershey (Néerl.)
1614 Les logarithmes - John Napier (Écos.)
1636 Le micromètre - William Gascoigne (Angl.)
1637 La géométrie analytique - René Descartes (Fr.)
1640 La théorie des nombres - Pierre de Fermat (Fr.)
1642 La machine à calculer - Blaise Pascal (Fr.)
1643 Le baromètre - Évangelista Toricelli (It.)
1650 Une machine pneumatique - Otto von Guericke (All.)
1656 La pendule à balancier - Christian Huygens (Néerl.)
1665 Le calcul différentiel - Isaac Newton (Angl.) et
1675 Gottfried Leibniz (indépendamment l'un de l'autre)
1675 La marmite à pression - Denis Papin (Fr.)
1698 La pompe à vapeur - Thomas Savery (Angl.)
1712 La machine à vapeur - Thomas Newcomen (Angl.)
1714 Le thermomètre à mercure - Gabriel Fahrenheit (All.)
1725 La stéréotypie - William Ged (Écoss.)
1733 La navette volante - John Kay (Angl.)
1735 Le chronomètre - John Harrison (Angl.)
1752 Le paratonnerre - Benjamin Franklin (E.-U.)
1764 La machine à filer - James Hargreaves (Angl.)
1765 La machine à vapeur à condenseur - James Watt (Écoss.)
1768 L'hygromètre - Antoine Baumé (Fr.)
1783 Le parachute - Antoine Lenormand (Fr.)
1785 Le métier à tisser à vapeur - Edmund Cartwright (Angl.)
1790 La machine à coudre - Thomas Saint (Angl.)
1793 L'égreneuse à coton - Eli Whitney (E.-U.)
1796 La lithographie - Aloys Senefelder (All.)
1800 La pile voltaïque - comte Alessandro Volta (It.)
1800 Le tour - Henry Maudslay (Angl.)
1804 La locomotive à vapeur - Richard Trevithick (Angl.)
1815 La lampe de sûreté (pour les mineurs) - Sir Humphry Davy (Angl.)
1816 Le métronome - Johann Mälzel (All.)
1816 Le bicycle - Karl von Sauerbronn (All.)
1817 Le kaléidoscope - David Brewster (Écoss.)
1822 L'appareil photographique - Joseph Niepce (Fr.)
1823 La machine à calculer digitale - Charles Babbage (Angl.)
1824 Le ciment Portland - Joseph Aspdin (Angl.)
1824 L'électroaimant - William Sturgeon (Angl.)
1826 La photographie (procédé de fixation) - Joseph Niepce (Fr.)
1827 L'allumette - John Walker (Angl.)
1828 Le four à recuire - James Neilson (Écoss.)
1831 La dynamo - Michael Faraday (Angl.)
1834 La moissonneuse - Cyrus McCormick (E.-U.)
1836 Le revolver - Samuel Colt (E.-U.)
1837 Le télégraphe - Samuel F.B. Morse (E.-U.)
1839 Le caoutchouc vulcanisé - Charles Goodyear (E.-U.)
1844 L'allumette de sûreté - Gustave Pasch (Suéd.)
1848 Une machine à coudre - Elias Howe (E.-U.)
1849 L'épingle de sûreté - Walter Hunt (E.-U.)
1852 Le gyroscope - Léon Foucault (Fr.)
1853 L'ascenseur - Elisha Otis (E.-U.)
1855 Le celluloïd - Alexander Parkes (Angl.)
1855 Le convertisseur Bessemer - Henry Bessemer (Angl.)
1855 Le bec Bunsen - Robert Bunsen (All.)
1858 Le réfrigérateur - Ferdinand Carré (Fr.)
1858 La machine à laver - Hamilton Smith (E.-U.)
1859 Le moteur à combustion interne - Etienne Lenoir (Fr.)
1861 Le linoléum - Frederick Walton (Angl.)
1862 La mitrailleuse - Richard Gatling (E.-U.)
1865 La serrure à cylindre - Linus Yale (fils) (E.-U.)
1866 La dynamite - Alfred Nobel (Suéd.)
1867 La machine à écrire - Christopher Sholes (E.-U.)
1868 La tondeuse à gazon - Amariah Hills (E.-U.)
1870 La margarine - Hippolyte Mège-Mouries (Fr.)
1873 Le fil barbelé - Joseph Glidden (E.-U.)
1876 Le téléphone - Alexander Graham Bell (E.-U./Écoss.)
1876 Le balai mécanique - Melville Bissell (E.-U.)
1877 Le phonographe - Thomas Edison (E.-U.)
1878 Le microphone - David Edward Hughes (Angl./E.-U.)
1879 La lampe à incandescence - Thomas Edison (E.-U.)
1879 La caisse enregistreuse - James Ritty (E.-U.)
1884 Le stylographe - Lewis Waterman (E.-U.)
1884 La linotype - Ottmar Mergenthaler (E.-U.)
1885 La motocyclette - Edward Butler (Angl.)
1885 La bouteille thermos - James Dewar (Écoss.)
1885 Le transformateur électrique - William Stanley (E.-U.)
1886 Le ventilateur électrique - Schuyler Wheeler (E.-U.)
1886 La similigravure - Frederick Ives (E.-U.)
1887 Le gramophone - Emile Berliner (All./E.-U.)
1887 La monotype - Tolbert Lanston (E.-U.)
1887 Le moteur à quatre temps - Gottlieb Daimler et Karl Benz (All.) (indépendamment)
1888 Le pneumatique - John Boyd Dunlop (Écoss.)
1888 L'appareil photographique Kodak - George Eastman (E.-U.)
1890 La rotogravure - Karl Klic (Tch.)
1892 La fermeture à glissière - Whitcomb Judson (E.-U.)
1895 La T.S.F. - Guglielmo Marconi (It.)
1895 La cellule photo-électrique - Julius Elster et Hans Geitel (All.)
1895 Le rasoir de sûreté - King C. Gillette (E.-U.)
1897 Le moteur Diesel - Rudolph Diesel (All.)
1898 Le sous-marin - John P. Holland (Ir./E.-U.)
1899 Le magnétophone - Valdemar Poulsen (Dan.)
1901 L'aspirateur - Cecil Booth (Angl.)
1902 Le radiotéléphone - Reginald Fessenden (E.-U.)

1903 L'aéroplane - Wilbur et Orville Wright (E.-U.)
1904 La diode - John Fleming (Angl.)
1906 La triode - Lee De Forest (E.-U.)
1908 La bakélite - Leo Baekeland (Bel./E.-U.)
1908 La cellophane - Jacques Brandenberger (Suis.)
1911 La moissonneuse-batteuse - Benjamin Holt (E.-U.)
1913 Le compteur Geiger - Hans Geiger (Angl.)
1914 Le tank - Ernest Swinton (Angl.)
1915 La lampe à filament de tungstène - Irving Langmuir (E.-U.)

1918 Le fusil automatique - John Browning (E.-U.)
1925 La télévision - John Logie Baird (Écos.) et d'autres
1925 Le procédé de congélation des aliments - Clarence Birdseye (E.-U.)
1926 La fusée à combustible liquide - Robert H. Goddard (E.-U.)
1930 Le moteur à réaction - Frank Whittle (Angl.)
1931 Le cyclotron - Ernest Lawrence (E.-U.)
1935 Le nylon - Wallace Carothers (E.-U.)
1939 Le microscope électronique - Vladimir Zworykin et autres (E.-U.)

1944 Le calculateur digital automatique - Howard Aiken (E.-U.)
1946 Le calculateur électronique - J. Presp Eckert et John W. Mauch
1947 L'appareil photographique polaroïd - Edwin Land (E.-U.)
1948 Le transistor - John Barden, Walter Brattain à William Shockley (E.-U.)
1948 La xérographie - Chester Carlson (E.-U.)
1948 Le disque microsillon - Peter Goldma (E.-U.)
1954 Le master - Charles H. Townes (E.-U.
1960 Le laser - Theodore Maiman (E.-U.)

# Découvertes

1543 Le Soleil comme centre du système solaire - Copernic (Pol.)
1590 La loi de la chute des corps - Galilée (It.)
1609 Les lois du mouvement planétaire - Johannes Kepler (All.)
1662 La relation entre le volume et la pression d'un gaz - Robert Boyle (Angl./Ir.)
1669 Le phosphore - Hennig Brand (All.)
1675 Mesure de la vitesse de la lumière - Olaus Römer (Dan.)
1678 Théorie ondulatoire de la lumière - Christiaan Huygens (Néerl.)
1687 Les lois de la gravitation et du mouvement - Isaac Newton (Angl.)
1751 Le nickel - Axel Cronstedt (Suéd.)
1755 Le magnésium - Sir Humphry Davy (G.-B.)
1766 L'hydrogène - Henry Cavendish (G.-B.)
1772 L'azote - Daniel Rutherford (G.-B.)
1774 L'oxygène - Joseph Priestley (G.-B.) - Karl Scheele (Suéd.)
1774 Le chlore - Karl Scheele (Suéd.)
1781 La planète Uranus - William Herschel (G.-B.)
1783 Le tungstène - Fausto et Juan José de Elhuyar (Esp.)
1789 La nature exacte de la combustion - Antoine de Lavoisier (Fr.)
1797 Le chrome - Louis Vauquelin (Fr.)
1803 La structure atomique de la matière - John Dalton (G.-B.)
1811 L'hypothèse moléculaire - Amadeo Avogadro (It.)
1817 La cadmium - Friedrich Stromeyer (All.)

1820 L'électromagnétisme - Hans Christian Oersted (Dan.)
1824 Le silicium - Jöns Berzelius (Suéd.)
1826 Le brome - Antoine Balard (Fr.)
1826 Les lois de l'électromagnétisme - André Ampère (Fr.)
1827 Lois de conduction du courant électrique - Georg Ohm (All.)
1827 L'aluminium - Hans Christian Oersted (Dan.)
1831 L'induction électromagnétique - Michael Faraday (G.-B.) ; découverte précédemment mais non publiée par Joseph Henry (E.-U.)
1839 L'ozone - Christian Schönbein (All.)
1841 L'uranium - Martin Klaproth (All.)
1846 La planète Neptune - Johann Galle (All.), à partir de prévisions d'autres
1864 Théorie électromagnétique de la lumière - James Clerk Maxwell (G.-B.)
1868 L'hélium - Sir William Ramsay (G.-B.)
1869 Classification périodique des éléments chimiques - Dmitri Mendeleiev (Russ.)
1886 Les ondes électromagnétiques - Heinrich Hertz (All.)
1886 Le fluore - Henri Moissan (Fr.)
1894 L'argon - Sir William Ramsay et baron Raylaigh (G.-B.)
1895 Rayons X - Wilhelm Roentgen (All.)
1896 La radioactivité - Antoine Becquerel (Fr.)
1897 L'électron - Sir Joseph Thomson (G.-B.)
1898 Le radium - Pierre et Marie Curie (Fr.)
1900 La théorie des quanta - Max Planck (All.)
1905 La théorie de la relativité restreinte - Albert Einstein (Suis.)

1910 Le diagramme de Hertzsprung-Russell (classification des étoiles) - Henry Russell et Eijnar Hertzsprung (E.-U.)
1913 Le numéro atomique - Henry Moseley (G.-B.)
1915 La théorie de la relativité généralisée - Albert Einstein (Suis.)
1919 Le proton - Ernest Rutherford (G.-B.)
1924 La nature ondulatoire de l'électron - Louis de Broglie (Fr.)
1926 La mécanique ondulatoire - Erwin Schrödinger (Aut.)
1927 Le principe d'incertitude - Werner Heisenberg (All.)
1930 La planète Pluton - Clyde Tombaugh (E.-U.), à partir des prévisions de Percival Lowell (E.-U.) en 1905
1931 L'existence des neutrinos (particules atomiques) - Wolfgang Pauli (All.)
1931 Le deutérium (hydrogène lourd) - Harold Urey (E.-U.)
1932 Le neutron - James Chadwick (G.-B.)
1932 Le positron - Carl Anderson (E.-U.)
1935 L'existence de mésons (particules subatomiques) - Hideki Yukawa (Jap.)
1940 Le plutonium - G.T. Seaborg et autres (E.-U.)
1950 La théorie du champ unitaire - Albert Einstein (Suis./E.-U.)
1950 La théorie de la création continue de la matière - Fred Hoyle (G.-B.)
1955 L'antiproton - Emilio Segré et Owen Chamberlain (E.-U.)
1958 Les ceintures de radiations entourant la Terre - James Van Allen (E.-U.)
1963 Les quasars - Thomas Matthews et Allan Sandage (E.-U.)

# Les principales unités de mesure

## Longueur

millimètre (mm)
10 mm = 1 centimètre (cm)
100 cm = 1 MÈTRE (m)
1 000 m = 1 kilomètre (km)

1 micron ($\mu$) = 10ï$^{6}$ m
(ou 1 micromètre)
1 millimicron ($m\mu$) = 10ï$^{9}$ m
(ou 1 nanomètre)
1 angström (A) = 10ï$^{10}$ m
(ou 100 picomètres)

*Mesures de longueur anglo-saxonnes*
pouce (inch, in ou ") = 25,4 mm
pied (foot, ft ou ') = 0,3048 m
YARD (yd) = 0,9144 m
brasse (fathom, fm) = 1,8288 m
mille terrestre (statue mile)
= 1,6093 km
mille marin britannique
(nautical mile, m ou mile)
= 1,85318 km
mille marin américain
(U.S. nautical mile) = 1,85324 km

## Superficie

millimètre carré (mm$^2$)
100 mm$^2$ = 1 centimètre carré (cm$^2$)
10 000 cm$^2$ = 1 MÈTRE CARRÉ (m$^2$)
100 m$^2$ = 1 are (a)
= 1 décamètre carré
100 a = 1 hectare (ha)
= 1 hectomètre carré
100 ha = 1 kilomètre carré (km$^2$)

## Volume

millimètre cube (mm$^3$)
1 000 mm$^3$ = 1 centimètre cube (cm$^3$)
1 000 cm$^3$ = 1 décimètre cube (dm$^3$)
= 1 litre (l)
1 000 dm$^3$ = 1 MÈTRE CUBE (m$^3$)

## Masse

milligramme (mg)
1 000 mg = 1 gramme (g)
1 000 g = 1 KILOGRAMME (kg)
100 kg = quintal
1 000 kg = 1 tonne (t)

*Mesures de masse anglo-saxonnes*
once (ounce, oz) = 28,349 g
LIVRE (pound, lb) = 453,592 g

## Capacité

millilitre (ml)
100 ml = 1 LITRE (l)
100 l = 1 hectolitre (hl)

*Mesures de capacité anglo-saxonnes*
pinte américaine
(U.S. liquid pint, U.S. pt) = 0,473 l
pinte britannique (pint, pt) = 0,568 l
GALLON AMÉRICAIN
(U.S. GALLON, U.S. gal) = 3,785 l
GALLON BRITANNIQUE
(IMPÉRIAL GALLON,
imp. gal) = 4,546 l

## Temps

**seconde (s)**
**60 s = 1 minute (min)**
**60 min = 1 heure (h)**
**24 h = 1 jour (j)**
7 jours = 1 semaine
365 1/4 jours = 1 année
10 années = 1 décennie
100 ans = 1 siècle
1 000 ans = 1 millénaire
1 jour solaire moyen
= 24 h 3 mn 56,555 s

1 jour sidéral = 23 h 56 min 4,091 s
1 année solaire
= 365,2422 j (365 j 5 h 48 min 46 s)
1 année sidérale
= 365,2564 j (365 j 6 h 9 min 9,5 s)
1 mois synodique (lunaire)
= 29,5306 j)
1 mois sidéral = 27,3217 j
1 année lunaire = 354 j
= 12 mois synodiques

## Angles

**seconde (")**
**60" = 1 minute (')**
**60' = 1 degré (°)**
**90° = 1 quadrant, ou angle droit**
**4 quadrants = 1 tour (tr) = 360°**
1 RADIAN (rad) = 57° 17' 44,8"
**1 grade (gr ou gon) = p/200 rad**
**1° = p/180 rad**

## Divers

### Navigation

unité de longueur :
le mille nautique (1,853 km)
unité de vitesse :
le nœud (1 mille par heure)

### Pétrole

unité de capacité :
le baril américain (158,98 l)

### Pierres précieuses et fines, diamants

unité de masse :
le carat métrique ou carat
($2{,}10^{-4}$ kg)

### Papier

feuille
1 main = 25 feuilles
1 rame = 20 mains

### Bois

MÈTRE CUBE (m$^3$)
1 stère (st), une anc. unité
= 1 m$^3$

### Typographie

Unité de mesure de la force du corps des caractères :
le point qui vaut 1/6 de 0,00256 m

### Dénombrement

1 douzaine = 12 unités
12 douzaines = 1 grosse
= 144 unités

# Alimentation et cuisson

## LES VITAMINES

| Vitamines | Principales sources | Utilité |
|---|---|---|
| **Vitamine A** | Carotène (que le corps convertit en vit. A) dans carottes, jaune d'œuf, beurre, fruits jaunes ou orange, légumes | croissance ; prévention du dessèchement de la peau ; constitution du pigment visuel ; la carence peut provoquer une opacité de la cornée |
| **Vitamine B1** (thiamine) | germe de blé, pain, porc, foie, pommes de terre, lait | prévention du béri-béri |
| **Vitamine B2** (riboflavine) | lait, œufs, foie | la carence peut provoquer : désordre de la peau, inflammation de la langue et gerçures des lèvres |
| **Biotine** | foie, levure, lait, beurre | probablement la bonne santé de la peau |
| **Vitamine B9** (acide folique) | nombreux légumes verts, foie, levure, champignons | prévention d'une forme d'anémie |
| **Vitamine B3 ou PP** (acide nicotinique) | levure, foie, pain, germe de blé, rognons, lait | prévention de la pellagre |
| **Vitamine B5** (acide pantothénique) | abondante dans le foie, la levure et les œufs | la carence peut provoquer des maladies de la peau |
| **Vitamine B6** (pyridoxine) | viande, poisson, lait, œufs | la carence peut provoquer des convulsions chez les bébés, de l'anémie chez les adultes |
| **Vitamine B12** (cyanocobalamine) | foie, rognons, œufs, poisson | formation des globules rouges ; santé du tissu nerveux |
| **Vitamine C** (acide ascorbique) | fruits et légumes frais | prévention du scorbut |
| **Vitamine D** | margarine, poisson, huile, œufs, beurre ; se forme aussi dans la peau exposée au soleil | formation des os ; la carence entraîne le rachitisme chez l'enfant |
| **Vitamine E** | la plupart des aliments | mal connue |
| **Vitamine K** | légumes verts ; formée aussi par les bactéries intestinales | coagulation du sang |

## VALEUR CALORIQUE DES ALIMENTS

| | Calories |
|---|---|
| **Agneau** 100 g | 300 |
| **Beurre** 100 g | 750 |
| **Bière** 30 cl | 90 |
| **Bœuf (grillé)** 100 g | 300 |
| **Bœuf (rôti)** 100 g | 380 |
| **Carottes** 100 g | 20 |
| **Chocolat en poudre** 100 g | 500 |
| **Chou** 100 g | 10 |
| **Confiture** 100 g | 300 |
| **Crème fraîche** 100 g | 200 |
| **Épinards** 100 g | 25 |
| **Farine de blé** 100 g | 350 |
| **Gruyère** 100 g | 400 |
| **Haricots verts** 100 g | 10 |
| **Huile** 100 g | 900 |
| **Jambon** 100 g | 320 |
| **Lait entier** 10 cl | 90 |
| **Lait écrémé** 10 cl | 35 |
| **Margarine** 100 g | 750 |
| **Miel** 100 g | 300 |
| **Œuf** (1) | 90 |
| **Pain blanc** (1 tranche) | 75 |
| **Pâtes cuites** 100 g | 150 |
| **Pomme de terre** 100 g | 250 |
| **Poulet rôti** 100 g | 200 |
| **Poisson maigre** 100 g | 180 |
| **Riz cuit** 100 g | 350 |
| **Salade verte** 100 g | 10 |
| **Sardines** 100 g | 280 |
| **Thon** 100 g | 230 |
| **Saucisses** 100 g | 350 |
| **Sucre en poudre** 100 g | 400 |
| **Vin** 10 cl | 150 |
| **Yaourt** (1) | 90 |
| **Ananas frais** (1) | 50 |
| **Banane moyenne** (1) | 70 |
| **Datte** (1) | 70 |
| **Figue sèche** (1) | 28 |
| **Mandarine moyenne** (1) | 40 |
| **Melon** 100 g | 20 |
| **Orange moyenne** (1) | 70 |
| **Pamplemousse** (1) | 90 |
| **Poire moyenne** (1) | 60 |
| **Pomme moyenne** (1) | 60 |
| **Tomate moyenne** (1) | 15 |

## BESOINS CALORIQUES JOURNALIERS

| Age | Deux sexes |
|---|---|
| 0-1 | 800 |
| 1-2 | 1 200 |
| 2-3 | 1 400 |
| 3-5 | 1 600 |
| 5-7 | 1 800 |
| 7-9 | 2 100 |

Les besoins caloriques sont fonction de l'âge, du sexe et de l'activité. A partir de 9 ans, un garçon a besoin de plus de calories qu'une fille qui dépense moins d'énergie du fait de son moindre poids et de la couche de graisse qui maintient la chaleur.

| Age | Homme | Femme |
|---|---|---|
| 9-12 | 2 500 | 2 300 |
| 12-15 | 2 800 | 2 300 |
| 15-18 | 3 000 | 2 300 |
| 18-35 | 2 700 (vie normale)<br>3 600 (vie très active) | 2 200 (vie normale)<br>2 500 (vie très active)<br>2 400 (grossesse)<br>2 700 (allaitement) |
| 35-65 | 2 600 | 2 200 |
| 65-75 | 2 300 | 2 100 |
| 75 et + | 2 100 | 1 900 |

## TEMPÉRATURES APPROXIMATIVES DE FOUR

| Description | Électricité en °C | Gaz numéros |
|---|---|---|
| Tiède | 30° | 1 |
| | 60° | 2 |
| Doux | 90° | 3 |
| | 120° | 4 |
| Moyen | 150° | 5 |
| | 180° | 6 |
| Chaud | 210° | 7 |
| Très chaud | 240° | 8 |
| | 270° | 9 |
| | 300° | 10 |

## CAPACITÉS UTILES

1 cuiller à café rase :
eau 5 g, farine 3 g, sucre 4 g, sel 5 g, huile 5 g

1 cuiller à soupe rase :
eau 18 g, farine 12 g, sucre 15 g, sel 16 g, huile 17,5 g

1 tasse à thé :
eau 220 g, farine 125 g, sucre 170 g, huile 210 g

1 verre à eau a une contenance de 25 cl env.

1 verre à vin a une contenance de 10 cl env.

# Renseignements utiles

## ORIGINE DES NOMS DE JOURS ET DE MOIS

| | |
|---|---|
| **Dimanche** | de *dies domenicus*, jour du Seigneur |
| **Lundi** | jour de la Lune |
| **Mardi** | jour de Mars |
| **Mercredi** | jour de Mercure |
| **Jeudi** | *Jovis*, jour de Jupiter |
| **Vendredi** | jour de Vénus |
| **Samedi** | de l'hébreu *shabbat*, jour du sabbat |
| **Janvier** | mois de Janus |
| **Février** | du lat. *februarius* |
| **Mars** | mois de Mars, dieu de la guerre |
| **Avril** | du lat. *aprilis :* « ouvrir » |
| **Mai** | mois Maia, déesse romaine du printemps |
| **Juin** | peut-être de *Junius Brutus*, un des fondateurs de la République romaine |
| **Juillet** | mois de *Julius Caesar*, né dans ce mois |
| **Août** | mois d'Auguste |
| **Septembre** | du lat. *septem* (7) : l'année commençait autrefois en mars |
| **Octobre** | du lat. *octem* (8) |
| **Novembre** | du lat. *novem* (9) |
| **Décembre** | du lat. *decem* 10) |

## ÉQUIVALENTS ROMAIN-GREÇ

| Romain | Grec | Romain | Grec |
|---|---|---|---|
| Apollon | Apollon | Luna | Selene |
| Aurore | Eos | Mars | Arès |
| Bacchus | Dionysos | Mercure | Hermès |
| Cérès | Déméter | Minerve | Athéna |
| Cupidon | Eros | Mors | Thanatos |
| Cybèle | Rhéa | Neptune | Poséidon |
| Diane | Artémis | Ops | Rhéa |
| Dis | Hadès | Pluton | Pluton |
| Esculape | Asclépios | Proserpine | Perséphone |
| Faunus | Pan | Saturne | Cronos |
| Hecate | Hecate | Sol | Hélios |
| Hercule | Héraclès | Somnus | Hypnos |
| Junon | Héra | Ulysse | Odysseus |
| Jupiter | Zeus | Vénus | Aphrodite |
| Juventa | Hébé | Vesta | Hestia |
| Latone | Léto | Vulcain | Hephaistos |

## LES DOUZE TRAVAUX D'HERCULE

1. Étrangler le lion de Némée
2. Tuer l'hydre de Lerne (reptile à plusieurs têtes)
3. Rattraper la biche aux pieds d'airain
4. S'emparer du sanglier d'Erymanthe
5. Nettoyer en un jour les écuries d'Augias
6. Tuer les oiseaux du lac de Stymphale
7. Dompter un taureau furieux en Crète
8. S'emparer des chevaux de Diomède, nourris de chair humaine
9. Tuer au combat Hippolyte, reine des Amazones, et prendre son bouclier
10. Tuer le monstre Géryon pour enlever ses bœufs
11. S'emparer des pommes d'or du jardin des Hespérides
12. Descendre aux enfers, enchaîner Cerbère et le conduire à Eurysthée

## LES PROPHÈTES

Classification traditionnelle, opérée en fonction de leurs écrits

**Les grands prophètes :**
Isaïe, Jérémie, Ezéchiel et Daniel

**Les petits prophètes :**
Amos, Osée, Michée, Sophonie, Nahum, Habacuc, Aggée, Zacharie, Malachie, Jonas, Joël, Abdias

## 'ARCHIES ET 'OCRATIES (le pouvoir est exercé par)

| | |
|---|---|
| **Anarchie** | tous et chacun, pas de lois |
| **Aristocratie** | une classe de privilégiés |
| **Autocratie** | un seul (pouvoir absolu) |
| **Bureaucratie** | l'appareil administratif |
| **Démocratie** | le peuple |
| **Diarchie** | deux personnes ou deux autorités |
| **Ethnocratie** | une race ou un groupe ethnique |
| **Gérontocratie** | les vieux |
| **Gynocratie** | les femmes |
| **Isocratie** | tous, avec des pouvoirs égaux |
| **Méritocratie** | ceux qui ont des capacités |
| **Monarchie** | un roi ou un empereur généralement héréditaire |
| **Monocratie** | une personne |
| **Oligarchie** | une classe fermée |
| **Ploutocratie** | les classes riches |
| **Technocratie** | techniciens de l'administration |
| **Théocratie** | ceux qui sont investis de l'autorité religieuse |

## LES DOUZE APÔTRES

**Pierre** (Simon)
**André** (frère de Pierre)
**Jacques** (le Majeur)
**Jean** (fils de Zébédée)
**Philippe**
**Barthélemy**
**Matthieu**
**Thomas**
**Jacques** (le Mineur)
**Simon** *le Zélé*
**Jude,** dit Thaddée
**Judas** l'Iscariote

## LES NEUF MUSES

| Nom | Art | Symbole |
|---|---|---|
| **Calliope** | Poésie épique | Tablette et stylet |
| **Clio** | Histoire | Manuscrit |
| **Erato** | Elégie | Lyre |
| **Euterpe** | Musique | Flûte |
| **Melpomène** | Tragédie | Masque de tragédie, épée |
| **Polymnie** | Poésie lyrique | |
| **Terpsichore** | Danse | Lyre |
| **Thalie** | Comédie, poésie pastorale | Houlette de berger |
| **Uranie** | Astronomie | Globe |

## LES « PÈRES » CÉLÈBRES

**Père de l'anatomie** André Vésale (1514-1564), anatomiste flamand
**Père de la chimie** Robert Boyle (1627-1691), chimiste et physicien irlandais
**Père de la comédie** Aristophane (v. 445-v. 385 av. J.-C.), écrivain de théâtre grec
**Père de la courtoisie** Richard de Beauchamp, comte de Warwick (1382-1429), militaire anglais
**Père de l'économie** Adam Smith (1723-1790), philosophe écossais
**Père de la foi** le patriarche Abraham (v. 1900 av. J.-C.)
**Père de la géométrie** Euclide (v. 300 av. J.-C.), mathématicien grec
**Père de l'histoire** Hérodote (v. 484-424 av. J.-C.), voyageur et écrivain grec
**Père de l'histoire ecclésiastique** Eusèbe de Césarée (v. 260-v. 340), théologien et historien
**Père des lettres** le roi François 1er (1494-1547) et Laurent de Médicis (1449-1492), homme d'État florentin
**Père des mathématiques** Thalès de Milet (v. 640-546 av. J.-C.), philosophe grec
**Père de la médecine** Hippocrate (460-v. 370 av. J.-C.), médecin grec
**Père de la nation** Titre donné à diverses personnalités au fil de l'histoire, dont Cicéron, Jules César, Auguste, Andronicus Palaeologus II, George Washington, Mahatma Gandhi
**Père de la pêche à la ligne** Isaak Walton (1593-1683), écrivain anglais
**Père de la philosophie morale** saint Thomas d'Aquin (1225-1274), moine dominicain italien
**Père de la Physique nucléaire** Lord Rutherford (1871-1937), physicien néo-zélandais/britannique
**Père de la poésie épique** Homère, auquel on attribue traditionnellement l'*Iliade* et l'*Odyssée* (entre 1200 et 850 av. J.-C.)
**Père de la tragédie grecque** Eschyle (525-426 av. J.-C.), combattant et dramaturge
**Père de la T.S.F.** Guglielmo Marconi (1874-1937), inventeur italien
**Père La Victoire** Georges Clemenceau (1841-1929)
**Pères fondateurs** hommes d'État de la guerre d'Indépendance américaine dont Benjamin Franklin, Alexander Hamilton et George Washington

## ALPHABETS

### Grec

| Lettre | Appellation | Valeur |
|---|---|---|
| Α α | alpha | a |
| Β β | beta | b |
| Γ γ | gamma | g |
| Δ δ | delta | d |
| Ε ε | epsilon | e |
| Ζ ζ | dzéta | dz |
| Η η | êta | e |
| Θ θ | thêta | th |
| Ι ι | iota | i |
| Κ κ | kappa | k |
| Λ λ | lambda | l |
| Μ μ | mu | m |
| Ν ν | nu | n |
| Ξ ξ | xi | x (ks) |
| Ο ο | omicron | o |
| Π π | pi | p |
| Ρ ρ | rhô | r |
| Σ σ ς* | sigma | s |
| Τ τ | tau | t |
| Υ υ | upsilon | u, y |
| Φ φ | phi | ph |
| Χ χ | khi | k aspiré |
| Ψ ψ | psi | ps |
| Ω ω | oméga | o |

### Hébreu

| Lettre | Appellation | Valeur |
|---|---|---|
| א | alepht | très faible |
| ב | beth | b, bh |
| ג | ghinel | g, gh |
| ד | daleth | d, dh |
| ה | hé | h doux, é |
| ו | vau | ou, v, w |
| ז | zaïni | z |
| ח | heth | h (dur) kh, ch |
| ט | teth | ṭ |
| י | iod | i, y |
| כ ך* | caph | k, ch |
| ל | lamed | l |
| מ ם* | mem | m |
| נ ן* | nun | n |
| ס | sancck | s |
| ע | aïn, ocn | a, ho |
| פ ף* | pé, phé | p, ph |
| צ ץ* | sadi, tsodé | ts, tz ç |
| ק | koph | q, c, khh |
| ר | resch | r |
| שׁ | schin | sh |
| שׂ | sin | s |
| ת | tau | th |

### Cyrillique

| Lettre | | Valeur |
|---|---|---|
| А | а | a |
| Б | б | b |
| В | в | v |
| Г | г | g |
| Д | д | d |
| Е | е | ié, é |
| Ж | ж | j |
| З | з | z |
| И | и | i |
| Й | й | ï |
| К | к | k |
| Л | л | l |
| М | м | m |
| Н | н | n |
| О | о | o |
| П | п | p |
| Р | р | r |
| С | с | s |
| Т | т | t |
| У | у | ou |
| Ф | ф | f |
| Х | х | kh |
| Ц | ц | ts |
| Ч | ч | tch |
| Ш | ш | ch |
| Щ | щ | chtch |
| | ы | y (i dur) |
| | ь | signe de mouillure de consonne |
| Э | э | e |
| Ю | ю | iou |
| Я | я | ia |

* Forme utilisée à la fin d'un mot.
Pas de valeur dans les initiales.

## STYLES ARCHITECTURAUX

| | |
|---|---|
| **Grec** | 600-100 av. J.-C. |
| **Romain** | 100 av. J.-C. - 400 apr. J.-C. |
| **Byzantin** | 400-1453 |
| **Roman** (N. de l'Europe) | mi-900 - fin 1100 |
| **Normand** (Angleterre) | fin 1000 - 1100 |
| **Gothique** (France) | mi-1100 - 1400 |
| **Renaissance** (Italie) | 1400 - 1500 |
| **Renaissance française** | 1500 |
| **Baroque** (Italie) | 1600 - 1750 |
| **Géorgien** (Angleterre) | 1725 - 1800 |
| **Rococo** (Italie) | mi-1700 |
| **Regency** (Angleterre) | 1800 - 1825 |
| **Art nouveau** (Europe) | 1890-1910 |
| **Expressionnisme** (Allemagne) | 1910-1930 |
| **Fonctionnalisme** | 1920- |
| **Style international** | 1920- |
| **Brutalisme** | 1950- |

## ARCHITECTES

Adam, Robert (1728-1792), Écossais
Alberti, Leone Battista (1404-1472), Italien
Bernini, Lorenzo (1598-1680), Italien
Branmante, Donato (1444-1514), Italien
Brunelleschi, Filippo (1377-1446), Italien
Delorme, Philibert (1510-1570), Français
Gabriel, Jacques-Ange (1698-1782), Français
Gaudi, Antoni (1852-1926), Espagnol
Jones, Inigo (1573-1652), Anglais
Le Corbusier (1887-1965), Français-Suisse
Lescot, Pierre (1515-1578), Français
Le Vau, Louis (1612-1670) Français
Mansart, François (1598-1666), Français
Michel-Ange (1475-1546), Italien
Nash, John (1752-1835), Anglais
Nervi, Pier Luigi (1891), Italien
Niemeyer, Oscar (1907), Brésilien
Palladio, Andrea (1518-1580), Italien
Perret, Auguste (1874-1954), Français
Perret, Gustave (1876-1952), Français
Perret, Claude (1880-1960), Français
Wren, Sir Christopher (1632-1723), Anglais
Wright, Franck Lloyd (1869-1959), Américain

## Les plus hautes constructions

L'immeuble le plus haut du monde moderne est la tour *Sears* de Chicago (E.-U.), antenne TV comprise. Cette tour de 110 étages mesure 548,60 m de haut. La construction la plus haute est l'antenne émettrice de la *Warszawa Radio* à Konstantynow, près de Plock, en Pologne. Haute de 646 m, elle est construite en acier galvanisé ; elle a été achevée en mai 1974.

Les plus hautes constructions du monde ancien furent les pyramides d'Égypte. La grande pyramide de Chéops, à Gizeh, construite vers 2580 av. J.-C., mesurait 146,60 m de haut. Ce n'est que 4 000 ans plus tard que cette hauteur fut dépassée par la tour centrale de la cathédrale de Lincoln, en Angleterre, qui mesurait 160 m de haut avant d'être décapitée par une tempête.

# Géologie

## ÉCHELLE DE DURETÉ DE MOHS*

| Minéral | Test simple de dureté | Dureté de Mohs |
|---|---|---|
| **Talc** | s'écrase sous l'ongle | 1,0 |
| **Gypse** | rayé par l'ongle | 2,0 |
| **Calcite** | rayé par une pièce de cuivre | 3,0 |
| **Fluorine** | rayé par le verre | 4,0 |
| **Apatite** | rayé par un canif | 5,0 |
| **Feldspath** | rayé par la quartz | 6,0 |
| **Quartz** | rayé par une lime en acier | 7,0 |
| **Topaze** | rayé par le corindon | 8,0 |
| **Corindon** | rayé par le diamant | 9,0 |
| **Diamant** | | 10,0 |

* Sert à tester la dureté des matériaux par rapport aux dix minéraux de référence.

## LES MÉTAUX ET LEURS MINERAIS

| Métal | Minerais |
|---|---|
| **Aluminium** | bauxite, $Al_2O_3$ |
| **Antimoine** | stibine, $Sb_2S_3$ |
| **Argent** | sulfure d'argent (argyrose), $Ag_2S$ et chlorure d'argent, AgCl |
| **Béryllium** | béryl, 3BeO, $Al_2O_3$, $6SiO_2$ ; chrysobéryl, $BeAl_2O_4$ |
| **Bismuth** | bismuthine, $Bi_2S_3$ ; oxyde de bismuth, $Bi_2O_3$ |
| **Calcium** | $CaCO_3$ (calcaire, marbre, craie) ; $CaSO_4$ (gypse, albâtre) ; fluorine, $CaF_2$ ; phosphate monocalcique, $CaPO_4$ |
| **Chrome** | chromite, $FeCr_2O_4$ |
| **Cobalt** | smaltine, $CoAs_2$ ; cobaltine, CoAsS |
| **Cuivre** | chalcopyrite, $CuFeS_2$ ; chalcosine (cuivre vitré), $Cu_2S$ ; cuprite, $Cu_20$ ; bornite, $Cu_3FeS_4$ |
| **Étain** | cassitérite, $SnO_2$ |
| **Fer** | hématite, $Fe_20_3$ ; magnétite, $Fe_3O_4$ ; sidérite, $FeCO_3$ ; sulfure naturel de fer, $FeS_2$ |
| **Lithium** | spodumène, LiAl $(Si0_3)_2$ |
| **Magnésium** | $MgCO_3$ (magnésite, dolomite) ; kiésérite, Mg $SO_4$,$H_20$ ; carnallite, KCl,$MgCl_2$,6 $H_20$ |
| **Manganèse** | pyrolusite, $MnO_2$ ; haussmannite, $Mn_3O_4$ |
| **Mercure** | cinabre,HgS |
| **Nickel** | millérite, NiS ; garniérite, (Ni,Mg)$SIO_3$, $xH_20$ ; pentlandite, (Fe,Ni)S |
| **Plomb** | galène, PbS ; cérusite, $PbCO_3$ ; massicot, PbO |
| **Potassium** | carnallite, KCl,$MgCl_2$, $6H_20$ ; salpêtre $KNO_3$ |
| **Sodium** | sel gemme, NaCl ; salpêtre du Chili, $NaNO_3$ |
| **Strontium** | strontianite, $SrCO_3$ ; célestine, $SrSO_4$ |
| **Titane** | rutile, $TiO_2$ ; ilménite, $FeTiO_3$ |
| **Uranium** | pechblende, $UO_2$ |
| **Zinc** | blende, ZnS ; calamine, $Zn_4Si_20_7(OH)_2$ ; smithonite $ZnCO_3$ |

**NB :** L'or et le platine sont présents dans le sous-sol sous forme d'éléments. Les composés de cadmium sont présents dans les minerais de zinc.

## PIERRES PRÉCIEUSES ET FINES

| Minéral | Couleur | Dureté de Mohs |
|---|---|---|
| **Agate** | brun, rouge, bleu, vert, jaune, violet | 7,0 |
| **Aigue-marine** | bleu ciel, bleu verdâtre | 7,5 |
| **Améthyste** | violet | 7,0 |
| **Aventurine** | blanchâtre, rouge, brun tacheté de particules dorées | 6,0 |
| **Béryl** | vert, bleu, rose | 7,5 |
| **Calcédoine** | toutes couleurs | 7,0 |
| **Citrine** | jaune | 7,0 |
| **Diamant** | incolore, teinté de diverses couleurs | 10,0 |
| **Émeraude** | vert | 7,5 |
| **Grenat** | rouge et autres couleurs | 6,5-7,25 |
| **Jade** | vert, blanchâtre, mauve, brun | 7,0 |
| **Lapis-lazuli** | bleu profond | 5,5 |
| **Malachite** | vert foncé, marbré | 3,5 |
| **Onyx** | diverses couleurs marqué de raies rectilignes colorées | 7,0 |
| **Opale** | noir, blanc, rouge orangé, à reflets irisés | 6,0 |
| **Pierre de lune** | blanchâtre irisé de bleu | 6,0 |
| **Rubis** | rouge | 9,0 |
| **Sanguine** | vert tacheté de rouge | 7,0 |
| **Saphir** | bleu et autres couleurs | 9,0 |
| **Serpentine** | rouge et vert | 3,0 |
| **Stéatite** | blanc, parfois teinté par des impuretés | 2,0 |
| **Topaze** | bleu, vert, rose, jaune, incolore | 8,0 |
| **Tourmaline** | brun-noir, bleu, rose, rouge, rouge-violet, jaune, vert | 7,5 |
| **Turquoise** | gris verdâtre, bleu ciel | 6,0 |
| **Zircon** | toutes couleurs | 7,5 |

## L'HISTOIRE DE LA TERRE

| Ere | Période | Millions d'années | Formes de vie |
|---|---|---|---|
| Quaternaire | Holocène | 2 | (fin de période glaciaire) évolution de l'homme |
| | Pléistocène | 7 | (périodes glaciaires), mammouth, laineux, rhinocéros |
| Tertiaire ou Cénozoïque | Pliocène | 26 | expansion des mammifères ; premiers hommes |
| | Miocène | 38 | baleine et singes anthropoïdes |
| | Oligocène | 54 | types modernes de mammifères |
| | Eocène | 65 | premiers chevaux, éléphants |
| | Paléocène | 136 | premiers mammifères |
| Secondaire ou Mésozoïque | Crétacé | 193 | fin des dinosaures ; apparition des plantes à fleurs |
| | Jurassique | 225 | dinosaures géants, premiers oiseaux |
| | Trias | 280 | Petits dinosaures, premiers mammifères |
| Primaire ou Paléozoïque | Permien | 345 | |
| | Carbonifère | 398 | les forêts forment du charbon ; premiers reptiles |
| | Dévonien | 435 | forêts, animaux terrestres et amphibiens |
| | Silurien | 500 | premières plantes terrestres |
| | Ordovicien | 570 | premiers poissons |
| | Cambrien | 1 850 | |
| Précambrien ou Antécambrien | Protérozoïque | | animaux marins non vertébrés ; algues |
| | Archéozoïque | | premiers animaux et plantes primitifs |
| | Azoïque | 4 000<br>4 500 | (premières roches connues) ;<br>(terre formée) |

# Alliages et éléments

## ALLIAGES

| Nom | Composition |
|---|---|
| *Cuivre* | |
| **Cupro-aluminium (appelé improprement bronze d'aluminium)** | 90 % Cu, 10 % Al |
| **Cupro-manganèse** | 95 % Cu, 5 % Mn |
| **Bronze à canons** | 90 % Cu, 10 % Sn |
| **Bronze parisien** | 88 Cu, 10 % Zn, 2 % Pb |
| **Laiton d'emboutissage** | 67 % Cu, 33 % Zn, 1 % Pb |
| **Laiton de décolletage** | 60 % Cu, 40 % Zn, 1 % Pb |
| *Or* | |
| **Or 18 carats** | 75 % Au, 25 % Ag et Cu |
| **Or blanc (au palladium)** | 90 % Au, 10 % Pd |
| *Fer* | |
| **Acier** | 99 % Fe, 1 % C |
| **Acier inoxydable** | Fe + 0,1-2,0 % C, + jusqu'à 27 % Cr ou 20 % W ou 15 % Ni et autres éléments en moindre proportion |
| *Argent* | |
| **Argent pour médailles** | 95 % Ag, 5 % Cu |
| **Argent pour petite bijouterie** | 85 % Ag, 15 % Cu |
| *Divers* | |
| **Amalgame des dentistes** | 70 % Hg, 30 % Cu |
| **Métal pour caractères d'imprimerie** | 82 % Pb, 15 % Sb, 3 % Sn |

## ÉLÉMENTS CHIMIQUES

| Nom | Symb. | N° atom. | Masse atom. | Nom | Symb. | N° atom. | Masse atom. |
|---|---|---|---|---|---|---|---|
| Actinium | Ac | 89 | (227) | Mendélévium | Md | 101 | (258) |
| Aluminium | Al | 13 | 26,98154 | Mercure | Hg | 80 | 200,59 |
| Américium | Am | 95 | (243) | Molybdène | Mo | 42 | 95,94 |
| Antimoine | Sb | 51 | 121,75 | Néodyme | Nd | 60 | 144,24 |
| Argent | Ag | 47 | 107,868 | Néon | Ne | 10 | 20,179 |
| Argon | Ar | 18 | 39,948 | Neptunium | Np | 93 | 237,0482 |
| Arsenic | As | 33 | 74,9216 | Nickel | Ni | 28 | 58,70 |
| Astate | At | 95 | (210) | Niobium | Nb | 41 | 92,9064 |
| Azote | N | 7 | 14,0067 | Nobélium | No | 102 | (255) |
| Barium | Ba | 56 | 137,34 | Or | Au | 79 | 196,9665 |
| Berkélium | Hk | 97 | (247) | Osmium | Os | 76 | 190,2 |
| Béryllium | Be | 4 | 9,01218 | Oxygène | O | 8 | 15,9994 |
| Bismuth | Bi | 83 | 208,9804 | Palladium | Pd | 46 | 106,4 |
| Bore | B | 5 | 10,81 | Phosphore | P | 15 | 30,97376 |
| Brome | Br | 35 | 79,904 | Platine | Pt | 78 | 195,09 |
| Cadmium | Cd | 48 | 112,40 | Plomb | Pb | 82 | 207,2 |
| Caesium | Cs | 55 | 132,9054 | Plutonium | Pu | 94 | (244) |
| Calcium | Ca | 20 | 40,08 | Polonium | Po | 84 | (209) |
| Californium | Cf | 98 | (251) | Potassium | K | 19 | 39,098 |
| Carbone | C | 6 | 12,011 | Praséodyme | Pr | 59 | 140,9077 |
| Cérium | Ce | 58 | 140,12 | Prométhéum | Pm | 61 | (145) |
| Chlore | Cl | 17 | 35,453 | Protactinium | Pa | 91 | 231,0359 |
| Chrome | Cr | 24 | 51,996 | Radium | Ra | 88 | 226,0254 |
| Cobalt | Co | 27 | 58,9332 | Radon | Rn | 86 | (222) |
| Cuivre | Cu | 29 | 63,546 | Rhénium | Re | 75 | 186,207 |
| Curium | Cm | 96 | (247) | Rhodium | Rh | 45 | 102,9055 |
| Dysprosium | Dy | 66 | 162,50 | Rubidium | Rb | 37 | 85,4678 |
| Einsteinium | Es | 99 | (254) | Ruthénium | Ru | 44 | 101,07 |
| Erbium | Er | 68 | 167,26 | Samarium | Sm | 62 | 105,4 |
| Etain | Sn | 50 | 118,69 | Scandium | Sc | 21 | 44,9559 |
| Europium | Eu | 63 | 151,96 | Sélénium | Se | 34 | 78,96 |
| Fer | Fe | 26 | 55,847 | Silicium | Si | 14 | 28,086 |
| Fermium | Fm | 100 | (257) | Sodium | Na | 11 | 22,98977 |
| Fluor | F | 9 | 18,99840 | Soufre | S | 16 | 32,06 |
| Francium | Fr | 87 | (223) | Strontium | Sr | 38 | 87,62 |
| Gadolinium | Gd | 64 | 157,25 | Tantale | Ta | 73 | 180,9479 |
| Gallium | Ga | 31 | 69,72 | Technétium | Tc | 43 | (97) |
| Germanium | Ge | 32 | 72,59 | Tellurium | Te | 52 | 127,60 |
| Hafnium | Hf | 72 | 178,49 | Terbium | Tb | 65 | 158,9254 |
| Hélium | He | 2 | 4,00260 | Thallium | Ti | 81 | 204,37 |
| Holmium | Ho | 67 | 164,9304 | Thorium | Th | 90 | 232,0381 |
| Hydrogène | H | 1 | 1,0079 | Thulium | Tm | 69 | 168,9342 |
| Indium | In | 49 | 114,82 | Titane | Ti | 22 | 47,90 |
| Iode | I | 53 | 126,9045 | Tungstène (wolfram) | W | 74 | 183,85 |
| Iridium | Ir | 77 | 192,22 | Uranium | U | 92 | 238,029 |
| Krypton | Kr | 36 | 83,80 | Vanadium | V | 23 | 50,9414 |
| Lanthanum | La | 57 | 138,9055 | Xénon | Xe | 54 | 131,30 |
| Lawrencium | Lr | 103 | (260) | Ytterbium | Yb | 70 | 173,04 |
| Lithium | Li | 3 | 6,941 | Yttrium | Y | 39 | 88,9059 |
| Lutécium | Lu | 71 | 174,97 | Zinc | Zn | 30 | 65,38 |
| Magnésium | Mg | 12 | 24,305 | Zirconium | Zr | 40 | 91,22 |
| Manganèse | Mn | 25 | 54,9380 | | | | |

**Note :** Les masses atomiques (masse atom.) des éléments sont établies à partir du nombre exact 12, attribué comme masse atomique au principal isotope du carbone : le carbone 12. Elles nous ont été aimablement communiquées par *l'International Union of Pure and Applied Chemistry* (I.U.P.A.C.) et les *Butterworths Scientific Publications.*

Les valeurs entre parenthèses concernent certains éléments radioactifs dont la masse atomique exacte ne peut être établie que si l'on connaît l'origine de l'isotope ; on a noté dans chaque cas la masse atomique de l'isotope possédant la plus longue période.

Les éléments portant les numéros atomiques 104 et 105 ont été respectivement découverts en 1969 et 1970 et ont reçu les noms de Rutherfordium (104) et Hahnium (105), mais ces noms ne deviendront officiels qu'après approbation de l'I.U.P.A.C.

## QUELQUES POIDS SPÉCIFIQUES

| Substance | En g/cm³ |
|---|---|
| Acier (inoxydable) | 7,8 |
| Alcool | 0,8 |
| Aluminium | 2,7 |
| Amiante | 2,4 |
| Argent | 10,5 |
| Benzène | 0,7 |
| Beurre | 0,9 |
| Bitume | 1,0 |
| Bois | |
| acajou | 0,8 |
| balsa | 0,2 |
| bambou | 0,4 |
| cèdre | 0,55 |
| hêtre | 0,75 |
| teck | 0,9 |
| Borax | 1,7 |
| Charbon de bois | 0,4 |
| Chaux | 2,6 |
| Corindon | 4,0 |
| Cuivre | 8,9 |
| Diamant | 3,5 |
| Eau | 1,0 |
| Eau de mer | 1,03 |
| Étain | 7,3 |
| Glace (à 0 °C) | 0,92 |
| Granite | 2,7 |
| Huile | |
| de pétrole | 0,8 |
| d'olive | 0,9 |
| Iridium | 22, 42 |
| Lait | 1,03 |
| Liège | 0,25 |
| Marbre | 2,7 |
| Nylon | 1,14 |
| Or | 19,3 |
| Osmium* | 22,57 |
| Pétrole | 0,8 |
| Plâtre de Paris | 1,8 |
| Platine | 21,9 |
| Plomb | 11,3 |
| Polyéthylène | 0,93 |
| Polystyrène | 1,06 |
| P.V.C. | 1,4 |
| Sable | 1,6 |
| Talc | 2,8 |
| Térébenthine | 0,85 |
| Tungstène | 19,3 |
| Uranium | 19,2 |

*Le plus dense de tous les éléments mesurables.

# INDEX

Les nombres en italiques renvoient aux illustrations.

## A

## B

## C

## D

## E

## F



## G

## H

## I



## J



## K



## L

## M

## P

## Q



## R

## S

## T

## U



## V